D0241348

François Harer

FIDEL CASTRO

Journaliste, spécialiste des affaires étrangères, correspondant du *New-York Times* de 1953 à 1972, Tad Szulc a couvert de nombreux événements politiques et diplomatiques dans le monde entier ; il est l'auteur de quatorze ouvrages consacrés aux problèmes internationaux.

Il a rencontré Castro pour la première fois en 1959, au moment de la révolution cubaine. En visitant avec lui les sites et les plages de la Baie des Cochons, Castro lui a raconté sa propre vision de cette affaire. Pour écrire cette biographie, Szulc est retourné trois fois à Cuba.

Il vit à Washington.

TAD SZULC

FIDEL
CASTRO

Trente ans de pouvoir absolu

Traduit de l'américain par
MARC SAPORTA
avec la collaboration de
SABINE BOULONGNE et BRIGITTE DELORME

du Roseau

Pour Marianne — encore.

Tous droits de traduction, de reproduction et d'adaptation
réservés pour tous pays.

Tad Szulc, *Fidel, a Critical Portrait,*
William Morrow and Company, Inc., New York.

Copyright © 1986 by Tad Szulc.

Copyright © Payot, Paris 1987
pour la traduction française.

Édition pour le Canada : Éditions du Roseau, Montréal

Distribution : Diffusion Raffin
7870, Fleuricourt, St-Léonard, Qué.
H1R 2L3 Canada
ISBN : 2-920083-30-9

Dépôt légal : 3ᵉ trimestre 1987
Bibliothèque Nationale du Québec
Bibliothèque Nationale du Canada

AVERTISSEMENT

Le 11 février 1985, peu après minuit, le Président cubain Fidel Castro Ruz me posa la question suivante, à l'issue d'un long entretien que nous venions d'avoir dans son bureau :

— Vos convictions politiques et idéologiques vous permettront-elles de raconter objectivement mon histoire et celle de la Révolution, dès lors que le gouvernement cubain et moi-même vous aurons fourni la documentation nécessaire ?

Puis il ajouta : — Nous pourrions courir de gros risques avec vous.

Ainsi s'achevait une série de cinq entretiens prolongés que le Président Castro avait bien voulu m'accorder au Palais de la Révolution, à La Havane, pendant que je préparais le présent ouvrage, et nous avions abordé un large éventail de sujets concernant sa personnalité et sa vie. A sa question, je répondis qu'à mon avis, l'objectivité totale n'existait pas, mais que je m'engageais à traiter ce « portrait » avec la plus grande honnêteté possible. Je lui fis remarquer qu'étant hommes d'honneur l'un comme l'autre, nous ne saurions laisser nos idéologies, pour incompatibles qu'elles fussent, entacher l'intégrité de la rédaction.

« Rien ne vous empêche de me faire passer pour le diable, tant que vous restez objectif et que vous ne déformez pas mes paroles », me dit-il. Après quoi nous échangeâmes une chaleureuse poignée de mains.

Mes premières conversations avec Fidel Castro avaient eu lieu en 1959, peu après le triomphe de sa Révolution ; j'étais alors correspondant du *New York Times* à La Havane. En 1961, je l'accompagnai au cours d'une visite sur le champ de bataille de la Baie des Cochons. En janvier 1984, je retournai à Cuba interviewer le Président Castro pour le magazine *Parade*, et l'idée de ce livre naquit au cours d'un week-end prolongé passé en sa compagnie tant à La Havane qu'à la campagne, pendant que nous dissertions des heures durant. Je lui avais fait observer qu'il n'existait à son sujet aucune biographie digne de foi, aucune analyse globale de la Révolution, et qu'il devait à l'Histoire de pallier ces lacunes.

Nous continuâmes à échanger des messages par l'intermédiaire de diplomates cubains en poste à Washington jusqu'à la fin de l'année, et décidâmes très vite qu'il ne pourrait être question d'une biographie officielle ni d'un portrait autorisé. Il devait plutôt s'agir d'une initiative personnelle bénéficiant toutefois de l'assistance du président Castro et de ses collaborateurs ; j'aurais en outre accès aux archives officielles de la Révolution. Au début de 1985, je passai un mois à la Havane, où une nouvelle série de rencontres eut lieu avec Fidel Castro. Puis ma femme et moi nous installâmes sur place dans une maison louée pour six mois, de mars à fin août (où le Président nous rendait visite de temps en temps). Il avait été entendu que mon manuscrit pourrait être publié sans qu'il en ait pris connaissance et ce fut effectivement le cas. Je suis cependant persuadé qu'en le lisant, même s'il est choqué par bon nombre de mes appréciations et conclusions, il sera bien forcé de reconnaître que j'ai tenu parole et fait preuve d'honnêteté. Fidel Castro sait fort bien que les autres ne le jugent pas toujours comme il se juge lui-même. Je n'abuse en aucune manière de sa confiance en me montrant critique à son égard. Il ne peut évidemment s'agir d'une biographie définitive, puisque le Président est en vie et qu'il n'a pas achevé son œuvre. Seule la prochaine génération d'historiens sera sans doute en mesure d'entreprendre une biographie autorisée de ce personnage extraordinaire. Ce « portrait critique » a pour objet de saisir sa personnalité et les événements de sa vie tels qu'ils peuvent être reconstitués au stade actuel. Il n'est pas question ici d'une histoire de la révolution cubaine — ni même des relations entre Cuba et les Etats-Unis — et c'est la raison pour laquelle j'ai évité d'étudier en profondeur les réussites et les échecs qui ont accompagné ce grand événement historique. Il n'empêche que Fidel Castro est indissociable de sa Révolution. L'histoire cubaine contemporaine sert donc de toile de fond à ce portrait.

Pour mener à bien mon récit, outre mes conversations avec Fidel Castro lui-même, j'ai interviewé ses amis, collaborateurs et compagnons d'armes. Un grand nombre de Cubains familiarisés avec la personnalité complexe de leur Président, ou avec les tenants et aboutissants de la Révolution, m'ont également prêté leur concours. J'ai eu le loisir de voir Fidel Castro en action à maintes reprises ; je suis allé à des réceptions organisées au Palais de la Révolution, j'ai visité la prison de l'Ile de la Jeunesse (anciennement l'Ile des Pins), où il fut incarcéré pendant près de deux ans sous le régime de Batista. Je suis retourné à la Baie des Cochons, et en compagnie de ma femme, j'ai escaladé la Sierra Maestra jusqu'au poste de commandement que Castro occupait pendant les hostilités, afin de me faire une idée de l'environnement dans lequel il se battait. Nous allâmes aussi inspecter le lieu de débarquement de la *Granma*, à bord de laquelle il regagna son pays après son exil au Mexique, en compagnie des autres rebelles, ainsi que le champ de bataille tout proche de là, où la Révolution de Fidel Castro faillit trouver sa fin, trois jours après avoir commencé.

Parmi les personnalités cubaines que j'ai interrogées et dont la patience a permis au présent ouvrage de voir le jour, il me faut citer : José Ramón Fernández Alvarez, Vice-Président cubain et ministre de l'Education ; Pedro Miret Prieto, membre du Bureau Politique du Parti communiste et l'un des plus anciens collaborateurs du Président ; le vice-président Carlos Rafael Rodríguez ; Armando Hart Dávalos, ministre de la Culture et membre du Bureau Politique ; Ramiro Valdés Menéndez, ancien ministre de l'Intérieur et compagnon d'armes proche de Fidel Castro ; Faustino Pérez et Universo Sánchez, qui se trouvaient aux côtés de Castro au moment où la situation faillit tourner à la catastrophe ; Alfredo Guevara, dont l'amitié avec le Président remonte à leurs années d'université et à leurs premières expériences révolutionnaires ; Guillermo García, ancien membre du Bureau Politique et ministre des Transports, qui fut aussi le premier paysan de la Sierra Maestra à rejoindre l'Armée rebelle ; Blás Roca, ancien secrétaire général du parti communiste ; Fabio Grobart, l'un des cofondateurs de ce parti en 1925 ; Melba Hernández, qui combattit auprès de Fidel lors de l'assaut de la caserne Moncada et qui fut également l'un des premiers membres du mouvement révolutionnaire ; Vilma Espín, Présidente de la Fédération des Femmes cubaines et membre du Bureau Politique (elle est aussi l'épouse de Raúl Castro) ; enfin, Conchita Fernández, secrétaire particulière de Fidel Castro durant les premières années de la Révolution.

Il m'est impossible de mentionner ici toutes les personnalités officielles cubaines, les amis et connaissances issus des milieux politiques et culturels de l'Ile qui m'auront apporté leur soutien dans mes recherches. Des diplomates étrangers m'ont aussi beaucoup aidé dans la conduite de mes travaux, et parmi eux, je tiens à citer Clara Nieto Ponce de León, ancienne Ambassadrice de Colombie à Cuba, qui, à l'époque de notre séjour, dirigeait les bureaux de l'Unesco à La Havane. Des paysans de la Sierra Maestra qui connurent Castro au moment de la guerre m'ont fourni de remarquables comptes rendus des événements d'alors. Citons pour finir Alfredo Ramírez Otero et Walfredo Garciga, du ministère des Affaires étrangères, qui se sont chargés de coordonner mes recherches et mes interviews sur place, à La Havane.

Par ailleurs, j'ai eu diverses conversations extrêmement fructueuses aux Etats-Unis, notamment avec Jorge Domínguez, de l'Université Harvard, Nelson Valdés, de l'Université de New Mexico, Wayne S. Smith, chef du Bureau des Intérêts américains à La Havane, George Volsky, journaliste à Miami et grand expert de la question cubaine, Max Lesnick, camarade d'université de Castro, aujourd'hui éditeur à Miami. Un grand nombre de Cubains, qui ont côtoyé Fidel Castro en pension ou à l'université et qui vivent actuellement en exil aux Etats-Unis, ont accepté de partager leurs souvenirs avec moi. Je tiens en particulier à exprimer ma gratitude à Ambler H. Moss, recteur de l'Ecole des Hautes études internationales de l'Université de Miami, ainsi qu'à Jaime Suchlicki, directeur de l'Institut des Etudes inter-américaines de l'Université de Miami, pour leurs admirables travaux et le soutien intellectuel qu'ils ont bien voulu m'apporter. Gabriela Rodríguez m'a aidé dans mes recherches avec beaucoup d'intelligence et d'ingéniosité. Mon épouse Marianne a pris part à toutes les phases de mon travail : les entretiens avec le Président Castro, les réceptions pour nos amis cubains à La Havane, l'ascension des montagnes cubaines, le tri des masses de documents que nous avons rapportés de Cuba, les recherches menées à Washington, la lecture, les corrections, puis la révision du manuscrit.

J'ajouterai que j'ai eu plaisir à travailler en collaboration avec Lisa Drew, directrice littéraire chez *William Morrow and Company*, mon éditeur. J'ai été heureux de pouvoir compter sur les idées et les encouragements fort appréciables de mes agents littéraires, Morton L. Janklow et Anne Sibbald.

Merci à tous.

T.S.

Washington D.C.,
juillet 1986.

PREMIÈRE PARTIE

INTRODUCTION

1

L'homme progresse à plat ventre, si lentement que son corps massif paraît presque immobile ; tout suant dans son treillis vert olive déchiré, il rampe prudemment au milieu d'un champ de jeunes cannes à sucre, jusqu'à se glisser sous une épaisse couche de feuilles qui le recouvre entièrement. Son visage est mal rasé ; il porte une paire de lunettes à monture de corne. Dans sa main droite, il serre un fusil à hausse télescopique, de fabrication belge, calibre .30-06 ; c'est son seul bien et il y tient comme à la prunelle de ses yeux.

Ce soldat de haute taille est un avocat de trente ans, appelé Fidel Alejandro Castro Ruz ; c'est l'apôtre le plus fervent d'une Révolution cubaine, sociale et politique, sans précédent ; or à cet instant même — le jeudi 6 décembre 1956, en plein midi — il lui faut affronter non seulement la fin imminente de ses rêves mais aussi la sienne.

Les Cubains connaissaient Castro depuis des années, comme un conspirateur tapageur mais velléitaire, un éternel perdant.

Pour le reste du monde, et notamment pour les Etats-Unis, tout proches, il n'était — au mieux — qu'un agitateur caraïbe comme tant d'autres, dont le gouvernement Eisenhower ne soupçonnait d'ailleurs même pas l'existence.

Cette ignorance reflétait bien l'attitude traditionnelle des Etats-Unis à l'égard de Cuba — le pays de l'hémisphère occidental qui ressemblait le plus à un protectorat américain : Washington n'avait pas à s'inquiéter de la politique cubaine ni des hommes qui la mettaient en œuvre, car les proconsuls américains en poste à la Havane savaient les tenir en lisières. Au mois de décembre 1956, nul n'aurait osé braver le ridicule en insinuant que, dans l'espace de quelques années, Castro instaurerait à Cuba le premier Etat communiste des deux Amériques !

D'ailleurs, Castro et sa minuscule bande de rebelles étaient sur le point de tomber entre les mains des troupes gouvernementales. Ils avaient débarqué quatre jours plus tôt sur la côte sud de l'Oriente (la province natale de Fidel), après une traversée périlleuse qui avait failli leur coûter la vie. Or, dès les premiers combats, les membres de ce petit corps expéditionnaire, affamés, brisés de fatigue, avaient été mis en déroute et s'étaient totalement dispersés. Cela s'était passé la veille au soir.

L'idée de se rendre aux soldats du Président Fulgencio Batista Zaldívar (le dictateur qu'il se disposait à renverser avec l'aide de ses quatre-vingt-un compagnons) n'effleura même pas ce fils d'Espagnol dur à cuire. Il conservait au contraire une foi absolue dans la victoire, comme seuls les visionnaires peuvent en avoir alors même que toutes les chances sont inévitablement, presque mathématiquement, contre eux...

La dernière fois que je suis allé voir Fidel Castro à La Havane, il approchait de son soixantième anniversaire. Je le trouvai d'humeur à philosopher sur la vie. Entre autres idées, il croyait fermement que seule sa destinée profonde l'avait conduit, plus d'un quart de siècle auparavant, à monter à l'assaut du pouvoir pour en atteindre la cime.

La conversation qui se prolongea tard ce soir-là, dans son bureau du Palais de la Révolution, porta plus généralement sur l'Histoire et sur la condition humaine. Castro opina, sans aucune affectation, que certains dirigeants étaient destinés à jouer un rôle capital dans les affaires du monde. Et qu'effectivement, il était de ceux-là.

Après quoi, il aborda son sujet favori en matière d'Histoire, à savoir que ces dirigeants avaient le pouvoir d'affecter « subjectivement » la réalité objective d'un pays. Cette notion est à ses yeux absolument essentielle à toute interprétation « correcte » de la révolution cubaine, attendu qu'il estime avoir prouvé l'inexactitude des thèses classiques propagées par ce qu'il est convenu d'appeler les communistes cubains « de l'ancienne école ». Ces derniers prétendaient qu'à Cuba, une révolution de masse telle que la préconisait Castro n'aboutirait jamais, en l'absence des « conditions objectives » nécessaires, définies par Karl Marx ; moyennant quoi, ces hommes avaient tourné le dos à l'insurrection *fidelista* jusqu'aux tous derniers moments. Paradoxalement, Fidel Castro (qui n'appartenait pas au Parti) avait donc fini par mettre le grappin sur les communistes cubains, et non pas l'inverse. Etant donné la situation dans laquelle ils s'étaient fourrés, il ne restait d'ailleurs pas d'autre solution.

En réalité, dans les premiers temps, les communistes orthodoxes avaient eu plus de mal encore à avaler l'hérésie idéologique de Castro, selon laquelle « la personnalité d'un homme peut se transformer en facteur objectif » dans une situation politique en évolution. Cette théorie leur paraissait refléter une fatuité intolérable, car bien entendu, dans ce contexte, c'était à lui-même que Castro pensait. Le parti marxiste-léniniste cubain traditionnel, placé depuis trente ans sous la houlette de Moscou, pouvait difficilement croire que la personnalité d'un seul homme pût, effectivement, déclencher une révolution nationale. Seul Fidel Castro et ses *Fidelistas* les plus inébranlables étaient capables d'imaginer une chose pareille.

De toute façon, le parti communiste cubain — alors connu sous le nom de Parti populaire socialiste et frappé d'interdiction par Batista après le coup d'état du 10 mars 1952 — avait toujours limité ses activités à l'organisation de mouvements de grève et à la conclusion d'alliances, au sein de « fronts populaires » avec des hommes politiques « bourgeois » (y compris Batista lui-même, dans les années quarante). On est en droit de supposer qu'en 1956, il recevait ses instructions (et ses idées) du Kremlin. Or, de toute évidence, les Soviétiques n'avaient pas su tirer la leçon de la guerre civile chinoise au terme de laquelle Mao Tsé-toung avait démontré que, contrairement à la théorie stalinienne, le communisme n'avait aucune chance de l'emporter sans le soutien inconditionnel de la paysannerie, quels que fussent ses succès en milieu urbain.

Certes, Fidel Castro ne préconisait pas une révolution paysanne à Cuba. Mais toute sa stratégie reposait bel et bien sur une guérilla qui bénéficierait d'abord de l'appui des paysans, dans la montagne, pour s'étendre à toute l'île au moment voulu. C'était un concept que les communistes, trop frottés d'idéologie, n'arrivaient pas à admettre. Aussi, en novembre 1956, le parti communiste cubain avait envoyé secrètement au Mexique un émissaire pour dissuader Castro de proclamer son intention de débarquer à Cuba dans les mois suivants avec ses hommes résolus à « être libres ou martyrs ». Le comportement des communistes envers lui, à ce stade comme par la suite, est le reflet d'un rapport à la fois extrêmement fascinant et complexe, qui constitue l'axe politique de la révolution cubaine. Or ce rapport est demeuré pour ainsi dire inexploré jusqu'à ce jour.

Bien que les communistes cubains de la vieille école ne fussent pas capables de le comprendre à l'époque (Moscou et Washington ne sont sans doute pas encore en mesure de le concevoir aujourd'hui même), Fidel Castro a principalement édifié sa révolution sur les antécédents passionnels de l'histoire cubaine. Il a puisé aux sources profondes des guerres d'Indépendance contre le colonialisme espagnol vers le milieu du dix-neuvième siècle ; c'est là qu'il a trouvé ses thèmes révolutionnaires indissociables : nationalisme, extrémisme, populisme et justice sociale. Quel qu'ait été le moment de sa conversion personnelle au marxisme, Castro a attendu plus de deux ans après sa victoire pour se réclamer publiquement du socialisme ; cette attitude obéissait peut-être à des considérations tactiques, mais n'en révélait pas moins une bonne connaissance des sentiments des Cubains envers la révolution de la Sierra Maestra.

Les deux idoles politiques les plus vénérées parmi les socialistes cubains sont Karl Marx et José Martí — le héros des guerres d'indépendance et l'un des plus brillants penseurs de l'Amérique latine. Leurs portraits figurent partout ensemble (quelquefois avec celui de Lénine). Martí, qui sut dès le départ mettre Cuba et les Caraïbes en garde contre les ambitions américaines, a toujours été le modèle de Castro. C'est son buste, et non pas celui de Karl Marx, qui monte la garde dans toutes les écoles publiques cubaines, même les minuscules établissements que le régime révolution-naire a fait construire au fin fond des régions montagneuses les plus reculées. Au fil de ses discours, Castro rappelle régulièrement à son auditoire que la conscience historique et le nationalisme cubains ont contribué, autant que le marxisme, au succès de la Grande Révolution. En 1978, vingt ans après son triomphe, il répétait encore à l'adresse de ses concitoyens et du monde entier : « Nous sommes non seulement marxistes-léninistes mais aussi nationalistes et patriotes. »

Depuis 1965 que Fidel Castro mène la danse en qualité de Premier Secrétaire du parti communiste cubain (il lui a fallu près de sept ans après l'avènement du *Fidelismo* pour faire de Cuba un Etat communiste à part entière), sa conception de ce qui est « objectif » et « subjectif » a eu le temps de s'imposer en toute clarté à l'esprit des marxistes-léninistes de l'île. Fidel lui-même considère que *sa* propre façon d'envisager la stratégie révolutionnaire a apporté une contribution pratique et essentielle au marxisme scientifique ; il est vrai que, malgré son exceptionnelle intelligence, il a relativement peu contribué au développement des théories marxistes ou de la pensée marxiste en soi, car il est avant tout un homme d'action.

A soixante ans, les cheveux et la barbe grisonnants, Castro cherche à donner une nouvelle dimension à son action. Dans la tradition de José Martí, il s'arroge le rôle du grand mobilisateur du continent latino-américain ; il en est le doyen, parmi les chefs d'Etat. Apparemment satisfait de ses succès idéologiques et constitutionnels à la tête de son pays, il se tourne désormais vers de nouveaux objectifs. Si tel est son point de vue sur ses propres réalisations, l'histoire dira peut-être qu'en réalité, elles laissent beaucoup à désirer. Certes, la Révolution a valu à Cuba d'extraordinaires progrès en matière de justice sociale et d'égalité ; un grand pas a été fait dans le domaine de la santé publique et de l'éducation, sans parler d'une redistribution équitable du patrimoine national — et tout le mérite en revient à Fidel Castro. Cependant, à force de vouloir imposer précipitamment ses vues les plus originales, il n'a pas pris le temps de satisfaire aux impératifs quotidiens, astreignants, que suppose l'édification d'une société nouvelle. Son besoin d'autorité absolue l'a empêché de déléguer ses pouvoirs de décision à ses subordonnés, de sorte que Cuba continue à pâtir désespérément d'une absence de gestion (politique et économique) au plus haut niveau ; le succès à long terme de la Révolution pourrait en être compromis.

Depuis deux ou trois ans, Fidel Castro consacre une partie étonnante de ses activités publiques ou privées à ses nouvelles perspectives : il passe des heures entières à examiner les problèmes de l'hémisphère sud dans le cadre de réunions extraordinaires ; développe ses thèmes à l'envi dans des discours et des interviews, toujours plus nombreux. La propagande officielle rabâche aux Cubains le mythe de Simon Bolivar et impose à leur conscience le souvenir de ce grand homme du dix-neuvième siècle, qui fut le « Libérateur » de presque toute l'Amérique latine, mais s'efforça vainement d'unifier les nouvelles nations au lendemain de leur accession à l'indépendance. On voit ainsi la fascination irrésistible que l'exemple de Bolivar exerce sur Castro. A l'occasion d'un discours prononcé à La Havane en 1985, il est allé jusqu'à reprendre le cri de guerre de Bolivar : « L'unité, l'unité... ou l'anarchie vous dévorera. » Ainsi s'exprime la conviction profonde de Castro selon laquelle certains hommes d'envergure sont appelés à changer le cours de l'histoire.

Cette certitude est née bien des années plus tôt, un certain jour de décembre, dans un champ de canne à sucre de la province d'Oriente, où

Fidel Castro essuyait simultanément un bombardement aérien et un feu roulant d'armes automatiques. Beaucoup plus tard, il devait admettre, en présence d'un visiteur américain, que les jours et les nuits qu'il avait passés dans ce champ, au cœur d'une région déserte inexplicablement baptisée Alegría de Pío (la Joie de Pío), en compagnie de deux camarades, furent incontestablement le « pire moment » d'une existence placée pourtant sous le signe de la violence. Il devait en outre mentionner que le fait d'être tombé dans le piège tendu par l'armée à cet endroit avait été pour lui un choc encore « plus brutal » que son arrestation en 1953, après l'attaque d'un quartier général des troupes de Batista, par une bande de rebelles à peine armés. Castro « ne tient pas à s'étendre » sur l'embuscade d'Alegría de Pío. Il n'est pas homme à s'attarder sur un échec.

De fait, il n'a jamais commenté cet incident en public, et s'est contenté d'admettre que des forces « très supérieures aux nôtres nous ont attaqués par surprise et mis en déroute ». Un jour que nous prenions un verre avant le dîner dans un pavillon de chasse à l'ouest de l'île, Castro a dessiné pour moi les contours de la côte où ses rebelles avaient débarqué, dans la province d'Oriente — il s'est mis à m'expliquer les terribles problèmes de navigation qu'ils avaient rencontrés au cours de leur traversée, après m'avoir écrit l'incroyable médiocrité de leur entraînement au Mexique. Mais il s'abstint d'évoquer les premières journées de la guérilla.

L'affaire d'Alegría de Pío représenta évidemment un moment décisif dans la vie de Castro, ainsi que pour sa Révolution. L'histoire du monde et celle de Cuba en particulier auraient évolué différemment si cet homme avait été moins déterminé — et surtout s'il n'avait pas eu tant de chance. Car la chance de Fidel Castro est un thème qui resurgit constamment dans sa biographie.

En attendant, il n'est pas aisé de se faire une idée précise de la personnalité de Fidel Castro. Ce visage barbu a beau être l'une des physionomies les plus connues du monde contemporain ; ses opinions sur tous les sujets possibles et imaginables (il a des avis sur tout, de la médecine à la haute cuisine) ont donné lieu à des torrents de mots, et elles ont fait l'objet de milliers de discours ; mais, conspirateur dans l'âme, il a l'habitude du secret et il est passé maître dans l'art de se dissimuler aux yeux des autres. Aussi Castro décourage-t-il systématiquement toute tentative faite pour analyser dans le détail son passé ou l'histoire de la Révolution — pas question, en tout cas, de publier quoi que ce soit sur le sujet.

Plutôt introverti, d'humeur changeante en dépit des apparences, étonnamment timide au premier abord, le Président Castro tient manifestement à ce que l'on fasse l'impasse sur son passé, et en particulier sur son enfance. Dès qu'il s'agit d'informations susceptibles, selon lui, de porter atteinte à son image de marque telle qu'il la conçoit, il fait preuve de la plus grande prudence. Pas un seul portrait de lui n'est exécuté hors de sa surveillance, de la première esquisse aux ultimes retouches — de même qu'il dirige d'ailleurs personnellement tout ce qui se passe à Cuba. Cet expert du passé, virtuose de la politique, sait combien il est important pour sa stratégie d'imposer ses vues à l'Histoire.

Depuis quelque temps, cet homme élevé par les Jésuites, converti au marxisme-léninisme, s'est employé activement à prouver dans ses propos ou ses écrits l'existence de ce qu'il considère intellectuellement comme une identité de vues entre chrétiens et marxistes sur la mise en œuvre d'une justice sociale. Depuis que Jean-Paul II est devenu le souverain pontife, Castro s'est souvent félicité de l'intérêt que la papauté porte aux déshérités du Tiers monde (Cuba et le Vatican ont toujours maintenu leurs relations diplomatiques, et Castro dîne quelquefois en privé avec le nonce apostolique accrédité auprès du gouvernement cubain). Il a été question d'une entrevue entre le Pape et lui. En février 1986, se sont tenues à La Havane des Rencontres ecclésiastiques nationales, qui ont réuni le plus grand nombre de catholiques cubains depuis la Révolution.

L'idée d'une synthèse entre le socialisme révolutionnaire « à sa manière » et la religion chrétienne lui est très présente à l'esprit, de façon à la fois intellectuelle (quand il vante la « théologie de la libération » — puissant mouvement de justice sociale à l'œuvre dans l'Eglise catholique moderne, en Amérique latine), et mystique (lorsqu'il se penche sur la notion de martyre). En 1985, Fidel Castro s'est entretenu longuement avec un dominicain brésilien, auquel il a confié : « Je suis certain que le sacrifice d'un révolutionnaire repose aujourd'hui sur les mêmes bases que l'immolation d'un martyr, jadis au nom de sa foi. » Ce à quoi il ajouta que sans « altruisme », il n'est point de « héros religieux ou politique ». Il déclara aussi que « s'il est un nom que les réactionnaires ont abhorré autant que celui de communiste, en d'autres temps, ce fut bien celui de chrétien. » Etant donné les tensions politiques explosives que l'on enregistre sur le continent sud-américain, et la nouvelle orientation qu'y a prise la « jeune » Eglise catholique, il ne s'agit pas là d'un simple exercice théorique pour Castro. Il exprime ainsi ses conceptions stratégiques héritées de Bolivar, tout en révélant son propre mysticisme et une logique apprise à l'école des Jésuites.

Les sentiments de Castro envers son fils, Fidelito (âgé de cinq ans au moment du divorce de ses parents), semblent avoir été d'une vigueur peu commune, surtout si l'on songe que dès la naissance de l'enfant, Castro père fut tour à tour conspirateur (tout en pratiquant son métier d'avocat — gratuitement quand ses clients n'avaient pas le sou), prisonnier politique, émigré, guérillero et chef d'Etat. Pourtant, même dans les circonstances les plus difficiles, il s'est toujours arrangé pour voir son fils, même en le faisant pénétrer en fraude au Mexique à l'époque où les forces rebelles y recevaient clandestinement leur instruction militaire. Aujourd'hui, Fidelito est marié et père de deux enfants (même si l'on a de la peine à s'imaginer Fidel Castro en grand-père) ; c'est un physicien dont les Soviétiques ont assuré la formation professionnelle. De plus en plus en vue, il se montre souvent à la télévision quand il préside des rencontres scientifiques ou prend part à des réceptions, au Palais de la Révolution, en sa qualité de secrétaire général de la Commission nucléaire cubaine. Agé de quelque trente-cinq ans, il ressemble très exactement à ce qu'était son père au même âge. A La Havane, tout le monde sait que Fidel Castro a au moins un autre enfant adulte (et un petit-enfant), fruit d'une de ses liaisons, mais c'est un homme très secret, et en règle générale, les Cubains respectent sa vie privée, qu'ils évitent d'évoquer. Il ne s'est jamais remarié. Celia Sánchez, son amie dévouée et son ancienne compagne du temps de la guérilla, est morte d'un cancer en 1980 et personne ne l'a remplacée dans le cœur et la confiance de Fidel. Celia a sans aucun doute été la femme — et probablement aussi la personne — qui a le plus compté dans sa vie. Depuis son décès, aucun nom de femme n'a été associé publiquement à celui de Castro, comme le fut le sien, et l'on peut s'attendre à ce qu'il en soit ainsi désormais. Au milieu d'une foule de courtisans, Fidel Castro semble pourtant très seul.

Le père de Fidel, Angel Castro y Argiz, propriétaire foncier d'origine espagnole, eut neuf enfants, dont les deux aînés d'un premier mariage. Fidel, le cinquième du lot, et son jeune frère Raúl entretiennent de toute évidence des relations personnelles et politiques privilégiées et uniques en leur genre. (Raúl est l'héritier désigné du titre de Chef de l'Etat et du gouvernement, Premier secrétaire du parti communiste.) Ils ont vécu tous les épisodes de la Révolution côte à côte, même s'ils ne passent plus beaucoup de temps ensemble (Raúl a une femme et des enfants et apprécie beaucoup la vie de famille). On dit que, dans le passé, ils ont connu de violents désaccords, aujourd'hui apparemment oubliés. Les rapports de Fidel avec son frère aîné, Ramón, et sa demi-sœur, Lidia, sont agréables, quoique limités. Son demi-frère et deux de ses sœurs qui vivent à La Havane le voient très rarement. Une autre sœur habite au Mexique depuis longtemps. Une autre encore — Juana — est émigrée ; elle vit à Miami et taxe Fidel de dictateur communiste, à la moindre occasion, alors que, pendant la guerre de la Sierra, elle lui avait prêté son appui dévoué.

Aux temps de la guérilla, Castro avait fait mettre le feu aux champs de canne à sucre de sa famille, à titre d'exemple lors de la guerre économique qu'il avait déclarée aux riches de Cuba. Par la suite, aux termes de la réforme agraire décrétée dans le cadre de la Révolution, toutes ses terres familiales ont été nationalisées. Sa mère, ainsi que ses frères et sœurs, ont remis au gouvernement tous les titres de propriété dont ils avaient hérité, quoique la Señora de Castro eût été autorisée à conserver la vaste *finca* familiale jusqu'à sa mort, en 1963. (Le père de Fidel, décédé en 1956, avait légué ses biens à sa progéniture.) Conformément à la législation sur la réforme agraire de 1959, qui limitait à moins de 400 hectares la superficie maximale d'une propriété privée, les autorités confisquèrent la moitié du terrain des Castro — 780 hectares —, ainsi que les quelque 1000 hectares qu'ils louaient depuis toujours à des Américains propriétaires de plantations voisines. Peu après, ils cédèrent de leur plein gré les 400 hectares restants.

La question fondamentale qui se pose à propos de Fidel Castro, de la révolution de 1959 et de la conversion de l'île en un Etat communiste, est naturellement de savoir si toute cette aventure est le résultat logique de l'Histoire de Cuba, ou si elle constitue en réalité une aberration politique incroyable, suscitée avant tout par la personnalité extraordinairement puissante d'un seul homme. Castro, qui à une certaine époque émettait le souhait de voir surgir, parmi le peuple cubain, « des foules de Robespierre », insiste sur la nécessité historique des événements et sur le rôle subjectif qui lui revint.

La réponse définitive à cette question est par trop complexe pour être ramenée à quelques affirmations catégoriques ; il n'empêche que Castro a joué personnellement un rôle impressionnant dans le déclenchement et la conduite de la Révolution. Même si le goût du pouvoir avait été l'unique ressort de son action, ce qui n'est absolument pas le cas, il n'en reste pas moins qu'aucun dirigeant révolutionnaire, aucun chef d'Etat contemporain, n'a pris de tels risques personnels, ne s'est exposé aussi directement aux contraintes et aux rigueurs de la conspiration, de la rébellion et de la guerre ouverte. La côte de l'Oriente où débarquèrent les rebelles, les marécages touffus couverts de mangrove, qu'il leur fallut franchir sur plus d'un kilomètre, avant d'atteindre le littoral, le champ de bataille d'Alegría de Pío, les pistes de montagne qui serpentent dans la jungle de la Sierra Maestra, forment le décor le plus cauchemardesque que puisse imaginer un chef militaire. Mais Castro tenait si désespérément à remporter cette effarante guérilla qu'il continua sur sa lancée, et finit par lever une armée tout en bataillant.

Aucun chef politique en pleine possession de ses facultés mentales n'aurait quitté le Mexique pour rentrer à Cuba dans les conditions où le firent Castro et son groupe de quasi-fanatiques ; leur yacht avait été conçu pour accueillir une douzaine de passagers tout au plus et non pas quatre-vingt-deux hommes avec tout un arsenal militaire en plus. Quel autre homme politique, sans véritable expérience militaire, aurait supporté ces deux longues années au cœur de la Sierra Maestra souvent à court de vivres, d'armes et de munitions ; deux années de marches et de contremarches incessantes par monts et par vaux, menant ses bandes toujours plus nombreuses, de forêt en forêt, le long de sentiers boueux où les pierres roulaient sous le pied ? Or, moins de six semaines après le désastre d'Alegría de Pío, Castro eut l'audace d'attaquer un détachement de l'armée de Batista. Ce fut sa première victoire.

A l'aube de la Révolution soviétique, Lénine attendait tranquillement à Zurich que les choses se passent, sans participer aux combats et sans prendre de risques. Staline ne donna la preuve de son courage qu'en attaquant banques et trains à main armée et en faisant de la prison en Sibérie. Certes, Mao Tsé-toung occupa de vastes régions stratégiques à la tête d'importantes armées pendant presque toute la durée de la guerre du Kuomintang et du conflit sino-japonais ; mais ni au cours de la phase initiale de l'édification du communisme chinois, pas plus que durant la Longue Marche en 1934-35, il n'eut à subir les incessantes épreuves matérielles auxquelles Castro dut se soumettre physiquement à Cuba. En Yougoslavie, le Maréchal Tito opérait à l'abri d'un quartier général bien protégé, après quoi il eut droit au soutien de missions militaires dépêchées par les Anglais et les Américains. Au Vietnam, Ho Chi Minh avait fait de la prison, mais au moment du soulèvement contre la France, ce ne fut pas lui qui se trouva appelé à mener les troupes sur le champ de bataille.

Pour comprendre et définir la personnalité du Président cubain, il est donc essentiel de se rappeler son passé de guérillero. Il tient par-dessus tout à son titre de Commandant en chef et aux insignes de son rang qu'il arbore sur son uniforme militaire. De fait, la militarisation totale de la société cubaine procède du conditionnement qu'il a subi pendant ces années de formation. Il a été à rude école — celle de l'insurrection urbaine et celle de la guérilla dans la Sierra. Dans ces états de siège, il a acquis une mentalité d'assiégé désormais partagée par l'ensemble de la population, dans cette île entourée d'éléments hostiles, où la moitié des habitants au moins ont reçu une formation militaire qui leur permet de participer à la défense du pays — en cas de besoin — contre toute attaque éventuelle. Castro a également appris que, pour survivre, il lui faut être d'une intransigeance absolue et sans faille.

2

En ce jeudi plutôt frisquet de décembre 1956, Fidel Castro se préoccupait avant tout de savoir comment rompre l'encerclement, regrouper les survivants de sa petite troupe en déroute et poursuivre le combat, jusqu'à la victoire. Il lui fallait une foi inébranlable en ses chances de succès car, en bonne logique, son entreprise démente ne pouvait être que vouée à l'échec. Le régime de Batista avait en effet à sa disposition une armée de cinquante mille fantassins — avec de l'artillerie et des blindés, outre des forces maritimes et aériennes, sans compter une police officielle et une police secrète d'une efficacité redoutable.

Par ailleurs, le président Batista jouissait de l'appui total des Etats-Unis et avait accès à l'arsenal américain. Des tanks et du matériel d'artillerie étaient embarqués régulièrement dans des ports américains à destination de Cuba ; les appareils de l'Aviation cubaine allaient se ravitailler en combustible à la base navale américaine de Guantánamo, sur la côte d'Oriente où ils prenaient livraison d'explosifs et de bombes au napalm ; à La Havane, une mission militaire venue d'Amérique instruisait les forces armées cubaines. Tout cela confirmait qu'en réalité le pays était un véritable fief américain, depuis que l'Espagne avait perdu l'île de Cuba lors de la guerre de 1898 ; aussi Washington décourageait-il systématiquement tout changement de la situation existante.

Comment les Etats-Unis auraient-ils pu comprendre le phénomène Castro en 1956, alors que déjà la nature de l'ultime guerre d'indépendance cubaine, en 1895, leur avait échappé ? Louis A. Pérez, Jr., historien cubain anticommuniste, a décrit l'insurrection castriste en ces termes : « Ce fut une guérilla de libération nationale visant à une métamorphose de la société... elle reposait sur divers éléments : anti-impérialisme, extrémisme politique, réforme agraire, égalité raciale, justice sociale. » Or le gouvernement Eisenhower soutenait fermement Batista ; le vice-président américain, Richard Nixon, s'était d'ailleurs rendu à La Havane en visite officielle, peu de temps avant le débarquement de Castro dans la province d'Oriente. Mais ni les canons de Batista ni l'aide américaine n'impressionnèrent Castro le moins du monde ; à ses yeux, toute défaite était une victoire déguisée, qui raffermissait le courage et relevait le moral de ses hommes.

Au milieu du champ de canne à sucre, dissimulé sous un tapis de *paja* — de feuilles sèches —, le visage seul à découvert, Fidel émet un sifflement à peine perceptible. Une autre silhouette toute de vert vêtue se glisse subrepticement dans le champ ; jaillissant d'un fourré, elle traverse d'un bond un étroit sentier : ce n'est autre que Universo Sánchez Álvarez, un paysan un peu rustre, de haute stature, originaire de la province septentrionale de Matanzas ; il a occupé les fonctions de garde du corps auprès de Castro pendant toute la phase des préparatifs clandestins au Mexique. Comme son chef, il porte un fusil à hausse télescopique ; c'est un atout certain dans la situation fâcheuse où ils se trouvent. En revanche, il est pieds nus ; il a perdu ses bottes dans sa fuite, à Alegría de Pío, ce qui, pour un soldat, pose un grave problème. Puis un troisième homme les rejoint dans leur refuge, sous l'épais rideau de feuilles. Celui-là, c'est Faustino Pérez Hernández, un médecin de La Havane, plutôt fluet — l'un des deux chefs d'état-major de l'expédition rebelle. Faustino a conservé ses bottes ; par contre il n'a plus de fusil — terrible handicap aux yeux de Castro. Les deux hommes ont trente-six ans chacun, soit six ans de plus que Fidel, quoique la moyenne d'âge parmi les rebelles se situe aux environs de vingt-sept ans ; la plupart d'entre eux ont donc atteint une relative maturité. Comme Castro le fit remarquer, des années plus tard : « A ce moment-là, j'étais commandant en chef de moi-même et de deux autres. »

Enfouis sous une couche de feuilles, ils sont étendus tous les trois sur le dos, tout près les uns des autres, pour pouvoir communiquer sans faire de bruit. Castro s'éclaircit la gorge doucement et murmure triomphalement : « Nous sommes en train de gagner… La victoire est à nous ! » Universo et Faustino se taisent. Plus personne ne dit mot. A cet instant, Fidel Castro, Universo Sánchez et Faustino Pérez composent à eux seuls l'Armée rebelle au grand complet, toutes les unités combattantes du « Mouvement du 26 juillet » sous le commandement de Castro. Ce mouvement d'opposition à Batista a grandi dans la clandestinité des villes cubaines — depuis 1953, l'année où Castro a organisé et conduit l'attaque de la caserne Moncada à Santiago, capitale de la province d'Oriente. A la suite de cet épisode aussi catastrophique que sanglant, Fidel a passé vingt et un mois dans les prisons de Batista, mais il en a profité pour préparer le prochain coup qu'il allait porter au dictateur cubain. Au moment où Castro tente de se cacher dans un champ de canne, il est en train de mettre ce plan à exécution après l'exil volontaire qui a suivi sa détention. En fait, il vient de rentrer dans son pays, pour livrer bataille au régime de Batista — en commençant par organiser des opérations de guérilla dans la chaîne montagneuse de la Sierra Maestra.

En définitive, l'Armée rebelle va se limiter ainsi à trois hommes, et deux fusils, pendant treize jours entiers à dater du désastre d'Alegría de Pío — y compris cinq jours et cinq nuits passés sous la paja d'un champ de canne à sucre. Au bout de treize jours, dans une fermette de la Sierra, ils retrouvent Raúl Castro, qui commandait à l'origine l'une des trois sections de l'expédition ; Raúl s'était terré lui aussi dans un autre coin de la montagne depuis plusieurs jours, en compagnie de quatre hommes.

La troupe de Raúl disposait de cinq fusils et de munitions. Fidel Castro s'émut tellement à la perspective de commander une « armée » composée désormais de huit hommes et de sept armes, qu'il proclama avec plus d'emphase encore qu'à l'accoutumée : « Cette fois-ci, nous avons gagné vraiment la guerre... les jours de la tyrannie sont comptés ! » Quatre jours plus tard, sept autres rebelles, notamment Ernesto « Che » Guevara de la Serna, héros argentin de la Révolution cubaine, blessé lors des combats d'Alegría de Pío (et qui devait trouver la mort en Bolivie, en 1967, au cours d'une autre guérilla), rejoignaient les forces de Castro. Fidel était fou de joie.

Toutefois, en ce premier jeudi passé sur le sol cubain, Fidel, Faustino et Universo, après avoir longuement analysé la situation, à grand renfort de chuchotements, en étaient arrivés à la conclusion que la solution la plus sûre consistait à rester sur place sous leur couverture de feuilles aussi longtemps que ce serait nécessaire. Il leur fallait échapper d'une manière ou d'une autre aux douzième et treizième Escadrons de la Garde Rurale, un corps de gendarmerie armé jusqu'aux dents et doté d'artillerie, qui les avait pris par surprise et écrasés la veille et qui passait maintenant les environs au peigne fin pour capturer les survivants.

Si le gouvernement de Batista avait déjà annoncé la mort de Fidel et Raúl Castro et de quarante autres rebelles lors des combats du 5 décembre (nouvelle immédiatement diffusée dans le monde entier par l'intermédiaire de *United Press International*, à laquelle Castro ne pardonna jamais cette erreur journalistique), un rapport confidentiel du commandement des Escadrons de la Garde Rurale à l'adresse de son état-major à La Havane reconnaissait le jour même que Fidel Castro pouvait avoir réussi à prendre la fuite. De toute évidence, Batista avait compris qu'il fallait à tout prix retrouver Castro et le faire disparaître : la crédibilité politique du dictateur et la réputation de son Armée en dépendaient.

En conséquence de quoi, on appela l'Aviation en renfort pour épauler la Garde Rurale. Dès le milieu de la matinée, un appareil volant à basse altitude repérait trois groupes de rebelles isolés, dissimulés derrière un épais rideau d'arbres sur une colline juste au-dessus du champ de bataille d'Alegría de Pío. Le groupe de Fidel Castro figurait parmi eux, et ils essuyèrent l'attaque en rase-mottes de bombardiers légers B-26 bimoteurs à l'endroit où ils avaient passé la nuit.

Universo Sánchez avait été le premier à retrouver Fidel après la débâcle, et Faustino Pérez était tombé sur eux au crépuscule, une heure ou deux plus tard. Ils l'avaient entendu s'approcher et Fidel avait ordonné à Universo de tirer dans l'obscurité si la silhouette semblait être celle d'un soldat ennemi. Faustino avait identifié le nouveau venu juste à temps ; sinon l'Armée rebelle n'aurait plus compté que deux hommes. Malheureusement, Pérez apportait une triste nouvelle : celle de la mort probable de Che Guevara, grièvement blessé lors de l'affrontement (en réalité, le Che souffrait d'une blessure légère).

Les avions les ayant ratés à leur premier passage, le salut des trois rebelles dépendait de leur possibilité de gagner une autre planque. Impossible de rester à découvert. Fidel en tête, ils se ruèrent dans la direction du champ le plus proche pendant que les appareils se regroupaient dans le ciel. Les trois rescapés répétèrent cette manœuvre à plusieurs reprises jusqu'à ce qu'ils eussent atteint un fourré devant le champ qui, de l'avis de Fidel, paraissait le plus sûr. Ils s'y glissèrent à plat ventre, et s'installèrent sous le lit de feuilles sèches qui jonchait le sol.

Castro pensait que la Garde Rurale et l'aviation abandonneraient leurs recherches dans ce périmètre le soir venu, pour passer au secteur suivant. Cela permettrait aux trois rebelles de sortir du champ de canne pendant la nuit et de se mettre en marche vers les contreforts de la Sierra Maestra, à l'est, où des paysans sympathisants et des militants du Mouvement clandestin du 26 juillet leur apporteraient aide et protection. Faustino et Universo le dissuadèrent toutefois de se mettre en route immédiatement ; comme il insistait, Universo s'exclama : « Bon sang, Fidel, en bonne démocratie nous avons deux voix contre une : Nous restons. »

Là-dessus, ils entendirent des militaires crier des ordres, à quelques centaines de mètres, à peine, et perçurent le bruit métallique des mitraillettes Thompson que l'on fait passer de l'épaule à la main, ainsi que d'occasionnelles rafales d'armes automatiques. La troupe alla jusqu'à mettre le feu au champ de canne à sucre voisin — juste au sud de celui où les trois rebelles avaient trouvé refuge —, pour en déloger quiconque s'y serait terré, et une épaisse fumée bleuâtre s'étendit rapidement sur tout le vallon. Ils luttèrent désespérément pour retenir leur toux, de peur d'être entendus par les soldats. Un B-26 passa en mugissant au-dessus du champ en flammes pour le mitrailler en rase-mottes.

Pour Fidel et tous ses compagnons, les choses pouvaient difficilement aller plus mal. Pris au piège dans les champs de canne à sucre, ils souffraient aussi de la faim et de la soif. Le gros de leur équipement et de leurs approvisionnements, y compris les vivres, avait disparu au moment où leur yacht, la *Granma*, s'était échoué, à l'aube du 2 décembre, à quelques centaines de mètres de la côte. Tandis que les quatre-vingt-deux hommes du corps expéditionnaire progressaient lentement vers l'intérieur des terres, ils étaient entrés en contact avec les quelques paysans et charbonniers de la région, qui les avaient bien accueillis, partageant avec eux leur simple nourriture. Leur dernier repas chaud remontait au soir du 4 décembre — ils avaient pu toutefois se procurer des saucisses et des biscuits chez l'habitant avant de poursuivre leur chemin vers Alegría de Pío.

Ce fut la faim qui les trahit le lendemain. Une fois leurs rations de saucisses et de biscuits épuisées, les rebelles s'étaient mis à briser des tiges de canne à sucre en chemin pour en sucer le jus, après quoi ils jetaient les écorces par terre. Fidel avait fait comme les autres — sachant que le jus de canne était un excellent reconstituant énergétique. Mais les troupes de la Garde Rurale, toujours à la recherche des révolutionnaires depuis qu'ils avaient débarqué sur l'île (la Marine et l'Aviation de Batista avaient immédiatement repéré la *Granma* à demi naufragée au large de Los

Cayuelos), eurent tôt fait de repérer la piste marquée par les écorces de canne sucées et suivirent ainsi le groupe de Castro qu'ils finirent par encercler. Le désastre essuyé par les *Fidelistas* provenait donc de leur inexpérience des tactiques de la guérilla en terrain inconnu (les gendarmes, bien évidemment, avaient instantanément compris qu'ils avaient trouvé leur proie). C'était aussi une leçon que Fidel n'était pas près d'oublier.

Pour le moment, les trois hommes se contentent d'attraper prudemment les tiges les plus proches d'eux et d'en sucer le jus sucré et nourrissant. Ils passeront trois jours et trois nuits dans ce champ de canne à sucre (et deux jours et deux nuits supplémentaires dans un autre champ, plus à l'est) parce que les soldats de Batista refuseront de s'en aller ; à force de sucer des tiges, et faute de couteaux pour les fendre en deux, ils auront les lèvres en sang. Chaque matin, à l'aube, pour étancher leur soif, ils lèchent la rosée sur les feuilles humides dont la rugosité ne fait qu'aviver les plaies infectées qu'ils portent dans la bouche et sur la langue. Des pluies nocturnes occasionnelles ne servent qu'à inonder la terre — et à les tremper jusqu'aux os.

L'immobilité forcée est un autre facteur d'exaspération pour Fidel qui n'a jamais su rester en place. Il a décidé qu'ils devaient rester couchés sur le dos nuit et jour, afin qu'aucun mouvement ne puisse être décelé dans le champ de canne à sucre, ni de l'extérieur ni du dessus. Pour se soulager, ils doivent projeter leur urine le plus loin possible de leurs corps ; mais en ne mangeant rien, ils évitent la nécessité d'aller à la selle. Outre un inconfort physique intolérable, l'obligation de rester figés sur place leur inflige une extraordinaire tension nerveuse.

La première nuit, Castro a posé son fusil sur lui, la crosse coincée entre ses jambes et le canon appuyé sous son menton. Il a relâché le cran de sûreté et mis le doigt sur la gâchette. « Jamais je ne me laisserai prendre vivant par les soldats du tyran dans mon sommeil ! » a-t-il annoncé en un murmure dramatique. « S'ils me trouvent, j'appuierai sur la gâchette pour en finir. »

Ses deux compagnons se regardent avec incrédulité.

— Fidel, tu es cinglé ! souffle Universo. Moi non plus, je ne veux pas qu'on m'attrape, mais ce que tu fais là est suicidaire. Les crabes de terre abondent par ici, et il en suffirait d'un pour faire partir le coup, tu sais.

Castro a horreur qu'on le contredise ; il répond d'un ton boudeur :

— Ecoutez. Vous faites ce que vous voulez. Moi *je* vais dormir comme ça.

Et ce fut ainsi qu'il dormit toutes les nuits sous sa couverture de feuilles sèches, le canon de son arme sous le menton. Universo abandonna la partie et s'assoupit, son fusil dans les bras. Pour Faustino, la question ne se posait pas, il n'avait pas d'arme.

Le mutisme complet était bien le seul sacrifice que l'on ne pouvait attendre de Castro. Il lui était tout simplement impossible de se retenir de parler. Et pas seulement à cause de son besoin insatiable d'analyser en profondeur tous les sujets qui lui passaient par la tête (il n'est pas de ceux qui débitent des banalités, et quand il ouvre la bouche, c'est toujours pour traiter de choses sérieuses). Cloué au milieu de ce champ, il pensait furieusement à l'avenir, faisait des plans pour échapper à ses poursuivants, organisait déjà dans son esprit toute une armée de guérilleros, préparait la victoire, ébauchait dans leurs grandes lignes les lois et les mesures révolutionnaires à venir. Il parla ainsi nuit et jour, à voix basse et retenue, sans attendre vraiment de réponses ou de commentaires — c'était comme un monologue ou un discours à peine murmuré. Faustino Pérez, médecin progressiste et intellectuel, se souvient très bien des conférences-sous-les-feuilles de son commandant en chef :

« Fidel réfléchissait aux dispositions à prendre pour la suite de notre expédition jusqu'à la Sierra Maestra. Il était déjà convaincu que nous retrouverions nos compagnons. Nous partirions l'après-midi même, disait-il, ou le lendemain matin. Personnellement, à ce moment-là, je pensais qu'il nous serait peut-être possible d'obtenir une trêve, ficher le camp en tout cas, et tenter de nous réorganiser avant de revenir à la charge.

« Je n'eus même pas le loisir d'exprimer ce point de vue, car Fidel parlait déjà de regrouper tout l'effectif au complet pour continuer la lutte. Il n'était pas seulement question de retrouvailles dans les jours à venir. Pour lui, il ne faisait déjà plus aucun doute que ce regroupement aurait lieu ; et il en était déjà aux opérations ponctuelles auxquelles nous allions nous livrer pour étendre notre action — avec le concours des compagnons qui nous rejoindraient en route, mais aussi avec celui des paysans qui souhaiteraient adhérer à notre mouvement. En d'autres termes, il voyait déjà clairement tout ce qui allait se produire par la suite, alors que nous n'étions encore que trois et que nous ignorions totalement ce qu'il était advenu des autres.

« Pour arriver à communiquer, nous devions rapprocher nos têtes les unes des autres, parler d'une voix étouffée, sans timbre, car nous savions que l'ennemi n'était pas loin. Prêtant malgré tout à ces chuchotements son enthousiasme naturel, Fidel nous dévoilait ses projets d'avenir. Mais pas seulement ses projets. Pour la première fois, en effet, il nous entretint longuement d'une foule d'autres choses ; il nous parla du sens de la vie, de notre combat, de l'Histoire, de toutes ces questions-là. Et je peux vous dire que ce fut dans ces circonstances que ma compréhension de cet être, et ma confiance absolue en lui, se cristallisèrent. Parce que là-bas, dans ce champ de canne à sucre, il me fit découvrir ce que la gloire signifiait vraiment.

« Je me rappelle que, pour la première fois, je l'entendis citer la phrase de José Marti : " Toute la gloire du monde tient dans un grain de maïs. " Je connaissais déjà cette expression, mais pas dans ce contexte, pas dans le contexte dans lequel Fidel nous expliquait à présent ce que la lutte représentait pour un révolutionnaire, quel sens devait avoir cette lutte, quel sens devait avoir la vie pour un révolutionnaire, comment il devait se battre pour autre chose que ses ambitions personnelles, pas même pour la gloire... Il nous parla du besoin absolu que ressent le révolutionnaire de lutter pour les autres, pour son peuple, pour les humbles, et de la satisfaction qu'il en tire...

« Dans le domaine des idées, ce que je vous en dis, c'est ce qui me frappa le plus parmi les propos de Fidel. Mais il fut également question d'une foule d'autres sujets. De l'organisation du pays, du peuple cubain, de son Histoire, de son avenir. De la nécessité de déclencher une révolution, une véritable révolution. Nous ne parlions ni de marxisme ni de communisme à cette époque-là, mais d'une révolution sociale, d'une vraie révolution, et du rôle de l'impérialisme dans notre pays.

« Je peux vous avouer qu'il y eut un moment où je me dis à moi-même : " Mais enfin, si nous ne sommes que trois, à quoi bon tout cela, pourquoi parler de lutte et de victoire ? Fidel doit avoir perdu la tête ! " Et puis je réfléchissais un peu plus et les explications de Fidel me poussaient à examiner plus longuement la signification profonde de tout ce qui nous arrivait.

« Voyez-vous, Fidel ne croyait pas vraiment que les quatre-vingt-deux hommes qui composaient notre troupe — ni même le Mouvement du 26 juillet au grand complet, qui s'organisait dans tout le pays — mèneraient le peuple à la victoire. Ceux qui triompheraient, ceux dont les Cubains avaient véritablement besoin, formeraient un groupe d'avant-garde, qui ouvrirait aux autres la voie du succès. Et guidé par ce groupe qui lui montrerait le chemin, lui donnerait l'exemple, le peupe cubain s'engagerait librement dans l'action qui le conduirait à la victoire. Voilà pourquoi Fidel avait jugé bon d'aborder la question entre nous trois, avec le ferme espoir de rallier dix, quinze, cinquante combattants supplémentaires. Voilà ce qu'il cherchait à faire dans la Sierra : montrer l'exemple, allumer le flambeau, sachant que par contrecoup la nation tout entière entrerait certainement dans la lutte, chacun selon ses moyens. On assisterait alors au combat décisif. La lutte populaire, la lutte des masses. Telle était la grande leçon, la leçon de foi et d'optimisme — de réalisme aussi — que nous donnait alors Castro.

« En ce sens, Fidel avait une foi totale, une foi que l'on s'explique d'ailleurs difficilement car elle va véritablement au-delà de la foi. La foi peut être idéaliste, aveugle, dépourvue de fondement réel — mais dans le cas de Castro, cette confiance absolue reposait sur une base bien réelle. »

Et voici maintenant le souvenir qu'Universo Sánchez — ce paysan de Matanzas qui avait renié son adhésion de toute une vie au parti communiste pour rallier le Mouvement du 26 juillet parce qu'il trouvait que les communistes ne s'étaient pas suffisamment mobilisés contre Batista — a conservé du discours chuchoté par Fidel Castro, sous leur couverture de feuilles sèches, dans le champ de canne à sucre :

« A un moment donné, sans doute pour nous redonner, à Faustino et à moi, un peu de courage, Fidel se mit à nous raconter ce que seraient la Révolution et l'avenir. Il nous exposa son programme révolutionnaire et nous remonta effectivement le moral. Pas une seule fois, il ne se considéra vaincu. Il parlait toujours de rassembler le peuple. Je finis par me demander s'il n'était pas devenu fou. Je me disais : " Merde. Il a perdu la boule ! " Vous verrez, j'avais gravé mon nom sur la crosse de mon fusil avec la pointe de la baïonnette, pour que ma famille sache que j'étais mort quand ils m'auraient descendu ; pour qu'ils ne croient pas simplement que j'avais disparu. A cet instant, je n'avais plus guère d'espoir de m'en sortir vivant. C'est pour ça que j'ai gravé mon nom... Je pensais vraiment que Fidel devait être complètement fou pour s'imaginer pouvoir renverser le régime de Batista avec une poignée d'hommes. Il avait toujours dit qu'un jour, une foule de gens — de combattants — convergeraient vers la Sierra, et ce fut effectivement ce qui se produisit. Merde ! Dire que Fidel avait tout prévu ! Moi qui avais cru mourir, qui envisageais déjà ma mort ! »

Depuis lors, la loquacité de Fidel est entrée dans la légende ; l'épisode du champ de canne à sucre n'est qu'un exemple parmi tant d'autres. Castro est prêt à discourir pendant des heures, n'importe où, à tout moment. Un jour, après l'enregistrement d'une interview du Président cubain au Palais de la Révolution, à La Havane, pour la télévision américaine, en 1985, quelqu'un a demandé à Raúl Castro s'il avait assisté à toute la séance, pendant les cinq heures entières que son grand frère avait passées devant les caméras.

— Oh, mon Dieu, non, non..., répondit Raúl, qui a beaucoup plus d'humour que son aîné (Fidel ne rit jamais de lui-même, à moins qu'*il* ne soit l'auteur de la plaisanterie), avec un agacement feint. — Je crois que j'ai assez entendu Fidel parler pour que cela me suffise jusqu'à la fin de mes jours. Vous savez, quand ils m'ont enfermé avec lui, en 1954, dans la cellule où il était au secret depuis presque un an, dans le pénitencier de l'Ile des Pins, où nous purgions notre peine après l'attaque de la caserne Moncada, il m'a empêché de dormir pendant des semaines. Il en avait tellement assez d'être seul qu'il jacassait jour et nuit, jour et nuit...

De surcroît, Fidel Castro ne supporte aucune distraction de la part de son interlocuteur au cours d'un tête-à-tête. Pendant la conversation, il préfère en général rester debout plutôt que de s'asseoir — il a d'ailleurs tendance à arpenter la pièce d'un pas rapide, quand il s'échauffe à propos d'une idée ou de quelque affront dont il se croit victime dans un domaine ou un autre de la politique internationale — et si son visiteur n'est pas suspendu à ses lèvres, il risque de recevoir un coup de semonce sur le bras ou sur la poitrine.

Castro sait aussi écouter, fort bien même, dès lors que le sujet ou son interlocuteur l'intéresse. Quand il interroge, il cerne remarquablement vite et bien le fond du problème. On a souvent l'impression que l'envie de reprendre la parole le démange, mais le plus souvent, sa courtoisie et sa curiosité l'emportent — auquel cas, il garde le silence quelques longues minutes, tout en jouant avec son cigare, allumé ou éteint (jusqu'à ce qu'il ait cessé brusquement de fumer, vers la fin de 1985), ou en tortillant les poils de sa barbe entre la lèvre inférieure et le menton, dans un geste caractéristique qui indique chez lui un état de concentration extrême.

DEUXIÈME PARTIE

LES JEUNES ANNÉES
(1926-1952)

1

Un peu plus de trente ans après que José Martí, « Apôtre » de l'indépendance cubaine, eût été tué au combat par les troupes espagnoles, en 1895, Fidel Alejandro Castro Ruz naquit dans une *finca* de la province d'Oriente, à une quarantaine de kilomètres du champ de bataille de Dos Ríos. Au regard de l'Histoire, trois décennies forment un laps de temps très court — c'est à peu près la durée de la révolution de Castro lui-même, jusqu'à ce jour — et, en ce sens, la vie de Fidel a été, dès le début, étroitement liée aux luttes et aux symboles qui ont marqué le passé de Cuba.

Martí est le plus grand penseur et le plus célèbre héros national de l'île. Il a toujours été le modèle de Castro et en débarquant avec ses rebelles sur les rivages de Cuba, pour chasser un tyran, Fidel ne faisait que se plier au « code » de Martí. Ce dernier, chef du Parti révolutionnaire cubain, avait entamé la bataille finale de la guerre d'indépendance en lançant une proclamation à partir de son quartier général new-yorkais, le 29 janvier 1895, après quoi il avait débarqué d'un bateau à rames sur les côtes de l'Oriente deux mois plus tard, pour se joindre aux guérilleros en lutte contre les Espagnols. L'Apôtre fut tué le 19 mai, sur un cheval blanc, quelques semaines à peine après son retour d'exil. C'était un homme mince dont la santé avait presque toujours été précaire ; ses portraits nous révèlent un visage triste orné d'une abondante moustache pointue et d'un demi-bouc sous la lèvre inférieure ; au moment de sa mort il n'avait que quarante-deux ans.

Il était tout naturel pour Fidel Castro de chercher à identifier sa personne, le plus complètement possible, à celle du martyr ; et de façon tout à fait prévisible, peu après le succès de sa révolution, il fit un pèlerinage à Playitas, où avait eu lieu le débarquement historique du 2 avril 1895. L'épisode donna lieu à la réalisation d'un documentaire d'une heure, en couleur, qui fut programmé dans toutes les salles de cinéma et à la télévision ; au cours d'une scène spectaculaire, on y voyait Castro, en combinaison kaki, dressé, tout seul, sur la petite bande de sable blanc en forme de fer à cheval, raconter l'histoire du sacrifice de Martí. Puis les caméras le suivaient jusqu'à une petite cabane toute proche où Fidel demandait au seul témoin survivant, un alerte nonagénaire, de raconter les souvenirs qu'il conservait de cet émouvant épisode.

Les événements de 1895 et ceux de 1956 se prêtent à de nombreux parallèles, dans la mesure où Castro et Martí ont en commun bien des traits intellectuels, politiques ou affectifs. En effet, après d'innombrables tentatives pour venir à bout de la domination espagnole, Martí avait fini par se convaincre que le seul moyen de voir triompher une révolution à Cuba était de pratiquer une guerre de guérilla qui ferait tache d'huile ; Castro était parvenu à la même conclusion après l'échec de son attaque contre la caserne Moncada en 1953. Martí avait également compris les énormes risques personnels qu'il courait en prenant la tête d'une révolution et avait écrit à un ami, la veille de sa mort : « Chaque jour je suis en danger de donner ma vie pour faire mon devoir envers mon pays. » Castro avait juré avant de s'embarquer pour envahir Cuba : « Nous serons libres ou martyrs. » Les deux hommes avaient été formés, très tôt, par des expériences politiques similaires. Martí avait été arrêté à l'âge de dix-sept ans par les Espagnols, pour s'être opposé à la domination coloniale ; il avait été condamné aux travaux forcés puis exilé. La rébellion politique de Castro avait pris forme alors qu'il se trouvait à l'université de La Havane ; il n'avait pas vingt et un ans. Les deux hommes étaient motivés, l'un et l'autre, par leur foi en certains principes fondamentaux, et Fidel devait remarquer bien des années plus tard que « le sens de l'honneur est l'apanage de presque tous les Espagnols ». Tel était l'héritage des fils rebelles de l'Espagne.

Le poète tragique était convaincu que, même s'il mourait, la révolution libératrice triompherait (certains biographes insistent sur le fait que Martí avait délibérément cherché la mort pour faire briller son auréole de martyr sur la guerre d'indépendance) et les événements devaient lui donner raison — jusqu'à un certain point. Castro avait montré en mainte occasion — notamment devant la caserne Moncada et à Alegría de Pío — qu'il était prêt à mourir pour sa Cause, mais son air de bravoure tenait surtout à son tempérament et à sa conviction que la place d'un chef révolutionnaire est à la tête de ses hommes. Fils d'Espagnols, l'un comme l'autre, Castro et Martí incarnent un penchant espagnol très particulier vers le mysticisme et le romantisme, combiné avec une forte dose de nationalisme propre au Nouveau Monde. En outre, le vrai problème cubain, pour Martí comme pour Castro, consistait à réaliser une révolution en profondeur, une révolution sociale, et non pas seulement à modifier le statu quo politique. Très conscient de la pauvreté qui affligeait son pays et la plus grande partie de l'Amérique latine, Martí prônait l'attribution de terres aux cultivateurs (mais sans que celles-ci fussent prises à autrui), ainsi qu'une meilleure répartition des richesses nationales : « La nation où l'on ne compte que quelques riches n'est pas riche ; elle [est] riche quand chacun possède un peu de sa richesse. »

Martí écrivait que le gouvernement a le devoir indispensable d'instruire le peuple parce que « lire c'est [comme] marcher. ». L'une des premières grandes initiatives révolutionnaires de Castro après 1959 sera de lancer en catastrophe une vaste campagne d'alphabétisation à l'échelle de l'île. Le philosophe cubain s'opposait pourtant à tout bouleversement social radical de type marxiste. Son biographe, l'historien prérévolutionnaire Isidoro Méndez, estimait que Martí était un « républicain social », et avait foi dans un « socialisme prudent » sans extrémisme.

Faisant son apparition sur la scène politique cubaine plusieurs décennies plus tard, dans un monde entièrement transformé, Castro devait afficher au contraire son extrémisme en matière de bouleversements sociaux et son mépris des élections au suffrage direct que Martí tenait pour la pierre angulaire de la vie politique, dans le contexte du XIXᵉ siècle ; il y a là une indication nette et éloquente des différences qui séparent leurs plates-formes politiques révolutionnaires. Ces divergences idéologiques proviennent sûrement de leur psychologie et de leur tempérament respectifs. Martí était un démocrate classique, auteur d'essais en trois langues et de poèmes patriotiques pleins de lyrisme ; il avait foi dans les vertus d'un gouvernement civil bénéficiant du consentement des gouvernés. Castro est la quintessence du *caudillo* espagnol, enveloppé aujourd'hui dans un manteau marxiste-léniniste de convenance, qui explique a posteriori par des arguments intellectuels pourquoi une « vraie révolution » est incompatible avec des élections libres et pourquoi un autoritarisme de type communiste est l'instrument nécessaire à sa mise en œuvre. Il prouve par là le triste théorème selon lequel « sans le Pouvoir, les idéaux ne peuvent se réaliser ; mais ils survivent rarement après avoir accédé au Pouvoir ».

Dans un discours prononcé vers le milieu des années 60, alors que son régime était en proie à des luttes idéologiques internes très complexes, Castro fit un pas de plus pour annexer à sa révolution les « pères de l'indépendance » cubaine. Il proclama que Carlos Manuel de Céspedes (riche propriétaire foncier qui avait conduit la première insurrection patriotique en 1868) et José Martí n'étaient pas marxistes-léninistes, « tout bonnement parce qu'ils ne pouvaient pas l'être à l'époque où ils vivaient, étant donné les conditions historiques dans lesquelles furent menés leurs magnifiques combats ». Il ajouta alors une phrase qui se transforma aussitôt en slogan officiel : « Hier, nous aurions été comme eux ; aujourd'hui, ils seraient comme nous ! » Castro comprenait fort bien que faute de s'appuyer sur l'héritage de Martí et des guerres d'indépendance, un système marxiste ne serait pas toléré par les Cubains.

Certes, Martí n'aurait pas été d'accord avec Castro sur les moyens à employer pour atteindre les fins, mais celui-ci est bien l'héritier direct de celui-là, d'un point de vue philosophique et politique, en ce qui concerne ses vues les plus radicales sur la réforme agraire, l'égalité raciale et la justice sociale. Castro et Martí ont également en commun leurs craintes et leurs suspicions envers les Etats-Unis et envers les intentions du gouvernement américain au sujet de Cuba. Les aspirations de Washington, quant à une annexion ou un rachat de Cuba (comme cela avait été le cas pour la Louisiane), remontent aux premières années du XIXᵉ siècle. Comme l'écrivait le consul américain à La Havane en 1833 : « Au fil du temps, quand Cuba, l'Espagne et nous-mêmes en serons convenus, Cuba s'ajoutera sans aucun doute à l'Union — et il n'y faudra ni discussion, ni révolution, ni guerre. »

Martí, qui, après avoir été chassé de Cuba, avait passé des années aux Etats-Unis, lors de son exil forcé, avait des cauchemars en pensant que la guerre d'indépendance, alors en cours, pourrait se terminer par une mainmise de Washington sur l'île arrachée à l'Espagne. Dans la lettre qu'il avait écrite, la veille de sa mort, Martí disait qu'il se battait contre l'Espagne pour l'indépendance de Cuba, afin d'empêcher « les Etats-Unis de s'étendre à travers les Antilles ». Il précisait qu'aux Etats-Unis, il avait vécu « dans les entrailles du monstre » et qu'il était inquiet de « l'impérialisme économique » américain ; il ajoutait que « le dédain d'un formidable voisin qui ne nous connaît pas vraiment est le pire danger qui menace notre Amérique ».

Castro avait évidemment absorbé tous ces sentiments bien avant qu'il eût fait l'expérience du « formidable voisin » et eût affronté celui-ci.

L'époque de José Martí coïncidait avec celle qui avait vu proclamer la « destinée manifeste » des Etats-Unis*. Vingt ans avant la guerre d'indépendance des Cubains, la présence économique des Etats-Unis s'était déjà faite pesante dans l'île. Le commerce de Cuba avec ceux-ci était six fois plus important que les échanges entre l'île et l'Espagne. Selon la façon de voir de Martí, les facteurs économiques et géographiques semblaient rendre inévitable que l'île passât sous l'entière domination politique de l'Union.

Le philosophe José Antonio Saco, qui fut l'un des premiers grands patriotes cubains, avait lancé, dès 1847, cet avertissement : Cuba « vaut bien une guerre... sa possession donnerait aux Etats-Unis une puissance si immense que la France et l'Angleterre verraient non seulement menacée l'existence même de leurs colonies en Amérique, mais également amoindrie la puissante influence qui est la leur dans d'autres parties du monde ».

Cuba ne fut jamais annexée en bonne et due forme, mais les craintes des patriotes du XIXe siècle se réalisèrent néanmoins quand les Etats-Unis déclarèrent la guerre à l'Espagne en 1898, après qu'une explosion d'origine inconnue se fut produite sur un navire de guerre américain, le *Maine*, dans le port de La Havane. L'incident fournit un casus belli fort opportun et ce fut l'occasion d'un conflit avec Madrid — que les Américains souhaitaient de toute façon. Quand Theodore Roosevelt et ses Rangers eurent pris d'assaut la colline de San Juan, près de Santiago, tandis que d'autres forces américaines débarquaient en divers points des côtes cubaines, les Espagnols épuisés furent rapidement défaits (ils subissaient depuis trois ans la lutte sans merci des guérilleros cubains). Un peu plus tard, la même année, les Etats-Unis et l'Espagne signaient le traité de paix de Paris qui transférait à Washington la maîtrise (*control*) de Cuba. Par la même occasion, les Etats-Unis faisaient l'acquisition de Puerto Rico, des Philippines et de l'île de Guam.

Les Cubains avaient commencé à lutter pour leur indépendance en 1868, quand Carlos Manuel de Céspedes — riche propriétaire foncier de la province d'Oriente, et titulaire d'un diplôme de droit de l'université de

---

* Théorie selon laquelle les Etats-Unis devaient accomplir leur « destinée manifeste » sur tout le continent américain. (*N.d.T.*)

Madrid — avait lancé son *Grito de Yara* (littéralement « le cri de Yara » — l'appel à la liberté lancé dans la ville de Yara que les rebelles avaient occupée) pour proclamer l'état de guerre révolutionnaire contre le pouvoir espagnol « décrépit et mangé aux vers ». Une junta révolutionnaire fut formée tout d'abord, puis un gouvernement provisoire ; une Constitution fut rédigée, un parlement établi avec un droit de veto sur les décisions présidentielles. Mais les rebelles, conduits par le président Céspedes, le chef du parlement Ignacio Agramonte et les généraux Máximo Gómez et Antonio Maceo, ne purent chasser les Espagnols de l'île. Les divisions des Cubains entre eux n'étaient pas la moindre cause de cette impossibilité de mener à bien une guerre de libération. Céspedes congédia le général Gómez — d'origine dominicaine —, puis il fut déposé lui-même ; il fut finalement tué par les troupes espagnoles en 1874. Gómez retrouva son commandement et le perdit de nouveau. En fin de compte, la première guerre d'indépendance se termina dix ans après avoir commencé, quand les deux parties signèrent la paix de Zanjón. Maceo, le général à la peau noire, poursuivit la lutte pour son compte pendant une année encore. Peu après, Maceo et le général Calixto García entamèrent ce que l'on appelle « la petite guerre », qui dura jusqu'en 1880 et s'acheva par une nouvelle défaite des Cubains. L'ultime guerre d'indépendance fut celle de Martí et du général Gómez, en 1895 ; elle déboucha sur l'intervention des Etats-Unis : l'Espagne fut expulsée du Nouveau Monde en 1898... Pour Fidel Castro, intéressé par l'étude de l'Histoire, les divisions qui avaient marqué les guerres d'indépendance faisaient ressortir le besoin d'unité des révolutionnaires sous l'autorité d'un chef unique qui concentrerait le pouvoir en sa main — et le besoin pour ces mêmes révolutionnaires d'échapper à la domination yankee.

Quand Cuba était passée sous l'occupation militaire directe des Etats-Unis, l'île venait d'être ravagée par trente ans d'affrontements continus. Les guerres d'indépendance semblaient avoir été livrées pour rien, dans la mesure où l'économie cubaine était devenue totalement dépendante du grand voisin septentrional ; le système scolaire lui-même se trouva fidèlement calqué sur le modèle américain, sans aucune considération pour la culture et la langue locales. Comme pour Puerto Rico, l'idée était de préparer les Cubains à devenir un jour de bons Américains. Comme c'était inévitable, les quatre années d'occupation jetèrent les bases de ce qui serait un protectorat américain (au moins *de facto*) dans les Caraïbes pendant les soixante années suivantes.

Le statut de ce protectorat fut agencé par l'insertion forcée de ce que l'on appelle « l'amendement Platt » dans la Constitution cubaine, rédigée avec la bénédiction des Américains en prélude à l'octroi de l'indépendance. Parallèlement, la mise en application d'accords concernant le commerce et les investissements donnait une entière liberté de manœuvre aux intérêts américains à Cuba. L'amendement imaginé par le sénateur Orville H. Platt, dans le cadre d'une loi budgétaire relative à l'armée américaine, autorisait le Président à « laisser [aux Cubains] le gouvernement de Cuba » sous réserve de l'introduction d'une disposition dans la Constitution cubaine aux fins de faire reconnaître aux Etats-Unis « le droit d'intervenir pour la défense de l'indépendance cubaine, le maintien d'un gouvernement qui garantisse la protection de la vie, de la propriété et de la liberté individuelle... » Les Cubains se virent proposer un choix : ou bien ils acceptaient d'introduire l'amendement Platt dans leur nouvelle Constitution, ou bien ils pourraient fort bien subir à jamais une occupation militaire étrangère. Un débat ardent s'ensuivit et se termina par une capitulation.

Le 20 mai 1902, Cuba fut proclamée république indépendante. C'était la dernière des colonies espagnoles sur le continent américain qui parvenait ainsi à s'émanciper. Pourtant il y avait là un élément de farce et de fiction ; Leonard Wood, dernier gouverneur-général des Etats-Unis, écrivait au président William McKinley : « L'amendement Platt ne laisse évidemment que peu d'indépendance à Cuba ou ne lui en laisse pas du tout. » Un an plus tard, le sénateur Chauncey Depew déclarait : « Le jour n'est pas loin où Cuba, pareille aux Etats-Unis par sa Constitution, ses lois et ses libertés... possédera cinq ou six millions d'habitants éduqués comme nous et dignes de posséder tous les droits que confère la citoyenneté américaine. Alors, si Cuba en prend l'initiative, nous pourrons accueillir une nouvelle étoile sur notre drapeau. »

Cette initiative ne fut jamais prise ; au contraire, d'incessants remous politiques internes conduisirent à une deuxième occupation militaire américaine, de 1906 à 1909 ; puis à un débarquement des fusiliers marins américains (les *marines*) pour la protection des intérêts et des citoyens américains dans la province d'Oriente, en 1910 ; un nouveau débarquement du même genre eut lieu en 1917 ; il était destiné à persuader Cuba d'entrer dans la Première Guerre mondiale, étant donné la position stratégique de l'île au carrefour de nombreuses routes maritimes. Pour protéger les intérêts américains contre l'agitation sociale et le sabotage dans la province d'Oriente, les *marines* restèrent à Cuba jusqu'en 1923 ! Fidel Castro ne devait naître que trois ans plus tard. Tout au long de cette période, il était évident que le gouvernement américain manifestait un profond dédain pour les Cubains. Il est donc peu étonnant que la jeune république ait grandi avec un complexe d'infériorité paralysant et un sentiment d'hostilité envers les Etats-Unis. Fidel Castro et sa génération en héritèrent. Le romancier mexicain Carlos Fuentes a résumé, un demi-siècle plus tard, l'attitude des Américains du Nord envers l'Amérique latine quand il écrivait que la destinée des Etats-Unis était de se montrer « forts envers les faibles ».

Bien que l'amendement Platt ait été aboli par Franklin D. Roosevelt en 1934, en vertu de la nouvelle politique dite de « Bon Voisinage » avec l'Amérique latine, Cuba dut attendre la grande révolution de Castro pour débarrasser sa politique et son économie du garrot américain. L'éjection du dictateur Batista en 1959 permettrait à Castro et à ses *barbudos* de donner à Cuba la pleine indépendance pour laquelle José Martí était mort soixante-quatre ans plus tôt et que les Etats-Unis avaient refusée à l'île en 1898 et en 1902. Cet aspect historique de la révolution échapperait pourtant aux Américains, lesquels ne comprendraient pas non plus que les Cubains avaient vécu jusque-là dans la honte de n'être, selon l'expression de Castro, qu'une « pseudo-république ».

La *finca* de Manacas est un vaste domaine consacré à la culture de la canne à sucre et à l'élevage du bétail. Elle est située sur le territoire de la commune de Birán, dans la région de Mayarí, non loin des côtes septentrionales de l'Oriente, à quelque quarante kilomètres au sud de la baie de Nipe. A égale distance, à l'Ouest, se trouve Dos Ríos, le lieu de l'embuscade tendue par les Espagnols à José Martí, où celui-ci fut tué en 1895.

C'est à Manacas que Fidel Alejandro Castro Ruz naquit le 13 août 1926. Avant même d'être en âge d'aller à l'école élémentaire, il était déjà imprégné de la légende de Marti ; cela faisait partie de l'éducation de tout enfant cubain, particulièrement dans la fière province d'Oriente, terre d'incessante rébellion. La tradition révolutionnaire propre à la région se trouva réaffirmée lorsque le frère de Fidel, Raúl Castro, passa par leur maison natale, à Birán, à la tête d'une colonne de l'armée rebelle qu'il conduisait de la Sierra Maestra à la Sierra Cristal, dans le Nord-Est, pour y établir le second front de la guérilla, en avril 1958. Raúl se fit un devoir de mentionner ce point dans le long rapport qu'il adressa à Fidel sur les progrès de ses opérations dans la région de Mayarí. Le cadet était probablement, parmi tous les membres du vaste clan Castro, celui qui avait l'esprit de famille le plus développé.

Le chef du clan était Angel Castro y Argiz, qui avait quitté son village natal d'Ancara, près de Lugo, dans la province de Galice, au Nord-Ouest de l'Espagne, pour émigrer à Cuba, vers 1887. C'était alors un orphelin indigent de treize ans. Né aux environs de 1874, il avait passé son enfance auprès d'un oncle dans un village de Galice, l'un des coins les plus pauvres et les plus tristes de l'Espagne. Sept ou huit ans avant la première guerre d'indépendance cubaine, Angel, de plus en plus maltraité chez lui, quitta l'Espagne pour rejoindre un autre de ses oncles installé dans la lointaine île des Caraïbes. Castro a prétendu une fois au moins que son père avait été envoyé à Cuba sous l'uniforme militaire espagnol quand avait éclaté la guerre d'indépendance de 1895, puis rapatrié après le conflit ; mais qu'ayant aimé l'île, il y était revenu en qualité d'immigrant, sans un sou, au début du siècle. Ce récit est vague et probablement inexact. Au moins deux des sœurs de Fidel admettent qu'elles n'ont jamais entendu parler d'un épisode militaire dans la vie d'Angel Castro.

Il est significatif que Fidel semble si étonnamment ignorant des antécédents de son père et l'avoue. Il doit y avoir là l'expression consciente ou subconsciente d'une attitude négative, de sa part, envers Don Angel*, pour des raisons qui peuvent être profondément personnelles ou politiques, ou les deux à la fois. Dans un entretien avec un frère dominicain de nationalité brésilienne, Frei Betto, en 1985, Castro a admis : « Je ne sais pas grand-chose des premières années de mon père, car à l'époque où j'aurais eu l'occasion de l'interroger sur tout ça, je n'étais pas curieux, autant que je pourrais l'être aujourd'hui, de connaître ses débuts dans la vie... » Si l'on considère que Castro avait trente ans à la mort de son père, il aurait sûrement eu l'occasion de lui poser des questions si cela l'avait intéressé. Au

---

* Le mot « Don » placé devant un prénom est une marque de respect. (*N.d.T.*)

cours de la même interview, Castro déclare spontanément que si son père avait les idées politiques d'un « propriétaire foncier », c'était un homme d'une « grande noblesse » qui n'avait jamais omis de répondre à un appel de détresse. Fidel considère que cela est « très intéressant ». Ces commentaires paraissent contraints et forcés si on les compare aux fréquentes allusions personnelles qu'il fait chaleureusement à propos de sa mère.

L'oncle d'Angel Castro vivait à Santa Clara, ville située dans la partie centrale de Cuba où il dirigeait une briqueterie. Angel y fut donc mis au travail (il n'y avait naturellement pour lui aucune chance ni possibilité d'aller à l'école), mais après quelque cinq ans, il en eut manifestement assez des briques de son oncle et partit se mettre à son compte. Il alla vers l'Est, en faisant probablement la plus grande partie du chemin à pied ; pour des raisons dont la famille n'a pas conservé le souvenir, il choisit la zone de Mayarí, en Oriente, pour tenter sa chance. Il dut arriver dans le secteur juste au moment où la domination espagnole tirait à sa fin et où allait commencer l'ère américaine. Il ne parla jamais beaucoup de sa jeunesse et quand il mourut en 1956, à l'âge de quatre-vingt-deux ans, son passé était déjà enseveli dans l'oubli.

Mayarí est une région fertile, idéale pour la culture de la canne à sucre et du tabac ainsi que pour l'élevage. La ville principale, également appelée Mayarí, se trouve au bord d'un fleuve du même nom ; les plages et les pêcheurs de la baie de Nipe ne sont qu'à six kilomètres de là. Peu après que le jeune Angel eut atteint Mayarí, cette petite ville endormie, dont les maisons en bois dataient du début du XIXᵉ siècle, se transforma en un centre d'activités commerciales grâce aux capitaux américains. Au moment où la guerre d'indépendance cubaine coïncidait avec la guerre hispano-américaine, le pays dévasté était grand ouvert aux investissements américains que l'occupation militaire garantissait contre les fauteurs de trouble cubains. Dans l'ensemble de l'île ces investissements — surtout fonciers — firent plus que tripler en huit ans et passèrent de 50 millions à 160 millions de dollars. La luxuriante et riche province d'Oriente fut la favorite des investisseurs. En 1899, par exemple, une compagnie sucrière, la Cuban-American Sugar Company, acheta vingt-huit mille hectares de terres à Chaparra, sur la côte septentrionale. Un an plus tard, les domaines de la compagnie produisaient dix pour cent de toute la récolte de sucre de Cuba. En même temps, la United Fruit Company et sa filiale, la Nipe Bay Company, achetaient cent mille hectares dans la région de Mayarí — et se taillaient ainsi un véritable fief dans la province.

C'est avec une grande indignation que Fidel Castro a parlé des conséquences économiques de l' « indépendance » cubaine. Lors d'un discours amer, prononcé en 1968, pour le centenaire de la première insurrection contre l'Espagne, Fidel Castro a mentionné qu' « un individu nommé Preston avait acheté en 1901 soixante-quinze mille hectares de terres dans la baie de Nipe, pour quatre cent mille dollars, c'est-à-dire moins de six dollars par hectare ». Et d'ajouter que « les forêts de bois précieux qui couvraient ces terres et ont été brûlées dans les chaudières des sucreries valaient beaucoup de fois cette somme, incomparablement plus que cette somme. C'est avec des poches pleines d'argent qu'ils sont venus dans ce pays appauvri par trente ans de guerre pour y acheter les meilleures terres à moins de six dollars l'hectare ». Jusqu'à ce que la révolution les nationalise en 1959, les domaines de Preston et de Boston, appartenant à la United Fruit Company, dans la région de Mayarí, étaient encore les principales exploitations et sucreries étrangères à Cuba.

A l'époque de la naissance de Castro, en 1926, les investissements américains de Cuba dépassaient 1 600 millions de dollars (l'équivalent de 3 milliards de dollars actuels). En 1920, les prix du sucre s'effondrèrent après la « valse des millions » des années antérieures au cours desquelles ces prix avaient décuplé et des fortunes fantastiques avaient été réalisées. Quand vint la crise, les investisseurs américains eurent la possibilité de ramasser les décombres à bas prix et ne s'en privèrent pas. Les banques étrangères acquirent le contrôle de 80 % de la production sucrière ; des compagnies américaines établirent des monopoles sur les chemins de fer cubains, la fourniture d'électricité, le téléphone. Les dépôts cubains dans des banques américaines passèrent de 29 % en 1920 à 69 % en 1921, tandis que la plupart des banques cubaines disparaissaient faute de pouvoir soutenir la concurrence des banques yankees plus riches et politiquement plus puissantes.

Le Président de Cuba était alors Gerardo Machado y Morales, ami des grands hommes d'affaires et protégé par le gouvernement américain. Il était aussi corrompu que ses prédécesseurs qui avaient tous dirigé la « pseudo-république » en pleine connivence avec les classes « les meilleures » de la société cubaine. (Washington le força pourtant à s'écarter du pouvoir quelques années plus tard, lorsqu'il se fut transformé en dictateur despotique et que la stabilité économique du pays fut menacée par l'hostilité croissante qu'il avait suscitée contre lui.)

Mais parmi les membres de la jeune génération cubaine, un nouveau nationalisme anti-américain commençait à prendre corps. Non seulement les Cubains se sentaient-ils bridés par l'amendement Platt et l'hégémonie économique des Etats-Unis, mais ils assistaient aux interventions des *marines* américains au Mexique et au Nicaragua. Un parti communiste cubain fut créé dans la clandestinité, à La Havane, juste un an avant la naissance de Fidel Castro. Cuba avait commencé à bouillonner.

La province de Mayarí où a grandi Fidel Castro est probablement l'endroit de Cuba où la présence, voire la domination américaine, est la plus voyante. La United Fruit Company, société géante dont le siège se trouve à Boston et qui poursuit ses activités dans toute l'Amérique latine, entretenait à Mayarí des logements pour ses employés américains (et quelques salariés cubains), ainsi que des hôpitaux, des écoles (pour les enfants de l'élite sucrière), des magasins bien fournis en articles américains, un bureau de poste ; elle y adjoignit plus tard des piscines et un club de polo. Non contente de la protection que lui assuraient les gendarmes cubains, entraînés aux Etats-Unis, la compagnie avait sa propre police armée, chargée d'assurer l'ordre et de tenir les Cubains indésirables à l'écart.

La United Fruit Company exerçait également un grand pouvoir politique à Cuba, plus encore que les banques et les autres compagnies américaines. La première acquisition importante de champs de canne à sucre avait été

41

réalisée en 1882 par un investisseur américain de Boston, appelé E. F. Atkins, bien qu'une sucrerie ait été la propriété d'un Américain dès 1818. Atkins fut imité par la Boston Fruit Company, originellement spécialisée dans le commerce des bananes et qui changea de nom en 1898 pour s'appeler United Fruit Company lorsqu'elle procéda à l'achat massif de champs de canne à sucre. La United Fruit et d'autres compagnies américaines avaient su mettre dans leur poche (et au nombre de leurs stipendiés) des chefs politiques cubains influents. La Cuban-American Sugar Company, fondée par un politicien texan au début du xxᵉ siècle, était représentée à Cuba par Mario G. Menocal, qui avait assumé la présidence de la république avec la bénédiction des Etats-Unis de 1912 à 1920. La United Fruit Company fut sauvée de la nationalisation de la moitié de ses avoirs, à laquelle voulait procéder le gouvernement du président Ramón Grau San Martin en 1934, grâce à l'intervention convaincante du ministre de l'Agriculture Carlos Hevia, en conflit avec le reste du cabinet. Hevia, qui fut ensuite Président pendant un bref laps de temps, avait assuré la défense de l'United Fruit en faisant fonction de négociateur entre son propre gouvernement et l'ambassade des Etats-Unis. Jusqu'à la révolution, l'United Fruit fut intouchable. Les gouvernements successifs la protégeaient contre toute agitation sociale, lui épargnaient toute fiscalité excessive, la mettaient à l'abri de toute interférence qui aurait menacé ses privilèges. La compagnie possédait également d'immenses plantations de fruits — surtout de bananes — dans la plupart des pays de l'Amérique où elle exerçait également une puissance politique dominante. En 1954, elle allait travailler la main dans la main avec la CIA pour renverser le régime gauchiste du colonel Jacobo Arbenz Guzmán au Guatemala, après que le gouvernement de celui-ci eut menacé la domination économique de la compagnie.

A Cuba, des milliers et des milliers de coupeurs de canne à sucre et d'ouvriers des sucreries vivaient avec leurs familles dans de misérables *bohíos* (cabanes) sur la plantation, pendant les quatre mois de la *zafra* (récolte) annuelle ; leur salaire était inférieur à un dollar par jour (parfois quarante ou cinquante *cents* seulement — sans la nourriture). Le reste de l'année, c'était la sinistre « morte saison » de Cuba ; il n'y avait pas de travail, tout simplement, et la famille du *guajiro* (paysan) faisait de son mieux pour survivre. Tel était l'environnement dans lequel Fidel Castro avait passé son enfance et dont il se souvenait ; ce fut ce qui l'éveilla aux réalités politiques quand il mûrit.

Quand Angel Castro arriva à Mayarí pour la première fois, on trouvait occasionnellement du travail sur la nouvelle voie ferrée que l'United Fruit Company avait construite entre ses sucreries et le port d'Antilla, dans la baie de Nipe. Il y fut employé pendant une brève période comme ouvrier occupé à poser des rails. Ce fut l'un des nombreux emplois mineurs qu'il occupa pour assurer sa subsistance. Il avait probablement vingt-cinq ans quand il décida de se mettre à son compte comme colporteur parmi les coupeurs de canne et les bûcherons, du haut en bas de la région de Mayarí.

La campagne était superbe, dans un paysage typique de l'Oriente, avec ses bouquets de hauts palmiers fièrement dressés dans la verdure au-dessus des champs de canne et des prairies au-delà desquels s'étendaient de profondes forêts en direction des sierras vers le Sud. Les cours d'eau irriguaient régulièrement les champs. Avec la fin de la guerre et l'afflux des capitaux étrangers, les cheminées des nouvelles sucreries avaient commencé à ponctuer le ciel de tout l'Oriente. De plus en plus, il y avait du bétail en train de paître dans les prairies, sous la garde de *guajiros* coiffés de leurs chapeaux de paille à larges bords et montés sur leurs solides petits chevaux, au milieu des troupeaux.

La première entreprise commerciale d'Angel Castro consistait à préparer chaque matin de la limonade qu'il transportait ensuite dans des tonnelets et autres récipients sur une voiture à âne, pour la vendre aux hommes assoiffés dans les champs et les bois autour de Mayarí. Avec ses maigres profits, il commença par acheter en gros toutes sortes de marchandises qu'il colportait de *finca* en *finca* à travers la campagne. Fidel se rappelle avoir entendu raconter que son père avait ensuite organisé des équipes de travailleurs qu'il payait pour couper du bois destiné aux chaudières des grandes sucreries. Apparemment, il avait conclu un contrat avec une compagnie sucrière américaine. Les immigrants espagnols et particulièrement les *gallegos*, les plus pauvres et les plus déterminés d'entre eux, ont toujours bien réussi outre-mer. Angel travailla sans relâche pour gagner et épargner le plus possible. A un moment quelconque, il se débrouilla pour apprendre à lire et à écrire.

C'est probablement vers 1910 qu'Angel, alors âgé de quelque trente-cinq ans, décida de louer des terres à la United Fruit Company, dans la région de Birán, à trente-six kilomètres au sud-ouest de la ville de Mayarí ; avec le produit de sa récolte de sucre il fit l'acquisition de quelques parcelles. C'était désormais un *colono* qui cultivait la canne et vendait sa production aux sucreries de la compagnie ; celle-ci encourageait une telle pratique qui resserrait encore ses liens étroits avec les petits cultivateurs. Le nouveau propriétaire engagea bientôt des ouvriers agricoles et devint progressivement *Don* Angel Castro, riche propriétaire foncier de la province d'Oriente.

C'est vers cette époque qu'Angel épousa sa première femme, María Argota. On pense qu'elle était institutrice dans une école élémentaire de la région de Mayarí, mais l'on ne sait pratiquement rien d'autre à son sujet. Elle eut deux enfants, Pedro Emilio et Lidia (cette dernière était née en 1915) ; en 1985, tous deux vivaient à La Havane, ils étaient assez âgés et voyaient rarement leur célèbre demi-frère qui leur assurait pourtant le confort et la tranquillité. Lidia s'était enfuie alors qu'elle était encore très jeune, pour épouser un officier de l'armée cubaine ; elle était devenue veuve après quelques années et avait consacré le restant de ses jours à Fidel ; elle avait aidé considérablement ce dernier pendant qu'il vivait dans la clandestinité, puis lorsqu'il s'était trouvé en prison et pendant les années de guerre, dans la sierra. Pedro Emilio avait été un politicien mineur jusqu'au coup d'état de Batista en 1952, après quoi il était retourné à son occupation préférée : les études grecques et latines.

Il subsiste un mystère autour de la première Señora de Castro et autour des circonstances dans lesquelles Angel avait contracté son second mariage.

Tout ce que l'on a pu publier sur la famille Castro est extrêmement schématique (Fidel aime qu'il en soit ainsi), mais l'on s'accorde généralement pour dire que María Argota était morte peu après avoir donné naissance à son second enfant. Pourtant une sœur cadette de Fidel, Juana Castro, insiste sur le fait que leur père avait divorcé ou avait tout bonnement abandonné sa première femme. (Ce point est extrêmement obscur car les vrais divorces étaient rarissimes dans les familles cubaines catholiques des années 1920.) Juana Castro déclare également que María vécut très longtemps et ne mourut qu'après la révolution.

La seconde femme d'Angel Castro, la mère de Fidel et de ses six frères et sœurs, s'appelait Lina Ruz Gonzalez. Elle avait certainement vingt-cinq ans de moins que le maître de Birán. Il semble qu'elle était née dans la province de Pinar del Río, dans l'extrémité ouest de l'île ; sa fille Emma l'a décrite comme de vieille souche cubaine, ce qui signifie sans doute que ses parents n'étaient pas venus eux-mêmes d'Espagne. Juana déclare que sa mère était d'une « origine extrêmement humble » et que l'on ne savait ni quand ni pourquoi elle était arrivée en Oriente. D'après la version la plus souvent publiée, elle avait travaillé comme cuisinière ou comme servante chez les Castro, alors que María Argota s'y trouvait encore.

Fidel déclare que ses grands-parents maternels avaient fait le voyage de mille kilomètres — du Pinar del Río à l'Oriente — en charrette au début du siècle, avec Lina et leurs autres enfants. Ces grands-parents étaient extrêmement pauvres et, selon Fidel, le père de Lina et ses deux oncles conduisaient des chars à bœufs qui transportaient aux sucreries les cannes coupées dans les champs. On ne sait ce qu'il advint du grand-père Ruz, mais Fidel se rappelle que sa grand-mère maternelle vivait à un kilomètre environ de la maison de Birán et qu'elle avait même fait le voyage de La Havane avec Lina après la révolution, en 1959.

Fidel conserve dans sa mémoire de très nombreux souvenirs de sa mère ; il a souvent dit qu'elle avait été « pratiquement illettrée » dans sa jeunesse mais que, devenue adulte, elle avait appris toute seule à lire et à écrire. Selon lui, sa mère et sa grand-mère étaient l'une et l'autre profondément pieuses, mais « par tradition familiale ». Comme il n'y avait ni curé ni église dans la région de Birán, les dévotions se faisaient à la maison et, pendant la guerre de la sierra, les deux femmes avaient fait d'innombrables vœux à Dieu et aux saints pour que Raúl et Fidel reviennent sains et saufs. Le jour où avait triomphé la révolution, la Señora de Castro, la tête recouverte d'une mantille noire, s'était agenouillée devant l'autel, dans la cathédrale de Santiago, pour remercier Dieu d'avoir permis à ses fils de revenir vivants et victorieux. Castro se rappelle avoir écouté « avec intérêt et respect » sa mère et sa grand-mère lui raconter leurs vœux et leurs actes de piété. « J'avais une autre conception du monde, dit-il, mais je n'ai jamais discuté de ces problèmes avec elles, parce que je voyais combien de force, d'encouragement, de réconfort, elles tiraient de leurs croyances et de leurs sentiments religieux. » Et Castro de conclure très sérieusement, plus tard, au sujet de sa mère : « Le fait que nous soyons revenus vivants de cette guerre a sans aucun doute accru plus encore sa foi. » De son père, il dit avec un détachement très particulier : « Je le voyais plus préoccupé par d'autres sujets, la politique, la lutte quotidienne... je ne l'ai entendu parler de religion que rarement, presque jamais. Peut-être était-il sceptique dans ce domaine. Mon père était ainsi. » Il semblerait presque que Fidel en veuille à son père de ne pas avoir partagé la foi maternelle dans sa propre destinée.

Quelques auteurs étrangers prétendent que les trois premiers rejetons d'Angel et de Lina — Angela, Ramón et Fidel — étaient nés en dehors du mariage, à l'époque où Lina travaillait comme servante ou comme cuisinière dans la maison. Il n'est guère surprenant que tous trois préfèrent ne pas discuter de ces allégations en public. Il est fort possible que la première épouse ait tout bonnement décidé de quitter la maison et que la famille l'ait laissée glisser dans l'oubli. (Pourtant Pedro Emilio et Lidia étaient allés vivre avec elle, quelque part ailleurs, au moins pendant un certain temps.)

Quoi qu'il en soit, Angel Castro et Lina furent mariés à l'église, après la naissance de Fidel, au cours d'une cérémonie arrangée par un prêtre ami du marié, Enrique Pérez Serantes. (Une fois devenu évêque, celui-ci allait sauver, bien plus tard, la vie de Fidel, le jour où celui-ci était tombé aux mains des soldats de Batista.) Angela, Ramón et Fidel furent dûment baptisés par la suite sous le nom de famille de Castro Ruz (selon l'usage espagnol qui allie toujours le nom de la mère à celui du père pour l'état civil). Rien ne permet de supposer que le fait d'avoir été considéré parfois comme un enfant illégitime ait entraîné la plus légère gêne ou le moindre problème pour Fidel, dans une société aussi tolérante que celle de Cuba.

A l'époque du premier mariage d'Angel Castro, la maison de la *finca* de Birán était déjà partiellement construite ; c'était un vaste bâtiment à étages, tout en bois, monté sur pilotis ; il était situé au sommet d'une colline et les fenêtres des chambres à coucher s'ouvraient vers le Sud face à la sierra. Le bétail était rassemblé sous la demeure proprement dite, et c'est également là que se trouvait l'étable. Quand Don Angel était arrivé en 1899, le village de Birán comptait officiellement 530 habitants, mais il grandissait déjà rapidement lors de la naissance des petits Castro. C'était à Marcané, la seule ville voisine de quelque importance, que se trouvaient l'école et le médecin les plus proches. L'ensemble de ce territoire s'étendait à l'intérieur des frontières de l'empire de la United Fruit Company.

Castro pense que son père avait construit une maison à pilotis pour ménager sous le plancher un espace destiné au bétail et à la basse-cour, parce que tel était le style architectural préféré des paysans riches en Galice. Angel Castro avait vu le jour dans une humble demeure espagnole, toute en pierres et de plain-pied ; il était avide de jouir de la prospérité qu'il s'était acquise à force de dur labeur dans sa nouvelle patrie. Fidel conserve une photo de la maison de Galice et il la montre à ses visiteurs pour faire ressortir combien sa famille avait été pauvre jadis.

Pendant que Fidel était encore enfant, la maison fut agrandie afin que l'on pût y ajouter un bureau pour le père de famille ; plus tard, une étable fut édifiée à proximité, ainsi qu'un petit abattoir et un atelier de réparations. Avec le temps, Angel Castro construisit une épicerie et une boulangerie. Vint un moment, selon Fidel, où tous les bâtiments de Birán appartenaient à son père, sauf la petite école rurale et le minuscule bureau de poste. Près de la maison, se trouvait l'arène pour les combats de coqs qui avaient lieu tous les dimanches à l'époque de la moisson. Fidel se rappelle que « beaucoup d'humbles travailleurs y venaient parier et gaspiller leurs maigres gains ; s'ils perdaient, il ne leur restait plus rien en poche ; et s'ils gagnaient, ils dépensaient aussitôt le tout, en *fiestas* et en rhum ».

Manacas, la *finca* des Castro, était devenue entre-temps un domaine de dix mille hectares, dont sept cent quatre-vingts appartenaient à Don Angel et plus de neuf mille étaient loués en permanence ; quelque trois cents familles vivaient sur la propriété ; nombre d'entre elles étaient formées de Haïtiens indigents qui avaient traversé le détroit maritime situé entre Cuba et Hispaniola, pour travailler dans les champs de canne à sucre. La canne était vendue par la *finca* à la sucrerie de Miranda, toute proche, qui appartenait à la United Fruit. Don Angel cultivait aussi des fruits, élevait du bétail, et possédait des forêts à Pinares de Mayarí où sa scierie débitait de grandes quantités de bois de charpente. Il avait acquis également une petite mine de nickel (le secteur de la baie de Nipe est très riche en nickel et autres minerais).

Angel Castro jouait avec satisfaction son rôle de patriarche hispano-cubain sur ses terres ; sa silhouette imposante mesurait près de 1 m 80 ; un chapeau de paille à larges bords protégeait sa tête rasée (sa femme ou l'une de ses filles veillait à ce qu'il eût toujours le crâne bien luisant et y pourvoyait régulièrement avec une petite tondeuse). Jusqu'à l'âge de quarante ans, il avait porté une barbe qu'il rasa également par la suite.

Don Angel était un homme incroyablement travailleur qui, même devenu riche, se levait chaque jour à l'aube pour porter personnellement le petit déjeuner aux coupeurs de canne à sucre et aux planteurs dans ses champs. La veille de Noël et à l'occasion d'autres grandes fêtes, il aimait s'asseoir à une table installée en plein air, devant l'entrepôt qui jouxtait la maison, pour distribuer à ses employés des bons de nourriture afin qu'ils fissent bombance aux frais du maître. Malgré cette apparente bonhomie, les enfants Castro se rappellent son tempérament extrêmement violent et ses explosions de colère imprévisibles. Il allait transmettre ces traits de caractère à son fils Fidel.

2

Tout ce qui concerne Fidel Castro semble être sujet à caution, même la date exacte de sa naissance. Depuis des années il s'est produit une vive controverse à ce sujet : est-il né en 1926 ou 1927 ? Le Commandant en chef lui-même jure que c'est en 1926. Il a même ajouté un jour en riant qu'il aurait bien souhaité être né un an plus tard ; ainsi il aurait été chef de gouvernement à un âge plus jeune encore. (« J'aurais eu trente et un ans au lieu de trente-deux quand nous avons fait la Révolution. ») La presse soviétique a même indiqué la mauvaise date dans une longue biographie publiée en 1963... et les journaux cubains qui ont repris l'article ont répété l'erreur. Cette confusion semble due à une modification introduite dans le dossier scolaire de Fidel, lors d'une absence de trois mois entraînée par une appendicectomie suivie de complications. En tout cas, quand il naquit à 2 heures du matin, un 13 août, le bébé de huit livres fut baptisé du nom d'un riche politicien d'Oriente, ami de Don Angel, appelé Fidel Pino Santos. On a oublié d'où il tenait son second prénom, Alejandro, mais Fidel l'a utilisé comme pseudonyme pour signer des articles dans la presse hostile à Batista après le coup d'état de 1952 ; ce fut aussi son nom de code dans la clandestinité et pendant la guerre de la sierra. (Peut-être évoquait-il le souvenir d'Alexandre le Grand aux yeux d'un homme féru d'Histoire comme Fidel ?)

Fidel se montre à la fois théâtral et mystique quand il parle des circonstances de sa naissance. Il a déclaré à Frei Betto, le frère dominicain brésilien qui a recueilli ses propos : « Je suis né *guérillero* parce qu'il était deux heures de relevée... Il semble que la nuit ait eu une grande influence sur mon goût pour la guérilla et mes activités révolutionnaires. » De même, il attache une grande importance au nombre 26, ce qui cadre bien avec l'esprit de superstition et le spiritisme fortement enracinés dans une tradition très cubaine. Il souligne qu'étant né en 1926, il avait vingt-six ans quand il a commencé à conspirer contre Batista en 1952. (Fidel note également que 52 est le double de 26.) L'assaut contre la caserne Moncada, à la date choisie par Castro, a eu lieu le 26 juillet 1953 et le mouvement révolutionnaire s'est fait connaître sous le nom de Mouvement du 26 juillet.

Le débarquement de la *Granma* s'est effectué en 1956 (millésime qui comprend au moins le chiffre 6). Les amis de Castro disent que celui-ci choisit volontiers le 26 du mois pour prendre des décisions graves, ou pour entreprendre une action importante. En 1962, par exemple, il a choisi le 26 mars pour prononcer un discours crucial et anéantir ceux qu'il a désignés alors comme les « Sectaristes » du parti communiste — ceux qui s'étaient permis de le défier. Ce jour-là, il est sorti d'un isolement qu'il s'était imposé (on ne l'avait pas vu en public depuis un mois) pour répondre par un coup décisif à ses adversaires. Comme Fidel l'a remarqué un jour : « Il y a peut-être un mystère autour du [nombre] 26. »

Le choix de ce prénom, Fidel, pour le futur chef d'une révolution a été fort heureux ; les présages et la politique y trouvent tout à la fois leur compte : il évoque une qualité des plus solides. Dans un pays où les dirigeants populaires sont souvent connus et appelés par leur prénom, et où Castro aime orchestrer de vastes rassemblements de masse, il est difficile d'imaginer des foules en train de scander des noms tels que Felisberto, Dagoberto ou même Ernesto. Le prénom de *Fidel* était pour lui une formidable base de départ dans la politique.

Castro tire une certaine fierté de son prénom et il remarque : « Je suis entièrement accordé à mon prénom car je suis fidèle et j'ai la foi… Certains ont une foi religieuse et d'autres [une foi] différente ; mais j'ai toujours été un homme de beaucoup de foi, plein de confiance et d'optimisme. » Il fait également observer à ses interlocuteurs que si le 24 avril est le jour de sa fête — la Saint-Fidèle — c'est « parce qu'il y a eu un autre " San Fidel " [avant moi] ; il faut que vous le sachiez ».

Il s'est donné bien du mal pour faire comprendre que s'il a reçu le prénom de Fidel Pino Santos, ce millionnaire local n'est jamais vraiment devenu son parrain. Il est intéressant de constater que, selon Castro, la raison pour laquelle il n'a pas été baptisé avant l'âge de cinq ou six ans (il ne sait pas au juste en quelle année), c'est parce qu'il avait été impossible de faire venir en même temps le curé assigné à la région et le parrain, trop occupé pour faire le déplacement. Le point de savoir si ses parents étaient mariés au moment de sa naissance n'est jamais mentionné dans les rares récits, toujours incomplets, que Castro fait de son enfance ; il prétend avoir été appelé Fidel parce que : « Ils pouvaient attendre cinq ou six ans pour me baptiser mais pas pour me donner un nom. »

Castro a également déclaré que, faute d'avoir été baptisé, il était appelé « le Juif » par les autres enfants de Birán. Il ne savait pas, en ce temps-là, le sens du mot « Juif », mais comprenait que c'était un terme péjoratif attaché au fait qu'il n'avait pas eu de baptême. Il existe en Oriente un volatile à bec noir appelé *Judío* (Juif) et pendant un certain temps Fidel avait cru qu'on lui donnait *ce* nom d'oiseau. Il est intéressant de noter que sa mémoire sélective conserve si bien le souvenir de ce traumatisme d'enfant non baptisé. Le baptême eut finalement lieu à la cathédrale de Santiago, la ville où il vivait alors et où il était censé fréquenter l'école. Son parrain fut Luis Hibbert, consul de Haïti, et sa marraine, la femme de celui-ci, Belén Feliú ; tous deux étaient mulâtres. Belén, sœur de l'institutrice de l'école élémentaire de Birán, enseignait le piano. Il n'est même pas sûr que les parents de Fidel assistèrent effectivement au baptême.

La date de naissance de Fidel le place sous le signe du Lion — comme Simon Bolivar, le grand libérateur de l'Amérique du Sud (né le 24 juillet 1783) que Castro est décidé à imiter. Ce fait est important dans un pays aussi porté à la superstition, où la vie fait encore une large place à l'astrologie, à l'occultisme, et même à certaines formes de la magie noire dans les rites afro-cubains de la *santeria* — avec ou sans marxisme-léninisme scientifique. Et Castro en demeure conscient. Enfin, si l'on cherche des analogies historiques, on peut noter qu'à l'instar de Mao Tsé-toung, Castro était le fils d'un paysan très riche et avait reçu l'excellente éducation qui avait été refusée à son père, avant de devenir marxiste et révolutionnaire.

La propagande officielle, chargée de cultiver le mythe, rejette l'idée que le père de Castro était un nouveau riche, dépourvu d'éducation. La vérité ne serait pas un opprobre dans un pays comme Cuba où il est de tradition que des immigrants partis de rien accèdent à la richesse ; cela est particulièrement vrai de la nouvelle ère révolutionnaire qui exalte l'homme du commun. Mais la biographie de Castro, reproduite dans le journal officiel *Revolución*, à partir de la presse soviétique — dûment informée par Cuba —, décrit le jeune Fidel « écoutant son père lui raconter pendant des heures des anecdotes de la guerre d'indépendance, des histoires épiques sur Troie et les guerres de l'Antiquité, ainsi que les légendes des héros ». Cela était peut-être bon pour les lecteurs soviétiques, mais tout à fait improbable. Don Angel était un homme doué d'une intelligence naturelle, intéressé par la politique et les affaires publiques, lecteur assidu des journaux de La Havane auxquels il était abonné et qu'il recevait à la *finca*, auditeur attentif des émissions radiophoniques, et, dans sa vieillesse, spectateur inlassable de matches de lutte télévisés. Mais c'était un personnage peu loquace qui n'aimait pas gaspiller ses mots.

L'enfance de Fidel semble avoir été très agréable et foncièrement heureuse, voire privilégiée, même par rapport au niveau de vie des riches propriétaires cubains de ce temps-là. Les petits Castro semblent avoir reçu beaucoup d'affection de leurs parents, malgré les accès de violence d'Angel, et ils étaient certainement gâtés. Les sept enfants de Lina étaient étroitement unis en dépit de leurs différences d'âge et Juana Castro (la cinquième de la nichée) prétend que Raúl était le préféré de sa mère (et le sien) car il était « tendre et aimant ». Mais il est hors de doute que Fidel était le plus autoritaire et le plus batailleur, celui qui savait toujours comment se tirer d'affaire. Il est difficile d'attribuer son sentiment de rébellion au fait qu'il aurait eu une enfance démunie ou été victime d'un foyer hostile.

L'album de photos familial nous le montre à l'âge de trois ans, l'air très sérieux, voire compassé, dans un élégant costume de garçonnet, avec des culottes courtes et un grand col rond ; ses cheveux sont soigneusement partagés par une raie à droite ; il tient un livre dans la main gauche ; ses grands yeux bruns regardent fixement l'objectif. Sur une autre photo, Fidel est perché sur un petit mur, entre ses aînés — sa sœur Angela et son frère

Ramón —, tous deux debout devant la clôture ; au-dessus d'eux, Fidel domine la scène.

A l'âge de quatre ans, Fidel entra en classe de « grammaire » — qu'il appelle le « jardin d'enfants » — où se trouvaient quinze ou vingt élèves, à l'école publique de Marcané ; Angela et Ramón l'y avaient précédé. A cinq ans, il savait déjà lire et écrire mais demeura à la même école jusqu'après son cinquième anniversaire. Ses parents décidèrent alors de le transférer à l'école des frères maristes de Santiago (capitale de la province d'Oriente) où la discipline était sévère. Pour autant que Castro s'en souvienne, ses parents avaient perdu patience devant son manque de sagesse à l'école de Marcané. Il semble que même à cet âge tendre le jeune Castro ne voulait en faire qu'à sa tête et rejetait toute forme d'autorité — tout en répondant aux gestes de tendresse et aux attentions que l'on pouvait avoir pour lui. Mais quand il n'obtenait pas ce qu'il voulait, il se rebiffait avec violence — contre ses parents, ses maîtres, ses frères et sœurs ou ses camarades.

Ses moments les plus heureux étaient ceux qu'il passait en plein air, à escalader des collines, à nager dans la rivière de Birán, à monter à cheval et, quand il fut un peu plus grand, à chasser avec un fusil et quatre chiens. C'était un athlète né. Sa passion pour les exercices physiques, quand il vivait à la *finca* ou quand il y revenait durant les vacances scolaires (lorsqu'il poursuivait ses études à Santiago ou La Havane), l'avait préparé dès l'enfance aux rigueurs futures de la vie de guérilla en montagne.

Il avait appris à se servir d'un fusil de chasse et adorait tirer sur n'importe quelle cible. Selon le bref passage que consacre à sa jeunesse la biographie publiée par *Revolución*, Fidel aimait même s'entraîner sur les poules de la *finca*, « et comme une de ses sœurs le menaçait d'aller tout raconter à leur mère, il finit par la convaincre de tirer un poulet elle aussi, pour qu'elle ne pût rien dire ». Quelle que fût son occupation, ajoute le biographe de *Revolución* — jeu, natation, étude ou travail personnel —, il ne voulait jamais perdre et s'arrangeait toujours pour être le meilleur. Cette biographie décrit également Fidel occupé à « déplacer sans cesse tous les objets d'un endroit à un autre » ; même à table, « il imaginait des milliers de combinaisons avec un verre d'eau », ce qui suppose une agitation permanente, une propension à l'ennui, une certaine prétention et un goût pour le perfectionnisme — il semblait vouloir que le verre fût placé exactement comme il l'entendait. Ses sœurs se rappellent qu'il avait organisé une équipe de baseball à Birán et que son père l'avait laissé commander des battes, des gants et autres équipements (le baseball est le sport national à Cuba). Il est caractéristique de savoir que la place préférée de Fidel était celle de lanceur, bien que sa balle fût aussi imprécise que rapide. Pourtant il n'avait guère l'esprit sportif et quand son équipe ne gagnait pas, il mettait fin à la partie et rentrait chez lui. Peut-être avait-il appris de son père à réagir ainsi ; ses sœurs racontent en effet que le jeu préféré de Don Angel était les dominos (c'est également celui que Fidel préfère aujourd'hui), qu'il pratiquait tous les soirs, avec un employé ou avec sa femme ; mais si une contestation se produisait quand il était en train de perdre, il saisissait la table à jeu et la lançait dehors sous la véranda où avaient lieu les parties. A la suite de quoi, il n'y avait plus de dominos pendant près d'une semaine.

Fidel Castro lui-même est mieux placé que quiconque pour affirmer qu'il a toujours été violent, emporté, tortueux, manipulateur et rebelle à toute autorité. Au cours d'un entretien remarquable qu'il a accordé en 1959 à Carlos Franqui, alors rédacteur en chef de *Revolución*, Castro révèle tout au long sa personnalité compliquée dans une des rares déclarations autobiographiques qu'il ait faites (mais qui ne fut jamais publiée à Cuba).

A propos de l'époque où il était à l'école de Birán, Fidel précise : « Je me conduisais la plupart du temps de façon effrontée... Chaque fois que la maîtresse me disait une chose que je n'aimais pas, ou quand j'étais en colère, je lui lançais des jurons et je quittais la classe immédiatement en courant aussi vite que je le pouvais... Un jour, je l'avais insultée une fois de plus et je fonçais dans le couloir de derrière quand j'ai atterri d'un bond sur une planche — elle provenait d'une caisse de gelée de goyave — où pointait encore un clou qui m'a transpercé la langue. Quand je suis rentré à la maison, ma mère m'a dit : " Dieu t'a puni parce que tu as dit des gros mots à la maîtresse " et je ne doutai pas le moins du monde que ce fût vrai. » Dans ce portrait que Castro fait de l'enfant qu'il a été entre quatre et six ans, il souligne pourtant : « J'ai eu plusieurs institutrices l'une après l'autre et ma conduite était différente avec chacune d'elles. Je me rappelle m'être montré bien élevé avec celle qui nous traitait gentiment et nous apportait des jouets. Mais quand on voulait faire pression sur moi, me forcer ou me punir, ma conduite était tout à fait opposée. »

La conduite de Fidel n'était apparemment tolérée qu'en raison de la richesse de son père et de l'influence exercée par celui-ci dans la région. Il évoque ainsi ses souvenirs de cette période : en général, « tout le monde me comblait d'attentions, me flattait et me traitait autrement que les garçons avec lesquels nous jouions [qui] allaient nu-pieds alors que nous portions des souliers [et] avaient souvent faim alors que chez nous il y avait toujours des batailles à table pour nous obliger à manger ».

Il n'est pas sûr de savoir s'il avait été expédié à Santiago parce qu'il causait « trop d'ennuis à la maison ou parce que l'institutrice avait convaincu la famille que ce serait une bonne chose de l'envoyer à l'école loin du foyer ». En tout cas, Fidel avait cinq ou six ans (il dit ne pas se rappeler exactement l'âge) quand, en compagnie de sa sœur aînée Angela, il prit le train pour Santiago, de l'autre côté de l'Oriente, sur la côte sud : il entamait une nouvelle période de sa vie. Il se rappelle que la grande ville lui parut « extraordinaire » — « la gare avec ses arcades en bois, le tohu-bohu, les gens » — et qu'ils allèrent passer la nuit chez une sœur de l'institutrice de Birán, mariée à un Haïtien. (Ils allaient bientôt devenir parrain et marraine de Fidel.) Fidel ajoute : « Je me rappelle avoir mouillé mon lit la première nuit. »

Castro a raconté à Carlos Franqui, en 1959, l'histoire de ses jeunes années ; selon lui, il fut envoyé à Santiago pour être inscrit à l'école La Salle, chez les frères maristes, établissement privé fréquenté par les fils de familles riches. Mais dans des interviews de 1985, il a dit tout autre chose et prétendu qu'il n'était pas allé à l'école du tout pendant les deux premières années passées à Santiago auprès de ses parrains, les Hibbert. Selon cette version, sa marraine lui donnait des leçons à la maison et ses études se limitaient à l'écriture, à l'orthographe et aux quatre tables arithmétiques, qu'il lui fallait apprendre par cœur telles qu'elles figuraient au dos d'un cahier. (Il les savait si bien, précise-t-il, qu'aujourd'hui encore il peut additionner, soustraire, multiplier et diviser à la vitesse « d'un ordinateur ».) Il n'y avait pas de livres chez les Hibbert.

Il est difficile de s'expliquer pourquoi les parents de Fidel ont laissé aller les choses de cette façon et il est tout aussi étrange qu'il leur ait fallu toute une année pour comprendre comme on s'occupait mal de lui à Santiago — si on l'en croit. Castro semble nourrir aujourd'hui quelque ressentiment à propos de ce qui s'est passé au cours de toute cette période ; il se décrit même comme la victime d'une situation mystérieusement concoctée, semble-t-il, par ses parents et les Hibbert. Il utilise des expressions telles que : « Quand ils m'ont envoyé au loin, à Santiago, j'étais très petit..., j'ai subi tant de privations et l'on me faisait tant travailler ! » Un an plus tard, il a déclaré : « On m'a envoyé dans cette maison, à Santiago [où] je souffrais de la faim et de l'injustice. » Ce furent deux années gâchées « par une dure vie de travail et de sacrifice ». Il se plaint : « J'étais une victime exploitée par cette famille que mes parents payaient pour s'occuper de moi. »

Sans plus d'explications, Fidel raconte qu'au cours de sa troisième année à Santiago il a été inscrit à La Salle comme élève de première année (dans la version publiée par Franqui, il est entré « tout de suite en première année ») et a rattrapé les années perdues. Il vivait encore avec les Hibbert chez qui il rentrait pour déjeuner (« je n'étais plus affamé, à cette époque-là »). Et il ajoute qu'il aimait « avoir des professeurs, des cours à suivre, des camarades avec qui jouer, et tant d'autres choses qui n'étaient pas à ma portée quand j'étais un élève solitaire penché sur le dos d'un cahier pour apprendre l'arithmétique ».

Mais Fidel se sentit bientôt malheureux une fois de plus. Par exemple, quand les pensionnaires étaient conduits à la plage ou emmenés en promenade, les jeudis et samedis, un externe comme Fidel était laissé pour compte et sa vie était « très terne ». Il commença à ressentir du mépris pour les Hibbert. D'après ce qu'il raconte, il n'avait que six ou sept ans quand il prit la situation en mains : « Je me lançai dans ma première rébellion. » Il pratiqua une sorte de guérilla pour obliger son parrain à le laisser s'inscrire comme interne lui aussi. Un jour, quand Hibbert l'eut frappé « sur la partie arrière » de sa personne, pour quelque peccadille, Fidel commença à « s'insurger, insulter tout le monde, refuser d'obéir, hurler, et proférer tous les mots interdits ». Il conclut : « Je me conduisis si horriblement qu'ils me ramenèrent tout droit à l'école et m'inscrivirent comme interne ; ce fut une grande victoire pour moi. » Il y avait trente pensionnaires et deux cents externes. Il en coûta trente dollars par mois à son père.

A La Salle, les garçons devaient respecter un code vestimentaire très strict, porter complet et cravate. Il existe une photo de groupe qui nous montre la classe de seconde année où Fidel est assis au premier rang, la cravate desserrée, une expression d'ennui méprisant sur le visage. Rien dans ses souvenirs ne permet de penser qu'il se sentait malheureux d'être loin de ses parents à un âge aussi tendre ; il était manifestement content de se débrouiller tout seul. Il déclare pourtant : « Lors de nos premières vacances, nous sommes rentrés chez nous pour trois mois ; je ne crois pas avoir jamais été aussi heureux ; nous chassions au lance-pierre, montions à cheval, nagions dans les rivières et étions entièrement libres. » Pas un mot au sujet de la famille.

Quand Fidel termina sa troisième année, Ramón et Raúl le rejoignirent à La Salle où l'on créa une classe spéciale pour eux trois, afin que les frères puissent rester ensemble — décision apparemment incongrue car Ramón avait dix ans, Fidel huit ans et Raúl quatre ans seulement. Castro explique que si les choses avaient pu se passer ainsi, c'était parce que la famille était riche.

Son séjour chez les Maristes fut ponctué de batailles livrées par Fidel pour défendre ses droits, et il fait une longue digression pour tracer un portrait de lui-même qui le montre sous les dehors d'un garçon violent et intransigeant. Il se rappelle par exemple avoir battu un condisciple — le chouchou du professeur — au cours d'une bagarre engendrée par une promenade en bateau. Ce soir-là, le professeur avait fait chercher Fidel à la chapelle, au cours d'un service religieux solennel, pour lui demander ce qui s'était passé ; sans écouter aucune explication, « il me gifla si fort que j'eus un côté du visage insensibilisé... je pivotai sur moi-même et il me souffleta l'autre joue... Quand il me laissa partir, j'étais complètement étourdi et je me sentais douloureusement humilié ». Castro continue : « Une autre fois..., nous marchions en file indienne et il me frappa encore sur la tête. Je me promis alors que cela ne se passerait plus comme ça. Un jour, nous allions jouer au baseball ; or celui qui marchait devant avait toujours la meilleure position sur le terrain ; j'étais donc en train de disputer plus ou moins cette première place à un autre garçon quand le prêtre surgit par-derrière et me donna encore un coup sur la tête. Cette fois, je me retournai contre lui aussitôt, lui jetai un morceau de pain à la tête, puis je me mis à le frapper à coups de poings et à le mordre. Je ne crois pas lui avoir fait grand mal, mais cet exploit audacieux prit par la suite figure d'événement historique à l'école. »

Dans ce que Fidel appelle « un moment décisif » de sa vie, Angel décida, pendant les vacances d'été des garçons, après la quatrième année de Fidel, qu'ils ne retourneraient pas à l'école. Le père avait appris par des rapports de La Salle que ses trois fils n'étudiaient pas et étaient « les plus grands bagarreurs que l'on eût jamais vus dans l'établissement ». (Selon Fidel, « ces rapports étaient tendancieux, mais on les crut vrais à la maison ».) Pis encore, les rapports révélaient que les garçons avaient « copié » : ils s'étaient procuré à l'école un livre où figuraient les solutions des problèmes de mathématiques que leur proposait leur répétiteur à la *finca*.

Ramón Castro fut enchanté de mettre un terme à sa scolarité car il préférait la vie qu'il menait à Birán, les champs, les animaux, les machines. Le petit Raúl, incapable de se défendre tout seul, « fut expédié dans une école militaire dirigée par un maître rural, un sergent qui lui mena également la vie dure ». Mais Fidel était décidé à retourner à l'école. Il raconte l'histoire en ces termes : « Je me rappelle que je suis allé parler à ma mère pour lui expliquer que je souhaitais poursuivre mes études et qu'il était injuste de m'en empêcher. J'en appelai à elle, lui dis que je voulais continuer d'aller à l'école et menaçai de mettre le feu à la maison si je n'y retournais pas... De sorte qu'ils prirent le parti de m'y envoyer de nouveau. Je ne sais si je leur avais fait peur ou s'ils avaient eu pitié de moi, mais le fait est que ma mère avait bien plaidé ma cause. »

Fidel avait vite compris qu'un entêtement absolu et intransigeant pouvait devenir une arme puissante. Telle fut peut-être la leçon la plus importante qu'il avait apprise à l'école de ses jeunes années, tant à la *finca* qu'à Santiago ; il ne devait jamais l'oublier. Ayant réussi à reprendre ses études grâce à ce chantage, Castro fut inscrit en cinquième année dans un établissement bien meilleur et où l'on était aussi plus exigeant, l'école Dolores, au centre de la ville. C'est ainsi qu'à neuf ans il commença de recevoir l'éducation dispensée par les jésuites, qui exerça sur lui l'une des influences intellectuelles les plus importantes qu'il eût jamais subie au cours de son existence. Fidel déclare à ce propos : « [Dolores] était une école où l'on plaçait la barre très haut ; j'ai eu du mal à ne pas me laisser distancer par les autres. » Il ajoute qu'il avait lui-même insisté pour changer d'établissement ; il ne voulait pas reparaître à La Salle après que ce professeur l'eut frappé.

Mais il se retrouva externe, une fois encore, logé chez un marchand dont il détestait profondément la famille. Sa sœur Angela, qui fréquentait une école de filles à Santiago, était la seule personne amie qu'il comptât dans cette maison hostile. Fidel recevait alors de chez lui une allocation hebdomadaire de vingt *cents* pour son argent de poche ; il en dépensait dix pour aller au cinéma le dimanche, cinq pour acheter des glaces et cinq pour s'offrir tous les jeudis le magazine de bandes dessinées *El Gorrión* (le moineau). Pourtant, se rappelle-t-il, cette libéralité lui était refusée s'il n'avait pas les meilleures notes : « C'est pourquoi je pris les mesures nécessaires pour défendre mes intérêts. »

Il informa donc ses professeurs qu'il avait perdu son carnet et on lui en donna un autre. « Désormais, raconte Castro, j'inscrivais mes notes — de très bonnes notes, bien sûr — sur l'un des carnets, celui que j'emportais chez moi pour le faire signer. L'autre, sur lequel les professeurs avaient marqué les vraies notes, je le signais moi-même avant de le rendre. » A cette époque-là, il devait avoir adopté un comportement plus angélique que par le passé et se trouver au-dessus de tout soupçon. Une photo nous le montre assis sur un banc de bois, à la longue table du réfectoire, un demi-sourire sur les lèvres. Il porte l'uniforme de Dolores, pantalon blanc, veste bleu marine, chemise et cravate, avec un ceinturon blanc. Les jésuites aimaient entretenir un esprit militaire dans leurs écoles. Sur une autre photo, on le voit défiler sous un drapeau cubain et le fanion de Dolores.

Juste après son dixième anniversaire, Fidel subit une crise d'appendicite et passa trois mois à l'hôpital de la Colonia Española, à Santiago, car la plaie ne se cicatrisait pas bien. Mais comme toujours, il s'arrangea pour ne pas perdre son temps et il se plaît à raconter l'histoire : « J'étais pratiquement seul et me liai d'amitié avec les autres malades. Je vous raconte cela pour vous montrer que j'avais déjà le don d'entrer en relation avec les gens ;

j'avais l'étoffe d'un politicien. Quand je ne lisais pas des bandes dessinées, je passais mon temps à rendre des visites aux autres. Certains pensaient que je ferais un bon médecin parce que j'avais pris l'habitude de jouer avec des lézards et une lame de rasoir. Je m'étais senti impressionné par l'idée d'avoir été opéré. (On prenait alors fort peu de mesures d'hygiène, c'est pour cela que la plaie se rouvrait et qu'il me fallut rester trois mois à l'hôpital.) Après quoi, je me mis à " opérer " des lézards, lesquels mouraient généralement, bien entendu. J'observais alors comment les fourmis les emportaient, comment des centaines de fourmis pouvaient transporter un lézard jusqu'à leur fourmilière. »

La maladie empêcha Fidel de « sauter » une classe, à l'école, comme il avait été poussé à le faire par une institutrice noire connue sous le nom de « Professeur Danger ». Elle avait donné des leçons à sa sœur et voyait en lui de grandes promesses. Fidel déclare qu'il n'a jamais trouvé de « guide ou de précepteur » qui pût l'aider, au cours de ses révoltes juvéniles, alors que se formait son caractère, mais que « cette institutrice noire, à Santiago, en tint presque lieu » pour lui. Elle était, rappelle encore Castro, « la première personne de ma connaissance qui m'ait stimulé, qui m'ait donné un but, qui ait été capable de me communiquer de l'enthousiasme pour l'étude à un si jeune âge ».

Mais dans la famille où il avait pris pension, Fidel (pendant sa sixième année de scolarité) était en proie à un ressentiment croissant. L'une des choses qui le remplissaient de colère était qu'à son retour de l'école on l'enfermait pendant des heures dans une chambre pour le forcer à travailler : « or un enfant ne demande qu'à ne rien faire, à écouter la radio, ou à sortir ». Il refusait donc d'étudier et laissait son imagination « s'envoler vers d'autres pays, des événements historiques et des guerres ». Castro dit qu'il aimait beaucoup l'histoire « et en particulier les récits de batailles » : « J'avais même pris l'habitude d'en inventer. » Les heures pendant lesquelles il était enfermé, rappelle-t-il, « furent une sorte d'entraînement militaire... Je commençais par prendre des quantités de petits bouts de n'importe quoi et des boulettes de papier que je disposais sur une table de jeu et je leur faisais franchir un obstacle pour voir combien passeraient et combien resteraient sur le carreau. Il y avait des pertes, des blessés. J'ai joué à ce jeu de la guerre pendant des heures d'affilée ». Quand il ne fut plus capable de supporter la maison de son hôte, il enjoignit à la famille du marchand « d'aller au diable » et devint pensionnaire à Dolores le soir même. Fidel ne précise pas si ses parents avaient eu leur mot à dire, mais, souligne-t-il : « une fois de plus, il m'avait fallu prendre sur moi de me tirer d'une situation que je trouvais désagréable »; et il cite à ce propos les batailles qu'il avait dû livrer à La Salle, ainsi que l'affrontement de Birán pour la poursuite de ses études.

Castro, qui avait alors onze ans, affirme : « Dès lors je devins définitivement mon propre maître et m'occupai moi-même de mes problèmes, sans prendre conseil de personne... Je jouais au football, au basket, à la pelote basque, je pratiquais toutes sortes de sports. J'y mettais toute mon énergie. » Et il ajoute avoir personnellement souffert du fait que son entourage n'avait pas la moindre notion de pédagogie et ignorait tout de la psychologie nécessaire à l'éducation des garçons, mais il précise : « Je ne blâme pas mes parents qui étaient des êtres ignorants, dépourvus de toute instruction. Ils nous ont confiés à des personnes qui étaient censées nous traiter convenablement mais cela nous a valu des moments difficiles. » Il semble que l'opinion de Castro sur ses parents était surtout faite de mépris. Cela ne l'empêcha pas de les exploiter à son avantage et d'accepter leur aide financière pendant des années ; il en allait même encore ainsi au moment où il préparait l'expédition de la *Granma* en 1956. Sa sœur Juana pense que Fidel respectait son père, mais de toute évidence, les rapports existant entre ces deux Espagnols ombrageux et obstinés manquaient de chaleur. La menace de Fidel, alors âgé de neuf ans, de brûler la maison s'il n'était pas autorisé à retourner à l'école avait été son premier affrontement grave avec Don Angel. A treize ans, alors que son père payait ses études à Dolores, Fidel profita de ses vacances d'été non seulement pour conduire les tracteurs de la *finca* (l'un de ses passe-temps favoris) mais aussi pour essayer de dresser les ouvriers agricoles contre le maître de Birán. A dix-huit ans, alors qu'il faisait ses études dans un coûteux collège de jésuites à La Havane, il provoquait sans cesse son père en accusant la famille de « capitalisme » et en reprochant à Don Angel ses « abus » et ses « fausses promesses » envers les travailleurs.

D'autres membres de la famille prétendent que, dans le même temps, Fidel critiquait la gestion de son père, insistait pour examiner la comptabilité, et s'indignait de voir tolérer qu'un paysan, employé par la famille, fût débiteur de la somme de six mille pesos envers celle-ci. Quand Fidel était en prison après l'attaque de Moncada, son père (qui venait juste de lui payer ses études à l'université) envoya tous les mois de l'argent à l'épouse du rebelle, Mirta, et au petit Fidelito pour les faire vivre. Pourtant, selon Juana Castro, Fidel ne trouva pas un moment pour aller voir ses parents à Birán, entre son amnistie et son embarquement pour le Mexique où il allait préparer la révolution. Raúl, libéré le même jour, s'arrangea pour passer une semaine environ à la *finca*. Fidel vit son père pour la dernière fois en 1953, avant l'affaire de Moncada. Il était encore au Mexique quand Don Angel mourut de la perforation d'une hernie, en octobre 1956. Une personne qui a connu Fidel Castro depuis l'enfance de celui-ci affirme qu'il n'a jamais ressenti « de tendresse pour personne, pas même pour sa femme », que c'est un « homme passionné mais incapable d'attentions ou de tendresse, indifférent à tout problème humain, excepté les siens ».

C'est là un jugement très dur, qui n'est pas nécessairement corroboré par d'autres opinions exprimées sur le comportement de Fidel. Quoi qu'il en soit, celui-ci est indéniablement devenu son propre maître dès le temps de l'école, non sans s'y être efforcé sciemment et consciencieusement. Alors qu'il était en sixième année à Dolores, Fidel fut rejoint par Ramón et Raúl. Le père avait en effet changé d'avis une fois de plus quant à l'éducation de ses fils. Raúl se rappelle un incident survenu lors d'une sortie dominicale à la plage de Siboney, près de Santiago : le surveillant avait puni deux garçons en les privant de baignades. Mis au courant, Fidel s'approcha de ce prêtre pour lui demander : « Mon père, si je plonge du haut du tremplin de

dix mètres, est-ce que vous les laisserez se baigner ? » Le prêtre répondit :
« Mon fils, c'est bien trop haut, tu n'oseras jamais ! » Castro insista et
l'ecclésiastique promit. Fidel, réunissant tout son courage, plongea et
obtint le pardon de ses deux condisciples — mais se prouva surtout à lui-
même qu'il pouvait toujours dominer la peur.

Raúl, qui détestait l'école, se rappelle : « Pour moi, c'était une prison.
L'école, pour moi, c'était la prière, le port de la cravate, la crainte de Dieu.
Ce qui me tuait vraiment c'était les prières. Nous étions en train de prier du
matin au soir. Pour Fidel, c'était différent. Il dominait la situation. Il
réussissait en tout, dans le sport comme dans les études. Il se battait tous les
jours. Il avait un caractère très explosif. Il provoquait les élèves les plus
grands et les plus costauds. Et quand il était battu, il revenait à la charge le
lendemain. Il n'abandonnait jamais. » Là encore, l'objectif de Castro était
d'exercer son courage.

Juan Rovira, qui était le condisciple de Fidel à Dolores (et vit désormais
en exil à Miami), se souvient de ses exploits sportifs et de sa prodigieuse
mémoire en classe. Il déclare : « Fidel soulevait l'enthousiasme de tous
quand il y avait un match de basket-ball avec La Salle ou une rencontre
d'athlétisme, parce qu'il courait si vite et que ses qualités sportives étaient si
fantastiques... Il excellait dans tous les sports et c'est pourquoi il bénéficiait
de la sympathie générale. En matière d'études, il ne brillait pas autant, mais
quand venait la période des examens il pouvait travailler énormément. Les
pensionnaires étaient autorisés à se lever tôt, à quatre heures du matin, et il
avait une mémoire prodigieuse. Il était capable de reproduire par écrit tout
ce qu'il avait lu, mot pour mot, et on aurait dit qu'il avait copié, mais il avait
tout gravé dans sa tête. Il obtenait de bonnes notes grâce à cette mémoire
prodigieuse. »

Castro s'était familiarisé pour la première fois avec la montagne quand il
était à Dolores. Lors de certaines sorties, les bus scolaires emmenaient les
garçons faire des escalades, parfois à El Cobre, ou à Gran Piedra, parfois
même au pied de la Sierra Maestra. Fidel évoque ces souvenirs : « J'aimais
aussi partir le long des fleuves quand ils étaient gonflés par les crues, les
traverser et marcher pendant un certain temps avant de revenir. Le bus
devait toujours m'attendre... Je n'imaginais pas que les montagnes
joueraient un jour un si grand rôle dans ma vie ! »

Quand il eut quinze ans, il obtint son diplôme de fin d'études à Dolores
(cette année-là, dit-il, « j'étais l'un des premiers de ma classe »), mais il
conservait son attitude arrogante. Quand on lui demanda, lors de l'examen
final, de nommer un reptile, il répondit : « Un *majá* » (grand serpent non
venimeux que l'on trouve à Cuba) ; et comme l'examinateur voulait qu'il en
nommât un autre, il répondit : « Un autre *majá*. »

Sa volonté d'exceller et de se distinguer ne connaissait pas de limite. Une
station de radio de Santiago avait organisé un concours de poésie et c'était
les parents qui devaient désigner le gagnant. Castro envoya plusieurs
poèmes. (José Martí, qui faisait déjà l'objet de toute son admiration, avait
également été un grand poète.) Mais il n'avait pas du tout le don. Il admet
que ses vers « n'étaient pas les meilleurs », mais, dit-il, « je m'étais lié
d'amitié avec tous les garçons, ce qui révèle peut-être une fois de plus que

j'étais doué pour la politique... Presque tous les gars demandèrent à leurs parents de voter pour moi de sorte que beaucoup de lettres étaient ainsi rédigées : " Le poème d'Elpidio sur les mères est très beau mais nous votons pour Fidel " »...

Après le triomphe de sa révolution, Fidel Castro a souvent dit que sa conscience sociale s'était éveillée dans la petite école de Marcané et à la *finca* de Birán où il avait étudié et joué avec les enfants des pauvres. C'est ce qui ressort d'une longue lettre personnelle qu'il a adressée à une amie, le 24 janvier 1954, alors qu'il purgeait sa peine dans la cellule d'une prison, après avoir été condamné pour l'attaque de Moncada : « Mes camarades de classe, fils d'humbles paysans, allaient à l'école pieds nus, et, en général, ils étaient vêtus misérablement. *Ils étaient très pauvres.* Ils apprenaient à peine les premières lettres de l'alphabet et abandonnaient bientôt l'école, même s'ils étaient plus intelligents qu'il ne le fallait. Ils se noyaient alors dans une mer d'ignorance et de pauvreté, sans fond et sans espoir, sans qu'aucun n'échappât jamais à l'inévitable désastre. Aujourd'hui, leurs enfants suivront leurs traces et porteront le fardeau de la fatalité sociale. Moi, au contraire, je *pouvais* faire des études, je les poursuivis donc... Rien n'a changé en vingt ans... Il est probable que les choses sont restées les mêmes depuis la naissance de la République et que tout va continuer ainsi sans que personne se charge de prendre la situation en main... Rien de ce qui pourrait être fait dans le domaine de la technique et de l'organisation de l'enseignement ne peut mener nulle part, à moins que quelqu'un ne réforme du haut en bas la situation économique du pays... car c'est là que se trouve la véritable racine de la tragédie... En admettant que, avec l'aide de l'Etat, un jeune homme parvienne à un niveau enviable dans un domaine technique, même alors il sombrerait avec son diplôme comme un bateau en papier dans les terribles goulets de notre situation économique et sociale d'aujourd'hui... »

Dans son entretien autobiographique avec Carlos Franquí en 1959, Fidel Castro a fait cette remarque : « Toutes les circonstances qui ont entouré ma vie et mon enfance, tout ce que j'ai vu, auraient dû logiquement me conduire à adopter les habitudes, les idées et les sentiments propres à une classe sociale dotée de certains privilèges, et à partager avec elle les motivations égoïstes qui la rendent indifférente aux problèmes d'autrui. » Et il ajoute : « Pourtant, au milieu de tout cela, il y eut un élément qui nous aida à acquérir un certain esprit d'humanité : le fait que tous nos amis, tous nos camarades, étaient les fils des paysans du voisinage. »

C'est après avoir été marqué par un tel entourage que Fidel Castro fut soumis à l'enseignement des jésuites, d'abord à Santiago, puis à La Havane. Après ses premiers contacts avec les écoles des jésuites, il avait conclu que « les enseignants y étaient mieux formés qu'ailleurs... il y régnait un esprit de discipline... on y acquérait des habitudes de rigueur et d'application qui étaient bonnes en soi. Je ne suis pas opposé à ce genre de vie — spartiate jusqu'à un certain point. Je pense qu'en règle générale les jésuites formaient des gens qui avaient du caractère ».

Castro n'avait aucun moyen de le savoir, mais un nombre étonnant de jeunes Cubains qui allaient devenir ses plus proches compagnons de révolution faisaient à cette même époque leurs études dans les écoles de jésuites de Santiago, de La Havane et d'autres villes. Quant à Fidel, il avait maintenant près de seize ans et il était prêt à affronter un nouveau bouleversement de son existence.

3

Un matin d'octobre 1941, Fidel Castro sentait ses genoux trembler ; la tension nerveuse le faisait transpirer abondamment. Il se trouvait devant le père José Rubinos, directeur de l'académie littéraire Avellaneda, et il lui fallait réciter de mémoire le discours de dix minutes qui allait marquer le début de sa vie professionnelle dans la politique.

Si le discours satisfaisait les exigences du père Rubinos, cela signifierait que Fidel serait admis à l'académie — l'école de rhétorique du collège de Belén (Bethléem) à La Havane. Le collège était une école secondaire de jésuites, très fermée, qui préparait les élèves à l'enseignement supérieur. Le père de Fidel l'y avait envoyé pour qu'il poursuivît ses études après les quatre années passées à Dolores. Castro avait eu seize ans au mois d'août et, pendant ses vacances à Birán, il avait persuadé ses parents de le laisser entrer à Belén qu'il tenait pour la meilleure institution pédagogique du pays, bien que ce fût également « un centre doté d'un grand prestige aux yeux de la " crème de la crème " de la bourgeoisie et de l'aristocratie cubaines ». Castro savait toujours ce qui était bon pour lui.

Faire des études à La Havane, laisser derrière soi le provincialisme de l'Oriente, voilà un énorme pas en avant vers une fière carrière ; Fidel était le premier de sa famille à bénéficier d'une telle chance. Surtout, Belén ouvrait la voie qui conduisait à l'université ; or tel était l'objectif suivant que s'était fixé Castro. Située sur la côte nord, la capitale remuante, cosmopolite, vivante, sensuelle, explosive, bruyante, pleine de promesses mystérieuses, d'idées et d'expériences, était un monde dont la nouveauté avait de quoi couper le souffle à un jeune homme encore fruste, frais émoulu des champs de canne du pays natal. C'éait la première fois que Fidel allait à La Havane quand il débarqua du train de Santiago avec « un tas d'argent pour acheter des vêtements et d'autres articles… payer ses frais de scolarité, acheter des livres… et faire face aux autres dépenses ». Les études et la pension coûtaient cinquante dollars par mois, ce qui, affirme Castro, « n'était pas cher » pour l'époque si l'on tenait compte des vastes possibilités qu'offrait Belén aux étudiants ; mais c'était encore bien trop coûteux pour le fils d'un instituteur, par exemple, dont le salaire mensuel ne dépassait pas soixante-quinze dollars.

Fidel ne connaissait pas une âme à La Havane, mais il était déterminé, de prime abord, à se faire remarquer le plus vite possible, en renversant les obstacles à mesure qu'ils se présenteraient. José Ignácio Rasco, qui fut son condisciple, d'abord à Belén et plus tard à l'université de La Havane, se rappelle qu'en ce jour d'octobre, à l'académie Avellaneda, Fidel « était désespéré à l'idée que sa nervosité l'empêcherait de passer une épreuve si importante ». En fin de compte, il se montra capable de satisfaire le père Rubinos et fut admis à l'académie. Nul ne se souvient de ce qu'il avait dit dans son discours, ce jour-là, mais l'examen (facultatif et non pas obligatoire) fut l'occasion d'une nouvelle victoire sur lui-même. A Cuba nul ne peut réussir dans la politique s'il n'est un orateur de premier ordre, et à l'âge de seize ans Fidel se sentait déjà irrésistiblement attiré par le métier ou l'art du politicien, l'éclat qui entoure la politique et l'exercice du pouvoir, pour peu qu'il en connût alors.

Castro est aujourd'hui reconnu comme l'un des grands orateurs de notre temps et pourtant la timidité qui l'affligeait à l'époque de son adolescence ne l'a pas vraiment abandonné. Rasco (qui vit en exil à Miami, depuis 1980, après avoir rompu tous ses liens avec Castro au lendemain de la révolution à cause du problème du communisme) évoque le souvenir du premier discours prononcé par Fidel *en public* alors qu'il était étudiant à l'université, cinq ans après les angoisses de l'Avellaneda. Castro avait alors passé une semaine chez Rasco lui-même pour écrire et récrire son texte, puis l'apprendre par cœur avant de s'exercer à le réciter — devant un miroir. Une fois encore sa timidité lui posait un problème et une fois de plus il en vint à bout. Il avouait au magazine *Bohemia*, en 1985, qu'il souffrait toujours de sa timidité au moment d'affronter un auditoire et cet aveu fut reçu avec incrédulité sinon avec ironie par les lecteurs, tant à Cuba qu'à l'étranger, mais ce n'était pas une invention. Castro peut se montrer timide ou manquer d'assurance et il y a toujours chez lui un moment d'incertitude quand il commence à prendre la parole, ce qu'il fait généralement sur un ton dubitatif. Puis quand il se sent possédé par son sujet, la timidité s'évanouit et ne reparaît plus pendant les longues heures qu'il passe devant les micros et les caméras.

Chez Fidel, cette timidité s'allie à une stupéfiante ténacité. Rasco souligne que pendant ses années d'étudiant, Fidel avait d'immenses facultés de concentration, jointes à sa phénoménale capacité de mémoire qui jouait en sa faveur. Bien souvent, distrait par d'autres affaires qui l'intéressaient davantage, il prenait du retard dans ses études — puis rattrapait spectaculairement les autres. Au cours de sa dernière année à Belén, raconte Rasco, Fidel fut suspendu en classe de français et de logique, faute de pouvoir maintenir ses notes à un niveau convenable, ce qui par ricochet l'empêchait d'être autorisé à se présenter à l'examen final spécial devant les inspecteurs du ministère de l'Education. (Belén étant un établissement privé, la loi exigeait que les résultats obtenus par les élèves fussent vérifiés par le ministère après l'examen ordinaire.) Dans ces circonstances, Fidel paria avec le père Larrucea, le surveillant général, qu'il obtiendrait la note maximum — 100 sur 100 — au second semestre, tant en français qu'en logique, moyennant quoi il lui serait permis de se présenter à l'examen du ministère. Le prêtre accepta et Fidel, naturellement, gagna son pari.

Sa mémoire était si impressionnante que, d'après les souvenirs de Rasco, ses condisciples jouaient à lui demander : « Fidel, récite-nous la page 45 du manuel de sociologie », et Castro en récitait imperturbablement le contenu, et si la page s'achevait sur un mot coupé par un trait d'union, il le mentionnait aussi.

La ténacité et la détermination de Castro s'étendaient également au domaine physique. Il s'était promis d'être le meilleur lanceur de l'équipe de base-ball de Belén, mais comme il avait des problèmes musculaires dans le bras, il s'entraînait parfois jusqu'à huit heures du soir sur le terrain de l'école. Longtemps après qu'il n'y eût plus personne pour recevoir ses balles, il continuait à s'exercer — mais cette fois contre un mur. Rasco raconte aussi comment, un jour, Castro se vantait de réussir dans tout ce qu'il entreprenait et fut mis au défi par les autres de se jeter, la tête la première, avec sa bicyclette, contre un mur de briques. Comme on pouvait s'y attendre, on le releva sans connaissance et il dut passer trois jours à l'hôpital de l'école.

Au cours des quatre années qu'il passa à Belén, il fut, de loin, l'athlète le plus brillant de l'institution, non pas tant parce qu'il prenait plaisir à faire du sport, que pour une question de principe : il lui fallait être le meilleur en tout. Pourtant, comme le soulignent plusieurs de ses anciens condisciples, c'était surtout un remarquable soliste plutôt qu'un bon co-équipier, ce qui révélait bien évidemment un trait de son caractère.

Coureur vedette, champion de ping-pong, bon lanceur au base-ball, c'était un « penseur » (comme il aime aujourd'hui à le dire) au basket-ball, et il jouait toujours, en fait, le rôle de capitaine dans les équipes auxquelles il appartenait. Enrique Ovares, qui l'a bien connu à l'université à cause de leurs multiples engagements politiques communs, déclare que l'équipe de basket-ball de Belén « était célèbre parce que Fidel rendait célèbre tout ce qu'il touchait ». Ovares est architecte ; il vit aujourd'hui exilé en Floride et ne peut être accusé de faire de la propagande pour Castro : il a passé sept ans dans les prisons de La Havane, pour avoir été accusé de participation à des complots contre-révolutionnaires. Il témoigne : « Le zèle de Castro était si grand qu'il ne manquait jamais une séance d'entraînement et si on lui demandait de tirer cinquante fois au panier, il tirait plutôt cent fois qu'une. »

Fidel proclame lui-même fièrement : « A peine arrivé, j'avais réussi à devenir un as en basket-ball, en football, en athlétisme et dans tous les autres sports. » Il conservait son amour des randonnées en montagne et raconte qu'après ses premières sorties avec les scouts de Belén, les professeurs avaient compris qu'il y excellait : « Ils me donnèrent de l'avancement jusqu'au jour où ils me nommèrent chef de la troupe de l'école avec le titre de " général des explorateurs ", comme ils disaient. » Il se rappelle avoir organisé et dirigé l'ascension du plus haut sommet de la partie ouest de Cuba, mais avoir mis cinq jours au lieu de trois pour parvenir au but comme prévu, en raison des difficultés de l'escalade du pic

Guajaibón — ce qui avait fait craindre aux jésuites que le groupe ait eu un accident. Il affirme : « Je ne savais pas alors que j'étais en train de me préparer aux luttes révolutionnaires et ne pouvais évidemment pas l'imaginer à ce moment-là. »

Dans le contexte de la société cubaine des années 1940, les familles riches, conservatrices en politique, de même que les familles récemment enrichies — comme celles des immigrants espagnols —, étaient censées envoyer leurs enfants dans les écoles de jésuites. Ce n'était pas tant à cause de la profondeur de leur foi catholique que pour la supériorité de ces établissements d'enseignement. Fréquenter une école de jésuites conférait également un cachet de snobisme ; les filles de « bonnes familles » allaient chez les sœurs du Sacré-Cœur ou les Ursulines ; l'objectif était de leur donner une éducation solidement inspirée par la religion, au moins en surface.

La bourgeoisie riche mais « libérale » préférait pour ses rejetons les écoles privées laïques — souvent les académies militaires pour les garçons. Les enfants de la classe moyenne ou des familles plus pauvres fréquentaient les *institutos* de l'enseignement public ou les écoles techniques et professionnelles. Les paysans et les Cubains les plus misérables pouvaient rarement envoyer leurs fils (et encore moins leurs filles) ailleurs qu'à l'école élémentaire locale. En ce sens, la stratification sociale de Cuba s'exerçait sur les enfants dès leur plus jeune âge et chacun savait instantanément quelle était sa place dans la société. Pour des nouveaux riches comme les Castro, il était logique que les jeunes fréquentent d'abord Dolores, à Santiago, puis Belén à La Havane. (Ramón, l'aîné des fils d'Angel et de Lina, revint de Dolores pour travailler à la *finca*, ce qu'il préférait de beaucoup, et se maria à dix-neuf ans ; Raúl resta à Dolores jusqu'au moment où il entra à Belén, lui aussi ; Angela, leur sœur aînée, alla chez les Ursulines à Santiago où Juana la suivit.)

Fidel Castro prend pourtant grand soin de ne pas donner l'impression qu'il est issu de l'aristocratie ou de la haute bourgeoisie, même si sa famille s'était enrichie. Il observe à juste titre que dans des écoles « privilégiées » comme celle de Belén, les élèves étaient divisés en deux groupes, « non pas tant par la fortune — même si c'était là le facteur essentiel — que par le rang social, la maison où l'on vivait, les traditions ».

Il remarque que si les Castro avaient, sans doute, les ressources appropriées pour s'élever dans l'échelle sociale, ils n'y parvinrent jamais parce qu'ils habitaient la campagne : « Nous vivions parmi le peuple, parmi de très humbles travailleurs... un endroit où les animaux logeaient sous la maison, les vaches, les cochons, les poulets, et tout ça. » Fidel peut avoir exagéré la simplicité de ses origines : en effet, il est avéré que son père avait, pour le moins, entrepris de se doter d'une situation politique et sociale dans la région (il versait son écot aux campagnes électorales et y participait pour le compte de ses amis et compagnons) ; mais il ne se trompe pas quand il décrit la façon dont était considérée la culture des classes paysannes cubaines.

« Je n'étais pas le petit-fils, ni l'arrière-petit-fils d'un propriétaire foncier, dit-il. Il se peut que le petit-fils d'un grand propriétaire n'ait plus d'argent, mais il conserve intégralement la culture des aristocrates, des riches, de l'oligarchie. Dans la mesure où ma mère avait été une très humble paysanne et mon père un paysan très pauvre qui avait réussi à accumuler une certaine fortune, la culture des riches, des propriétaires [m'avait été refusée]... Je crois que si j'avais été le petit-fils ou l'arrière-petit-fils d'un grand propriétaire, j'aurais peut-être eu le malheur de me voir transmettre cette culture de classe, cet esprit de classe, et je n'aurais pas eu la chance d'échapper à l'idéologie bourgeoise. »

Il est frappant de constater que tant d'années après la victoire de sa révolution socialiste et son passage au marxisme-léninisme avec armes et bagages, Castro ressent encore le besoin de se livrer à des protestations plus ou moins gratuites à propos de ses origines sociales. Il se défend d'avoir eu des parents riches et allègue « qu'ils travaillaient dur, tous les jours » qu'ils n'avaient pas « de vie de société » — cela ne l'a pas empêché d'accepter volontiers les subsides familiaux longtemps après être devenu adulte !

En fait, quand Fidel évoque parcimonieusement quelques souvenirs d'enfance, il semble toujours obéir au besoin d'édifier aussi soigneusement que possible son propre mythe officiel — de peindre une sorte de *Portrait de Fidel* par lui-même, dans la pose qu'il a choisie d'adopter à un moment donné.

C'est pourquoi il s'acharne à gommer tout ce qui pourrait faire soupçonner que le démon de la bourgeoisie se tapit quelque part au fond de son passé. Peut-être veut-il aussi exorciser une tentation subconsciente, présente chez tant de bourgeois convertis au communisme, de rester bourgeois plus que communistes. En tout cas, « bourgeois » est un mot obscène dans le vocabulaire de Castro, un mot qu'il craint presque, et c'est un sujet sur lequel il revient sans cesse.

Considérée par la haute société cubaine comme la première institution pédagogique du pays, Belén était logée à l'avenant : elle occupait un imposant bâtiment qui lui appartenait en propre ; construit au cours des années 1930, il se dressait sur un vaste terrain dans le quartier principalement résidentiel de Alturas de Belén (les Hauts de Bethléem) — en marge de la Cinquante et unième avenue. L'école avait d'abord fonctionné dans les quartiers populeux de la vieille ville, mais le nouvel édifice permettait de loger confortablement les deux cents pensionnaires (sur un millier d'élèves) et le domaine était suffisamment spacieux pour que l'on eût pu y installer plusieurs terrains de base-ball et de basket-ball, des courts de tennis, une piste d'athlétisme ovale et même une piscine. Fidel appréciait énormément ce cadre et ces privilèges réservés à l'aristocratie et à la bourgeoisie cubaines ; après la révolution, le collège a été transformé en Institut militaire technique ; c'est un centre technologique des Forces armées, au niveau de l'enseignement supérieur (l'ancienne chambre de Fidel y est conservée intacte, comme une sorte de lieu saint, par les soins du Musée de la Révolution).

La discipline était stricte à Belén, mais cela ne semble pas avoir soulevé de problèmes pour Castro. Les garçons portaient l'uniforme. On les réveillait à six heures et demie du matin, pour la messe de sept heures (la messe, les prières et les retraites religieuses périodiques de trois jours sont les seuls aspects de la vie de Belén que Castro dit aujourd'hui ne pas avoir aimés) ; ensuite venait le petit déjeuner, puis la classe. Castro se vit confier la responsabilité de la grande salle de lecture où les élèves étudiaient entre le dîner et le coucher. Il lui fallait vérifier que les portes et les fenêtres étaient bien fermées et les lumières éteintes, mais il en profitait souvent pour rester seul et lire pendant des heures lorsqu'il lui fallait préparer les examens.

Castro déclare qu'il se fit « beaucoup d'amis » parmi les élèves et il ajoute : « Sans m'en rendre compte ni le chercher, je commençai à devenir populaire parmi eux, comme sportif, comme athlète, comme scout, comme alpiniste, et comme un garçon qui, après tout, avait de bonnes notes. » Il dit que « peut-être, dès cette époque, certaines qualités politiques se faisaient jour » en lui, à son insu. Ce devait être à son insu, en effet, car à aucun moment Castro ne se constitua aucun groupe de fidèles — politique ou autre — à l'école, et aucun de ses condisciples de Belén ne participa à ses activités révolutionnaires postérieures.

Fidel et les autres pensionnaires étaient autorisés à sortir pendant les week-ends s'ils avaient de la famille à La Havane ou étaient invités chez des amis. Mais il semble que Castro ait reçu fort peu de ces invitations, malgré la célébrité que lui valait le sport. Certes, son père était relativement riche, mais dans la société cubaine, imprégnée par la conscience de classe, cela ne lui assurait pas automatiquement l'entrée dans les cercles dont la fortune était ancienne ; et derrière son dos on le traitait, à l'occasion, de *guajiro* (paysan). Enrique Ovares se rappelle avoir rencontré Castro pour la première fois pendant un week-end chez Carlos Remedios ; celui-ci était un bon joueur de basket dont le père, politicien influent, siégeait à la Chambre des députés. Mais ce n'était qu'une « amitié de basket ». Ovares figure parmi ceux qui connurent le mieux Fidel pendant leur jeunesse à tous deux et il précise : « A mon avis, le tort le plus grave que les parents de Fidel aient pu faire à leur fils avait été de le mettre dans une école de garçons riches, sans que lui-même eût été *vraiment* riche... et, pis encore, sans qu'il eût un certain rang social... Etant donné le genre de maturité que possédait Fidel au moment où il passait de l'enfance à l'âge adulte, je pense que cela contribua à lui faire haïr la haute société et les gens riches. »

Ovares rappelle que Fulgencio Batista, alors même qu'il était Président de Cuba, n'avait pu se faire admettre dans un club très fermé, le Havana Yacht Club, où son nom avait été « blackboulé » chaque fois qu'il s'était présenté. C'est là un triste exemple de la façon dont se comportaient les privilégiés à Cuba, en ce temps-là, et Castro ne se prive pas d'en faire état. Il est difficile de vérifier si Ovares a raison de conclure que Fidel avait été poussé à « haïr les riches » à cause de son sentiment d'infériorité sociale. Castro n'a jamais parlé de ses années à Belén en ces termes, mais il est douteux qu'il ait pu rester insensible à une situation qui remettait en question sa popularité personnelle. Quoi qu'il en soit, Fidel n'a jamais été non plus un être excessivement sociable. Ovares déclare : « Nous aimions généralement aller à des réceptions et ainsi de suite, mais pas lui. C'était un introverti. » Juan Rovira, autre camarade de pension, évoque le « caractère un peu difficile » de Fidel. « Il ne se montrait ni très ouvert ni d'humeur très constante... : il était [alternativement] heureux si les choses allaient bien pour lui, et déprimé si elles allaient mal. » Il était en outre enclin à la violence et l'un de ses condisciples affirme qu'en une occasion au moins il s'était battu à coups de poing avec d'autres joueurs pendant une partie de basket-ball, à propos d'une décision de l'arbitre qu'il contestait.

Au cours de sa troisième année à Belén, Fidel, alors âgé de dix-huit ans, fut proclamé « meilleur athlète universitaire » de Cuba. Mais en classe, il concentrait ses efforts sur les sujets qui l'intéressaient : l'espagnol, l'histoire, la géographie et l'agronomie (c'est sans doute pourquoi il avait négligé la logique et le français) ; il se passionnait également pour l'histoire sainte en raison de son « contenu fabuleux » : « C'était merveilleux pour un enfant ou un adolescent d'apprendre tout ce qui était arrivé depuis la création du monde jusqu'au déluge universel. »

Castro était fasciné par la Bible : l'histoire de Moïse, le passage de la mer Rouge, la Terre Promise, et « toutes ces guerres et ces batailles ». Il affirme : « Je crois que c'est dans l'histoire sainte que j'ai découvert pour la première fois l'existence de la guerre, c'est-à-dire que je me suis intéressé pour la première fois à l'art de la guerre... cela m'intéressait prodigieusement — de la destruction des murs de Jéricho par Josué... à l'histoire de Samson, capable de faire craquer un temple avec ses propres mains grâce à sa force herculéenne. Toute cette période que l'on peut appeler celle de l'Ancien Testament, Jonas, la baleine qui l'avait avalé, le châtiment de Babylone, le prophète Daniel, tout cela faisait de merveilleuses histoires. » Puis venait, dit-il, le Nouveau Testament où « le récit de la crucifixion et de la mort du Christ produisait un choc sur un enfant ou un jeune homme ».

En même temps, Castro évoque néanmoins son éducation en des termes plus sinistres ; dans un discours de 1961, il a déclaré : « J'ai été formé parmi les pires réactionnaires et j'ai perdu bien des années de ma vie dans l'obscurantisme, la superstition et les mensonges. » Apparemment, il ne voit pas qu'il existe une contradiction entre ces vues et le souvenir de la fascination exercée sur lui par l'histoire sainte, à Belén. Une fois encore, telle est la façon dont Castro continue de tisser et de recréer ses propres mythes au sujet de lui-même.

Le séjour de Castro à Belén — de l'automne 1941 au printemps 1945 — coïncide avec le temps de la Seconde Guerre mondiale pour les Etats-Unis et la première présidence de Batista. (Cet ancien sergent, mué en éminence grise depuis sept ans, en sa qualité de chef des armées, se présentait maintenant en dirigeant démocratique.)

La carrière politique de Batista avait commencé le 4 septembre 1933, quand il avait dirigé un coup d'état, mené par des sous-officiers dans le but de faire de l'armée l'arbitre (conservateur) de la politique cubaine — bien qu'il ait eu partie liée, à l'origine, avec un régime gauchiste.

La crise politique des années trente, à Cuba, avait été déclenchée par une initiative du président Machado (naguère soutenu par les Etats-Unis) qui voulait faire prolonger son mandat présidentiel quadriennal pendant cinq nouvelles années. Elu une première fois en 1926 pour quatre ans, Machado avait organisé deux ans plus tard des élections truquées dont il était l'unique candidat ; cela lui avait permis de faire reconduire sa présidence jusqu'en 1935. La manœuvre de Machado avait suscité une vague d'opposition et entraîné une alliance entre les étudiants enclins à faire la révolution, le jeune parti communiste cubain et les dirigeants modérés traditionnels. De sorte que Cuba avait vécu pendant cinq ans dans la turbulence et la violence les plus profondes. Les Etats-Unis ne s'en soucièrent, bien malencontreusement, que tout à la fin ; pourtant l'amendement Platt était toujours en vigueur et Washington aurait eu là une occasion légale d'intervenir pour le bon motif. Mais tant que les intérêts américains n'étaient pas menacés, les Etats-Unis se moquaient du reste.

Créant un précédent que Fidel Castro allait ressusciter un quart de siècle plus tard, les étudiants révolutionnaires, les jeunes membres des professions libérales, alliés à des dirigeants ouvriers et paysans, avaient alors formé le fer de lance du mouvement contre le dictateur. De l'université naquit le Directoire étudiant qui allait renaître durant la révolution de Castro. La jeunesse militante de l'époque fut désignée sous le nom de « Génération de 1930 » ; elle était profondément nationaliste et possédait une conscience sociale exigeante. La lutte contre Machado produisit son lot de héros et de martyrs : en janvier 1929, Julio Antonio Mella, dirigeant étudiant et secrétaire général du parti communiste cubain clandestin, fut assassiné au Mexique par des agents de la dictature ; en septembre 1930, la police tua le chef du Directoire étudiant, Rafael Trejo, durant une manifestation de rue contre Machado. A partir de là, Cuba se trouva plongée dans la violence, de façon quasi permanente.

Le gouvernement des Etats-Unis ne prit donc conscience de la crise qu'en 1933, quand les hommes d'affaires et les investisseurs américains commencèrent à nourrir des inquiétudes pour l'économie cubaine et pour la part qu'ils y prenaient. Le président Franklin Roosevelt dépêcha sur place Benjamin Sumner Welles, le chef de sa diplomatie latino-américaine, pour servir d'intermédiaire entre le régime de Machado et les groupes d'opposition. Les dirigeants de la Génération de 1930 n'en protestèrent pas moins contre les efforts tardifs de Welles. Le Directoire et ses alliés voyaient dans la bataille contre Machado l'occasion de donner enfin à Cuba une indépendance « vraie » et libérer l'île de l'influence américaine pour mettre en pratique les enseignements de Martí sur la liberté et la justice. Le fait que ce dernier ait déjà été le modèle et le héros des révolutionnaires des années trente contribue beaucoup à expliquer la suite de l'histoire cubaine.

Machado fut contraint de démissionner le 12 août 1933, sous la double pression d'une grève générale révolutionnaire et des demandes américaines. La grève fut un succès, malgré le désistement de dernière minute décidé par le parti communiste, pour la douteuse raison qu'elle pourrait provoquer une intervention militaire des Etats-Unis (désormais inutile, de toute façon) et que le parti était parvenu à un accord avec Machado. Les communistes, qui avaient apparemment oublié le meurtre de Mella, ne purent sauver Machado, mais cet incident apporta pour la première fois la preuve de l'extraordinaire souplesse du parti communiste cubain — sinon toujours nécessairement de sa sagacité.

Sur le conseil de Welles, les partis politiques traditionnels et l'armée s'unirent pour donner la présidence à Carlos Manuel de Céspedes, dont le père avait conduit la première guerre d'indépendance en 1868. Mais le Directoire étudiant et d'autres groupes plus avancés ne se satisfaisaient pas de la simple disparition de Machado ; ils souhaitaient une révolution digne de ce nom. Ce fut là que Batista, ancien sergent sténographe, entra en scène et fit son apparition dans la politique cubaine. Sous sa conduite, des sous-officiers se soulevèrent contre le haut commandement dans la nuit du 4 septembre et prirent le pouvoir pour le remettre à une commission civile de cinq membres nommés par le Directoire étudiant. La présidence de Céspedes n'avait duré que trois semaines.

Le nouveau président, Ramón Grau San Martín, professeur de physiologie et idole des étudiants depuis que Machado l'avait fait arrêter, conjointement avec quelques autres professeurs, en 1931, sous l'accusation de sédition, n'avait aucune expérience politique ou administrative, mais il était pleinement acquis à la vague montante de nationalisme et d'extrémisme qui s'était emparée de la jeunesse cubaine. Comme l'écrivait Jaime Suchlicki, historien cubain en exil, au sujet de ces journées enivrantes : « Avec Grau, la Génération de 1930 avait été catapultée au pouvoir » et « les étudiants tenaient le destin de Cuba entre leurs mains. » Le directeur spirituel de cette révolution était Antonio Guiteras, le jeune ministre de l'Intérieur, âgé de vingt-cinq ans, qui militait en faveur de réformes économiques et sociales et pour l'abrogation de l'amendement Platt. Le parti communiste soutenait maintenant le gouvernement, mais il ne le dominait dans aucun domaine important, et Grau n'avait pas plus envie que Guiteras de voir les ouvriers communistes organiser des soviets dans les fabriques de sucre.

Pourtant c'était là une situation que, dans son ensemble, les Etats-Unis ne pouvaient tolérer ; on rappela donc aux Cubains, une fois de plus, qu'ils étaient les victimes d'une « fatalité historique », selon les termes mêmes de Martí — c'est-à-dire que rien ne pouvait être mis en œuvre dans l'île sans la bénédiction des Américains. Il en fut ainsi pour les réformes de Grau. Les Etats-Unis entrèrent discrètement en contact avec Batista et ses chefs militaires pour les pousser à renverser Grau dont Washington n'avait jamais reconnu le régime. Au début de janvier 1934, trente navire de guerre encerclaient Cuba ; cela indiquait clairement que l'on ne tolérerait plus de bêtises et que les *marines* étaient prêts à débarquer. Le 14 janvier, l'armée de Batista délogeait Grau ; Carlos Mendieta prenait le titre de Président provisoire ; il était tout aussitôt reconnu par les Etats-Unis. La révolution de Grau avait duré une centaine de jours. A partir de là, Cuba fut dirigée par des présidents de pacotille que manipulait Batista — en attendant que celui-ci fût prêt à briguer lui-même la présidence, ce qu'il fit en 1940. Deux ans après la chute de Grau, Antonio Guiteras fut tué par la police au moment où il cherchait à s'enfuir après l'échec d'un nouveau mouvement révolutionnaire qu'il avait tenté de lancer. Il allait symboliser, conjointement avec le dirigeant communiste Julio Antonio Mella, la Génération de 1930, aux yeux de la génération de Fidel Castro. Batista incarnerait, pour sa part, tous les maux du temps passé.

La présidence de Batista fut une époque cruciale pour Cuba, mais Castro était totalement apolitique jusqu'à sa sortie de Belén à la veille de son dix-neuvième anniversaire. Il avait même écrit une lettre au président Franklin Roosevelt lors de la réélection de celui-ci en 1940, pour le féliciter, lui manifester son soutien à la démocratie ainsi que son opposition au nazisme, et lui demander un billet de vingt dollars. Il se peut que Fidel ait simplement espéré recevoir un mot signé du président ; il n'obtint qu'une note du département d'Etat : on le remerciait pour sa lettre et on regrettait de ne pouvoir envoyer l'argent.

Castro a souvent dit que son souci de justice sociale s'était éveillé pendant ses années de jeunesse, au contact des pauvres paysans de Birán, mais il n'y avait rien dans le cadre de son collège de jésuites qui pût renforcer de telles préoccupations. En fait, Belén était surtout un centre intellectuel où l'on formait les futurs dirigeants de droite. La plupart des professeurs étaient des prêtres espagnols d'extrême droite ; ils étaient venus à Cuba après que la victoire des armées nationalistes de Franco eut mis fin à la guerre d'Espagne en 1939. En outre, incapables d'oublier que les Etats-Unis avaient arraché l'île à l'Espagne en 1898, ils incarnaient bien souvent la rancœur inexpiable des nationalistes espagnols envers les Américains. Et bien entendu les nationalismes et les populismes, de droite comme de gauche, avaient tendance à entremêler leurs courants.

De loin, le plus militant à cet égard était le père Alberto de Castro, jeune Espagnol qui enseignait la sociologie et l'histoire ; c'était certainement le professeur qui exerçait la plus grande influence à Belén. Le père de Castro soutenait la thèse de la *Hispanidad,* qui attribue une supériorité historique aux apports politiques et culturels de l'Espagne, voire de la pensée espagnole ; il inculquait à ses élèves l'idée que l'indépendance latino-américaine avait été frustrée, faute de réforme sociale et parce que les valeurs anglo-saxonnes avaient supplanté l'héritage culturel espagnol. Il avait formé une petite association d'étudiants, appelée *Convivio,* pour propager ses idées, mais sans résultat.

Juan Rovira évoque le souvenir du père de Castro prédisant que les Amériques seraient le théâtre de guerres mondiales à venir, qu'un affrontement entre les Etats-Unis et l'Amérique latine était inévitable et que les petites nations de l'Amérique centrale et des Caraïbes (Antilles) devaient s'unir à l'Amérique du Sud pour faire face à la menace venue du Nord. Selon Rovira, le prêtre avait « un visage très expressif » et c'était un « fantastique orateur ».

On ne peut savoir si les prêches du père de Castro ont directement exercé une grande influence sur Fidel — s'ils en ont jamais eu une. Mais, que ce soit ou non une coïncidence, Fidel partage l'opinion des jésuites sur l'incompatibilité foncière entre les Etats-Unis et l'Amérique latine ; tout comme eux, il tient la démocratie libérale pour « décadente ». Nombre de ses condisciples, à l'université, se rappellent l'intérêt intense avec lequel il lisait les écrits de José Antonio Primo de Rivera, fondateur du parti fasciste espagnol, appelé la Phalange, juste avant la guerre civile espagnole. (José Antonio était le fils d'un dictateur militaire qui avait longtemps occupé le poste de Premier ministre en Espagne.) Il serait pourtant injuste d'attribuer à Fidel Castro des tendances fascistes. Dans les climats philosophiques méditerranéens, les extrêmes de gauche et de droite se touchent plus aisément qu'ailleurs et arborent l'un et l'autre les nuances sociales d'un populisme caractéristique. Benito Mussolini avait marché sur Rome sous la bannière du socialisme avant de prendre le pouvoir suprême au nom du fascisme.

Castro lui-même n'a pas grand-chose à dire de l'idéologie politique de ses professeurs de Belén, sauf qu'elle était, sans exception, « droitiste, franquiste, réactionnaire » et qu'il n'y avait alors aucun jésuite « de gauche » à Cuba. Il se rappelle qu'à Belén, le communisme était considéré comme « très mal », mais, une fois encore, ses activités politiques étaient nulles. Castro a raconté à Frei Betto qu'il avait simplement « observé » la philosophie politique droitiste de ses professeurs : « Je ne la mettais pas beaucoup en question ; je faisais du sport... je tâchais de progresser dans mes études. »

Mais en même temps que l'enseignement rigide des jésuites espagnols de droite, d'autres idéologies se faisaient également jour à Belén ; ainsi, certains groupes préféraient, dans l'éventail politique cubain, un courant social de caractère à la fois libéral et chrétien (on les appellerait aujourd'hui « démocrates chrétiens ») et ils s'efforcèrent d'attirer vers eux un garçon comme Fidel Castro, encore apolitique. José Ignácio Rasco, qui a lancé, au cours des années 1950, un mouvement démocrate-chrétien, en bonne et due forme, à Cuba, persiste à penser que si Fidel s'est tenu à l'écart de tels groupes, il n'en avait pas moins conservé sa foi catholique romaine. Il estime que Castro a soudain perdu la foi pendant qu'il était à l'université ; c'est alors qu'il serait devenu athée.

Rasco fait preuve de naïveté. Mieux vaut croire Castro quand celui-ci déclare n'avoir jamais eu de foi religieuse et qu'à l'école « nul n'a été capable de [lui] en inculquer ». De même, on peut lui faire confiance quand il proclame : « Plus tard, j'ai adopté un autre type de valeurs, une croyance politique, une foi politique que j'ai dû me forger tout seul, grâce à mes expériences, mes raisonnements et mes sentiments. » Mais il semble qu'il cherche à se magnifier quand il ajoute : « malheureusement, il m'a fallu être mon propre précepteur, pendant toute ma vie. » De même il prétend qu'il aurait su gré à un mentor de l'initier à la politique et aux « idées révolutionnaires » quand il était encore adolescent.

Parmi ses condisciples de Belén, ceux qui se souviennent le mieux de lui sont persuadés que les jésuites l'avaient considéré d'emblée comme un futur chef, un garçon qu'ils pourraient former et promettre à une grande destinée dans la politique cubaine. Le directeur de l'académie de rhétorique, le père Rubinos, considéré comme l' « idéologue » de Belén, avait fixé son attention sur Fidel qu'il tenait pour l'élève le plus intelligent du collège, le meilleur athlète, et le plus doué sur le terrain. En fin de compte, les jésuites échouèrent dans leurs tentatives pour le former. Castro leur est reconnaissant d'avoir exercé sur lui leur influence intellectuelle, mais il se rit des efforts qui ont été faits pour le mettre au pas.

Vingt ans plus tôt, les jésuites avaient fondé des espoirs identiques sur Eduardo « Eddy » Chibás, garçon plein de promesses, fils d'un millionnaire de l'Oriente, ancien élève de Dolores et de Belén ; mais au lieu de faire ce que l'on attendait de lui, Chibás avait assumé le rôle d'un révolutionnaire dans la politique cubaine, en luttant d'abord contre la dictature de Machado, puis contre les présidents fantoches manipulés par Batista pendant les années 1930; il s'était dressé contre le maintien du statut quasi colonial imposé à Cuba; au temps où Castro entrait à Belén, Chibás était devenu un membre célèbre de l'opposition — une figure aussi proche que possible de celle de l'incorruptible José Martí, transposée dans la Cuba moderne. Dans les années à venir, Chibás allait être le mentor puis le protecteur politique de Castro, et celui-ci le digne successeur de celui-là. A sa façon, Belén était bien l'école des grands dirigeants cubains.

Certes, Cuba bénéficiait alors d'une démocratie représentative en bonne et due forme, pour la première fois de son existence. Mais les intérêts créés dans le domaine économique, ainsi que la corruption, n'en subsistaient pas moins; et le pays ne pouvait se permettre de braver le gouvernement ni les investisseurs américains. L'amendement Platt avait été aboli après la chute de Grau, en 1934, mais « l'empire », comme l'appelait Martí, n'avait pas abandonné son pouvoir de décision dans les affaires cubaines.

En tout état de cause, Fulgencio Batista se comportait en président respectueux de la Constitution et gouvernait avec le soutien des forces armées, des conservateurs et des communistes — coalition sans précédent. Il y avait un parlement élu où toutes les voix pouvaient se faire entendre et la presse était libre. Les élections de 1940 avaient été entièrement honnêtes et les Cubains espéraient qu'enfin une ère nouvelle allait naître. C'était Batista lui-même qui avait proposé des élections libres, préférant être président en droit comme en fait, après avoir tiré les ficelles pendant sept ans dans la coulisse, retranché au camp Columbia, le quartier général des forces armées à La Havane. Sans aucun doute, la lutte pour la survie de la démocratie dans le monde, même si les Etats-Unis n'étaient pas encore entrés formellement dans la guerre, avait joué un rôle crucial dans la décision de Batista d'agir par des moyens démocratiques.

Pour parvenir à la présidence, Batista dut encore vaincre Ramón Grau San Martín qu'il avait déposé en 1934. Mais cette fois les rôles se trouvaient inversés. Grau n'était plus le professeur extrémiste d'antan; il s'était aligné sur le modèle classique des présidents et des politiciens cubains dont le principal souci, et de loin, était la pompe et la richesse. Batista, d'autre part, avait choisi de se présenter comme un candidat aux idées sociales et économiques avancées, ce qui lui valut le soutien dont avait bénéficié Grau parmi les électeurs de gauche. Pendant ce temps, l'ancien sergent était parvenu à devenir discrètement très riche.

L'élection de Batista à la présidence faisait suite à la rédaction d'une nouvelle Constitution élaborée au début de 1940. L'assemblée constituante dont elle était issue avait été librement élue au cours de ce qui avait sans doute été le premier scrutin digne de ce nom dans l'histoire de la république. La Charte était remarquablement progressiste, selon les critères cubains et latino-américains d'alors. Elle comprenait même des clauses interdisant les *latifundia*, ce qui ouvrait la voie à une réforme agraire (Fidel Castro allait la mettre en œuvre vingt ans plus tard en s'inspirant de ce modèle). Elle introduisait de nouvelles dispositions en matière de législation sociale et limitait l'exercice de la fonction présidentielle à un seul mandat de quatre ans décerné au cours d'élections démocratiques.

L'attitude du parti communiste cubain, en cette occurrence, est extrêmement importante, non seulement d'un point de vue rétrospectif, mais également pour la suite des événements révolutionnaires survenus à Cuba et pour les relations complexes que Fidel Castro a entretenues avec les communistes. En fait, les graines de l'Etat communiste cubain ont été semées au cours de cette année 1940, alors que Castro était encore élève de Dolores, à Santiago ; mais les hommes avec qui il allait conclure une alliance après la révolution de 1959 étaient déjà en ce temps-là des politiciens et des organisateurs expérimentés.

Le communisme cubain possède des racines profondes. Une poignée d'admirateurs de la révolution russe de 1917 avaient proclamé en août 1920, à La Havane, l'avènement de la République communiste des Soviets cubains, mais manifestement ce n'était là qu'un simple geste. En 1922, une Association communiste fut créée à La Havane par Carlos Baliño, remarquable personnage de l'histoire cubaine, alors âgé de soixante-quatorze ans. Baliño avait été le compagnon de José Martí au sein du parti révolutionnaire cubain à New York (Martí avait vécu une grande partie de sa vie comme ouvrier aux Etats-Unis) ; il avait été le fondateur du parti socialiste ouvrier en 1904 et c'était certainement le premier militant communiste sérieux qu'il y ait eu à Cuba.

D'autres « Associations communistes » étaient apparues à travers Cuba, et en août 1925, Baliño et plusieurs autres fidèles du communisme convoquèrent un congrès qui donnerait naissance au parti communiste cubain. Le parti fut fondé par les dix-sept délégués présents, y compris Baliño lui-même. Parmi eux se trouvaient un dirigeant étudiant, Julio Antonio Mella, et Fábio (Abraham) Grobart, jeune apprenti tailleur d'un peu plus de vingt ans, qui était arrivé de sa Pologne natale trois ans plus tôt, sans parler d'autre langue que le yiddish, pour fuir les persécutions dont étaient victimes les communistes. En 1986, Grobart, largement octogénaire, était le seul survivant des fondateurs ; c'était toujours un politicien merveilleusement lucide et une mine de renseignements folkloriques sur le communisme cubain. Il avait les larmes aux yeux quand Fidel lui décerna une médaille pour le soixantième anniversaire de la fondation du parti ; lors du Troisième Congrès, en février 1986, ce fut Grobart qui présenta Castro aux délégués.

Quoique réduit à l'illégalité, le parti communiste cubain fonctionna de façon brillante et disciplinée ; son influence dépassait largement l'importance de ses effectifs. Des intellectuels, des artistes, des dirigeants syndicaux formaient l'ossature du parti, de sorte que les communistes occupaient des positions clés dans la vie de la nation. Rubén Martínez Villena, l'un des plus grands poètes cubains de notre siècle, figurait parmi les premiers dirigeants du parti. Ce fut un deuil général quand il mourut de maladie alors qu'il était encore assez jeune. Parmi les militants et les sympathisants se trouvaient le très grand peintre Wifredo Lam, récemment disparu, des poètes et des écrivains comme Alejo Carpentier (l'éminent romancier, décédé après la révolution), Juan Marinello (président du parti pendant les années 1940 et membre du Politburo de Castro pendant les années 1970), Raúl Roa García (qui, jusqu'à sa mort, fut pour Castro un ministre des Affaires étrangères tout feu tout flammes), Pablo de la Torriente Brau (ami de Castro à l'université), Emilio Roig de Leushenring, ainsi que les deux plus grands économistes cubains, Jacinto Torras et Raúl Cepero Bonilla. En vérité, depuis les années 1930, il n'y eut guère de personnalités dotées d'un talent créateur, qui ne fussent de gauche, voire d'extrême gauche, à Cuba.

Les dirigeants communistes, parfois inavoués, avaient dominé les puissants syndicats de travailleurs depuis les années 1930, organisant à leur convenance des grèves politiques et exerçant une influence considérable sur l'économie. Conformément à la directive adoptée à Moscou par la Septième Conférence de l'Internationale communiste (Komintern), le parti cubain adopta une politique de coopération avec les partis non communistes dans le but d'instaurer des « fronts populaires ». A Cuba, cela impliquait une collaboration avec Fulgencio Batista.

Dans un geste dont Fidel Castro a pu s'inspirer bien des années plus tard, les communistes avaient commencé par créer, au début de 1938, le PUR — Parti d'Union révolutionnaire — qui servirait de couverture légale à certaines de leurs activités, tandis que le parti clandestin poursuivrait ses propres opérations. C'est ainsi que le PUR contribua à former le Bloc révolutionnaire populaire (BRP) avec les autres partis d'opposition, unis contre la candidature de l'ex-président Grau, et résolus à promettre leur soutien à Batista, lors des élections de 1940. Sans sourciller, le Comité central du parti communiste annonça à la mi-juillet 1938 que Batista n'était plus le « pilier de la réaction » et que tous les efforts devaient être tentés pour le forcer à tenir les promesses « progressistes » qu'il avait faites.

C'était là du travail politique cousu main. Le gouvernement du président Federico Laredo Brú (une marionnette de Batista), conscient de la puissance des communistes au sein des syndicats, s'empressa d'enfoncer le clou pour s'attacher définitivement le soutien du parti : il légalisa celui-ci en septembre 1938, mettant fin à treize années d'existence ostensiblement clandestine. Les communistes restèrent aux côtés de Batista et continuèrent d'édifier leur puissance. En janvier 1939, ils firent fusionner le PUR et le véritable parti communiste pour donner naissance au Parti d'union révolutionnaire communiste (PURC) et fondèrent la Confédération des Travailleurs cubains qui représentaient un demi-million de syndiqués désormais placés sous direction communiste. En 1959 et 1960, Fidel Castro, face aux mêmes dirigeants communistes, imita leur double manœuvre quand il procéda à la fusion de tous les groupes révolutionnaires et se joignit aux communistes pour s'assurer la maîtrise de la confédération syndicale.

Quand les Cubains avaient élu l'assemblée constituante, en 1940, le parti communiste ne comptait que quatre-vingt-dix mille membres et ne put obtenir que six sièges. Les six constituants communistes réussirent néanmoins à attirer l'attention, dans une mesure extravagante, en présentant leur propre projet de Constitution, qui, pour des raisons de propagande, appelait à « la lutte anti-impérialiste » ; ils n'avaient jamais espéré que leur projet pourrait être adopté, mais ils persuadèrent l'assemblée de laisser radiodiffuser les séances, ce qui leur donna accès à une audience nationale. Cette autre leçon ne devait pas être perdue non plus pour Casto.

Lors des élections présidentielles, les communistes se gargarisèrent de la victoire de Batista et de leur propre succès ; ils avaient obtenu dix sièges à la Chambre des députés, quatre-vingts sièges de conseillers municipaux dans tout le pays et la mairie de Manzanillo, en Oriente (c'était la première fois qu'il y avait un maire communiste à Cuba). Le parti justifia le soutien qu'il avait apporté à Batista en soulignant l'importance des engagements pris par celui-ci envers une Constitution orientée à gauche, et envers un programme de construction d'écoles, d'hôpitaux et de routes. Mais les communistes de vieille souche reconnaissent en confidence, encore aujourd'hui, que leur plus dure épreuve fut d'expliquer aux militants de base que Staline avait eu raison de signer un pacte de non-agression avec l'Allemagne de Hitler en 1939. Pourtant la discipline de parti prévalut, comme elle prévaudrait sans cesse dans l'avenir.

Batista, bien entendu, accueillit avec faveur le soutien communiste, en raison de la puissance du parti dans les syndicats ; l'alliance entre le Président et le PC cubain devint encore plus aisée après que les nazis eurent envahi l'Union Soviétique en 1941 et que les Russes furent devenus les alliés des démocraties occidentales. Batista établit même des relations diplomatiques avec Moscou et offrit à Juan Marinello, président du parti, un siège au sein du gouvernement. (Ce siège fut occupé par Carlos Rafael Rodríguez, le principal intellectuel du parti ; c'est aujourd'hui l'un des plus proches conseillers de Castro.)

Le rôle joué par Marinello et Rodríguez au sein du cabinet de Batista ne figure pas dans les livres d'Histoire du parti communiste, publiés depuis la révolution ; toutefois, l'octogénaire Fábio Grobart, membre fondateur du parti comme on l'a vu, et doté d'une grande probité intellectuelle, mentionne le fait dans une monographie consacrée à Marinello. Fidel Castro, dans l'un de ses aperçus sur l'histoire contemporaine de Cuba, se contente de dire que les communistes exerçaient « une certaine influence » dans le gouvernement de Batista. Les souvenirs politiques des Cubains sont en vérité très sélectifs pour ce qui touche à la trajectoire du parti communiste. On passe volontiers sous silence la phase au cours de laquelle le parti s'est montré favorable à Batista ; il en va de même pour le rôle joué par les communistes dans la révolution, pendant la longue période au cours de laquelle ils ont refusé d'admettre la vision de l'Histoire qui était celle des *Fidelistas*.

Agissant sur des instructions de Moscou, en 1944, les communistes se lancèrent encore dans une nouvelle « manœuvre tactique ». Avec la fin du mandat de Batista et la montée du sentiment anticommuniste, le parti changea de nom ; il s'appellerait désormais Parti socialiste populaire (PSP), se débarrassant ainsi de l'incommode adjectif « communiste ». Bien que le PSP eût connu deux fois plus de voix en 1944 qu'en 1940, il ne put empêcher l'élection de Ramón Grau. Pourtant Marinello fut élu sénateur et le parti conserva son emprise sur la Confédération du Travail présidée par Lázaro Peña, membre de la direction du PSP. D'une façon générale, d'ailleurs, les ouvriers élisaient des communistes pour les représenter, non parce qu'ils partageaient les idées de Peña et consorts, mais en raison des brillantes prestations syndicales de ceux-ci. Cela n'empêcha pas qu'à partir de 1944, les communistes cubains, dans leur ensemble, fussent soumis à des pressions croissantes.

Dans le cadre de l'effort de guerre, Batista avait cédé de nouvelles bases militaires aux Etats-Unis (en plus de la grande base navale de Guantánamo en Oriente, déjà acquise en 1909), ce qui réaffirmait l'immense importance stratégique de l'île pour l'hémisphère occidental. Batista avait également accepté, en 1941, de vendre aux Américains l'intégralité de la récolte cubaine de sucre à très bas prix : moins de trois *cents* par *pound* (la *pound* ou livre anglo-saxonne = 453 grammes). Comme tant d'autres actes irréfléchis des Etats-Unis envers Cuba, celui-ci revenait à profiter de la faiblesse d'un petit pays et contribua à accroître le ressentiment de la nouvelle génération. A l'université de La Havane, par exemple, se constitua une « ligue anti-impérialiste », avant même que la guerre fût terminée, non pas en guise de protestation contre un geste particulier des Américains mais pour des questions de principes plus générales.

Les relations commerciales entre les deux pays étaient régies par l'Accord mutuel de commerce, conclu en 1934 et qui donnait aux Etats-Unis l'entière maîtrise du marché insulaire. Cette convention avait été la contrepartie exigée par l'administration Roosevelt pour abroger l'embarrassant amendement Platt de 1902. Les deux mesures étaient les conséquences directes du renversement du premier gouvernement Grau par l'armée de Batista, mais dans l'esprit de la plupart des Cubains, Cuba devait continuer à vivre avec le complexe d'infériorité que lui avait valu « la mentalité Platt ». Cela signifiait que Washington pourrait continuer de faire ce que bon lui semblerait dans l'île. Le phénomène psychologique correspondant était un sentiment de « fatalisme historique », à savoir la conviction que les Cubains ne pourraient jamais rien faire chez eux sans l'approbation des Etats-Unis. L'Histoire et Fidel Castro allaient se charger de détruire ce sentiment une fois pour toutes.

Dans quelle mesure Fidel Castro, encore adolescent, était-il conscient de toutes ces pressions politiques, au temps où il terminait ses études à Belén pendant les années de guerre ? On ne peut avoir la moindre certitude sur ce point. Aucun élément du dossier, rien dans les souvenirs de ses anciens professeurs ou condisciples, ne donne à penser que Fidel ait manifesté la plus légère curiosité pour la politique cubaine ou la politique mondiale. En fait, Castro a déclaré par la suite qu'il était encore analphabète en politique jusqu'à son entrée à l'université. Pourtant, comme l'a remarqué l'un de ses contemporains, « Fidel possède en lui un prodigieux radar politique » ; il est tout à fait possible que les événements survenus à Cuba n'aient pas entièrement échappé à cet « animal politique » venu de Birán, pendant son séjour à Belén.

De toute façon, Belén rendit à Castro un sensationnel hommage en guise d'adieu. Son professeur, le père Francisco Barbeito, qui était aussi son entraîneur au basket, écrivit sur le livre de la promotion :

« Fidel s'est toujours distingué en tout ce qui touche aux lettres. Il a mérité la mention *excelencia* [attribuée aux dix premiers de la promotion] et le titre de *congregante* [réservé aux étudiants qui remplissaient assidûment leurs devoirs religieux et assistaient régulièrement à la prière], ainsi que la réputation d'un véritable athlète, toujours prêt à défendre les couleurs du *Colegio* avec courage et fierté. Il a su gagner l'admiration et l'affection de tous. Il va entamer une carrière juridique et nous ne doutons pas qu'il remplisse de pages brillantes le livre de sa vie. Il possède d'excellentes qualités... Il a de l'étoffe. Celui qui la taillera ne lui fera pas défaut. »

Castro n'était *pas* le major de sa promotion, mais il est avéré qu'il reçut la plus forte et la plus chaleureuse ovation de ses camarades quand il fut appelé à prendre possession de son diplôme. Fidel Castro irait désormais d'ovation en ovation.

4

Si, comme il le dit, Fidel Castro était politiquement analphabète avant d'entrer à l'université, son éducation dans ce domaine se fit à la vitesse de l'éclair. Inscrit à la faculté de droit de La Havane en octobre 1945, il se plongea presque immédiatement dans la politique. Il avait tout juste célébré son dix-neuvième anniversaire pendant les vacances d'été à Birán et son innocence politique semblait alors presque totale, mais le climat de violence qui l'enveloppa dès son arrivée à l'université le contraignit à s'engager activement dans la lutte.

La situation politique qui régnait sur le campus de La Havane reflétait la situation d'ensemble où se trouvaient les affaires du pays, mais encore aggravée par les passions juvéniles et les manipulations auxquelles des politiciens professionnels se livraient auprès des étudiants. Ramón Grau San Martín, le médecin qui avait dirigé la junta éphémère de 1933-1934, avait été élu à la présidence en 1944, comme candidat du parti d'opposition *Auténtico* (prétendument favorable aux idéaux de José Martí). Sa victoire était principalement due au fait que Batista l'avait laissé gagner. Ce dernier avait en effet conclu que le climat démocratique de l'après-guerre ne se prêtait pas à la mise en place d'un successeur soutenu par l'armée, aussi se retira-t-il à Daytona Beach, en Floride, pour faire fructifier sa fortune personnelle tout en conservant le regard fixé sur la situation politique de Cuba. Grau, poursuivant son évolution progressive vers la droite et oublieux de son ancienne volonté de réformes, laissa le régime s'enfoncer de plus en plus profondément dans le chaos et la corruption.

Cet état de choses, joint à des rivalités politiques brutales, conduisit dans toute l'île à une généralisation de la violence que Grau ne sut ou ne voulut pas endiguer. L'université de La Havane se transforma en un champ de bataille où s'affrontaient des bandes armées dont l'origine remontait aux « groupes d'action » anti-Machado des années 1930, et dont les chefs cherchaient maintenant de nouvelles recrues dans la jeune génération. Il était impossible pour des étudiants pourvus de quelque conscience politique de rester à l'écart de ces bagarres, d'autant plus qu'à La Havane l'université était le tremplin de toute carrière publique à l'échelon national.

Pourtant il était extrêmement difficile de définir les programmes ou les idéologies des différentes factions qui hantaient la « colline » de l'université, en plein centre de La Havane, et campaient sur les vastes escaliers qui menaient aux facultés — la fameuse *escalinata* où se tenaient la plupart des manifestations politiques.

Dans ces circonstances, un nouvel étudiant en droit comme Fidel Castro avait le choix entre de nombreuses allégeances, dont certaines étaient idéologiquement séduisantes et d'autres politiquement opportunes. Il existe des raisons de croire qu'il se livra à quelque travail d'exploration, au départ, en évitant pour un temps de se trouver clairement inféodé à une faction ou à une autre. Déjà se manifestait en lui l'instinct qui devait toujours le pousser à garder ses distances, à conserver le plus longtemps possible sa liberté d'action.

Les affiliations et les appartenances pouvaient être très mouvantes dans le creuset des batailles universitaires et les retournements complets faisaient partie de l'action. Seuls témoignaient d'une solidité et d'une discipline à toute épreuve sur le campus les communistes — ceux qui avouaient être membres du Parti socialiste populaire (PSP) ou des Jeunesses socialistes, et ceux qui ne l'avouaient pas —, face aux attaques de plus en plus vives dont le parti était l'objet de la part du gouvernement Grau.

Castro n'était pas membre du parti et il est difficile de retracer son profil politique au cours de ses études universitaires, à la lumière de ses diverses activités et déclarations, à la lumière aussi de ses multiples amitiés et relations personnelles. Pour l'essentiel, il s'appliquait à se créer une réputation, voire un mythe, le plus rapidement et le plus spectaculairement possible, grâce à son sens de la mise en scène et son goût pour les feux de la rampe. Castro n'a pratiquement jamais rien dit en public au sujet de ses années d'université, sauf en ce qui concerne sa conversion au marxisme. Pourtant, lors d'une visite à son alma mater, immédiatement après le succès de sa révolution, en 1959, il a décrit l'université de La Havane, en son temps, comme un lieu plus dangereux que la Sierra Maestra. Comme la plupart des étudiants activistes d'alors, Fidel Castro ne se hasardait nulle part sans porter sur lui une arme à feu.

Selon le souvenir que d'aucuns en ont conservé, Castro avait commencé, dès son arrivée sur le campus, à passer pour un jeune homme doté d'une intense personnalité et digne d'être pris au sérieux ; avec une taille de plus de 1 m 80, il donnait une impression de puissance, et montrait une propension à l'emportement et à la violence. Il avait encore un visage d'adolescent mais sa présence ne se laissait pas ignorer. Alors que la plupart des étudiants portaient la *guayabera*, la chemise de polo, bien adaptée à la chaleur humide de La Havane, Fidel mettait un point d'honneur à arborer un costume de laine sombre et une cravate, comme s'il voulait se différencier de la foule par son élégance aristocratique. Cela faisait partie d'un effort délibéré pour se tailler une personnalité légendaire et il devait affirmer en 1959 : « J'étais le Don Quichotte de l'université, toujours menacé d'un coup de couteau ou d'un coup de feu », au milieu d'un déferlement de gangstérisme.

Indépendamment de son mythe, Fidel était une personne extrêmement séduisante, qui attirait tout le monde vers lui, les hommes comme les femmes. Son profil presque grec, son port altier d'*hidalgo,* ses yeux bruns au regard perçant, son courage physique dans les empoignades entre étudiants, ainsi que ses pouvoirs de persuasion, le poussèrent vite au premier rang des personnalités les plus populaires. Ses prouesses athlétiques, dans le saut en hauteur et le 400 m, ajoutaient encore à sa réputation croissante. Le moment était venu pour lui de s'engager activement dans la vie politique de l'université et de se faire connaître dans la capitale cubaine, au-delà de l'*escalinata.* Dans ce nouveau cadre, les considérations relatives à ses antécédents familiaux ne comptaient plus commes elles l'avaient fait à Belén, ce qui permettait à Castro de tirer pleinement parti de ses talents.

L'Université de La Havane comprenait, en ce temps-là, treize facultés ou écoles — droit, médecine, architecture, etc. — dont chacune élisait chaque année son président. La Fédération des Etudiants d'Université (FEU) était le principal foyer de l'activité politique estudiantine et exerçait une grande influence sur la politique cubaine. Le président de la FEU et les autres membres du bureau étaient élus par les treize présidents, lesquels avaient été élus eux-mêmes par les délégués de chaque « année » (il y avait quatre années pour le droit, six années pour l'architecture, etc.). Ces derniers étaient désignés à leur tour par les délégués des cours, choisis par les étudiants inscrits dans chaque branche. C'était une organisation foncièrement démocratique, mais elle était intégrée au système plus vaste de la politique cubaine en général où chacun — des ministres aux communistes, en passant par les gangs armés — cherchait à s'assurer une influence par les urnes, l'argent ou la violence.

Parce que l'université était autonome et se gouvernait elle-même, ni la police ni l'armée n'avait le droit de pénétrer sur le campus, de sorte que la « colline sacrée » en plein cœur de La Havane était un véritable sanctuaire pour les politiciens et les gangsters politiques de tous poils. Même ceux qui n'étaient pas étudiants avaient libre accès au domaine universitaire. Les étudiants qui ne faisaient pas partie de la direction de la FEU ou n'appartenaient même pas à la fédération pouvaient entretenir des liens étroits avec les partis politiques établis ou avec les groupes de gangsters qui se proclamaient inévitablement « révolutionnaires » pour améliorer leur image. Les échanges de coups de feu, sur le campus ou en dehors de celui-ci, et les actes de brutalité, étaient monnaie courante ; les diverses patrouilles chargées du maintien de l'ordre y participaient sous un prétexte ou sous un autre et manifestaient leurs rivalités en se canardant souvent mutuellement. Il était absolument impossible d'établir avec certitude l'affiliation de quiconque et cela était particulièrement vrai de Fidel Castro qui se bagarrait pour se frayer un chemin dans la jungle politique de l'université et de La Havane.

Castro avait lutté avec acharnement pour se faire élire à un poste de la FEU, mais n'y était parvenu qu'une seule fois, en 1945 ; il avait alors été le délégué de l'un des cours de première année, à la faculté de droit, peu après son entrée à l'université : c'était l'échelon le plus bas de la hiérarchie élective de la FEU ; apparemment, Fidel ne réussit jamais à réunir autour de lui l'électorat qu'il lui aurait fallu pour être porté à la présidence de la faculté de droit et faire partie du bureau de la fédération — ce qui lui aurait ouvert la voie de la présidence de la FEU. Le président élu cette année-là par la faculté de droit fut un autre garçon de Birán, Baudilio Castellanos, ami d'enfance de Fidel avec qui il demeure encore lié à ce jour.

L'explication la plus plausible de l'échec de Castro aux élections universitaires tient au fait qu'il était foncièrement incapable de travailler en équipe, dans le sport comme dans la politique, de sorte qu'aucun groupe constitué ne se serait risqué à le soutenir. Il était trop imprévisible, trop peu fiable. Il est amusant de noter que même les étudiants communistes, y compris ses meilleurs amis, refusèrent toujours de soutenir sa candidature, malgré l'admiration personnelle qu'ils lui vouaient.

Dans un discours prononcé après la révolution, Castro a fait cet aveu : « [A l'université], mon impétuosité et ma volonté de me manifester me poussaient à livrer bataille » et « ma franchise me fit entrer rapidement en conflit avec le milieu, les autorités vénales, la corruption, le système des bandes qui faisaient la loi dans le monde universitaire ». Cette opinion qu'il a exprimée sur lui-même est corroborée par ses amis et ses contemporains de toutes tendances. L'attitude farouchement individualiste qu'il conserva pendant toutes ses études donne à penser que sa passion primordiale pour l'indépendance ne s'est jamais démentie ; quels que soient ses engagements idéologiques formels d'aujourd'hui, on peut gager qu'il restera toujours son propre maître.

Enrique Ovares, qui fut pendant cinq ans président de l'école d'architecture et trois fois président de la FEU, affirme : « Fidel n'aurait jamais pu être élu président de la faculté » [de droit], parce qu'il ne savait pas travailler en équipe. Dans un long entretien qu'il nous a accordé en 1984, à Miami, Ovares s'est montré méticuleusement objectif au sujet de Castro, malgré les années qu'il a passées en prison sous la présidence de son ancien ami ; selon lui, il pourrait paraître « inexplicable » que Castro n'ait jamais remporté une élection importante, mais il justifie longuement la chose en ces termes : « A cette époque-là, Fidel faisait indiscutablement beaucoup d'efforts pour y parvenir ; en outre, il montrait déjà des dons de commandement et il avait des idées politiques à défendre, même si elles étaient un peu anarchiques... Il ne savait pas bien ce qu'il voulait mais il savait s'exprimer et il trouvait des partisans pour le suivre. » Ovares se déclare alors convaincu que les communistes, bien retranchés dans l'université vers le milieu des années 1940, malgré leur faiblesse en d'autres lieux, refusèrent de soutenir la candidature de Castro parce qu'ils savaient ne pas pouvoir exercer leur emprise sur lui par la suite. « Quiconque a observé l'évolution politique de Castro quand il était étudiant, sait qu'il n'a entretenu à aucun moment des relations avec les communistes. Fidel était un individu qui, en raison de sa formation idéologique, représentait un type négatif pour le parti, un individu qui pouvait dire " blanc " aujourd'hui, " noir " demain, et " gris " après-demain. Il était totalement indépendant, il ne pouvait être embrigadé. »

En 1947, quand Ovares cherchait à être élu président de la FEU pour la deuxième fois, il l'avait emporté par sept voix contre six au sein du bureau de la fédération où siégeaient les treize présidents de facultés — et c'était le président communiste de la faculté des lettres qui avait émis le vote décisif ! Or, dans la liste battue, se trouvait Fidel Castro qui briguait le poste de secrétaire de la FEU aux côtés de Humberto Ruíz Leiro, dirigeant des étudiants catholiques, candidat à la présidence. Selon Ovares qui avait des communistes sur sa liste, Castro s'était joint à la faction catholique quand il avait compris qu'il n'aurait pas l'appui des communistes s'il se joignait au groupe d'Ovares, de sorte qu'il avait fait énergiquement campagne en faveur de la liste de Ruíz Leiro. Ovares insiste sur le fait que Castro n'avait jamais obtenu le soutien des communistes tant qu'il était à l'université et que les communistes s'étaient ralliés à la liste du président victorieux... « ... parce qu'ils croyaient plus utile pour eux de me trouver à ce poste ». Il précise en effet que, tout en étant lui-même opposé au communisme, il croyait à la nécessité de faire une place à toutes les tendances au sein de la FEU — aussi les communistes savaient-ils « pouvoir y entrer de cette façon. Mais Fidel ne le leur aurait pas permis, c'est pourquoi les communistes ne l'avaient jamais soutenu ».

Le fait que Fidel Castro était trop indépendant pour les communistes se trouve confirmé par le témoignage très détaillé d'Alfredo Guevara. Ce dernier est ami de Castro depuis quarante ans ; c'est l'une des figures les plus curieuses du monde politique révolutionnaire cubain et l'un des hommes envers qui Castro a toujours manifesté le plus de confiance. Alfredo Guevara, actuellement ambassadeur de Cuba auprès de l'UNESCO, à Paris, n'a aucun lien de parenté avec l'Argentin « Che » Guevara. Il parle très volontiers de ses années d'université, au cours desquelles il a fait la connaissance de Fidel Castro.

Guevara était entré à l'université de La Havane en même temps que Castro, mais il s'était inscrit à la faculté des lettres (*Filosofia y Letras*) car il avait formé le projet extraordinaire de « s'emparer de la FEU », avec deux de ses amis, Lionel Soto Prieto et Mario García Inchaústegui, aujourd'hui décédé.

Guevara et Soto étaient d'origines sociales modestes (le père de Guevara était conducteur de locomotive à La Havane) et ils sortaient d'une école publique où ils avaient dirigé une association d'étudiants de tendance anarchiste. Mais, à l'université, leurs idées avaient évolué en direction de ce que Guevara appelle « le socialisme » et tous deux s'étaient retrouvés bientôt membres des Jeunesses communistes (JC).

Guevara avait choisi la faculté des lettres parce que les filles y étaient en majorité parmi les étudiants et il avait pensé, à juste titre, qu'il lui serait plus facile d'y devenir président — dans le cadre de son plan de conquête de la FEU. La faculté de droit était proche de celle des lettres, et presque aussitôt, Guevara entendit parler de la présence d'un étudiant intéressant appelé Fidel Castro, dans le bâtiment d'à côté. Il alla donc à la fac de droit où il trouva Fidel, dans le patio, entouré d'étudiants qui l'écoutaient. Ce qui intéressait alors Guevara c'était l'ascendant, les dons de commandement, le « leadership ». Il se présenta à Castro qui l'impressionna grandement. Mais, comme il le dit lui-même : « J'avais alors un préjugé contre Fidel, parce que je venais d'une école publique, que j'étais un pauvre élève des *institutos* de La Havane, alors qu'il sortait d'une école religieuse… tenue par des prêtres catholiques. Pour moi, en ce temps-là, fréquenter une école religieuse et être croyant c'était tout un… » Néanmoins, Guevara avait conclu que Fidel était « un volcan » et qu'il pourrait même, le cas échéant, faire pièce aux communistes ; « par conséquent, il fallait l'attirer ou le vaincre ». Il prétend avoir pensé : « Je viens de découvrir un garçon qui sera un José Martí ou le pire des gangsters. » Il ajoute : « J'avais vu en lui un homme d'action ; or l'image de l'homme d'action était associée pour moi à celle des bagarres de gangsters… Néanmoins je voulais l'attirer vers nous. Le problème, c'était que nous tentions d'organiser des réunions politiques comme nous le faisions à l'école, c'est-à-dire que nous faisions parler les orateurs les uns après les autres dans un certain ordre de sorte qu'à la fin nous dominions la situation. Mais Fidel, qui ne participait pas à nos arrangements et que nous ne connaissions pas, se mettait à parler pour son compte, une fois que tout avait été arrangé, et bouleversait nos plans. »

Cette expérience fournit de toute évidence une première indication à Alfredo Guevara et à son groupe communiste : on ne pourrait pas se fier à Castro et il ne convenait pas de le soutenir politiquement. Lors des élections de la FEU de 1947, ce fut Guevara qui obtint le poste de secrétaire fédéral, brigué par Fidel — lequel avait fait campagne avec les catholiques contre la liste d'Ovares. Mieux encore, Guevara avoue que, pour un temps, il n'était pas du tout convaincu que Castro deviendrait jamais « un socialiste ». Il dit : « J'avais bien remarqué qu'il y avait en lui de l'honnêteté, que c'était un révolutionnaire nationaliste et anti-impérialiste, qu'il avait des opinions avancées, mais je n'étais pas sûr qu'il parviendrait jamais au socialisme. »

Ce jugement préliminaire de Guevara et le refus des communistes de soutenir Castro n'empêchèrent pourtant pas la naissance d'une amitié personnelle. A Cuba comme dans une grande partie de l'Amérique latine, les divergences politiques les plus profondes n'excluent pas les relations amicales. L'université de La Havane était, somme toute, un milieu restreint et les étudiants exceptionnels avaient tendance à graviter les uns autour des autres en dépit de leurs différences idéologiques. Enrique Ovares, malgré son anticommunisme, déclare qu'en 1940 « c'était l'époque où tout le monde exécrait le nazisme, le phalangisme ; presque tous les dirigeants politiques cubains étaient des gens de gauche… Etre à gauche était une chose normale et logique, surtout si l'on pense à l'âge des étudiants d'université. Ils étaient pleins d'idéalisme et chacun croyait vraiment que toutes ces théories proposées par les socialistes et les communistes correspondaient à des réalités… »

Une solide amitié se développa entre Guevara et Castro et ils prirent part ensemble à une série d'affrontements politiques à l'université. En 1959, Alfredo Guevara participa aux négociations secrètes [entre communistes et fidélistes] qui permirent à Castro de s'emparer totalement du nouveau gouvernement révolutionnaire encore encombré de personnalités indépendantes, pour mener ensuite Cuba vers le communisme*. (Guevara dirigea

---

* Une fois assuré le succès de la révolution, Castro dut néanmoins faire face à l'action d'une faction puissante du parti communiste qui tenta de s'imposer à lui par deux fois, en 1962 et en 1968, avant d'être écrasée.

également le secteur cinématographique et fit fonction de vice-ministre de la Culture.) Malgré l'étroitesse de leurs relations, il n'est pas sûr que Guevara soit responsable de la conversion de Fidel au marxisme — et cela est également vrai des autres dirigeants communistes qui ont bien connu Castro du temps qu'ils étaient étudiants *.

On ne peut certes rien prouver, aujourd'hui encore, de façon définitive dans le domaine de l'idéologie castriste, mais les indices dont on dispose donnent fortement à penser que si Fidel s'est alors converti au marxisme, ce fut de la façon et au moment qui lui convenaient à lui-même. Castro dit qu'il s'est familiarisé avec les idées de Marx, Engels et Lénine au cours de sa troisième année d'université, c'est-à-dire en 1948 ou 1949, mais qu'il a d'abord été un « marxiste utopique ». Comme il n'existe aucun moyen de mesurer scientifiquement à quel rythme se produit une évolution idéologique, on ne voit pas la raison pour laquelle il faudrait mettre en doute sa propre version des faits quand il décrit sa progression vers la foi marxiste, ou affirme : « Comme Ulysse a été captivé par les chants de la sirène, j'ai été captivé par les incontestables vérités exprimées par les auteurs marxistes. » Il a déclaré avoir fréquenté la librairie du parti communiste, dans l'avenue Carlos III, à La Havane (aujourd'hui appelée avenue Salvador Allende), et il est probablement exact qu'il a emprunté les livres de Marx à Alfredo Guevara ou les a lus chez ce dernier, dans une maison du vieux quartier de La Havane.

Il est beaucoup plus important de savoir comment le marxisme et le socialisme de Castro ont évolué au cours de sa période authentiquement révolutionnaire et après qu'il ait pris le pouvoir. A l'université, il évitait soigneusement d'employer dans ses discours des mots tels que « marxisme » ou « socialisme » ; inversement, il n'a jamais attaqué le socialisme ni le marxisme dans le cours de ses déclarations politiques —

---

* Castro a pourtant fait bon usage de ses anciens amis communistes de l'université. Bien qu'aucun d'entre eux n'ait participé à l'épopée révolutionnaire des *Fidelistas* — car le parti n'y croyait pas, en ce temps-là —, ils ont reçu des responsabilités importantes après la révolution. Sachant que ses amis communistes n'avaient plus d'autre point de chute, après 1959, et confiant dans leurs capacités d'organisateurs, Castro recruta ceux qu'il avait connus à l'université pour mettre en œuvre (d'abord secrètement) le passage de Cuba au communisme, une fois qu'il eut pris la décision capitale d'y procéder pour des raisons stratégiques irrésistibles.

Quant aux principaux dirigeants du parti, Castro n'avait pratiquement pas eu de contacts avec eux avant la révolution et il ne les introduisit sur la scène politique, en 1959, que dans un contexte particulier et pour des raisons différentes : à quelques exceptions près, ces hommes déjà âgés n'ont joué qu'un rôle décoratif.

Tout au contraire, au même moment, Alfredo Guevara était instantanément admis dans le cercle des amis les plus intimes de Castro et s'y trouve encore ; de leur côté, Lionel Soto, Raúl Valdés Vivó et Flavio Bravo étaient chargés d'organiser à La Havane la première école de marxisme pour l'instruction des nouveaux cadres communistes issus de la révolution (ce serait un mécanisme vital pour le succès de la transition). Il en va de même encore aujourd'hui : en 1986, Lionel Soto est entré au secrétariat du parti communiste, ce qui lui permet de détenir une position clé ; Flavio Bravo Pardo est président de l'Assemblée nationale et membre du Conseil d'Etat ; Valdés Vivó est membre du Comité central du parti ; Alfredo Guevara va et vient entre Paris et La Havane où il bénéficie d'un accès permanent auprès de Fidel et de Raúl Castro. Une seule remarque cependant : aucun de ces hommes ne joue le rôle d'idéologue au sein du régime — c'est là un domaine réservé à Fidel lui-même.

bien que, le moment venu, il ait violemment critiqué « l'ancien » parti communiste.

Alfredo Guevara a raison de souligner que Castro est un homme d'action, et qu'il y avait justement pour lui bien des possibilités d'action en dehors du cadre hautement hiérarchisé de la politique universitaire où, malgré ses efforts, il resta toujours un solitaire. Mais cette solitude convenait fort bien à sa personnalité ; elle allait devenir son image de marque et faire sa force dans la vaste arène de la politique cubaine.

Les réalités meurtrières de la politique à La Havane, tant à l'université qu'à l'extérieur de celle-ci, étaient incarnées par deux bandes de gangsters, vastes et puissantes, dont les origines remontaient aux temps où la dictature de Machado favorisait les explosions de violence, c'est-à-dire au début des années 1930. L'un de ces groupes était le Mouvement social révolutionnaire (MSR) fondé en 1945 par Rolando Masferrer. Ce dernier, ancien combattant de la guerre d'Espagne (du côté des Républicains), avait quitté le parti communiste cubain avec plusieurs de ses amis. L'autre groupe s'intitulait « Union insurrectionnelle révolutionnaire » (UIR) ; elle était dirigée par Emilio Tró, qui avait combattu pendant la guerre d'Espagne et la Seconde Guerre mondiale (cette fois dans l'armée américaine du Pacifique avec laquelle il avait pris part à la campagne de Guadalcanal). Le MSR et l'UIR étaient également avides de pouvoir et d'influence politique (voire économique). C'était leur seul point commun. Il en résultait qu'ils étaient naturellement ennemis et que leurs membres se trouvaient toujours prêts à s'entretuer. L'un et l'autre groupes s'opposaient au gouvernement du président Grau, car telle était la mode du jour, et Grau — faute de pouvoir ou de vouloir mettre un terme à cette entreprise de gangstérisme politique — préférait temporiser et tâchait de gagner du temps en soudoyant les deux organisations. Manifestement, cela ne donnait aucun bon résultat.

Le MSR se disait favorable à un « socialisme révolutionnaire » anticommuniste — sans plus de précision — également opposé à « l'impérialisme » des Etats-Unis et au parti *Auténtico* de Grau. Parmi ses autres objectifs affichés figurait le renversement de la dictature sanglante établie par Rafael Leónidas Trujillo Molina dans la République Dominicaine. (Il avait été mis en place, en 1930, par les Etats-Unis et les *marines* qui occupaient alors le pays.) Son opposition à Trujillo conférait une certaine respectabilité au MSR et attirait vers lui des hommes tels que l'écrivain Juan Bosch, alors en exil, qui fut élu président de la République Dominicaine après l'assassinat de Trujillo. Pourtant le MSR était surtout une association d'hommes de main dont le pouvoir se trouvait en grande partie concentré à l'université où un élève ingénieur, Manolo Castro, lié à Masferrer, avait été pendant cinq ans président de la FEU. Quant à l'UIR, son objectif officiel était de débarrasser les rues de La Havane des « assassins », terme qui désignait probablement les membres du MSR.

Le grand conflit entre les deux bandes éclata au début de 1947, quand le président Grau commit la folie de nommer Emilio Tró, de l'UIR, et Mario Salabarría, du MSR, commandants de la police nationale, dans un effort désespéré pour neutraliser les deux gangs. Tró devenait le chef de l'Académie de la police et Salabarría le chef de la police judiciaire. L'initiative de Grau ne fit qu'introduire la guerre à l'intérieur de l'appareil policier. Une autre des idées de Grau fut de porter Manolo Castro à la Direction nationale des sports. Cela interdisait au nouveau promu de chercher à se faire réélire président de la FEU en 1947, mais déclencha au sein de la fédération une guerre de succession (gagnée par Ovares aux dépens de la liste où figurait Fidel Castro), conflit auquel le MSR et l'UIR furent, bien entendu, étroitement mêlés.

L'affrontement entre le MSR et l'UIR affecta directement les intérêts et le destin de Fidel Castro. En effet, pour assurer sa survie politique et même physique, il lui fallut manœuvrer astucieusement entre les deux organisations de gangsters. Ce fut la première fois qu'il fit l'expérience véritable des luttes intestines, et Fidel montra aussitôt ses talents dans ce domaine en dissimulant ses convictions réelles pour jouer sur les deux tableaux, au moins dans la rue, ce qui fut considéré plus tard, par ses admirateurs, comme la marque de son « génie politique ».

Aujourd'hui encore, il est impossible de savoir exactement quelles furent les relations de Castro avec le MSR et l'UIR, peut-être parce qu'elles étaient de nature fluctuante, notamment en ce qui concernait ses liens personnels avec les chefs de l'un et l'autre camps. On sait que Fidel avait entretenu de bons rapports avec Manolo Castro, du MSR, quand celui-ci présidait la fédération des étudiants, mais il n'avait jamais été tenu pour un membre du Mouvement. En 1946, il fut accusé sans preuve par certains dirigeants politiques d'avoir blessé un obscur activiste étudiant de l'UIR, appelé Lionel Gómez, pour plaire à Manolo Castro.

Pourtant, d'après des témoignages contemporains, Fidel s'était aligné sur l'UIR au temps où il terminait sa première année d'études à la faculté de droit, au printemps 1946, mais il n'est pas certain qu'il y ait effectivement adhéré. Jesús Diegues, dirigeant de l'UIR, a déclaré dans une lettre adressée à un historien en exil, bien des années plus tard : « Castro nous a utilisés pour les besoins de son propre combat, à l'intérieur de l'université, sans vraiment se rallier [publiquement] à l'UIR. » Il se pourrait que ce soit exact en ce qui concerne Fidel, mais le contraire peut être également vrai. Le fait est que la liste sur laquelle il figurait, lors des élections de la FEU, en juillet 1947, était appuyée par l'UIR, alors qu'Ovares et ses alliés communistes avaient le soutien du MSR. On a prétendu également que Fidel s'était tourné vers l'UIR après avoir été repoussé par le MSR. Selon un récit qui a été rendu public, Fidel Castro était présent lors de la prestation de serment d'Emilio Tró, le chef de l'UIR, quand le président Grau l'avait installé dans ses nouvelles fonctions de directeur de l'Académie de la police nationale — mais rien ne vient corroborer cette assertion. En fin de compte, il est pratiquement impossible de savoir la vérité avec certitude.

Cependant, la première intervention publique de Fidel se produisit au printemps de 1946, avant qu'il eût vingt ans. Elle eut lieu à l'occasion d'une réunion tenue chez Carlos Miguel de Céspedes, politicien de droite et petit-fils du chef indépendantiste de 1868, qui briguait la mairie de La Havane. Apparenté au régime du dictateur Machado, Céspedes souhaitait néanmoins obtenir l'appui de la FEU. Il avait donc invité Manolo Castro, alors président de la fédération, pour négocier avec lui le soutien des étudiants. Manolo Castro avait à son tour réclamé la présence de trois de ses camarades, y compris Fidel Castro qui avait récemment conduit l'attaque brutale de certains étudiants en droit contre un groupe de jeunes gens qualifiés de « fascistes-nazis », lors d'une tentative de meeting organisée par ces derniers sur le campus.

Céspedes, selon un article publié dans le magazine *Bohemia*, en juin 1946, décrivit tout d'abord son plan de campagne, puis demanda l'avis de ses auditeurs. Quand vint le tour de Fidel de prendre la parole, il commença par dire qu'il soutiendrait le candidat — ce qui fit s'épanouir un large sourire sur le visage de celui-ci —, mais à trois conditions. Il fit alors une de ces pauses qui sont devenues classiques chez lui. La première condition consistait à rappeler à la vie tous les jeunes révolutionnaires tués par des gouvernements de droite, y compris le cofondateur du parti communiste, Julio Antonio Mella ; ensuite, Céspedes et ses amis devraient rendre au trésor public tout l'argent qu'ils avaient « volé au peuple » ; enfin, l'Histoire devrait être ramenée d'un siècle en arrière. Fidel lança alors avec emphase : « Si ces conditions ne sont pas remplies, j'irai immédiatement me vendre comme esclave sur le marché de la colonie que vous voulez faire de Cuba. » Là-dessus, il se leva et sortit de la maison. Cet épisode peu connu est une sorte de balise sur le parcours idéologique de Castro. Les thèmes dominants de celui-ci continuent d'être les mêmes, quarante ans plus tard : une vigoureuse affirmation du nationalisme cubain, le sentiment que Cuba a été trahie par tout un chacun depuis les guerres d'indépendance, et une tonitruante protestation contre « l'exploitation » des pauvres par les riches.

A l'instar de nombreux étudiants de l'université, Castro adhéra à la nouvelle Ligue anti-impérialiste et au Comité de la FEU pour l'indépendance de Puerto Rico. Etant donné les sentiments nationalistes profonds, enregistrés chez les jeunes Cubains durant et après la guerre, ainsi que l'exacerbation du ressentiment éprouvé à l'encontre des Etats-Unis pour le rôle que ceux-ci avaient joué dans l'île depuis 1898, il ne pouvait être particulièrement surprenant qu'un homme comme Fidel devienne membre de telles organisations. On ne pouvait le définir comme marxiste pour autant. En ce qui concerne son « anti-impérialisme », il s'est montré cohérent dans son attitude depuis ses années d'étudiant, plus comme *Cubain* peut-être que comme marxiste. C'est là une nuance subtile qui n'est pas toujours perçue aux Etats-Unis.

Castro célébra l'anniversaire de son entrée à l'université en faisant ses débuts publics d'orateur, le 27 novembre 1946. Il était en deuxième année de droit et avait tout juste vingt ans, mais il était déjà assez connu pour avoir droit à la « une » dans les journaux du lendemain. L'occasion était patriotique ; il s'agissait du soixante-quinzième anniversaire de l'exécution de huit étudiants en médecine, condamnés à mort par les autorités coloniales espagnoles pour leurs activités indépendantistes. Une cérémonie était traditionnellement organisée en leur honneur par l'université de La Havane, devant le Panthéon des martyrs, au grand cimetière de Colón (Christophe Colomb), dans le quartier du Vedado.

Castro rendit naturellement hommage à la mémoire des étudiants, mais se lança instantanément dans une diatribe contre le gouvernement Grau, dénonça le plan anticonstitutionnel du Président pour tenter de se faire réélire en 1948, accusa le régime d'exploiter le peuple et appela les Cubains à abandonner leur apathie pour se dresser contre les affameurs.

Tel était le discours que Fidel avait si soigneusement préparé et répété au domicile de son condisciple Ignácio Rasco. Il produisit évidemment une forte impression, tout particulièrement quand l'orateur s'en prit à « la tolérance du Président envers certains ministres qui pillent les fonds publics et envers les gangs qui pénètrent jusqu'aux cercles les plus intimes du pouvoir ». Avec des effets oratoires qui deviendraient familiers aux Cubains dans les années et les décennies à venir, Fidel proclama : « Si Machado et Batista ont assassiné et persécuté tant d'honnêtes gens et d'honorables révolutionnaires, Grau a tué tous les espoirs du peuple cubain et s'est transformé en un stigmate pour la nation. »

Castro avait découvert le grand secret de la rhétorique cubaine, le recours à des formules populistes — et il n'allait plus s'en départir. Bien qu'il eût été le dernier à prendre la parole, au cours de la longue cérémonie, il fut cité en première page par le quotidien *El Mundo*, au quatrième paragraphe de l'article de tête, bien avant des personnalités politiques beaucoup plus connues. Les journaux, qui l'appelèrent Fidel *de* Castro, ne mentionnèrent pas quelle formation il représentait (il avait peut-être parlé au nom de la faculté de droit), mais cela n'importait guère car, dans la pratique, une nouvelle étoile s'était levée au firmament de la turbulente politique cubaine. Il n'avait pas encore atteint l'âge de la majorité légale.

5

Mil neuf cent quarante-sept fut pour Fidel Castro l'année de son engagement définitif dans la vie publique, l'année où il entama sa carrière pour de bon, une année pleine de romantisme politique, de grandes aventures et d'immenses périls personnels. Sur la lancée de son discours du mois de novembre précédent, Castro fut l'un des trente-quatre signataires d'une déclaration contre la réélection du président Grau, adoptée par le comité central de la FEU ; il avait contribué à la rédiger en qualité de délégué de la faculté de droit. Parmi les autres signataires figuraient le président de la FEU, Enrique Ovares, le président de la faculté de droit, Baudilio Castellanos — l'ami d'enfance — et un garçon nommé Rafael Díaz-Balart, dont Fidel allait bientôt épouser la sœur.

La déclaration, publiée le 20 janvier 1947, a un ton *fidelista* qui ne trompe pas (bien que ses camarades aient eu le même goût que Fidel pour la grandiloquence oratoire). Elle affirme : « L'idée d'une réélection, d'une extension du mandat présidentiel, ou même de l'imposition forcée de certains candidats, ne peut avoir germé que dans l'esprit malade de traîtres, d'opportunistes et de menteurs invétérés. » Les signataires promettaient de combattre la réélection de Grau, dût-il leur en coûter la vie, car « mieux vaut mourir debout que vivre à genoux ». Comme l'ont noté les spécialistes cubains, ce slogan que Castro allait souvent utiliser était emprunté au révolutionnaire mexicain Emiliano Zapata *.

Désormais acquis à l'idée de rechercher, le plus possible, la publicité et les affrontements, Fidel n'était pas à court d'imagination : il organisa bientôt un voyage des étudiants en droit dans l'Ile des Pins pour y inspecter une nouvelle prison. Construite d'après les plans d'un pénitencier de haute sécurité de l'Illinois, elle était considérée à Cuba comme une « prison-modèle », mais Castro y trouva la nourriture exécrable, condamna les brutalités des gardiens envers les détenus et la visite faillit mal tourner. De retour à La Havane, il s'en prit à l'administration pénitentiaire et occupa

---

* Il avait déjà été repris par la fameuse « Pasionaria », pendant la guerre d'Espagne. (*N.d.T.*)

une fois encore la « une » des journaux. L'ironie du sort voulut que l'Ile des Pins fût précisément l'endroit où Batista fit incarcérer Castro et ses rebelles, sept ans plus tard.

Castro avait compris dès le début de sa vie politique que, pour réussir, il lui faudrait opérer à plusieurs niveaux différents, et souvent simultanément. Il était déjà parvenu à attirer l'attention sur lui, en politique, au-dedans et au-dehors de l'université — grâce à la FEU ou aux gangs « révolutionnaires » — et il avait appris l'utilité d'un affrontement bien exploité. Au printemps 1947, il décida de pénétrer également dans le monde de la politique traditionnelle.

L'occasion se présenta quand le sénateur Eduardo « Eddy » Chibás entreprit de former son propre parti. Chibás était la voix de l'opposition ; c'était le champion immensément populaire de l'homme-de-la-rue en butte à la corruption du gouvernement et exploité par les riches. Son cri de guerre était : « Dignité face à l'argent ». On le considérait comme un futur président et comme le dirigeant cubain le plus honnête, le plus idéaliste, que le pays eût connu depuis José Martí. Il avait été élu sénateur à trente-sept ans et, au moment de lancer son Parti du Peuple cubain (PPC), il avait tout juste quarante ans. La décision de Grau de chercher à se faire réélire — dénoncée par Castro dans son discours de janvier — fut l'événement qui poussa Chibás à abandonner le parti *Auténtico* officiel.

Castro, qui connaissait la légende de Chibás depuis le temps où il était encore à Belén, était déjà un « nom » assez important dans la politique cubaine pour être invité, avec une centaine de personnalités, à la réunion historique du 15 mai 1947, qui allait donner officiellement naissance au PPC. Les comptes rendus nous apprennent qu'à cette réunion assistaient six sénateurs, dix députés, de nombreux maires, des politiciens chevronnés, des universitaires, des gens d'affaires et des industriels.

Fidel Castro, qui n'avait pas encore vingt-deux ans, était le seul étudiant convié, ce soir-là, au quartier général des Jeunesses du parti *Auténtico* avec lequel Chibás allait rompre en cette occasion. Il serait exagéré de dire que Fidel fut, pour autant, l'un des fondateurs du PPC, mais il était certainement présent lors de sa fondation ; en outre, son ralliement à Chibás lui serait d'une utilité inestimable dans les années à venir. Le PPC devint vite connu sous le nom d'*Ortodoxo*, en raison de sa volonté d'orthodoxie envers les principes de Martí. C'était là une notion qui convenait parfaitement au sentiment que pouvait avoir Fidel de la destinée de Cuba et de son propre destin.

En se joignant au parti *Ortodoxo*, Castro réussit à s'assurer la possibilité de poursuivre ses ambitions à long terme par les voies traditionnelles de la classe politique, tout en se donnant les moyens d'en tirer le plus grand avantage possible. En devenant *Ortodoxo* et en consacrant une grande partie de ses activités aux Jeunesses du parti, Fidel optait pour une activité politique à plein temps et acceptait de se plonger dans le chaos et la violence qui allaient de pair avec elle.

Il avait donc décidé, pour des raisons pratiques, de se situer à l'intérieur du cercle politique pour jouer sa partie à travers la nouvelle formation. Il n'y a pas de véritable contradiction entre cette décision et ce qu'il a révélé de ses instincts révolutionnaires, voire de son évolution vers le marxisme. Malgré sa jeunesse, Fidel avait un assez grand sens politique — son fameux « radar » — pour savoir que les révolutions ne se font pas du soir au matin et exigent un certain climat pour s'accomplir. (Son étude intensive de la Révolution Française et ses lectures de Marx l'avaient sûrement aidé à le comprendre.) Manifestement, il ne pouvait encore imaginer ni prédire que Batista allait se lancer dans un coup d'état cinq ans plus tard et créer ainsi un climat révolutionnaire. En ce temps-là, Castro pensait seulement qu'il pourrait propager ses idées de révolution sociale à travers les médias (dont il était en train de devenir le chouchou) et à la tribune de l'assemblée à laquelle il aspirait déjà. Mais, comme il l'a affirmé depuis, si quelques conditions favorables à la révolution s'étaient trouvées un jour réunies, comme cela était toujours possible à Cuba, il se serait instantanément précipité à l'avant-garde du mouvement.

En outre, Castro ne compromettait ni son image ni ses principes en adhérant à l'*Ortodoxo*. Le nouveau parti de Chibás n'était pas seulement la force d'opposition la plus puissante de Cuba, mais il avait un programme social « progressiste » et des idées « libérales » — c'est-à-dire avancées. Il se situait très loin sur la gauche du parti *Auténtico,* instrument fossilisé des politiciens alliés au président Grau. Chibás était lui-même un personnage romanesque, plein de panache et d'enthousiasme, un homme qui provoquait en duel — au sabre — ses adversaires politiques quand il se sentait offensé. La vie de Cuba s'arrêtait presque, le dimanche soir, au moment où Eddy Chibás faisait avec véhémence son émission hebdomadaire à la radio.

Il était profitable au jeune Castro, en 1947, de donner délibérément l'impression qu'il était le disciple favori de Chibás et son héritier présomptif — impression qui persiste encore aujourd'hui dans l'esprit de nombreux Cubains. Il fit ardemment campagne en faveur du sénateur lors de la tentative infructueuse de celui-ci pour remporter les élections présidentielles de 1948 ; mais il faut porter au crédit de Fidel l'avertissement public qu'il donna au candidat pour lui prédire que la jeunesse l'abandonnerait s'il recherchait — comme il le fit — l'alliance des riches propriétaires en Oriente. Castro comptait assez aux yeux de Chibás pour que celui-ci fît une réponse publique, du haut d'une tribune, à Santiago : « Non, *compañero* Fidel Castro, vous pouvez dissiper vos doutes... Chibás serait incapable d décevoir la dévotion des masses... Le jour où Chibás sentira s'éteindre l'affection que lui portent ses concitoyens, il se tirera une balle dans le cœur. »

En privé, comme le montrent des éléments de preuve récemment mis en évidence par des interviews et des publications, il y avait des frictions entre les deux hommes ; l'aîné craignait que Fidel ne finisse par devenir son rival ; et celui-ci voyait le sénateur comme un obstacle à son avancement futur. Raúl Chibás, le frère d'Eddy, qui fut son successeur pour un bref laps de temps quand le sénateur se suicida en 1951, déclare : « Je ne me rappelle même pas que mon frère m'ait jamais parlé de Fidel. » Il ajoute qu'à l'origine certains membres du nouveau parti ne voulaient pas de Castro, « car ils le tenaient pour un élément négatif... c'était une figure de quatrième ordre. » Par la suite, Raúl Chibás rejoignit Castro dans la Sierra

Maestra et l'aida à rédiger le premier manifeste adressé par les guérilleros à la nation ; c'est donc un témoin crédible et il ne fait certes pas partie des détracteurs systématiques de Fidel, bien qu'il vive maintenant en exil aux Etats-Unis.

De la même façon, il convenait à Castro, au cours de cette première période, de reconnaître en Chibás son maître et mentor, tout particulièrement quand il décida de se présenter aux élections législatives de 1952 : ses liens avec Chibás rehaussaient sa stature de personnalité publique. Eddy était tout prêt à admettre la valeur politique de Fidel, mais seulement dans la mesure où il pouvait le tenir en lisières. Les confidences de Raúl Chibás et le fait que Castro ait cessé de se réclamer d'Eddy après la révolution donnent fortement à penser que les deux hommes tiraient tout bonnement parti l'un de l'autre, sans affection superflue. C'est après le suicide du sénateur que Fidel put se servir le plus spectaculairement de lui.

Pour Castro, son alliance avec Chibás et les *ortodoxos* doit avoir revêtu une extrême importance, et sauf lors du choc de 1948, pendant la campagne présidentielle, il accepta de se subordonner au sénateur. Le parti *ortodoxo* fut le seul auquel Fidel adhéra avant la révolution. La raison pour laquelle il n'envisagea jamais d'appartenir au PSP — le Parti socialiste populaire, nom qu'avait pris le parti communiste à cette époque — est très simple : il ne voyait aucun avenir pour lui dans une soumission à la discipline du parti. En outre, l'influence des communistes dans le pays en était à son point le plus bas, sauf à l'université et dans quelques syndicats ; et Castro n'a jamais aimé s'allier avec des perdants.

Le pragmatisme de Fidel se révèle plus encore dans le fait que — nonobstant ses relations d'amitié personnelle avec des communistes à l'université, et son évolution de plus en plus prononcée vers le marxisme — il n'a jamais remis en question son alignement sur les *ortodoxos*, malgré l'anticommunisme virulent de Chibás et le refus de celui-ci de former une coalition électorale avec le PSP. Castro resta membre du parti jusqu'en 1956, à la veille de s'embarquer sur la *Granma*, en route vers Cuba où il comptait déclencher la guérilla. A l'époque, il possédait déjà sa propre formation, le « Mouvement du 26 juillet ».

Dans une conversation extrêmement spontanée avec un écrivain colombien, en 1981, Castro a avoué que même après avoir acquis une formation marxiste-léniniste, il n'était pas entré au parti communiste, préférant travailler au sein de sa propre organisation. Il précise : « J'avais des préjugés contre le parti communiste... parce que je le savais très isolé, et que, dans ses rangs, il me serait très difficile de mettre en œuvre le plan révolutionnaire que j'avais conçu... Il me fallait faire un choix : ou bien devenir un militant communiste discipliné, ou bien créer une organisation révolutionnaire qui pourrait tenir compte des particularités de Cuba. »

Au printemps, Fidel Castro était devenu un politicien à part entière, capable d'opérer à tous les niveaux possibles, et il se trouvait à la veille d'aventures étonnantes.

En cette année 1947, Fidel Castro était si complètement absorbé par ses entreprises politiques révolutionnaires qu'il ne lui restait pas assez de temps pour poursuivre ses études ni pour profiter, même modestement, de la vie de société qu'offrait à la population estudiantine une ville aussi scintillante que La Havane, avec ses bars, ses restaurants, ses hôtels, ses casinos, ses théâtres, ses cinémas, ses boîtes de nuit, ses bordels, ses plages et ses piscines.

Il avait passé ses examens sans trop de difficultés à la fin de sa première année de droit, au printemps de 1946, mais maintenant il était si accaparé par ses activités extra-universitaires qu'il ne se présenta même pas aux examens de deuxième année. Comme il le dit lui-même, il avait suivi en auditeur libre des cours de troisième et de quatrième années, sans être ce que l'on appelle un étudiant régulier, ce qui compliquait sa situation de délégué de la faculté de droit à la FEU.

L'obsession qu'il nourrissait pour la politique affectait de la même façon sa vie personnelle et ses relations sociales. Il ne participait jamais à des soirées ou à des week-ends, sauf pour assister à des réunions politiques, voire endoctriner un camarade ou quelque autre jeune. Il ne fut pas plutôt devenu *ortodoxo* qu'il commença à se créer sa faction personnelle parmi les Jeunesses du parti : un groupe appelé « Action radicale orthodoxe » (ARO). Sous l'influence de Fidel, l'ARO préconisait la prise du pouvoir par des moyens révolutionnaires plutôt que par la voie électorale. L'ARO et Castro publièrent une brochure intitulée *Acción Universitaria*, avec des effets assez limités, mais leur réseau de jeunes affiliés politiques allait devenir l'embryon du mouvement *fidelista* : Castro a toujours fait des plans à longue échéance pour se tenir prêt à toute éventualité.

Quant à mener une vie de société, il n'en avait ni le temps ni l'envie ; ce n'était pas l'argent qui lui manquait (il en recevait suffisamment de chez lui pour ses distractions) et ce n'était pas non plus par faute de considération sociale, comme au temps où il se trouvait à Belén. Max Lesnick, qui était le chef des Jeunesses du parti *ortodoxo* et l'ami de Castro à l'université (il est actuellement en exil à Miami mais se tient bien informé de ce qui se passe à La Havane), déclare qu'il n'a jamais rencontré Fidel dans aucun des endroits de la capitale où les étudiants allaient danser ou boire un verre. « Je ne connais personne qui l'ait jamais vu danser », dit Lesnick ; il ajoute que c'était là un phénomène très rare à La Havane où les jeunes gens des années 1940 étaient aussi portés vers la danse et la musique que vers la politique, mais « l'idée de voir Fidel en train de danser est inconcevable ». Lesnick se rappelle également la gaucherie et la timidité de Fidel envers les femmes. En certaine occasion, dit-il, il était avec son ami au siège du parti *ortodoxo* sur l'avenue du Prado, à La Havane, quand trois « jeunes femmes, très jolies et très bien habillées » entrèrent pour demander des renseignements. Selon Lesnick, Fidel, qui était pourtant très prisé par les étudiantes, « se conduisait avec une timidité incroyable ». Aussi, raconte-t-il, « ce garçon capable de discuter avec des hommes politiques ou des étudiants, des jeunes gens ou des vieillards, se trouva comme pétrifié devant ces trois filles ».

A l'université, poursuit Lesnick, Fidel n'avait pas d'amie, à l'exception de Mirta Díaz-Balart, une étudiante en lettres qu'il avait connue en Oriente et qu'il épousa en 1948. A cette époque, dit-il encore, « la politique était une obsession pour Fidel et il n'aurait jamais manqué une réunion pour sortir avec une fille ou aller danser. » Ce qui ne signifie pas, selon ses amis, qu'il restait chaste pour autant.

Fidel prenait ses repas et passait ses soirées à converser en compagnie de ses jeunes amis politiques dans les foyers ou les pensions de famille des uns ou des autres. En 1947, l'un de ses lieux de rendez-vous favoris était une pension de la rue « I », dans le quartier du Vedado, près de l'université, où vivaient plusieurs étudiants. Cette maison était tenue par une femme surnommée La Gallega (la galicienne), une réfugiée républicaine espagnole qui avait épousé un architecte cubain ; selon l'un de ses anciens pensionnaires, elle était « le cerveau politique de la fédération des étudiants ».

Castro allait souvent chez elle, en compagnie de son ami Alfredo Guevara, et ils restaient assis jusqu'à une heure tardive de la nuit, dans la salle à manger, à parler de politique, à rire et à badiner. Fidel portait invariablement son costume noir mais il desserrait sa cravate, tirait sur son cigare et parfois jouait avec le revolver qu'il portait habituellement sur lui. Un soir, il s'amusait à le charger et à le décharger, le canon pointé vers le haut, quand un pensionnaire qui avait servi dans la Royal Air Force pendant la guerre lui fit remarquer sèchement qu'il fallait toujours diriger une arme vers le bas quand on la chargeait ou la déchargeait, pour éviter un accident. « Dans l'armée, ajouta l'ancien aviateur, vous auriez été flanqué aux arrêts pour une chose comme ça. » Fidel remit le revolver dans sa poche sans un mot. Il ne tarderait pas à acquérir l'expérience des armes à feu.

Les violences continuèrent d'augmenter à La Havane au printemps et au début de l'été 1947. Le 26 mai, par exemple, un nommé Orlando León Lemus, membre du MSR, fut blessé par balles et la rumeur publique prétendit qu'il serait bientôt « liquidé » pour avoir mis à profit sa prétendue qualité de « révolutionnaire » à des fins lucratives personnelles — ce qui était vrai de presque tous les *pistoleros* des gangs. Les groupes d'action du MSR ripostèrent en mitraillant leurs rivaux de l'UIR dans les rues.

Ce fut en juillet qu'Enrique Ovares, appuyé par le MSR et les communistes, se trouva porté à la présidence de la FEU (en remplacement de Manolo Castro récemment nommé directeur national des sports), aux dépens de la liste sur laquelle Fidel briguait le poste de secrétaire général de la fédération. Comme il était avéré que l'UIR soutenait cette liste, cela conduisit les dirigeants du MSR à conclure que Castro faisait sans nul doute partie de leurs ennemis. Dès lors, Fidel fut persuadé que le MSR était résolu à l'assassiner et il multiplia encore les risques qu'il courait en s'attaquant publiquement au gangstérisme politique.

Il écrivit des articles contre les gangs dans le journal étudiant *Saeta* (la flèche) qu'il avait contribué à lancer avec ses amis communistes en 1946. (Ce fut le premier périodique qui publia des éditoriaux de Castro.) Il poursuivit ses attaques lors de la séance inaugurale de l'assemblée constituante de l'université, le 16 juillet, en profitant de ce qu'il était l'un des principaux orateurs inscrits. Il fut également l'un des artisans les plus efficaces des efforts entrepris pour doter l'université de La Havane d'une charte garantissant ses libertés et modernisant ses méthodes pédagogiques. Il siégeait au bout de la table du président de l'assemblée, dans le grand amphithéâtre de l'université, en compagnie du chancelier, de plusieurs doyens et du président de la FEU, le jour où il prit la parole devant les 891 délégués : c'était son premier discours politique en bonne et due forme (il était plus long et aussi plus officiel que l'allocution prononcée au cimetière, en novembre de l'année antérieure). Ce fut à cette occasion, pense-t-on, que sa photo parut pour la première fois dans la presse de La Havane, avec une légende où il était expressément nommé.

Le texte du discours a disparu (comme tant d'autres documents historiques cubains), mais le style de Castro est clairement reconnaissable — on ne peut s'y tromper — dans les extraits publiés par la presse... qui persistait à l'appeler « Fidel *de* Castro. » L'orateur avait commencé par rendre hommage à la « pléiade » (les allusions et références classiques étaient de rigueur dans tout discours politique cubain) des étudiants martyrs, tels que le cofondateur du parti communiste Julio Antonio Mella, assassiné pour avoir pris la défense d'un « mouvement universitaire progressiste ». Comme Castro le savait et le sait encore, prononcer l'éloge des héros défunts est le plus sûr moyen de faire vibrer une corde sentimentale dans l'auditoire avant d'adresser à celui-ci le véritable message que l'on souhaite lui faire parvenir.

Il accusa ensuite les « faux dirigeants » (il pensait à Batista et au président Grau) d'avoir, au cours des dernières années, mené les étudiants « à l'indifférence et au pessimisme ». L'université, déclara Castro, ne doit pas être un lieu « où les idées sont bradées comme des marchandises » ni « le théâtre honteux d'une lâcheté collective ». Il s'en prit aux gangs, tout particulièrement au MSR, en appelant les étudiants à « démasquer les marchands qui spéculent sur le sang des martyrs », et il s'attira plus d'ennemis encore en décrivant le gouvernement Grau comme « une tyrannie qui s'est abattue sur notre pays ». On trouvait déjà dans ce discours les procédés classiques de Castro, manipulant et modelant l'humeur de l'auditoire, enflammant les foules par des images verbales fulgurantes, et établissant sur le public la domination absolue de l'orateur dont les paroles et les pensées finissent par entraîner l'adhésion d'un public rendu docile. Si Castro n'a pas, en plusieurs décennies, modifié les fondements de sa technique, c'est qu'elle est manifestement efficace. Ce jour-là, dans l'amphithéâtre de l'université, il fit l'objet d'applaudissements nourris et sa réputation de tribun se trouva, dès lors, solidement établie. Il ne manqua plus une occasion de s'adresser aux étudiants ou aux hommes politiques. Max Lesnick déclare : « Fidel était le seul capable de mobiliser instantanément cinquante personnes pour le suivre, et quand il ne pouvait réunir des étudiants, il rassemblait des passants dans la rue. »

Castro s'était approprié Martí dont il avait fait son allié historique personnel et sa source d'inspiration, dès son entrée dans la carrière de politicien universitaire, et il ne laissa plus l'Apôtre lui échapper. Au temps où il était étudiant, il avait enregistré les discours de Martí et les écoutait pour polir son propre style. Il s'était fait une spécialité des citations du grand homme ; certes, il n'en manquait pas car l'œuvre complète de Martí comprend dix-neuf volumes dans l'édition cubaine actuelle, mais Castro devait être le seul à garder en mémoire un nombre si impressionnant d'entre elles, et à savoir les utiliser si opportunément. Aujourd'hui, Martí est considéré à Cuba comme le prophète dont les paroles sont sacrées, et Castro est en passe d'acquérir la même stature grâce à la diffusion massive de chacune de ses déclarations publiques (orales ou écrites).

Cela dit, le gouvernement de Grau et le MSR étaient alors parvenus à la conclusion qu'ils en avaient assez de Fidel Castro, considéré comme le critique le plus virulent du régime, d'autant plus que sa popularité allait croissant. Comme il ne pouvait être ni enrôlé ni corrompu, on lui adressa un ultimatum : ou bien il abandonnait sa campagne contre le gouvernement et les gangsters, ou il lui faudrait quitter l'université. L'avertissement lui fut envoyé par Mario Salabarría, principal associé du fondateur du MSR, Rolando Masferrer, récemment promu chef de la police secrète par Grau, au début de 1947. Salabarría avait une réputation bien établie d'assassin et Castro, qui l'appelait « le propriétaire de la capitale », put craindre que les représailles ne se limiteraient pas à son expulsion de l'université.

Fidel décida donc de se retirer sur une plage près de La Havane pour examiner la situation et adopter une ligne de conduite devant les menaces dont il faisait l'objet. Comme il l'a rappelé plus tard : « Le moment était venu de prendre une grande décision. Je me sentais happé par un cyclone. Tout seul, sur la plage, face à la mer, j'examinai la situation. Si je retournais à l'université, ma personne se trouverait en danger, je courrais de grands risques physiques... Mais si je n'y retournais pas, cela signifierait que je cédais à la menace, que je capitulais devant un assassin quelconque, que j'abandonnais mes idéaux et mes aspirations. Je décidai de rentrer et je rentrai — armé. »

Ce fut l'un des tournants significatifs de la vie de Castro. S'il reculait, la carrière de politicien et de révolutionnaire qui faisait l'objet de ses ambitions serait instantanément terminée ; en un pays où les qualités viriles, telles que le courage physique, revêtaient une importance démesurée, un lâche n'a pas sa place dans la vie publique. Il est dans la nature de Fidel, toute sa vie le prouve, de relever les défis et de prendre de grands risques pour des questions de principe. Mais il était aussi dans sa nature introvertie de s'isoler, au début d'une crise, et de mûrir les plus grandes décisions dans la solitude. Il en userait encore ainsi dans bien des occasions à l'avenir ; de ces retraites, il sortirait chaque fois régénéré, revigoré, prêt au combat. En outre, Fidel découvrirait qu'en disparaissant ainsi de la vue du public, il prendrait à contrepied ses ennemis inquiets de savoir où il était et ce qu'il était en train de faire.

Ne pouvant donc prendre le large, de lui-même, il lui fallait un bon prétexte ; aussi, dès son retour, après l'ultimatum de Salabarría, se porta-t-il volontaire pour une nouvelle aventure : l'invasion de la République Dominicaine, entreprise destinée à renverser le dictateur Trujillo. L'expédition était organisée par un groupe d'exilés dominicains dirigés par le millionnaire Juan Rodríguez García et par l'écrivain Juan Bosch qui deviendrait effectivement président de son pays par la suite ; elle était financée à la fois par de hautes personnalités du gouvernement Grau et par le MSR de Masferrer et Salabarría. Au total, on y trouvait un mélange d'opportunisme et d'avidité, tant politique qu'économique, avec une touche d'idéalisme tout à fait respectable, ce qui était courant dans les Caraïbes en ce temps-là.

Pour recruter des idéalistes cubains en vue de l'invasion, les organisateurs avaient projeté de se tourner vers l'université de La Havane où le MSR cherchait toujours à se forger l'image d'un mouvement idéaliste et révolutionnaire. Dans la pratique, cela signifiait que Masferrer, Salabarría et Manolo Castro auraient la haute main sur le recrutement. Si Fidel voulait participer à l'aventure dominicaine, il lui faudrait être accepté par les chefs du MSR et recevoir la garantie que leurs hommes de main ne l'assassineraient pas dans les camps d'entraînement. Il demeurait convaincu que le MSR voulait se débarrasser de lui. Il avait donc besoin d'une trêve ou d'un accord avec ses ennemis.

L'impatience, manifestée par Fidel, de participer à cette invasion, était également due au fait qu'il s'agissait à ses yeux d'une question d'honneur révolutionnaire ; en outre, il aspirait fort à se trouver une fois de plus sous les feux de la rampe, sur la scène politique. Aider à renverser Trujillo qu'il haïssait était déjà un insigne honneur pour un jeune dirigeant comme Fidel. Les contemporains, et notamment Max Lesnick, confirment que les étudiants de cette génération éprouvaient un violent sentiment d'aversion envers Trujillo et qu'il était « normal » pour Castro de se porter volontaire.

Au début de juillet, il restait à Fidel plusieurs examens de troisième année à passer pour être admis en quatrième année, mais quand il entendit parler du projet dominicain, il considéra que son « premier devoir était de [s'] engager comme soldat dans cette expédition », et il déclare : « C'est ce que je fis. » Il donne à entendre que telle fut la raison pour laquelle il ne se présenta pas aux examens et perdit à la fois son statut d'étudiant et ses nouvelles fonctions de président de la faculté de Droit. C'est là, encore une fois, un des épisodes compliqués de l'histoire de Castro. Il explique qu'un autre étudiant avait été élu à ce poste, en 1947, mais que la majorité de ses camarades n'avaient pas voulu de lui et avaient nommé Fidel à sa place. Cette version des faits n'est appuyée par rien, mais il y eut un journal de La Havane, au moins, pour considérer Castro, vers la fin de 1947, comme le président de la faculté de droit. (Quant à l'étudiant prétendument démis de la présidence, un certain Aramís Taboada, il fut emprisonné au début des années 1980, sous l'accusation d'avoir plaidé en faveur d'un contre-révolutionnaire traduit en jugement.)

Fidel raconte qu'il était lui-même président du Comité universitaire pour le rétablissement de la démocratie dans la République Dominicaine ; aussi, sans faire partie des organisateurs de l'expédition, il était proche des dirigeants dominicains en exil et il se devait de faire le voyage avec eux. Il passe pourtant sous silence les difficultés qu'il dut surmonter pour être autorisé à se joindre aux forces anti-Trujillo.

Enrique Ovares, nouveau président de la FEU, et organisateur de l'invasion avec le grade de *comandante*, déclare qu'il dut négocier la participation de Castro avec les chefs du MSR. Les deux jeunes gens entretenaient des relations amicales depuis leurs années d'école, malgré leurs divergences politiques à l'université. « Fidel vint me voir un jour dans ma maison du Vedado et nous bavardions dans le jardin lorsqu'il me dit : " Il n'est pas possible qu'ils me refusent l'occasion de donner ma vie pour en finir avec la dictature de Trujillo... Mais je ne peux pas y aller parce qu'ils me tueront si j'y vais ; tu sais bien que Masferrer me fera abattre. " Je demandai à Fidel s'il irait quand même dans l'éventualité où, en ma qualité de président de la FEU — dont tous les membres étudiants devaient être acceptés [dans l'expédition] —, j'insisterais moi-même pour qu'il en fasse partie. Fidel répondit : " Si tu me garantis la vie sauve, j'irai. " Je suis donc allé voir Manolo Castro [président sortant de la FEU et dirigeant du MSR] qui était de mes amis et je lui ai dit qu'il y avait un problème avec Fidel Castro. Manolo Castro a répondu : " Fidel est une merde, mais il a raison. Je vais parler à tous ces gens-là et Fidel pourra aller dans un camp [d'entraînement]. " »

Fidel reçut donc les garanties qu'il demandait, d'autant plus aisément que Manolo Castro était l'un des principaux avocats de l'invasion, conjointement avec le ministre de l'éducation, José M. Alemán, un homme dont la corruption ne souffrait pas de comparaison, et le général en chef de l'armée, le général Genovevo Pérez Dámera (ces deux derniers pensaient engranger honneurs et profits, en République Dominicaine, après le renversement de Trujillo).

Tard dans le courant du mois de juillet, Fidel fut donc envoyé à Holguín, dans la province d'Oriente, pour y recevoir les premiers rudiments d'une instruction militaire, à l'institut polytechnique local. Le 29 juillet, il était conduit avec ses compagnons au port d'Antilla, dans la baie de Nipe (près de sa maison familiale de Birán), où quatre bateaux les emmenaient à Cayo Confites, îlot situé au nord de la côte du Camaguay, province adjacente à l'Oriente.

Le corps expéditionnaire comprenait au total quelque 1 200 hommes qui passèrent cinquante-neuf jours à Cayo Confites sous un soleil écrasant, en butte aux assauts permanents des moustiques ; ils étaient censés y compléter leur entraînement militaire, mais en réalité ne faisaient rien car les responsables de l'invasion ne pouvaient se décider à passer à l'action. Fidel déclare qu'il fut nommé lieutenant et reçut le commandement d'une escouade, puis fut promu au rang de commandant de compagnie quand parvint de La Havane, vers la fin de septembre, l'annonce de l'annulation de la campagne. La raison n'en a pas encore été éclaircie. Castro dit simplement que des « divergences entre le gouvernement civil et les militaires » les obligèrent à tout laisser tomber. Mais bien des indices prouvent que des considérations inhérentes à la politique cubaine et à la politique internationale avaient entraîné le démantèlement de l'expédition.

En fait, Emilio Tró Rivera, l'un des chefs de l'UIR (le groupe d'action politique avec lequel Fidel avait les plus fortes attaches), avait été assassiné à La Havane, le 15 septembre, par des sbires du MSR, en même temps qu'une nouvelle vague de violence balayait la capitale. Bien que Tró eût également été directeur de l'Académie de la police nationale, des policiers à la solde du chef de la police secrète, Salabarría, avaient déjà tenté vainement de le tuer, le 2 septembre. Or les tueurs de l'UIR avaient assassiné un policier lié au MSR, le 12 septembre, et Salabarría avait ordonné l'arrestation de Tró. Trois jours plus tard, les hommes de Salabarría découvraient Tró en train de dîner au domicile d'un commissaire, dans une banlieue de La Havane. Après trois heures d'une fusillade au cours de laquelle plusieurs passants avaient été tués, Tró fut trouvé mort, criblé de balles. La presse calcula qu'il y avait eu soixante-quatre assassinats politiques et cent tentatives d'assassinat à Cuba, sous la présidence de Grau, entre 1944 et 1948.

La version officielle des faits, diffusée par le gouvernement Grau, établit une relation fort peu crédible entre le meurtre de Tró et la liquidation de l'expédition de Cayo Confites. Au cours d'une conférence de presse, le 29 septembre, un porte-parole de l'armée expliqua qu'en voulant tirer au clair la mort de Tró, les enquêteurs militaires avaient trouvé une piste qui les avaient conduits dans un ranch appelé *América,* près de La Havane ; or ce ranch appartenait au ministre de l'Education, José Alemán, et l'on y avait trouvé une « quantité fantastique » d'armes et de munitions, ainsi que des documents concernant les plans d'invasion de la République Dominicaine. L'armée avait appris de la sorte que le quartier général de l'expédition se trouvait à l'hôtel Sevilla, dans l'avenue Prado, à La Havane, près du palais présidentiel. Munis de ces renseignements, les militaires étaient intervenus pour empêcher l'invasion.

Etant donné que les préparatifs de l'opération étaient largement connus depuis le début, et que le ministre de l'Education tout comme le chef d'état-major de l'armée lui avaient apporté leur soutien, ce récit ne semble guère probant. La vérité paraît être que Trujillo, devant l'imminence du débarquement, s'était plaint à Washington et que les Etats-Unis avaient discrètement convaincu Grau et les siens de mettre un terme à l'affaire. A cette époque-là, Washington exerçait ce genre d'influence dans les Caraïbes. Après que l'armée et la marine cubaines eurent rapidement mis la main sur la plupart des membres de l'expédition, Washington exprima sa satisfaction de voir ainsi disparaître une « menace pour la paix ». (En l'occurrence, le général Pérez Dámera avait soudain manifesté son souci de voir respecter la loi et l'ordre.)

Castro était à Cayo Confites au moment de l'assassinat de Tró, encore qu'il n'en ait probablement rien su. Il dit qu'en entendant donner l'ordre d'annuler l'expédition, certains des hommes avaient déserté, mais que son bataillon avait néanmoins pris la mer. Ils se trouvaient encore à vingt-quatre heures de leur plage de débarquement quand ils furent « interceptés », et « tout le monde fut arrêté ».

Il est plus probable que le bateau, arraisonné par une unité de la marine nationale, avait reçu l'ordre de faire demi-tour. (D'autres membres du corps expéditionnaire avaient été arrêtés par l'armée à Cayo Confites, mais Fidel échappa à la détention.) « Si je ne me laissai pas arrêter, ce fut davantage par point d'honneur que pour toute autre raison : j'aurais eu honte de voir mon expédition se terminer par une arrestation. » Aussi, quand le petit caboteur *Caridad,* que les hommes avaient surnommé *Fantasma* (Fantôme), eut commencé de rebrousser chemin vers l'Ouest, Fidel sauta-t-il du haut du pont, devant le port de pêche de Gibara sur la côte de l'Oriente ; il nagea vers le sud-ouest, le long de la côte, dans une mer que l'on dit infestée de requins, et atteignit Saetía, à une douzaine de kilomètres de là, dans l'embouchure de la baie de Nipe. Selon une autre version publiée, Fidel avait mis une petite embarcation à la mer, en profitant de la nuit ; mais il maintient qu'il a couvert tout le trajet à la nage et il n'existe aucune raison d'en douter.

Enrique Ovares est certain que Fidel a nagé jusqu'au rivage — « Nul n'a jamais pu dire que c'était un lâche » —, mais il suggère une autre explication : Masferrer et ses hommes étaient sur le même bateau que Castro, et celui-ci, selon Ovares, craignait une tentative d'assassinat contre sa personne ; il estima donc que sa vie serait plus aisément sauve s'il gagnait la côte à la nage. Ovares pense que Fidel avait raison : « Je pouvais garantir sa vie tant qu'il était au camp, mais pas après que l'expédition eut avorté. »

De Saetía, Castro s'en fut à La Havane (on ne sait pas s'il fit halte chez lui, à Birán, pour se reposer et changer de vêtements), très impatient de retourner à ses batailles politiques et à l'université. Il dit qu'il avait gaspillé les mois d'août, de septembre et d'octobre à Cayo Confites, ratant une fois encore les examens de la faculté de droit. De retour dans la capitale, Fidel s'en fut vivre chez sa sœur Juana — il n'avait guère où aller — et se replongea aussitôt dans les luttes intestines de La Havane. Il avait maintenant vingt et un ans. Il avait atteint l'âge de la majorité sur cette île désolée des Antilles, théâtre de tant de frustrations, et il était avide de se jeter dans l'action.

Il ne perdit pas de temps. Il avait plongé du haut du bateau et nagé jusqu'à Saetía à l'aube du 28 septembre ; le 30, il prononçait déjà une harangue contre le gouvernement à l'université. Il s'agissait de marquer l'anniversaire de la mort d'un étudiant sous la dictature de Machado, mais Fidel en profita pour fustiger le gouvernement Grau, traître à la cause de la libération des Dominicains, et pour réclamer une fois de plus la démission du Président. Dès l'enfance, Fidel avait appris qu'il faut attaquer sans répit si l'on veut obtenir la victoire — et même s'il n'avait pas encore défini son ultime objectif, il adoptait maintenant la devise de Danton, l'un de ses héros favoris : « De l'audace, encore de l'audace, toujours de l'audace ! » L'audace a toujours été le trait de caractère le plus saisissant, le plus typique, de Fidel Castro.

Comme l'intensité de son engagement politique ne pouvait manquer de porter préjudice à toutes études régulières, il décida de ne pas prendre officiellement ses inscriptions en troisième année de la faculté de droit, pour ne pas échouer à ses examens, et se contenta d'assister, en auditeur libre, aux cours de troisième et de quatrième années. Quoi qu'il en soit de ce changement survenu dans sa situation politique et universitaire, « à un certain moment et sans l'avoir cherché », selon lui, il allait se retrouver « au cœur de la lutte contre le gouvernement Grau ».

A peine sorti de l'aventure de Cayo Confites, Castro sauta sur toutes les occasions de harceler le régime et ses principaux représentants ; La Havane se transformait en un champ de bataille permanent au cours des derniers mois de l'année 1947. Lors de la manifestation du 30 septembre, la cible favorite de Fidel fut José Alemán ; il mit en cause le rôle du ministre de l'Education dans l'épisode dominicain, dénonça la corruption dont il faisait montre et s'en prit aux sbires qui formaient une garde privée à sa solde. Au Sénat, l'opposition présenta une motion de censure contre Alemán ; celui-ci eut la malencontreuse idée de faire organiser par ses partisans une manifestation « de soutien » le 9 octobre, mais une échauffourée éclata dans la foule et un lycéen nommé Carlos Martínez Junco fut tué raide par la balle d'un garde du corps du ministre.

La mort du jeune homme faillit déclencher un soulèvement, tout particulièrement quand Alemán eut décidé de ne pas annuler la manifestation organisée à sa propre gloire, en face du palais présidentiel ; et Grau fut assez stupide pour paraître au balcon dans le but de prononcer l'éloge de son ministre de l'Education. Quelques heures plus tard, des milliers d'étudiants, portant le cercueil de Carlos Martínez Junco, marchaient sur le palais en scandant des slogans pour demander la démission de Grau et d'Alemán, et en brandissant le poing à mesure qu'ils passaient devant le balcon. Fidel Castro se trouvait au premier rang des manifestants.

Quand la foule des étudiants atteignit l'*escalinata,* le vaste escalier du campus, Castro leur adressa un discours débordant d'émotion. Il accusa Grau de la mort du garçon et déclara : « Le seul responsable de ce deuil et de ces larmes n'est autre que le président Grau. » Rappelant que le lendemain, 10 octobre, serait l'anniversaire de la première guerre d'indépendance de Cuba, celle de 1868, Castro, toujours attentif aux rapprochements historiques, accusa Grau de vouloir célébrer cet événement « en compagnie des criminels de son gouvernement... dans la joie, avec des illuminations et du champagne, alors que les étudiants ne [pourraient] commémorer cette date car il leur [faudrait] porter en terre le cadavre... d'un camarade assassiné par des hommes de main... »

Les étudiants, soutenus par les syndicats, appelèrent alors à une grève universitaire de quarante-huit heures pour appuyer leur demande de démission du ministre. Les manifestations durèrent plusieurs semaines pendant lesquelles Fidel Castro fut toujours présent, toujours bien visible, bien audible et toujours au commandement. Le sénateur Chibás, chef du parti *Ortodoxo,* avait préféré laisser la rue à Fidel, responsable des Jeunesses du parti, tandis qu'il s'affairait au sénat pour faire passer la motion contre Alemán. Le 12 octobre, dans son allocution radiodiffusée hebdomadaire, il fustigea les assassins à la solde du régime. Il n'y avait plus aucun doute désormais : Chibás et le jeune Castro, âgé de vingt et un ans, étaient devenus les deux dirigeants les plus importants de l'opposition à Cuba, chacun faisant porter ses efforts sur son propre public.

Comme c'était inévitable, le MSR et la police du régime cherchaient une occasion d'abattre Castro. Salabarría avait été arrêté par l'armée après le fiasco de Cayo Confites (on avait trouvé dix billets de mille dollars cachés dans ses souliers), mais Masferrer continuait de diriger ses gangsters d'une main ferme. Il y eut de nombreuses tentatives pour faire tomber Castro dans une embuscade à l'université, mais il parvint toujours à y échapper. Un jour, Evaristo Venéreo, un lieutenant de la police du campus, tenta de le désarmer ; Castro pointa son revolver sur lui et dit froidement : « Si vous le voulez, attrapez-le par le canon ». Venéreo surprit Castro en le provoquant en duel au pistolet, dans un coin désert du stade universitaire. Castro accepta aussitôt, estimant que son honneur était en jeu, mais il prit la précaution d'amener avec lui un groupe d'amis armés. Il avait été bien inspiré car le lieutenant avait posté des policiers sur les gradins pour tendre une embuscade à son adversaire ; ils furent repérés et s'enfuirent avec leur chef sous les huées des étudiants. Castro déclara par la suite : « Je n'en suis sorti vivant que par miracle. »

L'une des armes politiques de Castro était son imagination fébrile. Tout le pays put s'en apercevoir dès les premiers jours de novembre, alors que les troubles du mois d'octobre étaient à peine terminés. Il avait conçu un plan qui, selon lui, pourrait conduire à un soulèvement populaire massif et au renversement de Grau ; c'était peut-être un espoir prématuré, mais le projet déboucha pourtant sur un scandale national de proportions considérables. Castro avait une sorte de génie pour tirer parti de l'Histoire cubaine afin de mobiliser les masses avant de mettre en scène l'un de ses coups de théâtre. Cette fois, l'instrument choisi était une cloche appelée La Demajagua (l'équivalent cubain de la fameuse Cloche de la Liberté qui avait carillonné à Philadelphie pour la Déclaration d'Indépendance des Etats-Unis). Carlos Manuel de Céspedes avait fait sonner le tocsin, sur son domaine de Demajague — proche du port de Manzanillo, en Oriente —, pour signaler le premier coup de feu de sa guerre d'Indépendance en 1868. Depuis de longues années, la cloche se trouvait confiée à la municipalité de la ville de Manzanillo, où elle figurait dans un sanctuaire patriotique.

En fait, c'était le gouvernement Grau qui s'était intéressé le premier à la cloche, pour des raisons complexes où se mêlaient l'Histoire et la politique, comme cela est si fréquent à Cuba. L'idée de Grau avait été de faire venir La Demajagua à La Havane pour la faire sonner au cours des fêtes du quatre-vingtième anniversaire de la guerre. Le président continuait de penser à se faire réélire en 1948 et il espérait que les sons de cloche ajouteraient même du faste à ses propres projets.

Il ne s'attendait certainement pas à ce que la municipalité refusât de laisser la relique faire le voyage de La Havane et expulsât même pratiquement l'émissaire présidentiel. La raison tenait sans doute au fait que Manzanillo était traditionnellement une circonscription extrémiste de gauche et formait un centre d'opposition au régime de Grau, grâce à la présence de nombreux ouvriers dans la région, tant dans les moulins à cannes que dans les usines de la ville. Mieux encore, en 1940, Manzanillo avait été la première cité cubaine à élire un maire communiste en la personne de Francisco « Paquito » Rosales (les agents de Batista l'assassinèrent en 1958).

En apprenant que Manzanillo avait opposé à Grau une fin de non-recevoir dans l'affaire de la cloche, Fidel, toujours inventif, avait imaginé l'idée de faire transporter la Demajagua à La Havane par les étudiants — il savait que le conseil municipal donnerait son accord. Il y aurait alors un rassemblement de masses au cours duquel on ferait sonner la cloche, après quoi les foules marcheraient sur le palais présidentiel pour exiger la démission de Grau.

Quand Fidel décrivit son plan à son ami communiste Alfredo Guevara, il était pleinement confiant dans la réussite du projet et convaincu que le renversement de Grau s'ensuivrait. La personne qu'il introduisit ensuite dans la confidence fut leur ami commun, Lionel Soto, étudiant communiste lui aussi. Enfin, le président de la FEU, Enrique Ovares, fut également mis au courant (c'était indispensable en raison du rôle que devait jouer l'université dans le scénario imaginé par Fidel) et l'idée lui plut à lui aussi.

Ovares a confirmé que le plan, tel que Castro et Alfredo Guevara le lui avaient présenté, avait pour objet d'entraîner un affrontement avec le gouvernement. Il déclare avoir accepté d'accompagner les deux conspirateurs à Manzanillo, mais que ceux-ci avaient décidé de remplacer Guevara par Soto. Max Lesnick se rappelle que plusieurs dirigeants du parti, y compris le sénateur Chibás, avaient fourni quelque trois cents dollars pour contribuer aux frais du voyage.

Tandis que Fidel, Soto et Ovares se rendaient en train à Manzanillo, le 1er novembre, Alfredo Guevara, à La Havane, était chargé de rassembler les armes avec lesquelles les étudiants rebelles affronteraient vraisemblablement les forces gouvernementales. Il se souvient d'avoir commencé par prendre contact avec un chef de gang nommé Jesús González Cartas, connu sous le sobriquet de *El Extraño* (Le Bizarre). Ce dernier le reçut assis sur un trône, entouré de drapeaux et baigné par une lumière indirecte. *El Extraño* promit à Guevara de lui vendre des armes, mais il ne tint jamais parole. Les étudiants, d'après Guevara, les obtinrent par d'autres voies. A La Havane, pendant les années 1940, il n'était pas trop difficile d'en acheter si l'on savait à qui s'adresser.

Pour que l'entreprise produisît le plus grand effet, Fidel et ses compagnons avaient laissé savoir qu'ils rapportaient la vénérable cloche ; aussi des milliers d'étudiants attendaient-ils l'arrivée du train, à La Havane, le 5 novembre (deux citoyens de Manzanillo avaient également fait le voyage pour veiller sur leur trésor). De la gare, une grande voiture décapotable transporta la cloche de quelque cent quarante kilos à l'université, au cours d'une parade triomphale qui dura plus de deux heures et demie. Il existe une photo d'époque qui nous montre un Fidel Castro d'allure très juvénile, vêtu d'un complet rayé de couleur sombre, avec une cravate fleurie, le bras droit passé autour de la cloche, et brandissant, du bras gauche, un grand chandelier de cérémonie.

A l'université, Castro harangua la foule enthousiaste, du haut de la voiture, pour déclarer que les patriotes de Manzanillo avaient refusé de confier le symbole de l'indépendance cubaine à « des fantoches, aux ordres de l'étranger ». Puis il ajouta : « Mais les libérateurs d'hier ont foi dans la jeunesse étudiante d'aujourd'hui qui continue d'œuvrer pour l'indépendance. » La cloche fut mise en sécurité dans la Galerie des Martyrs, à côté du bureau du chancelier de l'université, tandis que les étudiants passaient la plus grande partie de la nuit sur le campus à faire des plans en vue de la grande manifestation du lendemain contre Grau. Mais au matin, quand on ouvrit le bureau du chancelier, on découvrit que la cloche avait été mystérieusement enlevée. La police, qui avait entouré le campus toute la nuit (avec une centaine de sbires du MSR), prétendit ne rien savoir du vol.

Enrique Ovares se rappelle que Fidel, Alfredo Guevara et plusieurs autres dirigeants étudiants s'étaient présentés à son domicile, très tôt le matin, pour lui apprendre que la cloche avait disparu. Ovares déclara qu'en sa qualité de président de la FEU, il allait déposer une plainte par écrit, auprès du chancelier de l'université, *le* tenant pour responsable de la relique (le vieux chancelier, se sentant insulté, provoqua Ovares en duel par la suite). Fidel se précipita au siège d'une station de radio pour accuser le régime d'avoir volé la cloche, tandis que des milliers d'étudiants commençaient à se rassembler à l'université. Vers midi, Castro était sur le campus ; il attrapa un micro pour hurler : « Les rats peuvent rester ici ! Nous, nous allons dénoncer ce vol ! » Puis, escorté par des milliers d'étudiants, il alla au poste de police le plus proche pour porter officiellement plainte.

Au début de l'après-midi, il retourna chez Ovares, mais plusieurs officiers de police dont il avait dénoncé la culpabilité au cours de son émission à la radio l'y suivirent en brandissant leurs armes. Ovares et sa mère parvinrent à les convaincre de s'en aller. Là-dessus, Fidel fut accusé de lâcheté sous prétexte qu'il était resté caché dans la maison ; mais Ovares continue de répondre à cette accusation : « Fidel est un homme intelligent ; pourquoi serait-il sorti ? Pour se suicider ?... Fidel a toujours agi de même. Dans la sierra c'était pareil. Il n'avait cure de descendre de ses montagnes pour se faire tuer. Il lui fallait se réserver pour la fin. »

Cette nuit-là, une manifestation de masses eut lieu sur le campus (bien que le chancelier eût décrété une suspension des cours pendant soixante-douze heures afin d'éviter des désordres) et Fidel ne perdit pas de temps pour lancer une attaque cinglante contre le gouvernement. Il l'accusa d'avoir violé sa promesse de procéder à la restauration de la « dignité nationale », sa promesse de prendre soin des paysans abandonnés et des enfants affamés, et conclut : « Nous avons perdu la foi ». Il avertit Grau que les étudiants, pour qui « le plus terrible [était] d'avoir été trompés », se trouvaient rassemblés en ce lieu pour proclamer : « Une jeune nation ne peut jamais dire : " Nous nous rendons ". »

Dans un passage qui deviendrait l'un des thèmes favoris de Castro au cours des années à venir, il parla de la « révolution trahie » — la révolution nationaliste que Grau avait promise à Cuba ; il dit que les paysans étaient toujours sans terres et que la richesse du pays se trouvait « aux mains de l'étranger ». Puis il passa à un autre procédé rhétorique typiquement *fidelista*, dont il allait découvrir que c'était une arme puissante : le recours aux statistiques. Il savait déjà qu'un orateur doit bien préparer son sujet ; sa prodigieuse mémoire allait lui permettre de transmettre les connaissances acquises, de façon globale et compréhensible, à ses auditeurs. En cette occurrence, il put leur révéler qu'en trois ans environ, depuis que Grau avait pris le pouvoir, son gouvernement avait levé en tout 226 millions de pesos (un peso valait un dollar), mais que 14 millions seulement avaient été consacrés à la santé publique, 112 millions aux travaux publics, tandis que la Défense — c'est-à-dire les forces armées — se voyait octroyer 116 millions de pesos. Castro a toujours été obsédé par le besoin d'investissements massifs dans le secteur de la santé publique, et il y a pourvu dès qu'il s'est trouvé au pouvoir ; mais c'était la première fois qu'il soulevait la question en public.

La menace de militarisme était une autre des préoccupations de Castro et il mit en garde ses auditeurs, à l'université, contre le pouvoir grandissant des militaires — plus de cinq ans avant le coup d'état de Batista. L'un des dons particuliers de Fidel a toujours été son aptitude à deviner d'avance les initiatives de ses adversaires, à la fois par instinct et par analyse intellectuelle. C'est cette faculté dont il fit montre, ce soir de novembre 1947. En même temps, il pressait les étudiants de militer dans la bataille pour l'unité nationale du peuple cubain, afin qu'il « obtienne sa véritable indépendance, sa libération économique, sa souveraineté politique, ses libertés civiques,… l'émancipation définitive de notre nation ».

Quelques spécialistes de la révolution castriste estiment que ce discours, prononcé le 6 novembre 1947 à l'université, marque le moment où la pensée politique de Castro parvient à maturité ; selon eux, c'est sa première attaque cohérente contre le statu quo, menée dans une perspective de gauche. La chose est discutable car Castro lui-même avoue qu'à cette époque, son évolution vers le marxisme était seulement en cours. On ne peut douter pourtant du fait qu'en la circonstance Fidel s'était forgé un style politique distinctif, qu'il ne cesserait de cultiver pour le restant de ses jours.

Quant à savoir si Castro était le seul à exprimer, en cette occasion, des vues nationalistes de gauche, *El Mundo* du lendemain nous apprend qu'il en allait tout différemment. Selon ce journal, « pratiquement tous les orateurs étudiants ont fait une allusion particulière à " l'impérialisme yankee ". » C'est là un point important : en 1959, le gouvernement et le peuple américains, dans leur ensemble, étaient convaincus que les sentiments anti-yankee et le nationalisme des Cubains avaient été, pour l'essentiel, inventés par Castro au moment de sa prise de pouvoir. En fait, quand cet état d'esprit avait commencé de se manifester à Cuba, une île que les Américains avaient toujours tenue pour acquise, nul ne s'en était rendu compte ; personne n'avait pris la peine d'étudier la question. D'où la surprise que suscita la véritable signification de la révolution *fidelista* quand elle se produisit enfin.

Plusieurs jours après les troubles de La Havane, la Demajagua fut livrée au président Grau par des inconnus et la cloche fut aussitôt renvoyée à Manzanillo, ce qui mit fin à l'incident. Mais le jeune Castro avait encore renforcé sa réputation d'être l'étoile montante la plus prometteuse au firmament politique cubain. Son ascension, de plus en plus controversée, allait se poursuivre tout au long de l'année suivante.

6

Pour Fidel Castro, 1948 fut une année haletante, tant dans sa vie publique que dans son existence privée : il affirma sa personnalité politique, s'engagea dans une masse d'activités diverses, et assuma de nouvelles responsabilités.

Autour de lui, Cuba se désintégrait, se décomposait, socialement et politiquement. La société cubaine était de plus en plus polarisée, après avoir vécu pendant plus d'un quart de siècle dans le climat révolutionnaire qui s'était instauré lors de l'insurrection contre la dictature de Machado, en septembre 1930.

Certes, l'île présentait toutes les apparences extérieures de la démocratie ; elle possédait une législation sociale avancée et un instrument de progrès politique et social sous la forme d'une bonne Constitution — celle de 1940. En réalité, elle était en proie à un état de frustration qui la rendait pratiquement ingouvernable. Cet état de choses était dû au fait que la nation souffrait d'un clivage abrupt entre les riches qui possédaient d'immenses fortunes, et les pauvres — paysans et travailleurs salariés, tant agricoles que citadins — plongés dans une pauvreté vertigineuse. La classe moyenne urbaine était trop réduite et trop divisée pour fournir au pays une force centriste solide.

Le président Grau avait toléré les violences politiques et la corruption sur une grande échelle ; il avait abdiqué non seulement la conduite de la nation, mais même les responsabilités élémentaires que suppose le maintien de l'ordre légal au jour le jour. Et il avait encore multiplié les ressentiments et les divisions en prenant la décision anticonstitutionnelle de chercher à se faire réélire pour un second mandat en 1948. Or le statu quo, en état de putréfaction, était directement remis en question par l'arrivée d'une nouvelle génération — celle que représentaient en l'occurrence les jeunes dirigeants et la masse des étudiants de l'université de La Havane (sans parler des lycéens). Les circonstances se prêtaient particulièrement bien à l'apparition d'un homme comme Fidel Castro, champion d'une « véritable » révolution cubaine.

Dans d'autres pays de l'Amérique latine, au cours de cette période d'après-guerre, des pressions similaires s'accumulaient. En Argentine, Juan D. Perón avait pris le pouvoir dès 1945 pour lancer un mouvement populiste et nationaliste au nom de la justice sociale ; il avait mis en place une dictature militaire de type fasciste sans cesser pour autant d'être l'idole des masses. Le péronisme était un phénomène auquel Castro, à l'autre extrémité de l'Amérique latine, prêtait un intérêt tout particulier. En 1948, au Pérou, l'armée avait écrasé une révolte dirigée par le mouvement APRA d'inspiration nationaliste et socialiste, l'un des rares mouvements révolutionnaires vraiment originaux en Amérique latine, qui rejetait tout à la fois le socialisme classique et le marxisme. Au cours de la même année, au Venezuela, une dictature était tombée ; elle avait fait place à un gouvernement démocratique, encore que très avancé en matière de législation sociale ; or le Venezuela était un pays qui appartenait sentimentalement aux Caraïbes autant qu'à l'Amérique du Sud. Et tout à côté de Cuba, en Colombie, se développait une guerre civile vicieuse, sous-tendue par des courants sociaux profonds.

A Cuba, les tensions politiques et sociales de l'époque étaient accentuées et magnifiées par l'exiguïté de l'île ; il n'était question, en 1948, que de trouver dans la révolution une issue à la crise qui minait les fondations mêmes de la nation. Les relations malsaines et préoccupantes qu'entretenait le pays avec les Etats-Unis ajoutaient une nouvelle dimension à l'amertume des Cubains en quête de leur identité.

Pendant des années, un gangstérisme politique effréné avait tenu lieu de mouvement et d'organisation révolutionnaires ; il avait vidé le mot « révolution » de toute signification. Pourtant, en 1948, tout le problème de la révolution cubaine inachevée, celui de l'indépendance tronquée, étaient devenus le sujet de la plupart des débats publics les plus sérieux auxquels participaient les porte-parole des principaux courants politiques et idéologiques.

Dans un journal de droite publié à La Havane, le *Diario de la Marina*, un éditorialiste reconnaissait que la jeunesse cubaine devait trouver le moyen de faire entendre ses revendications, mais protestait contre les tentatives faites pour unir « les ouvriers, les paysans et les étudiants », efforts auxquels il trouvait un parfum de « communisme ». Résumant l'incompréhension totale des élites au pouvoir, face aux nouvelles réalités, l'éditorialiste remarquait qu' « entre tous ces jeunes — étudiants, prolétaires, ou fils de la campagne — il n'y avait pas nécessairement une communauté d'origines ni d'intérêts ». Selon Francisco Ichaso, connu comme polémiste de droite, une « minorité » s'était convaincue à Cuba que l'une des entreprises les plus sûres et les plus profitables était de se servir des jeunes pour fomenter « ce qu'ils appellent une révolution ».

A l'autre extrémité du spectre, Raúl Roa García, professeur à l'université de La Havane, affirmait que les gens de droite avaient tort de proclamer « la révolution achevée » par la grâce de la Constitution de 1940. (Roa García allait se faire connaître pour ses idées avancées comme ministre des Affaires étrangères de Castro et conseiller de ce dernier, à un âge relativement tardif, en 1959.) Bien que les « structures coloniales » eussent disparu, écrivait le professeur, la Constitution était « un moyen et non une fin ». Un autre professeur d'université, Rafael García Bárcena, futur dirigeant de l'opposition contre Batista, formula l'idée en des termes encore plus justes : « La nation qui se lance dans une révolution, comme l'a dit José Martí, ne doit avoir de cesse avant de succomber totalement ou de couronner cette révolution » par la victoire.

Quant à Fidel Castro, il était désormais obsédé par l'idée de faire la révolution. Manuel Moreno Frajinals, historien marxiste réputé qui s'était lié d'amitié avec le jeune Fidel à l'université, cette année-là, se rappelle que toutes les conversations de celui-ci tournaient autour de « la révolution profonde ». Castro rendait fréquemment visite à Moreno Frajinals et, selon l'historien, « même alors, Fidel était résolu à mener à bien la révolution qu'il jugeait inéluctable. Tout ce qu'il faisait tendait à la préparer et à se préparer... Il parlait sans cesse de la révolution ». Castro, dit-il, avait compris très tôt qu'il était vital d'avoir accès aux médias, sinon d'en avoir la maîtrise ; dès l'époque où il était à l'université, il concentrait son effort sur les moyens de communication destinés aux masses — les journaux, les magazines et la radio — qui étaient extrêmement développés à Cuba. En fait, il ne perdait aucune occasion de se faire voir et entendre aussi largement qu'il était possible.

Le 22 janvier 1948, un dirigeant du syndicat des ouvriers sucriers, Jesús Menéndez Larrondo — homme de race noire et député communiste —, fut tué d'un coup de feu par un capitaine de l'armée, à Manzanillo, bastion des syndicats communistes dans la province d'Oriente. Arguant de son immunité parlementaire, il avait refusé de se laisser appréhender et avait été sommairement abattu. Menéndez avait déjà été détenu pendant un bref laps de temps au mois d'octobre précédent, en compagnie de centaines de dirigeants syndicalistes de gauche, au cours de la campagne menée par le ministre du Travail, Carlos Prío Socarrás, pour débarrasser les syndicats de la mainmise communiste. Mais, cette fois, Menéndez avait été averti qu'il figurait sur la liste des hommes à liquider.

Le général Pérez Dámera, commandant en chef, avait publiquement félicité le capitaine pour son geste et l'avait donnée en exemple à l'armée : « afin que, dans toute situation similaire, chacun agisse de façon identique ». De toute évidence, le gouvernement Grau avait perdu tout contact avec la réalité politique, car l'assassinat de Menéndez produisit un choc terrible dans l'opinion. Ce dirigeant syndicaliste avait toujours été très populaire et le cercueil fut exposé au Capitole où des dizaines de milliers de Cubains défilèrent devant sa dépouille mortelle pour lui rendre un dernier hommage.

Parmi eux se trouvait Fidel Castro. Un journaliste cubain très connu, Mario Kuchilán, a indiqué dans ses mémoires qu'il s'était trouvé au cimetière à côté de Castro quand celui-ci lui avait demandé soudain : « Que diriez-vous si je montais sur une tombe pour exhorter le peuple à marcher sur le palais présidentiel ? »

Deux semaines plus tard, Castro était de nouveau sous les projecteurs de l'actualité. Le 11 février avait lieu une manifestation d'étudiants, dans le centre de La Havane, pour protester contre les brutalités exercées par la police envers les étudiants de Guantánamo, en Oriente ; un tramway fut brûlé pendant l'émeute. La police chargea et pourchassa les manifestants jusqu'à l'intérieur du campus où le commandant José Caramés, chef de la police pour le district de l'université, monta lui-même l'*escalinata* au pas de charge, pistolet au poing. Avant que ses hommes aient pu le convaincre de quitter les lieux, il avait frappé avec son arme un étudiant atteint de claudication ; on évita de justesse un affrontement sérieux avec les étudiants armés.

L'autonomie de l'université ayant été violée puisque la police avait envahi le campus, Fidel Castro appela à une protestation pacifique pour le lendemain, 12 février. Pourtant, à La Havane, il n'existait rien qui pût ressembler à une « protestation pacifique ». Tandis qu'un groupe d'étudiants mettait en batterie une mitrailleuse de calibre .50 en haut de l'*escalinata,* en prévision d'une nouvelle invasion de la police, Fidel et un autre étudiant conduisirent dans les rues de la ville le cortège au-dessus duquel se déployaient un énorme drapeau cubain et des banderoles où l'on pouvait lire : « Nous protestons contre la violation de l'autonomie de l'université. » En chantant l'hymne national, les étudiants atteignirent les barrages érigés par la police à un carrefour et commencèrent à crier : « Sortez Caramés ! A bas Grau ! Assassins ! »

Les forces de police spécialisées dans la répression des émeutes firent mouvement vers la foule, matraque à la main, et Fidel fut l'un des premiers à recevoir des coups. Le lendemain, les titres des journaux annonçaient qu'il était « blessé » (c'était la première fois que la presse titrait sur son nom) et les articles racontaient qu'en raison de « graves contusions » à la tête, il avait dû être transporté au service radiologique de l'hôpital Calixto García. La « blessure » s'étant révélée superficielle, il refusa de rester à l'hôpital. Il avait quand même, en cette première occasion, versé son sang pour la révolution ; c'était cela qui comptait... cela et la publicité qui en résulta. En outre, la police relâcha les étudiants arrêtés et Caramés fut suspendu pour la durée de l'enquête. Ce fut un jour des plus fastes pour Castro et pour la cause qu'il défendait.

Un événement d'une extraordinaire gravité survint dix jours plus tard, le 22 février : l'assassinat, à La Havane, de Manolo Castro, le directeur national des sports, ancien fondateur du MSR. Il avait été abattu par des inconnus, devant un cinéma dont il était copropriétaire, après avoir été attiré dehors sous un prétexte quelconque.

On supposa que les assassins voulaient venger la mort d'Emilio Tró Rivera, chef de l'UIR, le gang politique rival, et directeur de l'Académie de la police nationale ; mais les vrais coupables ne furent jamais découverts. Manolo Castro était une personnalité politique fort importante, et il avait reçu bien des menaces de mort au cours des semaines et des mois précédents. Il ne savait guère qui voulait le tuer et était allé jusqu'à solliciter l'aide de ses anciens amis communistes de l'université. Mais ceux-ci n'avaient rien pu faire pour lui.

Ce fut pourtant Fidel qui fut aussitôt accusé du crime par le MSR. Peut-être était-ce en raison de ses liens antérieurs avec l'UIR — auxquels il avait mis fin quand il s'était rallié au nouveau parti *Ortodoxo*. Mais le fait est que le groupe du MSR, sous les ordres de Rolando Masferrer (contre lequel Manolo avait protégé Fidel à Cayo Confites), était manifestement décidé à se débarrasser d'un homme qu'il considérait comme son rival politique le plus dangereux.

Quelques semaines avant la mort de Manolo Castro, une publication appartenant à Masferrer et intitulée *Tiempo en Cuba* avait publié comme par hasard un article où l'on tentait d'établir des rapports entre Fidel et le gangstérisme universitaire. Le jour même de l'assassinat, un neveu de Masferrer accusa publiquement Fidel. Trois jours plus tard, celui-ci et trois autres dirigeants étudiants qui se trouvaient dans la même voiture que lui furent arrêtés par une patrouille de police motorisée, sur le boulevard du bord de mer à La Havane ; il était vingt-trois heures. La raison de cette interpellation était censée être l'enquête sur la mort de Manolo Castro. Fidel fut formellement identifié comme le « président de la faculté de droit ».

Les quatre étudiants nièrent avec indignation toute participation à l'assassinat. Ils exhibèrent l'article de *Tiempo en Cuba* sur leur prétendue connivence avec les gangsters du campus, et Fidel déclara s'être trouvé pendant toute la soirée du crime au café El Dorado avec des amis, puis avoir passé la nuit à l'Hôtel Plaza. Il affirma au juge d'instruction qu'après avoir vu son nom cité dans les journaux du lendemain, il était allé faire sa déposition au commissariat de police le plus proche, mais que le commissaire lui avait demandé de quitter les lieux, faute de mandat d'arrêt contre lui.

Ce dernier point est important car, au fil des années, de nombreux textes publiés ont laissé l'impression que les autorités cubaines avaient effectivement lancé un mandat contre Fidel et le mythe s'est perpétué. L'interpellation survenue pendant la nuit du 25 février était due à l'initiative individuelle d'un officier de police à bord d'une voiture de patrouille.

Les quatre hommes furent soumis au test de la parafine, destiné à déterminer si l'un d'entre eux avait tiré récemment avec une arme à feu, puis le magistrat instructeur ordonna leur mise en liberté « sous contrôle judiciaire », à deux heures du matin — et là-dessus Fidel tint aussitôt une conférence de presse au commissariat de police.

Il accusa Rolando Masferrer de vouloir « mettre la main sur l'université pour utiliser celle-ci à des fins personnelles » ; mais, ajouta-t-il : « Nous ne l'avons pas laissé faire, malgré la coercition et les violences qu'il exerce sur nous depuis longtemps. » Fidel déclara encore que Masferrer cherchait à « faire entamer une action contre nous, sous prétexte [de l'assassinat] de Manolo Castro... en d'autres termes, à tirer parti de la mort d'un ami »...
« Si nous avions su d'avance ce qui allait arriver, nous l'aurions empêché », conclut-il. La position de Fidel Castro, dans cette affaire, est également soutenue par l'ancien président de la FEU, Enrique Ovares, désormais en exil à Miami ; selon ce dernier : « Fidel n'avait absolument rien à voir avec la mort de Manolo Castro... Et je n'ai aucune raison de vous mentir. Si vous voulez attaquer Fidel, il faut que ce soit sur le terrain de la vérité ; il a fait des choses terribles ; point n'est besoin d'en inventer. C'est cela qui me

gêne chez ceux qui écrivent [à propos de Castro]. Si la vérité suffit, pourquoi mentir ? »

L'innocence de Fidel, dans cette affaire criminelle, ne lui garantissait pourtant pas que Masferrer et d'autres ne tenteraient pas de l'assassiner ; aussi trouva-t-il plus sage de ne pas se montrer pendant un certain temps. Sa sœur Lidia, Alfredo Guevara et Mario García Inchaústegui l'aidèrent à se cacher et à mener une vie semi-clandestine. Mais, comme à l'accoutumée, un nouveau projet se présenta soudain, s'empara de son esprit et lui fournit l'occasion de quitter Cuba pour quelque temps. Ce serait bientôt la plus grande aventure que Fidel eût encore vécue.

Le nouveau projet consistait à créer une association « anti-impérialiste » des étudiants latino-américains. L'idée avait été originellement suggérée et appuyée par l'appareil de Perón en Argentine. Castro l'adopta avec un enthousiasme sans réserve. Le groupe était censé organiser, dans toute l'Amérique latine, une association estudiantine vigoureusement nationaliste et anti-yankee. Une conférence préparatoire réunirait les dirigeants étudiants de tout l'hémisphère occidental, à Bogotá, capitale de la Colombie, au début du mois d'avril.

Comme cela arrive souvent lorsqu'il s'agit d'événements survenus dans la vie de Castro, il existe des versions contradictoires de toute cette affaire — surtout quant au rôle exact de Fidel dans la préparation de la conférence de Bogotá et dans l'ensemble des efforts réalisés en vue de la création d'une vaste organisation des étudiants latino-américains. Plus spécifiquement, on se trouve dans l'incertitude sur le point de savoir où et comment l'idée d'une association « anti-impérialiste » avait vraiment germé et grandi : était-ce une initiative des Péronistes, appuyée par Castro, ou un coup de Fidel réalisé avec l'appui des Péronistes ?

Il est patent que Perón avait activement cherché à développer l'influence de l'Argentine dans toute l'Amérique latine, en y propageant sa politique de *Justicialismo* (justice sociale). Des fonds péronistes, généralement secrets, avaient inondé les syndicats, la presse et les maisons d'édition, ainsi que les organisations d'étudiants, pour les gagner au péronisme et leur inculquer des sentiments pro-argentins. En effet, le général se considérait comme une personnalité d'envergure continentale, sinon mondiale, et tenait son mouvement pour la « troisième force » dans les affaires internationales.

Ses efforts n'avaient guère été couronnés de succès, mais en 1948 les Argentins continuaient d'investir dans cette entreprise. La conception d'une association « anti-impérialiste » d'étudiants était probablement née à Buenos Aires mais, on ne sait pourquoi, les Péronistes se fièrent presque exclusivement aux étudiants cubains pour mettre l'affaire en route. Nombre de personnalités argentines firent leur apparition à La Havane au début de 1948. Parmi elles se trouvait le sénateur Diego Molinari, alors président de la commission des Affaires étrangères du sénat argentin ; il y eut également un ministre du gouvernement, sinon plusieurs, et divers émissaires de moindre importance. Tous venaient prendre contact avec les dirigeants étudiants cubains pour les persuader de participer à la mise sur pied de l'association. D'après la plupart des témoignages, les Argentins étaient d'accord pour payer tous les frais de l'opération.

A Cuba, la proposition argentine fut accueillie avec faveur par tous les secteurs du monde étudiant — le président de la FEU, Enrique Ovares, tout comme Fidel Castro et les dirigeants de la plupart des écoles et facultés de La Havane, voire les militants des Jeunesses socialistes (filiale du parti communiste cubain). Rétrospectivement, cette réaction paraît logique : le ressentiment des Cubains envers les Etats-Unis et « l'impérialisme yankee » était un élément de la vie politique pour la nouvelle génération ; or Perón semblait offrir à celle-ci un moyen de sortir de son isolement à la faveur d'un mouvement de solidarité cimenté par une communauté de sentiments nationalistes. En outre, le prestige de Perón se trouvait rehaussé par le fait qu'il avait nationalisé des compagnies britanniques et américaines (notamment dans les domaines relevant des services publics), qu'il se trouvait désormais à couteaux tirés avec les Etats-Unis (lesquels avaient, bien inutilement, tenté de le déstabiliser et de s'en débarrasser), et qu'il faisait passer l'Argentine pour une victime du colonialisme britannique sous prétexte que le Royaume-Uni conservait sous sa souveraineté les îles Falkland [les Malouines] dans l'Atlantique-Sud. Les jeunes Cubains étaient tout prêts à oublier que Perón était un dictateur militaire et les Jeunesses socialistes s'efforçaient consciencieusement d'ignorer tous les aspects anticommunistes du *Justicialismo*. Le nationalisme et l'antiaméricanisme étaient les communs dénominateurs de tous les participants. Au moment où un étudiant en droit nommé Fidel Castro entamait son travail de coordination en vue du congrès, avec les envoyés de Perón, un étudiant argentin de dix-neuf ans, en deuxième année de médecine à l'université de Buenos Aires, s'était déjà rallié à Perón, en cette année 1948 : il s'appelait Ernesto Guevara de la Serna — et porterait le nom de « Che » au cours de la révolution cubaine.

Fidel Castro a expliqué, dans une interview de 1981, comment lui-même et les autres jeunes Cubains voyaient la situation qui s'était alors instaurée en Amérique latine : « Il existait déjà de fortes divergences entre Perón et les Etats-Unis. Notre position dans ce mouvement [latino-américain] se trouvait limitée aux points suivants : lutte contre Trujillo et restauration de la démocratie en République Dominicaine, indépendance pour Porto Rico, restitution du canal de Panama, suppression des dernières colonies subsistantes en Amérique latine. Ces quatre revendications fondamentales nous incitaient à établir certains contacts, disons tactiques, avec les Péronistes également préoccupés par leur lutte contre les Etats-Unis... et qui exigeaient les Malouines. » Castro déclare aussi que les Péronistes envoyaient alors force délégations dans divers pays pour prendre contact avec les étudiants.

Selon Fidel, de tous ces éléments et « de cette convergence de vues, il résulta un rapprochement tactique » entre des éléments cubains et argentins. Aussi une délégation d'étudiants argentins se rendit-elle à La Havane pour assurer la coordination avec les Cubains et établir une répartition des tâches entre les uns et les autres ; « ainsi les diverses forces de gauche en

Amérique latine organiseraient ensemble ce congrès d'étudiants latino-américains ».

Castro déclare qu'en sa qualité de dirigeant estudiantin, il avait pris sur lui de représenter les étudiants cubains, malgré ses propres « conflits » avec la direction de la FEU et malgré le fait que, n'étant plus officiellement inscrit à l'université cette année-là, il ne pouvait se réclamer de la fédération. Selon la version des événements présentée par Fidel, celui-ci se serait trouvé au centre des préparatifs du congrès, ce qu'il explique de la façon suivante : « Je représentais la grande majorité des étudiants ; ceux-ci me suivaient et me considéraient comme leur chef... L'idée de ce congrès était de moi... C'était moi qui avais imaginé [de l'organiser à Bogotá, en même temps qu'aurait lieu la conférence des ministres des Affaires étrangères de l'hémisphère occidental] convoquée par les Etats-Unis pour consolider leur domination sur l'Amérique latine. » Le principe de base de la réunion était l'anti-impérialisme.

Fidel Castro avait pensé déclencher ainsi un affrontement ouvert avec les Etats-Unis et l'Organisation des Etats américains dans une capitale latino-américaine ; c'était là une entreprise étonnamment ambitieuse de la part d'un jeune révolutionnaire caraïbe de vingt et un ans, inconnu au-delà des rivages de Cuba. Fidel n'a jamais envisagé qu'une de ses idées fût irréalisable, mais il ne pouvait guère prévoir, en cette circonstance, comment la conférence de Bogotá donnerait lieu à une situation explosive et tournerait à la catastrophe, pour des raisons de pure coïncidence avec ses propres projets. Pourtant la carrière de Castro s'est bâtie sur des événements et des coïncidences historiques qui lui ont ouvert la voie et préparé ses succès.

D'après la façon dont Fidel raconte l'histoire, les Péronistes et la FEU n'ont joué qu'un rôle marginal dans la préparation du congrès de Bogotá ; c'est lui-même qui en aurait été la cheville ouvrière, comme organisateur et comme inspirateur tout à la fois. C'est donc ainsi qu'il interprète l'événement, mais il n'a jamais fait montre d'une excessive modestie quant à l'importance de son rôle et il continue de travailler à l'élaboration de son propre mythe. Pourtant, certains de ses compagnons ont gardé de cette aventure des souvenirs légèrement différents. Tel est le cas pour Enrique Ovares, l'un des quatre dirigeants étudiants cubains qui avaient fait le voyage de Bogotá à l'occasion du congrès. Les deux autres étaient Rafael del Pino et le communiste Alfredo Guevara qui occupait le poste de secrétaire général de la FEU — de bons amis de Fidel.

Ainsi, alors que Castro prétend avoir payé son voyage au Venezuela, à Panama puis en Colombie, et soutient : « Nous avions très peu d'argent, juste de quoi prendre les billets », Ovares affirme que Miguel Angel Quevedo, le directeur d'un hebdomadaire de La Havane intitulé *Bohemia*, avait donné à Fidel 500 dollars pour la première partie du trajet, jusqu'au Venezuela, ainsi que des lettres de recommandation adressées aux nouveaux dirigeants démocratiques vénézuéliens. Castro voyageait avec Rafael del Pino et, selon Ovares, « la FEU avait envoyé un tas d'argent à Caracas » pour Fidel et son compagnon de route. Ovares contredit également Castro quand celui-ci prétend avoir été le chef de la délégation des étudiants cubains ; il affirme avoir expédié lui-même des lettres de créance, au nom de la FEU, à Fidel et à del Pino, dans la ville de Caracas, avant l'envol des deux voyageurs pour Panama et Bogotá. Pour leur part, Ovares et Guevara étaient allés directement à Bogotá où ils avaient retrouvé les deux autres. Guevara, jeune homme mince, au regard toujours abrité derrière des lunettes noires, ne comptait pas pour rien lui non plus : il était l'adjoint d'Ovares et le meilleur ami communiste de Castro.

Castro a sans doute exagéré son rôle directeur dans la préparation du congrès car le comité d'organisation cubain comptait neuf membres — y compris lui-même, Ovares, Guevara et del Pino — mais il était, sans conteste, leur porte-parole. Le 15 mars, trois semaines après les ennuis que lui avait causés l'assassinat de Manolo Castro, Fidel fit une déclaration, sans sortir de sa cachette, pour exposer les grandes lignes du projet de congrès.

« Nous espérons que cette initiative déclenchera un mouvement de grande envergure dans toute l'Amérique latine, particulièrement parmi les étudiants d'université, unis sous la bannière de la lutte anti-impérialiste », affirmait-il. Il annonçait en outre que la session préparatoire du congrès aurait lieu à Bogotá au début d'avril, pendant la conférence ministérielle interaméricaine, afin de « soutenir les accusations que présenteront divers pays latino-américains contre le colonialisme ». Toujours bon stratège, Castro avait remarqué « qu'il serait plus facile de présenter de telles accusations si nous lancions une vague de protestations ».

Le 19 mars, Castro se rendit en voiture à l'aéroport Rancho Boyeros de La Havane (aujourd'hui aéroport José Martí) pour prendre l'avion qui le mènerait à Caracas, première étape de son voyage vers la Colombie. Mais la police l'arrêta avant son embarquement, sous prétexte qu'il ne pouvait quitter le territoire, étant encore en « liberté sous contrôle judiciaire », après avoir été arrêté quatre semaines plus tôt dans le cadre d'une enquête pour homicide. Il fut donc traduit devant un juge. Tout prêt à exploiter l'incident, Fidel fit savoir au magistrat qu'il se trouvait en mission, chargé de resserrer les liens entre les étudiants de l'Amérique latine. Prenant l'offensive, il exigea que les autorités publient une déclaration sur les plans des hommes de main chargés de l'assassiner à La Havane. Le juge le laissa bientôt partir et effaça même toutes les accusations portées contre lui, mais Fidel informa la presse qu'il avait été victime de certaines personnes résolues à faire « obstruction » à ses activités au sein du mouvement étudiant et à le « mettre en fâcheuse posture devant l'opinion publique ». Il partit pour le Venezuela le lendemain, fort indigné et entouré d'un regain de publicité.

Ainsi débuta le premier voyage de Castro à l'étranger ; et comme c'était à prévoir, il s'y mêlait d'emblée un zeste d'aventure. Fidel se rappelle que l'avion avait fait escale à Saint-Domingue et que lui-même avait commis « l'imprudence » de descendre, au risque d'être démasqué par les autorités dominicaines comme ayant participé à l'expédition de Cayo Confites l'année précédente. Mais, déclare-t-il, « j'ai eu de la chance et je suis remonté dans l'avion sans encombre ».

A Caracas, Castro et Rafael del Pino prirent contact avec des étudiants qui acceptèrent d'envoyer une délégation au congrès de Bogotá ; ils rencontrèrent les chefs de la rédaction du journal gouvernemental et firent une visite de politesse au domicile du grand poète et romancier Rómulo Gallegos, qui n'avait pas encore pris ses fonctions de Président du Venezuela, bien qu'il eût déjà été élu. (Une révolution conduite par de jeunes intellectuels et des officiers de gauche venait en effet de renverser la dictature militaire dans ce pays.) De là, les deux Cubains se rendirent à Panama, peu après une série de manifestations qui y avaient été organisées contre le droit de souveraineté exercé par les Etats-Unis sur la Zone du Canal. Castro se rappelle être allé rendre visite à un étudiant panaméen frappé d'invalidité permanente par suite des blessures reçues à cette occasion. Les étudiants panaméens acceptèrent eux aussi d'envoyer des représentants à Bogotá.

Même à distance, Fidel conservait le regard fixé sur l'évolution de la situation politique à Cuba. Des élections présidentielles devaient y avoir lieu le 1er juin et, comme membre du parti d'opposition *Ortodoxo*, il soutenait la candidature du sénateur Eddy Chibás. Mais il était en désaccord avec ce dernier sur l'opportunité d'un pacte avec les communistes. Bien que le Parti socialiste populaire (c'était alors le nouveau nom de l'organisation communiste) eût présenté son propre candidat en la personne de Juan Marinello (l'ancien ministre de Batista), il avait offert d'apporter son soutien à Chibás pour empêcher une victoire du gouvernement. Le 31 mars, Castro rendit publique une déclaration au peuple cubain dans laquelle il approuvait la démarche des communistes et manifestait l'espoir que cela renforcerait la position du sénateur — alors considéré comme le candidat le moins bien placé, d'après les sondages d'opinion. Néanmoins Chibás refusa toute alliance avec les communistes, et l'interdit également aux membres de son parti qui briguaient des mandats parlementaires.

Le fait que Castro ait approuvé l'idée d'un pacte avec les communistes soulève une fois encore l'éternelle question de savoir quand il s'est vraiment converti au marxisme ou au communisme — et si son adhésion au parti *Ortodoxo* n'était qu'une feinte. Il n'existe absolument aucune preuve, ni dans un sens ni dans l'autre. Mais même ses camarades d'université anti-communistes rejettent l'idée que Fidel était un communiste « clandestin ». Parlant en 1981 de son attitude politique au moment où il se rendait à Bogotá, Castro la décrit de la façon suivante : « J'avais déjà lu des œuvres marxistes... Je me sentais attiré par les idées fondamentales du marxisme et j'étais en train d'acquérir une conscience socialiste... A cette époque, il y avait quelques étudiants communistes à l'université de La Havane et j'entretenais des relations amicales avec eux, mais je n'étais pas membre des Jeunesses socialistes, je ne militais pas dans le parti communiste. Mes activités n'avaient absolument rien à voir avec le parti communiste d'alors... Ni le parti communiste cubain ni l'organisation des Jeunesses communistes n'avaient rien à voir avec la préparation du congrès de Bogotá... J'étais en train d'acquérir une conscience révolutionnaire, j'agissais, je luttais, mais disons que j'étais un combattant indépendant. »

Durant les événements de Bogotá et par la suite, Castro a été abondamment accusé d'avoir participé à un complot communiste destiné à torpiller la conférence des ministres des Affaires étrangères. Selon cette thèse, Fidel aurait été largement impliqué dans les violences qui eurent lieu à Bogotá. En fait, il y eut là, de sa part, beaucoup plus une manifestation de son esprit d'aventure et de son nationalisme juvéniles qu'une preuve de militantisme communiste. Une fois de plus, c'est Ovares qui se dresse pour prendre la défense de Castro et insiste : « J'étais présent et je ne suis pas convaincu le moins du monde qu'il ait pu être communiste. »

« Ce sont des mensonges », affirme encore Ovares à propos des informations selon lesquelles Castro avait été en contact avec les communistes et reçut, à cette occasion, une lettre du dirigeant communiste cubain Blás Roca Calderío. « Le communiste était celui qui m'accompagnait, c'est-à-dire Alfredo Guevara. » De plus, lors d'une rencontre avec les étudiants colombiens, juste après son arrivée à Bogotá, Fidel fut interrompu par Jesús Villegas, dirigeant du parti communiste colombien, qui lui avait demandé de montrer ses lettres de créance, car « les provocateurs emploient très souvent une phraséologie révolutionnaire ». Cet épisode fut révélé par la presse cubaine bien longtemps après la révolution de 1959, à un moment où Castro n'avait plus aucun intérêt à dissimuler ses allégeances marxistes, bien qu'il continuât d'expliquer sa conversion au communisme par une évolution dont il n'avait pas encore atteint le terme lors de la conférence de Bogotá.

Etant donné la façon bizarre dont se présente la politique *fidelista*, l'histoire officielle et la version qu'en donne Castro lui-même considèrent aujourd'hui comme un fait acquis que Fidel était pleinement converti au marxisme avant sa troisième année d'études à l'université de La Havane, c'est-à-dire avant 1948 — car, comme il le déclare, la lecture du *Manifeste communiste* avait exercé un « effet terrible » sur lui. Pourtant, avant 1961, il suffisait simplement d'insinuer que Castro avait eu des penchants idéologiques précoces pour se voir considéré comme antirévolutionnaire et réactionnaire.

Castro arriva à Bogotá avec Rafael del Pino, le 31 mars, et alla se loger dans un petit hôtel de trois étages, appelé Claridge, dans le centre ville. Enrique Ovares et Alfredo Guevara les rejoignirent le lendemain par l'avion de La Havane et s'installèrent à la pension de famille San José, proche du Claridge et encore moins coûteuse. Le 1er avril, les quatre Cubains rencontraient les Colombiens et les délégations étrangères, à l'université, pour préparer les travaux de leur congrès. Mais une querelle éclata pour savoir qui présiderait les séances. Ovares insista pour que ce fût lui, en sa qualité de président de la FEU cubaine, instance organisatrice. De toute façon, l'assemblée était bien peu nombreuse; il n'y avait que des Colombiens, quelques Vénézuéliens, une maigre délégation mexicaine, un seul Guatémaltèque; les Argentins, pour leur part, avaient fait faux bond. Ovares déclare que, « pour le faire tenir tranquille », on confia à Fidel la mission d'inviter au congrès un homme qui jouissait d'une immense popularité : Jorge Eliécer Gaitán, dirigeant de l'aile « progressiste » du parti libéral colombien, âgé de cinquante ans.

Castro présente une version des faits entièrement différente, encore que, pour lui, l'occasion de rencontrer Gaitán fut un coup de chance. Il déclare non sans beaucoup d'exagération que si « le congrès put être organisé » ce fut grâce à ses propres efforts, et que « les diverses forces progressistes et formations de gauche en Amérique latine » étaient présentes lors des séances tenues par les étudiants. Il reconnaît qu'il ne pouvait représenter officiellement Cuba car il n'était plus l'un des dirigeants de la FEU, mais il affirme : « Je pris la parole avec beaucoup de véhémence pour expliquer ce que j'avais fait et comment je l'avais fait et pourquoi... Je dois dire que, de façon pratiquement unanime, les étudiants m'apportèrent leur soutien après que j'eus présenté ma communication, non sans quelque passion, comme on pouvait s'y attendre à cette époque et à l'âge que nous avions. » Fidel poursuit en ces termes : « C'était moi qui présidais. Je déclarai que... ce qui m'intéressait, c'était la lutte et les objectifs de la lutte... Les étudiants m'applaudirent beaucoup pendant que je parlais et ils se rallièrent à l'idée de me confirmer dans mon rôle d'organisateur. » Les étudiants approuvèrent alors une résolution condamnant la conférence des ministres américains des Affaires étrangères qui devait s'ouvrir à Bogotá le 3 avril.

C'était la neuvième conférence interaméricaine, et la délégation des Etats-Unis se trouvait placée sous la conduite du secrétaire d'Etat George C. Marshall, ce qui soulignait l'importance de l'événement aux yeux de Washington. L'année précédente, les ministres des Affaires étrangères avaient rédigé un accord de défense mutuelle que l'on appelait le Pacte de Rio (ils s'étaient réunis près de Rio de Janeiro, au Brésil) ; cette fois, à Bogotá, ils allaient discuter et signer la charte d'une toute nouvelle « Organisation des Etats Américains », destinée à remplacer l'ancienne Union Panaméricaine comme instrument d'élaboration d'une politique commune dans l'hémisphère occidental.

La guerre froide était bien entamée — le plan Marshall pour la reconstruction de l'Europe avait été lancé en 1947 et le président Truman avait déjà énoncé sa fameuse « doctrine » qui consistait à défendre la Grèce et la Turquie contre le communisme —, mais pour les jeunes Latino-Américains, cette conférence interaméricaine ne semblait être qu'un nouvel artifice des Etats-Unis, destiné à assurer leur domination totale dans leur propre partie du monde. Ils n'avaient prêté que fort peu d'attention au fait que, le mois précédent, en mars 1948, les communistes avaient liquidé le régime représentatif et démocratique en Tchécoslovaquie, par un coup d'état politique, sans effusion de sang.

A Bogotá, les étudiants avaient entrepris de harceler les ministres des Affaires étrangères et Castro se trouva bientôt arrêté par la police colombienne. Un certain soir, en effet, lui-même et l'un de ses compagnons cubains dont il ne donne pas le nom étaient allés répandre des tracts « anti-impérialistes » dans un théâtre de Bogotá, au cours d'une représentation de gala organisée en l'honneur des invités de marque. Castro reconnaît : « Nous étions un peu immatures. » Ils n'avaient même pas eu conscience de commettre une infraction en faisant de la propagande pour leur congrès sous cette forme ; de toute façon, remarque-t-il, « ce n'était pas une infraction contre l'Etat colombien mais contre les Etats-Unis ».

Un sentiment anti-américain imprègne la plupart des interviews, déclarations, proclamations, manifestes et discours de Castro, depuis le début de sa vie politique jusqu'à ce jour. Cela est particulièrement patent quand il évoque ses souvenirs. Tout se passe comme s'il devait analyser n'importe quelle situation intéressant Cuba, sinon le reste du monde, à travers le prisme de son anti-américanisme. Cette déformation psychologique est peut-être la trace la plus tragique que les Etats-Unis aient laissée derrière eux dans l'esprit de tant de Cubains.

Castro insinue que son arrestation par la police secrète colombienne fut le résultat de la surveillance dont faisait l'objet le groupe des étudiants : « On savait que nous avions joué un rôle dans l'organisation du congrès. » Fidel raconte qu'ils avaient été arrêtés à leur hôtel, conduits dans de « ténébreux » bureaux, au fond d'édifices « sordides », et interrogés par des enquêteurs. De toute évidence, il se montra assez convaincant pour se sortir de ce mauvais pas, car ils furent relâchés au bout de quelques heures. Ses talents de persuasion étaient déjà très développés. Il déclare avoir exposé à son interlocuteur les idées et les idéaux du futur congrès « anti-impérialiste » et il doit avoir raison quand il conclut : « J'ai eu l'impression que la personne responsable appréciait ce que nous lui disions... Nous avions été très persuasifs. » Se tirer d'affaire à force d'éloquence, même quand sa vie était en jeu, a toujours été un art où Castro est passé maître depuis l'enfance.

Le 7 avril, en compagnie de Rafael del Pino, il rendait visite à Gaitán ; ils furent introduits dans le bureau de celui-ci par la section étudiante du parti libéral de Colombie. A cette époque-là, le pays était plongé depuis deux ans dans une guerre civile sauvage entre les deux partis — libéral et conservateur — traditionnellement rivaux ; il y avait eu des milliers de morts dans les villes et les villages ; la Colombie se trouvait menacée d'un effondrement complet en raison de cette lutte fratricide ; les diverses factions ne semblaient plus capables que de se battre entre elles.

En 1948, le président au pouvoir était un conservateur, Mariano Ospina Pérez, et le gouvernement colombien avait fort imprudemment invité la conférence interministérielle à se tenir dans la poudrière qui lui tenait lieu de capitale. Quelques jours avant cette rencontre (et avant l'arrivée des Cubains), Gaitán avait conduit une « marche silencieuse » qui avait rassemblé cent mille personnes, pour protester contre les violences et les brutalités de la police ; il avait prononcé à cette occasion un « Discours pour la Paix ». Quand il reçut les Cubains, il leur donna une copie de ce discours et leur expliqua la nature de la crise colombienne ; selon Castro, il accepta même d'organiser une manifestation de masse pour clore le congrès des étudiants et de s'adresser alors personnellement aux délégués.

Le lendemain, Castro se rendit au tribunal de Bogotá pour voir Gaitán, dans ses fonctions d'avocat, plaider en faveur d'un lieutenant de police accusé d'avoir tué un politicien conservateur. C'était l'une des plus fameuses « causes célèbres », en Colombie, et le procès était retransmis par une station de radiodiffusion. Fidel trouva Gaitán « brillant » au prétoire. Il déclare que l'homme avait fait sur lui « une impression vraiment bonne... celle d'un orateur virtuose, précis dans son langage, éloquent... en outre, il s'alignait sur les positions les plus progressistes contre le gouvernement conservateur ». Gaitán invita Castro à une nouvelle rencontre, le vendredi 9 avril. En ce qui concernait le mûrissement politique de Fidel, il était vital pour lui de faire la connaissance de Gaitán ; une fois de plus, les événements le favorisaient.

Il avait fait une autre rencontre curieuse à Bogotá. Alfredo Guevara se rappelle que, lors d'une réunion d'étudiants à l'université nationale, Castro et lui-même avaient été présentés à un jeune homme appelé Camilo Torres. A cette époque, le nom de Torres ne signifiait rien pour les Cubains. Mais ce jeune révolutionnaire colombien commencerait par être ordonné prêtre en 1954, tenterait de concilier marxisme et catholicisme, et finirait par se faire tuer à la tête d'une bande de guérilleros dans les Andes, en 1965 ; le célèbre père Torres occupe aujourd'hui une place au panthéon des héros et martyrs révolutionnaires de l'Amérique latine. L'indéfectible Alfredo Guevara commente ainsi la rencontre : « Il est triste de penser que les êtres humains prédestinés ne portent pas une étoile sur le front ; cela nous aurait permis de comprendre que c'était *le* Fidel Castro et *le* Camilo Torres qui se trouvaient là, ensemble, devant nous. »

Fidel avait rendez-vous avec Gaitán à deux heures de l'après-midi, le vendredi. Il raconte qu'il avait d'abord déjeuné à l'hôtel, puis était sorti pour se rendre à pied jusqu'au bureau de l'avocat, tout proche. Mais, dit-il, soudain « apparurent des gens qui couraient frénétiquement en tous sens... des gens qui semblaient devenus fous... Certains criaient : " Ils ont tué Gaitán ! ", " Ils ont tué Gaitán !"... Des gens en colère, des gens indignés, des gens dont le comportement révélait qu'ils vivaient une tragédie... ils racontaient ce qui était arrivé et la nouvelle se répandait et courait comme le feu sur une traînée de poudre. »

Gaitán venait d'être abattu sur le trottoir, devant l'immeuble où se trouvait son bureau. Son assassin, dont on savait seulement qu'il s'appelait Juan Roa, avait été instantanément lynché par la foule, mais Bogotá et toute la Colombie explosèrent comme un volcan révolutionnaire. La présence des ministres des Affaires étrangères venus de tous les pays d'Amérique pour assister à la conférence fit naître le soupçon d'un complot destiné à porter un coup terrible à l'Organisation des Etats Américains, mais l'on ne découvrit jamais rien qui permît de corroborer cette thèse. Castro, qui assista et participa aux batailles de rues, à Bogotá, déclare catégoriquement que « personne n'avait organisé le [soulèvement du] 9 avril ». Il ajoute : « Je peux vous assurer que ce fut une explosion entièrement spontanée que personne n'avait organisée et n'aurait pu organiser... Ce qui manqua au 9 avril ce fut une organisation... »

Le *Bogotázo* — c'est le nom que l'on donna à ce soulèvement urbain — fut le véritable baptême du feu révolutionnaire pour Fidel Castro. Il exerça un effet considérable sur sa personne, ses pensées et ses plans à venir. Ce fut sans aucun doute l'événement le plus important qu'il eût vécu jusque-là et, sans discussion possible, l'une des expériences capitales de sa vie. Le hasard lui avait fourni la chance unique d'observer le développement d'une révolution — et d'en tirer la leçon.

Son propre récit de ses activités durant les cinq jours que dura le

Bogotázo est le plus précis et le plus complet que l'on connaisse ; ceux qui étaient alors en contact avec lui le tiennent pour tel. Fidel a raconté son « histoire de Bogotá » à un journaliste colombien, Arturo Alape, au cours de longues heures de conversation, en 1981, non sans le prévenir qu'au bout de trente-trois ans il pouvait avoir oublié certains détails. Pourtant sa mémoire est si fabuleuse que la transcription de l'entretien se lit comme un récit d'aventures, merveilleusement vivant.

La première chose dont Castro se souvienne après que la nouvelle de la mort de Gaitán eut embrasé la cité, c'est d'avoir vu un homme, dans un petit parc du centre-ville, tenter vainement de démolir de ses propres mains une machine à écrire qu'il avait prise quelque part. Fidel dit qu'il cria lui-même à l'homme : « Donnez-moi donc ça », et que, dans l'intention de lui venir en aide, il saisit la machine, la lança en l'air pour la laisser retomber. « En voyant le désespoir de ce petit homme, je n'avais rien imaginé de mieux. »

Il décida alors d'aller au Capitole national où la conférence interministérielle était en cours mais, chemin faisant, il croisa de plus en plus de gens occupés à casser « des vitrines et toutes sortes de choses ». Cela, dit-il, « commença à me préoccuper car, même à cette époque, j'avais une idée très claire et très précise de ce qu'est une révolution et de ce qu'il faut éviter dans ce cas-là... à dire vrai, je commençais à observer des signes d'anarchie... et je me demandais ce que pouvaient bien être en train de faire les dirigeants du parti libéral ».

Il vit le bâtiment du Congrès envahi par une foule furieuse ; il y avait des gens avec des bâtons, d'autres avec des armes. Il vit le matériel de bureau jeté par les fenêtres sur la place. Castro, qui se trouvait encore avec Rafael del Pino, se rendit alors à la pension de famille où ils retrouvèrent Ovares et Guevara. Ils virent une grande foule foncer le long d'une avenue en direction d'un poste de police. Ce fut à cet instant que Castro, jeune homme au visage rond, inopportunément vêtu d'un pantalon léger et d'un veston de cuir, avec chemise et cravate, décida de participer à la révolution colombienne.

« Je me joins aux premiers rangs de la foule, dit-il, je vois que c'est une révolution qui éclate et je décide d'y participer, d'être une personne de plus dans la foule... Je n'avais aucun doute sur le fait que le peuple était opprimé, que les gens qui se soulevaient avaient raison de le faire et que l'assassinat de Gaitán était un grand crime. » Au poste de police, les agents pointaient leurs armes sur la foule mais ne tiraient pas, et Castro dit que plusieurs d'entre eux se joignaient au flot des rebelles. Après être entré dans le commissariat, la seule arme que Castro put encore y trouver fut un fusil lance-grenades lacrymogènes ; il s'en saisit et prit aussi vingt ou trente grenades de gaz.

« Je n'ai pas de fusil, dit encore Castro, mais j'ai quelque chose avec quoi tirer : ce lance-grenades à gros canon. Seulement je suis encore en costume de ville et ce n'est pas une tenue pour faire la guerre. Je trouve une casquette sans visière et je m'en coiffe. Mes souliers ne sont pas non plus faits pour la guerre... Je monte à l'étage et j'entre dans la salle des officiers où je me mets à chercher des vêtements et d'autres armes et je commence à chausser une paire de bottes. Un officier entre en courant et, je ne l'oublierai jamais, au milieu de tout ce chaos, il se met à gémir : " Oh, pas mes bottes, pas mes bottes... " »

Dans la cour, il trouva un officier qui essayait de constituer une escouade de policiers et échangea son lance-grenades contre un vrai fusil et des balles. Il remplaça sa casquette par un béret et enfila une vareuse de la police. « Voilà mon uniforme. » Maintenant, la foule en armes, à laquelle se mêlaient des policiers et des soldats, fonça dans une autre direction, avec Castro à l'avant-garde. Des étudiants qu'il avait rencontrés à l'université passèrent en voiture et lui apprirent que certains des leurs avaient occupé une station de radio où ils se trouvaient maintenant attaqués. Castro décida donc d'emmener un groupe prêter main-forte aux assiégés ; mais la confusion, la fusillade, les désordres régnaient partout, de sorte qu'il ne sut bientôt plus que faire ; et il remarque avec réprobation : « Il y avait des gens qui avaient bu et arrivaient avec des bouteilles de rhum. »

Selon Castro, on ne savait pas, à ce moment-là, si l'armée, comme une partie de la police, s'était jointe aux insurgés, mais il rencontra un bataillon devant le ministère de la Guerre, et « possédé par ma ferveur révolutionnaire, raconte-t-il, décidé à rallier le plus grand nombre possible de personnes, je saute sur un banc pour haranguer les soldats et leur demander de se joindre à la révolution. Tout le monde écoute, personne ne bouge et me voilà debout sur mon banc avec ma harangue. »

De là, Castro et plusieurs de ses compagnons reprirent leur marche vers la station de radio (il se rappelle que son portefeuille, contenant tout son argent, lui fut volé à ce moment-là) ; mais soudain ils se trouvèrent pris sous un feu nourri et eurent à peine le temps de s'abriter derrière quelques bancs. Fidel dit : « C'est un miracle qu'ils ne nous aient pas tous tués. » Dans l'impossibilité d'atteindre la station de radio ou l'université nationale, il décida avec quelques autres étudiants de prendre un poste de police tout proche.

« Il allait de soi que c'était moi qui devais prendre le commissariat puisque j'étais le seul à porter un fusil, raconte Castro. C'était absolument suicidaire... Mais heureusement le poste avait déjà été pris par des [policiers] rebelles qui nous reçurent amicalement. » Il chercha alors le commandant du poste qui était aussi le chef des rebelles ; il lui expliqua qu'il était un étudiant cubain en train d'organiser un congrès en ville. « Là-dessus, dit Fidel, le commandant fait de moi son assistant. »

Tous deux montèrent alors dans une jeep pour se rendre au siège du parti libéral et Castro dit qu'il s'en réjouit fort car il avait été préoccupé pendant toute la journée par le chaos ambiant et l'absence de toute organisation. Il précise : « Tout ce que je vous dis, au sujet des choses incroyables qui se sont déroulées ce jour-là, est rigoureusement exact. » Au siège du parti, le chef obtint une seconde jeep et ils rentrèrent à leur commissariat. Fidel et le chef retournèrent au siège du parti pendant la nuit, chacun dans sa jeep, mais le véhicule de l'officier tomba en panne, et « je fis le geste don quichottesque » de lui donner « ma propre jeep », dit Castro. Celui-ci et quelques étudiants furent donc abandonnés dans la rue, mais ils rencontrèrent un nouveau groupe de policiers rebelles, armés de mitraillettes, qui regagnaient un autre poste de police tombé entre les mains des révolutionnaires. Il n'avait plus, dit-il, un centime pour s'offrir une tasse de café.

Le poste était celui de la Cinquième Division de la police ; selon Castro, il s'y trouvait environ quatre cents hommes armés — policiers et civils. Pourtant il régnait là aussi une énorme confusion dans l'organisation de la défense du poste ; on lui assigna une place au premier étage. Ce qui le préoccupait le plus, cette nuit-là, dit-il, c'était le pillage dans les rues de Bogotá : « Les gens ressemblaient à des fourmis, ils emportaient sur leur dos un réfrigérateur ou un piano... Malheureusement, il y avait le manque d'organisation, la question de culture, l'état de grande pauvreté... de sorte que bien des gens prenaient tout ce qu'ils pouvaient... Faute de préparation politique et pour bien d'autres raisons, la cité était mise à sac... Au lieu de chercher une solution politique, bien des gens préféraient se mettre à piller ; cela me préoccupait. »

Voyant que les forces rebelles étaient maintenues à l'intérieur du poste de police, Castro prit sur lui de dire au chef de la Division et à ses officiers, que « toute l'Histoire nous apprend qu'une force confinée dans sa caserne est perdue ». Il cita des expériences cubaines pour convaincre les chefs de la police d'envoyer leurs hommes dans les rues et de leur fixer pour mission d'attaquer des positions gouvernementales. On l'écouta aimablement mais aucune décision ne fut prise, bien qu'il continuât d'affirmer avec insistance que « toute force révolutionnaire qui reste enfermée dans un local est perdue. »

« J'avais quelques idées dans le domaine militaire, car j'avais étudié l'histoire de certains mouvements révolutionnaires, dit Castro, y compris des épisodes de la Révolution Française, la prise de la Bastille, et j'avais réfléchi à l'expérience cubaine ; ainsi je voyais clairement que c'était une folie d'attendre l'attaque des forces gouvernementales. » Castro critique également les policiers rebelles pour avoir frappé leurs collègues gouvernementaux qu'ils avaient capturés : « Cela me dégoûta », dit-il.

Selon Fidel, il avait commencé à se dire qu'il ne savait vraiment pas ce qu'il faisait là, « dans cette souricière », à attendre stupidement l'attaque, au lieu d'aller combattre l'ennemi dehors. Il s'était demandé s'il lui fallait demeurer dans ce poste de police, mais il affirme qu'il avait décidé de rester parce que « j'avais alors des convictions internationalistes et je me disais, eh bien, les gens d'ici sont exactement comme ceux de Cuba ; les gens sont les mêmes partout, et ce peuple est opprimé, exploité. J'essayais de me persuader moi-même : leur principal dirigeant a été assassiné ; ce soulèvement est parfaitement juste ; je vais mourir ici, mais je reste ».

Castro finit par convaincre le chef de la police de lui confier sept ou huit hommes pour aller patrouiller dans la colline, derrière le commissariat, d'où l'armée pouvait les attaquer. A un moment la patrouille intercepta, près du poste, une voiture civile dont le conducteur aurait pu être un espion gouvernemental. Mais, comme dut le constater le vertueux Fidel, non sans une immense indignation, l'homme se trouvait en compagnie de deux prostituées qu'il emmenait dans l'intention d'avoir avec elles des rapports sexuels. « Peut-on imaginer une chose pareille, demande-t-il, la ville est en flammes, la guerre est en train d'éclater et cet homme se promène à travers Bogotá avec deux prostituées ? »

Le matin du 11 avril, un dimanche, un bruit commença à circuler : un accord était imminent entre le gouvernement et l'opposition, c'est-à-dire le parti libéral. Fidel se rappelle qu'il portait encore son uniforme improvisé, avec son béret, son fusil, neuf balles et un sabre. Quelques heures plus tard, eut lieu l'annonce d'un accord et l'on demanda aux rebelles de rendre leurs armes. Castro aurait voulu conserver le sabre, mais il n'y fut pas autorisé. Il estime que l'accord de paix fut une « trahison » (c'est l'un de ses mots favoris). Le peuple, selon lui, avait été trahi car, après que les rebelles eurent rendu leurs armes, les forces gouvernementales entamèrent « une chasse aux révolutionnaires à travers toute la ville ».

Fidel retourna dans le centre et retrouva Ovares et Guevara à leur pension de famille où ils avaient attendu patiemment la fin de la rébellion. Mais le patron était un conservateur qui commença à proférer des « horreurs » sur Gaitán et les libéraux. Castro raconte qu'il perdit alors patience, « s'exalta », prit le contrepied de ce que disait l'homme et défendit si bien les libéraux que le logeur mit les Cubains à la porte. Cela se passait une demi-heure avant le couvre-feu fixé à dix-huit heures. Quand ils purent se mettre en sûreté dans un hôtel du quartier, il ne s'en fallait plus que de cinq minutes, et Fidel ajoute : « Je devais vraiment manquer de maturité pour commettre l'erreur d'engager une polémique avec le logeur, vingt-cinq minutes avant six heures. » Aucune leçon n'est jamais perdue pour Castro.

A l'hôtel, les Cubains tombèrent sur un diplomate argentin qu'ils connaissaient et le persuadèrent de les emmener à l'ambassade de Cuba (les voitures diplomatiques pouvaient circuler malgré le couvre-feu). Fidel raconte qu'ils furent fort bien reçus à l'ambassade : « Nous étions déjà célèbres et tout le monde courait après les Cubains. » Les étudiants restèrent là jusqu'au 13 avril, date à laquelle ils furent renvoyés à La Havane à bord d'un avion cubain venu à Bogotá chercher un chargement de taureaux. Castro trouve amusant et paradoxal que ses camarades et lui-même aient été sauvés par le gouvernement cubain qu'ils avaient combattu avec tant d'acharnement.

Castro fait le bilan de son aventure colombienne en ces termes : « L'occasion d'assister au spectacle d'une révolution populaire absolument spontanée devait avoir de profondes conséquences pour moi. » En effet, l'affaire ne pouvait manquer de laisser une trace dans l'expérience complexe que Castro avait acquise avant d'engager le combat révolutionnaire à Cuba. Il ajoute : « N'oubliez pas que j'avais alors vingt et un ans. Je crois que je me suis vraiment conduit avec noblesse... Je suis fier de ce que j'ai fait... Je crois que ma décision de rester, cette nuit-là, alors que je me trouvais seul et apparemment victime d'une grosse erreur tactique, était une grande preuve d'idéalisme, une grande preuve de don quichottisme, au meilleur sens du terme. Je suis resté loyal jusqu'au bout... J'étais discipliné et je suis resté tout en sachant que c'était un suicide... Je me suis conduit conformément à mes principes, avec une grande rectitude morale, avec dignité, avec honneur, avec un altruisme incroyable... »

Il prétend que son expérience colombienne l'a poussé à faire « des efforts extraordinaires pour donner une conscience politique, une éducation politique à Cuba... afin d'avoir l'assurance qu'au moment où triompherait la révolution, il n'y aurait ni anarchie, ni pillages, ni désordres..., que nul ne se substituerait à la justice... L'influence la plus importante que put avoir [l'affaire de Bogotá] sur la stratégie révolutionnaire cubaine, consista à nous suggérer l'idée d'éduquer le peuple en même temps que nous poursuivions la lutte ».

Castro admet néanmoins : « Ma présence fut accidentelle et notre congrès n'avait rien à voir avec l'événement. » Le *Bogotázo*, il est vrai, fit échouer l'organisation du congrès. Le projet ne fut jamais repris, ni par les Cubains ni par les Argentins.

A leur retour de Bogotá, Fidel Castro et ses compagnons cubains eurent droit à la « une » des journaux de La Havane. Malgré les informations contradictoires au sujet du rôle qu'il avait joué en Colombie et les accusations portées contre lui d'avoir fait partie d'un complot communiste, l'image de Fidel, dans son pays, y gagna beaucoup. A vingt et un ans, il faisait déjà figure de personnalité politique nationale et internationale, aux yeux de nombreux Cubains. Une fois de plus, le schéma avait été le même : il avait tiré le plus grand parti possible de la chance. Comme il le dit lui-même, c'est « par accident » qu'il s'était retrouvé, soudain, au beau milieu de la guerre civile colombienne.

De retour à Cuba, Castro se jeta immédiatement dans la campagne présidentielle qui touchait désormais à sa fin. S'il virait pour sa part au marxisme, il n'en soutint pas moins vigoureusement la candidature du sénateur Chibás, probablement parce qu'il croyait le parti *Ortodoxo* capable d'apporter les meilleures solutions possibles à la crise cubaine et parce qu'il n'était pas encore prêt à rompre avec les processus politiques traditionnels. Malgré sa propension à la révolution, il se conduisait en politicien pragmatique et ne voyait aucun avantage à se laisser formellement assimiler au faible (mais bruyant) parti communiste.

Fidel passa donc plusieurs semaines, en mai, à faire campagne avec Chibás, surtout dans leur province natale d'Oriente ; les journaux nationaux signalèrent dûment sa présence aux côtés des députés et des maires du parti *Ortodoxo*. Cependant, tout en travaillant pour Chibás, Castro avait bien soin de préserver sa réputation personnelle d'indépendance. C'est ainsi qu'il se montrait plus hardi que le candidat en matière de questions sociales et critiquait même publiquement les liens que le sénateur entretenait avec les richissimes propriétaires fonciers. Ce fut une autre expérience politique importante pour le jeune Castro.

Le 31 mai, à la veille du scrutin, Fidel décrivit les élections comme « une bataille décisive » entre « l'idéalisme » de Chibás et les « intérêts créés » des candidats patronnés par le gouvernement Grau. Il fit remarquer que si les communistes présentaient leur propre candidat, ils préféraient pourtant Chibás à tout autre.

Eddy Chibás était peut-être « la conscience » de la jeunesse cubaine, mais il fut écrasé, le 1er juin, par le ministre du Travail de Grau, Carlos Prío

Socarrás ; le candidat du parti libéral, Ricardo Nuñez Portuondo, un conservateur, venait en deuxième position ; Chibás ne précédait que le candidat communiste, Juan Marinello.

Après cette défaite, Castro concentra de nouveau son attention sur ses propres intérêts politiques à long terme — et notamment sur les activités de l'ARO, la faction progressiste qu'il avait créée au sein du parti *Ortodoxo* ; on le revit donc sillonner La Havane au volant de sa Buick verte, achetée d'occasion. Mais dans la vie de Fidel, l'imprévisible est monnaie courante ; aussi, moins d'une semaine après les élections, il se trouvait aux prises avec un nouveau problème.

Un sergent de la police du campus, nommé Oscar Fernández Caral, avait été abattu d'un coup de feu devant son propre logis, le 6 juin. Avant de mourir, il avait prétendument désigné Castro comme son assassin. Un témoin anonyme avait corroboré cette affirmation. Fidel apprit ces accusations par les journaux et entreprit de se cacher à nouveau. Il craignait qu'une fois de plus les gangsters et leurs amis policiers ne voulussent le tuer. Après les protestations de Fidel, le témoin se rétracta et déclara à la presse avoir été suborné par la police. Mais au début de juillet, il y eut quelque intention de rouvrir le dossier, aussi Fidel fit-il feu par tous les sabords sur le juge ; il l'informa qu'il n'avait pas l'intention de comparaître devant lui ni de « collaborer à cette tentative impardonnable » pour l'impliquer dans une affaire à laquelle il était totalement étranger. Toujours bien décidé à avoir le dernier mot, Castro signifia au juge que s'il était placé sous mandat d'arrêt, « certains agents de la police » pourraient profiter de l'occasion pour l'assassiner. Comme on pouvait le prévoir, l'affaire en resta là.

Il passa de courtes vacances à Birán, vit ses parents et retourna à La Havane au début de septembre, pour y reprendre ses études, toujours comme auditeur libre. Il entreprenait simultanément de nouvelles recherches dans le domaine du marxisme et du socialisme. Mais le 8 septembre, le gouvernement sortant du président Grau autorisa la compagnie des autobus à augmenter le prix du ticket ; dès le lendemain, les syndicats communistes et les dirigeants étudiants étaient les premiers à riposter par des manifestations de rues et des discours.

L'après-midi du 9 septembre, la FEU et les étudiants de l'université entraient à leur tour dans la danse, s'emparaient de huit autobus, les ornaient de drapeaux cubains et les emmenaient sur le campus. Castro ne pouvait, bien entendu, rester à l'écart de ces nouveaux affrontements. Il se joignit à Alfredo Guevara et Lionel Soto pour avertir que de sérieux incidents éclateraient si l'autonomie de l'université était violée. Pourtant, le lendemain, les autobus avaient disparu, et cet épisode particulier se termina abruptement. La hausse des prix des transports fut annulée.

Le président Prío fut intronisé le 10 octobre 1948, jour de la fête nationale. Il s'ensuivit une période de corruption et d'incompétence telles que l'on n'avait rien vu de comparable, même pendant le mandat de Grau. Fidel Castro parvint pourtant à se désintéresser de la situation, au moins pour un temps. Deux jours plus tard, le 12 octobre, il épousait Mirta Díaz-

Balart, une jolie brunette, étudiante en philosophie; il l'avait connue plusieurs années auparavant par l'intermédiaire de son ami et condisciple à la faculté de droit, Rafael Díaz-Balart, le propre frère de la mariée.

Comme la famille de Castro, les Díaz-Balart étaient originaires de l'Oriente; aussi le mariage eut-il lieu dans leur maison de Banes, non loin de Birán. C'était des gens riches qui avaient des relations dans les milieux politiques à Santiago et à La Havane; à l'exception de Rafael, ils n'étaient rien moins qu'enthousiastes à l'idée de donner Mirta en mariage au jeune Fidel âgé de vingt-deux ans. Ils n'approuvaient ni ses activités politiques ni ses antécédents familiaux.

On ne sait pratiquement rien des circonstances de cette union, destinée à être détruite par la politique cinq ans plus tard. Selon tous les témoignages, Mirta était très éprise de Fidel, et les amis de ce dernier prétendent qu'elle était la seule femme à laquelle il se fût jamais intéressé à l'époque où il partageait son temps entre ses études et la politique. Cela n'explique quand même pas pourquoi Fidel et Mirta se marièrent si jeunes, alors qu'il était encore à la faculté de droit et consacrait tout son temps libre à la politique et à ses rêves de révolution. On peut faire ici un curieux parallèle entre la vie de Fidel et celle de José Martí; tous deux ont fait des mariages précoces, et Martí ne put jamais trouver un moment pour s'occuper de sa femme ni de sa famille. Castro, comme on le vit bientôt, n'avait pas non plus de loisirs à consacrer aux siens, malgré la profonde affection qui l'attachait à son fils.

Fidel et Mirta allèrent passer leur lune de miel aux Etats-Unis, ce qui ne manque pas d'intérêt étant donné ses sentiments anti-américains. Peut-être voulait-il marcher, même brièvement, sur les traces de Martí qui avait vécu longtemps aux Etats-Unis, ou était-il simplement fasciné par ce pays. Toujours est-il que les jeunes Castro passèrent plusieurs semaines sur le continent, notamment à New York où Fidel semble avoir envisagé de demander une bourse pour l'université Columbia. On dit que ce fut dans une librairie new-yorkaise qu'il acheta un certain nombre de livres de Marx et Engels, y compris *Le Capital*.

7

Les deux prioriétés les plus urgentes de Fidel Castro étaient désormais d'entamer pour de bon et simultanément sa carrière politique et sa carrière professionnelle. Il comprenait fort bien qu'en poursuivant ses activités désordonnées dans toutes les directions, il n'avait pu progresser sérieusement ni dans un domaine ni dans l'autre. Dès lors, lui faudrait concentrer systématiquement son attention sur son travail, tant à la faculté que dans le parti, mais ses préoccupations idéologiques ne l'abandonnèrent jamais.

Castro allait déclarer bien plus tard, en parlant de l'époque de Bogotá : « J'étais presque communiste, mais je n'étais pas encore vraiment un Communiste. » C'est là une de ces phrases déroutantes qu'il adore prononcer. Il se plaint également de cette « grande calomnie » qui consiste à accuser les partis communistes colombien ou cubain, ou le mouvement communiste international, d'avoir été à l'origine du terrible soulèvement. Pour lui, « ce fut le peuple tout entier qui se battit » à Bogotá, y compris les libéraux, la gauche et les communistes. Et après tant d'années, il n'existe pas de raisons valables pour mettre en doute l'essentiel de ses conclusions.

Cependant, de retour à La Havane, il doit avoir été choqué de découvrir que le parti communiste cubain critiquait sévèrement son « aventurisme » et son « putschisme » pour sa participation aux combats de rues de Bogotá. Le communiste Alfredo Guevara se trouvait sur place lui aussi, avec Fidel, en qualité de dirigeant de la FEU, mais il n'avait jamais fait mine de sortir de sa pension de famille pendant les troubles ; manifestement, Guevara connaissait la ligne du parti et l'impulsif Fidel ne la connaissait pas.

Que Castro considère rétrospectivement avoir été « presque communiste » — ou non — après l'affaire de Bogotá, cela ne change rien au fait que les communistes se méfiaient alors totalement de lui — et conserveraient cette attitude jusqu'à la veille de sa victoire, *dix* ans plus tard. Quand on examine toutes les prises de position et les manœuvres embrouillées de Castro, dans le domaine idéologique, on peut en tirer la conclusion suivante : l'enchaînement de ses professions de foi et de ses protestations d'allégeance, après son voyage à Bogotá, donne très clairement à penser qu'il établissait une distinction fondamentale entre l'organisation communiste cubaine traditionnelle, d'une part, le marxisme, le socialisme et le communisme, d'autre part. C'est là un point — comme tant d'autres éléments du castrisme — que les Etats-Unis et l'URSS ont trouvé également difficile à saisir depuis un quart de siècle.

Cela dit, Fidel Castro s'installa dans sa vie d'homme marié non sans quelque incongruité. Le foyer conjugal était une petite chambre d'hôtel bon marché, au 1218 rue San Lázaro, dans le centre de La Havane, à deux pas de l'université. Le choix convenait à Fidel, mais il doit avoir donné à Mirta un sentiment de claustration. Certes, elle suivait encore quelques cours à la faculté et continuait de voir ses amis et sa famille, mais son mari était rarement avec elle. S'il n'était pas absorbé par ses études ou par ses activités politiques à l'université, il se trouvait en conférence avec des dirigeants de l'opposition, au siège du parti *Ortodoxo* — sis au numéro 109 du Paseo del Prado, la belle et vaste avenue qui va du Capitole au boulevard Malecón, en bord de mer, près du port. Castro cultivait toujours ses relations avec les personnalités clef du parti, pour conserver ses options électorales et, à ce moment-là, il songeait déjà à briguer quelque mandat. Le reste de ses journées et de ses nuits était consacré à d'autres rencontres politiques, voire à d'occasionnelles participations aux manifestations de rues quand cela pouvait être profitable à sa situation ; il lisait en outre avec voracité.

Fidel et Mirta vécurent à l'hôtel pendant une année pleine, probablement parce qu'ils n'avaient pas les moyens de louer une maison ou un appartement. De Birán parvenait une allocation de Don Angel — quelque 80 pesos par mois —, juste de quoi payer l'hôtel, y compris quelques repas. Ne travaillant pas, Fidel n'avait pas d'autre revenu. La famille de Mirta était riche, mais il y a de fortes chances pour que Fidel, par fierté, n'ait pas permis à ses beaux-parents de lui venir en aide ; sa femme doit avoir été assez loyale envers lui pour s'y plier. Elle était habituée à une grande aisance, mais il ne semble pas qu'elle ait souffert de vivre à l'hôtel avec Fidel — son amour lui permettait d'endurer bien des privations et même les absences de son mari. Il lui faudrait bientôt supporter beaucoup plus de sacrifices encore.

En quatrième année de droit, Castro reçut des notes brillantes en législation du Travail, mais seulement la moyenne dans une matière intitulée « Droit de propriété mobilière et immobilière », et cela fournit peut-être une indication sur les sujets qui l'intéressaient.

En ville, les violences politiques se poursuivaient dans tous les domaines et Fidel se trouvait au cœur de l'action. La compagnie des autobus ayant encore une fois sollicité l'autorisation de pratiquer une hausse des tarifs, le gouvernement Prío accéda à cette demande le 20 janvier. Au cours d'une assemblée universitaire, la FEU se montra divisée sur le point de savoir si les étudiants devaient livrer une nouvelle bataille de rues. Le Comité de Lutte y était favorable, mais les dirigeants s'opposaient à une action de genre, de peur que la police n'envahisse le campus. La faction belliqueuse, conduite par Fidel, insista sur le fait que le prestige de la FEU était en jeu. Le 24 janvier, des milliers d'étudiants se rassemblèrent donc à l'université, prêts à marcher sur le centre-ville. Mais des voitures de la police encerclèrent le campus et il y eut des coups de feu. Les étudiants, Castro en tête, ripostèrent par des jets de pierres et de tomates. Puis le comité étudiant imprima cinquante mille tracts invitant les *Habaneros* à boycotter les autobus.

En mars, survint à La Havane un incident que Fidel Castro et les Cubains en général ne devaient jamais oublier, une affaire qui accrut encore le ressentiment des Cubains envers les Etats-Unis, et dont la nature explique pourquoi l'anti-américanisme tendait à croître plutôt qu'à diminuer dans l'île, au fil du temps : dans la nuit du 11 mars, la statue de Martí, érigée dans le Parc Central de La Havane, fut profanée par un groupe de marins de la Flotte américaine, en bordée et complètement ivres.

Un marin au moins avait uriné sur le socle et un autre s'était assis sur la tête de la statue. La vénération qui entoure Martí à Cuba est telle qu'une foule furieuse accourut aussitôt sur les lieux et que les coupables furent sauvés de justesse par la police qui les emmena au poste. L'attaché naval et une patrouille de marins américains se précipitèrent pour ramener les hommes à bord de leur bateau. Les autorités cubaines ne firent rien pour les traduire en jugement.

Instantanément, la nouvelle de la profanation se répandit à travers La Havane ; la réaction des étudiants, conduits par Fidel, fut immédiate — un ami l'avait prévenu par téléphone. Castro et un grand nombre d'étudiants se chargèrent de monter une garde d'honneur toute la nuit autour de la statue de Martí, pour faire acte de patriotisme, tout en organisant une grande manifestation anti-américaine qui aurait lieu le lendemain. Cette manifestation devant l'ambassade des Etats-Unis, le 12 mars, fut conduite par Castro et ses amis Baudilio Castellanos, Alfredo Guevara et Lionel Soto, les principaux activistes de l'université.

L'ambassadeur des Etats-Unis à La Havane, Robert Butler, qui comprenait pleinement la gravité de la chose, vint s'adresser aux étudiants et présenta des excuses au pays pour les méfaits des marins. Juste à ce moment, les forces spécialisées dans la répression des émeutes, commandées par le nouveau chef de la police, le colonel José Caramés, chargèrent les étudiants avec une extraordinaire brutalité. (Ce colonel Caramés était le commandant du district de l'université qui, l'année précédente, avait dispersé la manifestation contre la hausse des tarifs des autobus, le jour où Castro avait été matraqué.) Fidel reçut à nouveau des coups. L'action de Caramés était sans doute censée montrer aux Etats-Unis l'efficacité avec laquelle les autorités cubaines pouvaient protéger l'ambassade, mais les comptes rendus de l'époque indiquent que Butler fut déconcerté par une telle violence.

L'ambassadeur se fit alors conduire chez le ministre des Affaires étrangères, Carlos Hevia, pour lui présenter des excuses officielles ; mais les étudiants le suivirent au ministère. Enfin, quand Butler eut la possibilité de tenter une explication, il évoqua l'amitié des Etats-Unis pour Cuba, au nom de laquelle les Américains avaient contribué à assurer l'indépendance de l'île en 1898. Etant donné l'histoire des relations entre Cuba et les Etats-Unis, à commencer par l'occupation militaire et sans oublier l'amendement Platt, ce n'était pas la meilleure façon de calmer les étudiants. Ils le firent savoir en huant l'ambassadeur. Puis Butler alla déposer une gerbe à la statue de Martí, ce qui fut considéré comme un geste trop ouvertement paternaliste, car les Cubains voulaient que les marins fussent punis — au moins par les autorités américaines. Et pendant ce temps, Castro, Guevara et Soto faisaient le tour de La Havane pour déposer dans toutes les rédactions des journaux une déclaration qui fut publiée le lendemain. Ils y dénonçaient « cette honte pour Cuba » d'avoir un chef de la police qui, au lieu d'empêcher les marins américains de profaner la statue de Martí, préférait s'attaquer à « ceux qui défendent notre honneur ». Les Cubains ont fait en sorte que l'incident ne puisse jamais être oublié : dans un film postérieur à la révolution et consacré à l'histoire moderne de Cuba, *Viva la República,* le réalisateur Pastor Vega a introduit quelques séquences d'une vieille bande d'actualités sur la manifestation, avec un commentaire qui explique très clairement l'événement du jour.

Comme l'illustre parfaitement l'affaire de la statue de Martí, Castro tirait donc parti de toutes les situations qui pouvaient se présenter dans la vie publique du pays, pour affirmer ses engagements politiques et ses aspirations à un rôle directeur. Cela ne l'empêchait pas de consacrer une grande partie de son temps à des activités politiques plus régulières, sur de nombreux fronts. Il lui fallait se tailler une réputation qui ne fût pas seulement celle d'un agitateur et d'un révolutionnaire imbu d'idées sociales et patriotiques. Il entreprit donc un effort pour se faire connaître dans les quartiers pauvres du Sud de la capitale — à la fois pour le compte du parti *Ortodoxo* ou des Jeunesses du parti, et pour préparer sa propre candidature aux élections législatives suivantes —, à force de visites dans les foyers, les boutiques, les ateliers qui s'entassaient dans les rues étroites et misérables de ce district. Il obtint de se faire inviter à parler plusieurs fois par mois sur les ondes du réseau de radiodiffusion COCO, pour y prêcher la justice sociale et la moralisation de la politique. Manifestement, il souhaitait voir son image associée à celle d'Eddy Chibás qui, malgré sa défaite aux élections présidentielles, restait très populaire et projetait de se présenter une nouvelle fois en 1952. En mai, par exemple, Chibás suscita un grand intérêt dans tout le pays en présentant un dossier très documenté sur l'enrichissement personnel de Batista, au cours de son mandat présidentiel. Fidel savait que le sénateur était un virtuose de la politique et que sa campagne de « moralisation » frappait de plus en plus durement le gouvernement corrompu du président Prío ; il croyait fermement que Chibás accéderait finalement à la présidence ; il observait donc le maître de très près, étudiait ses techniques et se préparait à les adapter un jour à son propre usage.

Dans un autre domaine, Fidel déployait ses activités au sein du Comité universitaire pour la lutte contre la discrimination raciale. Dans un pays aussi raciste que Cuba, une telle lutte n'était guère populaire (non seulement auprès de l'élite blanche au pouvoir mais même auprès des Blancs les plus pauvres qui s'opposaient aux Noirs et aux mulâtres, dans une société largement métissée). Pourtant Castro avait embrassé cette cause dès l'origine. Il y a tout lieu de croire qu'il avait toujours été personnellement hostile aux discriminations raciales. En outre, il avait compris que le genre de mouvement révolutionnaire qu'il prêchait déjà pour Cuba et qui supposait une politique de masses, ne pourrait jamais se développer sans un large soutien des gens de couleur. Les événements allaient prouver qu'il avait raison, mais malgré ses efforts Castro n'a pas été capable, même en un quart de siècle, d'extirper le racisme viscéral des Blancs, à Cuba. Du point de vue du métissage, c'est au Brésil que Cuba ressemble le plus en Amérique latine, et malgré l'existence de lois sévères contre les discriminations raciales dans les deux pays, les Blancs dans leur ensemble n'y ont généralement pas renoncé à leur sentiment de supériorité. Celui-ci se manifeste dans des remarques anodines, des plaisanteries, de subtiles attitudes dans les rapports personnels. Peut-être nul n'est-il en mesure d'imposer des sentiments d'amitié mutuelle aux membres de races différentes.

Le 1er septembre 1949, Fidel Castro devint père de Fidel Castro-Díaz-Balart, immédiatement désigné sous le nom de Fidelito. Au moment de la naissance de Fidelito, ses parents vivaient encore dans leur chambre d'hôtel, rue San Lázaro, et de longs mois passèrent encore avant qu'ils puissent se débrouiller pour emménager dans un modeste petit appartement de la Troisième rue. L'immeuble se trouvait situé dans le riche quartier résidentiel du Vedado, juste en face du poste de police du Cinquième District ; un seul pâté de maisons le séparait du boulevard Malecón et de la mer. Le nouveau foyer des Castro n'était guère luxueux, loin de là, car Fidel dépendait encore des subsides paternels. Il était trop occupé par ses activités politiques pour travailler après les heures de cours et Mirta devait ménager chaque peso. Tout le mobilier, pour sommaire qu'il fût, dut être acheté à crédit.

A peu près à la même époque, Fidel parvint à persuader ses parents de laisser son frère Raúl le rejoindre à La Havane. Raúl avait eu de si mauvaises notes à Belén que Don Angel l'avait rappelé à la maison et fait travailler à l'administration de la ferme avec Ramón, l'aîné des frères. Fidel pensait que Raúl, extrêmement intelligent, méritait d'avoir une nouvelle fois sa chance (la raison de ses difficultés à Belén était sa haine de toute discipline en général et de la prière en particulier). En conséquence, Raúl revint à La Havane vers la fin de 1949, avec l'espoir d'être prêt à entrer à l'université l'année suivante. Cette initiative de Castro allait avoir des conséquences importantes pour l'avenir de la révolution *fidelista*.

Entre-temps, la corruption et le gangstérisme florissaient sous Prío, la violence montait à nouveau, à l'intérieur et en dehors de l'université. L'un des principaux dirigeants de la FEU, Justo Fuentes, fut abattu en avril par des tueurs inconnus. Castro faisait l'objet d'innombrables menaces (certains de ses amis estiment que s'il avait loué son appartement en face d'un poste de police, c'était par mesure de sécurité pour lui-même et pour sa famille). En fin de compte, vers la fin de septembre, au cours d'une émission de radio, Eddy Chibás accusa certains membres corrompus du parti *Auténtico*, le parti du président Prío, de diriger les gangs politiques qui tiraillaient à qui mieux mieux dans les rues de La Havane.

La réplique du président Prío fut de résoudre le problème de la violence grâce à ce que l'on appela « le pacte des gangs », c'est-à-dire qu'en fait le président soudoya tous les gangsters ; l'idée ne consistait pas seulement à les mettre sur la liste des prébendiers du gouvernement ; Prío avait fait preuve de plus d'imagination : le Président avait en vue un traité de paix avec les principales organisations pour répartir entre elles un certain nombre d'emplois gouvernementaux — avec la rémunération et la possibilité de pots-de-vin correspondantes —, à la seule condition qu'il fût mis un terme aux violences. En outre, aucun des gangsters ne serait inculpé ou arrêté pour les crimes qu'il aurait commis jusque-là.

Cela revenait à remettre le gouvernement de Cuba entre les mains des gangs. Aussi les étudiants, soutenus par les principaux partis politiques d'opposition, furent-ils les premiers à mettre en œuvre un plan destiné à dénoncer devant l'opinion publique ce pacte secret. A cette fin, la section Jeunesse du parti *Ortodoxo*, et la section des Jeunesses socialistes au sein du parti communiste, s'unirent pour organiser le « Comité du 30 septembre » (ainsi nommé en souvenir de Rafael Trejo, le premier étudiant assassiné sous la dictature de Machado, le 30 septembre 1930). Au sein de ce comité, Fidel allait bientôt jouer un rôle capital et spectaculaire.

Castro n'appartenait pas aux membres fondateurs et l'on n'avait même pas envisagé de le faire figurer parmi eux, étant donné les liens qu'il avait entretenus avec l'UIR jusqu'au moment où il les avait rompus, à toutes fins utiles, lors de l'assassinat d'Emilio Tró, le chef du gang, en 1947. Les principaux dirigeants du nouveau comité étudiant étaient Max Lesnick, directeur national des Jeunesses du parti *Ortodoxo*, et Alfredo Guevara, toujours président des étudiants de la faculté des lettres et représentant des Jeunesses socialistes (communistes) à l'université. A eux deux, Lesnick et Guevara avaient la haute main sur toutes les activités politiques des étudiants en 1949 ; ils représentaient en effet les deux forces politiques les plus cohérentes et les mieux organisées de Cuba et s'entendaient en outre très bien personnellement.

Ce fut la seule occasion où Chibás et les autres dirigeants du parti *Ortodoxo* acceptèrent de collaborer avec les communistes ; de toute façon, l'accord se trouva limité à l'université. Un peu plus tôt, la même année, Chibás avait, une fois de plus, rejeté les offres d'alliances électorales présentées par les communistes, en vue des élections législatives de 1950 et de 1952. Le sénateur était de plus en plus anticommuniste. Certes, Castro était persuadé, de son côté, que le parti *Ortodoxo* pourrait tirer profit d'un soutien communiste, mais il ne disposait pas d'une influence suffisante pour faire modifier la ligne du parti.

En ce temps-là déjà, il prêchait l'unité de tous les groupes de l'opposition, convaincu qu'après la défaite de l'ennemi commun, l'un des nouveaux vainqueurs l'emporterait sur les autres — et si possible, ce serait la faction que Fidel appellerait personnellement de ses vœux. Même ainsi, il prenait garde de ne pas aller trop loin en plaidant pour une coopération avec les communistes : politiquement, il n'avait guère besoin, loin de là, de se voir identifié à eux. Les réticences et les réserves du parti communiste à *son* égard lui facilitaient d'ailleurs les choses sur ce point.

Castro, on l'a vu, entretenait des rapports agréables avec Alfredo Guevara, qui s'était trouvé lui aussi à Bogotá, et avec les autres dirigeants communistes au sein du Comité du 30 septembre — Lionel Soto et Antonio Nuñez Jiménez ; ce fut pourtant à Max Lesnick, avec qui il avait des relations moins étroites, qu'il choisit de s'adresser tout d'abord pour se faire inviter à entrer dans ce comité. Lesnick, désormais exilé à Miami, raconte comment Castro devint instantanément le héros du nouveau mouvement et ce qu'il advint par la suite :

« Castro vint me voir à l'université pour me dire qu'il voulait faire partie du comité. Cela me parut absurde : Fidel avait eu partie liée avec les gangs, on l'accusait d'avoir été l'un de leurs membres. Le Comité du 30 septembre ne pouvait l'accueillir... Je lui dis : écoute, Fidel, je ne peux pas en décider tout seul ; et il me demande de proposer son nom au comité. Il y avait dix ou douze d'entre nous qui y jouaient un rôle important, mais c'était surtout Alfredo Guevara et moi les deux chefs du bloc issu du pacte *Ortodoxo*-communiste à l'université. »

Lesnick accepta donc d'organiser une rencontre dans son propre appartement, rue Morro, près du palais présidentiel, avec Alfredo Guevara, et Fidel réitéra devant eux sa demande d'admission. Max Lesnick poursuit son récit en ces termes : « Alfredo et moi avons commencé par poser des conditions impossibles à accepter de la part de Fidel. Aucun membre du comité ne pourrait être armé pour se rendre à l'université, or Fidel portait toujours une arme. Et Fidel a dit : " Bon, je n'en porterai plus. " La seconde condition était de signer le pacte (*Ortodoxo*-communiste), lequel exigeait la dénonciation de toutes les personnes couvertes par le " pacte des gangs " et la révélation des postes occupés par celles-ci. Et Fidel a dit : " Bon, je le signerai. " Alors Guevara a demandé qui se chargerait de la dénonciation devant la FEU, et il a répondu : " Je le ferai ". »

Les derniers jours de novembre, eut lieu une réunion à laquelle assistèrent les treize présidents d'écoles et de facultés de l'université de La Havane et quelque cinq cents étudiants, tard dans l'après-midi, à la Galerie des Martyrs, sur le campus. Selon les propres termes de Lesnick : « Fidel demande la parole et prononce un discours dévastateur, dénonçant tout le mécanisme des gangs et avouant qu'il a eu lui-même le malheur d'en faire partie. »

Fidel poursuivit alors en nommant tous les gangsters, politiciens et dirigeants étudiants qui bénéficiaient du « pacte des gangs » secrètement signé par Prio, et l'effet fut stupéfiant. Etant donné son réseau d'amis et de connaissances dans le monde politique, il n'eut aucune peine à fournir des informations détaillées sur ce chapitre. Castro doit avoir compris qu'il s'embarquait dans une aventure extrêmement dangereuse, où il risquait sa vie, mais il avait, de toute évidence, fait le calcul classique des enjeux et des risques. Une analyse rationnelle et une bonne dose d'instinct l'avaient conduit à conclure qu'il gagnerait son pari, qu'il serait lavé une fois pour toutes de l'accusation de gangstérisme, et que sa stature politique en serait considérablement grandie. Ce n'était pas de la pure bravoure mais un acte délibéré de courage politique. A peine Castro avait-il fini de parler que des voitures pleines d'hommes de main armés commencèrent à faire leur apparition autour de l'université.

« Le problème, maintenant, dit Max Lesnick, était de savoir comment faire sortir Fidel vivant. Je lui dis que j'allais le raccompagner moi-même dans ma décapotable rouge. Il était sept heures du soir... Je ne l'ai pas fait par courage, mais parce que j'avais pensé que les gangsters n'oseraient pas tirer sur lui en le voyant assis à côté de moi. S'attaquer à la voiture d'un dirigeant *Ortodoxo* bien connu déclencherait un trop gros scandale. »

Lesnick conduisit donc Fidel à son appartement de la rue Morro où il le cacha pendant quinze jours, « car il aurait été tué s'il avait mis le nez dehors ». Les journaux de La Havane avaient donné une vaste publicité au discours de Castro et celui-ci était une cible tentante. On ne sait guère ce qu'on révéla à Mirta — toujours dans sa chambre d'hôtel avec le bébé de trois mois — à propos de son mari, de sa cachette et de ses plans ; en règle générale, il ne lui parlait jamais de ses activités politiques.

La fin de l'histoire n'a jamais été dévoilée en public, probablement parce que Castro voulait faire le silence là-dessus. Etant convenu avec ses amis de quitter Cuba jusqu'à ce que les esprits se fussent apaisés et qu'il pût rentrer sans trop de risques, Castro décida d'aller passer plusieurs mois à New York. La décision était sage, mais Castro pouvait craindre que, dans de telles circonstances, un départ clandestin passerait pour une lâcheté ; or il ne voulait pas entacher sa réputation.

Pendant que l'on préparait son voyage, Fidel passa le temps chez Lesnick, à lire, à écouter la radio, à pérorer et à s'ennuyer. Un jour, selon Lesnick, Fidel, campé devant la fenêtre de sa chambre à coucher, saisit un balai et le pointant sur la terrasse nord du palais présidentiel, il déclara à la grand-mère de son hôte : « Vous voyez, si Prío sort sur cette terrasse pour faire un discours, je peux le descendre d'une seule balle, avec un fusil à lunette... » D'autres amis de Fidel racontent qu'en 1947, quand il s'était rendu au palais, parmi une délégation de la FEU, pour conférer avec le président Grau, il avait demandé avec beaucoup de sérieux à l'un de ses condisciples, pendant qu'ils faisaient antichambre : « Que dirais-tu si nous nous saisissions de Grau en entrant dans le bureau, pour le jeter du haut du balcon ? » Mais Fidel possède un sens inhabituel de l'humour.

Ce fut Lesnick et un autre ami commun, Alfredo « Chino » Esquivel, qui conduisirent Fidel à la gare de chemin de fer de La Havane, vers la mi-décembre ; celui-ci prit un train pour Matanzas, en compagnie d'Esquivel, puis un autre train à destination de l'Oriente, pour se rendre à Birán, dans sa famille. Apparemment, Fidel obtint de son père l'argent dont il avait besoin pour le voyage aux Etats-Unis. Il prit ensuite l'avion de Miami d'où il gagna New York ; il y passa trois ou quatre mois. On ne connaît presque rien de son séjour, sauf qu'il avait pris une chambre dans une de ces vieilles maisons typiques, en grès rouge (brownstone), au 155 de la 82e rue ouest. On ne sait avec précision si Mirta l'y rejoignit, avec ou sans le bébé, ni pour combien de temps ; on ignore également de quoi il vécut, mais il est très probable qu'il reçut de l'argent de chez lui.

Il est possible que Fidel ait suivi quelques cours à l'université Columbia et même qu'il ait envisagé de s'y inscrire afin de poursuivre ses études après avoir obtenu son diplôme à la faculté de droit de La Havane. Par la suite, il a évoqué son désir inassouvi de faire des études de maîtrise ou de doctorat à l'étranger. Il peut avoir été séduit par l'idée de vivre à New York parce que

Marti l'avait fait, au temps où il préparait *sa* propre révolution cubaine. De toute façon, Castro eut amplement l'occasion de lire, de penser et même d'écrire. Il améliora sa connaissance de l'anglais, mais on a l'impression qu'il fut incapable, pour une raison ou une autre, à cette époque comme plus tard, de saisir pleinement la nature et les nuances de la psychologie, des attitudes et de la politique américaines. Cette lacune peut avoir exercé des effets malencontreux sur certaines de ses décisions politiques ultérieures.

Trois mois avant l'exil volontaire de Castro, en septembre 1949, les communistes de Mao Tsé-toung (comme on l'appelait alors) avaient arraché la victoire finale aux nationalistes soutenus par les Etats-Unis, au terme d'une longue guerre civile ; cet événement allait devenir un jalon important dans l'histoire des grandes révolutions modernes. Le caractère de la lutte qui avait conduit à la création de la République populaire de Chine, la même année, devait exercer une énorme influence sur les préoccupations révolutionnaires de Castro — qu'il s'agît d'idéologie ou de guérilla —, bien qu'il semble ne pas en avoir eu conscience et n'avoir certainement jamais considéré Mao comme un modèle pour lui, dans le domaine militaire. Il est étonnant de constater qu'il y a là le reflet d'une attitude qui a persisté jusqu'à nos jours. Castro n'éprouve aucun intérêt pour les révolutions et autres événements liés au communisme quand ils surviennent à l'étranger, sauf lorsque Cuba s'y trouve directement impliquée, comme au Nicaragua ou en Angola. Il y fait rarement allusion. Pour autant qu'on sache, il n'a jamais commenté en public, au cours des années cinquante, l'expérience chinoise, la victoire des Vietnamiens sur les Français à Dien Bien Phu, les soulèvements contre le régime en Hongrie et en Pologne. De toute évidence, pour Castro, Cuba était et demeure l'objet absolu de son attention ; il ne semble pas avoir eu besoin de Mao ou de Ho Chi Minh pour lui enseigner l'art de la guérilla ; il a toujours tout su mieux que tout le monde.

Castro avait décidé de terminer ses études de droit en cette année 1950 ; aussi, pendant le printemps et l'été, vécut-il nuit et jour dans ses livres. Plutôt que de suivre les cours, il prépara ses examens chez lui, lisant avec voracité, effectuant en moins de six mois l'équivalent de deux années normales de travail. Il y fut aidé par la puissance de sa volonté et par sa merveilleuse mémoire. Ses amis s'étonnaient de voir qu'il pût s'abstenir si complètement de toute activité politique ; ils craignaient qu'en restant à l'écart de toute discussion et réunion il ne se fît oublier. Il savait, lui, que ce ne serait pas le cas. Bien qu'il eût peu de temps à consacrer à sa famille, il ne négligeait manifestement pas Fidelito et juste après son retour de New York, il prit des photos du bébé, non sans envoyer des tirages aux grands-parents de celui-ci, à Birán et à Banes. Son frère Raúl était à La Havane où il se préparait à entrer à l'université et sa plus jeune sœur, Emma, passa par là elle aussi — en route vers une école privée en Suisse.

En définitive, au mois de septembre 1950, Fidel Castro quittait l'université de La Havane avec les titres de Docteur en droit, Docteur en sciences sociales et Docteur en droit diplomatique — le système cubain permettait à un étudiant de préparer et d'obtenir ainsi de multiples diplômes. Fidel déclare qu'après ces études éclair il avait réussi dans quarante-huit des cinquante matières inscrites à son programme, exploit qu'aucun autre étudiant n'a jamais égalé dans un tel laps de temps. Pourtant, faute d'avoir triomphé dans les cinquante examens, il n'avait pas droit à la bourse d'études à l'étranger qu'il avait envisagé d'obtenir. A ce moment-là, dit-il encore, il était trop requis par les « réalités » politiques de son propre pays pour s'accrocher à l'idée de poursuivre des études ailleurs ; aussi décida-t-il de dire adieu à l'université et de se consacrer à la vie publique et à la pratique du droit.

Du point de vue de la politique traditionnelle, Castro rappelle qu'au moment où il quittait l'université avec ses diplômes en poche, ses liens avec le parti *Ortodoxo* demeuraient « forts », mais il ajoute : « ... bien que mes idées eussent beaucoup progressé ». Ce parti, dit-il encore, était capable de canaliser en grande partie le mécontentement, l'irritation et la confusion dans lesquelles les masses cubaines se trouvaient plongées par le chômage, la pauvreté, la pénurie de logements, d'écoles, d'hôpitaux. En sa qualité de dirigeant des Jeunesses du parti *Ortodoxo*, Fidel, de son propre aveu, ne prêchait « pas encore le socialisme comme objectif immédiat, à ce stade », mais faisait campagne contre « l'injustice, la pauvreté, le chômage, les loyers élevés, les bas salaires, l'expulsion des paysans [chassés des terres qu'ils cultivaient] et la corruption politique ». A son avis, quand il regarde trente-cinq ans en arrière, c'était là un programme que les Cubains étaient mieux préparés à accepter — une phase au cours de laquelle un départ devait être pris pour commencer de mettre le peuple en marche « en direction d'une véritable révolution ».

Castro n'a jamais fait aucune allusion publique à son évolution vers la mouvance marxiste-léniniste, avant de se proclamer communiste dans un discours du mois de décembre 1961 : au cours des années suivantes, il a maintenu un haut degré d'imprécision quant aux étapes de sa conversion au socialisme, brouillant considérablement et délibérément tout le processus de son apprentissage en la matière. Mais il fait preuve de cohérence quand il déclare en toute honnêteté avoir dissimulé le caractère socialiste de son programme politique jusqu'au moment où il a jugé les Cubains prêts à l'accepter et où il s'est senti suffisamment maître du pays pour le révéler. Il va jusqu'à souligner que son premier programme politique, rendu public en 1953, était en réalité de nature socialiste et se révèle tel pour qui le lit a posteriori dans le contexte approprié. Les idéologues révolutionnaires cubains ont, en réalité, publié de gros traités pour donner corps à cette interprétation. Castro ne peut échapper à la tentation de manipuler sa propre histoire.

Ainsi, dans une interview de 1977, a-t-il déclaré : « Je suis devenu communiste tout seul, avant même d'avoir lu le moindre livre de Marx, Engels, Lénine ou de qui que ce soit... Je suis devenu communiste en étudiant l'économie politique capitaliste... Dès que j'ai eu un brin de connaissance de ces problèmes, la réalité [du capitalisme] m'a paru si absurde, si irrationnelle, si inhumaine que j'ai commencé tout seul à élaborer des formules de production et de distribution qui seraient différentes. » Ceci, selon Castro, se serait produit alors qu'il était en troisième année à la faculté de droit, c'est-à-dire à peu près au moment où il participait au soulèvement de 1948 à Bogotá et recevait son baptême du feu en tant que révolutionnaire.

Pourtant, en 1981, à propos de cet événement, Fidel faisait observer : « Je connaissais déjà les rudiments du marxisme-léninisme, mais on ne peut pas dire que j'étais un marxiste-léniniste », tout en étant « presque un communiste ». Il ajoute qu'il était « potentiellement » proche des « idées politiques des communistes », tout en demeurant sous l'influence profonde des enseignements de la Révolution Française et des luttes auxquelles elle avait donné lieu. Dans ses entretiens de 1985 avec un moine brésilien, le frère Betto, Castro affirme qu'après avoir commencé par être un « communiste utopique » (c'est une expression qu'il utilise souvent), il avait déjà « pris réellement contact » avec la littérature communiste — toujours pendant sa troisième année d'université. Il déclare qu'à cette époque, il était déjà familiarisé avec les « théories révolutionnaires » et les œuvres de Marx, Engels et Lénine.

Quelle que soit la véritable version de l'évolution idéologique de Castro, il n'est pas douteux qu'il n'a jamais dévié de ce qu'il appelle son « anti-impérialisme », c'est-à-dire son profond ressentiment envers les Etats-Unis et envers leur politique étrangère. Selon son vieil ami Alfredo Guevara, si les discours adressés par Fidel aux étudiants de Bogotá étaient intellectuellement « d'une impeccable logique » en « matière d'anti-impérialisme », il ne s'ensuit pas qu'ils étaient fondés sur une « analyse marxiste ». L'opinion de Guevara est que Fidel ne s'est lancé dans des « études théoriques » sérieuses qu'après l'affaire de Bogotá.

En 1950, alors qu'il terminait ses études universitaires, Fidel signa « l'appel de Stockholm », peu après que la guerre de Corée eut éclaté au mois de juin. Le document émis à Stockholm a été largement considéré comme un instrument de propagande pro-soviétique, et bien qu'un nombre très considérable de non-communistes, tout autour du globe, l'aient signé en toute bonne foi, il est peu probable que Castro se soit montré assez innocent pour ne pas savoir ce qu'il faisait. A Cuba, l'appel avait été lancé sous l'égide du Comité de la Jeunesse cubaine pour la Paix ; le texte, suivi de toutes les signatures, fut publié dans le numéro de septembre d'un périodique universitaire communiste intitulé *Mella*. Castro avait fait figurer la mention suivante, après son nom : « " étudiant " membre du comité national du parti *Ortodoxo* » (il faut rappeler que le fondateur de ce parti, Eddy Chibás, abhorrait l'Appel et l'Union soviétique). En novembre, Castro publiait un article dans *Alerta*, un quotidien de La Havane, pour exiger l'indépendance de Puerto Rico et souligner que les étudiants cubains étaient unis contre les « tyrans » dans les Amériques.

Après avoir obtenu ses diplômes à la faculté de droit, en septembre 1950, Fidel décida d'entamer immédiatement sa carrière d'avocat, mais de concentrer ses activités sur les procès de caractère politique et sur ce que ses amis appelaient des « causes perdues », à savoir des actions en justice au bénéfice des pauvres. Cette façon de procéder était le fruit d'une décision délibérément politique de la part de Fidel. Elle était en harmonie avec ses convictions avouées et ses ambitions politiques révolutionnaires. Il lui aurait été facile, grâce surtout à ses liens avec la famille Díaz-Balart, de se mettre au service de firmes importantes ou de s'associer à un cabinet d'avocats influents, pour avoir bientôt une clientèle lucrative, mais il préféra suivre une tout autre voie.

Les deux associés que choisit Fidel pour former un cabinet juridique étaient un ancien conducteur d'autobus, Jorge Aspiazo Nuñez de Villavicencio, de neuf ans son aîné, qui appartenait à la même promotion que lui, et un autre de ses condisciples, Rafael Resende Viges, issu d'un milieu très pauvre. Jorge Aspiazo — aujourd'hui retraité à La Havane — se rappelle que Fidel lui avait donné rendez-vous ainsi qu'à Resende, un après-midi de septembre, sur l'*escalinata* de l'université, pour leur proposer cette association. Aspiazo, qui avait voté contre Castro quand celui-ci cherchait à se faire élire délégué des étudiants de première année, à la faculté, parce qu'il le soupçonnait d'être un « fils à papa », s'était vite lié d'amitié avec lui tout en restant apolitique (il l'est encore). Resende, du même âge que Fidel, était également l'un de ses amis. Plus tard, il allait virer à droite, rejoindre le camp de Batista, et finalement émigrer aux Etats-Unis.

D'après le souvenir qu'en a gardé Aspiazo, le cabinet consistait en une petite salle d'attente et un minuscule bureau, au second étage d'un immeuble délabré, dans le vieux quartier de La Havane, au 57 de la rue Tejadillo. C'était également le quartier des banques et des affaires, avec des rues étroites et des placettes de style colonial, près du port ; la plupart des avocats y avaient leur bureau. Le vieil édifice Rosario où Castro et ses associés s'étaient installés comme locataires était presque entièrement occupé par des firmes juridiques.

Le loyer était de 60 dollars par mois ; le propriétaire, José Alvárez, avait exigé un mois d'avance et un mois de caution, soit 120 dollars au total. Or les trois jeunes avocats n'avaient que 80 dollars à eux tous et il fallut user de persuasion pour qu'Alvárez s'en contentât. Ils le convainquirent également de leur prêter quelques meubles, y compris une table et une seule chaise pour leur permettre de se mettre au travail. La machine à écrire fut achetée à tempérament.

Aspiazo raconte que leur premier client fut un riche immigrant espagnol qui possédait une affaire de vente de bois en gros ; sa firme s'appelait Madereras Gancedo (« madera » signifie « bois » en espagnol) et fournissait leur matière première aux menuisiers des environs. Fidel lui fit une proposition typique : la maison Gancedo leur procurerait gratuitement du bois avec lequel fabriquer un mobilier de bureau et en échange les trois avocats se chargeraient de faire payer les factures en souffrance chez les menuisiers qui devaient de l'argent à l'Espagnol.

C'était là un travail d'huissiers, mais Fidel ne s'en acquitta pas de cette façon, d'après ce que raconte Aspiazo. « Il fit venir les menuisiers débiteurs à son bureau et leur demanda la liste des clients qui ne *les* payaient pas. » Les avocats passèrent alors quelque temps à percevoir l'argent des menuisiers ; quand ils y arrivaient, Fidel faisait savoir à son « client » qu'il y avait des fonds pour lui. Mais Aspiazo ajoute que si le menuisier disait à

Castro de reverser par exemple vingt dollars au marchand de bois, Fidel répliquait : « Non, vous avez besoin de cet argent plus que lui », et remettait le tout à l'artisan.

En certaine occasion, Castro et Aspiazo étaient allés faire payer une facture chez un menuisier du district de Lawton, l'un des plus pauvres de La Havane ; l'homme était sorti, mais sa femme enceinte leur avait demandé d'attendre, puis elle avait commencé à leur faire du café dans la cuisine. Fidel demanda à son associé de lui prêter cinq pesos qu'il mit sur la table, sous une assiette ; quand la femme leur eut servi le café, Fidel lui recommanda de faire en sorte que le menuisier ne se tourmentât pas pour sa dette envers Gancedo et qu'il vînt le voir au cabinet quand il en aurait la possibilité.

Aspiazo précise qu'ils ne versèrent jamais un centime au marchand et que celui-ci, après leur avoir vainement adressé des factures pour le bois qu'il leur avait livré, « finit par se fatiguer et n'obtint jamais son argent ». Mais la firme juridique ne gagnait pas grand-chose non plus dans l'affaire car Fidel insistait pour travailler la plupart du temps *pro bono publico*, c'est-à-dire gratuitement et pour le bien public. Les trois avocats défendaient les petits commerçants du marché municipal de La Havane, les pauvres paysans de la province expulsés de leurs fermes, les étudiants poursuivis pour avoir pris part à des émeutes, et n'importe quel pauvre travailleur en butte à un problème juridique quelconque qui s'adressait au cabinet Aspiazo, Castro & Resende. Au cours des trois années que dura leur association (elle prit fin quand Castro quitta le cabinet pour aller attaquer la caserne Moncada, en 1953), ils avaient gagné en tout 4 800 pesos, dont 3 000 pour une seule affaire et 1 800 pour une autre. Ils avaient également poursuivi en justice la compagnie des téléphones (propriété américaine) pour obtenir une baisse des tarifs, au nom des abonnés. La cour se prononça effectivement en leur faveur, mais au moment du jugement, Fidel était déjà en prison.

Qu'il s'agît de son cabinet juridique ou de ses propres affaires, Castro affichait un souverain mépris pour l'argent. En fait, il n'en a jamais eu. En théorie, la pension qui lui parvenait de Birán était destinée à faire vivre sa famille, mais comme le rappellent ses amis, il en disposait dès qu'elle arrivait ; il suffisait souvent qu'une vague relation, dans son cercle politique, lui demande un prêt pour que Castro sorte l'argent.

Pour fêter la réussite de Fidel à ses derniers examens de droit, son père lui avait offert une Pontiac toute neuve. Peu après, un ami la lui emprunta pour un voyage hors de la ville et la mit hors d'usage par suite d'un accident où il fut sérieusement blessé. A l'hôpital où il s'était précipité dès qu'il avait été mis au courant, Fidel rencontra le père de son ami, un politicien conservateur, riche et puissant, qui lui offrit de rembourser le prix de la voiture. Castro répliqua : « Votre fils est mourant. Comment pouvez-vous penser à l'auto ? Vous n'avez rien à payer, occupez-vous de votre fils. » Trois ans plus tard, ce politicien allait intervenir auprès de son ami Fulgencio Batista pour s'assurer que Castro serait bien traité en prison. Il a peut-être évité ainsi que Fidel fût assassiné par ses gardiens.

Quand son vieil ami Baudilio Castellanos vint d'Oriente visiter La Havane, Fidel l'invita à déjeuner chez lui. Mais lorsque Baudilio arriva,

Fidel suggéra de faire tout d'abord un saut au marché municipal, où il alla d'étal en étal, prenant çà et là du riz, des pommes de terre, de la *malanga* (racine comestible très populaire parmi les pauvres gens à Cuba). Castellanos remarqua que son ami ne payait rien et fit une réflexion à ce sujet. Fidel répondit : « Oh, je ne paie jamais, ici... ce sont tous mes clients et c'est eux qui me paient en nature. » Là-dessus, ils rentrèrent à l'appartement où Fidel prépara lui-même le repas.

Mirta était sans cesse victime de l'insouciance de Fidel en matière d'argent. Un jour où Castro était en voyage, elle téléphona en larmes à Jorge Aspiazo pour lui demander d'accourir. Il trouva l'appartement vidé de son mobilier et Mirta en train de pleurer par terre avec Fidelito dans les bras. La maison d'ameublement avait tout repris, y compris le berceau du bébé, parce que Fidel avait négligé de payer les mensualités. Aspiazo se débrouilla comme il put, réunit assez d'argent liquide pour faire un premier versement et commanda un nouveau mobilier. Quand Fidel rentra le lendemain, il regarda autour de lui et dit : « Seigneur, ce ne sont pas *mes* meubles. » Il trouva normal qu'Aspiazo eût résolu le problème.

Bien vite, Castro eut une première occasion de se faire son propre avocat et de plaider pour lui-même devant un tribunal. Cette idée et cette expérience auraient·avant longtemps une importance vitale pour sa carrière de révolutionnaire. L'événement se produisit par suite de son arrestation, dans la ville méridionale de Cienfuegos, pour sa participation à une manifestation antigouvernementale des étudiants, le 12 novembre 1950. Après un hiatus d'un an, Castro était de retour sur la scène politique.

Bien qu'il pratiquât déjà la profession d'avocat, Castro avait conservé des liens avec l'université. Il suivait certains cours en auditeur libre et restait en rapport avec la FEU. En fait, les autorités de Cienfuegos l'avaient même considéré, à tort, comme le président des étudiants de la faculté des sciences sociales à l'université de La Havane. La raison pour laquelle il avait décidé d'affronter le gouvernement Prío, dans ce cas particulier, c'est qu'il avait besoin de se mettre bien en vue, aux yeux du public, dans le domaine politique — et d'avoir de nouveau son nom dans les journaux.

Castro n'était pas oublié. Alfredo Guevara se rappelle que même des inconnus lui demandaient, dans les rues de La Havane : « Comment va Fidel ? » Et sa réputation de « défenseur public » allait croissant. Mais il lui fallait participer à ce qu'il considérait comme un événement d'envergure nationale et la manifestation de Cienfuegos lui avait paru répondre à ce besoin. Les lycéens de la ville avaient décrété une « grève illimitée » pour protester contre l'interdiction de leurs organisations et associations par le ministre de l'Education, Aureliano Sánchez Arango, et le ministre de l'Intérieur, Lomberto Díaz. Pour Fidel, c'était une question de principe qui valait bien une belle bagarre.

Castro et un étudiant en droit de l'université de La Havane, appelé Enrique Benavides Santos, furent arrêtés par des soldats avant même de pouvoir prendre la parole, au cours d'une manifestation, conduits en prison et frappés à corps de crosses de fusils. Pendant les quatre heures qui suivirent, les jeunes manifestants se battirent avec la police dans les rues et un récit des événements de Cienfuegos, publié après la révolution, déclare à juste titre : « L'objectif pour lequel Castro se trouvait là... avait été atteint : les protestations de la foule contre le régime avaient été beaucoup plus vives que si la réunion s'était déroulée dans le calme. »

De Cienfuegos, Castro et Benavides furent conduits, la nuit suivante, à Santa Clara, capitale de la province, où ils furent incarcérés, mais le sénateur Chibás avait dénoncé les arrestations au cours d'une émission radiodiffusée dans tout le pays et une foule se rassembla devant la prison, le lendemain matin. Les deux jeunes gens furent mis en liberté provisoire « sous conditions », mais avant de rentrer à La Havane, Castro se livra à une dénonciation tonitruante des « bourreaux du peuple », publiée intégralement par la presse cubaine.

A la mi-décembre, Castro et Benavides retournèrent à Santa Clara pour y répondre de l'accusation d'incitation aux désordres de Cienfuegos. Fidel stupéfia la cour en annonçant qu'en sa qualité d'avocat il entendait assurer lui-même sa propre défense. Quand il s'avéra qu'il avait besoin d'une toge noire et d'une toque d'avocat pour s'adresser au juge, ainsi que d'une caution de cinq pesos, une collecte eut lieu aussitôt dans le public et Castro se leva pour prendre la parole. Toujours convaincu que la meilleure défense était l'attaque, il se livra à une rugissante accusation du gouvernement pour avoir « étranglé les libertés » à Cuba, et proclama que le régime et l'armée auraient dû se trouver à sa place dans le box des accusés. Le président suivit Fidel jusqu'au bout et prononça l'acquittement. Ce fut une victoire que Castro n'allait jamais oublier, et à laquelle il fait souvent allusion, non sans émotion.

De plus en plus, Castro s'adressait à l'opinion publique par la voix de la presse écrite et de la radio. Le rédacteur en chef du véhément quotidien *Alerta*, Ramón Vasconcelos (ancien ministre de Prío), était devenu son ami et ouvrait ses colonnes aux articles féroces de Fidel. En juin 1951, par exemple, Castro y publiait une longue défense des droits des travailleurs ; il citait le cas de neuf cents licenciements illégaux opérés dans une fabrique de conserves, et évoquait les expulsions abusives de paysans. Il concluait en déclarant que l'un des principaux objectifs de la nation devait être de faire « justice aux travailleurs et paysans cubains ». De même, il avait souvent accès à la Voix des Antilles, une station de radio qui s'acharnait à rendre le gouvernement Prío responsable de la corruption et des dénis de justice dont souffrait la société cubaine.

En 1951, la guerre de Corée était devenue un sujet brûlant à Cuba car l'on croyait le président Prío prêt à céder aux instances des Etats-Unis et à envoyer des troupes sur le théâtre des opérations. Cette idée ne bénéficiait certes pas d'une grande popularité, tant s'en fallait ; une personnalité aussi anticommuniste que le sénateur Chibás avait même demandé, dans une émission de radio, que le pays fût consulté préalablement à une telle décision. En fait, un bataillon était en train de recevoir une instruction spécialement adaptée à la guerre de Corée, dans le camp de Managua, au sud de La Havane, malgré l'opposition silencieuse de nombreux officiers de la garnison. L'un d'entre eux était le lieutenant « Gallego » Fernández, aujourd'hui vice-président de Cuba sous Fidel Castro. (Prío abandonna d'ailleurs l'idée en temps opportun.)

Fidel avait déjà signé l'appel de Stockholm et maintenant dans *Saeta,* la publication communiste du campus, son jeune frère Raúl (membre du comité de rédaction depuis son entrée à l'université vers la fin de l'année 1950) publiait un article de fond, anti-américain, sur la guerre de Corée. Raúl a déclaré plusieurs années plus tard que c'est Fidel qui l'a initié aux idées et aux textes marxistes. Cela est vraisemblablement exact, bien que, selon une opinion très répandue, Raúl passe pour avoir poussé Fidel vers le communisme. A cette époque, l'aîné n'avait aucun scrupule à écrire pour *Saeta* lui-même et cela est parfaitement cohérent avec ce qu'il a dit de sa propre évolution vers le marxisme-léninisme (trois ans avaient passé depuis l'affaire de Bogotá) et de ses efforts pour louvoyer entre les *Ortodoxos* de Chibás dont il avait encore besoin et les communistes vers lesquels il se sentait idéologiquement attiré.

Ainsi Fidel signa-t-il l'appel en faveur des « Droits et Liberté démocratiques » rédigé par un comité du campus et publié par *Saeta* ; c'était un acte d'accusation contre le gouvernement Prío à qui il reprochait la « répression » dont étaient victimes les étudiants et la « violation » de la liberté de la presse. Or si Cuba était une démocratie au sens formel du terme (la presse y était certainement libre), et si Prío avait été porté au pouvoir par des élections libres, le pays n'en était pas moins dirigé par un gouvernement à poigne, dont la gestion se caractérisait par une immense corruption ; cela expliquait que des groupes aussi différents que les *Ortodoxos* et les communistes puissent l'attaquer de concert. Cet état de choses facilitait les manœuvres de Castro qui continua d'écrire dans *Saeta* des articles sur la réforme de l'université et le besoin des étudiants « de se définir du côté des [causes] justes et révolutionnaires », tout en cultivant en même temps l'électorat *Ortodoxo.* En matière de politique cubaine, Chibás et Castro étaient sur la même longueur d'ondes.

Dans la soirée du dimanche 5 août 1951, le sénateur Chibás se tira un coup de revolver dans le ventre au cours de son émission radiodiffusée hebdomadaire, dans l'intention de commettre un suicide public ; cela changea le cours de l'Histoire cubaine quand il mourut onze jours plus tard.

Les raisons du suicide de Chibás, alors âgé de quarante-trois ans, n'ont jamais été pleinement comprises. Il avait tourné contre lui-même une arme de gros calibre, un Colt Spécial calibre 38, à l'issue d'une allocution au cours de laquelle il avait instamment appelé les Cubains à « se réveiller » au nom « de l'indépendance économique, de la liberté politique et de la justice sociale ». Sur le chemin de l'hôpital, il avait murmuré : « Je meurs pour la révolution... je meurs pour Cuba... »

Mais ces mots n'expliquent pas son geste. Le sénateur était une personnalité passionnée et populaire ; il était le candidat le mieux placé pour les élections présidentielles de 1952 ; c'était un homme apparemment heureux dans sa vie privée et familiale. Son frère Raúl, qui était également son plus proche collaborateur politique, a déclaré, trente-quatre ans plus tard : « Je n'ai toujours pas trouvé l'explication... Je pense que cela tenait à un sentiment de déception, car il est très facile d'être déçu en politique si les choses ne vont pas comme il faut, si les gens se détournent d'un homme... Il a dû se sentir un peu seul parce que certaines personnes qui auraient dû l'aider lui avaient fait défaut, ne coopéraient pas avec lui... Peut-être a-t-il pensé qu'il ne pouvait plus se rendre utile et qu'il servirait mieux son pays en payant ainsi de sa vie... »

Raúl Chibás faisait indubitablement allusion au terrible dilemme que son frère devait affronter ce jour-là : en effet, le sénateur avait promis depuis longtemps d'apporter la preuve des accusations qu'il avait portées contre le ministre de l'Education, Aureliano Sánchez Arango, coupable (selon lui) de corruption sur une échelle colossale, ce qui lui avait permis de s'enrichir à l'avenant. Ces accusations diffusées sur les ondes depuis plus d'un mois étaient devenues la plus grande affaire à sensation de la politique cubaine ; aussi, le jour dit, la nation retenait-elle son souffle en attendant les révélations de Chibás. Mais, à la surprise générale, il demeura muet sur ce point et se suicida quand il fut parvenu au paroxysme de son allocution. On estime généralement qu'un groupe de parlementaires, qui détenaient les preuves contre le ministre et avaient promis de les fournir à Chibás, le trahirent au dernier moment, soit pour avoir été eux-mêmes subornés, soit pour des raisons de politique. Après avoir passé sa vie à prêcher l'honnêteté et la vérité, Chibás n'avait pu supporter — dit-on encore — de manquer à sa parole devant le peuple. Fidel Castro partage cette opinion, mais n'en fait pas publiquement état.

Quoi qu'il en soit, la mort de Chibás modifia complètement la scène politique cubaine ; le plus redoutable des candidats à la présidence disparaissait ainsi, mais avec lui s'effaçait la personnalité qui avait été le plus près d'incarner la conscience du pays. Et ce qui importa plus encore peut-être, ce fut que le suicide de Chibás ouvrit la voie au coup d'état de Batista, l'année suivante. Raúl Chibás et bien d'autres Cubains sont convaincus que Batista n'aurait pas risqué sa chance si Eddy Chibás avait été vivant, car le sénateur aurait instantanément pris la tête d'un puissant mouvement d'opposition qui aurait eu raison de la dictature. Batista, qui se présentait également aux élections de 1952, était la cible d'attaques constantes de la part de Chibás dont il se souciait bien plus que des assauts livrés contre lui par Fidel, personnage beaucoup moins important.

Pour Fidel, la mort de Chibás avait de nombreuses conséquences. Il ne pouvait encore prévoir que le vide laissé par la disparition du sénateur allait inciter Batista à tenter un coup d'état, mais — mieux que tout autre politicien cubain — il comprenait que l'équation politique avait été modifiée dans son ensemble, que l'atmosphère était maintenant chargée d'incertitudes et que cela pourrait engendrer le climat révolutionnaire qu'il appelait de ses vœux les plus sincères.

En ce qui concernait la politique du parti *Ortodoxo,* Fidel était trop jeune pour aspirer à la succession de Chibás à la tête de cette formation et une telle ambition n'avait jamais figuré dans ses calculs. Il n'en comprenait pas moins que si Chibás n'était plus là pour définir une politique, certains *Ortodoxos* parmi les plus jeunes et les plus indépendants pourraient bien se rallier à sa ligne révolutionnaire. Il n'existait aucune autre personnalité dominante dans le parti, capable de remplacer le sénateur face à la jeunesse et d'exercer sur elle un tel ascendant. En même temps, Fidel n'épargna aucun effort pour donner de lui-même l'image d'un disciple entièrement loyal et éploré du chef défunt. Il serait injuste de dépeindre Fidel comme un simple cynique et un opportuniste, car il doit avoir eu quelque affection et de l'admiration pour Chibás, même s'il n'était pas d'accord avec lui sur bien des points, dans le domaine politique, et même si aujourd'hui le régime castriste a gommé son souvenir.

En fait, quelle qu'en soit la raison, Castro manifesta constamment sa présence après le coup de feu fatal, tiré dans les studios de la CMQ. Vingt-quatre heures sur vingt-quatre, il se tint derrière la porte de la chambre 321 du centre médico-chirurgical de La Havane, pendant les onze jours que dura l'agonie de Chibás. Quand le corps de celui-ci reposa dans l'*Aula Magna*, le grand Amphithéâtre de l'université, Fidel fit partie de la garde d'honneur qui veilla auprès de la bière pendant les dernières vingt-quatre heures, juste avant les funérailles. Une photographie publiée dans les journaux et les magazines de La Havane le montre debout, au premier rang ; il est le quatrième à partir du cercueil, les yeux baissés. Il est vêtu d'un costume gris et porte une cravate, alors que la plupart des autres politiciens présents sont en *guayabera*. (C'est aussi la seule photo qui nous montre Castro avec une petite moustache, fine comme un trait de crayon.)

Raúl Chibás et Castro avaient dû livrer bataille pour obtenir que la veillée funèbre ait lieu à l'université et non pas au Capitole, comme l'aurait exigé le rang du sénateur. Ils avaient allégué que la carrière politique du mort avait commencé à l'université, alors que le Capitole symbolisait la corruption qu'il avait toujours dénoncée. Quand la décision fut prise de transporter le corps sur le campus, Fidel avait dit aux journalistes : « Il vaut mieux que ce soit nous qui l'ayons, parce que s'il existe des dégénérés qui voudraient profaner la mémoire de Chibás, ils ne pourront avoir accès à l'université. »

Le sénateur devait être enterré le lendemain 17 août, au cimetière Christophe Colomb de La Havane, après qu'un cortège funèbre conduit par des militaires l'eut ramené de l'université. Selon son ami Max Lesnick, Fidel avait eut l'idée de détourner le cortège pour le faire passer par le palais présidentiel ; le corps de Chibás aurait alors été placé sur le fauteuil du Président et le défunt aurait été symboliquement porté à la présidence avant d'être enterré. Lesnick raconte que Castro avait appris par une amie, Rosa Rávelo, que le père de celle-ci (capitaine d'infanterie et lié au parti *Ortodoxo*) commanderait l'escorte, placée autour de l'affût de canon sur lequel reposerait le cercueil. Il parvint presque à convaincre le capitaine Rávelo de conduire le cortège au palais, mais à la fin, ce fut la raison qui l'emporta, quand l'officier comprit qu'il pourrait déclencher un soulèvement des masses — ce que souhaitait probablement Fidel qui n'a jamais été à court d'idées.

Son idée suivante, moins d'un mois après le décès de Chibás, fut de porter plainte contre deux officiers de la police nationale pour la mort d'un ouvrier, membre du parti *Ortodoxo,* survenue le dimanche 18 février au cours d'une émeute, alors que la foule se battait pour assurer à Chibás l'accès de la station de radio. Ce jour-là, il y avait eu une tentative, inspirée par le gouvernement, pour empêcher le sénateur de se rendre à la CMQ, ce qui avait déclenché la bagarre. En sa qualité d'avocat, Fidel porta l'accusation contre le major Rafael Casas Fernández et le lieutenant Rafael Salas Cañizares, devant une juridiction criminelle de La Havane. Le second avait été également mêlé aux violences exercées contre les étudiants lors de l'incident survenu à la statue de Martí, en 1949. L'affaire suscita un intérêt considérable et le gouvernement tenta vainement de la faire transférer devant la justice militaire. En fin de compte, les deux officiers furent placés en « liberté provisoire », moyennant une caution de 5 000 pesos, mais ils ne furent pas acquittés. L'action en justice fut abandonnée après le coup d'état de Batista. (Castro eut de nouveau maille à partir avec Salas Cañizares par la suite.)

Un curieux épisode, auquel furent mêlés Castro et Fulgencio Batista, se produisit peu après la mort de Chibás. Batista, qui avait achevé son mandat présidentiel en 1944 et s'était alors installé en Floride, était rentré à Cuba en 1950 pour se replonger dans la politique — avec l'espoir de redevenir président. Il avait alors fondé le Parti d'Action Unitaire (PAU), dont le principal objectif idéologique était précisément de le faire réélire, et il avait commencé à rassembler ou à acheter des appuis. Avant de mourir, Chibás avait accusé les communistes de soutenir Batista par crainte de voir les Ortodoxos leur ravir le glaive de la justice sociale, et pour renouer avec l'ancien président les doux liens de la coopération qui, entre 1940 et 1944, leur avaient permis d'avoir un ministre au gouvernement.

L'accusation était tout à fait plausible et ce fut probablement à cause de cette situation que Batista semble avoir exprimé son désir de rencontrer Castro dont il avait beaucoup entendu parler — notamment à cause des attaques auxquelles ce dernier se livrait contre lui. D'après trois versions différentes et dignes de foi, la rencontre fut organisée par le beau-frère de Fidel, Rafael Díaz-Balart, et un ami commun appelé Armando Villibrende, qui avait connu Castro à travers l'UIR, le gang politique des années Quarante. Díaz-Balart dirigeait la section Jeunesses du parti de Batista, le PAU. Fidel fut donc conduit au luxueux domaine de Kuquine, proche de La Havane et propriété de Batista, qui l'y accueillit avec un faste seigneurial. Dans son bureau particulier, il y avait un grand portrait du maître de maison, en uniforme de sergent, avec les bustes de personnages historiques célèbres ; on y voyait également un téléphone en or massif et le téléscope qu'avait utilisé Napoléon à Sainte-Hélène, ainsi que les deux pistolets portés par l'Empereur à Austerlitz.

Selon l'une des versions, Batista s'en tint à une conversation de portée générale, prenant la mesure de son interlocuteur, sans aborder les questions politiques. D'après une autre version, on parla de politique et Fidel déclara à Batista qu'il ne le soutiendrait pas si ce dernier faisait un coup d'état pour destituer Prío. Si tel fut le cas, Castro devait seulement chercher à sonder son aîné mais Batista, pour sa part, fut effrayé par l'idée que Castro pût, d'une façon ou d'une autre, se trouver averti de ses plans secrets et jouer les agents provocateurs — en effet, Batista projetait d'organiser un coup d'état, l'année suivante. Pour l'esprit extrêmement logique de Fidel, il était parfaitement plausible que Batista tente un coup d'état contre Prío, étant donné la déliquescence du régime et la mort de Chibás ; il ne cherchait qu'à obtenir confirmation de ses soupçons. Quoi qu'il en soit, Batista mit fin à l'entretien de façon assez abrupte — sans se douter des affres que le jeune homme lui infligerait plus tard.

La ligne de Castro consistait à intensifier ses attaques contre Prío et Batista, au moment où il accentuait ses efforts pour se faire élire député de la province de La Havane, sous l'étiquette du parti *Ortodoxo*, lors du scrutin de juin 1952. Robert Agramonte, politicien de style traditionnel, issu d'une célèbre famille cubaine, et successeur de Chibás comme candidat du parti à la présidence, avait hérité de l'émission dominicale d'une heure dont le sénateur avait bénéficié sur radio CMQ. Castro estimait que les Jeunesses du parti (dont il était le représentant) devaient avoir leur part de cette émission ; il obtint qu'Agramonte lui cédât dix minutes de son temps d'antenne, pour lui permettre de faire ses propres déclarations. Moreno Frajinals affirme que Castro s'arrangea pour se cantonner dans les dix minutes qu'Agramonte lui avait cédées, sans pourtant faire montre de précipitation. Une autre station de La Havane, Radio Alvarez, lui alloua également une tranche horaire — et il continua de publier des articles épisodiques dans *Alerta*.

Vers la fin de 1951, Fidel était occupé à trois entreprises politiques séparées mais connexes : en premier lieu, il représentait en justice des milliers de résidents pauvres de la ville de La Havane, dont les demeures devaient être rasées, selon les plans du gouvernement Prío, pour permettre l'édification d'un vaste ensemble municipal au cœur de la cité. D'autre part, il enquêtait sur les méfaits personnels de Prío en tant que Président ; enfin, il faisait campagne avec ardeur pour se faire élire député d'une circonscription de La Havane lors des élections législatives imminentes. Mais personne ne semble avoir le moindre souvenir du genre de vie de famille que pouvait mener Fidel à cette époque. Il voyait souvent son frère Raúl, surtout parce que celui-ci fréquentait l'université et faisait beaucoup de politique (Raúl n'avait pas encore adhéré aux Jeunesses socialistes, filiale du parti communiste, mais il était très proche de ce parti).

Le site que le gouvernement se proposait de raser dans le centre de La Havane était une misérable zone de taudis de quelque vingt hectares connue sous le nom de La Pelusa. Pour défendre les résidents, Fidel commença par les convaincre qu'il saurait faire respecter leurs droits, organisa des réunions dans la rue, au cours desquelles il donna à chacun des instructions sur la façon de répondre aux inspecteurs du gouvernement, et engagea une action en justice contre le ministère des Travaux publics pour exiger que chaque propriétaire d'un logement (ou d'une baraque) promis à la démolition fût indemnisé. Le ministère accepta finalement de payer cinquante pesos à chacun, ce qui n'était pas déraisonnable, mais les versements ne furent jamais effectués car Batista renversa bientôt Prío et annula l'accord, puis fit procéder aux travaux après avoir expulsé les résidents. C'est aujourd'hui, sous Castro, la Place de la Révolution.

Pour enquêter à fond sur les agissements de Prío, Fidel ne se contenta pas d'utiliser les services de ses associés, au sein du cabinet juridique, mais mobilisa également ses amis membres de la section Jeunesses du parti *Ortodoxo*, notamment un jeune homme nommé Pedro Trigo, originaire d'une zone rurale de la province de La Havane. Entre le mois de septembre 1951 et le mois de janvier 1952, Castro et ses enquêteurs accumulèrent des preuves impressionnantes contre le Président. Fidel avait tiré la leçon de la mort de Chibás et appris qu'il était inutile et dangereux d'accuser sans avoir réuni toutes les pièces à conviction. Le 28 janvier 1952, date anniversaire de la naissance de Martí, comme il le fit remarquer, Castro présenta contre Prío devant la cour des Comptes (tribunal administratif) un acte d'accusation en cinq points. Chaque paragraphe commençait par les mots « J'ACCUSE le Président de la République... » L'acte spécifiait que Prío s'était laissé suborner, en amnistiant l'un de ses amis emprisonné pour avoir abusé de mineurs, et en cédant au coupable la propriété fictive de domaines présidentiels ; que le Président avait violé la législation sociale en obligeant certains ouvriers à travailler douze heures par jour sous les ordres de contremaîtres militaires ; qu'il avait « insulté l'armée en utilisant les soldats comme ouvriers ou *peones* et en les soumettant de force à un travail d'esclaves » ; qu'il avait contribué à l'accroissement du chômage « en remplaçant des salariés par des soldats réduits à un travail forcé » ; qu'il avait enfin trahi l'intérêt national en vendant des produits agricoles à des prix inférieurs aux cours du marché.

Cet acte d'accusation extrêmement détaillé, rempli de noms et de chiffres, fut intégralement publié le lendemain dans *Alerta* sous le titre J'ACCUSE (Castro avait lu Emile Zola) et radiodiffusé sur les ondes de La Voix des Antilles. Les Cubains apprenaient ainsi que Prío s'était construit « de riches palais, des piscines, des aérodromes et toutes sortes de luxueuses installations », et s'était constitué une « chaîne d'exploitations agricoles avec les meilleures fermes et les terres les plus riches, dans les environs de La Havane ».

N'abandonnant jamais une offensive entamée, Castro présenta un deuxième acte d'accusation contre Prío, le 19 février 1952 ; il reprochait cette fois au Président d'avoir versé dix-huit mille pesos par mois aux gangs politiques et aux *pistoleros*, après avoir fait passer deux mille gangsters au service de la fonction publique, à l'issue des tractations relatives au « pacte des gangs » — qu'il avait déjà dénoncé en son temps. Fidel accusait également Prío d'avoir réussi à faire passer, en quatre ans, son domaine foncier de 65 hectares à 787 hectares. Ces révélations stupéfièrent les Cubains ; Jorge Aspiazo, le principal associé de Castro, remarquait plus tard : « Nos amis nous assuraient que Fidel ne durerait pas plus d'une semaine. »

Castro avait si bien réussi à ébranler l'édifice politique cubain que son propre parti *Ortodoxo* commença à trouver dangereux de l'avoir pour candidat, surtout à un moment où le farouche Chibás était passé de vie à trépas. Par prudence, le candidat présidentiel du parti, Roberto Agramonte, omit tout bonnement le nom de Castro sur la liste des candidats *Ortodoxos*, publiée au mois de février. Agramonte sous-estimait pourtant la volonté de Castro de parvenir à ses fins par tous les moyens imaginables

(Fidel a toujours été sous-estimé) et ces moyens furent imaginés tout aussitôt.

Il s'agissait pour Castro de se faire désigner comme candidat à la députation par les assemblées locales du parti dans une ou plusieurs circonscriptions de la province de La Havane ; et c'est là que se révéla payante sa faculté de prévoir à long terme. La circonscription de Cayo Hueso, l'une des plus pauvres de La Havane, où Fidel avait commencé sa campagne de porte à porte dès 1951, fut la première à se prononcer en sa faveur. Puis vint la circonscription rurale de Santiago de las Vegas, où Castro avait enquêté sur Prío. Jorge Aspiazo affirme que les habitants de La Pelusa (où Castro avait défendu les droits des propriétaires de logements menacés d'expropriation) avaient fait la quête au coin des rues et collecté en petite monnaie dans des boîtes de conserve l'argent nécessaire pour aller à Santiago de las Vegas assister à une réunion organisée par Castro et soutenir la candidature de ce dernier. Fidel savait comment susciter la loyauté sinon la gratitude.

Désormais candidat, Castro se lança dans ce qui, selon les normes cubaines, était un *blitzkrieg,* une offensive-éclair politique, menée avec une profusion de techniques nouvelles. Aspiazo raconte que, dès le mois de décembre 1951, Fidel avait inauguré, sur les ondes d'une station de radio intitulée La Voix des Airs, une nouvelle série d'émissions qui rassemblait bientôt cinquante mille auditeurs, selon les instituts de sondage. Max Lesnick, qui s'y intéressait de très près, en sa qualité de chef de la section Jeunesses du parti *Ortodoxo,* se rappelle que Fidel avait monté « une campagne fabuleuse » et obtenu d'utiliser la franchise postale de cinq députés amis — avec une liste de cent mille adresses. Après quoi, dit toujours Lesnick, Castro avait préparé cent mille enveloppes et adressé à chaque membre du parti *Ortodoxo* un message personnel signé par lui à l'encre bleue. Pour ce faire, il avait utilisé un stencil, mais les ouvriers et les paysans ne le savaient pas et croyaient avoir reçu une lettre manuscrite. « Cela ne s'était encore jamais fait à Cuba où les hommes politiques se contentaient d'assister à des réunions et de prononcer des discours », déclare Lesnick. Raúl Chibás, lui-même candidat au sénat, déclare que Fidel « avait son propre groupe de supporters pour le suivre, sa propre organisation à l'intérieur du parti ». Il s'agissait de l'ARO, le groupe d'action radicale orthodoxe organisé de longue date par Castro au sein du parti avec les jeunes rebelles qui seraient bientôt les fourriers de son mouvement révolutionnaire et que leurs aînés tentaient toujours de neutraliser. Conchita Fernández, qui avait été secrétaire d'Eddy et de Raúl Chibás et se présentait elle-même aux élections législatives dans la province de La Havane, se rappelle que Castro faisait souvent son apparition à la fin des meetings qu'elle organisait et lui apportait son soutien. Le jour où son premier acte d'accusation contre Prío avait été publié, Fidel était apparu dans la petite ville de San Antonio de Río Blanco, juste au moment où la maigre foule des auditeurs se dispersait après avoir écouté Conchita. Mais Fidel avait rameuté tout le monde en hurlant et en brandissant un exemplaire d'*Alerta* où son texte avait été imprimé avec les photos de *fincas* appartenant à Prío (pour prendre les clichés, il avait utilisé la maison d'un voisin qui était de ses amis). « En cinq ou dix minutes, raconte la candidate, le parc était plein de monde, car devant son magnétisme le public n'aspirait qu'à l'écouter. » Conchita, qui avait connu Castro depuis 1947, alors qu'il était seulement un dirigeant estudiantin, l'a toujours beaucoup admiré (elle est devenue *sa* secrétaire après la révolution, en 1959) ; elle dit que les foules lui adressaient des applaudissements « délirants » parce qu'il disait la vérité et « ne se souciait pas de savoir si quelqu'un allait l'agresser ou l'abattre dès le lendemain ». Ainsi était en train de naître la légende de Castro, alors que le jeune candidat prononçait jusqu'à quatre discours, de une heure chacun, dans quatre localités différentes, en une seule soirée.

Dans une interview accordée à un journaliste américain, Lionel Martin, installé à Cuba depuis 1961 (et auteur d'un livre intitulé *Young Fidel* — « La jeunesse de Fidel »), Castro a décrit sa campagne électorale de 1952 en ces termes : « Je m'adressais directement aux masses ; je parlais une heure par semaine à la radio et la presse reprenait mes dénonciations... Il y avait alors un grand vide politique. » En parlant à Martin de sa campagne par correspondance et de la façon dont il avait fait usage de la franchise postale des députés, il ajoutait : « Je n'y avais pas droit, mais je ne pouvais pas faire autrement non plus. »

« Ils [les *Ortodoxos*] ne pouvaient me freiner, a dit Fidel à Martin. C'était un problème que j'avais bien étudié. Ils ne pouvaient me freiner en aucune façon. Ils ne me voyaient pas d'un bon œil, mais j'avais le soutien des masses. Ils ne pouvaient éviter de m'accorder leur investiture : si je ne bénéficiais pas encore d'une vaste popularité, j'étais populaire à l'intérieur du parti. Je ne m'étais pas encore affranchi de cet entourage, bien que mes écrits aient eu des répercussions dans toute la population. »

A ce stade, les communistes retirèrent leur soutien à Batista (ils n'avaient pas de candidat présidentiel à proposer en 1952), après avoir compris que les *Ortodoxos* l'emporteraient même en l'absence de Chibás ; ils étaient également impressionnés par les chances de Castro de se faire élire député. En conséquence, ils proposaient un pacte électoral aux futurs vainqueurs présumés, pour tous les sièges à pourvoir ; quand leur offre eut été rejetée, ils annoncèrent qu'ils voteraient néanmoins pour certains candidats *Ortodoxos*. Castro pensait que son parti avait rejeté l'alliance communiste par crainte des Etats-Unis.

On estimait généralement, au début de 1952, que Castro serait élu à la chambre des Députés avec les voix du prolétariat rural et urbain dans la province de La Havane. Max Lesnick affirme que sa victoire « ne faisait pas le moindre doute » et il ajoute : « Je connaissais l'influence qu'il exerçait sur les travailleurs, les jeunes et les membres les plus sincères du parti. »

En raison du coup d'état de Batista, les élections n'eurent jamais lieu, mais on peut se demander aujourd'hui comment se serait comporté Fidel à la Chambre, comment il aurait concilié son mandat de député et ses idées révolutionnaires. Une deuxième question qui se pose consiste à se demander si Fidel serait arrivé à la présidence par la voie électorale ou s'il avait fallu la dictature de Batista pour créer le climat révolutionnaire qui a finalement permis sa victoire ; quand on reconstitue l'évolution politique et intellectuelle de Castro, il importe de savoir comment il avait envisagé d'avance sa conduite de député.

Bien des Cubains pensent que, sans le coup d'état, Castro aurait exercé son mandat pendant quatre ans, jusqu'en 1956, puis brigué un siège au sénat et se serait présenté aux élections présidentielles en 1960 ou 1964. Etant donné que Cuba manquait totalement de dirigeants politiques sérieux et que la popularité de Fidel allait croissant, un tel scénario est tout à fait plausible. Dans ce cas, il était destiné à gouverner Cuba — peu importe comment il y serait parvenu.

Castro a déclaré lui-même, au cours d'un entretien avec un visiteur américain, en 1965 : « J'avais déjà des idées clairement définies sur le besoin de changer les structures du pays [même avant le coup d'état de Batista]. ...J'avais pensé utiliser le parlement comme tremplin pour établir un programme révolutionnaire et motiver les masses en faveur d'un changement... Dès ce moment-là, je croyais qu'il me faudrait le faire par des voies révolutionnaires. » A propos de la situation existant en 1952, il confiait à son interlocuteur : « Sous bien des aspects, je n'étais pas encore marxiste et je ne me considérais pas comme un communiste. » Cela contredit certaines de ses déclarations postérieures selon lesquelles, au moment du coup d'état, il était déjà un marxiste-léniniste à part entière. Mais ces contradictions font partie des explications tortueuses qu'il donne de sa propre évolution idéologique.

Fidel a déclaré à son interviewer de 1965 : « Une fois au parlement, j'aurais enfreint la discipline de parti et présenté un programme comprenant presque toutes les mesures qui... depuis la victoire de la Révolution ont acquis force de loi », tout en sachant que ce programme ne serait jamais adopté, mais rallierait autour de lui la population, ce qui permettrait une action ultérieure. Et il ajoute : « J'avais déjà acquis la conviction définitive qu'il me faudrait une révolution pour prendre le pouvoir. » Dix ans plus tard, il déclarait à Lionel Martin qu'à ses yeux le problème cubain d'alors ne pouvait être résolu par la voie parlementaire et que son plan avait été de « briser la légalité institutionnelle » au moment propice pour se saisir du pouvoir. Ses moyens d'action parlementaires et l'immunité y afférente l'auraient aidé « à agir et à conspirer plus librement ».

En 1985, Castro a déclaré, au cours d'une conversation sur son passé politique, que même avant le coup d'état de Batista, il avait « en tête le besoin de faire la révolution » et qu'il avait même « une idée sur la façon d'y parvenir » ; il y aurait eu d'abord une phase purement politique — sous couvert de l'action parlementaire qu'il se proposait de mener —, puis une « seconde phase, celle de la prise du pouvoir par des moyens révolutionnaires ». Et il évoque alors un point fondamental de sa philosophie : pour faire la révolution, il faut d'abord assumer le pouvoir. C'était là une notion que la plupart des Cubains ne comprirent pas avant sa victoire de 1959.

Quelles qu'aient été les intentions du candidat Fidel Castro, y compris certains projets qui auraient pu ne jamais se réaliser, il est hors de doute que le coup d'état de Batista et l'annulation des élections de 1952 lui ont épargné la « phase politique » de ses rêves secrets — probablement irréalisables —, rêves de révolution et de conquête du pouvoir.

Si Castro soupçonnait Batista de préparer un coup d'état, ses doutes se trouvèrent renforcés dès le début de février 1952. Raúl Chibás se rappelle en effet qu'à peu près à cette époque, il s'était cogné contre Fidel sur les marches de la maison de Roberto Agramonte, à La Havane ; des propos furent échangés sur les périls à venir ; selon lui, Castro lui aurait demandé à brûle-pourpoint s'il n'avait pas « eu vent d'informations relatives à un complot, à une conspiration en vue d'un coup d'état de la part de Batista ». Chibás avait répondu qu'il n'était au courant de rien. Rétrospectivement, il pense que Castro devait compter un certain nombre de soldats ou d'officiers parmi ses partisans, occupés à l'aider dans sa campagne électorale, et qu'il avait entendu parler du complot par leur entremise. Raúl rencontra de nouveau Castro au cours des semaines suivantes et Fidel était encore plus convaincu qu'un coup d'état était en préparation.

Selon une autre hypothèse, Castro aurait été informé d'une activité inhabituelle à Kuquine, la propriété de Batista, où l'on aurait vu aller et venir nombre de visiteurs tant civils que militaires. Selon cette version des faits, Castro se serait dissimulé à proximité du domaine et aurait photographié toute cette agitation, un jour ou deux avant le coup ; mais il était déjà trop tard pour intervenir de façon utile. Selon un autre témoignage encore, le président Prío avait reçu une lettre émanant d'une femme de la province d'Oriente, qui le mettait en garde contre un complot militaire. Mais quand le chef d'état-major eut demandé une enquête aux services de renseignements, l'officier responsable fit savoir à ses supérieurs qu'il n'y avait rien de suspect ; ce militaire était un agent de Batista.

A l'aube du 10 mars 1952, Fulgencio Batista fit irruption dans le camp Columbia, à La Havane, avec ses officiers rebelles. Il y fut chaudement accueilli par le commandement. Ainsi se déroula, sans rencontrer aucune résistance, le coup d'état qui expulsa de la présidence Carlos Prío Socarrás. Ce fut une opération rapide, silencieuse, cynique, qui fut effectuée sans effusion de sang et avec une précision chirurgicale. Le lendemain, après avoir été proclamé chef de l'Etat, Batista s'installa au palais présidentiel qu'il avait quitté huit ans auparavant après avoir exercé son premier mandat en Président respectueux de la Constitution.

TROISIÈME PARTIE

LA GUERRE

(1952-1958)

1

Pour inspiré que fût Castro, pour ferme que fût sa ligne directrice, c'est le coup d'état de Batista qui donna directement naissance à la révolution cubaine, avec pour double conséquence la conquête de la pleine indépendance nationale et l'implantation, dans l'île, d'un ordre social, économique et politique sans équivalent sur le continent américain. Il est tout à fait improbable qu'une révolution aussi intransigeante et d'une telle ampleur aurait pu avoir lieu si les conditions politiques n'avaient été soudain réunies par l'avènement d'une dictature. La tyrannie de Batista était si largement haïe qu'elle entraîna l'union des Cubains plus que ne l'avait fait aucun gouvernement depuis les temps de Machado, vingt ans auparavant. Batista ne parvint pas à percevoir cette unité qui devait être le principal détonateur de la révolte. Mais, même après l'entrée en scène du dictateur, la grande révolution n'aurait pu être mise en marche sans avoir à sa tête le jeune avocat de La Havane, encore âgé de vingt-cinq ans seulement mais déjà connu pour son dévouement à la cause de tous les rebelles, pour ses dons oratoires et pour ses idées fixes. Les événements qui se sont succédé entre 1952 et les derniers jours de l'année 1958, lorsque l'armée de la guérilla paracheva sa victoire complète et s'empara du pouvoir, montrent que si Batista a bien ouvert la porte à cette révolution historique, c'était nécessairement Fidel Castro qui devait en franchir le seuil, au faîte de sa guerre de six-ans.

Pourtant, dans l'esprit de Castro, l'élimination de Batista n'était que le premier objectif tactique de son entreprise révolutionnaire. Son objectif stratégique — qu'il s'abstint délibérément de révéler avant d'avoir mené à bien la première phase de son plan — était de mettre en œuvre la révolution sociale qui allait finalement faire de Cuba un Etat marxiste-léniniste, aujourd'hui financé par l'Union Soviétique, mais toujours modelé en dernière analyse par Fidel lui-même.

Castro était le seul à savoir exactement où menait sa politique, en un moment où personne d'autre que lui, à Cuba, qu'il fût de la nouvelle ou de l'ancienne génération, n'avait plus aucun sens de l'orientation, aucune idée de la direction à prendre, sans même parler de vision historique. Quand on jette un regard en arrière sur ses quarante ans de vie adulte, si l'on analyse ses déclarations et ses écrits de jeunesse, puis ceux de sa maturité, si l'on écoute ses vieux compagnons et amis, et surtout si l'on considère les bouleversements sociaux survenus dans le pays, une évidence s'impose : il possédait cette vision que l'Histoire accorde seulement à ses plus rares élus. Fidel s'embrouille souvent dans des contradictions au sujet des causes et de la nature des événements ou du rôle qu'il y a joué. Si cela lui convient juste au moment où il parle, il embellit ses souvenirs ou les manipule ; pourtant le dossier révèle une totale cohérence dans son travail de révolutionnaire. Il a parlé d'une révolution sociale et s'y est préparé bien avant le coup de Batista ; son expérience de Bogotá, quatre ans plus tôt, est inscrite dans sa trajectoire révolutionnaire. Et l'on peut alors constater tout bonnement que le fait de se débarrasser de Batista n'a pas été le but de la vie de Castro.

Le premier défi armé lancé par Castro à Batista fut l'assaut donné à la caserne Moncada à Santiago et l'attaque simultanée de Bayamo, l'autre bastion de la province d'Oriente, par les rebelles du « Mouvement » — qui n'avait pas encore reçu son nom —, seize mois après la prise du pouvoir par le dictateur. Fidel avait personnellement conduit la charge contre Moncada, échappant de peu à la mort ; il avait ensuite défié Batista devant les juges, puis disparu pendant un an et demi dans une cellule de prison où il avait tranquillement tiré des plans pour la phase suivante, tout en dévorant des centaines de livres d'histoire, de philosophie, de politique, d'économie et de littérature. Son emprisonnement fut en effet ce qui lui permit de poursuivre des études postdoctorales, si l'on peut dire, dans le domaine des humanités. Mieux encore, son incarcération se révéla avoir pour lui une valeur politique surprenante : la campagne qui se développa à l'échelle nationale pour que fût proclamée une amnistie en sa faveur et en faveur de ses compagnons, rendit Fidel plus fameux encore que ne l'avait fait l'attaque elle-même ; il a toujours su faire tourner les choses à son avantage.

Dans l'histoire de la révolution cubaine, l'attaque de 1953 contre Moncada est révérée tout autant que l'appel à la première guerre d'indépendance en 1868 ou que le soulèvement de José Martí en 1895 — qui échouèrent d'ailleurs tout autant à leur époque respective. Mais l'affaire de Moncada est la pierre angulaire de l'histoire cubaine contemporaine ; à Cuba, le plaidoyer [connu sous le titre « L'Histoire m'acquittera »] prononcé par Fidel Castro devant le tribunal pour justifier son acte est considéré comme la véritable déclaration d'indépendance du pays, et tout à la fois *le* grand manifeste révolutionnaire, voire un document de la même famille que les Ecritures — le tout dans un merveilleux amalgame. C'est aussi le texte cubain le plus souvent cité, un morceau constamment analysé et interprété, dont les vérités dogmatiques ne sont jamais remises en question, mais où chaque exégète découvre avec dévotion des lueurs toujours nouvelles sur la pensée et les sentiments de Fidel Castro, constamment explorés et approfondis au fil du temps.

En outre, sous la dictature de Batista, les caprices de ce que les Cubains appellent « Sa Majesté le Roi Sucre » — principal produit de l'île — contribuèrent à déséquilibrer l'économie et à accroître le chômage dans des proportions effrayantes : la situation sociale était telle qu'une explosion devait se produire tôt ou tard. Au moment même où l'on construisait dans la capitale le luxueux Hôtel Hilton de La Havane, assorti d'un casino, pour les riches touristes américains, le travailleur agricole moyen ne gagnait, en 1952, que 1 dollar par jour pendant 108 jours par an (sans être nourri), et 64 jours par an en 1955. Le reste de l'année, c'était « la morte saison » pendant laquelle il n'y avait pas de travail du tout. L'appel à la justice sociale allait être le clairon de Castro. Celui-ci devait le faire sonner bien haut dans sa plaidoirie après l'affaire de Moncada. Et cet appel est encore aujourd'hui la justification sans réplique de toutes les initiatives révolutionnaires qui ont suivi la victoire de Fidel, y compris la mise en place d'un instrument étatique d'oppression intellectuelle et politique permanente.

Fidel Castro entreprit d'organiser son mouvement (il devait par la suite devenir le fameux « Mouvement du 26 juillet », en bonne et due forme, avec drapeau rouge et noir et hymne poignant) et de tirer des plans en vue de la révolution, quelques minutes ou presque après avoir appris que Fulgencio Batista et ses officiers avaient occupé le camp Columbia, à La Havane, dès l'aube du 10 mars 1952, non sans déposer par la même occasion le président Carlos Prío Socarrás. A Cuba, le véritable pouvoir résidait dans ce camp militaire et c'est là que Batista avait préféré aller le chercher, en sachant bien qu'il n'avait aucune chance d'être de nouveau élu à la présidence, bien qu'il eût, entre-temps, réussi à se faire nommer sénateur. Les élections générales devaient avoir lieu le 1er juin et Castro était candidat à la Chambre des députés dans les circonscriptions correspondant aux *barrios* (quartiers) de travailleurs les plus pauvres de la capitale ; mais le coup mit aussitôt fin au processus électoral. Castro qui, de toute façon, n'avait jamais cru à la « démocratie libérale bourgeoise », fut enchanté de voir le tour que prenaient les événements ; il n'en dénonça pas moins violemment « cette brutale confiscation du pouvoir ». Il comprenait pourtant que, même s'il avait été élu, ses aspirations révolutionnaires n'auraient pas eu beaucoup d'avenir, pas plus que sa carrière politique dans un régime représentatif. En 1974, il a proclamé que son idée était d'abandonner la « légalité institutionnelle » et de prendre le pouvoir au « moment opportun ». De sa part, prétendre utiliser son siège de député comme tremplin pour faire la révolution ne pouvait être que de la poudre aux yeux. Vu sous cet angle, le coup d'état de Batista était un don du ciel pour Castro ; l'événement permit à celui-ci de se mettre sérieusement à préparer sa révolution avec une chance d'y réussir. Et Fidel savait, en principe, comment procéder, non sans improviser au fur et à mesure des besoins. Commentant le coup d'état, deux ans plus tard, il écrivait que « sa seule valeur positive » avait été de déclencher « un nouveau cycle révolutionnaire ». Dès le premier jour du nouveau régime, il ne fit plus que comploter, tirer des plans, manœuvrer, séduire, feindre, attaquer et organiser une conspiration sous forme de mouvement révolutionnaire, de façon brillante et systématique. Il ne laissa rien au hasard.

La période préparatoire fut riche de mise en scène, de danger, de panache, d'aventure, et immanquablement de gestes classiques de défi, de la part de Castro, qui ajoutèrent à son image de chef « pur et dur » de la nouvelle génération. Sa stratégie personnelle consistait à œuvrer sur deux plans parallèles : d'une part, un plan invisible, celui de la conspiration, sur lequel le secret ne fut jamais percé, et, d'autre part, le plan plus *voyant* de la rue et du prétoire où Fidel pouvait faire entendre des protestations contre Batista à chaque occasion imaginable. Ces deux plans étaient complémentaires car, pour le moins, l'action publique de Castro facilitait le recrutement des conspirateurs et la création d'une troupe de fidèles qui le suivaient aveuglément.

L'une des deux femmes qui participèrent à l'attaque de Moncada, Melba Hernández (elle était membre du barreau), de sept ans plus âgée que Castro, dit à propos de l'effet produit par celui-ci : « Je crois que c'est la même chose pour tout le monde. Dès que vous serrez la main de Fidel, vous êtes impressionné. Sa personnalité est trop forte. Dès que j'ai mis ma main dans celle de ce jeune homme, je me suis sentie en sécurité, j'ai senti que j'avais trouvé ma voie. Quand il s'est mis à parler, je n'ai pu que l'écouter... Fidel parlait d'une voix sourde, en faisant les cent pas, puis il se rapprochait de vous comme pour vous confier un secret et vous sentiez soudain que vous partagiez le secret... »

Castro impressionna assez profondément des hommes et des femmes triés sur le volet, pour qu'ils acceptent de le suivre à n'importe quel prix et pour organiser son mouvement avec une extraordinaire rapidité. Pedro Miret Prieto, originaire de Santiago (il avait fréquenté la même école de garçons que Fidel, celle de La Salle, mais ne l'y avait pas rencontré), était alors étudiant ingénieur et c'est lui qui fournit secrètement une instruction militaire à chacun des combattants de Moncada ; il déclare qu'il « n'oubliera jamais » le jour où il a rencontré Castro, six mois après le coup de Batista. Miret fait aujourd'hui partie de l'organe suprême, le Politburo, et c'est l'un des plus proches collaborateurs de Fidel. Il déclare qu'il avait décidé de suivre Castro quand il avait compris « que tous ces politiciens ne feraient rien » contre Batista, alors que Fidel allait agir. Cette histoire est celle que racontent, les uns après les autres, les révolutionnaires aujourd'hui vieillissants quand ils décrivent leur rencontre avec Castro, au temps de leur jeunesse, comme une expérience et une émotion inoubliables.

Encore Castro devait-il se mettre suffisamment en vedette comme chef de l'opposition contre Batista, pour que les recrues potentielles connaissent sa réputation et acceptent de le rencontrer. Certes la publicité que lui avaient valu son aventure de Bogotá, son action spectaculaire de dirigeant universitaire, sa campagne électorale, ses causeries radiodiffusées, l'avait bien fait connaître des jeunes Cubains intéressés par la politique, mais il visait un public plus vaste. Un exemple de la façon dont Castro exploitait sa méthode nous est fourni par le récit que nous fait Ramiro Valdés Menéndez (il fut naguère l'un des hommes les plus puissants de Cuba et ministre de l'Intérieur jusqu'en 1986). Celui-ci appartenait à une pauvre famille d'Artemisa, localité située dans la province de La Havane ; la tradition extrémiste et anarchiste y était exceptionnellement vigoureuse. A vingt et un ans, Valdés était un simple aide-conducteur de camion et n'avait pratiquement jamais fait d'études régulières lorsque se produisit le coup de Batista, mais il s'intéressait à la politique. Aussi, grâce à un ami membre des Jeunesses du parti *Ortodoxo*, s'arrangea-t-il pour rencontrer Castro qu'il avait déjà entendu parler à la radio ; il souhaitait maintenant le voir personnellement pour vérifier si c'était vraiment le chef à qui il devait se rallier.

L'entrevue eut lieu à La Havane, pendant les journées les plus chaudes de juillet, dans les locaux du siège du parti *Ortodoxo*, et Valdés raconte : « Fidel était là dans son légendaire costume d'hiver à rayures bleu marine, et nous avons parlé... et j'ai adhéré au Mouvement. » Valdés fut chargé d'organiser une cellule secrète de dix hommes, à Artemisa — chacun des dix devrait, par la suite, en recruter dix autres et ainsi de suite ; telle était la structure compartimentée de la conspiration castriste. Valdés combattit aux côtés de Castro devant Moncada, le suivit en prison, puis à Mexico, ensuite dans la sierra et enfin au sein du gouvernement révolutionnaire. La façon dont Valdés avait cherché à prendre contact avec Castro fut la même pour des dizaines d'autres. Avec le temps, les rebelles de Castro reçurent l'honneur d'être appelés « la Génération du Centenaire » — la génération qui avait entamé la révolution pour le centième anniversaire de la naissance de Martí. C'est là encore un merveilleux exemple de la façon dont s'élabore la mythologie *fidelista*.

Si Castro se trouva en mesure de gravir les échelons sans heurts et de se mettre rapidement à la tête des jeunes membres et sympathisants *Ortodoxos*, c'était parce qu'il n'y avait aucune autre personnalité crédible à Cuba pour se dresser contre Batista. Nul n'avait fait le moindre geste pour résister au coup d'état du 10 mars. Le président Prío avait fui le pays (après avoir refusé de fournir des armes aux étudiants prêts à se battre pour défendre le gouvernement constitutionnel) et les dirigeants politiques traditionnels s'étaient également exilés ou avaient fait la preuve lamentable de leur pusillanimité ou de leur inefficacité. Il est intéressant de noter que Castro, dès l'origine, s'était montré prêt à soutenir, avec sa petite troupe, toute initiative prise contre Batista par les très riches dirigeants de l'ancien régime, réfugiés à l'étranger, qui lui promettaient des armes, de l'argent et des actes. Mais Fidel et ses partisans furent vite déçus et irrités de voir que les promesses d'envoyer des armes *mañana* (demain), et encore *mañana*, n'étaient jamais tenues. Quelques idéalistes, à Cuba, tentèrent de conspirer mais se firent prendre instantanément par la police secrète. En fin de compte, Castro, écœuré par la « bourgeoisie libérale », décida d'agir de façon indépendante. Il allait déclarer plus tard : « Quand nos dirigeants eurent montré qu'aucun d'entre eux n'avait la capacité ou l'énergie ou les moyens nécessaires pour renverser Batista, j'en vins finalement à concevoir ma propre stratégie. »

Les communistes étaient les seuls à Cuba qui eussent une organisation structurée par des professionnels, mais ils se montrèrent aussi inefficaces que tous les autres partis politiques traditionnels après le coup de Batista. Comme au cours des années quarante, ils n'étaient pas capable de voir plus loin que l'éventualité d'un accord avec Batista, qui leur permettrait de conserver leur position clef dans la Confédération du Travail, ou la possibilité de rester neutres. Les partis communistes des années cinquante, étroitement dirigés par Moscou, étaient beaucoup moins batailleurs et moins aventureux qu'on ne pourrait le soupçonner. De plus, Batista avait certainement envisagé, lui aussi, l'idée de quelque *modus vivendi* avec les communistes ; il autorisa même leur quotidien *Hoy* à paraître pendant un certain temps après avoir déclaré illégal leur « Parti socialiste populaire ».

En tout état de cause, une alliance avec les communistes était la dernière chose que pouvait souhaiter Castro en cette occurrence. Dans une conversation de 1981, il l'a expliqué très clairement : « ... Alors même que j'avais déjà conçu un plan, en vue de la révolution, et que j'avais acquis une formation marxiste-léniniste, je ne me suis pas inscrit au parti communiste ; nous avons créé notre propre organisation et agi dans le cadre de cette organisation. » Pourtant, organiser tout seul un mouvement révolutionnaire à partir de rien est une entreprise si ambitieuse qu'elle frise l'absurdité sinon la présomption. Fidel, errant de cachette en cachette dans La Havane et les environs, au volant d'une vieille Chevrolet bringuebalante, marron foncé (la dernière en date), était parvenu à la fin de l'année à créer un noyau d'insurgés et à le transformer en mouvement armé. Il semble que la possibilité d'un échec n'ait jamais traversé son esprit ; il ne paraît même pas s'être demandé s'il pourrait être handicapé, ou non, par le fait de ne pas avoir (contrairement à Lénine, Mao ou Ho Chi Minh) un parti ou une organisation politique derrière lui. « C'était logique, non ? » dit-il avec une entière conviction: Pourtant, Lénine, que Castro considère comme son mentor idéologique en matière de communisme, se trouvait en sécurité, à Zurich, pendant qu'il montait son complot ; tandis que le jeune avocat cubain n'avait jamais qu'une longueur d'avance sur la police secrète du dictateur, dans son propre pays.

L'ironie de la situation veut que la réaction des Etats-Unis, devant le coup d'état de Batista, ait été fonction d'un problème totalement hors de propos, celui du communisme. Le 24 mars, deux semaines après les faits, le secrétaire d'Etat, Dean Acheson, rédigea une note secrète à l'intention du président Truman, pour lui faire savoir ce qui suit : « Si Batista, alors qu'il était Président, dans les années 40, a toléré la domination des communistes sur la Confédération cubaine du Travail, la situation mondiale à l'égard du communisme international s'est radicalement modifiée depuis lors. Nous n'avons aucune raison de penser que Batista ne se montrera pas vigoureusement anticommuniste. » Cette conclusion, ajoutée au fait que les gouvernements latino-américains avaient pour la plupart reconnu le régime de Batista avant le 1er avril (suivant l'exemple donné par le dictateur dominicain Trujillo), conduisit le gouvernement des Etats-Unis à en faire autant. A cette époque, bien des gouvernements latino-américains étaient aux mains de dictateurs, de sorte que la protection de la démocratie à travers l'hémisphère occidental ne figurait pas à l'ordre du jour dans les capitales du Nouveau Monde, y compris à Washington. Mieux encore, pendant le mois de décembre précédent, le président Truman s'était déclaré convaincu que les Cubains étaient parvenus à l'âge de la « maturité » et manifestaient leurs « affinités » avec les objectifs démocratiques des Etats-Unis. Ceux-ci ne souhaitaient guère mettre en péril leurs relations économiques privilégiées avec Cuba, à un moment où l'économie de l'île connaissait de dures difficultés et où de vastes intérêts américains commençaient à en pâtir.

Finalement, l'ambassadeur des Etats-Unis, Willard L. Beaulac, diplomate de carrière et homme compétent, fit savoir au département d'Etat qu'en l'absence de toute opposition significative à Batista, les Américains feraient tout aussi bien de s'en contenter. La première de ces conclusions, à savoir qu'il n'y avait aucune opposition organisée à Cuba, était partagée par le futur chef de la révolution ; ce fut sans doute la seule fois où Castro se trouva d'accord avec le département d'Etat sur quoi que ce fût. Mais ce dernier avait oublié le rôle joué par les étudiants révolutionnaires qui avaient déclenché la chute du dictateur Machado, deux décennies plus tôt, et rien ne donne à penser que l'ambassade des Etats-Unis à Cuba ou le département d'Etat aient connu l'existence de la Génération de 1930 ou de Fidel Castro. Celui-ci pouvait bien être un grand homme à Artemisa, il ne l'était pas à Washington.

Le noyau dur du Mouvement de Castro ne comprit pas plus de huit à dix personnes jusqu'au milieu de l'année 1952, moment où le recrutement commença de s'accélérer. Ce noyau était formé de membres et de sympathisants du parti *Ortodoxo*. Les communistes du Parti socialiste populaire en étaient systématiquement exclus pour deux raisons : d'abord, parce que Castro avait très tôt décidé de ne pas s'y inscrire et de créer de préférence sa propre organisation ; ensuite, parce que les communistes eux-mêmes auraient hésité à se placer sous sa direction.

En réalité, les communistes avaient tenté d'infléchir en leur faveur sa tactique et son comportement, tout de suite après le coup de Batista — et ce fut Guevara qui fut chargé de l'opération —, mais Fidel leur avait opposé une fin de non-recevoir. Dans une interview qu'il a accordée en 1985 à La Havane, Guevara a affirmé que sur les instructions des Jeunesses socialistes (organisation communiste) il avait contacté Fidel aussi vite que cela lui avait été possible — Castro vivait dans la clandestinité depuis le matin du coup d'état —, pour lui demander de s'inscrire à nouveau comme étudiant, ce qui lui permettrait de devenir « la grande figure de l'université ». L'idée des communistes était d'édifier une opposition à leur convenance, contre Batista, et d'utiliser Castro ainsi que l'université comme fer de lance de leur stratégie. Guevara a également reconnu que les communistes avaient alors perdu tout pouvoir sur la Fédération des Etudiants d'Université (FEU) et se heurtaient à de grandes difficultés pour retrouver leur influence.

Toujours selon Guevara, Castro avait accepté tout d'abord sa proposition, « mais ne fit rien et disparut ». Il déclare que la raison pour laquelle Fidel avait refusé de marcher avec les communistes tenait au fait que ceux-ci avaient en tête un « combat des masses », c'est-à-dire un front politique uni pour lutter contre la dictature, alors que « Fidel envisageait une action directe, à savoir une insurrection populaire ». Guevara ajoute que la seconde fois où il vit Castro, celui-ci possédait déjà une station de radio clandestine et se préparait à attaquer la caserne Moncada.

Le refus de Fidel de se subordonner aux communistes dont il ne tenait pas en très haute estime le potentiel politique, ne signifiait pas qu'il avait rompu tout contact avec eux ou évitait de participer à des manifestations à leur côté ou avec d'autres groupes de l'opposition. Mais le seul membre du Mouvement de Fidel qui jouait un rôle actif au parti communiste était son jeune frère Raúl, lequel s'inscrivit en bonne et due forme aux Jeunesses socialistes en juin 1953. Cependant Raúl était tenu à l'écart de tout projet secret et de toute prise de décision, faute de faire partie de « l'état-major ». Selon les témoignages de Fidel et de Raúl, le cadet ignora jusqu'aux dernières heures avant l'opération — à laquelle il participa comme « simple soldat » — que la caserne Moncada en serait l'objectif. (Il n'y eut qu'un seul autre communiste mêlé à l'action, un homme d'un certain âge nommé Luciano González Camejo, mais celui-ci s'était joint fort tard au Mouvement et son appartenance politique avait été ignorée.) Raúl consacrait toute son énergie aux manifestations d'étudiants organisées par le Comité du Dix Janvier, sous domination communiste, et portait souvent le drapeau cubain au premier rang des manifestants, ce qui faisait paraître encore plus minuscule sa petite taille.

Castro avait décidé de rester à l'écart de l'université avant même que Guevara eût formulé son offre ; informé du coup d'état vers cinq heures du matin, il était resté caché pendant six jours. Contrairement à ce qui a été publié, il ne se trouvait pas avec la foule des étudiants rassemblés à l'université au milieu de la matinée pour manifester contre Batista (Raúl, par contre, y était). Fidel pensait qu'il courait le risque de se faire arrêter et qu'il avait mieux à faire sur le plan politique qu'à crier « A mort Batista ! »

Au début de l'année précédente, Castro et sa famille avaient quitté le minuscule appartement de la Troisième rue pour s'installer dans un logement plus vaste au deuxième étage d'un immeuble situé au numéro 1511 de la Vingt-Troisième rue, toujours dans le quartier résidentiel du Vedado, mais dans une partie moins élégante de ce secteur. Le loyer était à peu près le même et Fidel était toujours aussi désargenté quand se produisit le coup de Batista. Un soir, alors qu'il vivait dans la clandestinité (il disparaissait quand la police secrète de Batista s'activait, puis faisait sa réapparition, se cachait de nouveau et ainsi de suite), il fit halte dans l'immeuble de la Vingt-Troisième rue, en compagnie d'un ouvrier du textile, membre du parti *Ortodoxo*, Pedro Trigo, qui était l'un des premiers adhérents de son Mouvement. Au deuxième étage, les deux hommes trouvèrent une situation désastreuse : l'électricité avait été coupée parce que les factures n'avaient pas été payées, l'appartement était plongé dans l'obscurité ; le petit Fidelito, âgé de trois ans, avait une infection à la gorge et une forte fièvre. Tout ce que Fidel put faire fut d'organiser le transport de l'enfant à l'hôpital Calixto García, où il fut opéré par un ami médecin. Il emprunta également cinq pesos à Pedro Trigo pour Mirta, afin de permettre à celle-ci d'acheter des vivres pour Fidelito. En fait, Fidel avait sur lui cent pesos qu'il avait récoltés dans la journée pour acheter des armes, mais il estimait qu'il ne pouvait les utiliser même pour sa famille malade. Par la suite, des amis de Fidel se chargèrent d'assurer le paiement du loyer, des factures d'énergie et des mensualités pour le mobilier acheté à crédit.

Une autre fois, Fidel ne put retrouver sa vieille voiture devant le siège du parti *Ortodoxo*, dans le quartier du centre-ville, là où il l'avait garée. Elle avait été reprise par la compagnie financière qui lui avait vendu le véhicule usagé : Castro avait négligé de le payer. Si l'on en croit le témoignage d'un ami, ce fut le jour le plus sombre de sa vie. Privé de voiture, il se rendit à pied dans un bar où il s'arrêtait souvent pour prendre un café et acheter un cigare. Il raconta au patron qu'il n'avait pas déjeuné, qu'il était affamé mais n'avait pas d'argent sur lui. Comme il devait déjà cinq pesos, le patron refusa de lui faire encore crédit. Fidel entreprit de rentrer chez lui à pied, ce qui représentait une marche de quelque cinq kilomètres. En traversant le Parc, il s'arrêta pour lire les gros titres des journaux, mais il n'avait pas cinq centimes en poche pour acheter une feuille et le vendeur lui cria : « Circulez, circulez... ne restez pas planté là... »

Arrivé chez lui, il s'effondra sur le lit, en proie à une profonde dépression et s'endormit. En se réveillant, tard dans l'après-midi, au dire de ses proches, il avait surmonté sa dépression et se sentait de nouveau plein d'ardeur combative. Plus tard, Castro devait raconter ces incidents avec de grands éclats de rire, et rappeler comment ses amis s'étaient chargés de ses factures : « Ils me donnaient même quelque chose en plus pour que je puisse me nourrir. » Il ajoute : « J'étais le premier responsable salarié du Mouvement. »

Il n'est pas question de sa femme, Mirta, dans ces souvenirs. Jusqu'au divorce, prononcé en 1955, elle doit avoir supporté en silence les difficultés quotidiennes et les absences continuelles de Fidel. Après le coup d'état, sa situation doit être devenue encore plus intenable lorsque son frère Rafael fut nommé vice-ministre de l'Intérieur dans le gouvernement de Batista. Ce ministère était chargé du maintien de l'ordre, entre autres responsabilités politiques ; la police secrète dépendait de lui. Les deux beaux-frères se trouvaient désormais dans deux camps opposés.

Fidel avait dormi chez lui, la nuit du coup d'état, mais il s'était enfui à l'aube pour se réfugier dans l'appartement de sa sœur Lidia, situé à quelques pâtés de maisons. Il laissait derrière lui Mirta et Fidelito, ainsi que son frère Raúl, domicilié chez eux. L'instinct de Fidel ne l'avait pas trompé, les agents de la police secrète firent leur apparition vers le milieu de la matinée ; ils cherchaient les deux frères, mais manquèrent également Raúl qui était allé manifester à l'université.

Normalement, Fidel se faisait entendre à la radio chaque jour, au début de l'après-midi, pour une causerie politique (ou harangue) de quinze minutes, mais il savait qu'il serait arrêté s'il se présentait au studio, le jour où les militaires avaient pris le pouvoir et où toutes les garanties constitutionnelles étaient suspendues. Pourtant son intérêt immédiat était de se tenir pleinement informé et certains de ses amis s'offrirent à le renseigner. L'un d'eux, René Rodríguez, avait appris par Mirta que Fidel se trouvait chez sa sœur et l'y joignit. Castro lui demanda de se rendre plusieurs fois à l'université, dans la journée, pour le tenir au courant de ce que faisaient les étudiants.

De l'université, Rodríguez ramena le président de la FEU, Alvaro Barba, qui s'entretint avec Fidel chez Lidia. Puis Rodríguez se rendit chez Roberto Agramonte, le candidat du parti *Ortodoxo* à la présidence, pour sonder l'état d'esprit des dirigeants. Quand Rodríguez lui apprit qu'Agramonte et ses collègues n'envisageaient rien de plus énergique que d'opposer une résistance passive à Batista, et ne lui faisaient parvenir aucun message, ni aucune instruction pour les Jeunesses du parti, Fidel eut une crise de rage et hurla que les dirigeants *Ortodoxos* étaient des lâches, ou pire. La nuit même, il estima ne plus être en sécurité chez Lidia et s'en fut à l'hôtel Andino, une pension de famille située dans le quartier des affaires et où il s'était déjà logé dans le passé. Le matin du 11 mars, Rodríguez, qui se chargeait des détails, l'emmena chez Eva Jiménez, militante des Jeunesses du parti *Ortodoxo*, dans le quartier d'Almendares, habité par des représentants de la classe moyenne. Eva avait acheté des vivres pour plusieurs jours et donné congé à la bonne pour le reste de la semaine. Castro portait des lunettes noires qu'il n'utilisait jamais (sa myopie aurait exigé des verres correcteurs) et les deux hommes firent le trajet en autobus. Fidel possédait un billet de cinq pesos que Lidia lui avait donné, mais le receveur n'avait pas de monnaie et, en fin de compte, ce fut un étranger qui paya les seize centimes des deux tickets.

A l'insu de Fidel, un autre refuge lui avait été préparé ce jour-là. Il s'agissait du luxueux appartement que Natalia « Naty » Revuelta habitait avec son mari (un éminent cardiologue de La Havane) dans le quartier du Vedado. Naty était une jolie blonde, issue d'un milieu riche, élevée aux Etats-Unis et en France, et pleine de sympathie pour les révolutionnaires. Elle comptait de nombreux amis dans le parti *Ortodoxo* et avait beaucoup entendu parler de Fidel Castro. Le jour du coup d'état, elle avait confié des clefs de son appartement à plusieurs dirigeants importants du parti, au cas où ils auraient eu besoin d'échapper à la police secrète, en leur spécifiant d'en donner également une à Castro. Mais dans la confusion qui suivit les événements du mois de mars, les clefs ne parvinrent à Fidel que beaucoup plus tard. Par la suite, Naty Revuelta allait devenir un personnage très important dans la vie de Fidel, et figurer parmi ce groupe extraordinaire — où l'intelligence le disputait à la beauté — de femmes qui vouèrent leur existence à sa personne ou à sa cause et sans lesquelles il n'aurait peut-être pas triomphé.

Castro passa deux jours et deux nuits chez Eva Jiménez, rédigeant et corrigeant inlassablement, à la main (faute de machine à écrire) sur la table de la kitchenette, une proclamation contre le coup d'état, sous le titre : « Pas une révolution — un Bang ! » Le texte était écrit sous sa propre responsabilité et, le 13 mars, Fidel envoya René Rodríguez et Eva Jiménez le porter à la rédaction du journal *Alerta* qui avait publié des articles de lui dans le passé. Pourtant, le rédacteur en chef, Ramón Vasconcelos, le rejeta sous prétexte qu'il fallait être « irréaliste » et « dans la lune » pour vouloir s'opposer à Batista. Comme la censure avait été établie, les émissaires de Fidel ne tentèrent pas de rendre visite à d'autres journaux.

Mais Castro était décidé à faire circuler sa proclamation, aussi envoya-t-il Rodríguez prendre contact avec un ami qui vivait au-dessus d'une pharmacie, dans le centre de La Havane, et possédait une ronéo dans son appartement. Antonio López Fernández, surnommé « Nico », un ouvrier de haute taille (il mesurait plus de 1 m 90), dont Fidel était devenu l'ami au cours de sa campagne électorale, tira donc, avec Raúl Castro, cinq cents exemplaires de la proclamation, pour la faire distribuer dans les rues le plus vite possible.

Ils en eurent bientôt l'occasion, le dimanche 16 mars, quand les dirigeants *Ortodoxos* se retrouvèrent devant la tombe d'Eddy Chibás, au cimetière Colón, comme ils le faisaient tous les 16 de chaque mois depuis la mort du sénateur au mois d'août précédent. Les discours des dirigeants *Ortodoxos* furent si tièdes que Fidel ne put se contenir. Il leva le bras droit en criant : « Si Batista a pris le pouvoir par la force, il doit en être chassé par la force ! » Comme des policiers s'approchaient, avec un air menaçant, de ce personnage de haute taille en *guayabera* blanche, ses amis l'entourèrent pour le protéger. (Le journal *Alerta* qui avait refusé de publier son manifeste rendit compte de l'éclat fait par Fidel au cimetière ; le commentaire précisait que ses paroles avaient été « bien accueillies par la foule... ce qui montrait une fois de plus qu'il s'était acquis la sympathie des masses au sein du parti ».)

La proclamation ronéotypée avait finalement été distribuée au cimetière. On pouvait y lire : « Il n'est pas, dans le monde, spectacle plus amer que celui d'un peuple qui s'endort libre pour se réveiller esclave. » Et encore : « On éprouve un bonheur infini à lutter contre l'oppression... » « La patrie est aujourd'hui opprimée, mais le jour viendra où elle retrouvera la liberté. » Castro terminait par une citation de l'hymne national cubain : « Vivre dans les chaînes c'est être plongé dans la honte et le déshonneur. Mourir pour la patrie, c'est vivre ! »

En ce qui le concernait, et même si cela pouvait paraître don quichottesque, Castro se trouvait désormais en guerre avec la dictature de Batista. Dans sa proclamation, il avait appelé « les Cubains courageux » au sacrifice et au combat. En jetant un regard en arrière sur ces événements, avec un recul de vingt ans, Fidel a déclaré à Lionel Martin qu'il avait lancé sa campagne « un peu comme un *guérillero,* parce qu'en politique il faut aussi être un *guérillero...* » Une fois embarqué dans sa guerre, Castro n'en démordrait plus. Le 24 mars, une semaine après la manifestation au cimetière Colón, il déposait, en sa qualité d'avocat, devant le Tribunal Constitutionnel de La Havane des conclusions accusant le général Batista d'avoir violé « la Constitution [et] le régime » par son coup d'état militaire. Il dressait ensuite la liste des châtiments prévus par le code pénal pour de tels agissements et en déduisait que « les crimes de Fulgencio Batista exigent des peines allant jusqu'à plus de cent ans d'emprisonnement ».

L'objectif que poursuivait Castro en formulant ces accusations n'était pourtant pas d'attirer une nouvelle fois l'attention sur lui (*Alerta* n'en publiait pas moins un article sur cette affaire le lendemain), et certainement pas d'obtenir satisfaction devant les juges, mais d'établir un principe révolutionnaire fondamental pour l'avenir. Plus précisément, il entreprenait de fonder en droit la notion de légitimité révolutionnaire, de la façon suivante : « Si, devant cette série de crimes flagrants, cet aveu de trahison et de sédition, [Batista] n'est pas traduit en justice et condamné, comment la cour pourra-t-elle juger par la suite n'importe quel citoyen accusé de sédition ou de rébellion contre ce régime illégal, résultant d'une trahison impunie ? » Sachant parfaitement que la cour ne jugerait jamais Batista, Castro était en train d'édifier soigneusement une base juridique pour la révolution qu'il projetait, la justifiant par avance en la posant comme une *mesure légale* prise contre un *régime illégal*. Cela conférerait une entière légitimité au gouvernement révolutionnaire qu'il allait mettre en place en 1959. Pour des esprits latino-américains, profondément légalistes, un tel formalisme est essentiel.

Fidel abandonna son cabinet juridique et les affaires en cours, après le coup d'état, mais la firme subsista et, sur ses instructions, livra encore quelques batailles juridiques contre la dictature. Son ancien associé Jorge Aspiazo raconte comment Fidel lui avait demandé de poursuivre en justice trois ministres du gouvernement Batista coupables d'avoir escroqué la Caisse de Chômage de l'Etat, en nommant des « personnes imaginaires » à des emplois publics pour les « licencier » ensuite et toucher eux-mêmes les allocations correspondantes. La plainte aboutit à la Cour suprême qui la rejeta.

Castro poursuivit son martèlement. Le 6 avril, le journal *La Palabra* (interdit par le régime après le premier numéro) publiait une nouvelle et féroce attaque de Fidel contre Batista, agrémentée d'un avertissement poétique : « le grain d'une rébellion héroïque est maintenant semé dans tous les cœurs »... « face au danger, l'héroïsme se renforce quand le sang est généreusement versé en commun ». Castro avait compris que les révolutions exigent du romantisme et de l'éloquence.

Sur le front de la clandestinité, Castro restait tout aussi actif, soit dans ses diverses cachettes, soit même dans les bureaux du parti *Ortodoxo*, sur le Prado (en effet, très curieusement, le régime laissait fonctionner les partis politiques, bien qu'il eût fermé le parlement et supprimé les élections) ; c'est donc à l'abri de ces différents asiles que Fidel put avoir des centaines d'entretiens et de réunions — le chiffre n'est pas trop fort — avec des membres éventuels du Mouvement, entre le jour du coup d'état, au mois de mars, et le début de mai où commença pour lui une nouvelle phase. D'après Jorge Aspiazo, il se rendait souvent, de nuit, à la campagne, au volant de sa voiture, pour rencontrer dans un champ certains militants appartenant aux sections rurales du parti *Ortodoxo*.

D'un point de vue historique, il importe de relever que le Mouvement de Castro s'est presque entièrement formé grâce à la piétaille du parti *Ortodoxo*, fondé en 1947 par le sénateur Eddy Chibás, parti réformiste et progressiste, certes, mais essentiellement inspiré par l'élite. Pourtant, nombre de Cubains appartenant à la classe ouvrière ou à la classe moyenne avaient été puissamment attirés vers Chibás et sa nouvelle formation qu'ils considéraient comme un effort de « propreté » fait dans le pays. Le parti communiste vieillissant, pour sa part, ne semblait plus capable de pénétrer dans ce qui aurait dû être son électorat naturel, c'est-à-dire les travailleurs ; il est significatif de constater que sa force principale résidait dans les intellectuels, les étudiants et les dirigeants syndicalistes. Et l'on ne peut accorder crédit aux théories qui attribuent cet état de fait à la propagande anticommuniste résultant de la guerre froide.

Fidel avait fait preuve de réalisme en rejetant les avances des communistes qui l'invitaient à retourner à l'université pour y manifester son opposition à Batista. Les jeunes (et moins jeunes) *Ortodoxos* d'origine modeste avaient un esprit bien plus révolutionnaire que celui des communistes. Ils n'avaient que faire de la discipline idéologique de ceux-ci et ils admiraient Fidel Castro. Fidel profita donc des années suivantes pour développer très largement ses rapports avec eux, tout particulièrement au sein de la section Jeunesses et de sa faction ARO (Action radicale orthodoxe) qu'il avait organisée lui-même. Malgré l'animosité des dirigeants plus âgés du parti, il avait déjà établi de multiples contacts au cours de sa campagne électorale. Quand se produisit le coup de Batista, le 10 mars 1952, et qu'il eut décidé de mener son combat en toute « indépendance », il disposait déjà d'un réseau révolutionnaire en puissance. Le problème était maintenant de le transformer en instrument de lutte.

La solution se présenta de façon inattendue lors d'une rencontre fortuite au cimetière Colón où Castro fut présenté à Abel Santamaría, jeune comptable de vingt-quatre ans, employé au bureau de l'agence Pontiac de La Havane. (Si les cimetières semblent avoir joué un grand rôle dans la vie politique cubaine, ce phénomène était dû à une vieille tradition qui consistait à utiliser les anniversaires petits et grands de personnalités défuntes — sans excepter des héros authentiques tels que Martí ou Céspedes — comme prétextes à des manifestations politiques que la police sous n'importe quel régime hésitait à disperser en raison de leur portée émotionnelle. Cette tradition est pourtant éteinte aujourd'hui, bien que Castro ait utilisé le cimetière Colón pour y faire des proclamations politiques après 1959.) En cette occasion particulière, le gouvernement de Batista avait interdit les manifestations syndicales du 1er mai et bien des militants de l'opposition s'étaient rendus à cette date sur la tombe de Carlos Rodríguez — lequel avait été tué par la police sous la présidence de Prío ; Castro avait même traîné deux hauts fonctionnaires de la police devant les tribunaux sous l'accusation d'homicide à cette occasion. Cette fois, en 1952, c'est au titre de la révolution que Castro fut présenté à Santamaría par Jesús Montané Oropesa, comptable attaché à l'agence General Motors. Fidel avait rencontré Montané peu avant le coup d'état, quand il avait vainement tenté d'échanger sa voiture mal en point contre un véhicule en meilleur état. Depuis le mois de mars, Montané, Santamaría et quelques autres amis avaient cherché le moyen de lutter contre Batista.

Santamaría était un grand jeune homme, aux cheveux clairs, originaire de la province de Las Villas. Castro et lui sympathisèrent immédiatement et leur rencontre devait marquer un tournant dans l'histoire du mouvement naissant. Tous deux avaient des origines rurales : Abel était né à la sucrerie de Constancia où il avait travaillé jusqu'au moment où il s'était rendu à La Havane, à l'âge de dix-neuf ans, et Fidel venait des champs de canne d'Oriente. Peu importait que Fidel fût le fils d'un riche propriétaire et Abel celui d'un ouvrier. En outre, Abel était, comme Montané, membre du parti *Ortodoxo*. Il vivait avec sa sœur Haydée (surnommée « Yéyé ») dans un appartement proche du domicile de Castro. Ce fut donc chez lui qu'eut lieu leur première et interminable conversation. Il en résulta entre eux une profonde amitié et si Fidel resta le chef, Abel devint son adjoint ; moins voyant et plus mesuré, il joua un rôle décisif en donnant forme au Mouvement que Castro avait conçu.

Dans les semaines et les mois qui suivirent, ce Mouvement grandit et s'améliora. Montané se joignit au petit noyau avec son ami Boris Luís Santa Coloma, comptable lui aussi. (Un historien cubain en exil a écrit qu'il conviendrait d'analyser la raison pour laquelle tant de révolutionnaires cubains avaient pratiqué la comptabilité.) Melba Hernández, cette avocate du parti *Ortodoxo* qui avait été si violemment impressionnée par Fidel, en fit autant avec son amie Elda Pérez. Melba amena avec elle Raúl Gómez García, jeune instituteur poète de vingt-trois ans. Fidel y ajouta ses amis Pedro Trigo et Nico López. Vers le milieu de l'année 1952, tel était le noyau du Mouvement.

Dès l'origine, l'autorité de Castro s'exerça sans conteste et il dirigea son organisation de façon toute militaire. Melba Hernández, qui fut la plus proche de lui avec les Santamaría au cours de cette période préparatoire, raconte que tous étaient « mobilisés vingt-quatre heures sur vingt-quatre ». C'était une vie extraordinairement disciplinée, qui exigeait un bouleversement complet dans les relations sociales de tous les membres du Mouvement.

Melba, qui a reçu le titre d'Héroïne de la Révolution, est toujours très active en politique, bien qu'elle ait plus de soixante-dix ans ; elle déclare que Castro exigeait de ses révolutionnaires toute une série d'engagements. « D'abord, il nous fallait haïr le régime qui nous opprimait, ce qui était facile ; ensuite, répudier notre société fondée sur la corruption et prendre la décision de la combattre. » Pour être capable de lutter contre la corruption, il fallait résister à de grandes tentations, rappelle-t-elle : « Comme c'était un mouvement clandestin, la discipline y était très rigide, très stricte, de même que l'obligation du secret, d'une discrétion totale, et chacun devait faire preuve d'une attitude militante... c'est ainsi que nous avons été habitués à nous conduire ; un membre pouvait être expulsé pour avoir manqué à l'une ou l'autre de ces règles. » « A mesure que le mouvement s'étoffait, raconte-t-elle encore, les groupes de jeunes gens qui en faisaient déjà partie se réunissaient tous les dimanches. C'était comme un test. Par exemple, ils étaient convoqués à dix-sept heures cinq. Si l'un d'entre eux n'était pas ponctuel, nous analysions son cas et la personne était réprimandée, punie ou exclue. Toute indiscrétion, n'importe quelle indiscrétion, même infime, était un motif d'expulsion. »

En outre, déclare Melba Hernández, le grand état-major du Mouvement, qui comprenait Fidel Castro, Abel Santamaría, Haydée Santamaría et Melba elle-même, se réunissait une fois par semaine pour examiner les activités et l'attitude de tous les membres. Certains ouvrages publiés déclarent de façon erronée que seuls Fidel et Abel formaient cet état-major. En fait, l'un et l'autre avaient également des conférences régulières avec le comité militaire et le comité politique qu'ils dirigeaient personnellement et qui comptaient chacun quatre autres membres. Mais seuls Fidel et Abel avaient le pouvoir de sélectionner les recrues et de prendre des décisions stratégiques ou tactiques ; aucune contestation n'était possible. Le Mouvement était organisé en cellules de dix à vingt-cinq adhérents auxquels les ordres étaient transmis soit par l'état-major général, soit par l'un des deux comités, selon la nature et l'importance du sujet. C'était une structure entièrement verticale, dépourvue de rouages ou de corps politiques, contrairement à d'autres partis révolutionnaires, y compris le parti communiste. Fidel l'avait ainsi voulu délibérément ; c'était en fait une organisation centrée sur la personne d'un « caudillo » et destinée à gagner une guerre, à l'écart de toute politique.

Quelles qu'aient été les convictions idéologiques intimes de Castro, il était résolu à empêcher que son Mouvement pût être considéré comme marxiste-léniniste. Melba Hernández déclare : « Dans nos rangs, en ce temps-là, on ne parlait jamais du communisme, du socialisme ou du marxisme-léninisme en tant qu'idéologies. Nous évoquions le moment où la Révolution triompherait et où les grands domaines de l'aristocratie devraient être distribués au peuple et cultivés par les enfants pour qui nous luttions. » Elle met un soin particulier à préciser : « Le problème de l'exploitation des travailleurs n'était pas abordé en tant que tel, mais nous parlions de leurs salaires, de la façon dont on abusait d'eux et des paysans. » Elle ajoute : « Dans la façon de parler que nous utilisions alors, il y avait beaucoup de sous-entendus. » De plus, Fidel et Abel insistaient sur « l'importance de la femme dans la lutte révolutionnaire ».

Dans un entretien publié par le journal du parti communiste soviétique *Kommunist*, spécialisé dans les études théoriques, Castro a déclaré : « Durant toute cette période, j'ai maintenu des contacts avec les communistes [qui] poursuivaient leurs propres objectifs, dans le contexte d'alors », mais « personne ne pouvait leur demander d'avoir confiance dans ce que nous faisions ». Il remarque également : « Il aurait été difficile pour les membres d'un parti, formés de façon classique, avec leurs plans et leurs conceptions », d'avoir foi dans notre Mouvement. En outre, « comme un parti communiste ne pouvait envisager la conquête du pouvoir... il était exclu de tenter la conquête du pouvoir si l'on portait l'étiquette communiste... A Cuba, le pouvoir était accessible par des voies révolutionnaires, mais pas pour le parti communiste ». Cette analyse est conforme à la position que Castro avait prise à l'égard des communistes en 1952, mais elle peut également servir à justifier pourquoi il avait refusé tout pacte avec leur parti pour préparer ensemble la révolution ; elle peut également justifier les propres réticences de ce parti, peu disposé à aider les *Fidelistas* jusqu'à une phase très tardive de la guerre.

Mario Mencía, le seul historien sérieux de la révolution, à Cuba, a écrit que malgré la « formation marxiste » acquise par Castro depuis le temps où il était étudiant, « il a évité avec une volonté de fer de se laisser publiquement cataloguer sous cette étiquette, même dans ses déclarations ». Mencía estime que même si Castro a formé très tôt « un projet révolutionnaire orienté vers le socialisme », il a soigneusement suivi le précepte de Martí selon lequel, pour atteindre un objectif, « il convient de dissimuler ses intentions », car « le fait de les proclamer comme telles susciterait tant de difficultés que l'on ne pourrait plus, en fin de compte, parvenir au but recherché ». La seule fois où Castro s'est départi de cette règle lors de ses débuts, écrit Mencía, ce fut quand il accusa Batista, dans une publication clandestine, vers le milieu de 1952, d'être « le chien couchant de l'impérialisme » et l'allié des « grands intérêts cubains et étrangers ». Mais cette attaque elle-même avait été signée d'un pseudonyme.

Après que Pedro Miret, l'étudiant ingénieur, expert en armements, eut rencontré Castro en septembre 1952 et accepté de fournir aux membres du Mouvement une instruction militaire, la discipline interne devint plus stricte encore. Comme le raconte Melba Hernández : « La surveillance individuelle constante des membres du Mouvement devint la principale préoccupation du commandement. Lors des conférences hebdomadaires, Castro et Santamaría analysaient le comportement de chaque révolutionnaire au cours des sept journées écoulées, y compris leur vie privée ; des critiques étaient souvent formulées... et conduisaient à des exclusions. » Mais Fidel et Abel pratiquaient également l'autocritique, conformément à un principe marxiste.

Jesús Montané, ce comptable qui a fait partie du premier noyau révolutionnaire, raconte : « Dans notre Mouvement, il était absolument interdit de boire de l'alcool » et ceux qui avaient l'habitude d'en prendre « ne pouvaient militer chez nous ». Selon Montané : « La vie de ces révolutionnaires était guidée par l'austérité et la moralité les plus absolues » ; en une occasion, Fidel avait même suspendu un membre important du Mouvement, accusé d'avoir bu, pour ne le réintégrer qu'au moment où l'homme eut renoncé complètement à l'alcool. Par la suite, ce révolutionnaire « offrit sa précieuse vie à la cause sacrée de la Révolution cubaine ».

C'était l'appartement des Santamaría qui servait de grand quartier général du Mouvement ; il était situé dans le Vedado, au coin de la Vingt-Cinquième rue et de la rue « O » ; le lieu est aujourd'hui classé comme sanctuaire national. Mais les conjurés utilisaient également l'appartement de Lidia, la sœur de Fidel, à trois pâtés de maisons, celui des parents de Melba (tous deux fervents partisans de la révolution), rue Jovellar, dans le bas de La Havane ; ou encore un bureau de la rue Consulado, laquelle jouxtait le boulevard Malecón du bord de mer ; ce bureau, fourni par un membre secret de l'organisation, était selon Melba le meilleur « camouflage ».

Comme toujours, la propagande occupait un rang privilégié dans l'esprit de Fidel. Avant de le rencontrer, les Santamaría et Montané ronéotypaient de façon irrégulière une petite publication intitulée *Son Los Mismos* (Ce sont les mêmes), contre Batista ; le titre voulait donner à penser que le nouveau régime militaire était aussi mauvais que les gouvernements antérieurs. Mais aussitôt qu'ils se joignirent à Castro, celui-ci proposa de l'appeler désormais *El Acusador* (l'accusateur) et entreprit de s'en charger avec Abel et le jeune poète Raúl Gómez García ; *Son Los Mismos* continua de paraître simultanément sous son ancien titre pendant quelques semaines, puis il fut abandonné. A l'université, les communistes imprimaient encore leur propre publication, *Mella,* pour laquelle Fidel avait écrit dans le passé et continua d'écrire épisodiquement par la suite.

Castro signait ses articles « Alejandro » (son second prénom). Raúl Gómez utilisait le pseudonyme « Le Citoyen », autre signe de l'influence de la Révolution Française sur les *Fidelistas*. Les publications du Mouvement étaient tirées sur une vieille ronéo achetée par Abel Santamaría et Montané pour soixante-quinze pesos. Afin d'éviter qu'elle fût découverte par la police, la machine était sans cesse transportée d'un endroit à un autre par un ami espagnol, chauffeur de taxi ; d'après Montané, elle était le plus souvent dissimulée dans le coffre d'une voiture stationnée devant le bar Detroit, dans la Vingt-Cinquième rue.

Mais Castro voulait se faire également entendre à la radio. Quelques jours après sa rencontre avec Abel Santamaría, il avait convaincu celui-ci de l'accompagner avec Montané chez un médecin sympathisant, dans la ville de Colón, à quelque 230 kilomètres de La Havane. Ce praticien de quarante et un ans, le docteur Mario Muñoz Monroy, dont le nom avait été communiqué à Fidel par un membre du Mouvement, n'était pas seulement un ardent révolutionnaire, il savait piloter un petit avion et c'était un bon opérateur de radio amateur. Ce que Castro voulait obtenir de lui, c'était *deux* émetteurs de radio bricolés pour annoncer la manifestation des étudiants qui aurait lieu la semaine suivante à l'université, contre le régime. Le second émetteur devait prendre le relais au cas où le premier ne fonctionnerait pas. Plein d'enthousiasme, le médecin put miraculeusement en fournir un à temps pour radiodiffuser la manifestation sur « Les Ondes libres de la Résistance et du Mouvement de Libération Nationale », le 20 mai, sur la bande des quarante mètres.

Le nom du Mouvement avait été inventé par Fidel pour la circonstance et l'émission était à peine audible, mais *Son Los Mismos* fut ainsi en mesure de révéler l'existence d'un réseau de radiodiffusion clandestin ; c'était l'une des principales raisons pour lesquelles il avait fallu construire les émetteurs. Fidel estimait fort justement que les différents moyens de propagande devaient se renforcer mutuellement. Les émetteurs du docteur Muñoz furent les précurseurs de Radio Rebelle qui fonctionna dans la sierra six ans plus tard. D'après Montané, tout au long du voyage à Colón dans la voiture d'Abel, à l'aller comme au retour, Castro bouillonnait de nouvelles idées pour propager le Mouvement.

L'opposition contre Batista prit également corps avec la formation, le 20 mai, du Mouvement National Révolutionnaire (MNR) de Rafael García Bárcena, le professeur bien connu qui enseignait la psychologie, la sociologie et la philosophie à l'université de La Havane et à l'Ecole de Guerre. Il avait fondé le parti *Ortodoxo* avec Eddy Chibás en 1947, et maintenant il attirait à lui les jeunes opposants de la classe moyenne, hostiles à Batista, comme Armando Hart, Faustino Pérez et Juan Manuel Márquez qui, tous, se joignirent par la suite au Mouvement de Castro. A Santiago, les principales recrues du MNR étaient Frank País — futur héros de la guerre castriste — et Vilma Espín, l'épouse actuelle de Raúl Castro.

Fidel adopta une attitude réservée à l'égard du MNR — il se méfiait des progressistes de la classe moyenne qui comptaient sur un coup d'état militaire pour s'emparer du pouvoir — et envers le groupe qui prit le nom d'Action de Libération (AL), organisé en juillet par un homme politique appelé Justo Carrillo. Il concentrait son attention sur son propre Mouvement. A cette époque, Pedro Miret, qui n'avait pas encore rencontré Castro, était très occupé à enseigner aux membres du MNR comment se servir d'une arme; les cours de formation avaient lieu dans l'enceinte de l'université. Justo Carrillo, de son côté, cherchait à s'infiltrer dans des groupes de jeunes officiers de l'armée.

Le 16 août, une grande manifestation eut lieu au cimetière Colón pour commémorer le premier anniversaire de la mort du sénateur Chibás. Fidel fit imprimer par ses collaborateurs dix mille exemplaires du troisième numéro de *El Acusador,* tirage considérable pour une publication ronéotypée; il comptait les distribuer dans les rues de La Havane. On pouvait y trouver deux articles virulents écrits par lui et signés « Alejandro »; l'un d'eux proclamait que le mouvement était « révolutionnaire mais non pas politique » et fustigeait le parti *Ortodoxo* pour la lâcheté de ses chefs; l'autre accusait Batista d'être un « tyran malfaisant ». Usant de son style le plus polémique pour manier l'invective, Fidel interpellait le dictateur en ces termes : « Les chiens qui lèchent chaque jour vos blessures ne pourront jamais faire disparaître l'odeur fétide qui en émane... L'Histoire, quand elle sera écrite,... parlera de vous comme elle parle des pestes et des épidémies... »

Ce fut pourtant la fin de *El Acusador.* Avant même la manifestation organisée au cimetière, la police secrète avait découvert la ronéo dans l'appartement d'un membre du Mouvement, Joaquín González. Les policiers détruisirent la machine et saisirent les exemplaires qu'ils trouvèrent — la moitié du tirage. Abel Santamaría, Elda Pérez et Melba Hernández furent arrêtés au moment où ils s'approchaient du cimetière avec les exemplaires de *El Acusador* qu'ils se proposaient de distribuer. Seuls, parmi les membres qui formaient le Directoire du Mouvement*, Fidel et Haydée Santamaría réussirent à s'échapper sans être interpellés. Elda et Melba furent relâchées plus tard dans la journée; elles purent trouver Castro et lui faire part du sort de leurs camarades incarcérés.

Le lendemain, Castro et Melba firent leur apparition à la prison, appelée Castillo del Príncipe (le chateau du prince), en leur qualité d'avocats, pour chercher à faire mettre en liberté Santamaría et González. Chemin faisant, Castro suggéra : « Achetons quelque chose pour eux. » Mais il n'avait qu'un peso en poche; tout ce qu'il put se procurer, ce fut des cigarettes et des allumettes. A la maison d'arrêt, ils furent stupéfaits de trouver la plupart de leurs camarades derrière les barreaux : Montané, le poète Raúl Gómez, et tous les autres. C'est alors seulement que Castro comprit : un indicateur de la police s'était infiltré dans le Mouvement et les avait trahis; ainsi les arrestations avaient-elles pu s'effectuer méthodiquement la veille et durant la nuit.

Castro passa toute la journée à plaider pour la libération de ses camarades; par la suite, il consacra des jours et des nuits à tenter de repérer

---

* Pour des raisons de clarté et pour faciliter la compréhension des événements, nous avons désigné dans notre traduction la « Direction » du Mouvement par le mot « Directoire », qui correspond d'ailleurs bien à l'esprit de l'organisation castriste. (*N.d.T.*)

le « traître », qui ne fut jamais découvert. Ces efforts l'empêchèrent pourtant d'aller à l'hôpital où Fidelito devait une nouvelle fois être opéré d'urgence. Il ne revit son fils que plusieurs jours plus tard, quand l'enfant fut de retour dans l'appartement. Peu après ces arrestations, les redoutables Services d'Information Militaires (SIM) mirent la main sur l'un des deux émetteurs de radio.

Ces échecs ne découragèrent nullement Fidel. Tous ses camarades avaient été relâchés au bout de quelques jours et, dès la première semaine de septembre, il présidait une réunion clandestine des membres du nouveau Mouvement dans le vieux quartier de La Havane. Il leur dit : « Tous ceux qui se joignent au Mouvement le font en qualité de simples soldats. Quels que soient les états de service ou la fonction que l'un de vous ait pu avoir au sein du parti *Ortodoxo*, ils n'entreront pas en ligne de compte ici. Le combat ne sera pas facile ; la route que nous avons à parcourir sera longue et dure. Nous allons prendre les armes contre le régime. »

Le lendemain, Fidel et Abel furent arrêtés dans une rue du Vedado par une patrouille de la police, alors qu'ils circulaient dans la conduite intérieure de Castro. Au commissariat, ils furent fouillés, ainsi que la voiture, mais les agents ne trouvèrent rien qui justifiât une inculpation et les deux hommes furent autorisés à repartir. C'était la première fois que Fidel était arrêté en tant que chef d'un mouvement clandestin ; l'incident le fit redoubler de prudence dans ses faits et gestes.

Puis, un nouvel anniversaire funèbre fournit l'occasion d'une autre initiative révolutionnaire. Le 27 novembre était le quatre-vingt-unième anniversaire de l'exécution de huit jeunes indépendantistes, tous étudiants en médecine, au temps de l'occupation espagnole ; aussi Castro et les dirigeants étudiants se réunirent-ils à l'université pour une manifestation hostile à Batista. Fidel et ses camarades avaient apporté le second émetteur que le docteur Muñoz leur avait construit pour leur permettre de radiodiffuser la manifestation, mais la police coupa le courant électrique, ce qui empêcha toute réunion.

C'était une déception de plus et elle marqua la fin de la première phase des activités révolutionnaires du Mouvement. Pourtant la soirée ne fut pas perdue pour autant. Dans l'ombre de l'*escalinata*, Fidel fut présenté par son ami Jorge Valls à Naty Revuelta, la belle et riche épouse d'un cardiologue, pleine de sympathie pour les révolutionnaires ; c'était justement la femme qui, au mois de mars, avait cherché à lui faire parvenir les clefs de son appartement pour qu'il pût y trouver refuge s'il était traqué par la police. Ce fut le début d'un roman d'amour.

2

Le centième anniversaire de la naissance de José Martí tombait le 28 janvier 1953. Pour Fidel Castro, c'était une extraordinaire occasion de se livrer à quelque geste révolutionnaire. Certes, l'instruction militaire de ses clandestins avait pris de l'ampleur au cours des derniers mois de 1952, ce qui exigeait de grandes précautions, et Castro lui-même avait pris l'habitude d'user d'une extrême prudence lors de ses propres apparitions ; mais il ne pouvait laisser passer le centenaire de Martí sans le célébrer à sa façon.

La deuxième phase du Mouvement était en cours, avec l'établissement d'un plan d'action et la préparation d'une action révolutionnaire effective. A ce stade, Fidel avait pris ses distances pour n'être jamais directement impliqué dans l'entraînement de ses troupes. Il ne se rendait jamais sur les terrains de l'université où Pedro Miret dirigeait les exercices clandestins et la plupart des nouvelles recrues ignoraient même qu'il était le chef du Mouvement. Lui-même, bien entendu, connaissait chacun et savait ce que tous faisaient.

Pour Castro, une règle fondamentale, valable pour lui comme pour ses combattants, était de ne pas attirer inutilement l'attention. Certes, ils avaient participé aux manifestations universitaires, en novembre, mais désormais les *Fidelistas* se terraient ; ils se tinrent à l'écart des troubles qui agitèrent l'université en décembre et au début du mois de janvier 1953. D'un autre côté, Castro était une personnalité trop engagée, aux yeux du public, pour ne pas comprendre combien il lui serait préjudiciable, d'un point de vue politique, de briller par son absence. Il lui fallait marcher sur une corde raide, et cette situation était encore aggravée par sa tendance à suivre ses impulsions.

Le 13 janvier, il assista à une réunion des dirigeants du parti *Ortodoxo* de La Havane et entendit formuler une proposition en faveur d'une alliance avec les autres partis politiques hostiles à Batista. La séance s'acheva dans la confusion quand les *Ortodoxos* les plus éminents quittèrent la salle pour protester contre ce qu'ils soupçonnaient devoir être la fin de l'indépendance de leur parti — ou de ce qui en restait après le coup d'état —, voire l'ultime

172

reddition à la dictature. Se dressant à son tour, Fidel cria : « Sortons d'ici...
Vous ne pouvez pas compter sur tous ces politiciens pour faire une
révolution. » Tel fut l'adieu de Castro aux appareils politiques traditionnels
de Cuba.

A peu près au même moment, les étudiants communistes et gauchistes
formaient un comité pour ériger une statue à Julio Antonio Mella, le
dirigeant étudiant, cofondateur du parti communiste cubain, assassiné au
Mexique en 1928. L'intention était de consacrer la mémoire de Mella et
d'en faire virtuellement un héros national. En érigeant la statue dans la rue,
à l'extérieur du périmètre de l'université, le comité (organisé par Alfredo
Guevara) élargirait par la même occasion la zone du campus bénéficiant de
l'autonomie et où la police ne pouvait intervenir légalement.

La statue de Mella fut inaugurée le 10 janvier. Castro avait pris soin de ne
pas assister à la cérémonie pour des raisons tactiques, mais son frère Raúl
était présent. Il y avait une certaine ambiguïté, en matière de politique,
dans les rapports entre les deux frères, car s'ils étaient très proches l'un de
l'autre et si Raúl habitait souvent chez Mirta et Fidel, ce dernier persistait à
tenir son cadet à l'écart du Mouvement, tout en le mettant partiellement au
courant des progrès de l'entreprise. Le fait que Raúl avait partie liée avec
les communistes ne semble pas avoir troublé l'aîné ; celui-ci peut même
avoir trouvé utile de se servir du cadet comme intermédiaire entre le
Mouvement et le parti — rôle que ne pouvait tenir Alfredo Guevara avec
toute la discrétion voulue.

Le 15 janvier au matin, les étudiants découvrirent que le buste de marbre
blanc avait été éclaboussé de peinture noire, et bientôt une foule de jeunes
gens en colère commença de se rassembler. A midi, après avoir pendu
Batista en effigie, des milliers d'étudiants descendaient les rues de
La Havane en se battant avec la police qui ouvrit le feu sur les manifestants.
Ce fut la plus grosse émeute depuis la prise du pouvoir par Batista et vers le
milieu de l'après-midi les jeunes gens décidaient de marcher sur le palais
présidentiel. La police riposta avec des grenades lacrymogènes et des tirs
réels ; un étudiant de vingt et un ans, Rubén Batista Rubio, fut mortelle-
ment blessé.

Après le crépuscule, des groupes d'étudiants, parmi lesquels se trouvaient Alfredo Guevara et Raúl Castro, retournèrent à l'université pour se
regrouper et attendre l'attaque de la police. Trente autres étudiants qui
avaient formé un cordon protecteur autour de la statue de Mella furent
arrêtés et emmenés au poste de police. Au commissariat du Troisième
district, un étudiant nommé Quintín Pino vit soudain, vers minuit, une
silhouette familière pénétrer dans les locaux et il se mit à crier à ses
camarades. « Hé, voilà Fidel ! » Castro, après s'être soigneusement tenu à
l'écart des émeutes auxquelles Raúl avait participé toute la journée, avait
préféré se présenter comme avocat et obtenir la libération des trente
étudiants avant l'aube. Politiquement, c'était un geste beaucoup plus utile
que celui de jeter des pierres sur les policiers.

Les tensions et les désordres persistèrent jusqu'à la semaine où devait
être célébré l'anniversaire de Martí, tandis que le régime de Batista et ses
opposants se disputaient à qui mieux mieux la propriété de la mémoire de

l'Apôtre. Le gouvernement ouvrit les cérémonies par une réception au palais présidentiel, le soir du 25 janvier, et les festivités se poursuivirent par une séance officielle devant le Capitole (où siégeait le parlement avant le coup d'état), pendant la nuit du 27 janvier.

Simultanément, une série de contre-célébrations étaient organisées par des groupes de l'opposition la plus avancée, y compris la Fédération des Étudiants d'Université (FEU), le parti *Ortodoxo*, les Jeunesses socialistes (communistes) ou le Front civique féminin du Centenaire de Martí (organisation toute nouvelle). La FEU, pour sa part, avait prévu un Congrès Martí pour la défense des droits de la jeunesse (Raúl Castro fut l'un des membres clefs du comité fondateur). Ce congrès mit en place un comité permanent dont l'un des quinze vice-présidents était le président des Jeunesses socialistes, Flavio Bravo (dirigeant communiste à plein temps) ; Raúl Castro était l'un des dix secrétaires permanents, personnellement chargé de la propagande. Fidel n'avait pas été mêlé au Congrès, mais il était inévitable qu'il fût pris dans les remous qui en résultèrent.

Le soir même où s'ouvrait le Congrès Martí de la jeunesse (le 26 janvier), la police fit une descente dans une maison des faubourgs de La Havane où une vingtaine de femmes appartenant au nouveau Front civique se préparaient à distribuer le lendemain des tracts accusant le régime de lever des impôts supplémentaires pour payer les cérémonies du centenaire. Les femmes furent poussées dans un fourgon cellulaire qui les attendait pour les conduire au siège des services de la police judiciaire, mais elles crièrent et chantèrent le long du trajet, tant et si bien que leurs voix furent entendues par les trois occupants d'une voiture qui passait par hasard sur le pont de l'Almendares. Les trois hommes étaient Fidel Castro, Aramís Taboada et Alfredo (« El Chino ») Esquivel. Tous trois étaient membres du barreau et appartenaient au Mouvement clandestin.

« Retournons les suivre », dit Fidel, et les trois avocats arrivèrent aux bureaux de la police judiciaire juste derrière le fourgon. Castro annonça qu'il était le représentant légal des femmes arrêtées et, comme l'une d'elles le raconta par la suite : « Il ne bougea plus de là avant que la dernière eût quitté les bureaux de la police à l'aube. » Mais le grand geste révolutionnaire de Castro était encore à venir. Lui et son Mouvement devaient célébrer le centenaire de Martí par un défilé public de son « armée » clandestine le lendemain soir.

La soi-disant « armée » du Mouvement avait commencé à prendre forme, tant à l'université que dans les campagnes, au début de l'automne de l'année précédente, quand Fidel avait décidé de travailler de façon « indépendante » et rencontré Pedro Miret, lequel avait entrepris de transformer le Mouvement en organisation militaire. Au début, Miret et les autres universitaires s'étaient livrés à des exercices d'entraînement occasionnels avec les armes dont ils disposaient, dans les sous-sols des bâtiments ; les exercices de tir avaient lieu sur le stade universitaire, mais ils étaient rares car le secret devait être préservé. L'instruction militaire consistait surtout à manier les armes, à les monter et les démonter, à ramper avec des fusils à la main. Quand Miret avait commencé à entraîner les premiers volontaires (avant de se joindre au Mouvement de Castro), il possédait en tout et pour tout une mitraillette Halcón, un fusil M-1, un fusil Springfield et un fusil Mendoza de fabrication espagnole, deux carabines Winchester, ainsi que quelques pistolets.

L'opération de Miret prit un tour entièrement différent après sa rencontre avec Castro le 10 septembre 1952. Fidel avait entendu parler de lui et envoyé son ami Nico López, militant du parti *Ortodoxo*, demander à Miret d'entraîner un « petit groupe » qu'il avait réuni. Miret en était alors à sa quatrième année d'études ; il était déçu par les formations politiques à l'ancienne mode dont il instruisait les jeunes adhérents ; après avoir rencontré Fidel, il se consacra entièrement au Mouvement. Castro forma, peu après, son comité militaire qui comprenait Abel Santamaría, Miret, José Luís Tasende (employé dans une fabrique de réfrigérateurs), Ernesto Tizol (éleveur de poulets), et Renato Guitart (un jeune homme originaire de Santiago où il travaillait dans la petite affaire commerciale de son père).

La plupart des recrues de Fidel étaient d'humbles travailleurs de La Havane et des localités voisines. Ils consacraient au Mouvement leur temps libre et les quelques centimes de leur argent de poche (en frais de d'autobus) pour se rendre chaque dimanche à l'université où ils apprenaient le mécanisme d'armes qui, de l'aveu de Miret lui-même, ne pouvaient même pas tirer, et ramper dans la poussière sous un soleil brûlant. La plus grande partie d'entre eux n'avaient jamais mis les pieds dans une école primaire — encore moins dans une université — et il leur fallait surmonter un sentiment d'infériorité quand ils rencontraient des étudiants.

Les recrues se rendaient sur le campus pour y recevoir leur entraînement, par cellules de dix à quinze hommes, chacune ayant été informée par avance de l'heure et du lieu exacts du rendez-vous. Tout d'abord, les groupes faisaient halte dans un lycée où ils recevaient le mot de passe pour la journée. Le jour, par exemple, où ce mot était « Alejandro » — le nom de code de Castro —, un membre de la cellule devait se présenter devant une certaine porte verrouillée et dire : « C'est Alejandro qui nous envoie. » Tasende et Tizol vérifiaient habituellement l'identité des recrues avant de les laisser entrer.

Les précautions prises pour préserver le secret étaient telles que les membres des différentes cellules n'avaient pas le droit de s'adresser la parole les uns aux autres ou de se révéler mutuellement leurs noms. Castro lui-même, non content de renoncer à assister aux séances, faisait mine de ne pas connaître Miret. Quand il était nécessaire aux deux hommes de se transmettre des messages ou de coordonner leurs plans, Nico López, Tasende ou Tizol se chargeaient d'assurer la liaison. Pour sa part, Miret ne se rendait jamais à des endroits où il aurait pu rencontrer Fidel, Abel ou les autres dirigeants du Mouvement. Armando Hart, qui allait devenir par la suite l'un des compagnons les plus écoutés de Fidel et l'un des membres de son Politburo, se rappelle encore quelle fut sa surprise quand, au siège du parti *Ortodoxo*, à La Havane, lors de sa première rencontre avec Castro, celui-ci l'interrogea sur son instruction militaire à l'université. Pendant des mois, Hart se demanda comment son interlocuteur pouvait en être averti : Miret qui l'avait recruté ne lui avait pas révélé ses liens avec Fidel.

Castro affirme que, pour édifier son Mouvement, il avait parcouru quarante mille kilomètres en quatorze mois dans sa voiture jusqu'au moment de l'attaque de Moncada (juillet 1953), pour contacter des groupes et des invididus isolés, dans toutes les régions de Cuba, et s'assurer que tous les révolutionnaires étaient dûment équipés, prêts à frapper. Comme le mouvement manquait de fonds et n'avait accès à aucun endroit où pouvaient se trouver des armes, un tel résultat représentait un prodige d'improvisation ; il était non moins miraculeux que le secret ait été si bien gardé. Fidel déclare : « Nous avions réussi à réunir douze cents hommes et j'avais parlé à chacun, un par un. J'avais organisé chaque cellule, chaque groupe, pour tous les douze cents... » Miret estime qu'entre les mois de septembre et de décembre 1952, il lui était passé entre les mains 1 400 ou 1 500 recrues (dont certaines ne restèrent pas dans le Mouvement) appartenant à 150 cellules. Mais la pénurie d'armes était encore affligeante à la veille de l'attaque contre Moncada. Aussi les assaillants furent-ils choisis dans vingt-cinq cellules seulement, appartenant toutes aux provinces de La Havane et de Pinar del Río. Les membres de ces cellules se connaissaient entre eux mais ne connaissaient personne d'autre à l'intérieur du Mouvement, à tel point qu'à Artemisa, deux jeunes travailleurs très amis l'un de l'autre, découvrirent, la veille de l'attaque, qu'ils appartenaient à deux cellules différentes de la même organisation.

La ville d'Artemisa était l'un des plus riches viviers de Castro, en raison de sa vieille tradition anarchiste et de sa population laborieuse. Elle fournit 250 volontaires au Mouvement, ainsi que quelques-uns de ses meilleurs tireurs d'élite, notamment Ramiro Valdés, futur ministre de l'Intérieur. Quand Pedro Miret estima, au début de 1953, qu'il faudrait également faire des manœuvres en campagne, les rebelles s'entraînèrent dans les champs autour d'Artemisa et de La Havane.

Miret était aidé dans sa tâche par un ancien combattant qui avait participé à la guerre de Corée avec l'armée américaine ; il s'appelait Isaac Santos, mais les recrues le connaissaient sous le nom de « professeur Harriman ». C'était Castro qui l'avait découvert chez des amis où il avait appris que Santos entraînait les hommes d'une autre faction hostile à Batista et que c'était un instructeur expert dans le domaine du combat corps à corps. Santos organisa un sévère entraînement de commando et apprit aux Fidelistas comment s'orienter sur n'importe quel terrain ou se diriger à la boussole. Pourtant les rebelles finirent par le soupçonner d'être un agent de la CIA et ils le congédièrent avant l'affaire de Moncada. On le vit plus tard dans une prison de Batista, en 1953, portant des marques de torture. Peut-être avait-on été injuste envers lui en le jugeant déloyal ?

Quand vint le centenaire de Martí, en janvier 1953, Fidel Castro avait déjà sous ses ordres une sorte d' « armée rebelle » et il décida de la montrer ; le geste était risqué mais caractéristique de sa part. Pour rivaliser avec les festivités préparées par Batista au Capitole, la nuit du 27 janvier, les organisations d'étudiants, le nouveau comité pour les droits de la jeunesse, le front civique féminin, certains groupements de lycéens et de jeunes travailleurs avaient prévu une grande retraite aux flambeaux à travers les rues de La Havane. C'est là que les Fidelistas avaient décidé de se présenter au pays. Ils y parvinrent en faisant débarquer un contingent de cinq cents hommes qui défilèrent en formation militaire derrière Fidel Castro en scandant : « Révolution !... Révolution !... Révolution !... » Les flambeaux qu'ils portaient à la main avaient été pourvus de longues pointes de fer, fixées au sommet, pour servir d'armes meurtrières en cas d'attaque de la police. Les *Fidelistas* avaient passé toute la matinée à fabriquer ces torches à pointes, dans le stade de l'université et à l'hôpital Calixto García. Tard dans l'après-midi, Abel Santamaría et José Luís Tasende disposèrent les rebelles en ordre de parade. A la tombée de la nuit, Castro vint prendre le commandement de ses troupes et se joindre avec elles au défilé de milliers de flambeaux. Raúl Castro défila derrière son frère, comme Melba Hernández, Haydée Santamaría (les deux femmes qui avaient participé à la fondation du Mouvement), ainsi que la plupart des membres de l'état-major.

La présence d'éminents invités étrangers à La Havane fut sans doute ce qui empêcha le régime d'intervenir au cours du défilé. La police ne tenta pas de l'interrompre, ne broncha pas en entendant scander « Révolution ! » et « Liberté ! », de sorte qu'il n'y eut pas de violences. Le lendemain était le véritable jour de l'anniversaire ; dès le matin, des milliers de jeunes gens défilèrent encore à travers La Havane, entre l'université et le monument de Martí dans le Parc. Encore une fois, Fidel conduisit ses troupes parfaitement entraînées, dont les hommes se tenaient par le bras. Melba Hernández raconte que l'allure martiale des *Fidelistas* fit « sensation », mais elle entendit aussi des badauds qui disaient « Voilà les communistes ». Ni la foule ni les autorités ne semblent avoir compris que les détachements très disciplinés, placés derrière Castro au cours des deux défilés successifs, se trouvaient sous le commandement de celui-ci, appartenaient à un mouvement organisé et avaient reçu une formation militaire.

On ne peut expliquer rationnellement la décision de Castro et de ses collaborateurs de participer aux défilés organisés en l'honneur de Martí. Un groupe aussi vaste aurait pu être aisément repéré par la police et le SIM comme appartenant à une organisation révolutionnaire et le Mouvement aurait ainsi causé sa propre perte. Une telle initiative menaçait de ruiner les pénibles efforts effectués pendant de longs mois pour préserver la sécurité de l'organisation et empêcher qu'elle fût associée publiquement à la personnalité de Castro. Comment la police secrète ne tira-t-elle pas des conclusions évidentes, au spectacle de Fidel défilant à la tête de sa colonne ? C'est là un mystère.

Certes, Castro a du goût pour le panache, mais peut-être avait-il également calculé que le régime de Batista, ignorant l'existence du Mouvement, ne trouverait pas anormal de le voir, avec ses amis, défiler au milieu des protestataires. La tentation d'essayer ses muscles en public pour la première fois était peut-être trop forte. Interrogé sur les risques encourus, Miret déclare : « Nous avions la certitude que personne ne saurait qui nous étions. » Il ajoute qu'à cette époque, le gouvernement ne voyait d'ennemis que dans les partis politiques traditionnels : « Nous n'étions rien pour eux, nous n'existions pas. » En outre, selon Miret, les conjurés tenaient en piètre estime la compétence professionnelle des autorités policières.

Castro s'exposa encore aux regards du public pendant la plus grande partie du mois de février, alors que ses collaborateurs les plus proches se trouvaient déjà activement engagés dans le choix des objectifs éventuels d'une action armée révolutionnaire. Le 8 février, Castro publiait dans un hebdomadaire à grand tirage, *Bohemia,* un article dénonçant le saccage de l'atelier du sculpteur Manuel Fidalgo, par les soins de la police de La Havane. Parmi les œuvres détruites figuraient de petits bustes de Martí portant l'inscription « Pour Cuba qui souffre » (une citation de l'Apôtre), ainsi que des masques mortuaires du sénateur Chibás. Fidalgo vendait la plupart de ses œuvres au profit du Mouvement, et l'article de Fidel fit que la disparition inexpliquée du sculpteur après la descente de police parut de très mauvais augure. Le texte était accompagné de photos prises par un professionnel, Fernando Chenard, qui avait appartenu au parti communiste avant de se joindre au Mouvement. C'était la première fois, depuis le coup d'état, que la presse cubaine publiait la signature de Castro.

Le 13 février, Rubén Batista Rubio mourut dans un hôpital de La Havane ; c'était le jeune garçon blessé par les balles de la police lors des désordres qui avaient suivi l'affaire du buste de Mella, un mois plus tôt. Sa mort déchaîna une nouvelle vague de protestations. Castro s'était montré à son chevet presque quotidiennement ; il figurait au premier rang de ceux qui, de l'université au cimetière, conduisirent une procession silencieuse de quelque trente mille personnes, le 14 février. Des émeutes éclatèrent dans toute la ville après l'enterrement. Des voitures furent incendiées et la police tira sur les manifestants. Le lendemain, le « Docteur Fidel Castro » fut officiellement accusé par la police secrète d'avoir fomenté « des troubles de l'ordre public » ; il était désigné comme un dirigeant des Jeunesses du parti *Ortodoxo*. Le gouvernement ne poursuivit pourtant pas l'action en justice.

Il y eut encore des troubles à La Havane en février et en mars, y compris ceux qui éclatèrent pour le premier anniversaire du coup d'état de Batista, mais Castro et ses amis concentraient presque toute leur attention sur leurs préparatifs militaires. Mario Mencía, l'historien de la Révolution cubaine, estime qu'après les événements du 14 février, Castro avait fait effectuer un « changement tactique » au mouvement révolutionnaire. Au cours de la première année, dit-il, le Mouvement naissant tirait parti de toute occasion pour défier publiquement le régime de Batista. La deuxième année, la politique de Castro évolua : il chercha à éviter toute situation susceptible d'affecter les possibilités d'une action directe qui formait le principal objectif du Mouvement. Mencía observe que cet « agitateur révolutionnaire » savait comment adapter les différentes phases de son Mouvement à des circonstances changeantes.

Pour toutes ces raisons, Castro resta neutre quand une autre faction hostile à Batista tenta de renverser le régime par un coup d'état préparé par des civils et des militaires. Le Mouvement Nationaliste Révolutionnaire (MNR) avait été organisé au cours de l'année antérieure par Rafael García Bárcena, un professeur d'université lié à de jeunes officiers de l'armée.

C'était un homme de gauche, mais il n'affichait pas de tendance idéologique nettement prononcée et recrutait ses partisans dans la classe moyenne, parmi les étudiants, les intellectuels et les membres des professions libérales. Dans ses rangs se retrouvaient pourtant un certain nombre de jeunes avocats, médecins et autres qui se joignirent plus tard à Castro au sein du Mouvement du 26 juillet. Le plan de Bárcena consistait à conduire une cinquantaine d'hommes, armés de pistolets, de couteaux et de poignards, au camp Columbia de La Havane, pour s'en emparer avec le concours de jeunes officiers favorables au MNR et déjà dans la place. Puis, selon le professeur, un soulèvement populaire se produirait et entraînerait la chute de Batista. Même pour des conspirateurs de parti pris, un tel plan n'était guère convaincant ; il exigeait le succès (déjà fort improbable) d'une attaque menée par un petit groupe de civils contre la plus grande base militaire cubaine ; puis la possibilité, pour une poignée de jeunes officiers, de prendre le commandement de la garnison.

Castro était au courant de cette tentative, prévue tout d'abord pour le 8 mars, puis ajournée au 5 avril ; il la tenait pour de l'aventurisme pur et simple. L'idée de noyauter l'armée, de prendre des casernes et de renverser Batista en vingt-quatre heures lui « paraissait absurde ». Il le fit savoir au professeur Bárcena quand celui-ci lui demanda son appui au début du printemps.

Par la suite, Castro fut accusé d'avoir craint de trouver en Bárcena un rival possible. Pourtant, en certaine occasion, Fidel a déclaré avoir dit au professeur qu'il voulait bien « analyser » le plan avec lui et disposait d'hommes et d'armes en quantités suffisantes pour participer à l'action si elle avait la moindre chance de succès. Il conseillait néanmoins aux dirigeants du MNR de cesser immédiatement de parler du complot à tous les dirigeants politiques de l'île. García Bárcena négligea cet avis et sa conspiration était vouée à l'échec, selon Castro, « parce qu'aucune entreprise n'avait reçu une plus vaste publicité dans toute l'histoire de Cuba » ; le Mouvement ne pouvait prendre le risque d'y être impliqué.

Il y avait, sans doute, de profondes divergences idéologiques entre les deux dirigeants, notamment à propos de la théorie de la lutte des classes ; le professeur n'y croyait pas et Castro prétend qu'en qualité de marxiste, il y ajoutait déjà foi en ce temps-là. Il est fort possible que Fidel refusait tout bonnement de soumettre ses idées à celle d'un dirigeant à l'esprit « bourgeois ». En outre, Castro exigeait le démantèlement de l'armée existante, en même temps que le renversement de Batista, alors que Garcia Bárcena avait recherché des alliances dans l'appareil militaire. Pourtant, en fin de compte, toute cette controverse est purement académique, car le MNR fut trahi de l'intérieur (comme Castro l'avait prédit) et, le dimanche de Pâques, 5 avril, au matin, la police effectua une descente dans la maison de La Havane où García Bárcena et ses partisans se préparaient à entreprendre leur coup d'état trois heures plus tard.

Soixante-dix personnes furent arrêtées lors du fiasco de la révolution du MNR, et quatorze d'entre elles traduites en jugement pour subversion au cours d'un procès de près de deux mois qui souleva un grand intérêt dans le public. García Bárcena, défendu par un jeune avocat, Armando Hart (membre lui-même du MNR, mais qui n'avait pas été arrêté), fut condamné à deux ans de prison. Il y eut de nouveaux troubles dans les rues de La Havane et d'autres villes, mais le général Batista était apparemment satisfait à l'idée d'avoir écarté la seule menace existant contre son régime.

Batista ne s'inquiéta pas davantage du « Pacte de Montréal » signé le 2 juin, dans un hôtel canadien, par les dirigeants des partis politiques traditionnels, toujours aussi divisés, qui demandaient son départ et le rétablissement d'un gouvernement constitutionnel. Les signataires du pacte ne parvinrent pas à lancer un appel au soulèvement armé contre Batista. Mais ce pacte eut pour conséquence de susciter des inquiétudes au sein du Mouvement quant à la possibilité de voir les fonds cubains disponibles à l'étranger pour l'achat d'armes, détournés au profit des partis politiques dans l'île, sans considération pour les *Fidelistas*. D'après l'auteur d'un texte publié, Castro avait accepté de servir de coordinateur régional, en vue d'un soulèvement armé, financé par le groupe de Montréal et placé sous le commandement d'un politicien *Ortodoxo* de La Havane, Juan Manuel Márquez ; c'était pourtant là un rôle totalement impossible à envisager pour Fidel. Par la suite, Márquez devint l'un des plus proches collaborateurs de Castro et l'un des premiers à mourir lors du débarquement de la *Granma* en 1956.

Les révolutionnaires cubains de toutes tendances et de toutes allégeances, tant à Cuba qu'en exil, étaient entièrement obsédés par leur politique intérieure et se rendaient à peine compte des grands événements qui se déroulaient dans le monde. Bien que les étudiants aient fait pièce aux Etats-Unis à propos de la guerre de Corée en 1950 et 1951 (Castro ayant été parmi les critiques les plus virulents de la politique américaine), ils semblaient ne plus s'y intéresser maintenant que l'armistice était proche. Le 5 mars 1953, Joseph Staline mourait au Kremlin, mais on ne trouve trace d'aucune réaction de la part des « vieux » communistes ou de ceux qui se proclamaient les « jeunes » marxistes, comme Fidel Castro.

Les Etats-Unis ne s'intéressèrent à Cuba au cours de cette période que pour prendre publiquement position en faveur de la révision de la loi électorale proposée par Batista (celui-ci parlait périodiquement d'organiser des élections) ; ce texte avait pour effet d'écarter désormais des urnes tous les communistes, sous quelque déguisement que ce fût. Mais les Etats-Unis ne saisirent pas cette occasion pour presser Batista de fixer effectivement la date des élections ; le gouvernement américain pensait que le général tenait fermement les rênes et personne à Washington ne savait qui était Fidel Castro, ni même que son Mouvement existait.

Au début de la Semaine sainte, Fidel se rendit en voiture dans la province d'Oriente et fit un bref arrêt à Santiago, à Palma Soriano, puis en divers autres lieux. C'était là un voyage parfaitement normal pour un avocat de La Havane, en vacances de Pâques à proximité de sa maison familiale et dans sa propre province ; nul n'avait la moindre raison de soupçonner que Castro était en réalité venu reconnaître le champ de bataille où allait se dérouler sa lutte armée contre Batista. Il avait choisi cette semaine pour faire le voyage, car il savait que la conspiration de García Bárcena allait se jouer le dimanche de Pâques ; il voulait donc que tous les chefs du Mouvement fussent absents de La Havane ce jour-là. Abel et Haydée Santamaría avaient donc emmené Melba Hernández dans leur province natale de Las Villas ; Jesús Montané était allé voir ses parents dans l'Ile des Pins.

L'idée d'occuper une base militaire, prise d'assaut par quelques centaines d'hommes armés, était venue à l'esprit de Fidel vers la fin de 1952, lorsque Pedro Miret eut terminé le premier stage de formation militaire de ses volontaires. Entre janvier et mars 1953, il avait jeté son dévolu sur la caserne Moncada de Santiago, qui ne le cédait en importance qu'au camp Columbia de La Havane. Au cours d'un de ses voyages de recrutement à Pinar del Río, vers la fin de 1952, il avait désigné la caserne à son compagnon de route, José Suárez Blanco, et demandé : « Que penses-tu de ça ? » Suárez, qui avait compris la question et savait combien les ressources du Mouvement étaient limitées, avait répondu : « Personne ne peut pénétrer là-dedans. »

Le dilemme que devait résoudre Castro était le suivant : il ne pouvait entamer une révolution sans avoir des armes ; or le Mouvement n'avait pas les moyens d'en acheter. Fidel pouvait à peine joindre les deux bouts pour subsister et faire vivre sa famille, qui se trouvait surtout à la charge de ses amis, membres du Mouvement. Comme l'organisation secrète n'avait aucune source de revenus à Cuba et aucun espoir d'en obtenir, Castro en était vite parvenu à cette conclusion que, pour avoir des armes, il fallait s'en emparer. Dans une allocution destinée à soutenir le moral de ses compagnons, au début de janvier 1953, il avait résumé la situation en ces termes : « Il existe des endroits où se trouvent plus de cinquante M-1 ; il y a des endroits où se trouvent un millier de fusils bien graissés, bien entretenus... Il n'est pas besoin de les acheter, ni de les acheminer, ni de les graisser, ni de rien faire ; il suffit de s'en emparer. »

Les risques encourus furent une fois de plus minimisés par la confiance qu'avait Castro en lui-même. L'idée d'attaquer la caserne Moncada à Santiago permettait de répondre à deux besoins : obtenir une grande quantité d'armes modernes et posséder une forte base militaire autour de laquelle la révolution pourrait se développer. Castro avait eu l'habileté de rappeler à ses camarades que les armées cubaines, au cours des guerres d'indépendance antérieures, avaient été formées, au début, par des groupes de guérilleros qui s'étaient équipés avec du matériel saisi dans les forteresses espagnoles prises d'assaut. Lors du soulèvement de Bogotá, en 1948, la foule s'était également procuré des armes dans les postes de police qu'elle avait attaqués.

Parmi les livres de stratégie que Castro avait étudiés, se trouvaient les *Chroniques de la guerre de Cuba* du général José Miró Argenter et le *Journal de campagne* de Máximo Gómez, le généralissime des forces indépendantistes. Lorsque trois cargaisons d'armes à destination de Cuba avaient été confisquées par les Etats-Unis, Gómez avait écrit à Martí de ne pas se faire de souci car il s'approprierait les armes des Espagnols. Fidel avait également été impressionné par le roman d'Ernest Hemingway, *Pour qui sonne le glas*, récit fictif de la guérilla menée par des Républicains espagnols contre les troupes nationalistes bien équipées, auxquelles ils prenaient leurs armes. Fidel est allé jusqu'à dire à des visiteurs étrangers qu'il avait appris l'art de la guérilla dans ce livre. (Il est curieux qu'il n'ait jamais tenté de rencontrer Hemingway qui résidait en permanence à Cuba, dans les environs de La Havane, presque jusqu'à sa mort.) Selon Alfredo Guevara, Fidel s'était rendu à la librairie du parti communiste pour acheter des livres sur les campagnes de l'armée soviétique au cours de la Seconde Guerre mondiale (y compris la guerre de partisans). Castro, en revanche, ne semble pas avoir cherché à se familiariser avec les écrits de Mao sur la guérilla, ni avec ceux des Vietnamiens — Ho Chi Minh ou le général Giap — sur le même sujet.

Dans un discours de 1966, Castro a expliqué les aspects militaires de la stratégie utilisée par lui lors de l'attaque de Moncada. « Nous n'espérions pas vaincre la tyrannie de Batista ni vaincre ses armées avec notre poignée d'hommes. Mais nous pensions qu'une poignée d'hommes suffirait, sinon à vaincre le régime, du moins à libérer cette force, cette immense énergie qui se trouve dans le peuple et qui serait capable, elle, de vaincre le régime. » Castro résume cet aspect politique capital de sa stratégie en disant qu'elle apportait un démenti au célèbre axiome selon lequel « on peut faire une révolution avec ou sans l'armée mais jamais contre l'armée ». Personne en ce temps-là, dit Castro, ne pouvait imaginer une révolution contre l'armée, et pourtant sa propre philosophie reposait sur l'idée qu'il fallait détruire l'armée pour déblayer le terrain avant de réaliser une « vraie » révolution. Le schéma directeur de Castro exigeait donc que sa « poignée » de révolutionnaires se procurent eux-mêmes leurs armes en faisant main basse sur celles de l'armée afin de vaincre le régime de Batista *et* de détruire son armée, puis de mettre en œuvre la grande révolution.

Pour diverses raisons que Castro tient pour « accidentelles », l'assaut contre Moncada se termina par un échec. Fidel n'a jamais admis, sur le plan intellectuel, que sa conception ou sa tactique aient pu se trouver en défaut. De plus, on ne saura jamais si la prise de la caserne aurait pu servir de tremplin à la grande révolution. C'est là une question fondamentale dont dépend la validité de la stratégie révolutionnaire initiale de Castro. Celui-ci estimait manifestement que les conditions favorables étaient déjà réunies à Cuba pour que la chute de Moncada déclenche une rébellion dans tout le pays. Mais avec le recul cette assertion ne paraît pas avoir été nécessairement correcte. En outre, il est douteux que Batista aurait été abandonné par le gros de son armée, même si Moncada avait succombé ; Castro aurait alors été contraint de jouer sa survie dans une bataille, face à une puissance de feu supérieure à la sienne. L'ironie du sort veut que sa défaite, combinée par la suite avec son attitude spectaculaire de défi, ait contribué à créer un climat révolutionnaire dans l'île, grâce à l'apparition du Mouvement du 26 juillet. Quand il entreprit la guerre de la Sierra, trois ans plus tard, les conditions d'une révolution avaient pris forme, ce qui rendait la victoire beaucoup plus plausible. Longtemps après l'événement, Castro disait d'une façon générale à ce sujet : « On a tort de penser que la conscience [révolutionnaire] doit précéder la lutte. » Au contraire, affirmait-il, « il faut d'abord entamer la lutte et, inévitablement, jaillira la conscience révolutionnaire ». C'est en effet ainsi que les choses se sont passées et c'est justement ce qui a joué en faveur de Castro — à un degré extraordinaire — pendant et après la guerre de la Sierra, dans le cadre de sa nouvelle stratégie ; mais il aurait fort bien pu échouer s'il avait été paralysé à l'intérieur de Moncada avec sa poignée d'hommes, sans trouver dans le reste du pays la conscience révolutionnaire et l'appui dont il avait besoin. La stratégie de Castro allait totalement à l'encontre des théories marxistes-léninistes et c'est bien pourquoi les communistes lui refusèrent si longtemps leur soutien. Enfin, s'il triompha, ce fut grâce à une incroyable série de coups de poker et à une confiance en soi sans précédent.

Lors de son procès, après l'échec de l'attaque, Castro a expliqué qu'il comptait prendre Moncada par surprise, sans effusion de sang, notamment parce que, selon lui, le gouvernement ne s'était jamais attendu à une opération contre Santiago. Traditionnellement, les auteurs de coups d'état commençaient par s'emparer du camp Columbia, à La Havane. Interrogé par le procureur sur ce qu'il avait l'intention de faire s'il avait pris Moncada, Fidel déclara : « Nous ne pouvions compter que sur nous-mêmes et sur l'appui de tout le peuple de Cuba, que nous aurions obtenu si nous avions pu nous adresser à lui par la radio... Le peuple aurait répondu avec fermeté si nous avions réussi à nous mettre en contact avec lui. Notre plan consistait à prendre Moncada puis à radiodiffuser le dernier discours de Chibás sur toutes les stations de la ville. Nous aurions lu notre programme révolutionnaire au peuple de Cuba ; nos déclarations de principe répondaient à toutes les aspirations de plusieurs générations de Cubains. A ce stade, tous les dirigeants de l'opposition nous auraient apporté leur soutien et se seraient joints au Mouvement sur tout le territoire de la république. Ayant ainsi fait l'union de la nation tout entière, nous aurions renversé le régime... »

Raúl Castro a déclaré par la suite : « Fidel avait conclu qu'en nous emparant de la forteresse, nous aurions mis la main sur un petit moteur... lequel aurait mis en mouvement le gros moteur, à savoir le combat de toute la nation, avec les armes que nous aurions saisies, pour faire mettre en œuvre les lois, les mesures et le programme que nous aurions annoncés. »

Entre-temps, Castro avait ordonné d'accélérer la formation de ses troupes. La période comprise entre le mois d'août 1952 et le mois de janvier 1953 fut surtout consacrée au recrutement, à l'organisation et à la structuration du Mouvement. La formation militaire, dirigée par Pedro Miret, « Harriman », Tasende et Tizol, dans les sous-sols ou sur les toits de l'université, se transporta dans les exploitations agricoles et en pleins champs où l'on pouvait pratiquer le tir réel et les combats simulés. A partir de janvier 1953, il n'y eut plus d'activités militaires sur le campus.

Les *Fidelistas* s'entraînaient où ils pouvaient. Ils utilisaient la petite ferme où Pedro Trigo (l'un des premiers membres du Mouvement) vivait avec sa femme dans le faubourg de Calabazar, au sud-est de La Havane, et une autre exploitation appartenant à un ami, située à Catalina de Güines, non loin de La Havane. Au total, plus d'une quinzaine d'endroits différents servirent ainsi de cadre aux séances de formation, car il fallait changer souvent de place pour des raisons de sécurité. Les recrues arrivaient généralement par petits groupes, en autobus ; ils descendaient individuellement à des arrêts différents, puis suivaient les instructions reçues pour parvenir à destination. Parfois il fallait repérer un inconnu — par exemple un homme de haute (ou petite) taille vêtu d'une chemise à carreaux bleus (ou rouges) — et recevoir de lui les dernières consignes. La coordination était prévue à la fraction de seconde près, entre les différentes cellules impliquées dans chaque exercice.

Oscar Alcalde, qui possédait un laboratoire mais travaillait à temps partiel comme inspecteur au ministère des Finances, adhéra au club de chasse du Cerro, où il amenait régulièrement des membres du Mouvement comme invités (jamais deux fois les mêmes), pour leur permettre de tirer pour de bon, avec de vrais fusils de chasse. Alcalde devait débourser de trente à quarante pesos chaque fois, tant pour les cartouches que pour les pourboires qui lui épargnaient tout ennui avec les employés du club. C'est également là que reçurent leur formation terminale avec des 22 long rifles les combattants sélectionnés pour l'attaque de Moncada (sans jamais être avertis de l'endroit où aurait lieu l'opération). Il y avait également des exercices de mobilisation et d'alerte. Les commandants militaires éliminaient ceux qui ne leur paraissaient pas aptes au combat.

Castro assistait très rarement aux exercices d'entraînement sur le terrain, mais quand il se trouvait à pied d'œuvre, il faisait largement montre de toute sa méticulosité. En une occasion, alors que les manœuvres avaient lieu dans une ferme proche de Los Palos, dans la province de Pinar del Río, une petite pièce métallique était tombée d'un fusil endommagé : sous la pluie et dans la nuit tombante, Fidel fouilla les hautes herbes jusqu'à ce qu'il eût retrouvé le minuscule ressort égaré. Se tournant alors vers ses volontaires, il leur dit : « C'est la persévérance qui nous donnera la victoire. »

Castro était conscient de l'importance vitale de chacune des maigres armes qui formaient l'arsenal désuet du Mouvement et il tenait une comptabilité de toutes les balles, une par une, comme de tous les fusils. Les armes modernes n'étaient pas seulement coûteuses, elles étaient difficiles à obtenir. Un jour, Pedro Miret et Oscar Alcalde, le trésorier, avaient failli tomber dans un piège de la police en allant acheter dix mitraillettes Thompson chez un homme qui se faisait passer pour un réfugié républicain espagnol, mais qui travaillait pour les services de renseignement de l'armée. Or les contacts avaient été établis par un tiers et les mesures de précaution étaient si bien prises au sein du Mouvement que la police ne put identifier par avance les acheteurs présumés. Miret et Alcalde réussirent à prendre le large en comprenant qu'ils allaient se trouver entourés par des hommes en civil, tous vêtus d'une chemise bleue identique, sur le lieu de la transaction.

Miret déclare que le comité militaire avait finalement décidé d'armer les *Fidelistas* avec des 22 long rifles et des fusils de chasse, peu onéreux et faciles à trouver. Ce n'était donc pas sur leur puissance de feu mais sur l'effet de surprise que comptaient les assaillants. Au moment décisif, l'arsenal comportait des Winchester calibre 44 à canon court, d'autres fusils de chasse comme des Remington automatiques, plusieurs fusils Browning semi-automatiques calibre 22, outre le vieux M-1, le Springfield et la mitraillette espagnole que Miret avait précieusement conservés depuis le début. Ernesto Tizol fut chargé d'acheter la plupart des fusils de chasse car il possédait un élevage de poulets, ce qui rendait sa démarche plausible. Dans d'autres cas, des membres du Mouvement falsifièrent des commandes obligeamment fournies par des firmes où ils comptaient des amis. Fidel reçut un Luger qui avait coûté 80 pesos et il le portait lors de l'attaque de Moncada. Renato Guitart fut capable d'acquérir des fusils de chasse et des carabines, ainsi que cinq mille balles.

L'un des soucis constants était de lever des fonds pour acheter des armes, des munitions, des vivres et tout ce qu'il fallait pour équiper la petite armée. De plus en plus, certains membres du Mouvement et leur famille devaient compter sur la solidarité des autres, parce qu'ils étaient trop occupés à préparer la révolution et ne trouvaient plus le temps de gagner leur vie. Lors du procès, Castro déclara à la cour que 16 480 pesos avaient été donnés au Mouvement par des volontaires dont la plupart étaient morts en combattant devant Moncada ou avaient été assassinés par l'armée ou la police après la bataille. Selon les estimations les plus dignes de foi, le Mouvement avait réussi à réunir quarante mille pesos avant l'affaire de Moncada — mais ce montant était si faible que le procureur refusa d'y croire.

Le Mouvement s'était procuré quelques deniers grâce à la vente des œuvres du sculpteur Fidalgo (qui avait fait sa réapparition en mai après avoir vainement tenté d'échapper à la police en fuyant à New York, comme passager clandestin, sur un bateau). De même, il y avait eu de généreux donateurs à l'intérieur et à l'extérieur du Mouvement. Jesús Montané avait versé la totalité de ses indemnités de départ, soit 4 000 pesos, quand il avait quitté son emploi de comptable ; Oscar Alcalde avait hypothéqué son laboratoire et consacré à la Cause les 3 600 pesos qu'il avait ainsi obtenus ; Tizol avait hypothéqué sa ferme ; le photographe Chenard avait donné 1 000 pesos et Pedro Marrero avait vendu tous les meubles de son appartement — à l'exception de sa chambre à coucher parce que Fidel ne l'avait pas laissé aller jusque-là ; Abel Santamaria avait vendu sa voiture et Naty Revuelta avait apporté les 6 000 pesos de ses économies.

Naty s'était également jointe à un groupe de femmes du Mouvement pour travailler pendant un nombre d'heures incalculable dans l'appartement des parents de Melba Hernández, à coudre des uniformes et à fabriquer des casquettes avec du tissu à bas prix, acheté dans les grands magasins ; une douzaine de ces tenues portaient des galons de sous-officiers sur les manches. Castro avait décidé que les rebelles seraient habillés comme les soldats de l'armée cubaine, pour dissimuler leur identité jusqu'au dernier moment. Son idée était d'acheter deux ou trois cents uniformes et Pedro Trigo avait découvert un caporal du corps de santé, appelé Florentino Fernández, qui détestait Batista et s'offrait à racheter des uniformes à des soldats qu'il connaissait à La Havane. Mais, en juin, il n'avait pu encore en obtenir qu'une centaine et Castro avait résolu de faire fabriquer les autres par les membres du Mouvement. Comme toujours, rien n'était laissé au hasard, aucun détail n'était négligé.

Fidel Castro était arrivé à la ville de Palma Soriano, en Oriente, le 3 avril, pour conférer avec un dentiste local appelé Pedro Celestino Aguilera, chef d'une cellule du Mouvement dans la partie orientale de l'île. Aguilera mit Fidel au courant de la situation politique dans la région, et souligna la vaste opposition que suscitait la dictature de Batista. Castro le remercia, déclara qu'il reprendrait contact avec lui et s'en alla sans rien révéler du projet qu'il espérait mener à bien en Oriente.

En se fondant sur des informations fournies par les membres du Mouvement à Santiago, et aussi à partir de ses propres conclusions, Castro avait déjà choisi Moncada comme objectif de l'attaque projetée, et il commençait à envoyer secrètement des émissaires pour reconnaître minutieusement le site. Ainsi Oscar Alcalde se rendit-il à Santiago en mai, pour observer le rythme des relèves de la garde et les horaires en vigueur dans la forteresse, située en plein centre de la ville. Puis ce fut le tour de Lester Rodríguez, l'un des responsables du Mouvement, avec mission de concentrer son attention sur un bout de rue qui s'étendait entre la caserne et le Palais de Justice, tout proche ; certains des attaquants arriveraient en voiture de ce côté et il convenait d'étudier cette courte distance dans le plus grand détail. Le tout à l'avenant.

Au cours de son voyage en Oriente, au mois d'avril, avec Renato Guitart, Castro donna pour mission à Ernesto Tizol d'acheter quelque petite ferme, le long de la route entre Santiago et la plage de Siboney où il allait se baigner quand il était encore à l'école. Accompagné par Tizol et Guitart, il fit lui-même le trajet plusieurs fois dans les deux sens, jusqu'à ce que les trois hommes fussent tombés d'accord sur la maison qui leur paraissait convenir à leur projet. Ils allèrent ensuite se baigner. Castro estimait que ce serait à la fois un endroit parfait pour y concentrer ses forces à la veille de l'attaque et une position de repli en cas de besoin. Elle se trouvait à une quinzaine de kilomètres du centre-ville, donc de Moncada, et à dix ou douze kilomètres des premières pentes de la Sierra Maestra dans la direction opposée. Dans l'éventualité d'un désastre devant Moncada, le plan de Castro prévoyait de battre en retraite vers la montagne de la Gran Piedra, toute proche, qu'il connaissait bien depuis les escalades de son enfance. Tizol reçut pour instruction de dire au vendeur qu'il cherchait un endroit où élever des poulets, avec une maison qui pourrait également lui servir de résidence secondaire, à proximité de la mer. Après quelques hésitations, le propriétaire vendit la ferme d'El Siboney à Tizol.

Au mois de juin, Abel Santamaría alla s'y installer pour mettre l'endroit en état d'accueillir des livraisons clandestines d'armement. Avant son départ de La Havane, Castro lui avait demandé de prendre le commandement général de tout le Mouvement s'il lui arrivait malheur. Abel ne révéla même pas à sa sœur Haydée où il allait. La raison de son mutisme était qu'en cas d'arrestation, mieux valait pour elle ne rien savoir des allées et venues de son frère. Fidel demanda à la jeune fille d'aller loger dans l'appartement de Melba Hernández.

Tandis que Tizol et Abel travaillaient à la El Siboney dans le plus grand secret, d'autres membres du Mouvement, en Oriente, reçurent mission d'acheter quelques meubles et un réfrigérateur pour la ferme, de louer des matelas pour les hommes qui arriveraient à la dernière minute, et de réserver des chambres à l'hôtel ou dans des pensions de famille, à Santiago et à Bayamo, pour les autres. Castro projetait d'attaquer également — et en même temps que Moncada — la caserne de Bayamo, sur les abords de la Sierra Maestra. Après sa visite à Palma Soriano, il était allé aux mines de manganèse de Charco Redondo pour prendre contact avec les mineurs. Charco Redondo, juste à côté de Bayamo, pourrait servir de base de soutien pendant l'attaque contre la caserne. Le plan de campagne se transformait rapidement en une réalité militaire.

Sur le chemin du retour à La Havane, Fidel fit halte à la ferme de Birán pour y passer la nuit, voir ses parents et emprunter 140 pesos à son frère Ramón. Il avait demandé davantage, sans révéler que l'argent était destiné au Mouvement, mais Ramón avait refusé d'en faire plus. Ce fut la dernière fois que Fidel vit son père. Il serait trop occupé pour rendre visite à Don Angel, deux ans plus tard, avant son départ pour le Mexique, et le vieil Espagnol allait mourir sans avoir eu la possibilité d'assister au retour triomphal de son fils.

3

La grande aventure de Fidel Castro, couronnement de quatorze mois de conspiration et de préparatifs, commença enfin à prendre corps le soir du vendredi 24 juillet 1953, dans l'humidité et la chaleur suffocantes d'un été à La Havane. Ayant pris toutes ses dispositions de dernière minute, mis à jour ses instructions pour tous ceux qu'il laissait derrière lui, et fait ses adieux aux rares personnes qui comptaient vraiment dans sa vie, Castro monta dans une Buick de location, un modèle 1952 de couleur bleue et à toit crème, pour le long voyage vers l'Oriente et vers ce qu'il appelait son rendez-vous avec le destin.

Castro, Abel Santamaría et le reste du comité militaire du Mouvement avaient choisi la date du dimanche 26 juillet pour attaquer à l'aube Moncada et Bayamo. Ils n'étaient que six hommes dans toute l'organisation à connaître le lieu et la date de l'action. En mai, avant le départ de Fidel pour Santiago, tout le plan de bataille avait été examiné minutieusement ; une fois de plus, Castro, Pedro Miret, José Luís Tasende et Ernesto Tizol, les quatre membres du comité militaire qui se trouvaient encore à La Havane, avaient revu chaque détail de l'opération.

Par mesure de précaution supplémentaire, Castro avait changé de domicile chaque nuit pendant les dernières semaines qui avaient précédé son départ pour l'Oriente, et n'avait fait que de rares apparitions à l'appartement de l'avenue Nicanor del Campo où il avait emménagé, quelques mois plus tôt, avec Mirta et Fidelito, dans le quartier du Nuevo Vedado. Il veillait à ce que ses déplacements, dans la ville, n'aient aucune régularité et n'obéissent à aucune habitude. Ce dernier vendredi, il échangea sa Dodge noire contre une Buick bleue (louée le matin même pour cinquante dollars, sous prétexte de passer « le week-end à la plage de Varadero ») ; un jeune Noir, membre du Mouvement et originaire de l'Oriente, lui servait de chauffeur. La responsabilité de conduire la voiture de Castro avait été confiée à Teodulio Mitchel, à la veille du voyage à Santiago, bien que Fidel ne l'eût rencontré que la semaine précédente. Mitchel était un ancien soldat et, depuis un an, il avait exercé le métier de conducteur de camion à Palma Soriano, sa ville natale, où le Dr Aguilera, le dentiste de l'endroit, l'avait recruté et incorporé à l'une des cellules du Mouvement. La raison du choix était que le chauffeur de Fidel devait être quelqu'un du pays, connaissant bien la région et connu lui-même alentour. Aussi Aguilera avait-il envoyé Mitchel à La Havane pour y rencontrer Fidel. Les deux hommes sympathisèrent aussitôt et Castro offrit à Mitchel un steak-frites pour marquer le début de leur amitié. Pendant quelque quarante-huit heures, Mitchel tiendrait entre ses mains la vie de Fidel, mais l'instinct de celui-ci lui indiquait qu'il pouvait avoir confiance.

Au cours des semaines précédentes, Castro avait progressivement expédié en Oriente ses principaux collaborateurs, à commencer par Abel Santamaría ; puis, pendant la dernière semaine, il procéda au déplacement du gros de ses forces, par petits groupes ou individuellement, en train, en autocars de ligne ou en voitures particulières. Haydée Santamaría et Melba Hernández, les deux seules femmes combattantes dans les rangs du Mouvement, se rendirent à Santiago séparément, le 21 et le 22 juillet respectivement. Chacune transportait des armes dans ses bagages. Melba avait des fusils dans une boîte de fleuriste. Des expéditions plus importantes d'armes et de munitions étaient parvenues à la ferme de Siboney en juin et en juillet par toutes sortes de moyens. Les uniformes y avaient également été envoyés. Le dernier achat d'armes eut lieu à Santiago deux jours avant l'attaque.

Raúl Castro était resté à l'écart de ces préparatifs. Travaillant en étroite liaison avec les communistes (sans être membre du parti) et tout particulièrement avec le chef des Jeunesses socialistes, Lionel Soto, Raúl avait quitté le pays comme membre de la délégation cubaine au quatrième Festival Mondial de la Jeunesse (patronné par les communistes) à Vienne. Il était allé ensuite à Bucarest, avait passé un mois en Roumanie et poursuivi son exploration de l'Europe de l'Est par des séjours touristiques à Budapest et à Prague, où il avait « visité des usines ». Le voyage s'était terminé par une escale de neuf jours à Paris. Après quoi, il avait repris le bateau pour rentrer à Cuba où il était arrivé le 6 juin. Une partie de sa tournée européenne avait été payée par ses parents qui lui avaient donné cinq cents dollars après y avoir été poussés par sa sœur Juana.

En raison de son absence, Raúl n'avait joué aucun rôle dans la croissance et la structuration du mouvement révolutionnaire. Pourtant, bien qu'il eût adhéré en bonne et due forme aux Jeunesses socialistes (communistes) à son retour d'Europe, a-t-il déclaré par la suite, il n'avait pas jugé utile d'avertir ses chefs au sein du parti lorsqu'il avait reçu l'ordre de quitter La Havane, le 24 juillet, pour une destination inconnue : « En négligeant de les mettre au courant, j'ai peut-être commis une erreur. J'ai sûrement commis une erreur, mais je n'étais membre du parti que depuis six semaines et je n'avais pas une idée très précise de mes obligations. » Raúl faillit même manquer également l'attaque de Moncada.

A son retour à La Havane, au début de juin, il avait été arrêté, sous l'accusation de transporter de la propagande subversive, en compagnie de deux jeunes Guatémaltèques avec lesquels il s'était lié d'amitié pendant le voyage. (Il y avait également à bord un citoyen soviétique qui ne fut pas autorisé à débarquer à La Havane et que Raúl appelle « mon premier ami soviétique ».) Les Guatémaltèques furent relâchés après l'intervention de leur ambassade, et renvoyés à bord du bateau. Raúl fut le seul à rester derrière les barreaux.

Melba Hernández, qui se rendit à la prison Castillo del Príncipe en sa qualité d'avocat pour tenter de faire libérer Raúl, déclare l'avoir trouvé « très enthousiasmé » par son voyage en Europe. La police confisqua son journal intime et le chef du service des enquêtes, au sein de la police secrète, fit savoir à Melba que le jeune homme y avait écrit : « le monde socialiste est un paradis ». Elle ne parvint pas à obtenir son élargissement car il avait été accusé de « troubler l'ordre public » et devait passer en jugement. Le lendemain, Fidel obtenait d'un juge sa mise en « liberté provisoire », mais l'affaire ne fut jamais tranchée par un tribunal : le jour où Raúl aurait dû répondre de l'accusation de « troubler l'ordre public », il se trouvait dans la prison de Santiago pour sa participation à l'attaque de Moncada.

Raúl n'avait pu recevoir une instruction militaire suffisante pendant le court laps de temps qui s'était écoulé entre sa libération et l'attaque de Moncada, mais il semble avoir mis en doute qu'une action armée de ce type pût être couronnée de succès car, à son avis, le groupe de combattants organisé par le Mouvement était trop restreint. Peut-être avait-il adopté le point de vue orthodoxe du parti communiste sur les putsch, mais quand son ami José Luís Tasende lui demanda s'il se joindrait au Mouvement au cas où celui-ci lancerait une opération, Raúl répondit : « Oui, j'irai... Dans le Mouvement, il y a mon frère et mes meilleurs amis, toi, Miret, Juan Almeida. » Robert Merle, qui a beaucoup écrit au sujet de Moncada, déclare : « au moment décisif, la fidélité sentimentale l'emporte sur l'adhésion idéologique. »

Celui-ci partageait une chambre avec Pedro Miret, dans une pension de famille, quand Tasende vint lui dire : « Nous prenons le train ce soir. » Victime d'une terrible « gueule de bois » consécutive à une soirée prolongée, Raúl rassembla toute son énergie pour aller retrouver Tasende dans l'après-midi, se charger d'un colis contenant des armes, et se rendre à la gare à temps pour prendre le train. Seize autres *Fidelistas*, sous le commandement de Tasende, voyageaient dans le même convoi, mais tous feignirent de ne pas se connaître. Raúl reçut son billet de Tasende qui s'assit à côté de lui ; il remarqua qu'ils allaient à Santiago. « Moncada ? » demanda-t-il. « Oui », souffla Tasende. Ils parvinrent à destination le lendemain dans l'après-midi.

Il y eut entre 120 et 130 hommes, venus de La Havane et de Pinar del Río, qui se retrouvèrent en Oriente entre le 23 et le 25 juillet grâce aux préparatifs logistiques de Fidel. Outre le train et les cars, quinze voitures furent utilisées pour le transport — dont celle de Fidel, celle de Pedro Miret et ainsi de suite. Chaque départ obéissait à un horaire minutieux qui précisait les arrêts et l'heure d'arrivée. Les voitures avaient été empruntées à des amis ou louées à des agences. Dans leur grande majorité, les volontaires ne savaient pas quelle serait leur destination finale avant d'y parvenir, mais la discipline était si grande que, sauf une ou deux exceptions, personne ne posa aucune question, n'exprima aucun doute.

Fidel avait toujours montré le plus grand souci pour la vie et le bien-être de ses camarades révolutionnaires. Melba Hernández raconte, par exemple, l'anecdote suivante : peu avant son départ pour l'Oriente, Castro avait soudain pensé que l'un des membres les plus actifs du Mouvement, Gildo Fleitas López, était fiancé à une jeune fille qu'il avait connue depuis son enfance ; or Gildo risquait de mourir à Moncada avant de pouvoir l'épouser. « Eh bien, raconte Melba, Fidel a organisé rapidement un mariage à La Havane, tout à fait en règle, avec un voile pour la mariée et tout ce qui peut passer par la tête d'une fille, tout ce que chaque fille peut rêver, et il a marié Gildo et Paquita. Gildo a fait son voyage de noces avec Paquita. Puis il a été tué ; il n'est pas revenu. » Trois ans plus tard, au Mexique, Fidel insista pour que l'un des rebelles choisis pour participer à l'expédition de la *Granma*, Arturo Chaumont, épouse sa compagne Odilia Pino, afin qu'elle ne reste pas « vieille fille » s'il mourait au cours du débarquement. D'après la façon dont Melba raconte l'histoire, aucun des deux jeunes gens n'avait envisagé le mariage, mais Fidel ne cessait de répéter : « Nous devons les marier. » Ses compagnons commençaient à se plaindre de le voir se mêler de leur vie privée, mais d'après Melba, il poussa son projet comme une « campagne militaire » pour conduire Arturo et Odilia à l'autel, et finalement il eut raison de leur résistance ; on trouva de l'argent, non seulement pour un mariage religieux mais même pour le voyage de noces et un cadeau en espèces, offert par le Mouvement. Trois mois plus tard, Arturo fut capturé par les troupes de Batista et on ne le revit plus jamais. Melba conclut : « Fidel se préoccupait toujours de procurer un peu de bonheur à ses amis... »

Bien que l'objectif de l'opération éventuelle n'eût jamais été précisé durant les longs mois de préparation, il y avait plus de volontaires que d'armes. Finalement, Fidel et le comité militaire avaient estimé que 135 hommes seulement suffiraient à prendre Moncada et qu'il en faudrait trente autres pour Bayamo. Les chefs de cellule avaient donc été chargés de sélectionner leurs meilleurs hommes dans la limite de ces effectifs. On demanda seulement aux volontaires d'apporter des vêtements ordinaires pour une absence prolongée.

Le mercredi avant l'attaque, Castro avait révisé le texte du « Manifeste de Moncada » rédigé par le poète Raúl Gómez García, pour être adressé au pays au moment où les rebelles passeraient à l'attaque, à Santiago et à Bayamo. Plus tard, le même jour, Fidel alla chez son amie Naty Revuelta, dans le quartier du Vedado. Il lui donna le texte du manifeste à dactylographier pour qu'elle en fît un certain nombre de copies ; il en emporterait à Santiago et elle distribuerait le reste aux principaux dirigeants politiques, ainsi qu'aux rédacteurs en chef des journaux de La Havane, aussitôt après la prise de Moncada.

Naty, une blonde aux yeux verts, consacrait alors la plupart de son temps à la Cause de Fidel ; elle avait même choisi et acheté les disques que les révolutionnaires feraient jouer par les stations de radio de Santiago : l'hymne national cubain, les chants de la guerre d'indépendance, la Polonaise en la majeur de Chopin et la *Symphonie Héroïque* de Beethoven. Aux accents de ces morceaux patriotiques et révolutionnaires, aux sons entraînants de la musique, le discours d'adieu de Chibás, l'appel à la formation d'une milice populaire armée et le Manifeste seraient les étincelles qui enflammeraient le peuple et le soulèveraient contre Batista. Tout d'abord le Manifeste, signé « La Révolution cubaine », invoquait la mémoire de José Martí ; il alléguait que la « vraie révolution » allumée par lui et poursuivie par les générations suivantes avait été minée par le « traître coup d'état » de Batista, escorté par « le crime, le sang, le déshonneur, une convoitise effrénée, le pillage du trésor public ». Il proclamait ensuite que « devant le chaos dans lequel la nation est tombée, la détermination du tyran, les intérêts impies des hommes qui le soutiennent, la jeunesse de Cuba, aimante de la liberté et de la dignité humaine, se dresse en un geste de rébellion immortelle pour briser le pacte dément conclu avec la corruption passée et le mensonge présent ».

Dans ce document, Castro proposait à Cuba un programme en neuf points ; le premier déclarait : « La *Révolution* se proclame libre des chaînes des nations étrangères. » Ce sentiment des priorités exprimait probablement son nationalisme (sinon son antiaméricanisme), mais c'était également le nationalisme de sa génération, sans connotations marxistes cachées. A tout le moins, Castro lui-même insiste sur le fait qu'à ce stade il dissimulait soigneusement ses convictions marxistes. Le Manifeste appelait à « l'instauration définitive de la justice sociale », « au respect pour les travailleurs et les étudiants », mais ces expressions avaient été employées par les politiciens cubains depuis un demi-siècle. En matière de démocratie représentative (c'est-à-dire d'élections démocratiques), Castro proclamait « le respect absolu et révérentiel de la Révolution pour la Constitution de 1940 », dont Batista avait suspendu l'application lors de son coup d'état de 1952. En d'autres termes, le manifeste de Moncada ne ressemblait guère à un appel aux barricades ; avec le recul, on peut se demander s'il aurait suffi à embraser le pays.

En tout cas, Castro était convaincu que lui-même et le jeune poète avaient produit un texte exaltant ; l'une de ses démarches les plus importantes, pendant la dernière journée qu'il passa à La Havane, le vendredi 24 juillet, fut d'aller chercher les copies dactylographiées du Manifeste mises au net par Naty Revuelta. Avec Teodulio Mitchel au volant, Fidel commença la journée par des rencontres avec certains membres du Mouvement dans l'appartement des Santamaría et dans celui des parents de Melba Hernández où eurent lieu de brèves conférences. Puis il se précipita dans les faubourgs sud-est de la capitale pour aller chercher deux chefs d'escouade, ensuite près de l'aéroport où il voulait voir un chef de cellule, et à Santiago de las Vegas, dans la même intention. De retour à La Havane, il fit une nouvelle halte chez les Santamaría pour y prendre des armes supplémentaires et chez sa sœur Lidia pour donner des instructions à un groupe venu d'Artemisa. Par défi, il se rendit même au quartier général de la police secrète pour s'enquérir du sort d'un « client », sous prétexte qu'il sentirait, de cette manière, si des soupçons pesaient sur lui.

A la nuit tombante, il filait le long de la route de l'aéroport pour prendre contact avec un spécialiste des radiocommunications aériennes dont il avait requis les services à Santiago. Trop occupé et sollicité pour se détendre, il n'avait eu que de brefs moments de sommeil, depuis quarante-huit heures, et n'avait pratiquement rien mangé. Pour avoir « grillé un stop », la Buick bleue fut arrêtée par une voiture de police en patrouille ; Fidel et Mitchel payèrent l'amende sur-le-champ, après avoir expliqué aux policiers qu'ils se dépêchaient de se rendre à l'aéroport pour y accueillir des membres de leur famille. Si les policiers avaient décidé de les emmener au commissariat, comme ils le faisaient souvent dans des cas similaires, Fidel aurait fort bien pu voir sa révolution retardée. Il semblait toujours vivre sur une corde raide.

De retour en ville, Castro rencontra rapidement le dentiste de Palma Soriano dans un bar, puis se rendit à son propre appartement — deux pâtés de maisons plus loin — et déclara à Mitchel, avant de monter : « Je vais embrasser mon fils... Dieu seul sait quand j'aurai la possibilité de le revoir... » Une photographie conservée dans les archives officielles cubaines nous montre Castro, avec Fidelito dans ses bras ; l'enfant doit avoir près de quatre ans ; le bras étendu, il désigne de l'index un objet invisible sur le cliché ; il semble heureux et paraît s'amuser ; Castro porte complet et cravate, avec une pochette sur la poitrine. La photo est prise de profil ; il ressemble à un jeune premier de matinée théâtrale. La légende indique que, sur le document, Fidel prend congé de son fils, mais les personnages semblent poser et l'on peut se demander si le cliché n'a pas été pris pour répondre à l'attente des historiens futurs.

On ignore si Castro précisa également à Mitchel qu'il allait prendre congé de sa femme, et il est extrêmement improbable qu'il ait fourni à Mirta la plus légère indication sur ses plans ou sur la raison pour laquelle il venait donner un baiser d'adieu à son fils. Une fois de plus, elle reste le personnage invisible, dans le drame familial de la famille Castro. A l'appartement, Fidel mit une *guayabera* blanche (on suppose qu'il venait d'ôter le complet avec lequel il s'était fait photographier) et l'un de ses amis devait déclarer plus tard que son seul bagage, pour cette équipée, consistait en une *guayabera* de rechange et un tome des œuvres choisies de Lénine.

Le dernier arrêt de Castro eut lieu dans l'appartement de Naty Revuelta où il prit l'original du Manifeste et plusieurs copies de celui-ci, avec les disques qu'elle avait achetés en prévision des émissions radiophoniques révolutionnaires de Santiago. En l'occurrence, Naty était la seule personne, en dehors de l'état-major suprême du Mouvement, à être informée de l'attaque contre Moncada. Non contente d'acheter les enregistrements et de dactylographier le Manifeste, elle était chargée par Fidel de porter le Manifeste en main propre aux dirigeants du parti *Ortodoxo*, y compris Raúl Chibás (le frère du sénateur défunt), ainsi qu'aux éditeurs de l'hebdomadaire *Bohemia* et des deux principaux quotidiens de La Havane. Naty devait leur remettre le Manifeste à leur domicile respectif, le dimanche 26 juillet, à cinq heures du matin. Après lui avoir donné ces instructions, Fidel lui fit ses adieux.

Il était déjà tard dans la soirée quand Castro et Mitchel prirent enfin la grand'route centrale qui relie La Havane à l'Oriente. Deux heures plus tard, à Matanzas, ils rencontrèrent une autre voiture du Mouvement et

Castro bavarda pendant quelques minutes avec ses occupants. Il renouvela les instructions, qu'il avait déjà données aux conducteurs, de respecter les limitations de vitesse pour éviter d'avoir affaire à la police (ce qu'il avait lui-même négligé), et la Buick bleue poursuivit sa route vers Colón où elle s'arrêta devant le domicile du docteur Mario Muñoz. Le médecin se préparait à partir pour Santiago où il devait se joindre aux assaillants.

Castro et Mitchel prirent leur petit déjeuner à El Cobre, le lendemain matin, puis firent halte à Santa Clara, la capitale de la province de Las Villas où il leur fallait trouver un opticien; Fidel, qui n'oubliait jamais rien, avait pourtant laissé ses lunettes dans l'appartement de Melba Hernández, à La Havane. Or il était très myope, bien qu'il ne portât guère ses verres en public à cette époque-là, et il ne voulait pas être à moitié aveugle pour conduire l'assaut devant Moncada. C'était un samedi, mais l'opticien n'en fabriqua pas moins une paire de lunettes à Fidel pendant que celui-ci attendait.

Ils atteignirent Bayamo vers six heures du soir, ce samedi 25 juillet, et Castro se rendit à l'hôtel du Grand Casino pour conférer avec les vingt-cinq hommes qui allaient attaquer la caserne de la ville à l'aube. Les volontaires étaient arrivés par petits groupes, en train ou en voiture, dans le courant de la journée; Fidel revit avec eux tous les détails du plan de bataille. Après avoir quitté Bayamo à vingt-deux heures, la Buick dut s'arrêter devant un barrage routier mis en place par l'armée, près de Palma Soriano. C'est là que Mitchel fit vraiment la preuve de son utilité; comme un soldat s'approchait pour vérifier les papiers des passagers et fouiller la malle arrière de la voiture, Teodulio reconnut en lui un de ses « pays », un ami originaire de la même ville que lui; il s'adressa à lui en l'appelant par son nom. « C'est toi, Mitchel? fit le soldat. Tu peux passer. »

A minuit, Castro et Mitchel atteignaient Santiago en plein milieu des fêtes délirantes du carnaval d'Oriente. A Cuba, les fêtes annuelles du carnaval ont lieu en été, et Santiago a toujours été célèbre pour sa musique et ses bals de rue qui se poursuivent de jour et de nuit, du vendredi au dimanche soir. C'était l'une des raisons qui avaient poussé Castro à choisir l'aube du 26 juillet pour lancer l'attaque. Il avait pensé, à juste titre, que la plus grande partie de la garnison serait en permission pour la fin de la semaine et que la garde ne serait guère vigilante. Cette tactique peut lui avoir été également inspirée par Martí, qui avait choisi le dimanche 24 février 1895 pour lancer son insurrection contre les Espagnols, parce que c'était la période du carnaval de Mardi-Gras.

Les deux hommes prirent un café dans un estaminet du centre-ville et repartirent pour Siboney. La ferme était plongée dans une obscurité totale et la Buick bleue fut hélée par Jesús Montané qui montait la garde dans l'ombre. A l'intérieur, Fidel trouva les cent dix-huit hommes de son armée rebelle, outre Melba et Haydée qui avaient préparé un peu plus tôt un repas de poulet au riz pour tous les *Fidelistas*. Elles étaient en train de repasser les cent-vingt uniformes dans l'unique pièce éclairée de la maison. La plupart des volontaires s'étaient rassemblés dans le courant de l'après-midi, en provenance directe de La Havane, via Santiago, ou après avoir passé la nuit dans cette ville. Ils étaient épuisés par le manque de sommeil et la chaleur.

Après que Santamaría lui eut rendu compte de l'état des préparatifs, Castro insista pour retourner une dernière fois à Santiago, sur le coup de deux heures du matin. Abel l'accompagna, tandis que les hommes cherchaient à prendre un peu de repos ou bavardaient à voix basse dans le noir en fumant des cigarettes. Au début de la soirée, les armes avaient été sorties des puits asséchés qui se trouvaient sur la propriété et où elles avaient été cachées. Les automobiles étaient dissimulées dans des poulaillers de bois spécialement construits à cet usage.

Si Castro voulait se rendre à Santiago, c'était pour y rencontrer Luis Conte Agüero, politicien et commentateur radiophonique bien connu, membre du parti *Ortodoxo* et propriétaire d'une maison dans la capitale de l'Oriente. Il voulait le mettre au courant de la révolution imminente et le convaincre de coordonner les émissions radiophoniques des révolutionnaires. Or, Conte Agüero avait décidé de passer le week-end à La Havane, et Fidel regagna El Siboney bredouille à trois heures du matin. C'était la quatrième nuit consécutive qu'il passait sans dormir, mais il bouillonnait d'énergie et d'impatience.

D'autres hommes arrivèrent encore, ce qui porta le total des combattants à 131 personnes, y compris le docteur, Melba, Haydée et Fidel lui-même. Castro ordonna alors à tout le monde de revêtir la tenue d'été, beige pâle, de l'armée... et découvrit soudain que le plus grand de ces uniformes était encore trop petit pour lui. Il s'examina tristement dans un miroir, malgré la demi-obscurité, inquiet à l'idée de ne pas ressembler suffisamment à un soldat, dans son accoutrement, au moment de l'attaque; il y aurait là un risque potentiel pour le secret de l'opération.

Bien que les plans aient été minutieusement préparés à l'avance, Fidel découvrit à El Siboney qu'Abel insistait pour conduire personnellement le principal groupe d'assaut. Le projet d'origine prévoyait que Castro attaquerait la forteresse elle-même, tandis que Lester Rodríguez ferait mouvement vers le tribunal, de l'autre côté de la rue; Abel pendant ce temps s'emparerait de l'hôpital. Fidel l'avait désigné pour cette mission parce que c'était la moins dangereuse et qu'Abel devait lui succéder à la tête du Mouvement si lui-même était tué. Mais Abel s'efforça de discuter avec lui : « Ne va pas t'exposer inutilement comme José Martí. » Castro répondit : « Ma place est à la tête des combattants. Ce ne sera personne d'autre. » En fin de compte, il ordonna : « C'est décidé comme ça. Tu occuperas l'hôpital. »

Il lui fallut ensuite argumenter avec Melba et Haydée : elles lui firent savoir qu'elles avaient l'intention de prendre part à l'assaut. « Non, dit Fidel, vous en avez fait assez comme ça, vous resterez à la ferme. » Ce fut le docteur Muñoz qui trancha la querelle; il avait passé une blouse blanche sur les instructions de Castro et proposa d'emmener les deux femmes occuper l'hôpital avec lui-même et Abel. C'était un établissement civil; on ne devait pas y trouver de soldats de garde; Melba et Haydée pourraient lui servir utilement d'infirmières.

A quatre heures du matin, Castro rassembla les rebelles dans le noir, à l'intérieur de la maison, pour leur exposer les grandes lignes du plan de bataille. Seul le comité militaire avait su, jusqu'alors, quel serait l'objectif.

Pendant quelques instants, tous craignirent terriblement d'être découverts quand un volontaire tira accidentellement un coup de fusil ; mais il n'y avait personne dans les environs pour l'entendre. Après avoir expliqué l'opération qui, promit-il, ne durerait pas plus de dix minutes, Fidel déclara :

« Dans quelques heures nous serons victorieux ou vaincus, mais quelle que soit l'issue... notre Mouvement triomphera. Si vous remportez demain la victoire, l'idéal de José Martí sera plus vite réalisé. Dans le cas contraire, notre action servira d'exemple au peuple cubain ; du peuple surgiront de jeunes hommes prêts à mourir pour Cuba. Ils relèveront notre drapeau et iront de l'avant... Vous connaissez maintenant les objectifs de notre plan ; c'est un plan dangereux et tous ceux qui me suivront ce soir doivent le faire en toute connaissance de cause. Il est encore temps de changer d'avis... Que ceux qui sont décidés à venir avancent ; le mot d'ordre est de ne pas tuer, sauf en dernier recours. » Un homme demanda à Castro ce qu'il faudrait faire des prisonniers. « Traitez-les humainement, ne les insultez pas et rappelez-vous que la vie d'un homme désarmé doit être sacrée à vos yeux. » Tout à coup, l'un des quatre étudiants présents déclara que son groupe avait décidé de ne pas participer à l'action, car il considérait l'armement comme insuffisant. Bouillant d'indignation, Castro ordonna que les étudiants fussent enfermés dans la salle de bains sous bonne garde. Puis l'opérateur radio de l'aéroport de La Havane déclara qu'il ne se livrerait pas à des activités « illégales ». Castro ordonna de l'enfermer lui aussi dans la salle de bains. Il lui restait 123 hommes et deux femmes pour faire la révolution.

Castro déclare qu'au moment où fut déclenchée l'affaire de Moncada, « il n'y avait qu'un tout petit groupe, parmi les hauts responsables et les principaux dirigeants du Mouvement, qui eussent une formation marxiste », et qu'il avait lui-même tenu compte de ce contexte « au sein de ce noyau ». En se remémorant les événements, au cours de nos conversations de 1985, Castro a souligné que « les qualités requises de nos compagnons d'armes étaient tout d'abord le patriotisme, l'esprit révolutionnaire, le sérieux, l'honorabilité, la volonté de se battre... l'accord sur les objectifs et les risques... d'une lutte armée contre Batista ».

La définition que donne Castro du bagage idéologique des rebelles, lors de l'attaque de Moncada, est entièrement conforme aux souvenirs des premiers membres du Mouvement. Selon eux, pendant la préparation de l'opération, l'instruction politique était centrée sur la tradition de Martí, jamais sur le marxisme-léninisme. Le passé politique des rebelles en témoigne également. Selon l'historien de la révolution, Mario Mencía, sur les 148 participants aux attaques de Moncada et de Bayamo, il n'y avait que deux communistes : Raúl Castro, qui avait adhéré au parti six semaines plus tôt mais n'exerçait aucune influence sur les décisions prises par le Mouvement, et un ouvrier sucrier, Luciano González Camejo. En dehors du parti, seuls Fidel et un membre de la direction étaient au courant de l'affiliation de Raúl. Castro et Abel Santamaría estimaient qu'ils avaient eux-mêmes étudié sérieusement le marxisme avant d'adhérer à cette idéologie, mais une écrasante majorité de leurs partisans professaient essentiellement des vues modérées, et se montraient partisans de la justice sociale, dans la meilleure tradition cubaine.

Comme Castro l'a souvent souligné, il avait recruté les membres de son Mouvement parmi les jeunes adhérents du parti *Ortodoxo,* celui du sénateur Chibás, organisation qui revendiquait l'instauration de la justice sociale, exigeait une législation protectrice en faveur d'une population formée d'une immense majorité de pauvres, et se réclamait d'un nationalisme anticommuniste. Castro a peut-être pensé qu'une fois soumis à un processus révolutionnaire victorieux, ces paysans et travailleurs *Ortodoxos* se seraient sentis poussés vers le socialisme et auraient abandonné leurs préventions traditionnelles contre le marxisme, ses pompes et ses œuvres. Il a souvent allégué que cette animosité envers le communisme était le produit de la « propagande impérialiste » liée à la guerre froide, mais l'Histoire montre que les communistes cubains ont toujours été incapables d'attirer les masses. D'un autre côté, quand Chibás avait fondé le parti *Ortodoxo,* des centaines de milliers de travailleurs, généralement indifférents à la politique, s'étaient précipités à ses côtés, sans doute en raison de l'énorme attrait dégagé par sa personnalité.

En tout état de cause, « l'armée » *fidelista* avait été recrutée dans les classes laborieuses, bien que ses chefs eussent des antécédents intellectuels. Mais seuls quatre d'entre eux possédaient des diplômes universitaires : Fidel Castro, Melba Hernández, tous deux avocats ; Mario Muñoz, médecin ; et Pedro Celestino Aguilera, dentiste. Le poète Raúl Gómez García, Pedro Miret, Raúl Castro, Lester Rodríguez et Abelardo Crespo avaient fréquenté occasionnellement l'université. Le gros des troupes du Mouvement n'avait connu que l'école primaire et certains *Fidelistas* n'en avaient même pas eu la possibilité. A défaut de posséder un diplôme universitaire, cinq membres du Mouvement étaient experts-comptables, notamment deux hauts dirigeants tels que Jesús Montané et Abel Santamaría. Une vingtaine de rebelles, pas davantage, gagnaient plus de 200 pesos par mois. Les plus nombreux étaient des ouvriers du bâtiment (charpentiers, peintres, maçons, etc.), puis venaient des travailleurs agricoles, des cuisiniers et serveurs de restaurants, des employés de bureau, des chauffeurs, des cordonniers, des mécaniciens, des boulangers, des laitiers, des livreurs de glace, des camelots, et des personnes travaillant à leur propre compte (des voyageurs de commerce, par exemple). Il y avait également des chômeurs parmi les révolutionnaires. Le plus vieux combattant de Moncada était Manuel Rojo Pérez, un paysan de cinquante et un ans. Castro a raison de décrire ses compagnons d'armes comme il l'a fait en 1965, en affirmant que si on ne pouvait guère les dire marxistes-léninistes, tous étaient pourtant « capables de comprendre les principes essentiels du marxisme — la réalité d'une société divisée entre les exploités et les exploiteurs... » Mais, ajoute-t-il, « la plus grande partie de notre attention était absorbée par notre tâche immédiate, à savoir un combat mené avec des ressources minuscules contre ce pouvoir militaire qui écrasait notre pays. »

En décembre 1961, quand il révéla à la face du monde son adhésion au marxisme-léninisme, Castro fit remarquer qu'on lui avait demandé s'il pensait de même au temps de l'attaque de Moncada. Et il répondit à la question en ces termes : « Mes pensées étaient très semblables à ce qu'elles sont aujourd'hui. Telle est la vérité. » Et dans un discours prononcé pour célébrer l'anniversaire de la bataille de Moncada, en 1965, il prit bien soin de rappeler : « Parmi les livres que l'on nous avait confisqués [après la fin des combats], il y avait des œuvres de Martí et des œuvres de Lénine. »

Dans des confidences qu'il a faites en 1975, Fidel précisait encore : « Le noyau fondamental des chefs de notre Mouvement... consacrait du temps à l'étude de Marx, Engels et Lénine », et il mentionnait spécifiquement à cet égard *Le Manifeste communiste* de Marx et Engels, *L'Etat et la révolution* de Lénine, *Karl Marx, Histoire de sa vie* de Franz Mehring. (Les détracteurs de Castro ont relevé que, dans une interview donnée peu après la révolution, il déclarait n'avoir lu que 370 pages du *Capital* avant l'affaire de Moncada ; selon eux, ce serait la preuve de ses lacunes en matière d'idéologie, mais l'argument n'est pas sérieux.) Melba Hernández, qui fut la personne la plus proche de Castro et des Santamaría pendant toute la phase préparatoire du complot, avant Moncada, affirme : « Ce fut Fidel qui forma Abel Santamaría, du point de vue idéologique, et il faut le proclamer sans ambiguïté. » Or Melba est bien placée pour le savoir, car elle les voyait quotidiennement, plusieurs fois par jour, cette année-là.

Avant son suicide, survenu en 1980, Haydée Santamaría a évoqué le souvenir de son frère, assassiné à Moncada ; elle se rappelait qu'à l'époque où ils organisaient leur mouvement révolutionnaire, Castro poussait Abel à des études marxistes intensives. Mais Haydée se sentait obligée de préciser, même au risque de se montrer « impolitique », selon sa propre expression, qu'Abel refusait au même moment d'adhérer au parti communiste, faute de pouvoir y trouver la liberté dont il jouissait au parti *Ortodoxo*. Après l'affaire de Moncada, l'armée avait découvert dans la ferme d'El Siboney un exemplaire du premier tome des œuvres choisies de Lénine, dans l'édition espagnole en deux volumes ; le nom d'Abel s'étalait en lettres ornementales sur la couverture. Le régime de Batista se servit de cet élément pour « prouver » que l'attaque était le résultat d'un complot communiste ; les journaux publièrent une photo prise à la ferme, où l'on voit un lieutenant, un fusil dans la main droite, tendant fièrement, avec la main gauche, le livre conquis.

Il y a donc une remarquable similitude entre les deux descriptions faites par Castro — en 1961 et 1985 — de sa propre évolution idéologique, voire de l'évolution subie par ses amis et son Mouvement. En ce qui concerne son cas personnel, il met l'accent sur la progression, phase par phase, de sa pensée et de ce qu'il en a révélé au public. Son principe a été d'avancer d'un pas à la fois, sur le plan tactique comme sur le plan stratégique. A Moncada, Castro voulait être considéré comme le défenseur de la démocratie cubaine et de la justice sociale, face au pouvoir de Batista. Par la suite, il a décidé d'adopter publiquement le marxisme-léninisme. Ses détracteurs peuvent donc prétendre qu'il a trompé son monde. Mais à ses propres yeux, il mérite d'être applaudi pour sa brillante stratégie révolutionnaire et se replie toujours sur les thèses de Martí et de Marx en matière de « justification historique » — à savoir que les exigences de l'Histoire justifient les moyens. Or, le fait est que Castro n'a jamais critiqué les communistes pendant toute la phase de ses activités insurrectionnelles, même quand ils lui refusaient leur aide.

Quand on contemple, avec le recul, la trajectoire du *Fidelismo*, il paraît évident que même au moment où l'objectif de Castro était d'évincer Batista, le mouvement révolutionnaire mis sur pied dans cette perspective manquait totalement d'esprit démocratique. Dès le début, le Mouvement avait été dominé par Fidel et Abel Santamaría, puis par Fidel tout seul quand son ami eut été tué à Moncada, dans la conviction que le programme militaire devait être réalisé avant que le programme politique pût être révélé.

Au fil des années, Castro a fait preuve d'une autre sorte de cohérence dans son comportement politique : après avoir imposé le marxisme-léninisme, érigé en doctrine officielle à Cuba, il a entrepris de porter au pouvoir les communistes avec qui il s'était lié au temps de ses études universitaires, mais qui n'avaient jamais participé à ses activités révolutionnaires. Souvent même, cette promotion s'est faite aux dépens des anciens combattants *Fidelistas*. C'est du réseau universitaire communiste que viennent un certain nombre de dignitaires dont Castro s'est entouré. Ainsi Lionel Soto, qui avait emmené Raúl Castro en Europe de l'Est, a longtemps été ambassadeur de Cuba à Moscou et il a été porté au poste clé de secrétaire du Comité central, lors du Troisième Congrès du parti en 1986. Flavio Bravo Pardo, jadis secrétaire général des Jeunesses socialistes, est aujourd'hui membre du Comité central et président de l'Assemblée nationale. Alfredo Guevara, qui fut le premier ami communiste de Castro, fait la navette entre Paris et La Havane à titre d' « ambassadeur culturel » ; il est plus proche que jamais de Fidel et de Raúl. Et parmi les vieux communistes, la plupart des dirigeants du parti qui avaient guidé celui-ci avant et pendant l'ère de Batista, ont occupé des postes au Politburo et au Comité central aussi longtemps que leur âge et leur état de santé le leur ont permis. Au Troisième Congrès, en 1986, c'est Fábio Grobart, déjà octogénaire, seul survivant des fondateurs du parti communiste cubain en 1925, qui a officiellement présenté Fidel Castro aux délégués.

Quand Castro exposa son plan de bataille, avant de lancer l'attaque contre Moncada, il assura ses partisans, rassemblés dans le noir à El Siboney, que l'élément de surprise aidant, l'assaut lui-même serait bref et rondement mené. Il omit de leur expliquer ce qui se passerait par la suite. De même, au cours de son procès, il se contenta de dire que le peuple de Cuba se serait soulevé pour se joindre à lui et liquider la dictature. Peut-être Castro s'est-il délibérément abstenu de dévoiler sa stratégie à ses ennemis, mais il pensait déjà à ce que serait la phase suivante de son action révolutionnaire. Nombre de considérations prouvent que ses plans étaient extrêmement ambitieux.

Pedro Miret, membre du comité militaire du Mouvement, a souligné, au cours d'une conversation à La Havane, en 1985, que l'assaut contre Moncada avait pour objectif spécifique d' « isoler l'Oriente, que l'on pouvait facilement couper du reste du pays ». La chose aurait été possible à cette époque, selon Miret, faute de communications adéquates entre le commandement militaire de La Havane et celui de la région, ce qui affectait également le dispositif. Des moyens de communication efficaces ne furent mis en place qu'après l'affaire de Moncada. Or Castro, en stratège-né, bien qu'il n'eût pas fait d'études militaires en bonne et due forme, avait raisonné de la façon suivante : pour que l'armée pût acheminer jusqu'à Santiago les renforts nécessaires à une tentative de reconquête de la caserne et de la ville, il lui fallait faire passer les troupes par Holguín, ville du nord de l'Oriente, située sur la grand'route centrale, et où était caserné un régiment au moins. Mais ensuite, sur le trajet montagneux de cette route, se trouvait Bayamo, entre Holguín au nord et Santiago à l'est. Telle était la raison pour laquelle Fidel voulait s'emparer de la caserne de Bayamo en même temps qu'il attaquait Moncada. Les révolutionnaires auraient alors fait sauter les ponts du Cauto, fleuve qui coule à travers Bayamo, pour couper la route entre Holguín et Santiago. En théorie au moins, la partie méridionale de l'Oriente se serait ainsi trouvée verrouillée par les rebelles, ce qui aurait eu pour effet de créer une « zone libérée » — notion à laquelle Castro revint lorsqu'il entama la guerre de la Sierra vers la fin de 1956.

Comme il l'a déclaré, Fidel s'attendait à recevoir un vaste soutien populaire après la prise de Moncada, dans la province d'Oriente, traditionnellement rebelle, où avaient pris naissance les guerres d'indépendance ; il avait même espéré que des « milices populaires » armées surgiraient spontanément pour se porter au secours du pouvoir révolutionnaire. Mieux encore, nichée entre la mer et la montagne, la ville de Santiago serait relativement facile à défendre ; elle n'avait qu'une seule grande voie d'accès terrestre. Une étude de l'opération a été effectuée beaucoup plus tard et publiée en 1973 par la Section historique de la Direction Politique des Forces armées révolutionnaires ; elle confirme que la stratégie de Castro était de « faire éclater une rébellion dans la région, tenter de l'alimenter, appeler à la grève générale dans le pays et gagner du temps pour permettre au peuple de se mobiliser, ce qui aurait conféré à la lutte une ampleur nationale. » Le plan paraissait d'autant plus prometteur, déclare cette étude, que Santiago était la deuxième place militaire de Cuba, par ordre d'importance, et se trouvait située à l'autre bout de l'île par rapport à La Havane, ce qui aurait rendu extrêmement difficile l'acheminement de troupes gouvernementales. Après avoir occupé les casernes de Moncada et de Bayamo, et saisi l'arsenal de Moncada (quatre mitrailleuses lourdes, dix mitraillettes, 865 fusils Springfield, et 471 revolvers), Castro aurait eu de quoi équiper une importante force rebelle ; il aurait alors évacué les bâtiments pour ne pas être exposé à des attaques aériennes (il n'y avait pas de canons antiaériens à Moncada ni à Bayamo). Puis les rebelles se seraient dispersés à travers les territoires occupés par eux, pour ne pas offrir de cibles urbaines précises à l'aviation.

Cette étude sur l'affaire de Moncada ajoute que, si le régime de Batista ne s'était pas effondré immédiatement, les forces de Castro se seraient lancées dans une « guerre irrégulière » à travers les champs et les montagnes, comme l'avaient fait les combattants de l'indépendance, au XIXe siècle. La proximité des montagnes, précise le rapport, aurait permis de passer rapidement à la guerre de guérilla si le conflit s'était prolongé. Cette étude officielle conclut que le plan de Castro était excellent, mais elle se permet une critique : « le point faible du projet était qu'il reposait sur le résultat d'une seule action » dont dépendait la suite des opérations. « Si l'attaque de la caserne échouait, déclare le rapport, tout le plan était voué à l'échec. » Mais il ajoute que les rebelles « n'avaient pas le choix d'autres possibilités » et qu'il leur avait fallu « s'en contenter ».

Cette conclusion revient à constater que, pour Fidel Castro, il y a des risques dont il accepte toujours de payer le prix, peu importe son montant, parce que telle est sa nature instinctive. Cela fait penser au commentaire d'un historien américain sur le roi de Prusse, Frédéric le Grand (dont Castro avait étudié la biographie) : « Un aspect du romantisme de Frédéric était sûrement son aptitude à envisager la victoire finale quand tous les calculs rationnels indiquaient clairement combien elle était impossible. »

Et Castro avait su infuser à ses hommes sa foi en la victoire. Dans les ténèbres d'El Siboney, quelques minutes avant cinq heures du matin, le dimanche 26 juillet, les jeunes Cubains chantèrent à voix basse l'hymne national. Ils étaient prêts à partir.

4

La caserne Moncada présente un hideux étalage de bâtiments et de terrains dont l'ensemble est vaguement rectangulaire ; elle occupe une superficie de quelque six hectares, sur une hauteur, dans le centre de Santiago. A l'origine, les Espagnols l'avaient construite en forme de forteresse, mais elle avait été rebâtie en 1938, après un incendie. Après la proclamation de la république cubaine, elle avait reçu le nom d'un général de l'armée de libération, Guillermo Moncada, qui s'était illustré pendant les guerres d'indépendance. Elle remplissait essentiellement une fonction de maintien de l'ordre, car une attaque étrangère contre Santiago était totalement improbable.

Au moment de l'assaut du 26 juillet 1953, Moncada servait de quartier général au 1er Régiment d'Infanterie, connu sous le nom de régiment Maceo (le général Antonio Maceo avait été l'un des héros de la dernière guerre d'indépendance). Son effectif normal était de 402 hommes, dont 288 simples soldats. Les 26 gendarmes d'un escadron de la Garde rurale y étaient également casernés. Castro avait calculé que, pendant une nuit de carnaval, la caserne abriterait moins de la moitié de la garnison — en tenant compte des permissions ordinaires — et que la moitié des hommes présents seraient endormis ou ivres. Pour s'en emparer, il disposait de 79 volontaires ; le reste de ses forces serait occupé à d'autres missions connexes, dans les environs immédiats du fort, sans parler du détachement déployé à Bayamo. Le plan était conçu de telle manière qu'il devait réussir totalement ou échouer totalement : le nombre des hommes engagés n'y ferait rien.

A l'intérieur du périmètre, l'ensemble du camp était divisé en deux zones principales : la partie orientale du rectangle formait un champ de tir, la partie occidentale était occupée par le fort proprement dit ; c'était l'objectif des rebelles. L'enceinte du fort était formée par les épais murs jaunes, crénelés, des casernes hautes de deux étages, sur toute la façade orientale où se trouvait l'entrée principale de l'état-major, de même que sur de la moitié la longueur des façades nord et sud. Sur l'autre moitié de la la longueur, au nord comme au sud, ainsi que sur toute l'étendue de la face ouest, il y avait de hautes murailles percées de portes. Le mess des officiers et celui des hommes de troupe se trouvaient à l'angle sud-ouest, les terrains d'exercice à l'angle nord-ouest.

On pouvait entrer par l'entrée principale qui conduisait au bâtiment du commandement, par la salle de garde. Mais une attaque frontale aurait été téméraire. Il existait également des portes du côté ouest et du côté est, mais elles étaient trop éloignées du cœur du dispositif, de sorte que les assaillants auraient été dans l'obligation de parcourir une grande distance à découvert. Castro avait donc pensé attaquer la porte numéro 3, à l'angle sud-est du fort, directement au sud de l'entrée du quartier général. Les voitures pouvaient pénétrer par cette porte, entrer dans la cour, puis envahir les bâtiments, de l'intérieur, et s'en emparer par surprise.

Pour plus de sûreté, Castro avait décidé d'occuper également le Palais de Justice, bâtiment de trois étages situé à un pâté de maisons de distance de la façade sud de l'enceinte. De là, on pouvait ouvrir le feu sur l'intérieur de la cour. De petites maisons et des bungalows occupés par des officiers et des sous-officiers du régiment formaient le pâté de maisons qui s'étendait entre le fort et le tribunal. L'hôpital militaire jouxtait le Palais de Justice, mais Castro ne pensait que ce serait une base de feu utile ; il avait donc ordonné l'occupation de l'hôpital civil Saturnino Lora, édifice de deux étages avec des salles en rez-de-chaussée à l'arrière, face à l'enceinte ouest du fort. La position pourrait également permettre de tirer à travers la rue.

Après avoir étudié pendant des mois le dispositif de Moncada et les règles de sécurité qui y étaient appliquées, Castro en avait conclu que le fort pouvait être pris par la porte numéro 3, quand le commando transporté dans la voiture de tête aurait ôté la chaîne de fer placée en travers du passage, après avoir désarmé les trois soldats de garde postés devant deux guérites garnies de meurtrières latérales. Les autres voitures auraient alors pénétré à l'intérieur de la cour. Une fois dans la place, les rebelles se seraient précipités dans les escaliers pour désarmer les soldats endormis (la consigne était de ne tuer qu'en cas de résistance armée).

Ils occuperaient alors l'émetteur de radio du fort et râtisseraient Moncada avec les armes fraîchement saisies. Tel était le plan et Castro n'y voyait aucune faille. Ses éclaireurs avaient même déterminé avec une précision absolue le moment où une patrouille composée de deux hommes passait devant la porte numéro 3 au cours de sa ronde autour de l'enceinte. On supposait que cette patrouille respecterait son horaire à une fraction de seconde près, ce matin-là comme les autres.

Les seize véhicules qui transportaient Castro et ses 123 volontaires — y compris Haydée Santamaría et Melba Hernández — commencèrent à quitter El Siboney à quatre heures quarante-cinq du matin. La première voiture était une Pontiac 1950 conduite par Abel Santamaría ; le commando qui devait désarmer les gardes se trouvait dans la quatrième voiture, une Mercury 1950. Fidel conduisait la cinquième auto, une Buick 1953 flambant neuve. Avant d'arriver à Santiago, les voitures prendraient leur place définitive dans la colonne, une fois qu'elles se seraient engagées sur la route où l'on manœuvrerait plus facilement que dans la cour obscure et étroite de la ferme.

Tous les hommes portaient les uniformes beiges de l'armée cubaine, avec la cravate noire et le chapeau de campagne à larges bords ou la casquette à visière, des bottes à hauteur du genou ou des leggins (Haydée et Melba étaient en corsage et en pantalons). La seule différence entre les rebelles et les soldats était dans leur armement. Alors que les hommes du régiment Maceo avaient des carabines modernes New-Springfield calibre 30, les *Fidelistas* étaient équipés d'un assortiment de fusils de chasse, de 22 long rifles, de quelques Winchester à canon court de calibre 44. Ils ne possédaient qu'un seul M-1 et une seule mitraillette Browning. Mais, pitoyables ou admirables, ils étaient supérieurement entraînés à faire usage de leurs armes.

Pour éviter d'être identifiés en cas d'arrestation prématurée, ils n'avaient sur eux aucun papier d'aucune sorte. Castro et quelques hommes d'aspect plus âgé (la plupart des combattants n'avaient guère plus de vingt ans, Raúl en avait vingt-deux et paraissait encore plus jeune) portaient les insignes de sergent sur les manches, pour inspirer plus de respect aux soldats de Batista ; en effet, le dictateur avait lui-même conduit, au cours des années trente, une rébellion de sergents qui l'avait porté au pouvoir ; ce grade était donc tenu en haute estime dans l'armée cubaine. Fidel avait rasé sa moustache à la veille de l'attaque, peut-être pour ne pas être reconnu.

Rien n'indiquait pourtant que le régime eût le moindre soupçon de ce qui allait se passer. Quand Castro avait rejoint El Siboney, la veille, il avait appris avec dépit que le colonel Alberto del Río Chaviano, commandant de la région militaire de l'Oriente, auquel appartenait le régiment Maceo, avait ouvert la caserne au public dans la nuit du vendredi 24, à l'occasion des fêtes du carnaval. « Quelle belle occasion perdue ! » marmonnait Fidel rageusement, en imaginant avec quelle facilité il aurait pu s'emparer du fort s'il avait connu les intentions de Chaviano à temps pour faire pénétrer ses troupes dans la place.

On se trouvait au cœur de l'été ; le reste de Cuba était tout à fait tranquille. Le général Batista passait ses vacances sur la luxueuse plage du Varadero et il naviguait depuis plusieurs jours au large des côtes sur son yatch, le *Marta II*. Près de Banes, la ville natale de Batista, non loin de Birán et de la maison des Castro, la Garde rurale avait arrêté cent cinquante paysans coupables d'avoir occupé en squatters des terrains appartenant à la sucrerie Santa Lucía. Le journal *Alerta* allait publier toute l'histoire dans son édition du dimanche matin 26 juillet, au moment même où les *Fidelistas* convergeaient vers Moncada.

Mais tout commença à mal tourner instantanément. La troisième voiture à quitter El Siboney était une Chevrolet 1948, conduite par Mario Dalmau ; elle transportait l'équipe placée sous le commandement de Raúl Castro — c'est-à-dire cinq hommes, y compris Raúl, outre le chauffeur. En effet, au dernier moment, Fidel avait décidé de confier l'un des trois détachements à son frère ; c'était le moins important, il est vrai, celui qui devait s'emparer du Palais de Justice. Mais, une fois en ville, ils tournèrent dans le mauvais sens et se retrouvèrent sur une petite place du centre, à l'opposé de leur objectif. Ils parvinrent finalement au Palais de Justice avec plusieurs minutes de retard, alors que la bataille avait déjà commencé.

La sixième auto, celle qui transportait Boris Luis Santa Coloma (fiancé de Haydée et membre du comité civil du Mouvement) ainsi que sept combattants, fut victime d'une crevaison juste après avoir quitté la ferme. Boris et trois de ses compagnons purent trouver place dans une autre voiture, mais il fallut laisser quatre hommes sur place, faute de moyens de transport, et renoncer au véhicule. L'expédition était réduite à 113 combattants et quinze voitures.

Les quatre étudiants qui avaient décidé, un peu plus tôt, de ne pas participer à l'opération et que Fidel avait fait enfermer dans la salle de bains devaient être les derniers à partir pour rentrer chez eux, mais ils désobéirent aux ordres et se débrouillèrent pour se glisser au milieu du cortège dans le noir. En approchant de Santiago, ils tournèrent à gauche sur la grand'route centrale pour prendre la direction de La Havane et la voiture qui venait derrière eux, avec huit rebelles à bord, les suivit. Quand le conducteur comprit son erreur, il était déjà bien loin de Santiago où il arriva trop tard pour prendre part au combat. Aussi le nombre de ceux qui parvinrent effectivement dans le secteur du fort ne fut que de 111 personnes, y compris Fidel, avec quatorze véhicules. Dans une interview qu'il a accordée en 1956 à Carlos Franqui, rédacteur en chef de *Revolución*, Fidel a déclaré : « La *moitié* la mieux armée de nos troupes avait été retardée à l'entrée de la ville et ne se trouvait pas sur les lieux au moment crucial... Notre division de réserve qui transportait presque tout notre armement lourd — sauf celui des éléments avancés — se trompa de route et s'égara complètement dans cette ville inconnue. » Ce récit est tout à fait trompeur ; Castro n'avait pas été privé de la « moitié la mieux armée » de ses troupes. Seuls douze hommes, parmi tous ceux qui avaient quitté El Siboney avec lui, manquèrent au rendez-vous. Ses forces comptaient 83 combattants, y compris lui-même, au moment où les rebelles attaquèrent la caserne. Raúl et ses cinq hommes avaient eu quelques minutes de retard, mais ils se trouvaient à leur poste, au Palais de Justice, pendant la bataille. Abel Santamaría avec vingt-trois rebelles, y compris les deux femmes et le Dr Mario Muñoz, atteignirent l'hôpital civil au moment précis qui avait été prévu.

Toute l'opération avait subi un peu de retard car le cortège avait dû s'arrêter pour laisser passer une jeep montée par deux innocents chasseurs, sur le pont étroit qui enjambe le cours de la San Juan. Puis Fidel, jurant et sacrant, avait dû stopper sa Buick juste dans le dernier virage avant la caserne, pour laisser manœuvrer la voiture du commando qui devait prendre position devant lui.

Le moment de l'attaque avait été fixé à cinq heures quinze du matin, mais il était probablement un tout petit peu plus tard quand la Mercury du commando freina devant la porte numéro 3 pour permettre à ses occupants de forcer le passage et de frayer un chemin vers la cour à la Buick de Fidel et au reste de la colonne. Le groupe accomplit aussitôt sa mission avec succès. Comme le Mouvement avait pour principe que les dirigeants devaient prendre personnellement la tête des actions armées, ce commando de huit hommes comprenait deux membres du comité militaire, Renato Guitart et José Luis Tasende ; un membre du comité civil, Jesús Montané ; les trois meilleurs chefs de cellules, Ramiro Valdés, Pedro Marrero et José Suárez, outre deux remarquables tireurs d'élite, Carmelo Noa et Flores Betancourt (dont le frère se trouvait dans le détachement de Bayamo).

Conformément au plan établi, Guitart cria d'une voix de commandement aux trois sentinelles placées devant la porte : « Ouvrez ! Le général arrive ! » Les hommes apercevant ses galons de sergent se mirent au garde-à-vous. Montané, Valdés et Suárez ôtèrent leurs Springfield aux soldats pétrifiés, tandis que Guitart et les quatre autres enlevaient la chaîne de fer qui barrait l'entrée ; puis, comme prévu, ils se ruèrent dans les escaliers extérieurs de la caserne pour occuper le centre de radiocommunications de Moncada et interdire tout contact avec La Havane et Holguín.

Mais derrière la Mercury, Fidel, armé de son gros pistolet Lüger, avait ralenti, au volant de sa Buick, à une centaine de mètres de la porte numéro 3, en passant devant l'hôpital civil. La raison de ce geste était qu'il lui fallait décider sur-le-champ, avec ses six compagnons, comment se débarrasser de la patrouille de deux hommes, armés de mitraillettes, brusquement apparus devant eux et qui maintenant observaient intensément ce qui se passait devant la porte. Ou bien la patrouille était en avance, ou bien les *Fidelistas* avaient pris un retard critique sur leur horaire. A ce moment surgit du néant, au beau milieu de la rue, un véritable sergent qui examinait la situation d'un air soupçonneux. Les rebelles perdirent pratiquement la bataille de Moncada à cet instant précis, car avec les premières lueurs de l'aube ils ne pouvaient plus compter sur l'effet de surprise.

« A ce moment-là, a dit Fidel Castro à Robert Merle, en 1962, j'ai deux idées dans l'esprit. Je crains, puisqu'ils ont chacun une mitraillette, que les hommes [de la patrouille] se mettent à tirer sur nos compagnons pendant qu'ils sont occupés à désarmer les sentinelles. En second lieu, je veux éviter que leur tir alerte le reste de la caserne. Je conçois donc l'idée de les surprendre et de les faire prisonniers. Cela paraît facile puisqu'ils me tournent le dos... »

Tous ces événements ne durèrent que quelques secondes, peut-être quelques minutes, mais tandis que Fidel dirigeait lentement sa voiture vers la patrouille, en préparant son Lüger, puis en ouvrant la porte latérale, et enfin en accélérant pour précipiter la Buick sur les deux hommes, ceux-ci se retournèrent et pointèrent leurs Thompson dans sa direction. La Buick heurta le trottoir avec la roue avant gauche et cala. Le sergent se retourna, dirigea son revolver vers Fidel, mais il fut abattu par une rafale venue du véhicule rebelle qui roulait juste derrière. Fidel et Pedro Miret (assis à côté de son chef sur le siège avant) se retrouvèrent à quatre pattes derrière leur voiture, tandis qu'un soldat tirait sur eux par les fenêtres de l'hôpital militaire, à gauche. Des balles sifflèrent aux oreilles de Castro qui les couvrit de ses mains, comme si le bruit lui avait crevé le tympan. A ce moment, les sirènes d'alarme se mirent à hurler furieusement dans toute la caserne.

Toute l'affaire fut terminée en moins d'une demi-heure. Ramiro Valdés, Jesús Montané et José Suárez furent les seuls rebelles qui réussirent à pénétrer effectivement à l'intérieur du fort et, pendant quelques minutes, ils avaient tenu en respect une cinquantaine de soldats à moitié nus qu'ils avaient trouvés allongés sur des matelas, le long du mur de la cour. Mais d'autres soldats, fusils et revolvers au poing, commencèrent à surgir de tous les coins de la caserne en faisant feu sur les trois rebelles ; ceux-ci furent vite séparés les uns des autres, chacun se battant pour gagner la sortie. Valdés et Montané se rappellent avoir descendu plusieurs soldats. Finalement, tous trois purent s'échapper et sortir dans la rue.

Maintenant les militaires ouvraient un feu nourri sur les *Fidelistas* en retraite qui se trouvaient pris au piège dans une rue de six mètres de large, entre la porte numéro 3 et l'avenue Garzón derrière eux. C'était le court passage que les voitures d'assaut avaient emprunté, après avoir dépassé l'hôpital militaire, pour se précipiter vers la porte de Moncada. On tirait sur eux de tous les toits et de toutes les fenêtres de la caserne au-dessus d'eux, ainsi que de l'hôpital militaire : ils étaient même pris en enfilade par une mitrailleuse lourde calibre 30, montée sur une tour du champ de tir à une distance de quelque deux cents mètres. Les rebelles formaient une excellente cible pour cette arme dont ils découvrirent l'existence avec une douloureuse surprise. (Ils ignoraient qu'une autre mitrailleuse calibre 50 était installée sur le toit du mess des officiers et neutralisait le petit groupe de Raúl Castro au Palais de Justice.)

Renato Guitart, le membre du comité militaire originaire de Santiago qui avait été chargé de prendre la plupart des dispositions stratégiques dans sa ville natale, fut tué devant la porte numéro 3, avec Pedro Marrero, Carmelo Noa et Flores Betancourt. Ce furent les premiers rebelles victimes de la révolution de Castro.

Castro avait compris qu'il avait irrémédiablement perdu la bataille de Moncada à l'instant où sa Buick avait calé au pied de la forteresse et où les sirènes d'alarme s'étaient mises à hurler, mais il tenta désespérément de regrouper ses hommes pour repartir à l'attaque. Debout au milieu de la rue, à peine visible dans la faible lumière de l'aube et la fumée qui s'épaississait, il criait des ordres et des encouragements : « *Adelante, muchachos! Adelante!* » (En avant, les gars ! En avant !) Mais les hommes ne pouvaient l'entendre ni comprendre ce qu'il disait, et ils perdirent rapidement leur esprit offensif. Pour leur donner l'exemple, Fidel remonta dans sa Buick et tenta vainement de remettre le moteur en marche. Furieux au-delà de toute expression, il essaya une fois encore de regrouper ses troupes en brandissant son Lüger. La plupart des rebelles se dissimulaient derrière les barrières basses des bungalows, de l'autre côté de la rue, cloués au sol par les tirs foudroyants de Moncada.

Pourtant Fidel s'efforça de tenir bon. Voyant deux soldats en train de mettre en batterie une mitrailleuse lourde sur le toit du fort, il déchargea son Lüger sur eux, puis tira encore sur des soldats qui prenaient position au-dessus de lui. Ses compagnons lui criaient : « Fidel, Fidel ! Tire-toi de là !... Tire-toi de là !... » mais il semblait ignorer leurs cris et les balles qui tombaient comme la grêle.

Pedro Miret, qui était alors le principal expert militaire du Mouvement (après Fidel), estime qu'il fut impossible de regrouper les hommes parce qu'ils « se trouvaient devant une situation qui n'avait pas été prévue ».

Quand il évoque la bataille, il rappelle que le plan prévoyait l'entrée en force des voitures dans la cour, derrière celle de Fidel ; puis celui-ci devait conduire ses troupes à l'assaut de l'escalier principal pour occuper le poste de commandement de Moncada ; ensuite, tout le monde devait se disperser à travers la caserne. Or ce plan avait échoué et, « au moment où Fidel cherchait désespérément à reprendre la situation en main au milieu de la fusillade », il ne pouvait plus faire grand-chose. Miret pense que le « moment critique » avait été celui de la rencontre accidentelle et soudaine avec la patrouille. Une fois que les rebelles eurent été refoulés, raconte-t-il, Fidel tenta d'improviser une ligne de défense pour couvrir la retraite, et se retrouva « de nouveau en train de tout organiser ». « Mais, commente encore Miret, c'est plus facile à dire qu'à faire, car beaucoup de nos hommes n'avaient jamais entendu de tirs réels et surtout pas avec une mitrailleuse calibre 50 qui fait un bruit très impressionnant. »

A la fin, dit Miret, Fidel « décida de partir » avec autant d'hommes qu'il pourrait en rassembler et tous deux se trouvèrent séparés. Miret refuse de l'admettre, mais lui-même et deux de ses compagnons semblent être restés délibérément en arrière pour couvrir le départ du groupe de Castro. Il finit par se retrouver à l'hôpital militaire, où il fut sauvagement frappé, laissé pour mort, sauvé par un médecin, couché dans un lit où il faillit se faire assassiner par les agents des services de renseignement, et finalement traduit en jugement. Ce fut en prison qu'il revit Fidel.

Pendant ce temps, Castro était entièrement possédé par une rage inextinguible contre lui-même, car il estimait avoir commis une erreur terrible en ordonnant la capture de la patrouille. La série d'escarmouches qui avaient suivi cette décision avaient fait sonner l'alarme dans la caserne et le glas de ses espoirs. Devant l'hécatombe de ses compagnons qui tombaient morts ou blessés, une nouvelle attaque était hors de question ; il n'y avait plus qu'à se résigner à la défaite et à se replier. Dans une lettre écrite en prison, le 31 décembre 1953, Fidel affirmait : « Le moment le plus heureux de l'année et de toute ma vie a été celui où j'étais plongé dans la bataille — même quand j'ai dû faire face à l'adversité la plus terrible et à la défaite, avec son cortège d'infamie, de calomnie, d'ingratitude, d'incompréhension et d'envie. »

Après avoir constaté que tous les rebelles survivants avaient quitté les alentours de Moncada, Fidel monta dans la dernière voiture qui abandonnait le champ de bataille ; il y avait six autres hommes à bord, y compris un blessé sérieusement touché à la cuisse. Mais au moment où l'auto démarrait, il vit encore un dernier rebelle, à pied, qui tentait d'échapper à la fusillade venue du fort, derrière eux. Il donna l'ordre de stopper, descendit pour faire place au nouvel arrivant et continua de battre en retraite en faisant feu à reculons sur la caserne. Au moment où il tournait le coin de l'avenue Garzon, derrière l'hôpital militaire, et se trouvait hors de portée des tirs directs, il vit rouler en marche arrière, venant de la porte numéro 3, la voiture d'un chauffeur de taxi rebelle, originaire d'Artemisa, qui le prit à son bord avec trois autres compagnons.

La première idée qui lui vint à l'esprit en cet instant, fut que l'attaque contre Bayamo avait peut-être réussi ; dans ce cas, il devrait tenter de rejoindre le contingent qui s'y trouvait. Mais il lui parut également que les cinq hommes présents dans la voiture pourraient commencer par s'emparer d'un petit poste de la Garde rurale situé à El Caney — quelques kilomètres au nord de Santiago —, pour protéger les arrières de Bayamo. Si l'opération de Bayamo avait échoué, pensait-il, les hommes devaient être en train de gagner la montagne pour y continuer la lutte, comme le prévoyait le plan établi. El Caney serait le meilleur endroit où regrouper ses troupes.

Le conducteur de la voiture ne connaissait pas la région de Santiago et peut-être ne comprit-il pas les instructions de Castro ; ou peut-être n'avait-il pas envie d'aller se battre à El Caney. Le fait est qu'au lieu de se diriger vers le nord, il tourna vers l'est sur la route d'El Siboney, en direction de la ferme. En chemin, il retrouva les quatre hommes laissés pour compte quand une crevaison avait immobilisé la voiture de Boris Luis Santa Coloma. Fidel n'insista plus pour retourner à El Caney. Il arrêta une voiture particulière qui passait et ordonna aux deux occupants d'emmener les quatre rebelles à El Siboney. Le véhicule de Castro les escorta jusqu'à la ferme et on les laissa reprendre leur route après qu'ils eurent rempli leur mission. Il n'y avait pas trois heures que Castro avait quitté la ferme pour s'emparer de Moncada — et de Cuba.

A La Havane, Naty Revuelta avait quitté son appartement du Vedado à cinq heures du matin, conformément aux instructions de Castro, pour distribuer des copies du Manifeste aux dirigeants politiques et aux éditeurs des journaux. Certains n'étaient pas chez eux ; d'autres se montrèrent réticents ; l'un des éditeurs envoya son gendre recevoir Naty dans le living-room pour lui apprendre qu'ils venaient d'entendre, à la radio, la nouvelle d'un coup d'état manqué à Santiago. Naty fut gentiment mais fermement poussée hors de l'appartement. Elle savait que si elle était arrêtée par les agents du SIM — le service d'information militaire — et trouvée en possession du manifeste révolutionnaire dans son sac à main, elle risquerait la prison, ou pire.

Du haut de la haute terrasse du Palais de Justice, Raúl Castro et ses hommes avaient été témoins de la débâcle survenue devant la porte numéro 3, mais n'avaient pu se montrer d'aucune utilité réelle. Stratégiquement, ils occupaient une position excellente, mais leurs armes étaient insuffisantes pour leur permettre de couvrir la retraite de Fidel et la terrasse devint rapidement la cible des mitrailleuses lourdes de Moncada. Voyant que le groupe de Fidel s'était replié et que la fusillade s'apaisait, Raúl conclut que sa mission de soutien était terminée et que mieux valait se retirer avant d'être encerclé. En bas des marches, ils trouvèrent cinq policiers armés, mais purent se saisir de leurs revolvers avant de monter dans la voiture conduite par Mario Dalmau et de s'enfuir sous une grêle de balles. Seul Lester Rodríguez, qui habitait Santiago, regagna à pied le domicile de ses parents. Le groupe du Palais de Justice n'avait pas subi de pertes. Raúl ordonna à Dalmau de prendre la direction de la côte.

Abel Santamaría avait occupé l'hôpital civil, en face du mur occidental de l'enceinte de Moncada. Il n'avait pu voir ce qui s'était passé devant la porte numéro 3 et ignorait encore que Fidel était en train de se replier progressivement. Mais les soldats de la caserne commençaient à diriger un feu nourri sur l'hôpital ; Abel comprit qu'il allait être encerclé et pris au piège. Pensant qu'il pourrait être de quelque secours au groupe de Fidel (où qu'il fût) en se battant le plus longtemps possible, Abel décida de rester à l'hôpital jusqu'à ce qu'il eût épuisé ses munitions. Il déclara à sa sœur Haydée et à Melba : « Nous sommes perdus » et leur demanda de chercher à s'enfuir ; il leur dit qu'étant des femmes elles pourraient avoir la vie sauve et ajouta : « Ne prenez pas de risques... Il doit y avoir des survivants pour raconter ce qui s'est passé. »

Mais Haydée et Melba n'essayèrent même pas de fuir. La fusillade prit fin vers 8 heures du matin, lorsque Abel et ses hommes furent à court de munitions et que les soldats cessèrent eux aussi le feu. Mais l'armée attendit encore une bonne heure avant d'oser pénétrer dans l'hôpital. Pendant ce temps, les deux femmes entreprirent d'aider les infirmières à nourrir les bébés hurlant dans la maternité. Les nourrissons s'étaient trouvés pendant près de trois heures au milieu de la bataille. D'autres infirmières firent revêtir des blouses de l'hôpital aux deux rebelles et les conduisirent au chevet de malades pour les protéger contre les soldats. On mit Abel au lit, avec un pansement sur l'œil, au service d'ophtalmologie.

La malchance voulut que le chef du service de presse de Moncada, un civil appelé Senior Carabia Carey, se trouvât en traitement à l'hôpital pendant le siège ; ce fut lui qui dénonça les *Fidelistas* : il ajouta même que deux femmes rebelles se cachaient dans le bâtiment. Melba et Haydée virent Abel arraché à son lit d'hôpital et frappé à coups de crosse de fusil ; son visage n'était plus qu'une masse sanglante. Plus tard dans la matinée, elles furent transférées à Moncada ; en traversant la rue, elles virent le Docteur Mario Muñoz frappé sur la tête à coups de crosse puis tué d'une balle dans le dos. Il mourut le jour de son quarante-cinquième anniversaire. C'était un médecin aux manières empreintes de douceur, avec une petite moustache et des lunettes. Carabia fut arrêté après la révolution et condamné à trente ans de prison. Après avoir purgé la plus grande partie de sa peine, il fut autorisé à émigrer aux Etats-Unis.

Dans un couloir du quartier général de Moncada, Haydée et Melba virent des soldats jeter à leurs pieds un jeune homme dont le visage avait été rendu méconnaissable par les coups de crosse. Elles le firent asseoir sur un banc et le garçon eut la force de gribouiller sur un bout de papier : « Je suis prisonnier — ton fils. » Melba comprit qu'il écrivait à sa mère. En le regardant dans les yeux, elle reconnut Raúl García Gómez, le jeune poète qui avait rédigé le Manifeste de Moncada et composé un émouvant poème à El Siboney ; il avait été choisi pour lire les proclamations victorieuses du Mouvement à la radio. Un soldat lui donna le coup de grâce.

Les soldats appelaient les rebelles des « Coréens » — allusion méprisante aux communistes nord-coréens qui avaient envahi la Corée du Sud trois ans plus tôt. Haydée et Melba les entendirent se vanter d'avoir battu à mort un indomptable rebelle de haute taille qui avait voulu se battre avec eux à mains nues ; il avait fallu l'attacher pour permettre aux enquêteurs militaires de le torturer. Quand un soldat eut mentionné que le rebelle portait des chaussures noir et blanc, Haydée comprit qu'il s'agissait de son fiancé Boris Luis, qui n'avait pu se procurer de bottes à sa pointure. Il était mort sans prononcer un mot. Haydée apprit par un soldat que son frère était soumis à la torture. Plus tard, un sergent vint lui apporter l'œil arraché d'Abel, pour l'en convaincre. Abel mourut sous la torture ce dimanche-là. Tous les hommes de son détachement furent ensuite assassinés par les militaires, sauf un jeune instituteur qui était parvenu à se cacher.

Ramiro Valdés, l'un des trois assaillants qui avaient réussi à pénétrer effectivement dans Moncada, put se sortir de la mêlée et parvint à monter dans une voiture des rebelles, traînant avec lui son ami Gustavo Arcos, atteint d'une balle dans le ventre. Arcos était venu d'El Siboney dans la voiture de Fidel dont il s'était trouvé séparé pendant la bagarre. Les quatre pneus de la voiture étaient crevés, mais Valdés roula sur les jantes et réussit à conduire son ami chez un médecin, à quelques pâtés de maisons de distance.

A quelque cent cinquante kilomètres au nord-ouest de Santiago, le détachement rebelle de Bayamo avait été défait en moins d'un quart d'heure. Vingt-sept hommes se trouvaient affectés à cette opération, mais vingt-deux d'entre eux seulement prirent part à l'assaut de la caserne. Conduit par Raúl Martínez Arará, l'un des premiers membres du Mouvement, le détachement, divisé en trois escouades, attaqua le bâtiment par-derrière — c'était le côté où des barbelés remplaçaient le mur. Les rebelles passèrent à l'action à 5 h 15 du matin, dans une obscurité totale, traversèrent un champ situé entre la rue et la clôture de barbelés, avant de découvrir que la porte ménagée dans cette clôture, ouverte le jour, était cadenassée pendant la nuit. Ils décidèrent de l'escalader, mais butèrent alors sur des boîtes de conserves vides qui jonchaient le sol ; le bruit alerta les soldats ; un chien se mit à aboyer, les chevaux piaffèrent dans les écuries ; une sentinelle cria « Halte là ! ». Cachés derrière les buissons, les *Fidelistas* commencèrent à ouvrir le feu sur la caserne avec leurs carabines et leurs fusils de chasse, mais les soldats répondirent à la mitrailleuse — et tout fut terminé.

Raúl Martínez Arará ordonna la retraite et les hommes coururent à leurs voitures ou gagnèrent le bout de la rue à pied. Douze rebelles périrent à Bayamo, y compris le frère du commandant, Mario Martínez Arará, qui fut torturé à mort. Les dix survivants parvinrent à s'échapper. Parmi eux se trouvaient Nico López, l'ami de Fidel, le poète noir Agustín Díaz Cartaya, qui avait composé, quelques semaines auparavant, une marche révolutionnaire destinée à devenir célèbre sous le nom de « Marche du 26 juillet », et Teodulio Mitchel, le chauffeur de camions qui avait conduit Fidel de La Havane à El Siboney six heures plus tôt seulement (il avait couru se battre à Bayamo juste après avoir déposé Fidel).

Vers midi, ce dimanche 26 juillet, une vingtaine de rebelles épuisés se trouvaient de retour à la ferme d'El Siboney ; trois d'entre eux étaient blessés. Vingt autres firent leur apparition dans le courant de l'après-midi, juste au moment où Fidel se préparait à gagner la montagne pour continuer la lutte, cette fois comme chef de guérilleros.

Quelques heures après avoir rejoint la ferme, il avait annoncé qu'il allait entamer des opérations de guérilla dans la sierra de la Gran Piedra, chaîne montagneuse qui traverse en diagonale la région nord-est de Santiago. Les montagnes de la Gran Piedra se dressent à une quinzaine de kilomètres de la ville ; le sommet le plus élevé — également appelé Gran Piedra — culmine à quelque mille mètres. Fidel demanda des volontaires et dix-neuf hommes acceptèrent de se joindre à lui. L'un d'eux changea d'avis après quelques minutes de marche parce que ses souliers neufs lui faisaient mal. Le lendemain, ce garçon de dix-neuf ans, appelé Emilio Hernández, fut pris et tué par les militaires ; on annonça officiellement qu'il était mort en combattant à Moncada.

La colonne de Fidel comprenait Jesús Montané ; le trésorier du Mouvement, Oscar Alcalde ; José Suárez et Israel Tápanes, qui avaient combattu devant la porte numéro 3 ; Juan Almeida, l'apprenti-maçon de race noire qui avait commencé à travailler à l'âge de onze ans et deviendrait par la suite l'un des principaux chefs de la guérilla ; ainsi que le jeune Reinaldo Benítez, blessé par balle à la jambe et dont la blessure était en train de s'infecter. Une vieille femme noire, dans une cabane au-dessus de Siboney, envoya son petit-fils servir de guide à la colonne ; le lendemain, celle-ci atteignit le village de Sevilla Arriba. En contemplant la baie de Santiago, à ses pieds, Fidel leva les bras et proclama dans son style le plus pugnace devant sa petite bande : « *Compañeros,* aujourd'hui c'était notre tour de perdre, mais nous reviendrons. »

Un peu plus haut, ils trouvèrent la hutte d'un Noir qui élevait des poulets mais refusa de leur en vendre. Ce fut l'une des rares fois où les pouvoirs de persuasion de Fidel se trouvèrent en défaut. Mais le paysan les conduisit chez son frère à quelque distance de là, et les rebelles se régalèrent d'un porcelet que l'homme tua pour eux. Fidel, selon le récit qui en a été publié, discuta avec lui de l'oppression que les propriétaires locaux exerçaient sur les paysans. Puis il donna à l'homme un pistolet nickelé et lui dit : « Quand ils viendront t'ennuyer, tire dessus avec ce pistolet... N'aie confiance en personne. Défends ce qui t'appartient. »

Chez un autre paysan, Fidel entendit un discours radiodiffusé du général Batista qui donnait sa propre version des événements du 26 juillet. Le dictateur avait abandonné son yacht et la plage de Varadero pour rentrer précipitamment à La Havane dans l'après-midi du 26, après l'attaque de Moncada ; il avait établi son quartier général au camp Columbia pour diriger les opérations. Un conseil des ministres avait proclamé l'état d'urgence à Cuba et suspendu une disposition du code des prisons, selon laquelle les gardiens étaient responsables de la vie des détenus.

Cela semblait donner force de loi à la décision prise par Batista et le général chef d'état-major, Francisco Tabernilla, de mettre à mort les *Fidelistas* qui seraient faits prisonniers, à mesure qu'ils tomberaient aux mains des militaires dans toute la région de Santiago — même sur un lit d'hôpital —, voire à La Havane où certains d'entre eux étaient parvenus à rentrer. Au cours des quatre jours qui suivirent le 26 juillet, soixante et un hommes furent ainsi assassinés, y compris Abel Santamaría et Boris Luis Santa Coloma, horriblement torturés l'un et l'autre, le poète Raúl García Gómez, José Luis Tasende, membre du comité militaire et le docteur

Muñoz. En soixante-douze heures, Fidel avait perdu ses meilleurs amis. Huit seulement étaient morts au combat ; parmi eux se trouvait Gildo Fleitas, dont Fidel avait organisé le mariage à La Havane, un mois plus tôt. Le bilan définitif se solda, pour les *Fidelistas,* par soixante-neuf morts et seulement cinq blessés ; comme le souligna Castro, le régime ne voulait pas de prisonniers vivants.

L'armée et la police avaient eu dix-neuf tués au cours de la bataille et vingt-sept blessés. Mais le régime avait besoin de faire passer l'affaire pour une grande victoire ; aussi, au cours de son témoignage devant le tribunal de Santiago, le colonel Chaviano (qui s'était caché sous son bureau, au poste de commandement, pendant la bataille) prétendit que quatre ou cinq cents hommes « équipés des armes de guerre les plus modernes » avaient tenté de renverser le régime. Comme le voulait la version officielle, Chaviano déclara que les assaillants avaient utilisé des couteaux pour « ouvrir le ventre de trois malades » à l'hôpital militaire et qu'ils avaient employé des balles dum-dum avec leurs carabines Remington automatiques.

Batista de même que Chaviano alléguèrent que la préparation, l'organisation, le financement et les armes avaient été fournis par des groupes d'exilés hostiles au régime, notamment par l'ancien président Carlos Prío, renversé par le coup d'état de mars 1952. Pour les besoins de la propagande, une telle ligne de conduite servait à justifier la répression qui avait suivi l'affaire de Moncada et la proclamation de la loi martiale. Mais le dictateur, selon toute vraisemblance, n'avait jamais imaginé qu'un soulèvement de ce genre eût pu se trouver secrètement orchestré par un jeune empêcheur de danser en rond, à l'université de La Havane, avec un groupe de sans-le-sou. En apprenant ces accusations, par la radio, Fidel Castro commenta : « Ils nous ont mariés à un mensonge et nous allons être forcés de vivre avec ! »

A Santiago, le commandement militaire avait cherché à empêcher les journalistes de voir ce qui se passait dans la caserne, l'après-midi qui suivit l'attaque, mais un photographe avait réussi à faire des clichés qui montraient un certain nombre de *Fidelistas* torturés à mort et dont les cadavres gisaient encore dans les couloirs. Marta Rojas, jeune reporter du magazine *Bohemia,* avait caché les pellicules dans son soutien-gorge avant de prendre l'avion pour La Havane le soir même. La publication de ces visions d'horreur, cinq jours plus tard, produisit un véritable choc dans le pays et déchaîna une vague de sympathie pour les rebelles.

Le 28 juillet, alors que Fidel et ses hommes escaladaient les montagnes de la Gran Piedra, des personnalités influentes se réunissaient à Santiago sous la présidence de l'archevêque Pérez Serantes (le prêtre qui, vingt ans plus tôt, avait convaincu le père de Fidel de faire baptiser son garçon), pour tenter d'empêcher de nouvelles exécutions. Des bruits qui circulaient en ville faisaient état de l'assassinat de rebelles capturés ; aussi le groupe décida-t-il que l'archevêque s'efforcerait de persuader le colonel Chaviano de laisser la vie sauve à tout nouveau prisonnier. L'archevêque savait, tout comme le colonel, que Fidel Castro errait dans la montagne ; aussi le souci de monseigneur Pérez Serantes était-il de s'assurer que le fugitif ne serait pas abattu, ni avant ni après sa capture. En outre, le prélat publia le lendemain un article intitulé « Assez de sang ! », dans lequel il décrivait les termes du nouvel accord qu'il avait conclu avec les militaires.

Grâce à cette déclaration, trente-deux *Fidelistas* sortirent de la clandestinité pour se rendre aux autorités et furent incarcérés à la prison de Santiago sans brutalités. Avant l'intervention de l'Eglise, Melba Hernández et Haydée Santamaría avaient été transférées de la caserne Moncada à la prison, à l'aube du 28 juillet, et pendant le trajet en jeep, un soldat avait brûlé le bras nu de Haydée avec le tison de son cigare. Mais quelques jours plus tard, la même semaine, les *Fidelistas* qui sortirent de l'ombre — même les dirigeants du Mouvement comme le Dr Aguilera et Ernesto Tizol — se trouvèrent pleinement protégés contre tout sévice.

Pourtant les rebelles les plus recherchés, à savoir Fidel et Raúl Castro, ne se rendaient pas. Il fallait aller les prendre et l'archevêque était de plus en plus inquiet de leur sort. Il ne se fiait pas entièrement au colonel Chaviano ni à ses officiers et il était allé lui-même à Manzanillo, non loin de Bayamo, pour escorter personnellement un rebelle qui y avait été fait prisonnier. Le mercredi 29 juillet, Raúl Castro fut arrêté dans les parages de San Luis, en tentant de franchir un barrage routier, alors qu'il se dirigeait, à marches forcées, vers Birán et la *finca* de ses parents. Il s'était enfui du Palais de Justice en voiture mais avait vite compris qu'il assurerait mieux sa sécurité s'il était à pied ; aussi en deux jours et deux nuits avait-il franchi la province d'Oriente, du Sud au Nord. Les gendarmes l'avaient arrêté parce qu'il n'avait pas de papiers sur lui. A la gendarmerie, il avait maintenu qu'il s'appelait Ramón González, mais le lieutenant qui l'interrogeait lui avait fait savoir qu'il ne le croyait pas et l'avait incarcéré dans sa minuscule prison.

Le lendemain matin, un commis-voyageur vint à passer par San Luis et le lieutenant lui ordonna d'identifier le prisonnier. En Oriente, la plupart des gens se connaissaient les uns les autres, aussi l'homme déclara-t-il : « C'est Raúl, le fils du vieil Angel et le frère de Fidel Castro. » Raúl fut transféré à Santiago et conduit à Moncada, l'après-midi de ce même jour. Il passa la nuit à la caserne, convaincu qu'il serait abattu. Mais le colonel Chaviano ne voulait pas d'un affrontement avec l'Eglise et Raúl fut envoyé à la prison qui se remplissait rapidement, au fur et à mesure que ses compagnons étaient capturés.

Pour Fidel Castro, le mercredi et le jeudi furent de mauvais jours. Sa bande était dans un état épouvantable. Reinaldo Benítez pouvait à peine avancer, à cause de sa blessure à la jambe. Jesús Montané, qui avait les pieds plats, se traînait derrière les autres. La chaleur était suffocante. Il n'y avait rien à manger. Fidel avait ordonné de faire halte pour la nuit dans un canyon, le jeudi, quand soudain on entendit une détonation : l'un des rebelles avait accidentellement fait partir un coup de fusil et la balle s'était logée dans son épaule. Le vendredi 31 juillet, Fidel autorisa le groupe à se scinder en deux parties. Cinq hommes, y compris Montané et les deux blessés, rebroussèrent chemin vers Santiago et furent arrêtés en route. Mais Fidel avec treize de ses partisans étaient décidés à rester dans la sierra. En fait, Fidel commençait à penser que mieux vaudrait retourner vers la côte et marcher vers l'Est, pour gagner la Sierra Maestra.

Entre-temps, monseigneur Pérez Serantes s'inquiétait tellement du sort de Fidel Castro et des autres révolutionnaires manquants, qu'il s'était lancé à leur recherche en voiture. Ce devait être un bien étrange spectacle que celui du vieil ecclésiastique en soutane noire, la croix en sautoir, s'arrêtant tous les cinq cents mètres sur la route, en pleine forêt équatoriale, pour héler les rebelles à la cantonade.

Le soir du vendredi 31 juillet, Fidel et ses compagnons firent halte dans une hutte, à flanc de colline, pour s'y reposer pendant la nuit. Ils avaient commencé à virer lentement vers le Sud, en direction de la côte, mais le voyage commençait à prendre l'allure d'une entreprise impossible. Cinq autres rebelles avaient encore abandonné Castro à qui il n'en restait plus que neuf. Ils n'avaient pratiquement rien à manger. Derrière la hutte, ils avaient repéré un jeune paysan accroupi devant un feu de bois, en train de faire cuire un bol de riz. Sans un mot, les rebelles s'étaient glissés derrière lui, avaient pris sa cuiller et commencé à avaler son riz.

« Avez-vous autre chose à manger ? » demanda l'un des hommes. Le paysan dit que non, mais qu'il les conduirait à la ferme de son employeur, à deux heures de là. La ferme était située près de la route d'El Siboney et Fidel reconnut dans le propriétaire une vieille connaissance. Celui-ci lui apprit que l'archevêque s'efforçait de le retrouver ; il lui parla également des garanties données par Chaviano. Cela convainquit Fidel que seuls les dirigeants du Mouvement — lui-même, Oscar Alcalde et José Suárez — devaient tenter de poursuivre leur route vers la Sierra Maestra. Les autres, dit-il, feraient mieux de se rendre. En attendant, ils retournèrent à la hutte pour y passer la nuit.

Le lendemain samedi 1er août, à l'aube, un peloton de gendarmerie, fort de seize hommes conduits par le lieutenant Pedro Manuel Sarría Tartabull, découvrant Castro et ses compagnons endormis, ouvrit le feu à la mitraillette sur la hutte. L'armée avait été informée de leur présence dans la région, aussi Sarría avait-il été envoyé explorer le vaste domaine de Mamprivá, où se trouvait la ferme de montagne. La fusillade fit sortir précipitamment les rebelles de la hutte et le lieutenant cria : « Cessez le feu ! Je les veux vivants ! » L'un des soldats traita Castro d'assassin pour avoir tué des militaires à Moncada, mais Fidel, malgré les fusils automatiques braqués sur lui, le regard brûlant de rage, lui répondit en hurlant : « C'est vous les assassins... c'est vous qui tuez des prisonniers désarmés... vous êtes les soldats d'un tyran ! » Un caporal cria à Sarría : « On les tue, mon lieutenant ? » Sarría était un officier de carrière, un Noir de haute taille, âgé de cinquante-trois ans ; il leva le bras et rugit : « Non ! Ne les tuez pas ! Je vous ordonne de ne pas les tuer ! C'est moi qui commande ici !... On ne peut pas tuer des idées... On ne peut pas tuer des idées ! »

Bientôt les soldats se calmèrent et entreprirent de lier les mains des prisonniers. Fidel avait déjà rencontré Sarría à l'université mais il ne s'en souvenait pas, aussi prétendit-il s'appeler Rafael González. Il était si bronzé par le soleil de la sierra qu'il espérait être cru, notamment parce qu'il avait entendu annoncer sa propre mort par la radio officielle.

Comme le détachement de Sarría escortait les *Fidelistas* vers la route, Castro murmura au lieutenant : « Oui, je suis celui que vous croyez... »

Puis il demanda : « Pourquoi ne m'avez-vous pas tué ? Vous auriez reçu une belle promotion, vous seriez devenu capitaine... ? » Sarría répliqua : « *Muchacho*, je ne suis pas comme ça... » Fidel insista : « Si vous me sauvez la vie, ils vous tueront. » Et le lieutenant noir lui répondit tranquillement. « Qu'ils me tuent... Chacun agit selon sa morale. »

Si Castro eut la vie sauve, ce fut tout autant parce que le lieutenant de gendarmerie Luis Santiago Gamboa Alarcón était au lit avec une grippe, à la caserne Moncada, pendant la nuit du 31 juillet au 1er août, quand le peloton numéro Onze fut envoyé pourchasser les rebelles dans la campagne montagneuse qui surplombe Siboney. Gamboa était un officier très dur, totalement voué au respect de la loi et au maintien de l'ordre ; il était en outre un ferme partisan du régime. Il est certain qu'il aurait tué Castro sans la plus légère hésitation dès qu'il l'aurait trouvé, en sachant bien que le colonel Chaviano voulait la mort du chef rebelle — quelque promesse qu'il eût pu faire à l'archevêque. Plus tard, pendant la guerre de la Sierra, Gamboa fut promu capitaine après avoir exécuté, en Oriente, six paysans soupçonnés d'aider les révolutionnaires. En janvier 1959, il fut l'un des premiers officiers de Batista à être fusillé par un peloton d'exécution révolutionnaire après un procès sommaire. Ce soir-là, la grippe du lieutenant Gamboa fut la raison pour laquelle le commandement de la patrouille fut confié au lieutenant Sarría. Ce dernier était déjà intervenu, à l'intérieur de Moncada, le soir de l'attaque de la caserne, pour empêcher les soldats d'exécuter deux combattants rebelles capturés dans la rue. Bien des années plus tard, il déclarait, devant un journaliste qui l'interviewait, avoir épargné la vie de Castro sans pour autant éprouver une sympathie particulière envers lui, mais « parce que c'était un être humain ». Il ajoutait : « J'aime le métier des armes, mais j'estime qu'aucun crime ne doit être permis là où c'est moi qui commande. »

Il fallait à Sarría un certain courage pour manifester ainsi sa détermination de rester maître de ses propres soldats, à un moment psychologique dangereux, lors de la capture de Fidel, d'Oscar Alcalde et de José Suárez. En effet, les forces de la gendarmerie étaient composées de Noirs, comme Sarría lui-même, et les trois prisonniers étaient des Blancs. Or, dans l'univers complexe (voire plein de complexes) des rapports de force existants sur toute l'île de Cuba — et plus encore en Oriente —, les soldats noirs ou mulâtres avaient tendance à s'identifier à Batista, mulâtre lui-même. Pour eux, tous les Blancs armés étaient automatiquement considérés comme des rebelles ou des délinquants à abattre. Leur condition militaire privilégiée les mettait à l'abri de la discrimination raciale et Batista était leur héros. Aussi, en débusquant les trois rebelles blancs, la première réaction des soldats était-elle : « Ils sont blancs, il faut les tuer. » C'est pourquoi le lieutenant Sarría eut besoin de toute son autorité pour empêcher ce qui aurait été, en réalité, des meurtres racistes.

En outre, Sarría était franc-maçon, comme tant d'autres Cubains, membres de loges prétendûment secrètes, qui étaient censés entretenir entre eux des liens fraternels ; or Oscar Alcalde l'était également ; aussi, poussé par un soupçon, proclama-t-il son appartenance à la maçonnerie en se demandant à haute voix si le lieutenant n'en faisait pas partie ; voyant

216

Sarría lui adresser un signe de tête, il lui déclara : « De franc-maçon à franc-maçon et parce que vous nous avez sauvé la vie, je vais vous révéler où nous avons caché nos armes — elles se trouvent à dix mètres d'ici, sous les buissons. » Comme Sarría avait grand besoin de raffermir son autorité sur ses hommes, la découverte de la cache — où se trouvaient huit fusils et trois pistolets — fut la bienvenue pour lui, comme Alcalde l'avait prévu.

Quant à Fidel, il se reprochait amèrement la « terrible erreur » — comme il l'appela plus tard — qu'il avait commise en dormant sous abri. Il savait bien qu'en règle générale, une patrouille lancée à la chasse à l'homme ne manque pas de fouiller toutes les cases, cabanes ou maisons sur son passage, mais « il était si tentant de dormir sous un toit parce qu'il avait plu et que le sol était mouillé ». Plus tard, Castro raconta que pendant les quelque deux ans qu'il avait passés dans la Sierra Maestra, ses hommes et lui avaient toujours dormi « dans des hamacs suspendus entre deux arbres ou par terre, enroulés dans des couvertures, même sous des pluies diluviennes ».

Comme Sarría avec son peloton et ses prisonniers arrivaient à proximité de la route de Siboney, une fusillade éclata et le lieutenant leur demanda de se coucher. Des éclaireurs venaient de découvrir cinq rebelles cachés dans les hautes herbes et avaient ouvert le feu sur les membres du groupe, parmi lesquels se trouvait d'ailleurs un Noir, Juan Almeida.

Cette fois, ce fut l'archevêque qui sauva la situation. Monseigneur Pérez Serantes était sorti une fois de plus, ce jour-là, à six heures et demie du matin, avec un chauffeur et deux amis, mais sans escorte militaire, à la recherche des rebelles. Un paysan rencontré sur la route lui avait appris que plusieurs d'entre eux venaient de faire leur reddition, un peu plus loin, et l'archevêque avait abandonné la jeep pour aller à pied à leur rencontre. Il parvint à l'endroit où Almeida et les quatre autres avaient été cernés, juste au moment où les soldats étaient sur le point de les fusiller. Le monseigneur se mit à courir, retroussa sa soutane pour sauter une haie et s'interposa entre les rebelles et la troupe en criant : « Ne les tuez pas... j'ai la garantie des autorités ! »

Mais les militaires avaient été rendus furieux par son intervention. Ils lui ordonnèrent de s'en aller, l'insultèrent et l'un des hommes se mit à chantonner : « Je vais descendre un curé ! Je vais descendre un curé ! » La dévotion envers l'Eglise et ses serviteurs est souvent superficielle chez les Cubains les plus pauvres et Sarría dut user à nouveau de son autorité pour sauver l'archevêque. On lia les mains des cinq nouveaux prisonniers, puis Fidel, Alcalde et Suárez se joignirent à eux. Sarría réquisitionna un camion à benne pour transporter les prisonniers à Santiago. Il installa Fidel entre le chauffeur et lui-même dans la cabine. L'archevêque, ignorant les événements qui venaient de se dérouler au cours des dernières heures, alla parler au lieutenant pour lui signifier un avertissement : « Ces prisonniers sont sous ma protection. Je leur ai donné ma parole. » L'officier répliqua : « Monseigneur, dites-le au colonel Chaviano, pas à moi. » Fidel, inquiet à l'idée de voir courir le bruit qu'il s'était rendu à l'archevêque, les interrompit pour dire à voix haute : « Je n'ai rien à voir avec monseigneur. J'ai été arrêté et c'est vous, lieutenant, qui m'avez pris. » Non sans arrière-pensées politiques, Castro voulait éviter de donner l'impression qu'il s'était rendu.

Le commandement militaire de Santiago avait été averti de la capture de Castro et de ses sept compagnons, par un coup de téléphone donné de la ferme ; aussi le camion de Sarría fut-il intercepté par un convoi militaire sous le commandement du major André Pérez Chaumont, l'adjoint du colonel Chaviano. Pérez Chaumont, surnommé « Beaux Yeux », était connu dans tout l'Oriente pour disputer à Chaviano la palme de l'élégance ; il fit savoir à Sarría qu'il était venu prendre livraison des prisonniers. Le lieutenant le prit de haut et répliqua : « Non, ce sont *mes* prisonniers. Je les conduis à Moncada. » Le major proposa alors de ne prendre que Castro et de lui laisser les six autres. Les deux officiers se querellèrent aigrement pendant plusieurs minutes. Sarría était convaincu que Fidel serait abattu s'il tombait entre les mains de Pérez Chaumont. Là-dessus, l'archevêque surgit dans sa jeep et le major abandonna la partie.

Il ordonna même au lieutenant de conduire les captifs à la prison civile de Santiago plutôt qu'à Moncada, pour qu'il n'ait pas, aux yeux des militaires, la gloire d'y avoir personnellement amené Fidel Castro. Cela convenait fort bien à Sarría ; à Moncada, Castro se serait trouvé aux mains de Chaviano, de Pérez Chaumont et du capitaine Manuel Lavastida, le chef du Service d'Information Militaire, le SIM, pour la ville de Santiago. C'était le SIM et son grand patron, le colonel Manuel Ugalde Carillo, qui avaient ordonné et perpétré l'assassinat des *Fidelistas* prisonniers.

Pourtant, à la prison de la ville, le colonel Chaviano attendait déjà Fidel Castro et Sarría ne pouvait faire autrement que lui remettre son prisonnier. Mais le lieutenant avait sauvé la vie de Fidel, d'abord en empêchant ses soldats de l'abattre, et ensuite en refusant de le livrer à Pérez Chaumont. Une fois en prison, sous le regard de l'opinion, Fidel était en sécurité. Sarría demeura dans l'armée, mais il fut traduit devant une cour martiale en 1957, pour avoir refusé de combattre l'armée rebelle dans la Sierra Maestra ; il demeura aux arrêts chez lui, jusqu'au moment où triompha la révolution. Il fut alors promu capitaine dans la nouvelle armée *Fidelista* et traité en héros de la Révolution. Quand il mourut à La Havane en 1972, âgé de soixante-douze ans, Castro assista à ses funérailles solennelles et Pedro Miret prononça l'oraison funèbre au cours de laquelle il déclara : « Nous devons au capitaine Sarría une gratitude bien méritée, pour avoir sauvé la vie de Fidel et de ses compagnons. »

Dès le moment de son arrivée, à huit heures quarante-cinq du matin, Castro fut instantanément le personnage le plus célèbre de la prison de Santiago, une vieille bâtisse à un seul étage, dans le centre-ville. Conservant tout son aplomb, il fit preuve d'humour et adopta une attitude de défi. Le colonel Chaviano, dans un uniforme immaculé, la moustache bien cirée, toute luisante, le rencontra au greffe de la prison où il fit prendre une photo de groupe. Debout sous un portrait de José Martí, Fidel, mal rasé, vêtu d'un pantalon noir et d'une chemise de polo blanche, sans manches, dominait Chaviano, Pérez Chaumont et le major Rafael Morales Alvárez de toute sa hauteur ; il avait l'air d'être l'invité d'honneur.

Un peu plus tard dans la matinée, assis sur un banc avec ses camarades de rébellion, en attendant une nouvelle entrevue avec Chaviano, il jeta un coup d'œil sur le journal local *Ataja ;* un gros titre barrait la première page : « MORT ! FIDEL CASTRO ! » Une fois introduit dans le bureau où siégeait Chaviano, il fut invité à s'asseoir, les mains libres, de l'autre côté de la table devant laquelle était assis le colonel, pour un interrogatoire qui se transforma vite en un discours de Fidel. Le communiqué officiel de l'armée affirmait que Castro avait « avoué être responsable de tout le mouvement subversif... révélé tous ses projets de subversion et ceux qu'il se proposait de mettre en œuvre par la suite ».

Non content d'« avouer » ses actes, Fidel avait mis un point d'honneur à raconter en détail comment et pourquoi il avait organisé le Mouvement, et à manifester sa conviction que la population de l'Oriente se serait soulevée en sa faveur, si l'attaque de Moncada avait réussi. Chaviano permit qu'un résumé de ses déclarations fût communiqué à la presse et autorisa les journalistes à interviewer le prisonnier. Il tint même une conférence de presse pour commenter « l'interrogatoire » de Fidel. Dans toute l'île, journaux et magazines reproduisirent en long et en large les propos de Castro : la défaite de Moncada commençait à laisser apparaître le germe d'une victoire future.

Chaviano prit même une initiative incroyable : il suggéra que Castro pourrait répéter son histoire devant les micros de la radiodiffusion, pour bien montrer à tout le pays — pensait-il — combien était dangereux le mouvement subversif écrasé par l'armée. Fidel était aux anges, comme il le raconta dix ans plus tard à Robert Merle : « Imaginez un peu le crétinisme de ces gens-là ! Ils me demandent de prendre le micro et de soutenir mon point de vue devant eux qui, en raison de leurs crimes, sont moralement désarmés devant moi ! Bien entendu, je prends le micro... » Castro dit alors à Merle en riant : « Et à cette minute même, commença la deuxième phase de la révolution ! » Au cours de cette émission, sur la station CMKR, Fidel proclama : « Nous sommes venus régénérer Cuba. »

Certes, le Mouvement avait subi des pertes très lourdes. Trois des six membres du comité militaire, y compris Abel Santamaría, étaient morts. Plus de cent rebelles avaient été tués au combat, assassinés ou emprisonnés. Mais bien des personnages clefs avaient survécu et Castro en retrouva la plupart dans la prison de Santiago : Raúl Castro, Jesús Montané, ainsi que Haydée et Melba, défaites, un foulard noué autour de la tête. Jusque-là, Fidel n'avait même pas su qu'elles étaient encore vivantes. En même temps, il découvrit que Raúl avait pris la tête de ses compagnons en prison ; une photo le montre au garde-à-vous devant une trentaine de rebelles, dans une attitude indiscutable de chef. Aussitôt, Castro reprit le commandement, adressa à chacun des félicitations pour avoir tenté, à ses côtés, de « prendre le ciel par surprise ».

Entre-temps, monseigneur Pérez Serantes avait téléphoné à Mirta, à La Havane, pour l'assurer que son mari était en bonne santé. C'était probablement la première fois en près de cinq ans que Mirta était informée de quelque chose, quant aux activités de son époux, et elle se montra reconnaissante de cet appel. Elle s'était inquiétée pour Fidel dès qu'elle avait entendu parler de l'attaque avortée contre Moncada et elle avait voulu entrer en contact avec lui. Son frère, Rafael Díaz-Balart, faisait alors fonction de ministre de l'Intérieur par intérim dans le cabinet de Batista et s'était précipité à Santiago immédiatement après les événements du 26 juillet ; mais il n'aurait guère pu servir de lien entre Mirta et Fidel, notamment parce que ce dernier ne s'y serait pas prêté. La famille Castro, à Birán, fut informée que les deux garçons étaient saufs et bien traités. La nouvelle parvint également à Naty Revuelta, à La Havane.

Le lendemain de la capture de Castro, le dimanche 2 août, le président Batista se rendit en avion à Santiago pour inspecter Moncada, entendre le rapport de Chaviano et de ses officiers, épingler la Croix d'Honneur sur le drapeau du régiment Maceo et saluer les troupes qui défilèrent devant lui à l'intérieur de la forteresse. La population de Santiago accourut pourtant en plus grand nombre à la messe solennelle célébrée dans la cathédrale à la mémoire des victimes par monseigneur Pérez Serantes. Dès sept heures du matin, des milliers de personnes remplissaient le sanctuaire pour entendre le Requiem et baiser l'anneau de l'archevêque en sortant. Le prélat était devenu l'autre héros de Santiago.

Le même jour, Fidel Castro et tous les autres rebelles capturés après l'affaire de Moncada furent transférés à la prison provinciale de Boniato, à quelque huit kilomètres au nord de Santiago, pour y attendre leur jugement. Tous les prisonniers firent le voyage dans des fourgons de la police, mais Melba Hernández et Haydée Santamaría furent installées sur la banquette arrière d'une Buick verte ; sur le siège avant, un civil était assis entre deux officiers. Melba raconte qu'au moment où Haydée et elle-même entrèrent dans la voiture, Fidel était déjà assis à l'avant : « Il nous reconnut sans tourner la tête et nous adressa la parole pour nous demander comment nous allions... Comme les militaires ne faisaient pas mine de s'y opposer, nous avons répondu à Fidel et demandé de ses nouvelles... »

Fidel Castro célébra son vingt-septième anniversaire à la prison de Boniato, douze jours plus tard, mais il était trop occupé à tirer de nouveaux plans dans sa guerre contre Batista pour y penser beaucoup. Il lui fallait préparer sa défense en vue du procès et il avait en outre décidé de rendre public, le plus rapidement possible, un récit complet des événements de Moncada, en insistant sur le fait que le Mouvement était indépendant de tout groupement politique cubain. Le régime prétendait que le soulèvement avait été directement inspiré par le parti *Ortodoxo* et les communistes ; aussi des dirigeants clefs des deux formations avaient-ils été arrêtés dans toute l'île. Par pure coïncidence, les principaux responsables communistes se trouvaient tous à Santiago pour y célébrer un anniversaire, le jour du soulèvement ; pour Batista, c'était la preuve de leur implication dans le complot.

De nouveaux noms, destinés à devenir bientôt célèbres, commençaient à se trouver associés au Mouvement de Castro, comme celui de Manuel Urrutia Lleó, Premier Président du « tribunal d'été » de Santiago, qui avait ordonné, dès le 27 juillet, une enquête destinée à identifier les victimes de la bataille de Moncada ; ce magistrat allait devenir Président de Cuba après la Révolution. Humberto Sori-Marín, au nom de l'Association nationale des avocats, vint rendre visite à Castro, en prison, pour discuter avec lui de sa défense ; bien plus tard, Sori-Marín serait le jurisconsulte de l'Armée rebelle, auteur de la loi sur la réforme agraire, et ministre de l'Agriculture sous Castro, avant d'être exécuté en 1960 sous l'accusation de complot *contre* la Révolution.

Travaillant jour et nuit (et laissant sa moustache pousser de nouveau), Fidel ne tarda pas à s'occuper de l'encadrement politique et pédagogique des rebelles emprisonnés et à se faire envoyer, de l'extérieur, des livres et autres matériels dont il avait besoin à cet effet. Raúl et Pedro Miret (ce dernier était guéri de ses blessures) devinrent ses principaux collaborateurs dans toutes ses nouvelles entreprises. De toute l'île de Cuba, des lettres parvenaient à sa cellule de Boniato. Naty Revuelta lui en expédiait de La Havane. Lina Castro, la mère de Raúl et de Fidel, alla voir ses fils en prison ; leur sœur aînée, Lidia, vint également leur rendre visite, de même que l'épouse de Fidel, Mirta.

Fidel avait bon moral. Il était de nouveau en pleine bataille. Sa tête bouillonnait de plans, de projets de complots, de tirades vengeresses. Le désastre de Moncada appartenait déjà au passé, sinon à l'oubli. En tout cas, il ne le considérait pas comme une défaite monumentale. Ce n'était pas sur un échec que Castro était déjà en train de bâtir sa grande offensive suivante.

5

A la prison provinciale de Boniato, Fidel Castro était le détenu N° 4914, prévenu dans l'affaire 37-053, et attendant d'être jugé par le tribunal provisoire de Santiago pour sa participation à l'attaque de la caserne Moncada, le 26 juillet 1953. Après sa condamnation, il deviendrait le prisonnier 3859 des Maisons nationales de redressement pour hommes. Mais ce n'était certainement pas un captif anonyme, un individu sans nom dissimulé derrière un matricule. En fait, ce fut alors que Castro se vit véritablement célèbre à Cuba pour la première fois, qu'il devint le foyer d'un vaste mouvement national de sympathie (et la cible des foudres du général Batista), le chef reconnu de l'opposition contre la dictature.

Pourtant, le régime de Batista ne parvint jamais à comprendre quelle sorte d'homme se trouvait entre ses mains à Boniato. Politiquement, ce prisonnier était bien plus dangereux derrière les barreaux, sous les projecteurs de l'opinion publique, que sous l'aspect d'un obscur conspirateur révolutionnaire sans le sou, comme il l'était encore quelques semaines plus tôt. Et Batista ne parvint pas davantage à imaginer que Fidel Castro se préparait à tirer parti de cette situation nouvelle, grâce à son cerveau fertile, tout débordant de plans tactiques et stratégiques pour la poursuite et l'élargissement de la lutte.

Dans sa prison, au sommet d'une colline, Fidel était en cellule et au secret. C'était un petit cachot, au rez-de-chaussée du bâtiment ; ses compagnons partageaient des cellules dans le quartier voisin. Les deux blocs étaient séparés par un couloir, de sorte que Fidel et ses camarades ne pouvaient ni se voir ni se parler. Melba Hernández et Haydée Santamaría se trouvaient dans une cellule sur le même étage. En théorie, Fidel était isolé de son groupe, mais il trouva bientôt des moyens de communication pendant les cinquante et un jours qui s'écoulèrent entre son arrestation et l'ouverture du procès.

Les rebelles étaient censés tomber sous le coup de l'article 148 du Code de Défense sociale qui prévoyait une peine d'emprisonnement de cinq à vingt ans pour « le chef d'une tentative de soulèvement de personnes armées contre les Pouvoirs constitutionnels de l'Etat ». La stratégie de

Castro visait deux objectifs ; premièrement, obtenir l'acquittement de la plupart des assaillants de Moncada et de Bayamo, en plaidant qu'ils n'étaient pas les « chefs » du soulèvement ; deuxièmement, utiliser le prétoire comme tribune pour accuser Batista et les militaires d'avoir implanté une dictature à Cuba, d'abord, ensuite d'avoir massacré des rebelles faits prisonniers et désarmés, après l'échec de l'attaque.

Comprenant qu'il n'éviterait pas d'être reconnu coupable et condamné, Castro conclut qu'il pouvait et devait faire tourner le procès à l'avantage du Mouvement et à son propre profit, dans toute la mesure de ses moyens. La première mesure à prendre était d'établir exactement, et dans tous les détails, ce qui était arrivé à chacun des détenus de Boniato, avant, pendant et juste après l'assaut contre la caserne. En fait, quelque soixante-quinze des accusés étaient membres du Mouvement ; les autres étaient des dirigeants politiques, y compris des communistes, arrêtés par la suite. Castro avait perdu tout contact avec le gros de ses troupes juste après le début du combat, à Santiago, et il n'avait rencontré aucun des survivants (à l'exception de ses compagnons d'équipée dans la Gran Piedra) jusqu'à son arrivée en prison. Pour préparer le terrain en vue de sa plaidoirie, il lui fallait le plus grand nombre possible d'informations.

Comme le raconte Pedro Miret, il se chargea lui-même, avec Raúl Castro, d'interroger tous les prisonniers qui avaient combattu devant Moncada. « En entendant chacun raconter sa version de ce qu'il avait fait, nous avons appris beaucoup de choses sur ce qui s'était passé. » De cette façon, ajoute Miret, « nous avons été en mesure de rassembler une masse de renseignements que nous avons transmise à Fidel ; aussi, au moment de sa déclaration [devant les juges], était-il en possession de toutes les données, bien à jour ». Au cours des sept semaines que les accusés passèrent à Boniato, Castro reçut toutes ces informations en vrac, soit verbalement, grâce à des phrases rapidement chuchotées au passage par d'autres prisonniers devant sa cellule, ou même grâce à l'entremise de gardiens arrangeants, soit par de petits messages gribouillés sur des boulettes de papier lancées par un passant à l'intérieur de sa cellule. Traité en héros par les prisonniers de droit commun détenus à Boniato, il bénéficiait de leur soutien, de leur aide et de leur protection. Des voleurs et des assassins se muaient pour lui en agents révolutionnaires secrets. Avec sa formidable mémoire, Fidel composa dans sa tête des dossiers détaillés concernant au moins soixante-quinze membres du Mouvement.

Ayant ces données en main, Castro était en mesure d'établir une liste des prisonniers les mieux placés pour être acquittés. Avec le concours de Pedro Miret et de Raúl, tous deux agissant sur ses instructions, il se mit en devoir de préparer tous ses compagnons en vue du procès. Comme l'explique Miret : « Nous n'avions rien à gagner en laissant tous les nôtres en prison ; or, grâce à tous les renseignements que nous avions recueillis, nous savions qui [pourrait être relâché et] qui devrait s'exposer à rester derrière les barreaux, que cela lui plût ou non. » L'idée de Castro était que le noyau des dirigeants, y compris lui-même, devraient avouer leur participation à l'attaque, mais que la plupart des autres pourraient tout nier sans aucun risque, parce qu'ils étaient totalement inconnus et que les autorités ne seraient probablement pas en mesure de prouver leur culpabilité. Nombre d'entre eux, par exemple, avaient été arrêtés loin de Santiago, souvent sur de simples soupçons (plusieurs personnes avaient été assassinées par les militaires, bien qu'elles n'eussent pas été impliquées dans le complot).

Fidel décida donc lui-même qui devrait avouer et qui ne le devrait pas. D'après Miret, le critère était « le calcul des probabilités du prétoire ». Chaque prisonnier reçut donc les recommandations de Fidel : « Ce n'était pas pour lui une obligation et encore moins un ordre » ; chacun était libre de faire comme il l'entendrait, mais tous suivirent les conseils de leur chef. Castro, qui voulait en faire acquitter le plus possible, afin qu'ils puissent contribuer à reconstruire le Mouvement, mit la touche finale à sa stratégie. Il se fit un devoir, devant les juges, d'identifier lui-même ceux qui avaient participé au soulèvement ou non. Dans la pratique, ni l'accusation ni les juges n'avaient les moyens de récuser son choix minutieux des candidats à l'acquittement, de sorte qu'il eut gain de cause. Et l'on vit se dérouler ce spectacle extraordinaire : le principal accusé dictant au tribunal qui devait partager sa condamnation.

Miret et Raúl Castro occupèrent le reste de leur temps à organiser une petite bibliothèque pour leurs camarades prisonniers, avec les livres qu'ils avaient obtenus de leurs amis et parents. Ils faisaient également des cours, chaque jour, sur les sujets qu'ils connaissaient le mieux : Histoire, Langues, Physique et Mathématiques. L'idée était de maintenir la cohésion et la discipline parmi les hommes, de ne pas les laisser sombrer dans la dépression et les lamentations, tout en améliorant le plus possible leur état d'esprit en vue du procès. Fidel avait toujours cru en la vertu de la préparation et de la discipline, et il pensait qu'il convenait d'améliorer l'éducation des rebelles en toute occasion. Comme les *Fidelistas* formaient déjà une organisation militaire hautement disciplinée, ils participèrent avec joie à cette « école » carcérale. Miret et Raúl étaient les chefs tout désignés pour cette entreprise, dans la mesure où ils étaient les seuls survivants du groupe de Moncada à avoir fait des études universitaires.

Fidel découvrait lui aussi que la prison pouvait lui offrir une chance merveilleuse de se livrer à son occupation favorite : la lecture à doses massives. Jusqu'à son incarcération à Boniato, il n'avait jamais eu assez de temps pour lire tout son soûl. Dans sa première lettre à sa femme, Mirta, trois semaines après son arrestation, il demandait *La Philosophie dans les textes*, de Julián María, les œuvres de Shakespeare, les *Leçons préliminaires de Philosophie* de García Morente, ainsi que « quelques romans qui, à ton avis, pourraient m'intéresser ». En septembre, alors qu'il attendait son jugement, il écrivait à son frère aîné, Ramón, qu'il « tirait parti » de son séjour en prison ; et il ajoutait : « Je lis beaucoup et j'étudie beaucoup... Cela peut paraître incroyable, mais les heures s'envolent comme des minutes ; moi qui ne peux rester en place, comme tu sais, je passe mes journées à lire presque sans bouger. »

Castro montrait aussi ses préoccupations familiales, peut-être plus qu'à aucun autre moment de son existence d'adulte. Il échangea des lettres avec Mirta au sujet de l'avenir et de la santé de Fidelito, jusqu'au moment où il rompit avec elle, un an plus tard. Ce n'était pas des lettres d'amour, pas même des lettres sentimentales ; elles se terminaient seulement par les mots : « Baisers pour le *niño* et pour toi. » Le 18 août, il lui écrivait de Boniato : « Je ne sais si tu es en Oriente ou à La Havane... J'ai eu très peu de nouvelles à ton sujet ; j'ai seulement appris que tu t'étais trouvée à Santiago, après mon arrestation, et aussi que tu es venue à la prison m'apporter des vêtements que l'on m'a remis... Je suis bien ; tu sais que les barreaux d'une prison ne peuvent venir à bout de mon esprit, de ma détermination ni de ma conscience... Je souffre seulement pour ceux qui sont dehors et pour ceux qui ont subi dans leur chair les douleurs du sacrifice, au cours de ce combat... Sois calme et courageuse. Avant tout, nous devons penser à Fidelito. Je veux qu'il aille à l'école que tu auras choisie... Quand tu viendras, amène-le avec toi, je suis sûr qu'on me laissera le voir. »

Le 5 septembre, il écrivait à Ramón avoir appris par une lettre de Mirta que Fidelito avait passé une semaine à la *finca* familiale et il ajoutait cette remarque : « Il aime beaucoup la campagne et les animaux... Le premier de ce mois, il a eu quatre ans. Mirta veut l'envoyer à l'école — je veux dire une école privée ; nous verrons si c'est possible. » Deux semaines plus tard, il faisait savoir à Ramón que Mirta avait mis Fidelito dans un « jardin d'enfants où l'on parle anglais... et dans le jardin d'enfants d'une école publique presque en face de la maison, de l'autre côté de la rue »... Il précisait : « Elle m'a aussi envoyé quelques photos et j'ai pu constater qu'il avait beaucoup grandi au cours de ces derniers mois. »

Mais Fidel voulait également faire comprendre la situation à ses parents ; il écrivait à Ramón : « Il faut que tu fasses voir à mes parents qu'être en prison n'est pas une chose horrible et honteuse comme ils nous l'ont enseigné. C'est vrai seulement quand un homme y va pour des actes déshonorants... Quand le motif est noble et élevé, la prison est un endroit très honorable. » Dans une autre lettre à Ramón, il mentionne que son père lui a demandé par télégramme si lui-même ou Raúl avaient besoin de vêtements et qu'il a répondu aussitôt avoir reçu de Mirta tout le nécessaire. Il dit qu'il a l'intention d'écrire à ses parents le jour même et demande : « Comprennent-ils que je suis en prison pour avoir fait mon devoir ? » Il remercie Ramón pour les cigares que son frère lui a envoyés en réponse à une lettre précédente et demande à recevoir quelques boîtes de plus « parce que la dernière est presque finie et qu'il est toujours nécessaire de donner un cigare aux personnes qui nous aident... »

Le procès de Fidel Castro et de ses compagnons s'ouvrit le lundi 21 septembre 1953, au Palais de Justice de Santiago qui dominait la caserne Moncada : c'était l'édifice qu'avait pris d'assaut le détachement conduit par Raúl Castro, le jour du soulèvement. Les trois juges étaient ceux du Tribunal Provisoire de Santiago, lequel faisait partie d'un réseau judiciaire d'instances politiques dont les décisions étaient sans appel. Le président était Adolfo Nieto Piñeito-Osorio et le procureur Francisco Mendieta Hechavarría, juristes respectés l'un et l'autre.

C'était littéralement un procès de masse. Les cent vingt-deux accusés étaient représentés par vingt-deux avocats ; il y avait en outre six experts médicaux, des douzaines de parents et d'amis, ainsi qu'une centaine de soldats armés de fusils. Tout ce monde était entassé dans un prétoire de quinze mètres sur cinq ; malgré la chaleur humide de Santiago, les portes et les fenêtres étaient bouclées par mesure de sécurité. Le président Piñeito-Osorio dit que ce procès était « le plus transcendant qu'ait jamais connu la république cubaine ». Malgré la censure imposée à la presse par le gouvernement, en raison de l'état d'urgence, depuis le 26 juillet, tout le pays savait que Fidel Castro passait en jugement. Six journalistes, y compris Marta Rojas envoyée par l'hebdomadaire *Bohemia* de La Havane, avaient été autorisés à assister au procès, mais il ne leur était pas permis d'en publier le compte rendu. (Pourtant le fait qu'ils aient été présents à l'audience serait par la suite d'un grand secours à Fidel Castro et contribuerait à établir la vérité historique.)

Plusieurs heures avant l'ouverture du procès, un millier de soldats équipés d'armes automatiques faisaient déjà la haie le long du trajet entre la prison de Boniato et le Palais de Justice. Les prisonniers arrivèrent dans des autocars et furent introduits par la porte de derrière. Fidel Castro fut amené séparément dans une jeep militaire, sous bonne garde. Il portait son vieux complet rayé, en laine bleu marine, une chemise blanche, une cravate rouge imprimée, des chaussures et des chaussettes noires. Mirta lui avait envoyé le costume en prison, à sa requête (il lui avait écrit de le faire nettoyer d'abord, puis de le lui expédier avec une ceinture) ; il transpirait abondamment sous le soleil matinal. Sa moustache nouvelle était soigneusement taillée, sa coiffure bien nette. Les prisonniers furent conduits, menottes aux poignets, à la bibliothèque du Palais de Justice, où ils eurent la possibilité de s'entretenir brièvement pour la première fois avec leurs avocats.

Comme les accusés pénétraient dans la salle d'audience, il y eut un chœur de murmures : « Voilà Fidel ! C'est lui !... » Et le président frappa de son marteau pour réclamer le silence. Avant de s'asseoir, Fidel leva ses mains enchaînées vers les juges et, s'adressant à eux d'une voix haute et claire, il leur dit : « Monsieur le président... je voudrais attirer votre attention sur ce fait incroyable... Quelles garanties peut-il y avoir dans ce procès ? Même les pires criminels ne sont pas traités ainsi dans un lieu que l'on dit être une salle de justice... Vous ne pouvez juger des gens enchaînés... »

Castro prenait instantanément l'offensive, mais le président se rangea à son avis et ordonna une suspension d'audience pendant que les menottes étaient ôtées à tous les accusés. Il avertit le chef de l'escorte militaire qu'il ne tolérerait plus que l'on introduisît des prisonniers enchaînés dans son prétoire. Fidel avait facilement gagné le premier round et, d'un seul coup, il y avait eu un changement d'humeur dans le tribunal. Certes, il était acquis depuis le début que Castro et ses principaux adjoints seraient condamnés car, en raison des aveux qu'ils avaient si volontiers fournis, les juges n'avaient plus le choix : il leur fallait condamner les accusés en vertu de l'article 148. Ce qui était différent, néanmoins, c'était le climat dans lequel allait se dérouler la procédure. Le président Nieto Piñeito-Osorio et le juge Juan Francisco Mejías Valdivieso étaient tenus pour favorables aux accusés et le troisième juge, Ricardo Díaz Olivera, pourtant considéré comme un partisan de Batista, se conduisit avec autant de mansuétude que ses collègues. Le procureur fit son travail, mais sans plus. A la fin du procès, Castro et ses compagnons eurent une latitude surprenante pour accuser le régime plutôt que de défendre leur cause. Le capitaine Manuel Lavastida, le chef du SIM à Santiago, confia plus tard à un avocat de la défense que, d'un point de vue politique, le gouvernement avait perdu son procès : le public, dit-il, était favorable aux accusés ; les juges aussi ; et, à Santiago, Castro bénéficiait de l'esprit de rébellion traditionnel en Oriente, berceau des guerres de libération.

Si Castro et ses compagnons disposèrent de tels avantages devant le tribunal de Santiago, ce fut aussi parce que Batista, de toute évidence, ne parvint pas à comprendre les implications politiques de l'attitude adoptée par les trois juges ; rien n'indique qu'il tenta d'exercer des pressions sur ces magistrats pour qu'ils tiennent les rebelles en lisières. A cette époque, le pouvoir judiciaire cubain avait préservé jalousement son indépendance vis-à-vis du gouvernement. Les juges de Santiago observèrent cette conduite jusque dans les moments les plus dramatiques de la guerre de la Sierra, et même alors, Batista ne se risqua pas à un affrontement avec la Justice.

Les interventions de Castro devant la Cour tournaient toutes autour d'une idée centrale : il lui fallait établir le principe de la légitimité de l'attaque lancée par le Mouvement contre la caserne, en alléguant que les rebelles avaient le *droit* de chercher à renverser Batista, simple usurpateur porté au pouvoir par un coup d'état militaire, en violation de la Constitution. Avec un visage absolument impassible, Castro rappela à la Cour qu'il avait, en sa qualité d'avocat, introduit une action contre Batista devant un tribunal spécial de La Havane immédiatement après le coup d'état, et réclamé jusqu'à cent ans de prison pour le dictateur, coupable d'avoir violé tout le corpus de la jurisprudence cubaine. Fidel n'essayait même pas de se défendre ni de défendre ses compagnons contre l'accusation d'avoir voulu fomenter un soulèvement. Il revendiquait au contraire leurs actes et les justifiait avec hauteur. A l'issue de la première journée du procès devant le Tribunal Provisoire de Santiago, les accusés s'étaient mués en accusateurs.

Castro entreprit alors de jouer un double rôle devant les juges. D'abord, celui d'un accusé plein d'une vertueuse indignation, qui réplique à ses accusateurs par des sermons politiques et révolutionnaires. Quand le procureur Mendieta Hechavarría lui demanda s'il avait participé à l'attaque contre Moncada et Bayamo « physiquement ou intellectuellement », Fidel lui lança laconiquement : « J'y ai participé ! » Mais interrogé ensuite sur la participation des autres accusés, il déclara : « Ces jeunes gens, tout comme moi, chérissent la liberté de leur pays. Ils n'ont commis aucun crime, à moins que vouloir le bien de la patrie ne soit considéré comme un crime... Est-ce bien cela que l'on nous a enseigné à l'école ? »

Le second rôle de Fidel, qu'il tint avec plus de succès encore, fut celui de son propre avocat. Il demanda à exercer ses droits à cet égard, en qualité de membre du barreau ; le président ne put le lui refuser après l'avoir accordé à deux autres dirigeants politiques, accusés dans le même procès, qui avaient précédé Castro à la barre. En se faisant admettre parmi les avocats de la défense, Castro obtenait la possibilité de soumettre à un contre-interrogatoire tous les témoins de l'accusation, y compris le commandant de

Moncada, le colonel Alberto del Río Chaviano, et d'accabler la dictature sous un surcroît de sarcasmes et d'insultes. Il lui fallut payer cinq pesos pour acquérir la licence qui l'habilitait à plaider devant la Cour. Il entreprit alors de revêtir spectaculairement la robe noire qu'il devait porter quand il agissait en qualité d'avocat, pour l'ôter quand il rejoignait le banc des accusés. (Dans les prétoires cubains, juges et avocats devaient porter la toge et, en cette première journée, on ne put en trouver d'assez grande pour Fidel, qui fut contraint d'effectuer sa prestation dans un vêtement trop petit — plusieurs tailles en dessous de la sienne.) Sur la table qui lui fut attribuée comme défenseur, il plaça le Code de Défense sociale et un tome des œuvres de José Martí.

Castro donna une nouvelle dimension au spectacle quand il lui fut demandé qui était « l'auteur intellectuel » des attaques perpétrées contre des installations militaires, le 26 juillet. La question était fondamentale dans ce procès puisque la loi prescrivait le châtiment des « chefs » d'une attaque à main armée contre l'Etat, et parce que, dans la tradition juridique cubaine, la notion d'auteur « intellectuel » d'un délit — qui désignait son inspirateur — était aussi importante que celle de « chef » — à savoir la personne qui avait physiquement dirigé l'attaque. A cette question, Castro répondit calmement : « Le seul auteur intellectuel de cette révolution est José Martí, l'Apôtre de notre Indépendance. » Il transformait ainsi la procédure dans ce prétoire suffocant de Santiago, en jugement de l'Histoire.

Pour chaque autre accusé, le procureur se borna à demander s'il (ou elle) avait participé à l'attaque. Les rebelles qui répondirent affirmativement se mirent aussitôt à raconter les atrocités commises par les forces de Batista contre leurs compagnons. Baudilio Castellanos García, l'ami d'enfance de Castro et son condisciple à l'université, défendait quarante-six rebelles — soit la majorité des accusés, y compris Raúl Castro ; ses questions et ses réponses furent parfaitement accordées avec la stratégie d'ensemble de Castro. A eux deux, Castro et Castellanos établirent, pour l'édification de la Cour et en réponse à la question du procureur, la liste de ceux qui avaient participé à l'attaque et de ceux qui devaient être effectivement acquittés. Grâce à la sélection préalable qui avait été réalisée en secret, chaque rebelle savait d'avance ce qu'il devait répondre. Raúl et Miret avaient bien fait leur travail.

Un à un, les accusés frappèrent d'horreur les assistants avec leurs récits : les coups des soldats, les tortures, les exécutions sommaires dont avaient été victimes les rebelles faits prisonniers, les brutalités et les insultes. Le lendemain de l'attaque de Moncada, le « tribunal d'été » de Santiago (c'est-à-dire les substituts des juges d'assises qui remplaçaient pendant les vacances les magistrats ordinaires) avait ordonné l'autopsie de trente-quatre cadavres découverts aux alentours de la caserne — avant que les autorités aient eu le temps d'enterrer trente-trois d'entre eux dans une fosse commune au cimetière de Santa Ifigenia, à Santiago. Les rapports des médecins légistes faisaient état de personnes non identifiées victimes de mort violente, avec le crâne défoncé et autres marques de coups, voire de balles tirées à bout portant. Ces rapports figuraient au dossier de l'affaire

37-053 et ils contribuèrent à détériorer énormément l'image politique du gouvernement.

Il est étonnant de le constater, mais ce fut le procureur Mendieta Hechavarría qui, à force de questionner Haydée Santamaría, lui fit révéler comment les militaires avaient traité son fiancé Boris Luis Santa Coloma et son frère Abel avant de les tuer. Haydée raconta au cours de son témoignage comment, après l'occupation de l'hôpital civil par la troupe et l'arrestation de Melba et d'elle-même, un garde était venu lui dire que Boris était dans la pièce adjacente et « qu'on lui avait arraché les testicules » pour le faire parler. (Jesús Montané avait déclaré auparavant qu'un officier s'était approché de lui, dans la prison militaire de Moncada, pendant qu'il y était détenu, pour lui montrer une boule de chair putréfiée dans un gant ensanglanté et lui avait dit : « Tu vois ça ? Si tu ne parles pas, je te ferai comme à Boris. Je vais te châtrer. » L'officier tenait un rasoir dans l'autre main.) Quant à son frère, Haydée déclara : « On lui a arraché un œil. » Un témoin cité par l'armée précisa par la suite que l'œil avait été arraché avec une baïonnette.

A la fin des témoignages présentés par des dizaines d'accusés sur les atrocités commises par les militaires, et après ses propres déclarations sur ce sujet, Castro reprit son rôle de défenseur. Ayant revêtu sa toge, il demanda à la Cour de disjoindre du procès tous les témoignages relatifs aux assassinats et au traitement infligé par les militaires aux prisonniers, afin qu'ils puissent donner lieu à des poursuites séparées « pour assassinats et tortures » ; il se proposait en effet d'introduire des actions en justice contre certains officiers et autres responsables du régime de Batista. A la surprise de Fidel lui-même, la Cour le suivit immédiatement dans ses conclusions. Du coup, Castro était officiellement considéré comme accusateur en même temps qu'accusé.

Il est intéressant de noter que, pendant le procès de Moncada, les communistes avaient préféré s'abstenir de prendre le parti des *Fidelistas*. Deux des principaux dirigeants du Parti socialiste populaire, Joaquín Ordoqui Mesa et Lázaro Peña, avaient été arrêtés à Santiago, le jour de l'attaque, et inculpés en vertu de l'article 148, en même temps que les rebelles de Castro et une demi-douzaine d'autres personnalités politiques connues. Interrogés sur leur participation à un complot en vue d'une insurrection contre le gouvernement, Ordoqui et Peña nièrent les faits qui leur étaient reprochés, affirmèrent être allés à Santiago, comme ils le faisaient chaque année, pour célébrer l'anniversaire du secrétaire général du parti, Blás Roca. Les deux dirigeants communistes déclarèrent n'avoir eu aucun contact avec les partis d'opposition et aucune connaissance préalable de l'attaque contre Moncada. Certes, ils réitérèrent que le parti communiste s'était montré hostile au coup d'état de Batista, mais ne manifestèrent aucune sympathie ni aucune solidarité envers Castro et ses révolutionnaires. Ils furent acquittés à l'issue du procès.

En fait, Batista doit avoir trouvé quelque apaisement dans l'attitude de ses anciens alliés communistes. Non seulement ils s'étaient abstenus d'apporter leur soutien public aux rebelles pendant le procès, mais le Parti socialiste populaire dénonça effectivement le soulèvement de Castro. Dans une déclaration émanant de la direction communiste, et diffusée par ses publications clandestines aussi bien que dans ses réunions de cadres, le parti rejetait l'affaire de Moncada comme relevant « des méthodes putschistes propres à la bourgeoisie ». Il tenait l'entreprise pour « aventuriste... erronée et stérile », tout en reconnaissant « l'héroïsme » des hommes de Castro. Les communistes jetaient ainsi tout l'arsenal de leurs invectives marxistes-léninistes à la tête des *Fidelistas*, peut-être parce que la politique du parti (et celle de Moscou) était de s'opposer à toute initiative dont la direction lui échapperait, surtout si elle n'était pas en conformité avec le dogme.

On ne sait ce que Fidel put en dire à son frère Raúl, membre des Jeunesses communistes, ni s'il lui en parla, mais il était extrêmement amer à ce sujet. Dans une lettre écrite en prison, Castro déclarait à son ami Luis Conte Agüero, journaliste de la presse écrite et radiophonique, qu'au lieu de formuler des « théories stériles et inopportunes sur le putsch et la révolution », mieux aurait valu dénoncer, en cette circonstance, « les crimes monstrueux d'un gouvernement qui avait assassiné plus de Cubains en quatre jours que pendant les onze années précédentes ». Il ne nommait pas expressément les communistes — il s'était toujours abstenu de toute critique envers le communisme cubain —, mais le contexte révèle clairement sa pensée. Vingt ans plus tard, Carlos Rafael Rodríguez, un communiste de vieille date, qui était devenu après la révolution l'un des conseillers les plus puissants et les plus influents de Castro, déclara à un journaliste américain que le parti avait, à l'époque, jugé l'affaire de Moncada d'après ses « caractéristiques extérieures » et l'avait considérée comme un « putsch » parce que « Fidel n'avait pas rendu sa position explicite » quant à son programme politique et insurrectionnel. Mais il s'agit là d'un effort, qui n'a rien d'ingénu, pour justifier les agissements des communistes d'antan.

Cela dit, cinq jours après le début du procès, le régime parvint finalement à la conclusion que la situation lui échappait des mains, d'un point de vue politique, et que l'on ne pouvait plus tolérer l'attitude de Fidel Castro dans le prétoire. Sa double prestation, dans l'un et l'autre de ses deux rôles, était trop préjudiciable et trop embarrassante pour le gouvernement. Or le Tribunal Provisoire n'était manifestement pas disposé à le museler. Pourtant, soucieux d'éviter qu'il y eût matière à affrontement avec ses juges, Fidel laissa l'armée prendre l'affaire en main ; cela donna lieu à un autre coup de théâtre dans le spectacle monté par Castro.

Lorsque la Cour se réunit le samedi 26 septembre et que l'on procéda à l'appel habituel, chaque rebelle répondit « Présent » à son tour ; mais quand fut appelé le nom de Fidel Castro, ce fut le silence — une fois, deux fois, trois fois. Le principal avocat de la défense, Baudilio Castellanos, se leva pour informer les juges de l'absence de Castro : il n'avait pas été amené au Palais de Justice ce jour-là. Le président déclara que le procès devait continuer. Mais Castellanos se dressa d'un bond pour demander au Tribunal de décider, en priorité, si la procédure pouvait suivre son cours malgré l'absence du principal inculpé. Quand le président fit comparaître l'officier chargé de la garde des prisonniers, celui-ci lui remit une lettre émanant du bureau du colonel Chaviano, le commandant de Moncada, où il était dit que Castro ne pouvait être conduit au prétoire, en raison de son état de santé qui le retenait à la prison de Boniato. Un certificat médical était joint à la lettre. Un greffier lut le message à haute voix ; d'après le certificat, Castro était victime d'une « crise nerveuse ».

Cela produisit un choc et une voix de femme cria : « Fidel n'est pas malade ! » C'était Melba Hernández ; elle quitta le banc des accusés, se dirigea vers les juges et, ôtant son foulard qu'elle portait sur la tête, tira de sa chevelure une enveloppe pliée qu'elle tendit au président en annonçant : « C'est une lettre de Maître Fidel Castro. » En retournant à sa place, elle murmura à Haydée : « Maintenant, ils ne peuvent plus le tuer. » Castro et ses amis avaient battu leurs adversaires une fois de plus.

Un peu plus tôt, Fidel et ses principaux collaborateurs étaient en effet parvenus à la conclusion qu'il se tramait un complot pour l'assassiner en prison. Ses aliments, croyait-il, seraient empoisonnés ; c'est pourquoi, pendant plusieurs semaines, il n'absorba que la nourriture envoyée de l'extérieur par ses amis et parents ou achetée grâce au dévouement inlassable des prisonniers de droit commun. Il ne se hasardait même pas à fumer les cigares fournis par la prison. Il est impossible de savoir aujourd'hui si le régime de Batista avait entrepris d'assassiner Fidel et l'on ne peut rien prouver à cet égard. Pourtant, le lieutenant Jesús Yanes Pelletier, directeur militaire de la maison d'arrêt de Boniato, fut muté peu après l'arrivée de Castro, probablement pour avoir refusé d'obéir aux ordres qui lui enjoignaient d'empoisonner le prisonnier. (Yanes devint par la suite capitaine dans l'armée rebelle et chef des gardes du corps de Castro.) En outre, Castro avait un sens très aigu des dangers qui le menaçaient ; comme l'a dit son ancien ministre de l'Intérieur, Ramiro Valdés : « Il peut flairer le danger et les risques dans l'air... Ce Fidel est un sorcier, un sorcier... »

En tout cas, les soupçons de Castro se trouvèrent confirmés, au moins dans son esprit, quand il fut informé, le 25 septembre, qu'il ne serait pas conduit au prétoire le lendemain sous prétexte qu'on le trouvait malade. Le réseau de communications interne de la prison fut immédiatement mis en branle. Tandis que ses compagnons et les détenus de droit commun faisaient les cent pas devant sa cellule, comme tous les soirs, Castro chuchota qu'il allait rédiger une lettre urgente, à remettre au tribunal le lendemain. Puis il entreprit de l'écrire sur des feuilles de papier pelure, cachées dans un magazine qu'il faisait semblant de lire. Leonel Gómez Pérez, un prisonnier qui avait été accusé par erreur d'avoir participé à l'opération de Moncada, reçut mission de recueillir la lettre de Fidel. Ce Leonel avait l'habitude de lire un livre en arpentant de haut en bas le couloir de la prison ; aussi les gardiens ne lui prêtèrent-ils aucune attention cette nuit-là et ne remarquèrent-ils pas que le prisonnier se rapprochait de plus en plus de la cellule de Castro. Profitant d'un moment où le gardien placé dans le corridor regardait ailleurs, Fidel jeta l'enveloppe à travers les barreaux, juste sur le livre ouvert de Leonel. Celui-ci continua sa promenade pendant quelque temps puis regagna tranquillement sa cellule. Il donna la lettre à un *Fidelista* qui, à son tour, la remit à un condamné de droit commun, lequel la porta à Melba. Melba plia l'enveloppe en un tout petit carré et la cacha dans sa chevelure.

Dans sa lettre à la Cour, Castro, en sa qualité d'avocat de sa propre personne, protestait contre l'emploi de tous les moyens possibles pour l'empêcher d'être présent au prétoire où il allait réduire à néant les « fantastiques contre-vérités » qui circulaient au sujet des événements du 26 juillet, et dénoncer « le plus terrifiant massacre de l'histoire de Cuba ». Il n'était pas malade, affirmait-il avec insistance ; il précisait que la Cour était victime de mensonges sans précédents et se plaignait d'avoir été tenu illégalement au secret depuis cinquante-sept jours, « sans être autorisé à voir le soleil, parler à quiconque, ou recevoir la visite de [sa] famille. » Fidel communiquait encore à la Cour une information qu'il disait avoir apprise de source sûre : « On prépare mon élimination physique sous prétexte d'une tentative d'évasion. » Selon lui, « les deux filles » [Melba et Haydée] couraient le même danger pour « avoir été les témoins exceptionnels du massacre du 26 juillet ».

Castro demandait alors à être immédiatement examiné par le doyen de la faculté de médecine de Santiago ; il sollicitait également la désignation d'un fonctionnaire judiciaire pour accompagner les prisonniers au cours de leur transfert quotidien de la prison de Boniato au Palais de Justice ; enfin, il demandait que des copies de sa lettre fussent communiquées à la Cour suprême et à l'ordre des avocats. Il désignait Melba Hernández comme son représentant devant la Cour et concluait : « Si je dois sacrifier un atome de mes droits ou mon honneur pour conserver ma vie, je préfère mille fois la perdre : un juste principe gravé au pied d'une tombe est plus puissant qu'une armée ! »

Les trois juges acceptèrent d'ordonner un nouvel examen médical de l'illustre inculpé, par des personnalités indépendantes ; deux éminents médecins y procédèrent, malgré l'opposition des militaires ; ils trouvèrent Castro en parfaite santé. Sur la foi de leur rapport, les juges demandèrent qu'il fût ramené au prétoire. Les gardiens de Boniato refusèrent pourtant de laisser Fidel quitter la prison et les juges cédèrent aux pressions qui s'exerçaient sur eux. Ils déclarèrent que son affaire serait disjointe de la procédure et jugée plus tard, séparément, de sorte que le procès de tous les autres inculpés se poursuivrait normalement. Tel fut le compromis qu'ils durent conclure avec le régime pour avoir laissé Castro accuser Batista à volonté. Castro ne remit jamais les pieds au Palais de Justice. A Boniato, il fut transféré dans une autre cellule, loin de ses compagnons. Melba et Haydée furent également punies : elles furent séparées des autres *Fidelistas* et placées dans une cellule où, selon les termes du geôlier militaire, elles ne pourraient « même pas voir le ciel ».

Le transfert de Castro dans une cellule écartée raviva les préoccupations de ses compagnons qui craignaient de le voir victime d'un assassinat. Aussi, lors de l'audience suivante, le 28 septembre, Raúl Castro se dressa pour hurler de toutes ses forces : « Je crains pour la vie de mon frère ! Ils ont monté un complot pour assassiner Fidel et je propose de suspendre le procès parce que notre présence à Boniato pourrait lui servir de protection... » Raúl reçut l'ordre de se rasseoir et de se taire, mais le président annonça qu'après avoir reçu la lettre de Fidel, deux jours plus tôt, « le tribunal avait pris les mesures nécessaires pour assurer la protection de l'accusé ». C'était exactement ce que Raúl voulait entendre ; pourtant, quand la Cour décida de remettre la suite de l'audience au lendemain, il se dressa de nouveau pour crier : « S'ils tuent Fidel, il faudra qu'ils organisent un massacre et qu'ils se débarrassent de nous tous ! »

Le procès n'en continua pas moins pendant une autre semaine et l'on assista au défilé des témoins tirés des rangs de l'armée et de la police, mais aussi du personnel de l'hôpital. Leurs témoignages détruisirent les premières allégations du colonel Chaviano, le commandant de Moncada, selon lesquelles les rebelles avaient utilisé des « armes modernes », des grenades à main, voire des couteaux et des poignards, pour décapiter des soldats ou assassiner des malades dans leur lit, à l'hôpital civil et à l'hôpital militaire. Les avocats de la défense, conjointement avec le procureur, finirent par obtenir des témoins cités par le gouvernement lui-même qu'ils démentent ces accusations ou admettent « ne pas savoir » ; cela rendit la procédure encore un peu plus embarrassante pour le régime. Finalement, la cour se réunit le 5 octobre pour mettre un terme au procès de la façon la plus bizarre. Le procureur Mendieta Hechavarría commença par annoncer qu'il abandonnait l'accusation contre tous les dirigeants des partis politiques, y compris les communistes, qui se trouvaient parmi les inculpés, ainsi que contre les *Fidelistas* dont la participation à l'insurrection ne pouvait être prouvée. Cela justifiait la stratégie de base de Castro, dans la mesure où c'était lui qui avait établi la liste des acquittements en indiquant aux juges qui était « innocent » et qui était « coupable ».

Il ne restait plus que vingt-neuf rebelles à juger. Dans son réquisitoire, le procureur les félicita d'avoir « agi avec honneur, sincérité et beaucoup de courage, d'avoir été honnêtes dans leurs aveux... et nobles dans leur attitude ». Il ajouta qu'il « applaudissait sincèrement » à l'intégrité dont ils faisaient preuve en reconnaissant leur culpabilité. Ce fut un spectacle étonnant que celui d'un procureur présentant pratiquement ses excuses aux accusés parce que leurs aveux le contraignaient à demander pour eux des peines de prison en vertu des dispositions de l'article 148. Le 6 octobre, le président prononçait la sentence : Raúl Castro, Pedro Miret, Ernesto Tizol et Oscar Alcalde — les principaux chefs du groupe — étaient condamnés à treize ans de prison, vingt insurgés à dix ans, trois autres à trois ans ; Melba Hernández et Haydée Santamaría à sept mois de détention dans la prison de femmes de Guanjay, à l'ouest de La Havane. Les condamnations étaient relativement indulgentes — le maximum prévu par la loi étant de vingt ans pour les chefs et le minimum de un an.

Rien n'était encore décidé quant au sort de Castro et de Gustavo Arcos — qui se trouvait dans la voiture de Fidel à Moncada et se remettait difficilement de ses blessures à l'hôpital de la Colonia Española à La Havane. Aucune date n'avait été fixée pour leur procès et les rebelles recommençaient à se faire du souci à l'idée que Fidel se trouverait de nouveau en danger après que les condamnés auraient quitté Boniato pour leur destination ultérieure. Le 3 octobre, les vingt-six hommes furent embarqués dans un avion et, à leur grande surprise, ils furent emmenés à la prison de l'Ile des Pins, tout près de la côte méridionale de Cuba, tandis que Melba et Haydée poursuivaient leur route vers Guanjay, via La Havane. Le tribunal avait précisé que les hommes purgeraient leur peine à la forteresse de La Cabaña, à La Havane, mais le régime en avait décidé autrement ; l'Ile des Pins était plus éloignée de la civilisation.

Le procès de Fidel Castro dura exactement quatre heures, le 16 octobre ; l'accusé fut condamné à quinze ans de prison. Ce qu'il y eut d'extraordinaire dans cette procédure, ce fut que le régime la tint virtuellement secrète et qu'elle eut lieu dans la petite salle de garde des infirmières (une pièce de quatre mètres sur quatre) à l'hôpital civil Saturnino Lora, que le détachement d'Abel Santamaría avait occupé le 26 juillet. Mais ce procès sortit de l'ordinaire pour une autre raison encore : il permit à Castro de prononcer pour sa défense, en guise de plaidoirie, un discours dont le texte circula immédiatement sous le titre « L'Histoire m'acquittera » et qui demeure jusqu'à ce jour le document fondamental et légendaire de la révolution cubaine, l'évangile vénéré du mouvement rebelle.

La décision d'organiser le procès dans une salle d'hôpital était destinée à perpétuer la fiction officielle selon laquelle Castro était trop malade pour assister au procès principal, dans l'enceinte du Palais de Justice, bien qu'il eût fallu le transporter de la maison d'arrêt de Boniato à la maison de santé. Pour ajouter de la crédibilité à cette histoire, un rebelle blessé et un autre prisonnier, qui n'avait rien à voir avec cette affaire, furent également amenés à l'infirmerie. Fidel ne put résister au plaisir de remarquer qu'il était peu sage « de faire rendre la justice dans un hôpital gardé par des soldats, baïonnette au canon, car le peuple pourrait en conclure que notre justice est malade ».

Le décor était véritablement absurde. Un squelette grandeur nature se trouvait suspendu à l'intérieur d'une cage en verre, et un portrait de la célèbre infirmière anglaise Florence Nightingale ornait le mur. Il avait fallu faire entrer dans la pièce assez de tables et de chaises pour les trois juges, le procureur, le greffier, trois avocats, six journalistes et les trois accusés (le rebelle blessé était étendu sur un brancard posé par terre). Deux officiers d'infanterie et vingt soldats en armes assuraient la sécurité des débats. La pièce n'avait qu'une fenêtre barricadée et la chaleur matinale était un supplice.

Fidel Castro, menottes aux poignets et vêtu de son complet de laine bleu marine, était arrivé à neuf heures du matin, très exactement, avec son escorte militaire, et le procès commença. Il n'existe pas de sténographie ni de compte rendu officiel de l'audience. Tous les récits que l'on possède sont fondés sur le témoignage oral ou écrit des personnes présentes. Castro avait improvisé son discours, et même si les journalistes (y compris Marta Rojas) avaient pris des notes abondantes, il lui fallut par la suite reconstituer de mémoire et mettre par écrit le texte officiel de « L'Histoire m'acquittera ».

A cette date, Fidel avait déjà passé soixante-quinze jours au secret, et il était tellement amaigri que son bracelet-montre glissait sans cesse de son poignet ; mais il se trouvait en pleine forme. A la question rituelle sur sa participation à l'attaque de Moncada, il répondit : « Affirmatif ». Quand le procureur lui demanda si l'objectif était de renverser le gouvernement, Castro rétorqua : « Comment pouvait-il en être autrement ? » Le procureur déclara qu'il n'avait pas d'autre question à poser. Puis le colonel Chaviano et les autres officiers vinrent faire leur déposition sur les événements de Moncada et répétèrent leurs accusations antérieures. Castro demanda, une fois de plus, à être son propre défenseur ; un jeune avocat mulâtre, appelé Eduardo Sauren, lui prêta une toge qui se révéla trop petite, cette fois encore, et se mit à craquer sous les aisselles lorsque Castro levait les bras pour faire un effet oratoire. Au cours du contre-interrogatoire du major Pérez Chaumont, le commandant en second de Moncada, Fidel accusa la Garde rurale d'avoir assassiné deux rebelles de plus pour qu'il n'y eût pas de prisonniers. Et ce fut la fin de la procédure.

Le procureur Mendieta Hechavarria préféra ne pas se lancer dans un réquisitoire. Prenant la parole pendant moins de deux minutes, il demanda à la cour d'appliquer à Fidel Castro, en sa qualité de chef de l'insurrection, le maximum de la peine prévue par le Code de Défense sociale. Castro leva les yeux vers lui et déclara d'un ton objectif : « Deux minutes, cela me semble un peu court pour demander et justifier qu'un homme soit enfermé pendant un quart de siècle. » La peine maximum était en effet de vingt-six ans de prison pour les plus hauts responsables d'une insurrection. Puis il annonça qu'il insistait pour présenter lui-même les conclusions de la défense ; le président l'y autorisa. Debout derrière sa petite table, Fidel avait un paquet de notes, un exemplaire du Code et son recueil des citations de Martí. Détenu toute la nuit à Moncada, il avait tenu ses compagnons de cellule éveillés jusqu'à l'aube pendant qu'il répétait sa prestation.

Il parla pendant deux heures — la moitié de la durée du procès — et ce fut un étonnant tour de force, un prodige de mémoire, de logique, d'érudition, d'émotion patriotique et révolutionnaire. De toute évidence, il lui avait fallu réfléchir profondément dans sa cellule pour produire ce magnifique morceau de rhétorique — c'est en réalité bien plus qu'un discours — que son amour de la langue espagnole, sa maîtrise du style, transformèrent du même coup en œuvre littéraire. Si, comme il le prétendait, Martí était « l'auteur intellectuel » de l'attaque de Moncada, l'Apôtre était également l'inspirateur de cette plaidoirie. Il se trouve que la première grande œuvre de Martí, dans le domaine de la littérature politique, était un essai sur « La prison politique à Cuba » ; il l'avait publié à dix-huit ans, après avoir purgé une peine de travaux forcés pour un complot contre les Espagnols. C'était un modèle littéraire parfait pour Castro. Dans le livre de Martí posé devant lui, au procès, Castro avait souligné vingt-neuf passages importants et il cita l'Apôtre quinze fois dans son discours.

Il entama sa plaidoirie avec lenteur, d'une voix sourde. Il passa d'abord en revue les « illégalités » qui avaient entaché son procès et reprit sa thèse sur la légitimité d'une insurrection contre la tyrannie. Il retraça ensuite l'histoire de son Mouvement, exposa les raisons de sa défaite devant Moncada, dénonça les tortures et les meurtres dont ses compagnons avaient été victimes, insista sur la corruption du gouvernement cubain et sur le sort injuste des soldats (dès l'origine, Fidel cherchait à attirer vers lui les

militaires « honnêtes »). Mais le poids de ses accusations porta sur Batista :
« Dante avait divisé son enfer en neuf cercles, dit-il ; il avait mis les
criminels dans le septième, les voleurs dans le huitième, et les traîtres dans
le neuvième. Quel problème ce sera pour le diable quand il lui faudra
choisir le cercle approprié à l'âme de Batista ! » Il le traita, en latin, de
Monstrum Horrendum !

Ensuite, Castro passa au programme politique du Mouvement, rappela
l'affreuse situation socio-économique dans laquelle se trouvait Cuba, et
décrivit les lois révolutionnaires que les rebelles auraient adoptées s'ils
avaient été victorieux à Moncada : le retour à la Constitution de 1940, la
réforme agraire, la récupération des ressources usurpées, la réforme de
l'enseignement, le partage des profits avec les travailleurs, une politique du
logement...

« Je porte dans mon cœur les doctrines de Martí et dans mon esprit les
nobles pensées de tous les hommes qui ont lutté pour la liberté du peuple,
déclara-t-il. Nous avons appelé à la rébellion contre une puissance illégitime
qui a usurpé et concentré entre ses mains les pouvoirs législatif et exécutif
de la nation... Je sais que je serai réduit au silence pour de nombreuses
années. Je sais que l'on tentera de dissimuler la vérité par tous les moyens
possibles. Je sais qu'il y aura une conjuration pour me faire tomber dans
l'oubli. Mais ma voix ne sera jamais submergée ; car elle se renforce dans
ma poitrine quand je suis le plus solitaire, et elle donnera à mon cœur toute
la chaleur que des âmes plus lâches me refusent. »

Selon Fidel, le combat pour le peuple se justifiait par le fait que « *six cent
mille* Cubains sont en chômage alors qu'ils demandent à gagner honnête-
ment leur pain quotidien, ... *cinq cent mille* ouvriers agricoles vivent dans de
misérables cahutes, travaillent quatre mois par an et meurent de faim le
reste du temps ... *quatre cent mille* ouvriers d'usines ont vu piller leur caisse
de retraite ... *cent mille* petits fermiers vivent et meurent sur une terre qui
ne leur appartient pas et qu'ils contemplent comme Moïse contemplait la
Terre promise, pour trépasser avant de pouvoir l'obtenir ... *trente mille*
instituteurs et professeurs dévoués, pleins d'esprit de sacrifice, se voient
mal traités et pauvrement rémunérés ... *vingt mille* petits commerçants
criblés de dettes, sont ruinés par les crises économiques ... *dix mille* jeunes
membres des professions libérales quittent l'université, diplôme en poche,
pour se retrouver dans une impasse... A tous ces gens dont la route
d'angoisse est pavée de mensonges et de fausses promesses, nous allons
dire : '' Vous voilà, et maintenant battez-vous de toutes vos forces pour le
droit d'être libres et heureux ! '' »

Puisant dans sa mémoire et son érudition colossales, Castro instruisit le
procès de l'Histoire pour justifier l'insurrection contre les tyrans : il nota
que Charles Ier et Jacques II d'Angleterre avaient été détrônés en raison de
leur despotisme, il cita la Révolution Anglaise de 1688, la Révolution
Française et la Révolution Américaine, les guerres d'indépendance des
colonies européennes en Amérique latine ; il évoqua l'attitude de défi et
l'esprit de liberté de Brutus dans la Rome antique, la *Summa Theologica* de
saint Thomas d'Aquin, Jean de Salisbury, Martin Luther et Calvin, les
réformateurs écossais John Knox et John Paynet, *L'Esprit des lois* de

Montesquieu, *Le Contrat social* de Jean-Jacques Rousseau, John Milton, John Locke, Thomas Paine, le juriste allemand du XVIIᵉ siècle Johan Althusius, le constitutionnaliste français Léon Duguit, Honoré de Balzac et, bien entendu, José Martí.

Mais, dit Castro, « il semblait que l'Apôtre allait mourir l'année du centenaire de sa naissance. Il semblait que son souvenir disparaîtrait à jamais, tant l'affront était grand ! Mais il est toujours vivant. Il n'est pas mort. Son peuple est en révolte, son peuple est valeureux, son peuple est fidèle à sa mémoire. Des Cubains sont tombés pour défendre ses idées. De jeunes hommes dans un geste sublime de réparation sont venus donner leur sang et mourir à côté de sa tombe pour qu'il puisse continuer à vivre dans le cœur de ses concitoyens. Ô Cuba, que serait-il advenu de toi si tu avais laissé périr la mémoire de ton Apôtre ! »

Et Fidel Castro de conclure : « Quant à moi, je sais que la prison me sera aussi pénible qu'à quiconque, pleine de menaces, de vilenies et de lâches brutalités ; mais je ne la crains pas ; comme je ne crains pas la rage du misérable tyran qui a arraché la vie à soixante-dix de mes frères. Condamnez-moi, cela n'importe guère. *L'Histoire m'acquittera !* »

Castro avait terminé. Les trois juges et le procureur se consultèrent pendant quelques minutes à voix basse dans la pièce surpeuplée. Le président demanda à « Maître Castro Ruz » de bien vouloir se lever et annonça : « Conformément aux réquisitions du procureur, la cour vous condamne à quinze ans d'emprisonnement... L'audience est levée. » Castro tendit ses poignets pour recevoir les menottes, mais comme le soldat qui les lui passait avait du mal à le faire, Fidel suggéra de laisser agir l'officier de service, en raison de son expérience. « Et attention à ma montre ! » ajouta-t-il. En quittant la salle de garde des infirmières, Castro se tourna vers Marta Rojas, la jeune journaliste de *Bohemia*, pour lui demander : « Vous avez bien tout pris ? Vous avez toutes vos notes ? » Comme il sortait de l'hôpital sous bonne garde, la foule l'acclama dans la rue.

Une semaine plus tard, le dernier des rebelles, Gustavo Arcos, fut condamné à dix ans de prison au cours d'une audience spéciale, à l'hôpital de la Colonia Española, à La Havane, où il était soigné pour ses blessures. A peu près au même moment, le général Batista annonça de façon assez incongrue que des élections présidentielles auraient lieu à Cuba le 1ᵉʳ novembre 1954 — plus d'un an après. Quant au gouvernement Eisenhower, il choisit Arthur Gardner, financier expert et grand admirateur du général Batista, pour représenter les Etats-Unis comme nouvel ambassadeur à La Havane.

Chercher à retracer la trajectoire idéologique de Fidel Castro est une entreprise complexe et tortueuse. Par son caractère, le discours « L'Histoire m'acquittera » représente un jalon important sur cette trajectoire. Le problème, pourtant, est de savoir comment juger cette proclamation, avec le recul, indépendamment des interprétations de l'époque, et sans savoir ce que Fidel Castro pouvait avoir en tête, à cet égard.

Depuis que le marxisme-léninisme est devenu la doctrine du gouvernement, à Cuba, la version officielle consiste à dire que « L'Histoire » est un texte résolument anti-impérialiste, d'inspiration léniniste, forgé avec l'outil de la dialectique marxiste (tout en demeurant placé sous l'influence de José Martí). Castro lui-même accepte aujourd'hui cette interprétation de sa pensée de 1953, bien qu'à l'époque les communistes ne fussent pas parvenus à la même conclusion. L'opinion la plus largement répandue est qu'il prétendait alors déguiser subtilement les véritables objectifs de son programme révolutionnaire, pour éviter de dresser contre lui la classe moyenne cubaine et les Américains. Robert Merle écrit avec perspicacité que Castro agissait conformément à la stratégie de Martí, selon laquelle il ne fallait combattre qu'un ennemi à la fois. Merle relève que Fidel s'était abstenu de critiquer explicitement la domination économique des Etats-Unis sur Cuba, tout en faisant une allusion à la nationalisation des compagnies américaines d'électricité et des téléphones — mais, selon lui, « ce qui était dit dans ce manifeste était moins important que ce qu'on laissait entendre. »

Le chroniqueur de la Révolution cubaine, Mario Mencía, observe qu'en définissant l'attaque de Moncada comme « une bataille pour la liberté », Castro, de plus en plus imbu de la théorie marxiste-léniniste, élargissait cette notion bien au-delà « des limites étroites [dans lesquelles sont enfermées] les libertés apparentes, bourgeoises, individuelles et institution-nelles ». Theodore Draper, sévère critique américain de la révolution cubaine, a écrit que seuls « les propagandistes officiels et orthodoxes du Castrisme » maintiennent que « tout ce que Castro a fait depuis qu'il est au pouvoir est conforme à " L'Histoire m'acquittera " — discours qui contiendrait, selon eux, les grandes lignes de toute la révolution *Fidelista*. »

Comme il est impossible de sonder la pensée de Castro ni sa mémoire sélective, aucune des interprétations « officielles » n'est forcément convain-cante. Si Fidel a présenté sa déclaration sous une forme assez subtile pour que les intellectuels communistes de l'époque s'y soient eux-mêmes trompés, au point de le traiter de « bourgeois » et de « putschiste », on ne peut éviter de conclure que tout cet exercice était sans objet, du point de vue de l'idéologie. Peut-être en effet l'auteur dissimulait-il ses véritables objectifs sous un langage relativement inoffensif, mais il n'existe aucun moyen de le prouver. La seule contribution qu'ait apportée Castro lui-même à ce débat figure dans un commentaire qu'il avait fait en 1966 devant un visiteur : « Mon discours de Moncada a été la semence de tout ce que j'ai accompli par la suite... On pourrait le dire marxiste, si vous voulez, mais un vrai marxiste aurait probablement dit qu'il ne l'était pas. » Et d'ajouter : « Il n'aurait pas été intelligent, de ma part, de déclencher... un affronte-ment ouvert. Je crois que tous les révolutionnaires extrémistes, à certains moments ou en certaines circonstances, évitent d'afficher un programme qui ferait l'union de tous leurs ennemis sur un seul front. Tout au long de l'Histoire, les révolutionnaires réalistes n'ont jamais proposé que des objectifs à leur portée. » En fin de compte, l'impression demeure que Castro se réservait toutes les options possibles quand il s'adressait si spectaculairement à la cour en octobre 1953, et que son évolution intellectuelle la plus soutenue en direction du marxisme-léninisme se produisit bien plus tard. Il est empiriquement et historiquement faux de prétendre que « L'Histoire » orientait irréversiblement Cuba vers le communisme. Ce qui importe sans doute davantage, c'est que ce discours de Castro effaça bien vite la défaite de Moncada ; il lui permit de tirer le meilleur parti possible de la terrible expérience du 26 juillet, et de devenir le héros révolutionnaire de Cuba. C'est une bonne illustration de l'adage selon lequel les mots l'emportent sur les armes.

En tout cas, Fidel Castro fut désigné par l'hebdomadaire *Bohemia* de La Havane comme l'une des personnalités mondiales les plus importantes de l'année 1953, conjointement avec le shah d'Iran (renversé cette année-là et remis sur son trône par la CIA), le boxeur Kid Gavilan, le président costaricain José Figueres, la reine Elizabeth II d'Angleterre (couronnée en 1953), et le chef du KGB, le soviétique Laurent Béria (fusillé après la mort de Staline). C'était là une imposante cohorte pour un jeune révolutionnaire cubain de vingt-sept ans, alors emprisonné. Mais Fidel était convaincu de mériter pareille compagnie. Avant même d'être expédié par avion à la maison d'arrêt de l'Ile des Pins, il était déjà profondément plongé dans ses projets de revanche contre Batista. Il ne lui était jamais venu à l'idée qu'il pourrait passer quinze ans derrière les barreaux.

6

L'armée rebelle de Fidel Castro est née au pénitencier de l'Ile des Pins où, pendant un an et sept mois, il fut enfermé avec ses vingt-cinq compagnons par le régime de Batista. Quatorze des membres de ce groupe (y compris Fidel) se trouvaient à bord du yacht *Granma* quand celui-ci fit voile du Mexique à l'Oriente, vers la fin de l'année 1956, pour déclencher la guerre de la Sierra Maestra. Sept d'entre eux étaient officiers dans les forces de débarquement. En 1986, trois des détenus de l'Ile des Pins, Raúl Castro en tête, figuraient encore parmi les plus proches collaborateurs de Fidel. L'un d'eux porte le titre de *Comandante de la Revolución*, conféré seulement à trois commandants des troupes de la Sierra.

Quant au Mouvement de Castro, l'attaque de Bayamo et de Moncada avait été l'occasion d'un baptême du feu pour une poignée d'idéalistes sans expérience militaire, armés de bric et de broc et mal renseignés sur l'ennemi. Sur le plan politique et idéologique, les insurgés du 26 juillet manquaient de maturité ; pour l'essentiel, leurs objectifs à long terme restaient vagues. Cela vaut pour Fidel et ses principaux collaborateurs, bien qu'il ait parlé, pendant son procès, de certains projets de lois révolution-naires préparés par le Mouvement (ces textes devaient être mis en vigueur par le nouveau gouvernement issu de la révolte générale qu'était supposée entraîner la victoire attendue devant Moncada). Il y avait bien de la naïveté dans cette première et vaillante entreprise ; les titillations ou motivations marxistes de Castro n'avaient pas grand-chose à voir avec la Cause au moment de l'assaut. De plus, le Mouvement avait été virtuellement inconnu à Cuba jusqu'à cette date.

Le procès de Moncada avait valu à Castro et aux *Fidelistas* une large consécration de la part de l'opinion publique (la censure ne signifiait pas grand-chose dans l'île où toutes les nouvelles se transmettaient de bouche à oreille avec la rapidité de l'éclair). L'emprisonnement représenta le grand tournant dans l'histoire de la révolution. Dans un sens, le sort des détenus de l'Ile des Pins devint l'affaire de tout le pays. Les prisonniers faisaient l'objet d'un débordement de sympathie, alors que le régime de Batista, pour sa part, était tenu en estime de plus en plus piètre. Or Castro sut tirer

240

avantage de cette situation en créant une organisation politique à partir de sa cellule même. Il avait compris la nécessité absolue d'établir, au centre du Mouvement, une direction dont l'autorité serait indiscutable et qu'il se réservait à lui-même. Il avait également perçu l'importance de mener une campagne de propagande habile qui favoriserait la croissance du Mouvement. Comme il l'écrivait dans une lettre datée de l'Ile des Pins : « L'appareil de propagande et d'organisation doit être assez puissant pour détruire sans merci tous ceux qui tenteront de créer des courants, des cliques, des factions, ou de se dresser contre le Mouvement. » Castro continua d'observer ce principe sans relâche, en prison, en exil, pendant la guerre de la Sierra, à l'heure de la victoire, et même plus tard, quand il releva avec succès le défi que lui avaient lancé les communistes de la vieille garde.

Mais Fidel savait aussi quelle pouvait être la valeur d'un impératif moral en politique. Sa façon d'envisager la création d'un puissant outil révolutionnaire était inspirée par la philosophie d'un militaire prussien de génie, Karl von Clausewitz : « [A la guerre], les facteurs matériels ne sont guère plus que des armes de bois alors que le facteur moral est le métal noble, l'arme véritable, la lame finement aiguisée... » Dans sa prison, Castro se penchait attentivement sur les écrits de Clausewitz ; cela faisait partie de l'immense programme de lectures et d'études qu'il avait établi en prévision des phases futures de la révolution. Spécifiquement, l'objectif de Fidel était de doter son Mouvement d'une force morale qui, combinée avec le penchant naturel des Cubains pour le patriotisme, l'Histoire et le nationalisme, finirait par venir à bout du pouvoir matériel et de la puissance économique dont disposait Batista.

De surcroît, comme pour lui permettre de réaliser ses ambitions morales, le procès et l'emprisonnement furent les creusets où se purifièrent Castro et ses hommes. Sous son commandement, se trouverait le noyau dur des dirigeants révolutionnaires, ce qu'il appelait « l'avant-garde » du Mouvement. Cela exigeait une discipline et une éducation politiques et, paradoxalement, ce fut la prison de Batista qui fournit les conditions idéales à la soigneuse conception de la future armée rebelle. Car c'était très précisément une armée rebelle que voulait forger Fidel Castro. Il était parvenu à une conclusion : pour réussir, une révolution doit posséder sa propre armée — des troupes avides de faire la révolution. Dès cette époque, il en était venu à rejeter toute idée d'une solution politique pour Cuba, avec un changement de gouvernement bénéficiant du soutien de l'appareil militaire existant. Avant le coup d'état de Batista, il avait accepté d'essayer la voie parlementaire. Il comprenait maintenant qu'au moment où il serait devenu l'allié d'une faction militaire, pour démocratique et progressiste qu'elle fût, il se trouverait inévitablement soumis à celle-ci, faute de disposer d'un droit de regard sur sa puissance de feu. Dans un sens, il partageait la répugnance des communistes envers la stratégie « putschiste », mais pour des raisons qui lui étaient propres. Le plan ultime de Castro était de démanteler les forces armées cubaines et de les remplacer par *son* armée rebelle ; tel était son souci dominant au moment où il lisait, écrivait, méditait dans sa cellule — et dirigeait la formation de son « avant-garde ». Rétrospectivement, il reconnaît que, pour pénible et frustrant qu'ait été son séjour en prison, sa détention lui a donné — à lui comme au Mouvement — la chance de pouvoir créer un appareil révolutionnaire. Sans cette expérience carcérale, il est possible que la révolution *Fidelista* n'aurait jamais eu les moyens de se développer.

Le Tribunal Provisoire de Santiago avait condamné les rebelles à purger leur peine de prison à La Havane, mais pour des raisons qui n'ont jamais été éclaircies, le régime les envoya à l'Ile des Pins. Ce choix fut providentiel pour Castro en lui fournissant un symbole des plus précieux. L'Ile des Pins avait été la première terre d'exil de José Martí quand, à l'âge de dix-sept ans, il avait été condamné à six années de prison pour ses activités anti-espagnoles. Martí avait d'abord travaillé comme forçat à la chaîne dans une carrière de pierres proche de La Havane, en 1870, mais au bout d'un an de bagne il avait été transféré à l'Ile des Pins avant d'être déporté en Espagne. En outre, l'Ile des Pins rappelait aux Cubains les pires aspects de « l'impérialisme » américain. En 1901, aux temps de l'amendement Platt qui avait défini les conditions de l'indépendance cubaine après la guerre entre les Etats-Unis et l'Espagne, « l'Ile des Pins avait été omise des frontières constitutionnelles prévues pour Cuba, les titres de propriété sur l'île devant faire l'objet d'un arrangement ultérieur par voie de traité ». Le gouvernement des Etats-Unis et les milieux d'affaires américains avaient dès lors traité l'Ile des Pins comme une colonie ; ce ne fut pas avant 1926 (l'année de la naissance de Fidel) que les Etats-Unis cédèrent à Cuba les droits de souveraineté sur ce petit territoire, en vertu du traité Hayes-Quesada.

Vingt-quatre rebelles débarquèrent donc en qualité de détenus sur l'aéroport de Nueva Gerona, dans l'Ile des Pins, le 13 octobre, une semaine après avoir été condamnés à Santiago, pour accomplir leur peine dans la prison modèle. Melba Hernández et Haydée Santamaría étaient restées à bord du même avion qui les conduisait à La Havane, en route pour une prison de femmes, sur la grande île de Cuba. Fidel Castro attendait encore son procès. En fait, il existe des divergences de vues quant au nombre exact des prisonniers acheminés ce jour-là. Vingt-neuf rebelles, y compris Melba et Haydée, avaient été condamnés le 6 octobre ; il devait donc y avoir vingt-sept hommes dans l'avion qui les emmenait en prison. Mais Mario Mencía, le chroniqueur de la révolution, n'en mentionne que *vingt-six* au total sur l'Ile des Pins, y compris Fidel Castro et Abelardo Crespo (le blessé qui avait été jugé avec Castro à l'hôpital) ; or son récit fait autorité quant à la période relative à l'emprisonnement. Donc, bien que Castro et Crespo aient fait leur apparition dans l'Ile quatre jours après les autres, trois hommes condamnés avec le reste du groupe n'ont jamais mis les pieds dans la prison modèle, pour des raisons ignorées, encore que leurs noms figurent sur le registre du greffe avec ceux des autres arrivants, à la date du 13 octobre. Il semble donc que les compagnons de Castro aient été au nombre de vingt-cinq, exactement... Seul Jesús Montané, membre du comité civil du Mouvement, connaissait bien l'endroit : il y était né et ses parents vivaient encore à Nueva Gerona.

L'Ile des Pins a une forme arrondie, mesure un peu plus de trois cents kilomètres de circonférence, et se trouve située à soixante-quinze kilomètres environ au sud des côtes de la province de La Havane. Sa principale activité économique est l'agriculture, mais la prison modèle lui apporta une autre source de revenus quand elle fut construite sous la dictature de Machado en 1931. Avec une capacité totale de cinq mille détenus, c'était pour Cuba une sorte de Sibérie tropicale destinée aux prisonniers politiques. Le pénitencier était constitué par quatre vastes bâtiments circulaires à cinq étages, chacun conçu pour recevoir 930 détenus, et par une demi-douzaine d'autres édifices importants. L'un d'eux était l'hôpital et les membres du Mouvement furent installés dans son quartier méridional connu sous le nom de Bâtiment 1. Ils étaient tous logés dans une chambrée rectangulaire, avec des lits métalliques alignés sur deux rangs. Il y avait trois douches, deux w.-c. et un évier pour les vingt-six hommes. Une porte verrouillée donnait sur une cour intérieure au sol cimenté où les prisonniers allaient prendre de l'exercice. Ils pouvaient jouer au volley-ball, au ping-pong et aux échecs. L'avantage pour eux, par rapport à Boniato, était de se trouver tous ensemble dans cette partie de l'hôpital. S'ils avaient été enfermés dans l'un des bâtiments circulaires, ils se seraient retrouvés à deux par cellule. Les conditions de leur détention n'étaient donc pas aussi mauvaises qu'elles auraient pu être, sans doute parce que le régime de Batista voulait limiter le plus possible tous les commentaires défavorables. Quand les rebelles étaient arrivés au pénitencier modèle, sans aucune nouvelle de Fidel, ils craignaient d'apprendre qu'il avait été tué ou envoyé dans une autre prison. Leur moral restait pourtant élevé. Pedro Miret, l'expert en armement, était devenu le chef du groupe par intérim, assisté par Israel Tápanes et Raúl Castro, et ils ne furent pas longs à s'organiser. Tous les livres disponibles furent rassemblés dans une bibliothèque commune, appelée du nom de Raúl Gómez García, le jeune poète assassiné à Moncada (il y avait des étagères dans la chambrée). L'un des prisonniers fut chargé de s'occuper des achats à l'extérieur pour tous les membres du groupe, et de tenir à jour les comptes de chacun ; un autre devait répartir les marchandises de la coopérative qu'ils avaient formée entre eux. Il y avait des assemblées régulières, présidées par Miret, et l'on commença à organiser des cours. Un règlement en dix articles établissait les normes à respecter au cours des réunions — comme celles-ci, par exemple : « Nul ne pourra utiliser aucun terme blessant au cours des débats et il est absolument interdit de justifier une erreur en prétendant que l'interlocuteur aurait fait la même faute, une faute similaire ou toute autre sorte de faute. » Ou bien : « Le président aura la faculté de retirer la parole à un camarade s'il considère que celui-ci fait de l'obstruction et empêche le débat de progresser. » Et encore : « Le président est également investi du pouvoir absolu de conduire les débats de la façon qu'il juge la meilleure pour faire progresser la discussion. »

Se remémorant ces journées passées en prison, Pedro Miret déclare que les prisonniers avaient immédiatement décidé de s'imposer une règle quotidienne plus rigide que celle du pénitencier. « Si nous avions ordre de nous lever à six heures du matin, nous étions debout à 5 h 30. Tout cela était très bien organisé... En étant plus stricts que ne l'exigeait le règlement de la prison, nous pouvions faire tout ce que nous voulions là-dedans. Aux yeux des autorités, nous passions pour des détenus très calmes, aussi nous laissait-on tranquilles. Ils étaient si bornés qu'ils ne comprirent jamais ce que nous étions en train de faire avec nos cours. Ils nous respectaient. Ils nous avaient logés loin du quartier principal, de sorte que personne d'autre ne pouvait nous voir. »

Fidel Castro rejoignit ses compagnons le 17 octobre ; il y eut des accolades et des embrassades. Dans la soirée, assis sur son lit, dans la première rangée, presque à l'entrée de la salle de bains, il entreprit de mettre ses hommes au courant des derniers événements de Santiago, y compris son procès à l'hôpital et son discours « L'Histoire m'acquittera ». Le dossier de Fidel au pénitencier (il était maintenant le détenu 3859) contient une photo qui nous le montre avec une moustache bien taillée ; il est dit dans le rapport qu'il « a de l'éducation » ; on mentionne une longue cicatrice sur l'abdomen, apparemment due à une appendicectomie, et une autre cicatrice à la cuisse gauche.

Une fois de retour parmi ses compagnons, Fidel fut aussitôt élu chef du groupe et les prisonniers entamèrent pour de bon leurs activités. Outre la bibliothèque qui compta bientôt plus de cinq cents volumes (y compris une centaine appartenant à Fidel), les rebelles organisèrent l'Académie idéologique Abel Santamaría — c'était une « université » où étaient enseignées la Philosophie, l'Histoire universelle, l'Economie politique, les Mathématiques et les Langues, y compris les œuvres des classiques espagnols. L'académie fonctionnait dans le patio, où les hommes s'installaient derrière les tables en bois sur lesquelles ils prenaient normalement leurs repas. Il y avait même un petit tableau noir. Les cours duraient cinq heures par jour, le matin, l'après-midi et le soir. Fidel enseignait en alternance l'Histoire universelle et la Philosophie (un jour sur deux) ; il donnait en outre des leçon d'art oratoire, deux fois par semaine. Pedro Miret faisait des conférences sur l'Histoire ancienne (il releva, plus tard, qu'ils avaient été amnistiés en plein milieu du Moyen Age). Montané enseignait l'anglais. Il écrivit par la suite : « Dès le début, Fidel nous avait dit que notre emprisonnement serait un combat et que nous devrions en tirer une expérience enrichissante, une expérience qui nous aiderait à poursuivre la lutte une fois que nous aurions été libérés. »

Castro faisait aussi des lectures à haute voix devant le groupe. (Il lisait un peu de tout — aussi bien le récit de l'attaque de l'infanterie napoléonienne contre Hugomont, que les plaidoyers adressés par José Martí à la République Espagnole, pour demander la liberté de Cuba.) Il restait éveillé jusqu'à onze heures passées, dit-il, et il ajoute : « puis le sommeil me surprenait en train de lire Marx ou [Romain] Rolland ». Castro et Miret écrivaient à leurs amis et parents pour solliciter des livres. Ils en demandèrent au recteur de l'université de La Havane, Clemente Inclán y Costa, au secrétaire de l'université, Raúl Roa García, et pratiquement à toutes les personnes qui pouvaient satisfaire leur soif de lecture. Roa les aida d'autant mieux qu'il fit publier dans le magazine *Bohemia* une lettre de Miret en quête de livres. La censure avait tout juste été levée et cela entraîna un regain d'attention de la part des milieux politiques envers les détenus. Miret estime que leur bibliothèque possédait quatre volumes de José Martí, tous les livres importants parus en espagnol sur la Révolution Française, y compris tous les écrits des Girondins, une collection complète des œuvres de Lénine, Marx et Engels — cela donne à penser que l'éducation politique des *Fidelistas* prenait un tour idéologique très prononcé. Et Fidel écrivait dans une lettre : « Cette prison est une merveilleuse école... c'est ici que je peux finir de forger ma vision du monde et le sens de mon existence. »

Dans une première lettre de l'Ile des Pins à son frère Ramón, Fidel lui faisait savoir que les censeurs de la prison avaient refusé de lui remettre une lettre recommandée de son aîné « parce qu'elle touchait à des sujets interdits par la censure... ce qui m'a grandement surpris ». Mais il demandait à son frère de ne pas en retirer une mauvaise impression, car « les personnes qui dirigent cette prison sont beaucoup plus correctes et compétentes que celles de Boniato ». Il écrit que l'on ne vole pas les prisonniers, qu'on ne les exploite pas et que « les gens d'ici sont beaucoup plus sérieux... il y a de la discipline mais il n'y a pas d'hypocrisie... Je ne veux pas dire, mon frère, que nous sommes dans un paradis ; il y a encore bien des choses qui nous sont dues et qui nous font défaut, mais il semble que les autorités manifestent de la bonne volonté et tout ira bien ». Fidel était un peu trop optimiste. Les prisonniers étaient autorisés à recevoir une visite par mois et la lettre de Castro à Ramón indique que Mirta envisageait de prendre l'avion à La Havane pour aller le voir en prison. Il insistait auprès de son frère pour que celui-ci l'accompagnât.

Dès le mois de décembre, Fidel Castro prenait de nouveau l'offensive. Dans une lettre interminable à son ami Luis Conte Agüero, le journaliste de la radio, Castro raconte le massacre des rebelles à Moncada et demande : « Pourquoi ces tortures et ces assassinats massifs, barbares et insensés... n'ont-ils pas été courageusement dénoncés ? Tel est le devoir inéluctable des vivants. Quiconque s'y dérobera portera une tache ineffaçable. » Mais Castro faisait aussi savoir à Conte Agüero qu'à la suite des accusations qu'il avait portées au cours du procès, à Santiago, la justice avait accepté ses trois plaintes contre Batista et trois de ses principaux commandants, « pour avoir ordonné le massacre des prisonniers ». Il ajoutait que la cour de Nueva Gerona, dans l'Ile des Pins, dont il dépendait désormais, avait également considéré les actions comme recevables. Dans ce monde surprenant de Cuba, un chef rebelle, condamné à la prison pour fait d'insurrection, pouvait porter plainte pour homicide contre le chef de l'Etat qu'il avait tenté de renverser. Tout aussi curieusement, plusieurs tribunaux cubains commencèrent d'instruire ces procès et de recueillir des témoignages ; cela dura presque jusqu'au moment où Castro fut amnistié.

Fidel cite alors Martí : « Quand nombreux sont les hommes sans honneur, il y en a toujours quelques-uns pour avoir à eux seuls autant de dignité que beaucoup. Ce sont eux qui se révoltent avec une force redoutable contre ceux qui dérobent la liberté au peuple, c'est-à-dire l'honneur aux hommes. » Tel était le nouveau défi lancé par Castro à Batista ; la lettre affirmait ensuite qu'une victoire devant Moncada aurait signifié le transfert du pouvoir au parti *Ortodoxo,* dans le plus pur esprit « des vrais idées de Chibás ». (C'était la première et la dernière fois qu'il émettait une telle hypothèse.) Il reprenait alors une idée déjà présentée dans « L'Histoire m'acquittera » à propos des lois révolutionnaires que le nouveau gouvernement aurait promulguées, mais il n'y avait pas le plus léger soupçon de pensée marxiste dans cette lettre. Fidel manifestement recherchait le soutien du parti *Ortodoxo,* alors même qu'il commençait à organiser son armée rebelle. Mieux encore, il souhaitait voir sa lettre publiée par Conte Agüero sous le titre de « Manifeste de la nation », avec un sous-titre repris d'une œuvre de Martí : « Message à Cuba dans les souffrances ». Il demandait également que ce manifeste soit communiqué à sa femme Mirta pour qu'elle le fît paraître dans le magazine de l'université de La Havane, *Alma Mater.* Il est intéressant de constater que Fidel cherchait de plus en plus à se faire aider par Mirta dans ses entreprises politiques ; pour sa part, elle s'efforçait de faire ce qu'elle pouvait. Mais le manifeste ne fut publié que bien plus tard sous forme de petite brochure.

La période des fêtes de fin d'année approchait, mais Fidel écrivait à Agüero : « Inutile de dire que nous ne fêterons pas Noël ; nous ne boirons même pas de l'eau, pour bien manifester notre deuil... fais-le savoir en ces termes, car je crois que, de cette façon, notre objectif paraîtra plus noble et plus humain. » Entre-temps, il poursuivait son vertigineux voyage à la découverte du monde intellectuel, en adaptant son itinéraire à ses propres besoins. Il se trouva fasciné par Napoléon III (affublé du sobriquet « Napoléon le petit ») et il lut ce qu'en disaient Victor Hugo et Karl Marx. Il écrivait dans une lettre à La Havane combien il avait été stimulé par *Les Misérables* de Hugo, mais précisait : « Je me suis [quand même] un peu lassé de son romantisme excessif, de sa verbosité, et de la lourdeur parfois ennuyeuse et exagérée de son érudition. » Il découvrit qu' « à propos de Napoléon III, Karl Marx avait écrit un livre merveilleux, *Le Dix-Huit Brumaire de Louis Bonaparte.* Là où Hugo ne voit qu'un aventurier chanceux, Marx discerne le résultat inévitable de contradictions sociales et du conflit entre les intérêts dominants de ce temps. Pour l'un, l'Histoire est affaire de chance ; pour l'autre, c'est un processus gouverné par des lois ». Une fois de plus, Castro ne voyait que son intérêt immédiat : Napoléon III avait pris le pouvoir par un coup d'état (un putsch en langage moderne) et si Fidel condamnait cette mauvaise action, c'était dans le contexte de ses propres sentiments devant la situation de Cuba.

La liste des lectures de Castro en cette fin d'année 1953 semble confirmer que la prison était pour lui une fantastique université, mais aussi que ses goûts défiaient toute définition : *La Foire aux vanités* de Thackeray, *Un Nid de gentilshommes* de Tourgueniev, la biographie du grand révolutionnaire brésilien Luis Carlos Prestes qui avait conduit, à sa manière, une « longue marche » à travers son immense pays, *Le Secret de la puissance soviétique* du Doyen de Canterbury, un roman soviétique moderne écrit par un jeune auteur révolutionnaire, *La Citadelle* d'A. J. Cronin, *Le fil du rasoir* de Somerset Maugham, quatre volumes des *Œuvres complètes* de Freud, et sept romans de Dostoïevski, y compris *Crime et Châtiment.* Ses lectures amenèrent Castro à penser que Jules César était « un véritable révolutionnaire » dans le contexte de « l'intense lutte des classes » qui se déroulait à Rome. Si l'on examine les commentaires formulés par Fidel sur ses études — qu'il s'agisse de l'Histoire, de la Littérature, de la Science ou de la Politique —, on peut constater que son esprit merveilleusement méthodique pliait tous les textes à ses interprétations subjectives (ou à ses préjugés) pour parvenir à confirmer ses idées sur ce qu'il considérait déjà comme le cours irréversible et inéluctable de l'Histoire. Quand on découvre chez Castro cette sorte d'assurance intellectuelle avec laquelle il juge l'Histoire du passé, il est plus facile de comprendre l'assurance absolue avec laquelle il considère l'Histoire du *futur* et le rôle qu'il se voit prédestiné à jouer.

En attendant les grands mouvements de l'Histoire, il lui fallait pourtant faire face à la réalité immédiate de la politique cubaine, à savoir, en ce mois de janvier 1954, l'annonce par Ramón Grau San Martín de sa candidature aux élections présidentielles promises pour le mois de novembre ; il se présenterait donc contre Batista et cela ennuyait immensément Castro ; ce dernier pensait en effet qu'aucun homme politique doté d'un sentiment de ses responsabilités ne devait faire l'honneur de sa candidature aux élections organisées par Batista (en outre, le dictateur s'arrangerait certainement pour truquer le scrutin de façon à l'emporter) et il méprisait personnellement Grau, en raison de la politique menée par celui-ci vis-à-vis des gangsters politiques pendant son mandat de 1944-1948. Ce qui était le plus déconcertant, c'était la décision prise par le parti communiste — désormais clandestin — de soutenir Grau San Martín, qui avait pourtant persécuté les communistes au cours de sa présidence. Ce faisant, les communistes s'opposaient à Batista qu'ils avaient soutenu en 1940 ; il est vrai que celui-ci avait mis le parti hors-la-loi en 1952. En fait, il semblait que cela n'avait aucun sens, de la part des communistes, de jouer le moindre rôle dans la comédie électorale de Batista ; mais le Parti socialiste populaire s'était maintenant acquis une solide réputation d'irrationalité et d'irréalisme en matière de décisions politiques. Castro se retint pourtant, une fois de plus, de critiquer les communistes qui, six mois plus tôt, l'avaient traité d'aventurier.

Du fond de sa prison, Castro eut encore maille à partir avec Batista, mais cette fois à son grand dam. Le samedi 12 février 1954, le général vint à la prison inaugurer une nouvelle centrale électrique, à quelque cinquante mètres de l'hôpital. Aussitôt que Castro eut appris la présence de son ennemi juré, il réunit ses hommes et leur proposa d'entonner tous en chœur, le plus fort possible, l'hymne du Mouvement révolutionnaire. Ecrit peu avant l'attaque de Moncada par Agustín Díaz Cartaya, jeune compositeur noir audodidacte, membre d'une cellule clandestine du Mouvement à La Havane, ce chant avait tout d'abord été intitulé la « *Marche de la Liberté* ». Castro, toujours à l'affût de bonnes occasions de propagande, avait commandé le morceau, et le résultat fut que Díaz Cartaya avait écrit un remarquable chant de guerre, certainement le meilleur en son genre à Cuba. Les couplets exhortaient les patriotes à la bataille : « En avant, tous les Cubains ! Que Cuba récompense notre héroïsme ! Nous sommes les soldats unis qui combattent pour la liberté de la patrie ! »… L'hymne maudissait « les tyrans cruels et insatiables » et se terminait sur une note triomphale au cri de « Vive la Révolution ! » Pendant toutes les années que dura la révolution, ce chant chargé d'émotion devint l'une des armes les plus puissantes de l'arsenal *Fidelista*, et Castro l'avait certainement prévu. Après la bataille, Díaz Cartaya (qui fut capturé à La Havane après avoir réussi à s'enfuir de Bayamo) avait été chargé d'ajouter un couplet sur la mort « de nos camarades en Oriente » et l'hymne fut rebaptisé « Marche du 26 juillet ». On continue de le jouer lors des grandes manifestations révolutionnaires et il sert d'indicatif aux programmes internationaux de Radio-La Havane sur ondes courtes.

Mais ce jour-là, Castro ne put résister à l'envie de provoquer Batista et les vingt-six hommes se mirent à chanter à pleins poumons sous la fenêtre de l'hôpital. Tout d'abord, le général pensa que les détenus voulaient rendre hommage à sa personne, mais aussitôt qu'il eut compris le sens des paroles, il laissa éclater sa fureur et quitta la prison. Le lendemain matin, les gardiens vinrent extraire quatre des chefs *Fidelistas* de la chambrée ; chacun fut mis pour deux semaines au secret dans une petite cellule individuelle où l'on ne pouvait se tenir debout, dans le service des maladies mentales. L'un d'eux était Ramiro Valdés. Dans l'après-midi, Fidel fut séparé du groupe et isolé lui aussi dans une cellule de cinq mètres sur quatre, près de la porte d'entrée de l'hôpital, en face de la morgue de la prison. Díaz Cartaya fut également condamné à une réclusion absolue et frappé à coups de nerfs de bœuf ; le 15 février, on le battit si sévèrement qu'il fut laissé inanimé sur le sol de sa cellule.

Castro et ses compagnons furent lourdement punis pour leur brève manifestation de défi envers Batista. Fidel lui-même allait demeurer dans une réclusion rigoureuse jusqu'à l'amnistie qui lui valut sa libération quatorze mois plus tard (son frère Raúl fut pourtant autorisé à le rejoindre six mois avant leur départ de l'Ile des Pins). Dans leur chambrée de l'hôpital, les autres furent privés de journaux et de courrier ; leurs postes de radio furent confisqués ; pendant un certain temps, il n'eurent droit à aucune visite. Certes, Castro réussit à garder le contact avec ses compagnons emprisonnés, voire avec le monde extérieur, grâce à une chaîne de relais clandestins étonnamment ingénieux — pour continuer à diriger le Mouvement, du fond de sa cellule —, mais il n'avait plus de contacts directs avec les membres du groupe ; il ne pouvait plus les endoctriner ni leur prodiguer son enseignement ; aussi « l'académie idéologique » cessa-t-elle bientôt de fonctionner car les *Fidelistas* étaient désormais trop absorbés par les conspirations carcérales qu'exigeait leur contribution à l'effort d'organisation et de propagande réalisé par Castro.

Tout bien considéré, la cellule de Fidel n'était pas trop inconfortable. Elle était même assez spacieuse pour lui permettre de faire les cent pas, comme il en avait l'habitude ; elle possédait une douche et un w.-c. Le reclus avait une étagère pour ses livres et un petit chauffe-plats (il lui fallait une demi-heure ou davantage pour faire cuire un plat de sphaghetti, comme il le raconte maintenant aux personnes à qui il fait visiter la cellule) ; son lit de métal était garni d'une moustiquaire. Son plus gros problème était l'absence de lumière. Pendant la journée, de faibles rayons filtraient à travers la fenêtre située en hauteur. Durant les quarante premiers jours,

Fidel n'eut pas droit à un éclairage artificiel et il s'abîma les yeux en s'efforçant de lire, la nuit, à la lueur d'une petite lampe à pétrole, car les bougies lui étaient interdites. Ensuite, on lui installa un éclairage électrique et il écrivit, dans une lettre, que l'obligation de vivre dans le noir et « l'humiliation de rester dans les ténèbres » étaient « la plus absurde manifestation de barbarie » qu'il pût concevoir. Après avoir ainsi passé deux mois dans un isolement complet, Fidel écrivait à une amie, à La Havane : « Tu ne peux imaginer combien cette solitude peut dévorer mon énergie. Parfois je me sens épuisé... Quand on est fatigué par n'importe quoi, il n'existe pas de refuge contre l'ennui... Mes jours s'écoulent dans une sorte de léthargie... Je fais toujours quelque chose, j'invente mes propres univers et je pense et je pense, mais c'est précisément pourquoi je suis aussi épuisé. Comment ont-ils pu rétrécir ma personnalité à ce point ?... » De fréquents orages inondaient sa cellule et il lui fallait souvent enfermer ses précieux livres dans des valises pour les protéger de l'eau.

Le 20 février 1954, Melba Hernández et Haydée Santamaría furent libérées de la prison de Guanjay, après avoir accompli cinq mois de leur peine (au lieu de sept). Pour Castro, ce fut un événement d'une immense importance : Melba était une juriste compétente et l'une des responsables clefs de l'attaque contre Moncada. Elle allait désormais devenir sa personne de confiance, à l'extérieur de la prison, et l'aiderait à faire revivre le Mouvement. Parmi les premiers dirigeants, Melba était la seule vers qui Fidel pût se tourner — tous les autres étaient morts ou emprisonnés. En outre, son séjour en prison l'avait rendue encore plus combative. En retrouvant la liberté, elle avait parlé hardiment aux journalistes qui l'attendaient, et les stations de radio de La Havane — provisoirement débarrassées de la censure en raison de la campagne électorale de Batista — furent en mesure de retransmettre ses déclarations : « Nous sommes allés à Moncada, poussés par un amour sacré de la liberté et nous sommes prêts à donner nos vies pour nos principes. » Il était pourtant évident que le régime n'accordait guère d'importance aux opinions d'une femme à peine sortie de prison.

Il ne semblait pas non plus s'intéresser aux activités de plus en plus développées de Mirta en faveur de son époux emprisonné, pas plus qu'à ceux de Lidia, la sœur aînée de Fidel, toute dévouée à la cause de la révolution, ou de Naty Revuelta qui ne se contentait pas de correspondre ouvertement avec le prisonnier, mais lui servait également de messagère secrète. Dans l'histoire de la Révolution Cubaine et dans le succès personnel de Castro, les femmes ont toujours joué un rôle que l'on peut tenir pour décisif ; c'est un fait que beaucoup de Cubains n'apprécient pas encore pleinement, même aujourd'hui.

Mirta et Fidelito furent autorisés à rendre visite à Fidel plusieurs fois. (Il écrivait dans une lettre de juin 1954 : « J'ai déjà passé plus de trois mille heures dans une solitude complète, sauf pour les brefs moments que j'ai passés avec ma femme et mon fils. ») Fidel profitait de ces rencontres pour échanger des messages opérationnels sur la formation d'un réseau révolutionnaire. En juin, Mirta assista à un hommage organisé au Théâtre de la Comédie, à La Havane, pour le commentateur radiophonique Luis Conte

Agüero : elle monta sur scène pour lire une lettre de Fidel où il faisait l'éloge de son ami et traitait Batista de « tyran » et de « despote ». Mais Castro décrivait également sa vie de prisonnier au secret : « Si j'ai quelque compagnie, c'est seulement quand on couche dans la petite morgue, juste en face de ma cellule, quelque prisonnier défunt, mystérieusement décédé ou étrangement assassiné. »

Quand Fidel fit parvenir clandestinement à Melba Hernández ses premières instructions, par une lettre du 17 avril, il mentionnait : « Mirta te fournira le moyen de communiquer avec moi chaque jour si tu le souhaites. » Il insistait sur le fait que « la propagande ne peut être abandonnée un seul instant car elle est l'âme de la lutte ». Castro disait aussi à Melba : « Mirta te parlera d'une brochure d'une importance décisive par son contenu idéologique et les terribles accusations qu'elle contient ; je te demande d'y prêter la plus grande attention. » Il lui demandait de garder la « réserve la plus absolue » sur le moyen de communication qu'il avait mis en place avec Mirta. Il mentionnait également que celle-ci lui avait appris, en prison, « le grand enthousiasme avec lequel vous vous battez tous... » et il ajoutait : « Je ressens seulement une immense nostalgie à cause de mon absence. »

Le système de communication de Castro, à l'intérieur comme à l'extérieur de la maison d'arrêt, fonctionna parfaitement. La plupart de ses messages secrets étaient écrits à l'encre invisible, avec du jus de citron, entre les lignes de lettres ouvertement adressées à des amis et parents, à La Havane — correspondance que la censure carcérale autorisait. Quand le papier blanc était exposé à une source de chaleur, les caractères tracés avec du jus de citron apparaissaient en brun. Pour que le système pût fonctionner, Fidel se faisait envoyer, de l'extérieur, de grandes quantités de citrons avec d'autres aliments. Son appétit pour ces agrumes n'éveilla jamais la méfiance des geôliers. Fidel raconte aussi qu'il plaçait de minuscules bouts de papier couverts d'une écriture microscopique dans le double fond de boîtes d'allumettes en bois. Les boîtes allaient et venaient entre Fidel et les autres prisonniers ou les visiteurs quand ils allumaient des cigares ou des cigarettes, et ce manège ne fut jamais surpris, non plus, par les gardiens. Pedro Miret a évoqué, bien des années plus tard, d'autres moyens utilisés par les prisonniers pour garder le contact avec Castro, toujours au secret, et avec le reste du monde. Leur quartier, à l'hôpital, se trouvait à quelque 140 mètres de la cellule de Fidel, dans le même bâtiment : or l'une des cours extérieures était utilisée par tout le groupe, qui y prenait de l'exercice, alors que Fidel avait une cour séparée ; entre l'une et l'autre s'étendait, au sommet des murs, le toit de l'hôpital.

« Dans notre cour, nous jouions souvent avec des balles faites de chiffons, que nous fabriquions nous-mêmes, dit Miret. De temps à autre, nous lancions délibérément une balle sur le toit et l'un des prisonniers demandait [au gardien] l'autorisation d'aller la récupérer. Une fois là-haut, il expédiait la balle [à Fidel] de l'autre côté. » Bien entendu, des messages écrits étaient dissimulés dans les chiffons. Fidel renvoyait les balles avec *ses* propres messages. Et Miret ajoute : « Il lui arrivait de [nous bombarder avec] des objets étranges... et même, une fois, une boîte de conserve...

Nous jouions tout le temps à la balle. » A l'occasion, les condamnés de droit commun qui utilisaient la même cour les aidaient à récupérer les balles ou à en lancer à Castro. Les gardiens ne découvrirent jamais non plus ce manège.

A un moment, Miret et Raúl Castro trouvèrent un *Petit Larousse* dans la bibliothèque de la prison et ils y découvrirent le langage des sourds-muets. D'après Miret, il leur fallut un mois pour apprendre à communiquer ainsi par signes. Quand, après six mois de séparation, Raúl fut autorisé à rejoindre son frère, le code se révéla des plus utiles : bien que les cellules respectives du groupe et de Fidel fussent à une certaine distance l'une de l'autre, Raúl et Miret parvinrent à dialoguer en passant les mains à travers les barreaux et en échangeant des signes avec les doigts. « C'était difficile, dit Miret, mais ça marchait. » Cela exigeait pourtant de l'un comme de l'autre de grands efforts oculaires. Aussi, Raúl perfectionna-t-il ce système en formant les lettres de l'alphabet avec les doigts pour faciliter la « conversation ». Miret affirme qu'aujourd'hui encore, Raúl s'amuse à lui « parler » parfois de cette façon.

La nourriture servait également à transmettre des messages. Miret déclare que les prisonniers cuisinaient parfois un plat et demandaient à un gardien de l'apporter à Fidel dans sa cellule. L'un des geôliers découvrit le pot aux roses, « mais Fidel lui parla et le convainquit de continuer à porter des messages. » La purée de pommes de terre était l'un de leurs véhicules favoris, mais les cigares étaient mieux adaptés à la transmission de longues informations. Miret et les autres apprirent à rouler et à dérouler des cigares avec une grande habileté pour y glisser des messages. (Les cigares étaient des cadeaux qui leur parvenaient de l'extérieur.) Pour être sûrs que le stratagème ne serait pas découvert, ils envoyaient à Castro trois ou quatre cigares à la fois, par l'entremise d'un gardien. Fidel devait alors les défaire tous pour trouver le petit bout de papier. Quand il s'agissait d'envoyer des lettres à l'extérieur, le fumeur dissimulait le billet dans la moitié inférieure d'un cigare, celle qu'il portait à sa bouche. Les jours de visite, il se rendait au parloir avec le cigare allumé aux lèvres ; il l'éteignait à temps pour embrasser affectueusement ses parents à qui il passait discrètement le mégot. Une autre méthode consistait à tailler des porte-allumettes en bois où l'on cachait des lettres avant d'en faire présent aux visiteurs.

Les communications internes avaient pour but de tenir Fidel informé des événements survenus à l'intérieur et à l'extérieur de la prison. Lui-même pouvait ainsi transmettre ses instructions aux autres ou leur faire parvenir des documents à expédier hors de l'île. Le groupe s'arrangeait pour les faire sortir de la prison grâce aux porte-allumettes et aux cigares truqués.

C'est ainsi que le texte intégral de « L'Histoire m'acquittera » fut envoyé à La Havane. Fidel avait passé plusieurs mois à reconstituer de mémoire tout ce qu'il avait dit devant les juges dans la salle de garde de l'hôpital de Santiago. Il entreprit ensuite de le recopier en caractères minuscules presque illisibles. Ce travail fut terminé en juin. « L'Histoire » était la brochure d'une « importance décisive » dont Mirta avait parlé à Melba Hernández sur les instructions de Fidel. Dès lors, tous les membres du Mouvement avaient la redoutable mission de faire parvenir le texte à destination, puis de le transcrire et de le faire publier. Le discours représente aujourd'hui cinquante-quatre pages d'impression serrée, et cette masse de copie fut expédiée partiellement sous forme de manuscrit au jus de citron, tracé entre les lignes de lettres ordinaires, par Fidel ou les autres, et partiellement sur des bouts de papier cachés dans des cigares. Miret dit qu'il avait fallu trois mois pour envoyer le tout.

Melba et Lidia coordonnèrent cette étonnante entreprise d'édition. Les deux femmes et Haydée Santamaría commencèrent par repasser les papiers au fer chaud pour faire apparaître les caractères tracés avec du jus de citron. Puis le manuscrit fut dactylographié par cinq personnes différentes, y compris Melba et son père, Manuel Hernández, dans leur appartement familial. Enfin, les pages tapées furent collationnées dans l'appartement de Lidia. Mais les instructions suivantes de Fidel se révélèrent impossibles à suivre. Il avait écrit à Melba, à la mi-juin, d'en « faire distribuer cent mille exemplaires au moins dans les quatre mois suivants » à travers tout le territoire de Cuba, avec des envois spéciaux « à tous les journalistes, avocats, médecins et autres membres des professions libérales ainsi qu'aux enseignants ». Il avait calculé qu'il en coûterait seulement trois cents dollars pour chaque tirage de dix mille exemplaires. Il avait complètement sous-estimé les problèmes à résoudre, mais insistait pour que le texte fût publié, car, disait-il, « il contient notre programme et notre idéologie sans lesquels rien de grand ne saurait être fait ». Le lendemain, il écrivait : « notre tâche immédiate... n'est pas d'organiser des cellules révolutionnaires pour gonfler nos rangs — ce qui serait une pénible erreur —, mais de mobiliser l'opinion en notre faveur, de répandre nos idées et de nous assurer le soutien du peuple. »

C'est pourquoi il voulait que « L'Histoire » eût un tirage massif. Mais le manque de moyens financiers et la nécessité de fabriquer la brochure de façon clandestine limitèrent la diffusion à 27 500 exemplaires seulement ; encore fallut-il attendre la fin de l'année pour parvenir à ce chiffre. L'effet sur le public fut réduit.

La publication de « L'Histoire » n'était pas la seule mission que Melba s'était vu confier. Castro lui avait ordonné de se rendre au Mexique pour prendre contact avec les membres du Mouvement qui s'y étaient exilés, notamment avec son ancien camarade d'université Lester Rodríguez. Fidel était très préoccupé à l'idée de voir quelque autre groupe d'opposition, notamment la riche faction du président déchu Carlos Prío, connaître le succès et faire des adeptes. Cela minerait naturellement l'ambition nourrie par Castro de rassembler tous les Cubains autour de son projet de révolution. La mission de Melba au Mexique consistait à persuader les amis de Castro en exil de ne pas suivre Prío. En mai, Batista avait amnistié l'ancien président et les autres signataires du pacte de Montréal de 1953, à l'exclusion de « ceux qui avaient pris part à l'attaque de la garnison de Moncada ». Fidel avait tout lieu de se croire menacé sur le terrain de la politique.

L'isolement commençait également à faire sentir ses effets. A part les quelques visites de Mirta et de Fidelito, au début de 1954, et la visite inattendue de Waldo Medina, un juge de La Havane qu'il avait connu à l'université, Castro ne voyait que des gardiens de prison. Cette monotonie ne fut rompue qu'en cinq occasions, quand il fut conduit à Nueva Gerona, la capitale de l'Ile des Pins, pour apporter son témoignage aux procès criminels qu'il avait intentés aux représentants du gouvernement responsables, selon lui, des assassinats commis à Moncada. Mais le directeur de la prison ignora délibérément les instructions de son ministre de l'Intérieur, Ramón O. Hermida, selon lesquelles les deux frères Castro devaient pouvoir se présenter devant les juges de Santiago et de La Havane ; cela accrut profondément l'amertume de Fidel.

Après avoir terminé la rédaction de « L'Histoire » et envoyé secrètement ses instructions à Melba et aux autres membres du Mouvement, il retourna à son marathon de lecture. Dans une lettre à La Havane, il déclare s'être endormi en terminant *L'Esthétique transcendantale de l'espace et du temps* de Kant, et ajoute ce commentaire : « Bien entendu, l'espace et le temps disparurent de ma pensée pendant un bon moment. » Dans une autre lettre, il se plaint : « Je n'ai rien du tout sur Roosevelt et le New Deal. » Il ajoute : « Je veux principalement des informations sur [les points suivants] : en agriculture, sa politique de soutien des prix agricoles, la protection et la conservation de la fertilité des sols, les facilités de crédit, le moratoire sur les dettes et l'extension des marchés intérieur et extérieur ; dans le domaine social, comment il a créé des emplois, raccourci la journée de travail, augmenté les salaires, obtenu des allocations pour les chômeurs, les personnes âgées et les invalides ; et en matière d'économie générale, sa réorganisation de l'industrie, son nouveau système fiscal, la réglementation des trusts, les réformes bancaires et monétaires. » Cinq ans plus tard, quand sa révolution eut triomphé, sa politique allait couvrir chacun des points de la législation du New Deal qu'il avait étudiés en prison — avant qu'il eût recours à des formules marxistes. Entre-temps, Fidel écrivait dans une lettre : « Je ne peux cesser de penser à tous ces sujets, car, sincèrement, je révolutionnerais ce pays de fond en comble avec allégresse... Je suis convaincu que l'on peut faire le bonheur de tous ses habitants. Je suis prêt à m'attirer en échange la haine et le mauvais vouloir d'un millier ou deux de personnes, y compris quelques-uns de mes parents, la moitié de mes amis, les deux tiers de mes confrères et les quatre cinquièmes de mes anciens condisciples !... »

Les lectures de Castro étaient si vastes — des œuvres de Kant et d'Einstein à la législation de Roosevelt et à *L'Etat et la Révolution* de Lénine — qu'il serait imprudent d'en tirer des conclusions définitives sur ses convictions idéologiques de l'époque. En 1975, Fidel déclarait à Lionel Martin : « [Après l'affaire de Moncada] je savais quel était l'objectif final. Mon programme était l'antichambre d'une révolution socialiste : pour atteindre le deuxième étage, il faut entrer par le rez de chaussée. » Puis il avait cité la phrase de José Martín : « Si l'on veut accomplir certaines choses, il faut les tenir secrètes [car] le fait de les proclamer soulèverait des difficultés trop grandes pour que l'on puisse les réaliser en fin de compte. » Mais, une fois encore, il s'agit d'un jugement a posteriori, adapté à une situation particulière et il est impossible de savoir ce que Castro pensait dans sa cellule.

Deux événements de grande importance pour tous les révolutionnaires eurent lieu au printemps de cette année 1954 et produisirent des effets très différents sur Fidel. En mai, la domination coloniale française en Indochine s'effondra avec la victoire des communistes et des nationalistes du Vietminh à Dien Bien Phu. Il n'y a rien dans les écrits de Castro qui indique un intérêt excessif de sa part pour ce triomphe militaire et idéologique des guérilleros communistes.

Le 17 juin, une force militaire d'extrême-droite, organisée et financée par la CIA et l'United Fruit Company, envahit le Guatemala pour renverser le gouvernement de gauche du président Jacobo Arbenz Guzmán. Ce dernier avait entrepris la nationalisation de certaines terres de culture appartenant à des Américains, il avait commencé à instaurer une législation sociale avancée et donnait libre cours à des sentiments anti-américains. L'intervention de la CIA au Guatemala, première manifestation de ce genre en Amérique latine depuis les années 1930, exerça un effet considérable sur Castro ; cela confirmait à ses yeux les avertissements de Martí et corroborait la thèse de la « fatalité historique » selon laquelle rien ne pouvait se produire dans la région sans la permission des Etats-Unis. Avec le temps, l'intervention au Guatemala peut avoir marqué Castro plus profondément que les théories marxistes ou léninistes. Castro allait recevoir, par la suite, deux comptes rendus de première main sur l'affaire guatémaltèque : celui de Nico López, son ancien compagnon qui s'était exilé en Amérique centrale après la défaite de Bayamo ; et celui d'un médecin argentin, Ernesto Guevara, qui avait travaillé sous Arbenz. Castro et Guevara allaient se rencontrer avant longtemps. Dans sa cellule, Fidel fut photographié en train de lire un article de magazine sur les événements du Guatemala.

Le samedi 17 juillet 1954, au soir, Fidel Castro subit un choc affectif dévastateur. En écoutant les nouvelles à la radio, il entendit annoncer que le ministère de l'Intérieur avait congédié Mirta Díaz-Balart, sa propre femme. Il n'avait jamais su qu'elle travaillait au ministère ou y avait une sinécure, bien que son frère Rafael (l'ancien camarade d'université de Castro) eût été vice-ministre de l'Intérieur sous le régime de Batista. Mirta avait soutenu la cause de son mari, à la fois publiquement et clandestinement, et elle était considérée comme une épouse totalement loyale à Fidel, malgré les liens de sa famille avec le gouvernement. En fait, Castro refusa d'abord de croire que sa femme eût vraiment touché de l'argent du ministère. Le soir même, il lui écrivait d'intenter un procès en diffamation au ministre de l'Intérieur et suggérait qu'une autre personne avait peut-être imité sa signature pour percevoir des salaires.

Les parents de Mirta étaient encore vivants, mais il semble qu'elle-même et Fidelito étaient entretenus par la famille Castro et par divers amis fortunés de Fidel. Ce dernier trouvait absurde l'idée que sa propre femme s'était rendue effectivement coupable d'une trahison politique envers lui ; dans une lettre qu'il écrivit ce soir-là à Luis Conte Agüero, il affirmait qu'il s'agissait certainement d'une « machination politique... la plus lâche, la plus indécente, la plus vile et la plus intolérable ». Il écrivait encore à Conte Agüero que Mirta était trop intelligente pour s'être laissé « convaincre par sa famille de consentir à figurer sur une feuille de paie du gouvernement, pour pénible que fût sa situation matérielle ». Il en concluait : « Elle a été misérablement calomniée. » Castro demandait à Conte Agüero de découvrir la vérité par l'intermédiaire de Rafael, le frère de Mirta, mais concentrait ses foudres sur le ministre de l'Intérieur, Hermida, dont il disait que « seul un être aussi efféminé, au dernier stade de la dégénérescence sexuelle », pouvait se conduire « avec tant d'inconcevable indécence et une telle absence de virilité ». Cette accusation, justifiée ou non, est la première manifestation dûment constatée de son hostilité obsessionnelle envers les homosexuels. Fidel accusait aussi Hermida de lui avoir « mis dans la bouche » des déclarations sur l'amélioration de son sort en prison. Il écrivait à Conte Agüero : « En ce moment, la colère m'aveugle et je ne peux presque plus réfléchir » ; mais il chargeait le commentateur de prendre toutes les mesures que celui-ci jugerait utiles ; il était même tout disposé à provoquer son beau-frère en duel. « La réputation de ma femme et mon honneur de révolutionnaire sont en jeu », écrivait-il. « Je préfère mille fois qu'ils me voient mort, plutôt que de rester impuissant devant un tel affront ! »

Mais Fidel se trompait. Sa sœur Lidia lui fit savoir quatre jours plus tard que Mirta émargeait bien au ministère de l'Intérieur. Castro entama instantanément une procédure de divorce. Il n'existe aucune explication de la conduite de Mirta. Celle-ci épousa l'année suivante un politicien du parti *Ortodoxo*, appelé Emilio Nuñez Blanco, et ne parla jamais de sa vie privée en public. A ce jour, Fidel lui-même ignore encore ce qui s'est passé. Mirta s'en fut aux Etats-Unis avec Fidelito, aussitôt après la rupture de son mariage ; il est probable qu'ils ne se sont jamais revus. (Elle vit en Espagne depuis la révolution et se rend à Cuba une fois par an, environ, pour voir Fidelito et ses petits-enfants, sans publicité.) Castro répondit à Lidia par une brève missive : « Ne te fais pas de souci pour moi ; tu sais que j'ai un cœur d'acier et que je conserverai ma dignité jusqu'au dernier jour de ma vie. »

Le 26 juillet, jour anniversaire de l'attaque de Moncada, le ministre de l'Intérieur, Hermida, et deux de ses collègues firent soudain leur apparition dans la cellule de Fidel avec un étalage de courtoisie et de cordialité qui stupéfia le prisonnier. Mais, le même jour, la police dispersa brutalement une manifestation commémorative, organisée à l'université (sur ses instructions) par Melba et Haydée. Le récit fait par Castro de sa rencontre avec Hermida souligne que les deux hommes tombèrent d'accord pour reconnaître l'absence de tout élément personnel dans leurs divergences politiques. Quand Fidel reprocha à son interlocuteur l'incident survenu à propos de Mirta, le ministre en rejeta la responsabilité sur le frère de celle-ci, Rafael, qu'il traita d' « enfant irresponsable ». Le fait demeure que Castro était désormais tenu pour un personnage important, au point de recevoir les excuses personnelles de trois ministres ; Hermida le flatta en lui disant que personne, à Cuba, n'avait une réputation politique aussi limpide que la sienne et conclut : « Ne soyez pas impatient ; moi aussi j'ai été un prisonnier politique en 1931 et 1932. »

Pourtant Fidel avait été très secoué moralement. Rafael Díaz-Balart prit publiquement Hermida à partie pour cette visite à la prison et tous deux durent démissionner, mais ce n'était pas une consolation pour Castro. Il écrivit à Conte Agüero : « Je vis parce que j'ai des devoirs à remplir... Pendant bien des moments terribles que j'ai traversés depuis un an, j'ai imaginé combien il serait plus agréable d'être mort. Je considère le [Mouvement du] 26 juillet tellement au-dessus de ma personne que je m'ôterais la vie sans hésitation au moment même où je me verrais devenu inutile à la cause pour laquelle j'ai tant souffert ; cela est particulièrement vrai maintenant que je n'ai plus de cause personnelle à servir. »

Au cours de la bataille juridique entre les avocats, pour son divorce, Fidel précisa que sa première exigence était le retour de Fidelito à Cuba et son inscription dans l'école qu'il choisirait pour son fils, maintenant âgé de cinq ans. Il écrivait à Lidia : « Je refuse même de penser que mon fils puisse dormir une seule nuit sous le même toit que mes ennemis les plus répugnants et recevoir sur ses joues innocentes les baisers de ces misérables Judas... Pour m'arracher mon fils, ils devront me tuer... Je perds la tête quand je pense à ces choses. » En 1955, il envoya un ultimatum : Fidelito devrait être pensionnaire dans une école de La Havane, dès le 1er avril, ou bien il bloquerait la procédure de séparation. Le divorce entre Fidel et Mirta fut prononcé l'année suivante, alors que Fidel avait déjà quitté Cuba, mais la bataille autour de Fidelito se poursuivit pendant bien des années encore — tant que Fidel ne fut pas en mesure de la gagner.

Entre-temps, Castro était devenu le prisonnier politique le plus célèbre de Cuba ; de plus en plus, il faisait figure de facteur important dans la politique nationale ; et cela prouve que la mise au secret d'un reclus peut être un brevet de respectabilité et d'autorité. Au début de juin, *Bohemia* publiait un long entretien avec Fidel Castro, accompagné de sept photos qui le montraient dans sa cellule et dans la bibliothèque de la prison. C'était la première fois qu'il pouvait s'adresser à ses concitoyens devant un public d'une telle ampleur, et il ne mâcha pas ses mots quant aux crimes de Batista ; il en profita pour exposer abondamment ses plans révolutionnaires. La visite que Hermida lui avait rendue à l'Ile des Pins avait entraîné une crise importante au sein du gouvernement et les autorités mettaient désormais des gants avec lui...

En août, Raúl fut autorisé à rejoindre Fidel dans sa cellule pour mettre fin à la réclusion totale de son frère (ils n'en furent pas moins tenus à l'écart des autres prisonniers), ce qui eut pour effet de fournir un auditoire permanent à celui-ci. Fidel fit savoir qu'à cette occasion la pièce avait été considérablement agrandie, qu'ils avaient droit à un vaste patio et que le personnel de la prison se chargeait désormais du nettoyage ; il ajoutait : « Nous ne sommes pas obligés de nous lever avant d'en avoir envie... nous avons de l'eau, de l'électricité, de la nourriture et du linge propre en abondance — tout cela gratuitement... nous ne payons même pas de loyer. » Il formulait ses conclusions politiques en ces termes : « Notre tour arrive. Auparavant, nous n'étions que quelques poignées. Maintenant, nous devons nous joindre à tout le peuple. Notre tactique sera différente. Ceux qui ne voient en nous qu'un groupuscule se trompent tristement.

Nous n'aurons jamais une mentalité de groupe ni une tactique de groupe. En outre, je peux désormais me consacrer corps et âme à la cause. J'y mettrai toute mon énergie et tout mon temps. J'entamerai une vie nouvelle. Je suis résolu à renverser tous les obstacles et à livrer autant de batailles qu'il faudra. Surtout, je vois le chemin et les objectifs plus clairement que jamais. Je n'ai pas perdu mon temps en prison, car j'ai étudié, observé, analysé, fait des plans et entraîné des hommes. Je sais ce qui convient le mieux à Cuba et comment l'obtenir. Quand j'ai commencé, j'étais seul ; maintenant, nous sommes nombreux. »

Castro pensait à fonder un mouvement national qui remplacerait l'organisation clandestine mise sur pied avant la bataille de Moncada ; il réfléchissait à une proposition de Conte Agüero qu'il avait reçue en août, concernant « la création d'un mouvement civique dont le besoin se fait sentir de façon pressante ». Il répondit aussitôt qu'il était d'accord « sur l'existence d'un besoin » mais, non sans acuité, il mettait son ami en garde contre une situation dans laquelle il faudrait concilier une multitude d'opinions et d'intérêts. Il envisageait plutôt, comme toujours, une union révolutionnaire placée sous son commandement. Il fit savoir à Conte que le premier objectif devait être la libération des prisonniers du 26 juillet. « Ce noyau parfaitement discipliné... sera d'une terrible utilité pour l'entraînement des cadres d'une organisation civique ou insurrectionnelle, écrivait-il. Il est évident qu'un grand mouvement civique et politique doit avoir la force nécessaire pour prendre le pouvoir par des moyens pacifiques ou révolutionnaires ; sinon, il courra le risque de se voir arracher ce pouvoir. »

Ceux qui ont étudié la Révolution Cubaine se sont demandé si, à ce stade, Castro appliquait les principes léninistes ou la théorie du « *caudillo* », à l'organisation d'un mouvement révolutionnaire vertical. On peut répondre tout simplement qu'il était partisan d'une autorité absolue, sans laquelle, pensait-il avec raison, rien ne pourrait être accompli à Cuba. Il répétait que « l'appareil d'organisation et de propagande doit... détruire sans merci tous ceux qui s'efforcent de créer des courants... ou de se dresser contre le mouvement... Nous devons fermement garder les pieds sur terre, sans pour autant sacrifier la réalité supérieure des principes ».

Fidel Castro venait d'avoir vingt-huit ans et, même en prison, il apparaissait comme l'un des plus grands dirigeants politiques du pays. Quand l'ancien président Grau, de nouveau candidat contre Batista, prit la parole en octobre lors d'un meeting politique à Santiago, la foule se mit à scander le nom de Fidel. Grau répondit que s'il était élu il décréterait une amnistie totale, y compris pour « les gars de Moncada ». Grau comprit bien vite qu'il ne l'emporterait jamais sur l'appareil de Batista et il se retira de la course. Mais la demande d'une amnistie pour les prisonniers de l'Ile des Pins prenait l'allure d'une campagne nationale et Batista savait qu'il ne pourrait toujours en faire abstraction.

Faute de tout autre candidat, Batista fut élu Président « constitutionnel » de la république, événement qui plongea Cuba dans une profonde affliction. Mais les Etats-Unis qui ne pouvaient — ou ne voulaient — voir l'ampleur des failles de la politique cubaine, ni la montée des forces révolutionnaires, se jetèrent au cou du dictateur une fois encore. Après tout, celui-ci avait apporté son soutien à l'opération guatémaltèque. En conséquence, le vice-président Richard Nixon se rendit à La Havane en février 1953, pour porter un toast à Batista, lors d'une réception de gala au palais présidentiel. Il fut bientôt suivi par Allen W. Dulles, directeur de la CIA, auteur de l'intervention au Guatemala. Ni l'un ni l'autre n'avaient jamais entendu parler de Fidel Castro, mais avant longtemps, le jeune Cubain allait coûter sa carrière à Dulles.

La campagne en faveur de l'amnistie fut lancée au début de l'année 1955 par le comité des « mères des prisonniers » qui publia un manifeste adressé « à toutes les mères de Cuba » et intitulé « Cuba, Liberté pour tes Fils ! » Cet organisme se transforma bientôt en un Comité des Parents en faveur de l'Amnistie des Prisonniers politiques. Lidia, la sœur de Fidel, en fut la belliqueuse dirigeante. A Santiago, une jeune étudiante en architecture, Vilma Espín, se lança dans l'action ; et Celia Sánchez, la fille d'un médecin animée d'un esprit révolutionnaire et employée dans une sucrerie d'Oriente, organisa l'expédition de boîtes de conserve, de tablettes de chocolat et autres friandises, aux prisonniers de l'Ile des Pins. Toutes ces femmes allaient jouer un rôle crucial dans la révolution et dans la vie de Fidel.

Castro imaginait évidemment des initiatives spectaculaires pour appuyer les efforts réalisés en faveur de l'amnistie. Le 1er janvier 1955, il envoyait des instructions à Nico López et à Calixto García qui s'étaient expatriés d'abord en Amérique centrale puis au Mexique, après avoir réchappé de l'attaque de Bayamo : il suggérait aux deux hommes de se présenter devant les tribunaux d'exception, à Cuba, en tant que « combattants de Moncada ». Ceci, écrivait-il, entraînerait la réouverture du procès principal « et nous soulèverions toute la nation contre Batista juste au moment où il devrait entamer son nouveau mandat, le 24 février ». L'idée de Castro était de faire de López et de García les piliers d'une vaste campagne de propagande ; à cet effet, il leur demanda de signer des déclarations qu'il leur envoya et qui seraient distribuées aux principaux organes de la presse parlée ou écrite, à la veille de leur retour à Cuba. Puis les deux anciens expatriés donneraient des interviews aux journalistes, bien que, disait-il : « vous serez sans doute arrêtés presque aussitôt. » Castro demandait instamment à López et à García de convaincre les autres émigrés de se livrer aux tribunaux cubains pour demander à passer également en jugement. Il précisait : « Mais ayez soin de donner à penser que l'idée vient de vous ; je ne veux exercer sur eux aucune pression morale... Si d'autres décident de vous suivre et de rentrer avant le 24 février, le gouvernement en perdra la raison, juste au moment où il veut à tout prix faire étalage d'une normalisation dans le domaine politique. Cela peut devenir le facteur décisif qui l'obligera à signer l'amnistie. » Fidel ajoutait, comme s'il s'agissait d'une idée de dernière minute : « Si par hasard ils ne veulent pas vous arrêter à votre arrivée, vous vous présenterez... devant le Tribunal Provisoire de Santiago pour déclarer que vous " voulez partager le pénible sort de [vos] camarades emprisonnés " ; cela les obligera à agir. » Cependant les deux hommes s'abstinrent de rentrer avant l'amnistie.

Batista sentait manifestement monter la pression en faveur d'une amnistie pour le groupe de Castro, mais au même moment, il était suffisamment préoccupé par les activités de la gauche pour créer, sur les conseils des Etats-Unis, un Bureau spécial de renseignements anticommuniste, le BRAC. Le jour de l'entrée en fonction de Batista en qualité de président constitutionnel de Cuba, un nombre impressionnant de dirigeants politiques traditionnels, de journalistes et d'intellectuels signèrent un « Appel au public » demandant « la mise en liberté de tous les prisonniers politiques et des garanties pour le retour des émigrés ». Le 10 mars, troisième anniversaire du coup d'état, des projets de loi d'amnistie furent présentés aux deux chambres du pouvoir législatif et le régime fit savoir qu'il leur donnerait sa bénédiction si les *Fidelistas* s'engageaient à ne plus tenter de nouvelle insurrection.

Castro répondit par une déclaration, signée par tous ses compagnons de captivité, dans laquelle il rejetait ces conditions. Il écrivait : « Les Pharisiens avaient demandé au Christ s'il fallait ou non payer tribut à César. Toute réponse qu'il aurait pu faire devait offenser soit César, soit le peuple. Les Pharisiens de tous les temps ont usé de ce stratagème. Aujourd'hui, ils cherchent à nous discréditer aux yeux du peuple ou à se procurer un bon prétexte pour nous garder en prison. Cela ne m'intéresse pas du tout de me faire amnistier par ce régime... Le régime commet un crime contre notre peuple et nous prend ensuite en otages... Aujourd'hui, nous sommes bien plus que des prisonniers politiques ; nous sommes les otages d'une dictature... Notre liberté individuelle est notre droit inaliénable de citoyens... Nous pouvons être privés de ce droit par la force, et d'autres droits encore, mais personne ne peut nous obliger à les retrouver par des compromis sans valeurs. Nous ne renoncerons pas à un iota de notre honneur en échange de notre liberté. »

Fidel avait durement appris que l'on ne peut jamais faire aucun compromis qui tienne, ni avec une personne ni avec un gouvernement. Il savait désormais qu'il détenait des cartes maîtresses et pouvait attendre d'obtenir l'amnistie à ses propres conditions — c'est-à-dire sans aucune condition. Il avait également retenu l'avis de José Martí qui conseillait la patience aux révolutionnaires. En avril se produisirent des manifestations en faveur de l'amnistie, tant à La Havane que dans d'autres villes ; la presse cubaine, désormais débarrassée de la censure, était ouvertement favorable à une mesure de clémence et dénonçait le régime qui maintenait les *Moncadistas* en prison. Irrité par les actes de défi de Castro, le régime fit condamner celui-ci à trente jours de réclusion totale, par l'administration pénitentiaire, pour avoir illégalement livré à la publication, dans le magazine *Bohemia,* sa déclaration contre les conditions de l'amnistie. La presse se saisit de cette occasion pour attaquer le gouvernement. Batista se résigna à accepter les conditions de Castro pour éviter une crise de grande envergure.

Le 3 mai, le Congrès approuva le projet de loi d'amnistie que Batista signa le 6 mai « en l'honneur de la Fête des mères ». Le dimanche 15 mai 1955, à midi juste, Fidel Castro fut libéré, à la prison de l'Ile des Pins, avec tous ses compagnons — moins de deux ans après l'attaque de Moncada. Et il en sortit plein d'ardeur combative. Une photo désormais célèbre nous le montre, saluant du bras, au moment où il quitte les bureaux de la prison avec Raúl, Juan Almeida et Armando Mestre, suivis par tous les autres. Il porte un vieux complet de laine gris (il avait renvoyé chez lui le costume bleu marine après le procès), avec une chemise blanche à col ouvert. Il avait écrit à Lidia de ne pas faire les frais d'une *guayabera* et de pantalons neufs. De la prison, il fut conduit au domicile de son compagnon Jesús Montané, puis à l'hôtel de l'Ile des Pins, à Nueva Gerona, pour y tenir sa première conférence de presse et donner des autographes. Comme il l'avait lui-même souligné si souvent, la propagande ne devait pas connaître un moment de relâche.

Dans la soirée, les anciens prisonniers prirent place à bord du vapeur *El Pinero* pour faire la traversée qui les conduirait au port de pêche de Batabanó, sur la grande île. Les amis qu'ils laissaient derrière eux leur souhaitèrent bon voyage à grands cris, au moment où le bateau larguait les amarres, et ils arrivèrent à destination le lundi à cinq heures du matin. Ce fut pendant la traversée que Castro eut l'occasion de s'entretenir avec ses compagnons de captivité pour la première fois depuis quinze mois. Ils passèrent ces premières heures de leurs retrouvailles à faire des plans pour la création du Mouvement du 26 juillet, sous la forme d'une organisation révolutionnaire de masses. Mais Castro trouva également le temps de rédiger son « Manifeste de Fidel Castro et des Combattants au peuple de Cuba » où il déclarait que la guerre venait tout juste de commencer :

« Au moment où nous quittons la prison... nous proclamons notre volonté de lutter pour nos idées, même au prix de notre vie... Notre mise en liberté ne sera pas une occasion de réjouissances ou de repos, mais de batailles au service de la nation pour la libérer du despotisme et de la misère... Une foi nouvelle, un nouveau réveil de la conscience nationale, se manifestent. Ceux qui tenteraient de les étouffer déclencheraient une catastrophe nationale sans précédent... Les despotes passent, les peuples demeurent... »

Ce document fut publié par un quotidien à grand tirage, *La Calle*, le matin même où les prisonniers de l'Ile des Pins arrivaient à La Havane en provenance de Batabanó. Quand le train entra en gare, la foule entonna l'hymne national et Fidel fut porté en triomphe jusqu'à la rue, sur les épaules de ses admirateurs. Vêtu d'une *guayabera* blanche et d'un pantalon gris, il brandissait un grand drapeau cubain que l'on avait placé entre ses mains à son arrivée. S'adressant aux journalistes, Castro annonça qu'il ne serait pas un émigré et resterait à Cuba pour exercer ses activités politiques au sein du parti *Ortodoxo*. Cela faisait partie de sa stratégie à court terme : le parti était bien organisé et bien disposé envers lui (les rebelles de Moncada étaient principalement recrutés parmi ses jeunes militants) ; il fournirait une base naturelle pour la fondation du Mouvement du 26 juillet. Castro ne souhaitait pas non plus s'attirer l'hostilité de l'armée au moment où il faisait sa rentrée sur la scène politique ; il déclara : « Je ne suis pas un ennemi de l'armée, simplement un adversaire. » Il sortit même de ses habitudes pour faire l'éloge de l'officier chargé d'assurer la sécurité dans la prison (il lui avait donné une chaleureuse accolade en quittant le pénitencier).

Les plans de Castro pour la création du nouveau Mouvement supposaient le recrutement d'autres jeunes activistes hostiles à Batista. Il ne perdit pas de temps pour prendre contact avec ceux qui avaient quitté les prisons de La Havane à la faveur de l'amnistie générale. Il trouva parmi eux des recrues qui joueraient bientôt un rôle clef : l'avocat Armando Hart Dávalos et le médecin Faustino Pérez Hernández. Naturellement, sa sœur Lidia (chez qui il était allé habiter à La Havane), Melba et Haydée avaient été parmi les premières personnes que Fidel avait saluées et embrassées, de même que Naty Revuelta, la seule qui avait su d'avance, à La Havane, que Fidel était sur le point d'attaquer Moncada. Raúl Castro, qui louait une chambre en ville avec Pedro Miret, se rendit à Birán vers la fin du mois de mai pour passer une semaine avec ses parents. Fidel était trop occupé à conspirer pour aller en Oriente.

Bien qu'il eût déclaré, à sa sortie de prison, qu'il se consacrerait à l'action politique du parti *Ortodoxo*, il savait que Batista ne tolérerait pas une opposition de ce genre, et que la seule autre solution était la lutte armée. Il en avertit ses partisans qui commencèrent aussitôt à organiser clandestinement le Mouvement du 26 juillet. (Castro avait proposé ce nom pour la première fois alors qu'ils étaient encore à bord du bateau qui les ramenait de l'Ile des Pins.) En même temps, il se lança publiquement dans une campagne qui ne pouvait manquer de le rendre intolérable à Batista — Fidel croyait en effet aux prophéties qui se réalisent surtout parce qu'on les a énoncées. Il déclara que lui-même et ses compagnons seraient les « cobayes » qui feraient l'expérience des garanties constitutionnelles promises par Batista à l'opposition ; il ajoutait : « Je serai la première victime de la lâcheté si ces garanties n'existent pas. » Et encore : « J'ai été informé que des actes d'agression sont en préparation contre moi-même et mes compagnons. »

Entre-temps, la violence éclatait de nouveau dans La Havane, avec des assassinats, des attentats à l'explosif, des incendies et des brutalités. Les étudiants se battaient avec la police de Batista et les autorités rendaient coup pour coup. Castro se jeta dans la bagarre avec des articles publiés par *La Calle* et *Bohemia,* pour dénoncer le régime, et avec des émissions de radio fulminantes. Quand Pedro Miret fut arrêté sous prétexte de vagues accusations, Fidel publia une déclaration dans laquelle il affirmait que « l'amnistie était un leurre sanglant », et courut au tribunal pour le défendre. Le régime lui ayant interdit l'accès de la radio, il haussa encore le ton de ses diatribes dans la presse. En toute occasion, il rappelait aux Cubains le massacre de ses hommes, le 26 juillet, et quand le colonel Chaviano, le commandant de Moncada, publia sa propre version des événements (« Nous avons fait notre devoir »), Fidel répliqua par un article féroce dans *Bohemia,* sous le titre CHAVIANO VOUS MENTEZ ! Puis, pour tenter de diviser les militaires, il fit paraître un autre article dans lequel il rendait hommage à des officiers pour leur conduite qu'il jugeait courageuse.

Logé chez Lidia qui le nourrissait et lavait chaque jour son unique *guayabera,* Fidel était emporté par un mouvement perpétuel et vivait dans un tourbillon d'activités révolutionnaires, comme s'il voulait rattraper les vingt-deux mois passés derrière les barreaux. Il faisait des discours, écrivait des articles, tenait des réunions avec ses partisans pour donner forme à son tout nouveau Mouvement du 26 juillet. Armando Hart et Faustino Pérez, qui avaient participé à la courte existence du Mouvement National Révolutionnaire (MNR), étaient devenus les agents recruteurs du Mouvement du 26 juillet auprès des anciens activistes du MNR. Un soir, devant plusieurs de ses amis, Castro raconta la bataille de Moncada et termina en ces termes : « Désormais, j'ai suffisamment d'expérience ; avec de nouvelles ressources, nous n'échouerons pas, la prochaine fois. »

Castro craignait de plus en plus pour sa propre sécurité, à mesure qu'il continuait de défier Batista. Dès les premiers jours de juin, son frère Raúl, Nico López (à peine rentré de son exil mexicain) et Jesús Montané s'installèrent chez Lidia avec leurs armes pour le protéger. Cependant, au bout d'une semaine environ, Fidel décida de ne plus dormir deux nuits de suite au même endroit, aussi se fit-il héberger par divers amis à tour de rôle. Mais il ne cessa pas de harceler Batista. Après un discours prononcé le 4 juin par le général, dans lequel celui-ci déclarait : « Le gouvernement veut faire preuve de patience », mais certains y voient un signe de « faiblesse », Castro répliqua par un article publié dans *La Calle* où il accusait le dictateur de se montrer « malhonnête ». Le titre en était : « Des mains criminelles ! »

La sévère rossée infligée à Juan Manuel Márquez, l'un des chefs de l'opposition, et l'assassinat de Jorge Agostini, ancien officier de marine récemment rentré d'exil, marqua le début d'une guerre ouverte entre Batista et l'opposition conduite par Castro. Celui-ci accusa le gouvernement d'avoir fait tuer Agostini et, la nuit même, sept bombes explosèrent à La Havane. Castro prétendit y voir la main des agents de Batista. Les autorités ripostèrent en accusant Raúl Castro d'avoir placé un engin explosif dans un cinéma. Castro présenta devant un tribunal d'urgence de La Havane une requête dans laquelle il accusait le gouvernement de vouloir le faire assassiner avec son frère. Il appela aussi à une grève de solidarité avec les cheminots, victimes d'une réduction de salaires. Le 15 juin, le gouvernement interdisait à *La Calle* de publier désormais les articles de Castro (le dernier était intitulé « Terreur et Crime ») ; en fait, celui-ci se trouvait réduit au silence. Le journal fut d'ailleurs fermé par la police le lendemain.

L'article que Castro n'avait pu faire imprimer avait pour titre « Vous ne pouvez plus vivre ici ». Il donnait clairement à entendre que l'auteur se préparait à s'exiler ; mais le texte n'indiquait en aucune façon que cet exil serait destiné à permettre la préparation, à l'étranger, d'une insurrection armée. Le 17 juin, Fidel donnait pour instructions à Raúl de demander l'asile politique à l'ambassade du Mexique à La Havane. Deux mandats d'arrêt avaient été lancés contre lui et l'on pouvait craindre un assassinat. Le 24 juin, Raúl partait pour le Mexique ; c'était le premier chef du Mouvement rebelle qui prenait la longue route de l'invasion.

Mais, avant de partir, Raúl assista, le 12 juin, à une réunion secrète tenue dans une vieille maison de la rue Factoría, près du port de La Havane : le Directoire national du Mouvement du 26 juillet s'y constitua cette nuit-là. Fidel avait compris qu'il lui faudrait quitter lui-même Cuba, à brève échéance ; il estimait qu'il était impératif de laisser derrière lui une organisation en bon état de marche pour appuyer l'insurrection. Il avait appris la leçon de Moncada. En 1985, Armando Hart a évoqué cette réunion et rassemblé ses souvenirs sur la fondation du Mouvement : selon lui, chacune des personnes présentes ce soir-là appartenait encore au Mouvement trente ans plus tard, si elle n'était pas morte entre-temps. Les onze membres du Directoire national étaient : Fidel Castro, Pero Miret, Jesús Montané, Melba Hernández, Haydée Santamaría, José Suárez Blanco, Pedro Celestino Aguilera, Nico López, Armando Hart, Faustino Pérez et Luis Bonito. Les combattants de Moncada se trouvaient en majorité mais le Mouvement avait reçu du sang neuf.

Le 6 juillet, Fidel fit ses derniers préparatifs avant de quitter Cuba. Il avait discrètement fait apposer un visa de tourisme sur son passeport, à l'ambassade du Mexique, et Lidia avait vendu le réfrigérateur de son appartement pour lui permettre de faire le voyage avec un petit peu d'argent en poche. Il fit ses valises qui contenaient plus de livres que de vêtements. L'après-midi du 7 juillet, il quitta l'appartement en voiture, avec ses sœurs Lidia et Emma, son fils Fidelito (que Lidia était allée chercher à la sortie de l'école) et une avocate. A l'aéroport, il embrassa Fidelito qu'il serra dans ses bras, et prit le vol 566 de la compagnie mexicaine d'aviation. Il laissait le message suivant qui fut publié par *Bohemia,* dans un numéro tiré à 250 000 exemplaires :

« Je quitte Cuba car toutes les portes qui conduisent à une lutte pacifique se sont refermées devant moi. Six semaines après avoir été libéré de prison, je suis plus convaincu que jamais de l'intention du dictateur de se maintenir au pouvoir pour vingt ans encore grâce à différents subterfuges, pour gouverner comme à présent, à grand renfort de terreur et de crimes, en voulant ignorer que la patience du peuple cubain a des limites. En bon disciple de Martí, je crois que l'heure est venue de conquérir nos droits au lieu de les mendier, de combattre au lieu de plaider pour les obtenir. Je vais m'établir quelque part dans les Caraïbes. On ne revient pas de tels voyages ; ou bien si l'on revient, c'est pour voir la tyrannie décapitée à ses pieds. »

7

Fidel Castro parvint à son lieu d'exil mexicain avec l'intention bien arrêtée d'organiser et d'entraîner un groupe de rebelles qui débarquerait à Cuba pour y faire une guerre de guérilla dans la Sierra Maestra. Cette armée de guérilleros triompherait ensuite des forces cubaines, déposerait le général Batista et proclamerait l'avènement d'un gouvernement révolutionnaire dans l'île. Pour y parvenir, Castro avait à sa disposition, quand il mit le pied au Mexique, quelques amis, une ténacité sans bornes, et un redoutable pouvoir de persuasion.

« Assis en face de moi, Fidel Castro me criait après, dans ma propre maison, et gesticulait violemment comme si nous étions en train de nous disputer : " Vous êtes cubain, disait-il, votre devoir absolu est de nous aider ! " » Tel était le souvenir qu'en avait conservé, jusqu'à sa mort récente, Alberto Bayo, ancien combattant de la guerre d'Espagne et — bien que d'origine cubaine — ancien général de l'armée républicaine espagnole. Castro s'était mis immédiatement à sa recherche en arrivant à Mexico où le vieux soldat vivait en exilé volontaire.

Dans un livre où il raconte comment il a dirigé la formation des membres de l'expédition *Fidelista*, Bayo décrit la rencontre en ces termes : « Ce jeune homme me racontait qu'il avait l'intention de vaincre Batista, lors d'un débarquement futur qu'il mènerait à bien avec ses hommes (" quand je les aurai ") et ses bateaux (" quand j'aurai de l'argent pour en acheter ") ; mais au moment même où il me parlait, il n'avait ni un homme ni un dollar... N'était-ce pas amusant ? N'était-ce pas puéril ? Il me demandait donc de m'engager à enseigner les techniques de la guérilla à ses futurs soldats quand il les aurait recrutés et quand il aurait réuni assez d'argent pour les nourrir, les habiller, les équiper, et acheter les bateaux qui les transporteraient à Cuba ! Bon, me suis-je dit, ce jeune homme veut remuer des montagnes avec une seule main ; qu'est-ce que ça me coûte de lui faire plaisir ? Et je lui ai dit oui : " Oui, Fidel, je te promets de former tes hommes quand le moment sera venu. " Fidel Castro ajouta : " Bien, je vais aux Etats-Unis pour sept ou huit mois, rassembler des hommes et de l'argent... A la fin de l'année je reviendrai vous voir et nous déciderons ensemble de ce qu'il faudra faire pour notre instruction militaire. " Nous échangeâmes une poignée de mains. Tout cela me paraissait impossible. »

Fidel avait débarqué à Mexico, avec son vieux costume de laine gris, le matin du 8 juillet 1955, après une nuit passée à Veracruz. Le premier soir, devant son frère Raúl et quelques autres réfugiés cubains, il admettait qu'il avait « presque pleuré en montant dans l'avion » à La Havane. Mais il esquissa instantanément un plan pour prendre contact, comme il le dit plus tard, avec « tous les gens influents dont l'amitié et la sympathie pourraient se révéler utiles dans ce pays ». Bayo était l'une des toutes premières personnes qu'il alla voir. En arrivant au Mexique, Castro avait sans doute déjà entendu parler de la réputation qu'avait le général parmi toutes les cuvées de révolutionnaires en Amérique latine.

Albert Bayo a été souvent décrit, mais à tort, comme un agent communiste. C'était exactement le genre d'homme dont Fidel avait besoin s'il voulait faire démarrer son entreprise. L'instruction militaire qu'avaient reçue jusque-là les rebelles pouvait convenir à des amateurs, comme les survivants de l'affaire de Moncada, mais elle était totalement inadaptée à une invasion de Cuba ; or c'était de cela qu'il s'agissait maintenant. Leur manque de professionnalisme (y compris celui de Fidel lui-même) ne pouvait être compensé par la lecture exaltante des Mémoires de José Martí, voire des chroniques militaires de Máximo Gómez et Antonio Maceo, les généraux de la guérilla cubaine au XIXᵉ siècle. Ce qu'il fallait désormais au Mouvement du 26 juillet, c'était une parfaite connaissance de la guerre de guérilla moderne en terrain difficile et montagneux, face à l'arsenal perfectionné de Batista. Bayo prenait déjà de l'âge et il avait les cheveux blancs, quand Castro s'adressa à lui en 1955. Il s'était battu pendant onze ans dans l'armée espagnole, contre les Maures du Rif marocain, au cours des années 1920. Il avait fait campagne contre le célèbre Abd-el-Krim, étudié les tactiques de la guérilla à l'Académie militaire de Tolède, puis enseigné son sujet favori à l'école de guerre de Salamanque. Au cours de la guerre civile espagnole, il avait tenté de persuader les Républicains de faire un plus grand usage de la guérilla, face aux Nationalistes bien mieux armés du général Franco. Il avait rappelé à ses supérieurs que la guérilla avait été inventée en Espagne et utilisée d'abord pour chasser les Maures au XVᵉ siècle, puis les légions de Napoléon en 1808. Et maintenant le général Bayo expliquait à Fidel Castro que « le guérillero est invincible s'il peut compter sur le soutien des paysans sur le terrain ».

L'Espagnol avait passé ses années d'exil à entraîner des rebelles, qu'ils fussent de gauche ou anticommunistes, dans toute la zone des Caraïbes, en vue d'une attaque contre les dictateurs du Nicaragua et de la république Dominicaine. Vers le milieu des années 1950, il enseignait l'anglais et le français à l'université latino-américaine de Mexico, faisait des cours à l'Ecole des Mécaniciens de l'Aviation militaire, et dirigeait une fabrique d'ameublement. Il déclara à Castro ne pas pouvoir consacrer plus de trois heures par jour à ses rebelles, après sa journée de travail normale ; mais Castro protesta : « Non, général Bayo, nous avons besoin de vous toute la journée. Vous devez abandonner toutes vos autres occupations et vous consacrer entièrement à notre entraînement. A quoi vous servira d'avoir une fabrique de meubles ici, le jour où vous nous aurez rejoints et où nous serons vainqueurs tous ensemble à Cuba ? » Ce général de soixante-cinq ans écrivit par la suite que le jeune Castro l'avait « subjugué ». Il ajoutait : « Je devins ivre de son enthousiasme et il me communiqua son optimisme... Je promis sur-le-champ à Fidel de renoncer à mes cours et de vendre mon entreprise. »

Bayo ne toucha jamais les quelque six mille dollars qu'on lui avait promis pour la vente de son affaire et il y perdit une partie de son revenu mensuel, soit près de trois cents dollars. Il raconte qu'il recevait de Castro, à l'insu de sa femme, soixante-cinq dollars par mois « pour maintenir la fiction » d'une activité lucrative à la fabrique ; trois mois plus tard, l'épouse découvrit pourtant la vérité et prit du travail supplémentaire pour nourrir sa famille ; Bayo refusa d'être payé plus longtemps par ces Cubains sans le sou ; il entreprit même par la suite d'écrire des livres pour rembourser à Castro les 195 dollars que celui-ci lui avait versés au début. Après avoir ainsi embauché Bayo, Fidel était en mesure d'aller de l'avant dans l'organisation de son insurrection.

Malgré son manque de ressources matérielles, Castro avait en tête un plan de bataille assez précis, même avant de quitter La Havane. Pedro Miret, qui travailla en étroite association avec lui pendant toute cette période, déclare que la décision de Castro de se rendre au Mexique obéissait à sa détermination de faire débarquer une armée rebelle en Oriente. Il rappelle que « Fidel avait déjà tout prévu, même le lieu du débarquement et l'endroit où nous irions ensuite dans la Sierra... Je savais tout cela avant même le départ de Fidel pour Mexico. » Miret explique que l'idée d'aller dans la Sierra avait pris corps après l'affaire de Moncada. (Fidel avait effectivement envisagé de lancer des opérations de guérilla dans la montagne au-dessus de Santiago, après avoir pu s'extirper du secteur de la caserne.) Selon Miret, l'idée d'opérer dans la montagne était liée à une « action des masses » en d'autres points du territoire. Selon lui, « sans l'appui d'une action des masses, il n'y aurait eu aucun moyen de l'emporter. » C'était l'une des leçons de l'affaire de Moncada. Miret souligne qu'après le 26 juillet, toute nouvelle attaque contre des installations militaires était hors de question.

Toujours selon Miret, Fidel et lui-même avaient délimité le secteur du futur débarquement puis l'avaient réduit progressivement à une zone située entre Niquero (sur la côte ouest de la province d'Oriente qui dessine une pointe sur la mer, comme une grande péninsule) et le petit port de Pilón, à quelque soixante kilomètres plus au sud, sur le rivage sinueux. Juste avant le départ de Castro pour le Mexique, ils avaient formulé l'idée d'un débarquement sur un point spécifique de la côte, en Oriente, et Miret avait agi rapidement pour mettre le projet au point. Il s'était rendu dans la péninsule en septembre, et avait étudié le terrain, les plages, les courants, le long de la côte entre Niquero et Pilón ; il était accompagné par Frank País, un jeune homme de vingt ans, coordinateur régional du Mouvement du 26 juillet à Santiago — voire l'un de ses chefs les plus influents ; il y avait également Celia Sánchez, une brune de trente-quatre ans, fille d'un médecin de la ville de Media Luna ; elle deviendrait bientôt la compagne et la collaboratrice la plus intime de Fidel dans la Sierra.

Miret manifestait une préférence pour les plages les plus proches de Pilón, et Celia obtint du bureau local de la Marine des relevés qui indiquaient les fonds et les courants dans cette partie de la côte après que leur petit groupe l'eût inspectée. Celia était l'une des cinq filles d'un médecin à l'esprit patriotique et révolutionnaire, le docteur Manuel Sánchez. Un jour, alors qu'elle était adolescente, son père l'avait emmenée dans la Sierra Maestra, au sommet du Pico Turquino, la plus haute montagne de Cuba, pour y placer un buste de Martí. La famille Sánchez appartenait au parti *Ortodoxo ;* le docteur avait vu trop de misère humaine à la sucrerie, où il travaillait comme médecin d'entreprise, pour ne pas avoir des idées très arrêtées en matière de justice sociale. Celia partageait ses idées politiques et elle s'était rendue à La Havane, après que Fidel Castro et ses compagnons eurent quitté la prison de l'Ile des Pins, pour savoir si elle ne pourrait pas se rendre utile au Mouvement. Elle fit un tour au siège du parti *Ortodoxo* dans l'espoir, semble-t-il, de voir Fidel, mais en vain. Selon ses amis, elle voulait persuader Castro de poursuivre la lutte dans la Sierra Maestra, et lui avait même apporté quelques cartes. Elle rencontra pourtant Pedro Miret et il se rappelle en avoir discuté avec elle. En septembre, Miret et Frank País, qui connaissait bien Celia, prirent contact avec elle pour lui demander de les aider au cours de leur inspection des plages. Le premier service qu'elle rendit à la révolution et à Fidel Castro fut d'obtenir les cartes marines du secteur visé. Miret s'envola pour le Mexique afin de remettre à Fidel ces cartes, avec celles de la Sierra et toutes les informations appropriées.

Fidel approuva l'idée de débarquer près de Pilón (les plans furent modifiés par la suite) mais le secret demeura étroitement gardé. Miret reprit l'avion pour Cuba afin de continuer à organiser le Mouvement du 26 juillet à l'intérieur du pays et de commencer les préparatifs du débarquement prévu pour un an plus tard, environ. Il avait gardé le contact avec Celia quand il se rendit une fois encore au Mexique pour mettre Fidel au courant des derniers développements de la situation : il était en mesure d'affirmer que le Mouvement, désormais désigné par la formule « MR-26-7 » (*Movimiento Revolucionario 26 de Julio*), prenait de l'ampleur et de l'importance.

Pour pouvoir rester clandestin, ce Mouvement devait pourtant demeurer restreint, par définition, du moins à ce stade. Les militants potentiels étaient soigneusement sélectionnés par le Directoire national que Castro avait laissé derrière lui, à Cuba. Certains membres du Mouvement se voyaient assigner des missions spécifiques : recruter de nouveaux adhérents, lever des fonds, faire de la propagande, préparer le ravitaillement des futurs guérilleros dans la montagne ; il y avait des « coordinateurs » à l'échelon municipal, provincial et national. D'un autre côté, le parti *Ortodoxo* était considéré par Castro, au cours de cette phase, comme une bonne base politique de « masses » pour son entreprise révolutionnaire. Il prenait bien soin de continuer à s'identifier à cette formation politique (à sa sortie de prison, il avait promis d'exercer ses activités au sein du parti), mais du haut de son exil mexicain, il passa par-dessus la tête des dirigeants pour s'adresser aux militants de base et leur prêcher le ralliement à l'idée d'une insurrection armée.

Soucieux d'apparaître comme l'héritier légitime du grand Eddy Chibás, Castro expédia, vers la mi-août, un message au Congrès du parti *Ortodoxo*, alors en cours à La Havane, pour dire aux militants qu'ils avaient un rôle capital à jouer « dans la lutte pour la libération nationale ». Le message fut lu devant quelque cinq cents délégués par Faustino Pérez, l'un des membres du Directoire du Mouvement. Le texte demandait au parti de rejeter comme une imposture l'offre d'élections parlementaires, présentée par Batista à titre de « solution pacifique ». Castro enjoignait à Batista de démissionner car « les caprices d'un aventurier ne peuvent prévaloir sur les intérêts de six millions de Cubains ; si vous ne démissionnez pas et si vous poursuivez vos tentatives pour vous imposer par la force, les six millions recourront à la force et vous serez balayé de la surface de la terre, vous et votre clique d'infâmes meurtriers ». Pour l'opposition, disait Castro, il n'y avait que deux possibilités : « se croiser les bras et pleurer comme une Madeleine, faute de courage pour exiger quoi que ce soit dans l'honneur », ou choisir la route de ce que « l'on appelle la révolution, le droit des peuples à se révolter contre l'oppression ! » Les délégués, debout, se mirent à scander : « Révolution !... Révolution !... Révolution !... » En ce qui concernait Castro, il considérait que les *Ortodoxos* avaient signé leur adhésion à « l'insurrection armée » et que son Mouvement était « l'appareil révolutionnaire du Chibasismo ». Telle fut sa façon de faire fusionner les deux organisations sur le plan politique.

Les communistes n'avaient aucun intérêt à une insurrection castriste ; ils croyaient encore pouvoir diriger ou coordonner toute opposition militante envers Batista, à Cuba. Apprenant que Castro était sur le point d'émigrer, le parti lui avait dépêché Raúl Valdés Vivó, le secrétaire général des Jeunesses socialistes pour l'université de La Havane, afin de le dissuader de partir. Les communistes préféraient voir Castro rester à Cuba et travailler avec lui à l'organisation d'un front politique uni contre Batista ; ils sous-estimaient une fois de plus son intelligence et son égotisme. Fidel répliqua que tout mouvement de masses devait être conçu dans le cadre d'un affrontement direct avec l'ennemi et qu'il s'en allait pour mieux préparer le terrain en vue d'une révolution. Ce qui n'est pas encore clair, tant d'années après l'événement, c'est le rôle joué par Raúl Castro dans la stratégie communiste, si toutefois il joua un rôle quelconque et s'il y eut vraiment une stratégie communiste à longue échéance, en cette occurrence. Bien qu'il fût devenu membre du parti quelques jours avant l'affaire de Moncada, Raúl semble avoir été, avant tout et par-dessus tout, l'homme de son frère — au moins jusqu'au moment où ses deux allégeances se fondirent en une seule, c'est-à-dire après la révolution. Dans l'intervalle, Raúl était demeuré aux côtés de son aîné, au Mexique, et avait fait partie du cercle intime de Fidel, où figuraient les chefs de la future armée d'invasion.

Ils commémorèrent le deuxième anniversaire de la bataille de Moncada en déposant une gerbe au monument des Enfants Héroïques, à Chapulte-pec, un sanctuaire patriotique mexicain, et Fidel accentua ses efforts pour développer ses contacts avec des Mexicains influents, des émigrés latino-américains de la mouvance révolutionnaire, installés au Mexique, et des réfugiés cubains. Pour Castro, ses nouvelles activités révolutionnaires l'occupaient vingt-quatre heures sur vingt-quatre : il palabrait, faisait des plans, conspirait, lisait et écrivait, cherchait de l'argent et des recrues, surveillait du coin de l'œil la vie politique cubaine et donnait forme au Mouvement du 26 juillet.

Le premier domicile de Fidel à Mexico fut une toute petite chambre sur cour, dans un hôtel bon marché du centre-ville. C'est là qu'il lisait et écrivait. Pour le déjeuner et le dîner, quel que fût l'endroit où il se trouvait, il lui fallait marcher jusqu'à l'appartement de María Antonia González, une Cubaine mariée à un lutteur mexicain appelé Avelino Palomo, dans le vieux quartier de la ville, sur la rue Emparán. L'appartement de María Antonia était le havre, l'abri, la cuisine et le quartier général de tous les réfugiés politiques cubains au Mexique ; c'est là que Raúl Castro était allé vivre, à son arrivée. Les frères Castro avaient déjà connu leur hôtesse à Cuba et, durant leur exil mexicain, elle devint la fée marraine des *Fidelistas*, une figure de plus dans la galerie de ces femmes cubaines qui rendirent possible la victoire finale de la Révolution. Sa générosité permit aux deux frères de subsister. Fidel recevait 80 dollars par mois, de Cuba, et Raúl 40 seulement.

Une semaine après leur arrivée au Mexique, Castro écrivit à Faustino Pérez, par des voies secrètes, qu'il était en train d'étudier le processus révolutionnaire mexicain sous la présidence du général Lázaro Cárdenas. Au cours des années 1930, Cárdenas avait exproprié les compagnies pétrolières étrangères et promulgué une réforme agraire draconienne (il allait également devenir le protecteur de Fidel, en l'occurrence). Cela trouva place dans le projet de « programme révolutionnaire complet » qu'il pensait pouvoir faire distribuer clandestinement en quantités massives. Il lui fallut mettre son manteau en gage pour payer l'impression de quelques exemplaires de ce document. Il remarquait dans une lettre : « Ici, les monts de piété sont gérés par l'Etat de sorte que les intérêts sont très faibles... Si le reste de mes vêtements devaient prendre le même chemin, je n'hésiterais pas une seconde. »

Castro attrapa la grippe mais, malgré la fièvre, il continua de rédiger à la main les plans qu'il élaborait pour Cuba après la défaite de Batista. A l'aube du 2 août, il gribouillait une note pour sa sœur Lidia, à La Havane : « Bien qu'il soit déjà quatre heures cinq du matin, je continue à écrire. Je n'ai pas la moindre idée du nombre de pages que j'ai noircies en tout ! Je dois les remettre au courrier de huit heures ; je n'ai pas de réveille-matin et si je dors trop longtemps je risque de manquer la levée ; je ne dormirai donc pas... J'ai la grippe, je tousse et j'ai mal dans tout le corps. Je n'ai pas de cigares cubains et ils me manquent vraiment. » La même semaine, il écrivait dans une autre lettre que sa vie d'exilé était « triste, solitaire et pénible ».

Ce que produisit son exercice de rédaction solitaire, ce fut le « Manifeste N° 1 au Peuple de Cuba » lancé par le Mouvement, signé par Castro et daté du 8 août 1955. Appuyé sur un programme en quinze points, ce document était beaucoup plus avancé que les propositions contenues deux ans plus tôt dans « L'Histoire m'acquittera ». Le manifeste était censé parvenir aux Cubains le 16 août, pour le quatrième anniversaire de la mort d'Eddy Chibás. Les symboles revêtaient une importance cruciale pour l'élaboration permanente de l'image de Castro, aussi le manifeste s'ouvrait-il sur les inévitables citations de Martí et du général Antonio Maceo. Castro demandait à ses disciples, demeurés au pays, de faire imprimer « au moins cinquante mille exemplaires » de ce document et d'en commencer la distribution sur la tombe de Chibás, au cimetière de La Havane. Au Mexique, deux mille exemplaires furent tirés par Alsacio Vanegas Arroyo, un imprimeur mexicain ami de María Antonia. Le manuscrit original du Manifeste fut introduit en fraude à Cuba par une autre amie, la sœur de la chanteuse pop Orquídea Pino, entre les pages d'une *Histoire des Incas*, un classique de la conquête espagnole. Cette semaine-là, Fidel eut vingt-neuf ans.

Le Manifeste de Castro était essentiellement destiné à transformer le Mouvement, d'un double point de vue militaire et idéologique, en un nouvel instrument, mieux profilé, sans préjudice pourtant de la continuité et sans abandon de la tradition dans laquelle s'inscrivait l'affaire de Moncada. D'une longueur considérable, comme tous les écrits et déclarations de Fidel Castro, c'était un « appel ouvert à la révolution, une attaque de front contre la clique de criminels qui foulent aux pieds l'honneur de la nation et dirigent son destin contre son destin et contre la volonté du peuple... Nous avons coupé les ponts : ou bien nous reconquerrons notre patrie, quel qu'en soit le prix, pour y vivre dans la dignité et dans l'honneur, ou bien nous n'aurons pas de patrie ». Le Mouvement, écrivait Castro, « ne nourrit de haine pour personne ; ce n'est pas un parti politique mais un mouvement révolutionnaire ; ses rangs sont ouverts à tous les Cubains qui souhaitent sincèrement voir la démocratie politique rétablie et la justice sociale introduite à Cuba ; sa direction est collégiale et secrète, elle est formée d'hommes nouveaux, dotés d'une volonté forte et sans complicités avec le passé... Nous avons pris la défense des militaires quand nul ne les défendait et les avons combattus quand ils ont soutenu la tyrannie, mais nous les recevrons à bras ouverts quand ils se joindront à la cause de la liberté... ».

Les points spécifiques du programme révolutionnaire prévoyaient : « l'interdiction des *latifundia*, la distribution de la terre aux familles de paysans, ...le droit des travailleurs de participer largement aux profits des grandes entreprises industrielles, commerciales et minières, ...l'industrialisation immédiate du pays grâce à un vaste plan établi et mis en œuvre par l'Etat, ...une réduction draconienne de tous les loyers, ce dont profiteront les 2 200 000 personnes qui dépensent actuellement pour se loger un tiers de leur revenu, ...la construction par l'Etat de logements décents destinés aux 400 000 familles entassées chacune dans une chambre sordide, une hutte, une cabane ou un lotissement, ...l'extension de l'électricité aux 2 800 000 ruraux et banlieusards qui n'en bénéficient pas, ...la nationalisation des compagnies du gaz, de l'électricité et du téléphone, ...la construction de dix cités consacrées aux 200 000 enfants de travailleurs et de paysans et où ceux-ci pourront être entièrement logés et instruits, ...l'extension de l'enseignement aux endroits les plus reculés du pays, ...la réforme générale du système fiscal, ...la réorganisation de l'administration publique, ...l'établissement d'un tableau d'avancement inviolable pour les militaires, afin qu'ils ne puissent être privés de leur fonction sans de bonnes raisons, ...la suppression de la peine de mort dans le code pénal militaire pour les crimes commis en temps de paix, ...l'attribution d'un salaire équitable et généreux à tous les fonctionnaires, ...l'adoption de mesures pédagogiques et législatives destinées à mettre fin à tous les regrettables vestiges de discrimination pour raison de race ou de sexe qui subsistent dans notre vie sociale et économique, ...la réorganisation du pouvoir judiciaire, ...la confiscation de tous les biens mal acquis sous les précédents gouvernements... ».

De même que le discours « L'Histoire m'acquittera », le Manifeste a été soumis à d'interminables analyses et à des interprétations sans fin, par ceux qui souhaitaient déterminer jusqu'à quel point ce texte révélait ou dissimulait avec brio le marxisme-léninisme réel ou supposé de l'auteur — si tel était le cas. Il est intéressant de constater que le Manifeste est maintenant tenu pour l'expression de vues marxistes, non seulement par ceux qui l'ont toujours reproché à Fidel (même avant l'annonce publique faite par celui-ci de sa foi dans les idées de Marx) mais également par ses porte-parole officiels d'aujourd'hui, lesquels répètent avec insistance que Fidel a *toujours* été marxiste-léniniste. Un examen attentif du document, dans le contexte de l'époque où il fut écrit, peut cependant conduire à une autre conclusion : à savoir que Castro avait conservé ouvertes toutes ses options, de façon à pouvoir choisir dans l'avenir l'interprétation qui conviendrait le mieux à sa politique. Manifestement, la réforme agraire, l'intéressement des travailleurs aux bénéfices de l'entreprise, la baisse des loyers, la construction de logements par l'Etat, l'industrialisation étatique, l'électrification des campagnes, l'amélioration de l'enseignement, l'adoption de mesures contre la discrimination, rien de tout cela n'était foncièrement marxiste, même dans un pays de l'Amérique latine en 1955, mais tous ces points pouvaient venir s'insérer automatiquement dans un programme communiste ou socialiste. La nationalisation de quelques compagnies d'électricité ou de téléphone, même si elles sont la propriété de firmes américaines, n'est pas forcément une manifestation de marxisme (bien que le gouvernement Eisenhower pourrait sans doute l'avoir considéré différemment en ce temps-là). Le Mexique de Cárdenas, dont Fidel avait étudié si consciencieusement la politique, était allé beaucoup plus loin dans les nationalisations sans être taxé de communisme ; bien que Perón fût tenu pour fasciste, il avait récemment nationalisé en Argentine les compagnies anglaises et américaines de services publics ; des compagnies similaires avaient connu le même sort depuis la fin de la Seconde Guerre mondiale en Europe occidentale.

Dans ce sens, il est même vain de chercher une idéologie cachée dans le Manifeste de Castro. Il savait exactement ce qu'il disait — et jusqu'où il voulait et devait aller. En 1955 (de même que quatre ans plus tard), il avait toujours su garder sa liberté de manœuvre. Il n'en est pas moins plausible que Fidel ait déjà été un marxiste-léniniste convaincu, quand il s'asseyait, la plume à la main, dans sa petite chambre d'hôtel mexicaine ; on sait qu'il a déclaré à Lionel Martin, vingt ans plus tard, que ses premiers programmes étaient « l'antichambre de la révolution socialiste » ; mais ce pourrait être là une façon de refaire l'Histoire après coup.

Il reste pourtant hors de doute que Castro nourrissait des sentiments « anti-impérialistes » ou simplement anti-yankees ; il ne s'en est jamais caché. Quand il était étudiant, il avait appartenu à des organisations qui revendiquaient l'indépendance de Porto Rico, et parmi ses premiers amis, au Mexique, se trouvait une femme d'origine péruvienne, Laura Meneses, qui avait épousé le chef *independentista* portoricain, Pedro Albizu Campos. Ce dernier était en train de purger une longue peine de prison aux Etats-Unis et Castro le considérait comme un héros. Laura avait assisté à la commémoration de la bataille de Moncada, le 26 juillet, au Mexique, et pendant le reste du séjour de Castro ils restèrent très amis et passèrent beaucoup de temps ensemble.

Dans le discours qu'il a prononcé à l'occasion de la mort de Che Guevara, en 1967, Castro a déclaré : « C'est un jour du mois de juillet ou du mois d'août 1955 que nous avons connu Che. » Fidel Castro et Ernesto Guevara s'étaient rencontrés pour la première fois dans l'appartement de Maria Antonia González, à Mexico. Hilda Gadea, une péruvienne au visage inca, qui était la première femme de Guevara, situe la rencontre « au début de juillet », dans son livre sur Che. (Hilda est morte d'un cancer à La Havane en 1974 ; Che et elle-même avaient divorcé au début des années 60.) Une relation de l'exil mexicain de Castro, publiée par la Direction politique centrale des Forces armées révolutionnaires, déclare que Fidel et Guevara « nouèrent des rapports vers le mois de septembre ». Les chroniqueurs de Castro ne semblent pas troublés par ces contradictions.

Toujours est-il que, par pure coïncidence, Castro et Guevara avaient entamé en même temps leur carrière respective de révolutionnaires, à deux semaines près : le 8 juillet 1953, alors que Castro mettait la dernière main à ses préparatifs, avant d'attaquer Moncada, Che Guevara quittait Buenos Aires pour la Bolivie, première étape de sa tournée révolutionnaire. Son père, Ernesto Guevara Lynch, se rappelle qu'en prenant congé de ses parents, Ernesto leur avait révélé la mission qu'il s'était fixée et allait entreprendre : « combattre pour libérer l'Amérique latine de l'impérialisme des Etats-Unis ».

« Vous voyez partir un soldat des Amériques », avait dit Che à ses parents ; il avait ajouté qu'il pourrait participer à la croisade anti-américaine prêchée, selon lui, du haut de la tribune présidentielle argentine, par Juan Perón qu'il admirait grandement et en qui il voyait le chef potentiel de l'hémisphère. Che avait deux ans de moins que Fidel. Il était sorti diplômé de la faculté de médecine de l'université de Buenos Aires, le 11 avril 1953, mais presque instantanément, il avait décidé qu'il préférait la révolution à la pratique de la médecine.

Déjà, il avait passé une grande partie de l'année précédente (1952) à voyager à travers l'Amérique latine avec un autre étudiant en médecine. Che se considérait comme marxiste mais n'avait jamais adhéré en bonne et due forme au parti communiste argentin. Ses voyages l'avaient convaincu du fait que le continent latin était assujetti à un statut colonial ; il avait en outre contracté un profond dégoût pour les Etats-Unis au cours d'un séjour d'un mois à Miami. D'après son père, il s'était alors trouvé à court d'argent et il lui avait fallu attendre un avion argentin pour se faire rapatrier gratuitement. Il avait vécu, selon son père, avec un dollar par jour, à Miami, et malgré son asthme avait dû parcourir des kilomètres à pied, chaque jour, dans la ville ; il s'était fort mal nourri et ne semblait pas avoir rencontré un seul Américain dont il se fût soucié de se souvenir. Il était de retour à Buenos Aires au mois de septembre 1952 pour reprendre ses études en catastrophe et se trouver capable d'obtenir son diplôme avec le reste de sa promotion. Après quoi il était reparti à l'aventure.

Che se trouvait à La Paz, la capitale de la Bolivie, le jour où Castro avait attaqué Moncada et il doit en avoir lu la nouvelle dans la presse locale, mais rien ne donne à penser qu'il en avait été particulièrement impressionné. Il ne se précipita certes pas à Cuba et se contenta de voyager par petites étapes à travers la Bolivie, le Pérou, l'Equateur, la Colombie, le Costa Rica, le Nicaragua, le Honduras, le Salvador et finalement le Guatemala où, vers le milieu de l'année 1954, il fut témoin de la façon dont le gouvernement de gauche du président Arbenz fut renversé par des rebelles organisés et financés par la CIA. Che atteignit le Mexique en 1955 et c'est alors seulement que, « par une froide nuit mexicaine », comme il le raconte lui-même, il rencontra pour la première fois Fidel Castro ; il avait déjà beaucoup entendu parler de celui-ci dans les milieux révolutionnaires latino-américains. Dès lors leurs destinées révolutionnaires furent unies.

Les contacts entre Guevara et les Cubains avaient commencé à prendre forme au Guatemala, vers la fin de l'année 1953 et au début de 1954. Nico López, l'un des lieutenants de Castro, en qui celui-ci avait la plus grande confiance, avait émigré au Guatemala après s'être sorti de l'escarmouche de Bayamo le 26 juillet ; il avait été vite introduit auprès de Guevara et de Hilda qui travaillaient alors pour le régime de gauche du président Arbenz. Guevara rencontra également les autres réfugiés *Fidelistas* qui lui révélèrent l'arrière-plan et les détails des soulèvements de Moncada et de Bayamo. Entièrement voué à l'idée d'organiser de grandes révolutions marxistes en Amérique latine et viscéralement anti-américain, il fut fasciné par ce qu'on lui disait de Castro. Après que le gouvernement Arbenz eut été renversé par ses ennemis, aux ordres de la CIA, Guevara quitta le pays et arriva au Mexique le 21 septembre 1954. C'est là qu'il retrouva Nico López. Celui-ci continua de l'assurer que Castro sortirait bientôt des prisons cubaines et se rendrait probablement au Mexique.

En 1955, Che travaillait à plein temps comme médecin à l'Hôpital Général de Mexico. Il était spécialisé dans les allergies (il souffrait lui-même de crises d'asthme) et faisait des conférences gratuites à la faculté de médecine de l'université nationale autonome. Son salaire était si bas, à l'hôpital, qu'il était forcé de travailler comme reporter photographe à l'agence de presse Latina, pour pouvoir joindre les deux bouts. Guevara vivait comme un Spartiate dans un minuscule appartement de la rue Nápoles ; ses seules extravagances étaient, semble-t-il, l'achat de disques

273

classiques et de petits bijoux d'argent qu'il offrait à Hilda. (Ils s'étaient rencontrés au Guatemala et elle l'avait suivi quand il était parti vers le Nord, après la débâcle du gouvernement Arbenz ; ils se marièrent au Mexique, en 1955.) C'était un garçon rasé de près, avec une coupe de cheveux bien nette ; en apparence, Ernesto avait l'air du jeune latino-américain classiquement membre d'une profession libérale, avec une remarquable propension aux préoccupations intellectuelles — ce que l'on appelait alors un « révolutionnaire de salon ». Il avait un don de fine ironie qu'il manifestait dans la conversation mais il préférait se tenir tranquillement en retrait. Il avait énormément lu, écrivait étonnamment bien, en prose comme en vers ; son français était excellent mais son anglais à peine passable.

D'un point de vue idéologique, Guevara se tenait pour marxiste-léniniste, et il avait soigneusement étudié « la » doctrine. Castro dirait plus tard qu'au moment de leur première rencontre « il était déjà marxiste en pensée »... « en tant que révolutionnaire, il était plus avancé que moi ». Ce qui n'apparaissait pourtant pas immédiatement chez Ernesto Guevara à cette époque, c'était son profond idéalisme, son absence totale d'opportunisme politique, son dévouement passionné aux causes révolutionnaires ; à peine présenté au secrétaire général du parti communiste guatémaltèque (qui avait soutenu le gouvernement Arbenz) lors de son arrivée en exil, Guevara s'en prit à la gauche guatémaltèque pour n'avoir pas résisté à l'attaque organisée par les Etats-Unis ; il allégua qu'Arbenz aurait dû prendre le maquis « avec un groupe de vrais révolutionnaires » et poursuivre la lutte. Comme le rappelle Hilda, ils se séparèrent « fraîchement ». Ernesto était un révolutionnaire romantique en quête de révolution.

Quand Raúl Castro était arrivé au Mexique, à la fin du mois de juin 1955, il avait aussitôt été invité à rencontrer Ernesto Guevara par ses camarades du Mouvement déjà sur place. C'était par Nico López que les émigrés cubains avaient connu Guevara et la rencontre de celui-ci avec Raúl fut un franc succès. Hilda se rappelle qu'Ernesto avait amené le jeune Castro à leur appartement (ils venaient d'entamer leur vie commune) et qu'aussitôt avait pris naissance « une grande amitié ». Elle a écrit que Guevara et Raúl se voyaient presque chaque jour et que celui-ci présentait celui-là aux autres hommes de gauche latino-américains, en exil au Mexique. De Raúl elle disait : « il a des idées communistes... [c'est] un grand admirateur de l'Union Soviétique... il croit que la lutte pour le pouvoir donnera lieu à une révolution pour le bien du peuple, et pas seulement pour Cuba mais pour toute l'Amérique latine contre l'impérialisme yankee ». En même temps, rappelle Hilda, « c'était stimulant pour l'esprit de parler avec Raúl. Il était gai, ouvert, sûr de lui, très clair quand il exposait ses idées, avec une incroyable faculté de synthèse et d'analyse. C'est pourquoi il s'entendait si bien avec Ernesto ».

Vers la deuxième semaine de juillet (selon les calculs de Hilda), Raúl fit en sorte que Fidel, arrivé à Mexico depuis le 8 du mois, rencontrât Ernesto chez María Antonia. D'emblée ils s'entendirent à merveille ; ils parlèrent pendant dix heures d'affilée, depuis le début de la soirée jusqu'au lendemain matin. Selon Hilda, en rentrant chez lui, Ernesto lui avait déclaré que Castro était « un grand dirigeant politique, d'un style nouveau, modeste mais sachant où il allait, doté d'une grande fermeté et d'une grande ténacité »... Il avait ajouté que tous deux avaient « échangé des vues sur l'Amérique latine et les problèmes internationaux » et que « s'il est arrivé quelque chose d'heureux à Cuba depuis Martí, c'est Fidel Castro. Il fera la révolution. Nous sommes profondément d'accord, lui et moi... Je ne peux être disposé à aider totalement qu'une personne comme lui ».

Par la suite, Guevara a écrit sur sa rencontre avec Castro : « Je l'ai rencontré par l'une de ces froides nuits mexicaines et je me rappelle que notre première conversation eut trait à la politique internationale. Au bout de quelques heures, cette nuit-là — à l'aube — j'étais déjà membre de la future expédition. » Dans une lettre écrite à son père, à Buenos Aires, l'année suivante, Guevara explique ce qu'il fait au Mexique : « Il y a quelque temps, un jeune rebelle cubain m'a invité à me joindre à son propre Mouvement [pour la] libération de son peuple par les armes et j'ai naturellement accepté. »

Et voici les souvenirs de Fidel : « Argentin de naissance, il était latino-américain d'esprit et de cœur... On a beaucoup écrit sur les révolutionnaires et tel a été le cas pour Che. Certains ont tenté de le représenter comme un conspirateur, un subversif, un homme de l'ombre, toujours en train de comploter et de tramer des révolutions... Dans sa jeunesse, Che montrait une curiosité et un intérêt particuliers pour tout ce qui se passait en Amérique latine, un besoin particulier d'explorer le monde des étudiants et de la connaissance [sur notre continent], une envie particulière de découvrir tous ces pays qui sont nos patries... Il n'avait rien de plus qu'un diplôme [de médecine]... Mais Che n'était pas encore Che à cette époque. C'était Ernesto Guevara. Ce sont les Cubains qui se sont mis à l'appeler Che à cause de l'habitude des Argentins de s'interpeller mutuellement par l'interjection « Che ! »... un nom qu'il rendit célèbre plus tard, un nom dont il fit un symbole... Il ne fallut à Che que quelques minutes pour se joindre à notre petit groupe de Cubains, occupés à organiser une nouvelle phase de la lutte dans notre pays. »

Après cette première rencontre, Fidel et Che se virent deux ou trois fois par semaine, et vers la fin de juillet, Fidel alla dîner chez les Guevara. Che avait également invité la femme d'Albizu Campos, ainsi que Juan Juarbes, autre émigré portoricain. Une grande partie de la soirée fut consacrée aux questions posées par Castro sur la situation existant à Porto Rico ; puis vint un moment où Hilda lui demanda : « Mais pourquoi êtes-vous ici alors que votre place est à Cuba ? » Fidel répliqua : « C'est une très bonne question et je vais y répondre. » Selon Hilda, cette réponse dura quatre heures. D'après elle, les principaux points de son discours étaient les suivants : « La pénétration yankee à Cuba étant totale, il n'y avait pas d'autre solution que de suivre le chemin de Moncada. » Il était donc venu au Mexique pour préparer une invasion de l'île et « livrer ouvertement bataille à l'armée de Batista, le dictateur soutenu par les yankees » ; en outre, « la lutte pour Cuba faisait partie d'une lutte à l'échelle continentale contre les yankees, comme Bolivar et Martí l'avaient déjà prévu ». Castro avait alors expliqué comment il préparait cette invasion, combien il était important de maintenir un secret absolu, « sans ignorer qu'il pouvait y avoir des infiltrations dans l'organisation, mais en sachant que les traîtres pouvaient être détectés ». Le danger d'une trahison ne quittait jamais l'esprit de Castro.

L'impression personnelle que produisit celui-ci sur Hilda fut la suivante : « Très grand, le teint très blanc, fort sans être gros, avec des cheveux noirs, brillants et bouclés, une moustache ; il avait des gestes rapides, agiles, précis. Il ne semblait pas être le grand dirigeant qu'il était en réalité. Il aurait pu passer pour un avenant touriste bourgeois ; mais quand il parlait, ses yeux brillaient de passion et de foi en la révolution... Il avait le charme et la personnalité d'un grand chef, et pourtant une simplicité et un naturel vraiment admirables. »

Après le départ de Castro, Guevara avait demandé à Hilda : « Que penses-tu de ces fous de Cubains qui veulent envahir une île où l'on est armé jusqu'aux dents ? » Elle répondit : « C'est sans aucun doute une folie mais nous devons en être. » Guevara la prit dans ses bras et dit : « Je pense comme toi... J'ai décidé d'être l'un des membres de la future expédition... Nous allons bientôt commencer nos préparatifs, j'irai en tant que médecin. » Le 18 août, Che et Hilda se marièrent au village de Tepozotlán, en présence de Raúl Castro, Jesús Montané (à peine arrivé de Cuba pour se joindre aux conjurés) et la poétesse vénézuélienne Lucila Velásquez, la meilleure amie de la mariée. Fidel se joignit plus tard à la fête, autour d'un barbecue argentin organisé par Che ; il avait d'abord projeté d'être le témoin mais avait décidé de s'abstenir pour des raisons de sécurité. Il pensait que les agents de Batista, le FBI et la police politique mexicaine le surveillaient, et il n'avait pas entièrement tort. Les Cubains et le couple Guevara étaient désormais inséparables. Il y eut d'autres fêtes encore ; en certaine occasion, Fidel donna une réception pour ses amis politiques et prépara lui-même les spaghettis avec une sauce aux fruits de mer et au fromage.

Même avec Che et Hilda, Fidel ne pouvait résister à la tentation de diriger la vie des autres. Quand Hilda lui dit que Che avait gagné un peu d'argent supplémentaire pour avoir fait des reportages sur les Jeux panaméricains pour son agence de presse, et qu'ils n'arrivaient pas à décider s'ils allaient faire un voyage ou acheter une voiture, Castro leur conseilla d'acheter « quelque chose pour la maison, comme un tourne-disque », parce qu'il fallait trop de paperasserie au Mexique pour posséder une voiture. De toute façon, leur dit-il, au cas où ils auraient besoin d'une voiture, ils avaient des amis qui en possédaient. Les Guevara achetèrent un tourne-disque et Fidel fut ravi de le voir, lors de sa visite suivante. Ce soir-là, il rencontra Lucila Velásquez et tous deux parurent s'intéresser l'un à l'autre. Il sortit plusieurs fois avec la poétesse mais, comme l'observa Hilda : « Il était si absorbé par ses problèmes politiques que rien d'autre ne comptait pour lui. » Pourtant Lucila demanda à son amie : « Comment as-tu fait la conquête d'Ernesto ? Comment as-tu mis la main dessus pour qu'il t'épouse ? » Tout le monde rit, y compris Fidel.

En septembre, Guevara et Castro furent tous deux consternés de voir Juan Perón évincé par l'armée, en Argentine. Pour bien des Argentins, cette destitution marquait la fin d'une didacture corrompue et le retour progressif à la démocratie représentative, mais pour les deux jeunes révolutionnaires c'était la fin d'une expérience de justice sociale. Guevara déplora devant Hilda que le peuple ne fût pas descendu dans la rue pour défendre le *Justicialismo* de Perón — c'était un vague mélange de populisme et de recours à l'Etat-Providence, destiné à libérer le monde du capitalisme et de « l'impérialisme » (bien que Perón eut été bruyamment anti-communiste), mais le régime péroniste bénéficiait d'un vaste soutien parmi les travailleurs urbains et il était anti-américain : cela suffisait à Guevara et à Castro. Ils tinrent donc la révolution militaire pour « réactionnaire » et Castro, indifférent à la corruption et à l'arbitraire du *Peronismo*, est resté péroniste jusqu'à ce jour. C'était Perón qui avait financé le voyage de Fidel à Bogotá, en 1948, lors du Congrès des Etudiants, et c'était encore Perón qui subventionnait l'agence de presse pour laquelle travaillait Guevara au Mexique. (Celui-ci trouva encore le temps d'aller, ce même mois de septembre, présenter une communication sur les allergies, lors d'un congrès scientifique, à Veracruz, sans cesser de préparer la révolution avec Fidel.)

Une fois le commandement suprême solidement implanté au Mexique, Fidel Castro procéda à la mise en route d'une nouvelle série d'opérations. Quand Pedro Miret arriva en septembre avec les cartes côtières, il reçut l'ordre d'accélérer le départ de nouveaux membres du Mouvement pour le Mexique où ils recevraient une instruction militaire appropriée en vue de l'invasion. En outre, Fidel expédia un flot d'instructions détaillées au Directoire national installé dans l'île ; et il se prépara à faire un long voyage aux Etats-Unis pour collecter des fonds. Jesús Montané et Melba Hernández étaient déjà arrivés de La Havane — avec Raúl Castro et Che Guevara ils pourraient coordonner les activités du Mouvement au Mexique en l'absence de Fidel. Juan Manuel Márquez, le dirigeant du parti *Ortodoxo* de La Havane, un homme de quarante ans qui avait été battu sauvagement par la police en raison de son amitié pour les *Fidelistas*, parvint lui aussi au Mexique sur ces entrefaites et se joignit au cercle des dirigeants du Mouvement. Les rebelles comptaient également parmi leurs amis Raúl Roa, le professeur d'université qui leur avait envoyé des livres pendant qu'ils étaient enfermés à l'Ile des Pins et qui vivait maintenant au Mexique, où il était co-rédacteur en chef du périodique *Humanismo*.

A Cuba, la personnalité clef, pour les préparatifs de l'invasion, était Pedro Miret. Il a expliqué qu'à cette époque, les voyages qu'il faisait au Mexique pour mettre Fidel au courant « formaient une partie du plan » ; l'autre partie était l'envoi de volontaires qui seraient incorporés dans l'armée rebelle. Miret ajoute : « Quand Fidel est parti, j'ai été responsable des activités confidentielles, de la conspiration, des aspects les plus délicats de l'affaire. » En prévision d'une insurrection suivie d'une grève générale, « tout le pays devait être organisé, et cela demandait beaucoup de temps parce qu'il y avait tant de gens, au sein du parti *Ortodoxo*, qui prenaient position en faveur de l'insurrection. Il fallait réunir de l'argent et prendre des contacts pour acheter des armes, puis cacher notre arsenal. » Miret évoque d'autres souvenirs encore : « Il nous fallait sélectionner les camarades que nous expédierions au Mexique, et cela devait être fait systématiquement. » D'abord, les candidats « devaient être testés... nous devions voir comment ils réagissaient. Par exemple, nous donnions à quelqu'un l'ordre de peindre le chiffre " 26 " [symbole du Mouvement du 26 juillet] sur des murs ou d'autres endroits, ce qui semblait facile... mais les gens qui traçaient des " 26 " sur les murs perdaient tout respect pour les autorités et s'enhardissaient de plus en plus... »

« Dans bien des cas, dit Miret, les hommes devaient faire la preuve de leur stabilité de sorte que nous puissions commencer à sélectionner ceux qui dirigeraient des escouades. Quand ils commençaient à être " brûlés ", c'est-à-dire que la police était à leurs trousses, nous entreprenions de les expédier à l'étranger... Parfois ils partaient ouvertement, c'est étonnant ce que l'on peut arriver à faire. Une fois, il m'a suffi de modifier un tout petit peu mon nom... Mais naturellement les fonctionnaires de l'aéroport étaient membres du Mouvement... Comme nous n'avions pas d'argent, chaque fois qu'une personne partait, une cellule de Cuba devait s'engager à lui envoyer des fonds... Certains recevaient quarante dollars par mois, mais c'était beaucoup au Mexique... » C'est ainsi que la nouvelle armée rebelle de Castro prit de l'ampleur.

En outre, Fidel bombardait Cuba avec ses bulletins d'instructions. Deux semaines après la distribution du « Manifeste N° 1 », il envoyait une lettre au Directoire national avec ses idées concernant la structure et le fonctionnement du Mouvement renaissant. Il mettait l'accent sur la propagande et les précautions à prendre. La propagande, écrivait-il, « ne doit jamais venir à manquer... Je lui accorde une importance décisive car non seulement elle maintient le moral à un niveau élevé, mais le matériel qui circule clandestinement dans le pays remplace des milliers d'activistes, convertit tout citoyen enthousiaste en un militant qui répète nos arguments et nos idées »... D'un autre côté, Castro exigeait « le secret le plus rigoureux » concernant les armes, les personnes qui s'en chargeaient et les endroits où elles étaient entreposées. « Si l'un des *compañeros* en sait trop long à cause de ses activités, il doit être éloigné du front intérieur », ordonnait Fidel ; selon lui, ces informations ne devaient pas être connues de plus de quinze à vingt personnes à Cuba — chacune ignorant qui étaient les autres. Il insistait également sur le besoin d'endoctriner les travailleurs.

Le nouveau Mouvement pouvait avoir une « direction centralisée », disait Castro, « qui serait maîtresse des principales articulations », mais il devait être « une organisation de masses, décentralisée, chargée de remplir des tâches spécifiques ; de telles tâches seront [également] confiées à tous les membres des forces armées qui sympathisent avec nous ». De cette façon, il espérait que les dirigeants les plus connus du Mouvement, à l'intérieur de Cuba, pourraient être remplacés graduellement sans solution de continuité. La principale différence entre cette stratégie et celle du passé était la suivante : l'affaire de Moncada avait été conçue et présentée comme une action insurrectionnelle relativement courte, centrée sur les villes, alors que la nouvelle phase supposait une guerre prolongée en zone rurale comme en secteur urbain. La notion de durée était désormais au centre de la pensée de Castro.

Puis, dès le 17 septembre, il envoyait une longue communication au Front civique féminin du Centenaire de Martí ; il y insistait sur l'expérience acquise lors de l'attaque de Moncada, à savoir qu'une révolution doit être organisée de telle sorte qu'aucun incident ou accident inattendu ne puisse la faire dérailler. Il remarquait que la « stratégie révolutionnaire est toujours plus compliquée que toute stratégie militaire et ne peut être étudiée dans aucune académie... les militaires professionnels avec leur mentalité rigide sont les moins capables de la concevoir ». Après y avoir profondément réfléchi, Castro en était arrivé à la conclusion qu'une opération de guérilla bien dirigée et par des hommes dotés d'imagination avait de fortes chances de succès contre une armée traditionnelle qui se fiait à ses manuels ; telle était la raison essentielle pour laquelle il avait décidé de se lancer dans une invasion. D'après Castro, les divers groupements politiques auraient des rôles différents à jouer dans une révolution, selon leur réputation et les « intérêts sociaux » qu'ils représentaient ; il insinuait là, pour la première fois, qu'au sein de l'unité révolutionnaire, certains seraient plus égaux que d'autres (ce point échappa généralement à de très nombreux partisans des *Fidelistas* de la première heure).

Il serait nécessaire d'enseigner les techniques modernes du sabotage à des unités combattantes spéciales à l'intérieur du pays en vue d'actions de relance, après l'invasion, écrivait Castro ; quatre-vingts pour cent des fonds rassemblés devaient être consacrés à l'achat d'armes et vingt pour cent aux fins d'organisation et de propagande ; tout le monde pourrait participer à la révolution, jeunes et vieux, hommes et femmes, capables d'apporter une contribution utile à la Cause, sans forcément avoir à tenir un fusil. Mais dans une lettre du 4 octobre, il demandait aux activistes du Mouvement à Cuba l'engagement de lui fournir un soutien financier systématique ; ce serait le test principal « de la loyauté de nos militants envers la discipline et les principes de la révolution ». Se désignant lui-même comme « Alex » (l'un de ses noms de code, tiré de son deuxième prénom : Alejandro), il écrivait : « Alex est convaincu » que le plan révolutionnaire sera couronné de succès si les fonds sont suffisants. Aussi, en octobre, entreprit-il une tournée de conférences et de collectes aux Etats-Unis. C'était la première fois qu'il se montrait en public dans un rôle politique sur la scène américaine.

Après avoir prononcé un discours farouche au monument José Martí de Mexico, le 10 octobre, Castro s'en fut donc aux Etats-Unis. Il s'arrêta d'abord à Philadelphie, puis il harangua des groupes de Cubains à Union City dans le New Jersey, et à Bridgeport dans le Connecticut, avant d'arriver à New York, le 23 octobre.

« Je peux vous faire savoir, en toute confiance, qu'en 1956 nous serons libres ou martyrs », s'exclama Castro devant un public de huit cents émigrés cubains dans une salle du Palm Garden, au coin de la Cinquante-deuxième rue et de la Huitième avenue, à New York, le dimanche 30 octobre 1955. C'était la première fois que Fidel prenait publiquement et formellement l'engagement, qu'il répéterait encore et encore au cours de l'année suivante, d'envahir Cuba avant la fin de 1956. Il le fit pour deux raisons : afin de rendre le Mouvement plus crédible encore, en indiquant une date même approximative pour le débarquement, et afin de se fixer à lui-même et à ses compagnons une échéance ferme, prenant ainsi le régime de Batista à contrepied. Si le Mouvement devait acquérir de l'ampleur à l'intérieur de Cuba, selon Castro, il lui fallait autre chose que la vague promesse d'un retour des révolutionnaires — un jour lointain. Il croyait que le fait de lancer un défi direct à Batista affaiblirait ce dernier au sein de son propre gouvernement. Il déclara à ses auditeurs enthousiastes, à New York : « Le régime est totalement désorienté en ce qui concerne nos activités révolutionnaires... Nous avons mis au point des méthodes imparables de travail et d'organisation... Notre appareil de contre-espionnage fonctionne bien mieux que leur espionnage. Chaque fois que leurs agents à l'étranger les informent, nous recevons aussitôt l'information ici. Tous les services d'information de Batista sont soigneusement surveillés par nous. »

Le discours de New York fut l'un des « clous » de la tournée de sept semaines que fit Castro aux Etats-Unis. Son objectif pratique était de lever des fonds pour le Mouvement et de créer des « Clubs patriotiques » à l'intention des émigrés cubains, en vue d'assurer à la révolution un appui soutenu. De toute façon, Fidel fit en sorte que nul ne pourrait ignorer, ni à Cuba ni à l'étranger, l'aspect symbolique de son action, à savoir qu'il marchait sur les traces de Martí, en mobilisant les émigrés cubains en vue d'une « guerre de libération ». Martí avait en effet vécu pendant des années à New York, avant de déclencher la révolution de 1895 et de s'embarquer pour son expédition fatale, en vue de libérer l'île. La dernière guerre d'indépendance avait été financée en très grande partie par des commerçants et des travailleurs cubains de New York, ainsi que par des ouvriers cigariers de Tampa, en Floride. A mesure que Fidel avançait le long de la côte est des Etats-Unis pour lancer ses exhortations révolutionnaires, les esprits de José Martí et d'Eddy Chibás l'accompagnaient, ou du moins il les évoquait sans cesse (la voix de Chibás figurait même sur des enregistrements que Fidel avait apportés).

Castro avait commencé son voyage en envoyant, le 8 octobre, une lettre au comité exécutif de la section new-yorkaise du parti *Ortodoxo* pour lui promettre que l'axe principal du processus de libération de Cuba serait « un changement profond et radical dans la vie nationale ». Il avait développé ce thème au Palm Garden de New York en disant que « le peuple cubain veut autre chose qu'un changement de direction » et que « Cuba aspire à un changement radical dans tous les domaines de la vie politique et sociale. On ne peut se contenter d'apporter au peuple une liberté et une démocratie abstraites ; il faut à chaque Cubain un niveau de vie décent ». Pour l'auditoire, c'étaient les thèmes habituels de Martí et de Chibás ; ils passaient comme des lettres à la poste ; nul de s'avisa d'y lire un message marxiste avant bien longtemps.

Nombre de Cubains avaient commencé à émigrer aux Etats-Unis depuis la fin du XIXe siècle, mais des milliers d'autres s'étaient joints à eux depuis les années 1950 en raison de la crise économique qui sévissait dans l'île ; ils représentaient la cible principale de la campagne de Castro. De toute évidence, Fidel n'avait eu aucun mal à se procurer un visa de tourisme pour entrer aux Etats-Unis, probablement parce que Washington, et les ambassades américaines au Mexique et à La Havane, ne le considéraient pas comme suffisamment « subversif » et parce que le régime de Batista n'avait peut-être pas eu vent de ses projets de voyage assez tôt pour demander que le visa lui fût refusé. Certes, Castro voulait faire impression auprès des Cubains aux Etats-Unis, mais à ce stade il était tout à fait ravi de se voir ignoré par les autorités américaines. En fait, la police d'Union City avait arrêté la voiture qui le conduisait sur le lieu de son allocution, mais après que ses hôtes et lui-même eussent été brièvement interrogés, il apparut qu'il s'agissait d'une simple vérification de routine ; on ne l'ennuya plus par la suite. Selon une autre version de l'incident, les responsables de la manifestation d'Union City avaient oublié de demander l'autorisation de rigueur et la police était venu voir de quoi il s'agissait. La réunion de New York avait été annoncée avec quatre jours d'avance seulement, sans doute pour des raisons de sécurité.

Tout se passa pour le mieux. Très imposant, dans son vieux costume de laine bleu marine, Castro insuffla son enthousiasme à son public grâce à ses talents oratoires et à sa passion, de sorte qu'à la fin de la séance un grand chapeau de cow-boy posé sur la table d'honneur fut rempli de dollars par les assistants.

Au cours de cette allocution, il avait pu éclaircir un point important, quant à sa stratégie révolutionnaire : « Nous sommes hostiles aux actions violentes contre les personnalités de l'opposition qui sont en désaccord avec nous. Nous sommes également opposés de façon radicale au terrorisme et aux agressions individuelles. Nous ne pratiquons pas le tyrannicide. » Comme il l'expliqua plusieurs années après, au cours d'une conversation particulière, il était convaincu que le terrorisme n'était pas seulement immoral, mais également nocif, car il effrayait les modérés qui auraient pu, sinon, fournir des adeptes potentiels à la révolution. Pendant toute la guerre contre Batista, les *Fidelistas* évitèrent le terrorisme qui consiste à jeter des bombes dans les lieux publics ou à commettre des assassinats politiques. (Castro avoue qu'il y eut des attentats à la bombe dans la capitale, pendant les premiers temps, mais qu'il les interdit rapidement. Le sabotage des centrales électriques, par contre, lui semblait hautement souhaitable.)

Le 20 novembre, Castro s'adressa à un millier de Cubains au Flagler Theater de Miami en Floride. Depuis la manifestation de New York, il avait passé trois semaines en conversations particulières et en négociations avec les dirigeants cubains en exil. Il avait également rencontré de vieux amis. Juan Manuel Márquez, le dirigeant *Ortodoxo* qui était devenu l'un des conseillers favoris de Castro, avait fait la plus grande partie du voyage avec lui. Il avait vécu quelque temps à Miami auparavant et se trouvait bien introduit auprès des émigrés. Le visa de tourisme de Fidel était expiré mais les services d'immigration de New York lui avaient accordé une prolongation automatique. A Miami, Fidel fut rejoint par la fée marraine des émigrés, María Antonia, venue de Mexico, et par sa sœur Lidia qui accompagnait Fidelito. On ne sait pas avec exactitude comment Fidelito put être amené à son père. Selon l'une des versions, Lidia était allé chercher le petit garçon à la sortie de l'école de La Havane (où il se trouvait sous l'autorité de Mirta) et l'avait conduit à Miami au cours de ce que les ennemis de Fidel ont appelé un kidnapping virtuel. Selon une autre version, Lidia avait amené Fidelito à Mexico où leurs plus jeunes sœurs, Emma et Agustina, avaient suivi Fidel cet automne-là. En tout cas, le petit Fidelito, âgé de six ans, était présent à Miami lors du discours paternel ; quand il commença à jouer avec les dollars collectés dans des chapeaux retournés, son père lui dit : « N'y touche pas, Fidelito, cet argent appartient à la patrie. » Dans son exhortation, Castro avait déclaré : « Mon fils est ici ; s'il était plus grand, je l'emmènerais avec moi au combat. » Certains de ses compatriotes, étudiants à Miami, lui mirent entre les mains un grand drapeau cubain. Il termina sa tournée en prenant la parole à Tampa et à Key West, où se trouvent traditionnellement des communautés cubaines en Floride. Il passa ensuite dix jours à se reposer et à écrire, dans une pension de famille de Truman Avenue.

L'expédition aux Etats-Unis avait été un succès, mais Fidel ne révéla jamais combien d'argent il avait récolté. Dans une lettre de Miami, adressée à son frère Raúl, il déclare qu'il aura encore un « surplus » de neuf mille dollars après l'impression de dix mille brochures révolutionnaires. Partout sur son passage, aux Etats-Unis, il avait quémandé de l'argent ; dans son discours de Miami, il avait dit : « Cela ne me dérange pas de demander l'aumône au nom de la patrie, parce que je le fais dans l'honneur... Personne ne se repentira d'avoir apporté sa contribution ; mais même si votre aide se révèle insuffisante, nous irons à Cuba... que ce soit avec dix mille fusils ou avec un seul ! » Castro remarque que l'on avait été surpris de le voir annoncer l'année qu'il avait fixée pour la révolution, mais il ajoute : « Nous avions dit quelle année mais pas quel mois, quel jour, quelle heure, ni comment, ni où... Martí n'avait jamais nié qu'il projetait une révolution pendant qu'il était en exil... »

D'un point de vue politique, la tournée valait également la peine d'être faite. Elle avait contribué à l'organisation de « Clubs patriotiques » et de « Clubs du 26 juillet » dans une demi-douzaine de villes, bien que Fidel se plaignît par la suite de ne pas voir les Cubains des Etats-Unis l'aider davantage. L'idée de Castro était que chaque Cubain travaillant à l'étranger devrait lui verser une journée de salaire par mois, et les chômeurs un dollar par semaine ; il pensait également que les membres des clubs devraient payer deux dollars par semaine. Rien n'était jamais suffisant pour Fidel, mais quand il entama finalement la guerre de la Sierra, les fonds collectés à Miami permirent de financer bien des envois d'armes. A La Havane, *Bohemia* publia de longs comptes rendus, très favorables, de ses discours de New York et de Miami. Castro se trouvait à Nassau dans les Bahamas quand il lança son « Manifeste N° 2 du Mouvement du 26 juillet au peuple de Cuba » ; il y signalait que « sept semaines d'efforts infatigables consacrés à mettre en place des organisations de Cubains, entre la frontière canadienne et les glorieuses Keys [de Floride], ont produit les résultats les plus satisfaisants. » Il mettait ses lecteurs en garde contre les « imposteurs » qui cherchaient à collecter des fonds au nom du Mouvement, et menaçait de punir ces escrocs. Il concluait : « Il ne reste au pays d'autre issue que la révolution. »

Castro rentra au Mexique pour y reprendre la constitution de son armée d'invasion. En quelque six mois, depuis son départ de Cuba, il avait créé les structures d'un mouvement rebelle au Mexique, à Cuba et aux Etats-Unis ; l'année 1956 pourrait être entièrement consacrée aux préparatifs militaires.

Pourtant, même replié au Mexique, Castro devait tenir compte de la politique cubaine et des hommes politiques cubains qui commençaient à découvrir en lui le principal chef de l'opposition. Un article publié dans *Bohemia* déclarait qu'un « complexe *Fidelista* » était en train de se développer parmi les politiciens (c'était la première fois, semble-t-il, que l'adjectif, dérivé du prénom de Castro, était ainsi utilisé). Ces hommes, disait l'article, « se sentent diminués par l'ombre de Castro qui est en passe de devenir gigantesque » ; ils le considèrent comme « un rival trop dangereux pour certains chefs de l'opposition ». Les politiciens, concluait l'auteur, devraient mettre au point une attitude cohérente face à « l'action révolutionnaire du *Fidelismo* » et chercher une solution pacifique à la crise cubaine, mais ils « semblent déjà dépassés par l'ampleur du [phénomène que représente le] *Fidelismo* ». Des photos de Castro et de Batista illustraient le texte ; cela donnait à penser qu'ils étaient les deux seuls prétendants sérieux au pouvoir. Quinze jours plus tard, un commentateur politique, Miguel Hernández Bauzá, publiait dans le même magazine un article intitulé « La patrie n'appartient pas à Fidel » ; c'était une attaque féroce contre Castro. Hernández prévenait ses lecteurs que si Castro prenait jamais le pouvoir à Cuba, il deviendrait le seul et unique dispensateur de la Grâce civique, morale et spirituelle... « Dieu et César en un seul morceau de chair et d'os », et que « tous ceux qui ne seraient pas acquis à Fidel seraient exécutés pour cause d'immoralité ». Pourtant, admettait l'auteur, « personne ne peut accuser Fidel d'avoir abusé des fonds publics » comme la plupart des politiciens cubains.

Hernández Bauzá doit avoir touché une corde sensible chez Castro en le décrivant (de façon presque prophétique) comme un égomaniaque, car Fidel répliqua dans *Bohemia* par une violente diatribe sur neuf colonnes ; il y remarquait que « quatre ans plus tôt, nul ne s'occupait de ma personne... j'étais ignoré parmi les maîtres tout-puissants qui discutaient des destinées du pays... Aujourd'hui, bien étrangement, tout le monde se dresse contre moi... » Il n'avait pourtant pas, disait-il, abandonné son idéal, mais ses détracteurs avaient appris que « ma rébellion ne peut être achetée à prix d'argent ou de faveurs ». Fidel était furieux mais il savourait chaque mot des attaques lancées contre lui par les gens en place à La Havane. Enfin il était connu ! Enfin tout le monde faisait attention à lui ! Enfin on le craignait ! C'était exactement le climat dont il avait besoin pour aller de l'avant.

A l'intérieur de Cuba, les tensions et la violence n'avaient cessé de croître pendant la dernière partie de l'année 1955, et d'attiser les foyers révolutionnaires. A l'université, un groupe d'étudiants conduits par José Antonio Echeverría (qui mourrait bientôt pour la révolution et entrerait au Panthéon des grands héros cubains) forma un Directoire révolutionnaire (DR) pour entamer une lutte armée, dans les rues, contre Batista. Cependant le DR n'avait aucun lien avec le Mouvement du 26 juillet et resterait un groupe révolutionnaire très indépendant jusqu'au triomphe de Castro. Dans l'intervalle, le DR s'était presque fait piéger dans un complot destiné à occuper le palais présidentiel et assassiner Batista. Le plan avait été, semble-t-il, ourdi par l'ancien président Prío qui préparait son retour à Cuba pour la mi-août et avait fait cacher, dans le centre de La Havane, de vastes dépôts d'armes et de munitions en vue d'un assaut contre le palais. Les étudiants du DR étaient convaincus qu'ils mèneraient le complot à bien, mais la police secrète se saisit des armes les 4 et 5 août, ce qui mit fin à la conspiration. Les étudiants furent néanmoins arrêtés et détenus pendant plus d'un mois. A son retour, Prío déclara renoncer à toute insurrection ; il ne combattrait plus Batista que sur le seul plan politique, ce qui lui valut un commentaire méprisant de Castro à Mexico.

Celui-ci dénonça également les efforts d'un groupe qui se désignait lui-même comme la Société des Amis de la République (SAR), dirigé par un politicien octogénaire appelé Cosme de la Torriente ; la SAR avait pour objectif de négocier avec Batista l'organisation de nouvelles élections. Pour Fidel, aucune négociation n'était acceptable. Il annonça que le Mouvement du 26 juillet n'envisagerait des élections que si Batista démissionnait et quittait le pouvoir au préalable. L'affrontement était la seule stratégie que Castro tenait pour possible, particulièrement depuis que son Mouvement était en expansion. A La Havane, les étudiants se battirent avec la police en novembre et au début de décembre ; José Antonio Echeverría fut assez sérieusement blessé dans un combat de rues. Le DR répliqua en ouvrant le feu sur les policiers dont une douzaine furent blessés par balles. Le 5 décembre, des centaines de femmes, membres du Front civique féminin du Centenaire de Martí (organisation alliée au Mouvement du 26 juillet), affrontèrent la police en pleine ville, à l'occasion d'un défilé qui tentait de rejoindre une manifestation organisée par la SAR. Des douzaines de femmes furent frappées et beaucoup furent arrêtées. Le 7 décembre, la police tira sur une foule d'étudiants et de travailleurs qui manifestaient contre Batista ; parmi les blessés se trouvait un ouvrier, Camilo Cienfuegos Gorriarán, qui deviendrait bientôt un autre héros de la grande révolution.

Le 23 décembre, près de un quart de million d'ouvriers du sucre se mirent en grève dans les fabriques comme dans les plantations, à l'occasion d'un conflit salarial. Ils furent instantanément soutenus par le Mouvement du 26 juillet, les étudiants du DR et même le parti communiste clandestin. Comme la grève se poursuivait après Noël, les grévistes et les étudiants se battirent avec la police dans une douzaine de villes ; en même temps, des dizaines de milliers de tracts furent répandus dans tout le pays avec le slogan de Fidel « En 1956 nous serons victorieux ou martyrs ». Le sigle du « MR-26-7 » se mit à fleurir partout sur les murs, à la peinture rouge ou noire.

Au Mexique, Castro interrompit ses conférences avec Che Guevara et

Raúl, le temps de célébrer le réveillon avec ses amis et compagnons de rébellion. Il prépara le menu traditionnel : riz et haricots noirs, rôti de porc, nougat, pommes et raisins. Mais à peine le repas fut-il terminé que Fidel se lança dans l'un de ses monologues qui duraient toute la nuit, sur les projets de développement économique qu'il réaliserait à Cuba après le triomphe de la révolution. Hilda Guevara raconte que « Fidel parlait avec tant de naturel, tant d'assurance, que nous avions l'impression d'être déjà à Cuba et en plein travail constructif ». Puis Fidel et Che discutèrent du besoin de nationaliser les ressources naturelles et les principales sources de richesse. Oui, leur dit Fidel : « En 1956, nous rentrerons... »

8

L'entraînement de l'armée d'invasion recrutée par Fidel Castro commença pour de bon au début de 1956, lorsque les premiers envois de fonds « sérieux » parvinrent aux rebelles, à Mexico. Pedro Miret avait apporté 1 000 dollars lors de sa seconde visite à Fidel en décembre 1955 ; c'était le fruit des premières collectes du Mouvement du 26 juillet. Puis Faustino Pérez, membre du Directoire national, arriva avec 8 250 dollars au début de février. Le Révérend Cecilio Arrastía envoya dix mille dollars. Cela ne représentait guère un pactole révolutionnaire, mais Castro s'était plaint de n'avoir reçu que quatre-vingt-cinq dollars de Cuba au cours des deux premiers mois de son séjour au Mexique ; cela lui avait même inspiré ce commentaire : « Chacun de nous vit avec moins d'argent que l'armée n'en dépense pour un de ses chevaux. » Maintenant, le Mouvement était en mesure d'assumer les modestes frais de subsistance des rebelles, cachés dans des refuges sûrs à travers la ville, mais l'allocation hebdomadaire par personne n'était encore que de quatre-vingts *cents*. On avait calculé qu'il en coûtait huit *cents* par jour pour nourrir chaque *Fidelista*. Quiconque recevait de sa famille moins de vingt dollars par mois devait en reverser la moitié au trésorier du Mouvement ; la redevance était de soixante pour cent si le revenu dépassait vingt dollars. Quand Max Lesnick, le chef de la section Jeunesse du parti *Ortodoxo* et ami personnel de Fidel, lui rendit visite à Mexico le 30 décembre 1955, il trouva un Castro affamé et mal rasé qui l'attendait à l'hôtel Régis. Ils déjeunèrent d'un steak à la milanaise, l'un des plats favoris de Fidel.

A la mi-janvier, plus d'une quarantaine d'hommes, triés sur le volet, arrivèrent de Cuba et des Etats-Unis pour se joindre aux forces rebelles au Mexique. En comptant tous ceux qui se trouvaient déjà à pied d'œuvre l'année précédente, y compris Fidel, Raúl et Che, il y avait maintenant plus de soixante combattants au total — auxquels venait s'ajouter un groupe de « civils » profondément dévoués au Mouvement — surtout des femmes et plusieurs amis mexicains. Pour loger les futurs guérilleros, le Mouvement dut louer six petites maisons, chacune à peine assez grande pour une dizaine d'hommes ; plus tard, il s'en procura quelques autres encore. Fidel Castro habitait avec Melba Hernández et Jesús Montané (déjà fiancés) et deux gardes du corps. Fidelito avait été ramené de Miami à Mexico par sa tante Lidia et ils vivaient tous deux chez un couple de riches mexicano-cubains dans une villa dotée d'une piscine.

Fidel était décidé à garder son fils près de lui, du moment que Lidia avait réussi à le faire sortir de La Havane par avion, mais il ne savait pas très bien où demeurerait Fidelito quand lui-même aurait quitté le Mexique après le début des opérations de débarquement. Pour l'instant, il voyait l'enfant le plus souvent possible. Dans les archives révolutionnaires de La Havane, se trouve une photo qui montre Fidelito, la mine très sérieuse, portant chemise et cravate, avec une casquette militaire trop grande pour lui, dans le jardin de l'un des refuges ; autour de lui se trouvent son père, Lidia, María Antonia et divers amis. L'appartement de María Antonia était plus que jamais le centre de communication et de coordination des *Fidelistas* ; c'est là qu'étaient conduits tous les nouveaux arrivants.

Pour des raisons de sécurité et de discipline, la vie dans les refuges était aussi cachée que monastique. Il était interdit à chacun de révéler ses activités ou celles des membres de sa maisonnée à tout autre membre du Mouvement. A la tête de chaque logis il y avait un commandant qui était responsable de la discipline mais aussi des problèmes ménagers et économiques. Les membres du Mouvement casernés en des endroits différents n'étaient pas autorisés à se confier mutuellement leur adresse quand ils se rencontraient à l'occasion d'exercices d'entraînement et ne pouvaient se rendre des visites. Les rebelles n'étaient pas non plus autorisés à faire la connaissance de personnes étrangères au Mouvement ; ils ne pouvaient s'absenter du logis qu'avec au moins un compagnon. (Il était interdit à chacun de sortir seul avec une femme, mais les sorties de deux couples ensemble étaient généralement autorisées.) Il leur fallait être de retour à minuit ; les appels téléphoniques étaient interdits et les boissons alcoolisées sévèrement proscrites. Les repas se prenaient à des heures rigoureusement fixes ; les hommes cuisinaient et faisaient le ménage à tour de rôle, aucune dispense n'était admise. Le temps libre était consacré à l'étude ou à des conférences, « sur des sujets militaires et révolutionnaires » de préférence, selon les instructions de Castro. Chaque commandant de logement était responsable du moral de ses hommes et du maintien de bonnes relations entre eux ; il était admis que s'ils ne s'entendaient pas bien, ils ne pourraient bien combattre côte à côte. Chacun avait les moyens de faire entendre ses récriminations ou ses suggestions. Le règlement était si sévère que toute indiscrétion était considérée comme une trahison. Fidel Castro estimait à juste titre que le Mexique était tout grouillant d'espions et d'agents de Batista, acharnés à détruire le Mouvement ; il était donc obsédé par les mesures à prendre en matière de sécurité. La trahison et l'indiscipline pouvaient entraîner (et entraînèrent) des arrêts de mort dans la petite armée secrète de Castro.

Quand Fidel eut réuni assez d'argent et rassemblé assez d'hommes, vers la mi-janvier, il fit savoir au général Bayo, le spécialiste espagnol de la guérilla, qu'il était prêt à commencer l'entraînement. Au début, Bayo organisa des cours et des exercices à domicile. Il déclare dans ses

Mémoires : « J'étais le seul, avec Fidel, à connaître les adresses de tous les logements, car je devais aller de l'un à l'autre pour donner mes leçons. » Il se faisait passer pour un professeur d'anglais si un voisin lui demandait ce qu'il faisait là.

Castro et Bayo mettaient fortement l'accent sur la préparation physique des combattants. Ceux-ci devaient être prêts à affronter des marches de jour et de nuit à travers les pires terrains, par les temps les plus épouvantables, à dormir par terre, à avancer pendant des jours sans rien, ou presque rien, à manger et à boire ; il leur fallait être extrêmement résistants à la fatigue. L'entraînement de nuit était spécialement important. Che Guevara avait décidé d'améliorer sa condition physique en perdant du poids, bien qu'il fût déjà mince, et Hilda se rappelle qu'il avait abandonné son habitude argentine de manger un steak au petit déjeuner, pour se contenter d'un sandwich à l'hôpital, au milieu de la journée, et d'un dîner léger — viande, fruits et salade — le soir.

Tout d'abord, les futurs guérilleros durent s'habituer à parcourir à pied de très longues distances, parce que la marche est le principal mode de transport de la guérilla. Ils arpentaient interminablement les rues de Mexico, particulièrement l'avenue des Insurgentes. Chaque matin, des groupes de *Fidelistas* louaient des barques à rames sur le lac Chapultepec pour faire de l'aviron pendant des heures ; certes, c'était là un exercice excellent et peu coûteux, mais en outre Castro pensait que la familiarité de l'eau pouvait leur être utile au cours de la traversée. Alsacio Vanegas, l'imprimeur mexicain, qui était également lutteur (comme le mari de María Antonia), fut embauché pour enseigner aux hommes le combat à mains nues, dans le gymnase de la rue Bucarely. Ils jouaient aussi au basket-ball et au football dans les faubourgs pour augmenter leur agilité. Puis Castro et Bayo ordonnèrent des escalades ; ce fut d'abord celle du Sacatenco, puis celle de Chiquihuite, déjà plus élevé, à proximité de la ville. Les hommes venus de différents refuges convergeaient en autobus vers le point de rassemblement, en face du cinéma Linda Vista, dans la partie nord de Mexico, pour entamer l'ascension. Ils se déplaçaient par petits groupes pour ne pas attirer l'attention. Progressivement, Bayo leur demanda de porter des sacs à dos de plus en plus lourds. Certains d'entre eux, y compris Guevara, se rendirent assez loin de la ville, pendant les week-ends, pour escalader les quelque six mille mètres de l'Iztaccíhuatl et du Popocatépetl. (Par discipline révolutionnaire, Che faisait en sorte que son asthme ne l'empêchât pas de se livrer à ces efforts physiques.)

En février, Castro s'arrangea pour que son groupe pût utiliser le champ de tir de Los Gamitos, également proche de la ville. Le site était entouré de montagnes que Bayo et ses instructeurs utilisaient comme terrain de manœuvres pour des exercices de guérilla. Les premières armes que le Mouvement avait pu acquérir étaient des fusils de .30-'06, équipés de lunettes ; les rebelles s'en servirent pour pratiquer le tir réel et devenir de vrais professionnels en matière de balistique. Ils étudièrent pendant des heures et des heures la déviation et la tension des trajectoires, les lignes, les angles et les plans de feu, les lignes et angles de mire, la portée des armes, la vitesse initiale des balles, les corrections nécessaires en cas de tirs antiaériens. Bayo était convaincu que dans une guerre de guérilla la supériorité des hommes compense l'infériorité du nombre et de la puissance de feu. Il enseigna ensuite à ses élèves la façon de se diriger avec une carte et une boussole, comment reporter des relevés au 1/300 000ᵉ sur un plan au 1/100 000ᵉ, comment creuser des tranchées peu profondes mais néanmoins efficaces, comment établir des lignes de communication. « Si vous voulez devenir des guérilleros, les gars, vous devez acquérir une culture militaire », rabâchait l'Espagnol borgne à ses hommes.

Les deux principaux assistants de Bayo étaient José Smith, un ancien combattant américain, et un Cubain nommé Miguel A. Sánchez, qui avait combattu également dans l'armée américaine en Corée, et que l'on appelait « Le Coréen ». Sánchez avait été ramené de Miami par Castro et vivait avec lui : c'était l'un de ses deux gardes du corps. Il fut accusé plus tard de trahir le Mouvement. L'un comme l'autre, Sánchez et Smith étaient de grands spécialistes. Fidel participait rarement aux exercices en raison de ses occupations ; le travail d'organisation en général, les prises de contact politiques et la collecte de fonds absorbaient la plus grande partie de son temps, mais il se faisait un devoir de vérifier périodiquement les progrès de ses hommes à l'entraînement et d'observer les exercices de tir avec un théodolite. Melba Hernández rappelle qu'en certaine circonstance Fidel, après avoir passé une journée entière sur le terrain, de l'aube au crépuscule, avait décidé dans la soirée de calibrer les appareils de visée. « Nous étions terriblement fatigués, dit-elle ; nous avions fait des exercices pendant toute la journée et chacun n'avait eu droit qu'à une demi-orange. La plupart d'entre nous se reposaient. Moi, par exemple, je m'étais étendue par terre et je bavardais avec quelqu'un. Le seul qui ait continué de travailler avec Fidel, ce fut Che. Quand ils eurent fini, Fidel nous a rassemblés et nous a dit avec une infinie tristesse que le combat promettait d'être encore très long, que nous ne serions pas capables de le mener jusqu'au bout si nous nous fatiguions si vite, et qu'il était très troublé de voir qu'un étranger, un Argentin comme Che, n'avait pas manifesté sa fatigue, qu'il avait continué à travailler, alors que nous autres, Cubains, avions tout laissé tomber... Il parlait avec une telle tristesse qu'il ne nous arriva plus jamais de montrer notre fatigue... Nous n'avions pas le droit d'être fatigués... »

Castro, d'après ce que racontent ses plus proches collaborateurs, était totalement obsédé par son idée fixe : la révolution ; mais il faisait de gros efforts pour se montrer sociable, en de nombreuses occasions ; il se peut même qu'il soit tombé amoureux d'une jeune femme pendant les mois qui précédèrent immédiatement le débarquement. Il montrait un mélange de patience et d'impatience — patience quand il s'agissait de savoir attendre le moment historique le plus propice à l'action, impatience dans son aversion pour toute perte de temps quant aux préparatifs de la révolution. Ses amis avaient bientôt appris la façon de se conduire devant ses humeurs et les manifestations de son tempérament. Un matin de janvier 1956, Fidel fit irruption dans la chambre de Melba Hernández et de Jesús Montané à cinq heures du matin en criant : « Ce n'est pas possible ! Nous sommes ici pour faire une révolution et pas pour dormir jusqu'à neuf heures ! » Il avait manifestement décidé de consacrer une heure ou deux de plus, chaque jour, aux exercices révolutionnaires (en réalité, jamais aucun des rebelles n'avait dormi jusqu'à neuf heures du matin !) et il voulait passer aux actes immédiatement. Après quoi, tous descendirent quotidiennement l'avenue des Insurgentes dès l'aube, pour parcourir une douzaine ou une quinzaine de kilomètres jusqu'à un carrefour où ils prenaient l'autobus à destination du champ de tir de Los Gamitos.

Mais quelques jours plus tard, il se faisait pardonner son attitude de garde-chiourme, à l'occasion de la Saint-Valentin (que les Cubains appellent le Jour des Amoureux). Il commença la journée en souhaitant une bonne fête à Melba, puis lui prépara le petit déjeuner (il lui avait déjà enseigné « la meilleure façon » de faire des œufs frits) et enfin proposa une soirée en ville. Mais il avait calculé l'événement avec la même précision mathématique qu'une opération militaire. « Eh bien, dit-il à Melba et à Montané, nous avons seize pesos mexicains (environ 1,20 dollar). Mais une nouvelle *compañera* nommée Lucy vient d'arriver de La Havane. Nous pouvons l'inviter à prendre quelque chose avec nous ou aller au cinéma, ce qui coûtera dans les deux cas quatre pesos par personne. Mais comme c'est votre Jour, c'est vous qui décidez. » Melba choisit d'aller au cinéma et le film qu'ils décidèrent de voir était une production de Hollywood, *Les Quatre plumes blanches*, une histoire de guerre aux Indes. Après être allés chercher la *compañera* que Melba trouva très jolie et « à qui Fidel s'intéressa par la suite », ils rencontrèrent Jesús Reyes, un membre du Mouvement souvent affecté à la protection de Castro. Reyes insista pour aller avec eux parce qu'ils n'avait plus un sou et ils ne purent s'en débarrasser, de sorte qu'il manquait quatre pesos pour les cinq billets de cinéma. En passant devant une pâtisserie, ils virent des tamales et cela leur rappela qu'ils étaient affamés, mais comme le dit Melba : « C'était là un fruit défendu parce que nous n'avions pas assez d'argent. » Finalement la jeune femme remarqua : « Allons, dites-moi la vérité, vous avez envie de tamales mais vous n'avez pas de quoi les payer. Allons en manger, c'est moi qui vous invite. » Fidel refusa d'abord carrément, mais se laissa persuader d'accepter un prêt. Ils mangèrent donc des tamales et invitèrent Reyes au cinéma ; « la soirée en fut grandement améliorée ». Aussitôt qu'arriva de l'argent frais, Fidel se précipita chez Lucy pour la rembourser. Ils se virent encore plusieurs fois, mais ce ne fut pas à *elle* qu'il proposa le mariage quelques mois plus tard.

Pour Fidel Castro, l'ennui avec les femmes, c'était qu'il voulait les voir s'intéresser aussi passionnément que lui à la politique et à la révolution. Un soir, par exemple, Melba, Jesús Montané et Raúl Castro persuadèrent Fidel de sortir avec eux et deux jeunes femmes mexicaines qui leur rendaient de grands services pour les préparatifs du débarquement. Fidel accepta et Raúl le prévint : « Ecoute, Fidel, nous n'allons pas parler de politique mais nous occuper des filles ; il faut que ce soit pour elles une soirée de fiesta ; sinon, celle qui sera avec toi va s'ennuyer — engageons-nous à ne pas parler de politique. » Fidel hocha comiquement la tête, promit de distraire sa partenaire et de s'occuper d'elle. Les trois couples, Melba et Jesús Montané, Raúl Castro avec une fille appelée Piedad, et Fidel avec sa partenaire appelée Alfonsina González, allèrent à un night-club de Mexico.

Montané, Raúl et leurs compagnes se levèrent pour danser, mais Fidel ne quitta pas la table. Melba raconte qu'en se rasseyant, ils le trouvèrent occupé à tenir des discours politiques à Alfonsina. Ils lui donnèrent des coups de pied sous la table et il changea de sujet, mais revint bien vite à sa marotte.

Melba déclare que Fidel cessait de s'intéresser à une fille « s'il voyait qu'elle ne s'intéressait pas à ses objectifs. Aussitôt les rapports se refroidissaient ». Mais elle se rappelle aussi que : « En d'autres occasions, je l'ai vu s'intéresser beaucoup à une fille si elle comprenait la situation de Cuba et spécialement si elle travaillait pour la révolution... mais pour diverses raisons il n'a jamais voulu lier sa vie à une personne de ce genre. » Melba croit que Fidel est « stimulé » par la présence des femmes, qu'il a toujours « besoin d'une femme » parce qu'il a « une grande confiance en elles », mais que pour lui « l'intellect est ce qui prime chez une femme ».

Teresa Casuso, une romancière cubaine qui fut liée d'amitié avec Castro au Mexique, puis diplomate à son service (jusqu'au moment où elle rompit avec le régime), pense qu'il était tombé amoureux d'une fille de dix-huit ans, « extraordinairement belle », venue de La Havane, et qui vivait chez elle. Elle ne l'appelle pas autrement que « Lilia » (mais d'autres amis révèlent que son nom de famille était Amor). Lilia avait une éducation « extrêmement soignée et libérale... une franchise déconcertante, et une candeur qui lui permettait de donner son avis sur n'importe quel sujet ». Castro rendait souvent visite à Teresa Casuso vers la fin de 1956 — il l'avait persuadée de le laisser remplir d'armes et de munitions plusieurs placards bien fermés, dans sa villa, et s'attardait souvent chez elle pour attendre le retour de Lilia. Teresa Casuso se rappelle que « leur roman fleurit au fil des jours et des semaines » et que Castro « invitait la jeune fille à sortir avec une impétuosité et des effusions juvéniles qui amusaient et étonnaient celle-ci tout à la fois... Elle dissimulait son amusement sous un air imperturbable qui, combiné avec sa grande beauté, fascinait son amoureux, encore que son attitude finit par l'exaspérer, car Fidel ne peut supporter les gens qu'il ne peut séduire ». Toujours selon Teresa Casuso, « Fidel avait proposé le mariage à Lilia et celle-ci avait accepté ». Il chercha donc à obtenir le consentement des parents de la jeune fille. Il lui avait acheté « un joli maillot de bain pour remplacer son bikini français qui le mettait en rage ». Mais les fiançailles ne durèrent guère qu'un mois car Fidel n'avait pratiquement plus un moment de liberté pour voir Lilia, à mesure que les préparatifs du débarquement s'accéléraient ; à la fin, la jeune fille décida d'épouser plutôt son ancien fiancé. Quand elle l'informa de sa décision, dit Teresa, Fidel, « avec ce terrible amour-propre qui est le sien, lui conseilla de se marier avec l'autre car il était " bien mieux accordé " avec elle ». Plus tard, comme il montait une mitrailleuse dans la maison de Teresa, il dit à celle-ci que sa seule et véritable « belle fiancée » était la révolution.

Nous possédons un certain nombre de détails et d'anecdotes sur la façon dont vivait Castro au cours de son exil mexicain. Chaque fois que cela était possible, Fidel mettait un point d'honneur à visiter l'endroit où Julio Antonio Mella, le dirigeant étudiant et cofondateur du parti communiste cubain, avait été assassiné par des agents de Machado, à Mexico, en 1929.

Manifestement, il craignait de se voir réserver le même sort par les agents de Batista ; il vantait devant ses amis la vie et la mort de Mella, mais « comme homme, pas comme communiste », d'après les souvenirs de Melba Hernández.

Fidel était toujours avide de livres, mais la pénurie de fonds l'empêchait d'acheter assez de volumes pour lui et pour les refuges des rebelles, jusqu'au jour où il persuada un libraire, du nom de Saplana, de lui faire crédit. Après leur première conversation, Fidel entassa des livres dans sa voiture comme si c'était un camion et il continua à s'en procurer de la même manière jusqu'au débarquement. Il fit ainsi l'acquisition de volumes sur l'histoire du Mexique et la Seconde Guerre mondiale, sur Simon Bolivar, des livres d'économie et de sciences politiques, et tout ce qu'il put trouver sur le marxisme et le léninisme. Par la suite, le libraire refusa de se faire rembourser.

Fidel était si obsédé par l'idée de conserver son entière liberté personnelle que cela s'étendait au domaine de la santé. Après avoir accepté de voir un médecin pour se faire établir un bilan complet, sur l'insistance de ses amis, il se vit prescrire un sédatif qui ralentirait un peu son rythme de vie. Melba Hernández tenta vainement de lui faire prendre une pilule chaque matin, au petit déjeuner. Finalement il lui dit : « Je ne peux me permettre d'en prendre l'habitude et de dépendre d'une petite pilule. Je ne dois dépendre que de moi-même parce que le combat sera long ; quand nous serons en pleine guerre, je ne serai pas en mesure de prendre des pilules. Si je dois lier mes activités à des pilules, je me trouverai bien loti ! Je ne veux pas être prisonnier de ces pilules. »

Un jour où il parlait avec Melba et Jesús Montané dans sa chambre, il se sentit déprimé et son humeur les gagna également. Soudain, il se mit debout et commença à arpenter la pièce en disant : « Je vous donne un mauvais exemple ; un chef ne doit jamais faire ce genre de choses ; de plus, c'est un état d'esprit très passager parce que je suis plein de confiance dans la révolution. » Melba raconte que Fidel les accabla d'abondantes excuses, « en promettant de ne plus jamais commettre cette erreur qu'il considérait comme très grave. »

Au Mexique, Fidel passait la plupart de ses heures de liberté avec Melba et Jesús Montané, les Guevara, son frère Raúl, ses sœurs Lidia, Emma et Angelita, Fidelito, Eva et Graciela Jiménez, de La Havane, qui étaient de vieilles amies. Le 18 février, trois jours après la naissance de la fille des Guevara, Hildita, il alla les voir. C'était la première visite que recevait le bébé. Fidel leur dit : « Cette petite fille sera élevée à Cuba. » En une autre occasion, Che Guevara lui avait offert un thé argentin au *mate* dans une tasse en métal où l'on boit avec un petit chalumeau et que l'on se passe de main en main. Fidel commença par refuser parce qu'il ne trouvait pas cela « hygiénique », puis il se joignit aux buveurs de *mate*. Une autre fois, Guevara sortit pour le dîner une bouteille de *mezcal*, une eau-de-vie dans laquelle sont conservés des vers, à la mode mexicaine, et par défi, avala un ver. Avec une infinie répugnance, Fidel avala un ver lui aussi.

Au début de l'année 1956, les services d'information militaires cubains (SIM) annoncèrent « la découverte d'un complot subversif destiné à renverser le gouvernement et dirigé par Fidel Castro, à l'étranger ». De nombreux membres du Mouvement furent arrêtés et le colonel Orlando Piedra, chef du bureau des enquêtes de la police nationale, fut envoyé au Mexique pour tenter d'y découvrir les éléments de la conspiration. Castro fut averti par des amis de La Havane, proches du régime, que Batista avait ordonné son assassinat. Des tueurs à gages s'étaient vu offrir vingt mille dollars pour se déguiser en policiers mexicains, « arrêter » Castro dans la rue, l'emmener hors de la ville, le tuer et faire disparaître le corps. Puis une lettre aurait été envoyée à María Antonia, avec une fausse signature de Fidel, pour lui faire savoir qu'il était obligé de quitter subitement le Mexique et qu'il ne fallait pas se faire de souci à son sujet. Selon les informations reçues par Castro, cette opération était conduite par l'attaché naval cubain à Mexico, mais elle tourna court quand les rebelles furent ainsi avertis du projet d'assassinat (ils avaient des sympathisants à l'intérieur même de la police). La prochaine attaque du régime contre Castro serait conduite par le truchement des autorités mexicaines.

Entre-temps, Castro avait finalement décidé de rompre ses liens avec le parti *Ortodoxo* et de proclamer que le Mouvement du 26 juillet incarnait la seule véritable opposition à l'autorité de Batista, « l'organisation révolution- naire des humbles, par les humbles et pour les humbles ». Le prétexte de la rupture, annoncée dans une longue déclaration du 19 mars que publiait *Bohemia,* fut la prise de position des *Ortodoxos* sur les attitudes insurrec- tionnelles de Castro — une ligne de conduite que n'avait pas autorisée, disait-on, la direction du parti. Or la politique d'insurrection et de lutte armée avait été approuvée, au congrès du mois d'août 1955, par les activistes du parti, et Castro dénonçait maintenant « l'infamie » des dirigeants qui la rejetaient. Il les accusait de « lâcheté » et de servilité envers le régime.

En vérité, pourtant, la rupture lui convenait fort bien. Il n'avait plus besoin d'entretenir de liens avec un parti qui appartenait à l'édifice politique cubain traditionnel, pour légitimer la poussée du Mouvement du 26 juillet ; celui-ci était tout prêt à faire surface en sa qualité d'organisation indépendante, dominée par Castro — lequel se sentait libre de dénoncer les riches propriétaires qui dirigeaient les destinées du parti ; tout en les accusant de trahir l'héritage de Chibás, il avait beau jeu de proclamer que son propre Mouvement était « un espoir pour les travailleurs cubains... un espoir de terres pour les paysans réduits à vivre en parias sur le sol de la patrie que leurs ancêtres avaient libéré... un espoir de retour pour les réfugiés, contraints de quitter leur pays où ils ne pouvaient plus ni vivre ni travailler... un espoir de pain pour les affamés et de justice pour les oubliés ». Le Mouvement, soulignait Castro, « accueille chaleureusement, à bras ouverts... tous les révolutionnaires de Cuba, sans la moindre exception partisane... ». De façon très significative, Castro faisait ainsi savoir à la nation que l'éviction de Batista ne représentait plus l'ultime ni le seul objectif de la révolution, mais que toutes les structures nationales étaient en jeu.

A Cuba, l'opposition organisée contre Batista prenait rapidement de l'ampleur. Le 4 avril, la police secrète découvrait les plans d'un soulèvement préparé par des officiers libéraux ; il s'en était fallu de quelques heures. Les chefs de ce complot, connu sous le nom de « Conspiration des Purs », faisaient partie d'un réseau établi au sein de l'Ecole supérieure de Guerre, avec des ramifications dans tous les postes de commandement de La Havane. La rébellion avorta par la faute d'un espion infiltré parmi les officiers, et treize de ses chefs furent condamnés à six ans de prison par une cour martiale. Parmi eux se trouvait le lieutenant José Ramón Fernández, qui fut plus tard vice-président de Cuba sous Castro, ainsi que le colonel Ramón Barquín, l'un des officiers les plus respectés de l'armée ; il devait par la suite contribuer à bâtir l'armée rebelle.

Le 20 avril, un commando du DR (Directoire révolutionnaire étudiant) occupa les studios de télévision de la quatrième chaîne, à La Havane, mais un étudiant fut tué au cours de la fusillade qui suivit et les révolutionnaires ne furent pas capables de continuer à émettre. Le 29 avril, un groupe de militants, membres d'une organisation politique favorable à l'ancien président Prío, attaqua la caserne de Goicuría, dans la ville portuaire de Matanzas, à moins de cent kilomètres à l'est de La Havane ; l'action avait pour but d'obliger Prío à abandonner son attitude complaisante envers Batista et à utiliser ses immenses richesses pour financer des actions armées. Quatorze des assaillants furent fauchés par des tirs de mitrailleuses et Prío dut s'exiler aux Etats-Unis. Pour Fidel Castro, l'affaire de Goicuría rappelait celle de Moncada et il accusa le gouvernement d'avoir délibérément organisé un « massacre », d'autant plus qu'il avait été averti de l'attaque par avance. On arrêta des centaines de personnes sur tout le territoire cubain à la suite de cet incident, en vue de détruire l'organisation de Prío. Un dirigeant du DR fut assassiné par la police le 15 mai. En même temps paraissait à La Havane le premier numéro ronéoté d'un périodique clandestin intitulé *Aldabonazo*. [Le mot signifiait littéralement « coup de heurtoir, frappé à la porte » ; mais il évoquait surtout pour les Cubains l'ultime allocution d'Eddy Chibás que celui-ci avait intitulée : « le dernier coup du heurtoir ». NdT]. Cette publication appartenait au Mouvement du 26 juillet ; elle était l'œuvre de Carlos Franqui, ancien rédacteur communiste rallié aux troupes de Castro.

La propagande et le maintien de contacts politiques à l'étranger étaient aussi d'une importance capitale pour le Mouvement qui avait besoin du soutien de l'opinion publique internationale dans sa lutte contre Batista, simultanément avec ses préparatifs d'invasion. Mexico était un point stratégique important où mener de telles activités. Fidel lui-même se chargeait des contacts politiques avec des groupes qui allaient de ce que l'on appelait alors la Gauche démocratique (favorable à la démocratie représentative et à la justice sociale en Amérique latine) jusqu'à l'extrême gauche, y compris les marxistes mexicains et autres. En ce temps-là, l'un des piliers de la gauche démocratique était l'ORIT (Organisation régionale interaméricaine du Travail, dont le siège se trouvait à Mexico) qui combattait la Fédération Syndicale Internationale appuyée par les communistes en Amérique latine. Il est intéressant de noter que Castro se faisait un devoir de cultiver ses relations avec les dirigeants l'ORIT. Il se rendait fréquemment au siège de l'organisation, rue Vallarta, pour y rencontrer son secrétaire général, le Costaricain Luis Alberto Monge, ou l'adjoint de celui-ci, le Péruvien Arturo Járegui, qui figuraient parmi les personnalités les mieux informées sur la vie politique de toute l'Amérique latine (Monge allait devenir président de son propre pays au début des années 1980). L'ORIT servait également de havre aux émigrés politiques de la mouvance démocratique, en provenance de toute cette partie du monde — y compris le dirigeant vénézuélien Rómulo Betancourt aux prises avec le dictateur militaire de son pays, Marcos Pérez Jiménez ; ou le Péruvien Victor Raúl Haya de la Torre, fondateur de l'APRA, parti nationaliste de gauche mais anticommuniste, qui avait maille à partir avec son propre président, le général Manuel Odría. Járegui était membre de l'APRA, de même que Hilda Gadea, la femme de Che Guevara. Le mouvement contre les dictatures commençait à prendre de l'ampleur en Amérique latine et la gauche démocratique était l'alliée naturelle (bien que provisoire) de Castro. Tous ces hommes étaient proches du président mexicain, Adolfo Ruíz Cortines, et de son ministre du Travail (et successeur), Adolfo López Mateos.

Ben S. Stephansky, alors attaché syndical à l'ambassade des Etats-Unis au Mexique, se rappelle avoir vu Fidel Castro, à l'improviste, en deux occasions au moins, dans les bureaux de l'ORIT — une fois avec Monge et l'autre avec Járegui. Castro semblait connaître fort bien les deux hommes et n'hésita pas à poursuivre avec eux une conversation de caractère politique devant Stephansky. Le diplomate américain se rappelle avoir également entendu le ministre du Travail, López Mateos, mentionner une rencontre avec Castro ; cela avait encore renforcé en lui l'impression que le rebelle cubain était fort bien introduit dans les milieux politiques mexicains. Selon Stephansky, Castro s'était montré curieux, au cours de sa conversation avec Járegui, de savoir d'abord qu'elles étaient les relations entre l'ORIT et les gouvernements américain et mexicain, quel était ensuite le rôle de l'organisation en Amérique latine. Lors de la rencontre avec Monge, il s'était intéressé aux liens existant entre l'ancien président Cárdenas et le mouvement syndicaliste mexicain. Stephansky, qui était sans doute le premier fonctionnaire américain à rencontrer Castro (il devint par la suite ambassadeur des Etats-Unis en Bolivie), fut frappé par ce qu'il considéra comme « l'arrogance » du Cubain et le talent oratoire que révélait sa conversation. Fidel, pensa-t-il, était « professoral et froid ». Plus tard, Monge déclara à Stephansky : « Ce Castro est un bien étrange individu. » Stephansky se rappelle également que ses collègues à l'ambassade des Etats-Unis, y compris le chef local de la CIA, ne manifestèrent aucun intérêt pour ses rencontres avec Fidel Castro. Ils ne semblaient même pas savoir de qui il s'agissait.

Vers le milieu du printemps 1956, Castro décida que le champ de tir de Los Gamitos ne lui convenait plus et il chargea le général Bayo de chercher à louer un ranch bien adapté à l'organisation de sa petite armée. Bayo passa quelques semaines à explorer les alentours de Mexico avec Ciro Redondo, l'un des collaborateurs de Castro en qui celui-ci avait la plus grande confiance, jusqu'à trouver un endroit parfait, près de la ville de Chalco, à quelque quarante kilomètres de la capitale. Le domaine de Santa Rosa s'étendait sur vingt-cinq mille hectares entre plaine et montagne. La maison couvrait quelque six cents mètres carrés. Plus de cinquante hommes pouvaient y loger confortablement. Les murs en pierres avaient trois mètres d'épaisseur. Avec ses quatre tours de protection contre les attaques des brigands, elle ressemblait, selon Bayo, « à un ancien château-fort ».

Santa Rosa appartenait à un riche propriétaire terrien septuagénaire, Erasmo Rivera, qui avait fait le coup de feu contre les Américains aux temps de Pancho Villa et avait été laissé pour mort sur le terrain après une escarmouche. Bayo pensait que la coïncidence était frappante. Castro l'avait autorisé à dépenser 240 dollars par mois pour louer le ranch, mais Rivera voulait le vendre et il en demandait 240 000 dollars. Après de longues journées de négociations, Bayo finit par faire croire au propriétaire qu'il représentait les intérêts d'un colonel centre-américain millionnaire, lequel achèterait sans aucun doute Santa Rosa, mais la maison devrait être repeinte et remise en état au préalable. Il proposa même au vendeur d'amener sur place une cinquantaine d'ouvriers « salvadoriens » aux frais de l'acheteur pour faire des travaux dans le bâtiment pendant trois mois — c'était la durée pour laquelle Castro avait besoin de la propriété. Finalement, Rivera accepta la proposition et l'on convint d'un loyer symbolique de 8 dollars par mois pendant les réparations. Bayo l'avertit que l'arrangement devait être tenu secret, car si la presse d'El Salvador avait vent de l'affaire, le marché ne pourrait être conclu. Il serait nécessaire, en outre, de tenir les « Salvadoriens » à l'écart du village et particulièrement des villageoises, pour éviter des ennuis. Quand Bayo fit remarquer que le secteur était très aride, Rivera lui montra où trouver de l'eau. Bayo était très fier d'avoir fait économiser à Fidel 232 dollars par mois.

Les premiers rebelles arrivèrent au ranch un jour ou deux plus tard et Castro nomma Guevara chef du personnel sous la direction de Bayo à Santa Rosa. Che écrivit par la suite que les *Fidelistas* « apprirent plein de choses » avec Bayo ; il ajoutait, après avoir pris un premier cours avec l'Espagnol : « mon impression fut que nous avions une chance de succès, ce que j'avais considéré comme très douteux quand je m'étais laissé enrôler par le commandant des rebelles [c'est-à-dire Fidel Castro] avec lequel j'entretenais depuis le début des relations de sympathie fondées sur le sentiment de vivre un roman d'aventures et sur notre commune conviction que cela valait la peine de mourir sur une plage étrangère pour un idéal d'une telle pureté. » Bayo fit travailler ses hommes nuit et jour : ils se levaient à cinq heures du matin et s'entraînaient jusqu'au soir. Ils dormaient toujours par terre. A mesure qu'avançait la préparation, Bayo conduisit des marches qui commençaient au début de la nuit et se terminaient à l'aube, avec seulement une boussole pour guide. Pour recréer des conditions semblables à celles de la sierra cubaine, deux camps furent établis dans les montagnes ; les rebelles y passaient plusieurs journées de suite en simulant des combats, avec des marches forcées et des tours de garde. L'eau et les aliments étaient acheminés à dos d'âne. Les armes avaient été acquises à Mexico grâce à des armuriers sympathisants, ou aux Etats-Unis par divers émissaires de

Castro. Maintenant que le trésor du Mouvement était un peu plus riche, les révolutionnaires possédaient vingt fusils automatiques Johnson, plusieurs mitraillettes Thompson, vingt fusils de chasse à lunette, deux fusils antitanks calibre 50, une mitrailleuse légère Mauser, et plusieurs armes de moindre importance. Des uniformes et des sacs de couchage avaient été fabriqués dans les entrepôts d'un armurier mexicain. Fidel était ravi des progrès de ses guérilleros. Il prit le temps de servir de parrain à la fille d'Alberto Bayo (le fils du général) à la Basilique de la Vierge de Guadalupe, à Mexico. (Alberto était pilote et devint par la suite officier dans l'aviation révolutionnaire cubaine.) Ce fut le premier de centaines d'enfants dont Castro est le parrain.

Bayo avait désigné Che Guevara, avec qui il jouait aux échecs à Santa Rosa, comme chef des guérilleros du ranch. Il écrivait également des poèmes épiques en hommage à Fidel Castro et à ses guérilleros favoris.

Vers la fin de la phase d'entraînement, le commandement rebelle dut faire face à un problème extrêmement grave. Au cours d'une marche forcée, un combattant nommé Calixto Morales Hernández, ancien instituteur rural, ne put continuer de supporter la rigueur de la discipline, refusa de faire un pas de plus, s'assit par terre et alluma une cigarette sans faire cas de l'officier qui lui ordonnait de reprendre sa place dans la colonne. Les hommes furent alors ramenés au camp et Fidel averti immédiatement par téléphone de l'insubordination de Calixto Morales. C'était le genre de manquement à la discipline que Castro ne pouvait tolérer ; il arriva de la ville avec son frère Raúl et Gustavo Arcos, pour faire passer aussitôt le coupable en cour martiale. (Des cours de ce genre fonctionnaient à Santa Rosa, de même que dans chacun des refuges à Mexico.) Il présidait le tribunal, avec Bayo et Arcos pour assesseurs. Raúl servait de procureur. Le jury était composé de tous les hommes du camp. Quand il fut sommé par Fidel d'expliquer sa conduite, Calixto Morales insista sur le fait que des marches de treize heures n'étaient pas indispensables et qu'il refusait d'y prendre part.

Fidel déclara que des manquements importants à la discipline ne pouvaient rester impunis, car sans discipline la révolution ne pourrait jamais triompher ; le châtiment de Calixto devrait servir d'exemple. Bayo raconte que Castro se montra « éloquent, passionné, convainquant... Il suait l'indignation par tous les pores et demandait à grands cris que les *compañeros* mettent fin à cette infection, sinon la gangrène les gagnerait tous ». En fait, il demandait la peine de mort pour Calixto. Puis Bayo fit valoir que ce serait une erreur d'exécuter Calixto en territoire mexicain : en effet, pour rigoureux que fût le secret, il y avait toujours un risque que le cadavre fût découvert ; aussitôt la police mexicaine s'intéresserait à l'affaire. Si cela devait se produire, ajouta Bayo, ce serait « *Adiós* à l'expédition,... à la liberté de notre Cuba bien-aimée,... au rêve d'une entrée triomphale à La Havane... » Calixto reprit alors la parole pour développer avec calme ses arguments, mais Bayo pensait que son système de défense n'avait aucun sens.

C'est alors, selon les souvenirs de Bayo, que « Raúl, le procureur, se dressa comme un lion furieux en interrompant les débats. " Quelle déception j'ai subie, cet après-midi, en entendant les paroles du général Bayo, cria-t-il. Quelle terrible déception d'entendre ce que je viens d'entendre !... Vous avez passé votre vie à parler de la discipline militaire... de la dignité de l'uniforme révolutionnaire, mais quand un saboteur de notre idéal, un mauvais soldat, fait son apparition parmi nous pour détruire notre mystique révolutionnaire... vous, général Bayo, notre professeur d'éthique militaire, de morale militaire, vous jetez l'éponge et cherchez à sauver la vie de cet individu... Non, cent fois non ! Nous ne pouvons entamer notre histoire par cette cochonnerie, nous ne pouvons faire cette tache sur notre histoire en salissant nos mains dans le pus qui coule de cet individu... Je viens vous prier de vous montrer implacables avec le compagnon qui a transgressé notre loi... L'attitude de Calixto est incompréhensible et nous laisse pleins de perplexité et de stupéfaction. Comment est-ce possible ? Est-il devenu fou ? Sa tentative pour saboter nos forces a échoué... Je dois vous demander d'être inflexibles avec notre compagnon, de lui appliquer le code de votre conscience puisque nous n'avons pas encore rédigé un code militaire applicable en temps de guerre, de lui faire sentir tout le poids de votre colère... " »

En réfléchissant à cette intervention, Bayo écrivit plus tard : « Je ne connaissais pas ce Raúl-là. Je connaissais un jeune homme presque imberbe, mais comment avait-il fait pour grandir ainsi sous mes yeux avec sa diatribe ? Il s'était transformé en géant... Nous avions en Raúl un colosse prêt à défendre les principes de la révolution... Si, un jour, des meurtriers déments interrompent la vie de notre idole, de notre Fidel... en pensant que ce sacrifice éteindra les lumières de la révolution, ils ne connaissent pas l'homme qui reprendra le flambeau, ils n'ont pas la moindre idée de ce qu'il est, car Raúl c'est Fidel multiplié par deux pour l'énergie, l'inflexibilité, l'étoffe... Fidel est un petit peu plus souple, Raúl est de l'acier trempé. Fidel est plus facile à toucher, Raúl est une machine à calculer : vous pressez le bouton et elle affiche ce qu'elle affiche. Fidel atteint son objectif avec talent, persuasion et personnalité ; Raúl est un rayon, dirigé vers l'objectif... Il nous faut détromper ceux qui pensent éliminer Fidel pour adoucir les lois révolutionnaires. Son successeur de plein droit, Raúl, que nous autres, tous les amoureux de la révolution, suivrons aveuglément, sera implacable envers eux. »

Après quoi, selon Bayo, le verdict fut prononcé par Fidel. Calixto était exclu du Mouvement et condamné à rester prisonnier jusqu'au moment où les rebelles quitteraient le Mexique. Castro n'expliqua pas les raisons pour lesquelles il avait épargné la vie du coupable ; Calixto écouta en silence. D'après la façon dont Bayo raconte la fin de l'histoire, Calixto se porta volontaire pour couper du bois, nettoyer la cuisine, mettre la table et se charger des travaux domestiques dans le camp. Pour ne pas priver ses deux gardiens de leur entraînement, il obtint de continuer à participer avec eux aux longues marches de quatorze à quinze heures sans souffler mot. A la fin, Fidel ordonna de ne plus lui affecter de gardien. Un jour, Bayo interrogea Calixto pour connaître la raison de son comportement, mais l'ancien instituteur demanda seulement qu'il lui fût permis de se battre et de mourir pour Cuba. Il fut autorisé à prendre place sur la *Granma*, combattit dans la Sierra Maestra et se racheta aux yeux de ses compagnons. Bayo le rencontra par hasard à La Havane après la victoire et Calixto lui révéla la raison de son insubordination quand il était au camp. Ôtant son pantalon, il lui montra que le bas de son dos était étroitement bandé. « Tu vois, dit Calixto, j'ai une déviation de la colonne vertébrale, ce qui m'interdit de marcher longtemps ; la fatigue me cause des douleurs intolérables qui m'empêchent d'avancer. Si j'avais dit la vérité, mes compagnons m'auraient interdit de prendre part au débarquement, ce que je craignais par-dessus tout ; mais je savais qu'en fin de compte la peine de mort ne me serait pas appliquée... il m'aurait suffi de révéler mon infirmité. » Après la victoire, Castro le nomma gouverneur militaire de la province de Las Villas.

D'après les souvenirs d'Universo Sánchez, qui appartenait au cercle le plus intime de Castro et servait d'adjoint à Guevara, à Las Rosas, Calixto avait vraiment été condamné à mort pour indiscipline et lui-même s'était trouvé chargé de l'exécution. Mais Castro avait renversé la décision. Universo était un ancien communiste rallié au Mouvement juste avant l'attaque de Moncada (qu'il manqua) ; il était si estimé parmi les rebelles que Faustino Pérez et Armando Hart avaient personnellement organisé son voyage au Mexique à bord d'un navire italien vers la fin de 1955 pour qu'il pût aller rejoindre Castro. A Mexico, il était devenu l'ombre de Fidel et avait reçu le commandement d'un refuge. Il était chargé des missions les plus délicates, dont le contre-espionnage était la plus importante. Universo rappelle que tout agent de Batista infiltré dans le Mouvement pouvait et devait être exécuté pour trahison ou espionnage ; il ajoute : « Nous en avons effectivement exécuté. » Selon lui, il y eut un cas où il avait pu prouver qu'un homme au-dessus de tout soupçon s'était révélé être, en réalité, un agent de Batista ; l'homme, dont l'identité demeure inconnue fut condamné à mort par une cour martiale, dans l'un des refuges, et exécuté par l'un des rebelles sur les instructions d'Universo lui-même. « Il fut abattu et enterré dans un champ », dit celui-ci ; selon lui, les dirigeants du Mouvement entendaient formuler chaque jour des soupçons au sujet d'espions infiltrés dans le Mouvement et Fidel chargeait toujours quelqu'un de vérifier ces rumeurs, ce qui entraînait souvent des affrontements. C'est pourquoi Universo précise : « Nous étions toujours armés d'un pistolet ou deux. »

Fidel Castro était armé quand des policiers mexicains l'entourèrent et l'arrêtèrent en pleine rue, le 20 juin 1956. Il avait sorti ses pistolets mais, pour l'empêcher de tirer, les agents s'abritèrent derrière Universo Sánchez et Ramiro Valdés dont ils venaient de se saisir quelques secondes plus tôt. Fidel fut mis en joue et désarmé, puis contraint de monter dans une voiture de patrouille avec Sánchez et Valdés. Les trois hommes avaient abandonné l'un de leurs refuges à pied, ce matin-là, après avoir appris que la police fouillait les voitures garées devant la maison. Fidel et ses deux compagnons furent conduits à la prison du ministère de l'Intérieur, rue Miguel Schultz. Au cours de la nuit, la police rafla également une douzaine d'autres rebelles et certains de leurs amis, y compris María Antonia González et le pilote Alberto Bayo Cosgaya, le fils du général. Ce dernier évita d'être arrêté en restant caché pendant plusieurs semaines. La police fédérale mexicaine saisit des armes ainsi que des documents qui lui révélèrent l'existence du ranch de Santa Rosa et se prépara à y faire une descente. Fidel insista pour être autorisé à accompagner les policiers afin d'éviter toute effusion de sang. En arrivant à Santa Rosa dans l'après-midi du 24 juin avec d'imposantes forces de police, Fidel insista auprès de ses compagnons pour qu'ils se rendent sans résistance. Treize hommes furent arrêtés dans le ranch, y compris Che Guevara, mais la plupart des armes et des munitions avaient été transportées à Mexico la veille. Fidel et vingt-sept de ses partisans étaient désormais en prison ; un seul dirigeant du Mouvement restait encore en liberté, c'était Raúl Castro. Il semblait que la révolution castriste avait abruptement tourné court, en cette semaine de juin, et que le général Batista avait réussi à convaincre les autorités mexicaines d'écraser l'organisation du 26 juillet. Maintenant La Havane demandait l'extradition des prisonniers.

Castro savait que le complot contre sa vie avait échoué mais il ne savait pas jusqu'où la police mexicaine était disposée à faire le jeu de Batista. Il ne comprenait pas bien non plus le labyrinthe de la politique mexicaine où des factions et des bureaux officiels divers agissaient souvent sans aucune liaison entre eux ni avec la Présidence. En fait, Castro s'était senti suffisamment en confiance pour se rendre par avion à San José de Costa Rica, le 10 juin ; il devait y conférer avec des réfugiés cubains et des dirigeants costaricains. Il avait été arrêté dès son retour au Mexique.

Dans le camp *Fidelista,* on pensa à la trahison de quelque agent de Batista ou d'un transfuge, car la police mexicaine était au courant de tout, connaissait les adresses des refuges et celles des amis mexicains des rebelles. Le plus urgent était d'obtenir la mise en liberté de Fidel et de ses hommes avant qu'ils fussent déportés à Cuba. Juan Manuel Márquez, l'un des plus proches collaborateurs de Castro, rentra en toute hâte des Etats-Unis où il était allé acheter des armes et réunir de l'argent. Avec Raúl Castro il engagea deux avocats mexicains influents pour assurer la défense des détenus. Le 2 juillet, un juge ordonna la libération des Cubains, mais le ministre de l'Intérieur refusa d'obtempérer. La décision du juge avait pourtant empêché l'extradition des rebelles. Entre-temps, Fidel trouva nécessaire de se laver du reproche d'entretenir des liens avec les communistes. On le soupçonnait, en outre, de préparer l'assassinat de Batista à La Havane, et la police l'accusa d'être venu au Mexique avec l'aide de deux dirigeants communistes du mouvement syndical, le Cubain Lázaro Peña et le Mexicain Vicente Lombardo Toledano. En outre, la police le décrivait comme l'un des « sept communistes » arrêtés dans les rafles des 20 et 21 juin.

Manifestement, Castro n'avait pas intérêt à se laisser taxer de communisme ; aussi, dès le 22 juin, sans perdre de temps, il avait fait publier un démenti, du fond de sa prison. Chaque mot de ce texte se trouvait soigneusement pesé ; publié la semaine suivante dans *Bohemia,* il était ainsi rédigé : « Nul à Cuba n'ignore ma position à l'égard du communisme, car j'ai été l'un des fondateurs du *Partido del Pueblo Cubano* [*Ortodoxo*] avec Eduardo Chibás, qui n'a jamais conclu de pacte ni accepté de collaboration d'aucune sorte avec les communistes. » Il ajoutait que son Mouvement n'avait pas non plus de contacts avec l'ancien président Prío. Dans un long article publié par *Bohemia* le 15 juillet, Castro revenait de façon détaillée sur le sujet du communisme :

« Naturellement, le fait que l'on m'accuse d'être communiste est absurde aux yeux de tous ceux qui savent quel tour a pris ma vie publique à Cuba, sans aucune sorte de liens avec le parti communiste. Mais cette propagande est destinée à la consommation du public mexicain et aux agences de presse internationales, elle cherche à faire ajouter la pression de l'ambassade américaine aux efforts déjà exercés sur les autorités mexicaines... Le capitaine Gutiérrez Barros m'a donné lui-même lecture d'un rapport communiqué au Président du Mexique après une semaine de minutieuses enquêtes ; parmi les observations qu'il contient, il est catégoriquement affirmé que nous n'entretenons aucun rapport avec les organisations communistes... D'autre part, quelle autorité morale peut avoir M. Batista quand il parle du communisme, alors qu'il a été le candidat officiel du parti communiste aux élections présidentielles de 1940, que ses affiches le présentaient sous l'égide de la faucille et du marteau, que les images sur lesquelles il figure en compagnie de Blás Roca [alors secrétaire général du parti communiste] et de Lázaro Peña sont encore disponibles, qu'une demi-douzaine de ses ministres actuels et proches collaborateurs sont des membres notoires du parti communiste ? »

C'était la première fois que Castro associait publiquement Batista au parti communiste et la question se pose de savoir s'il y était poussé par un sentiment de colère envers un parti qui ne faisait pas cas de lui, ou par un souci de manœuvre tactique, pour sauver le Mouvement du 26 juillet. Blás Roca a déclaré à un journaliste américain en 1974, que « c'était pour des raisons de tactique », mais on ne peut imaginer ce qu'il aurait bien pu dire d'autre à ce stade. Il ne semble pas que Castro lui-même soit jamais revenu sur ce point en public. Mais le fait demeure qu'au moment de son incarcération au Mexique, Castro n'était guère d'accord avec les communistes sur la stratégie révolutionnaire à adopter.

Fidel écrivit dans l'article publié par *Bohemia :* « Il semble qu'il soit devenu courant dans ma vie, de devoir livrer les plus dures batailles pour la vérité au fond d'une cellule. » Il consacra le temps de sa détention à écrire et parler sans arrêt au nom de la révolution. Avec un incroyable aplomb, il recevait ses visiteurs dans le patio de la prison (les Mexicains se montraient très indulgents quant à la vie de société que menait leur prisonnier), portant toujours costume et cravate, nouant de nouvelles amitiés et envoyant des instructions à son appareil clandestin. C'est là que Teresa Casuso l'avait rencontré pour la première fois, dans le patio, quand elle était allée lui rendre visite en prison. Elle a décrit la scène en ces termes : « Plus de cinquante Cubains étaient rassemblés dans la grande cour centrale... au milieu d'eux, grand et rasé de près, avec ses cheveux châtains bien coupés, vêtu, avec sobriété et correction, d'un costume marron, se détachant du reste par son aspect et son attitude, se trouvait leur chef, Fidel Castro. Il donnait l'impression d'être noble, sûr, réfléchi — comme un grand Terre-Neuve... Il semblait suprêmement serein et inspirait un sentiment de confiance et de sécurité. » Pendant des années, Teresa Casuso a appartenu au groupe de ces femmes hautement intelligentes et remarquables qui ont soutenu Fidel.

Universo Sánchez se rappelle que Castro avait dû emprunter le « costume marron » qu'avait remarqué Teresa dans la cour de la prison, parce que « ses vêtements étaient en très mauvais état, et comme on le montrait beaucoup à la télévision, nous voulions que Fidel paraisse élégant ». Le vêtement appartenait à Armando Bayo, l'autre fils du général espagnol. Et Universo d'ajouter : « Comme Fidel représentait le groupe, il lui fallait un peu de *cachet*... » C'est également Universo qui, avec l'autorisation de Fidel, tenta de soudoyer un haut fonctionnaire mexicain pour obtenir la libération de tout le groupe moyennant un pot de vin de 25 000 dollars. (Fidel admit cependant par la suite que le Mouvement ne possédait pas plus de vingt dollars en caisse à ce moment-là.) Le fonctionnaire se montra très choqué, mais surtout par l'énormité de la somme. Universo déclara avoir appris plus tard que les Mexicains « pensèrent avoir attrapé un poisson beaucoup plus gros qu'il n'était en réalité parce que j'avais proposé trop d'argent ».

La tentative de subornation fit long feu mais les autorités mexicaines commencèrent néanmoins à relâcher les Cubains. Vingt et un d'entre eux furent libérés le 9 juillet, y compris Universo Sánchez, Ramiro Valdés et Juan Almeida ; puis quatre autres, plus tard dans la semaine. Il ne restait plus derrière les barreaux que Fidel Castro, Che Guevara et Calixto Garcia, accusés de résider encore au Mexique après l'expiration de leur permis de séjour. En désespoir de cause, les avocats du Mouvement parvinrent à prendre contact avec l'ancien président Lázaro Cárdenas, le vieux révolutionnaire, qui accepta d'intercéder directement auprès du président Ruíz Cortines. Comme personne au Mexique, président ou non, ne pouvait rien refuser au légendaire Cárdenas, le gouvernement relâcha Fidel le 24 juillet, plus d'un mois après son arrestation. Che et Calixto furent libérés le 31 juillet. Fidel se fit un devoir d'aller voir Cárdenas pour le remercier.

La révolution était de nouveau en route ; Castro ordonna de réorganiser le Mouvement et d'emmener la plupart des combattants avec armes et bagages à Mérida, dans le Yucatán (où la police saisit puis restitua un dépôt d'armes), à Veracruz et à Jalapa, sur la côte sud-est du golfe du Mexique. Fidel resta à Mexico avec un petit contingent. Che écrivit par la suite que les policiers mexicains, à la solde de Batista, avaient « commis l'absurde erreur de ne pas tuer [Fidel] après l'avoir fait prisonnier ». Guevara révèle également qu'après avoir été laissé seul avec Calixto derrière les grilles, il avait supplié Castro de ne pas l'attendre pour faire la révolution — il ne savait pas combien de temps il resterait en prison —, mais Fidel avait répliqué simplement : « Je ne t'abandonnerai pas. » Pour Che, cela signifiait que Castro faisait passer ses ardeurs révolutionnaires après ses sentiments d'amitié personnels ; et il commentait ainsi la chose : « Ces gestes de Fidel envers les gens qu'il apprécie expliquent le fanatisme qu'il éveille autour de lui... l'adhésion à un principe se double d'une adhésion personnelle qui fait de l'armée rebelle un bloc indivisible. » Che a composé un « Canto à Fidel », poème épique révolutionnaire qui se termine ainsi :

« Si le plomb nous arrête en chemin / Donnez-nous un mouchoir de larmes cubaines / Pour couvrir nos os de *guerilleros* / En transit vers l'Histoire des Amériques / Sans plus... » Guevara déclara à sa femme qu'il donnerait le poème à Castro, « en haute mer, quand [ils feraient] route vers Cuba ».

Le trentième anniversaire de Fidel Castro, le 13 août, le surprit en pleine activité politique révolutionnaire et fort occupé à tirer des plans, pour rattraper le temps perdu en prison et compenser la perte de Santa Rosa. Quarante nouvelles recrues, soigneusement choisies, étaient encore arrivées de Cuba et des Etats-Unis, dont dix anciens combattants de Moncada. Le nouveau contingent comprenait Camilo Cienfuegos Gorriarán, le jeune travailleur de La Havane qui avait été blessé, comme on l'a vu, lors d'une escarmouche avec la police ; il avait émigré entre-temps aux Etats-Unis où il avait épousé une Américaine. Son frère aîné, Osmany, se trouvait déjà au Mexique, mais non pas comme membre du Mouvement de Castro ; il appartenait à un groupe clandestin de communistes cubains qui assuraient la liaison entre La Havane et Mexico. Au mois d'août, Frank País, le jeune coordinateur du Mouvement pour l'Oriente (ce fils de pasteur protestant n'avait que vingt et un ans), se rendit secrètement au Mexique pour y avoir des conversations avec Castro au sujet du soutien que les rebelles devraient recevoir au moment où ils arriveraient à Cuba. Fidel demeurait résolu à tenir parole et à débarquer dans l'île avant la fin de l'année, malgré ses revers de l'été. Il proposait que l'invasion fût synchronisée avec des soulèvements armés dans tout l'Oriente et que l'on préparât un climat politique propice à une grève générale. L'idée était de forcer l'armée de Batista à se laisser distraire par de multiples actions armées, ce qui permettrait aux rebelles d'atteindre plus facilement la Sierra Maestra. Castro et País étaient d'accord pour ne plus envoyer, entre-temps, d'autres hommes au Mexique, mais de commencer à militariser le Mouvement dans le pays, en prévision de l'invasion. Simultanément, Fidel donnait pour instructions au Mouvement, dans la province d'Oriente, de retenir le pourcentage des collectes qui était normalement envoyé au Mexique (soit quatre-vingts pour cent, le reste étant comme toujours transmis au Directoire national).

Mais Castro avait également conclu que le moment était venu de favoriser l'unité entre les divers mouvements révolutionnaires, tant à l'intérieur qu'à l'extérieur de Cuba. A La Havane, où Batista essayait de persuader l'opposition de participer à des élections législatives en novembre 1957, l'appel à l'unité lancé par Castro se trouva au centre de toutes les conversations politiques. Dans une interview publiée par la presse cubaine, Fidel reconnaissait que l'unité telle qu'il la prônait maintenant supposait un changement de sa « ligne tactique », mais il attribuait cette évolution aux leçons que lui avaient inculquées les réalités. « Nous pourrons discuter ensuite entre nous, disait-il, mais pour l'instant, la seule solution honorable est de mener la lutte commune. » Castro avait rompu en mars avec le parti *Ortodoxo*, mais les revers de l'été exigeaient qu'il trouvât des appuis extérieurs et se procurât des alliés. En son for intérieur, il était persuadé qu'il dominerait toujours la situation.

La première étape fut la conclusion d'un pacte avec José Antonio Echeverría, le jeune président (il avait vingt-quatre ans) de la Fédération des Etudiants d'Université (FEU), secrétaire général du Directoire Révolutionnaire étudiant (DR). Echeverría se rendit à Mexico le 29 août et il s'entretint avec Fidel pendant quarante-huit heures presque sans discontinuer, à l'appartement de la rue Pachuca où Castro vivait en compagnie de Melba Hernández, Jesús Montané et Cándido González. Le 30 août, ils signaient une « Lettre de Mexico » où ils déclaraient que leurs organisations respectives avaient décidé « d'unir solidement leurs efforts contre la tyrannie pour mener à bien la révolution cubaine ». Castro et Echeverría ajoutaient que les conditions sociales et politiques à Cuba étaient « propices » et les préparatifs révolutionnaires suffisamment avancés pour que la liberté fût offerte à la nation dès 1956, et que « l'insurrection appuyée par une grève générale dans tout le pays fût invincible ». Dans la pratique, le Mouvement du 26 juillet et le DR prenaient l'engagement d'organiser des actions armées à travers le pays avant le débarquement, pour créer un climat révolutionnaire favorable, puis après l'invasion pour coordonner l'action commune avec celle des rebelles de Castro. Pourtant aucun plan spécifique n'était établi ; les deux chefs avaient clairement fait entendre que leurs organisations respectives conserveraient leur indépendance. Aucun commandement unifié n'était envisagé de part ni d'autre. En outre, aucun des deux partenaires n'avait assez d'armes pour lancer des opérations sérieuses. Tel était le problème immédiat.

Entre-temps, le régime de Batista chercha à miner l'ascendant de Castro en accusant celui-ci de recevoir de l'argent et des armes du dictateur dominicain d'extrême droite, Rafael Leónidas Trujillo, et d'envisager avec lui une invasion conjointe de Cuba. La chose était manifestement absurde, étant donné l'opposition systématique de Fidel à toutes les dictatures et sa participation à la conspiration de 1947 destinée à abattre ce même Trujillo. Il fulmina donc une lettre de quatre colonnes à *Bohemia*, où il déclarait : « le feu nourri de calomnies que vomit sur nous la dictature dépasse toutes les limites... Elle vient tout juste de me reprocher d'être membre de l'Institut mexicano-soviétique et militant communiste... » Castro écrivait aussi qu'il continuait à mépriser Trujillo et croyait « qu'en matière de révolution, les principes valent mieux que les canons... Nous n'échangerons jamais nos principes contre les armes de tous les dictateurs réunis... Batista, au contraire ne renoncera pas aux tanks, ni aux avions que les Etats-Unis lui envoient, non pour défendre la démocratie mais pour massacrer son propre peuple ». Désormais, Castro était devenu, à sa grande satisfaction, le sujet favori des discussions et des polémiques engagées dans la presse cubaine. C'était de la bonne propagande pour sa cause.

Cette cause exigeait pourtant de toute urgence des fonds pour s'imposer. Bien des amis de Castro ont prétendu, à ce stade, qu'il avait conclu un accord secret avec Prío, l'ancien président millionnaire, bien qu'il l'eût si souvent dénoncé : il fallait bien trouver des subsides pour le Mouvement du 26 juillet ! Castro n'a jamais confirmé ce point, mais dans un article publié par *Bohemia*, en août, il s'écarta de sa ligne habituelle pour déclarer : « Batista s'est montré impitoyable avec Prío, au-delà de toutes les limites permises ; il l'a accablé d'insultes, de perfidies et d'humiliations... [Pourtant] quand nous avons été arrêtés au Mexique et que l'on parlait avec insistance de notre expulsion, Prío — que j'avais si souvent attaqué — s'est conduit comme un homme d'honneur... Il a écrit, en sa qualité d'ancien président de Cuba, une lettre ouverte au président du Mexique pour lui demander de ne pas nous extrader. »

Selon la plupart des témoignages, la recherche de fonds, de la part de Castro, se plaçait sous le signe de l'unité révolutionnaire parmi les groupes hostiles à Batista. Après être sorti de prison, il avait rencontré, au Yucatán, Justo Carrillo, ancien président de la Banque cubaine de Développement industriel et agricole (jusqu'au coup d'état de 1952) et proche de la faction des militaires de Montecristi, hostile à Batista, dont la rébellion avait récemment avorté. On prétend que Carrillo avait donné cinq mille dollars à Castro. Mais la principale source de fonds restait Prío. Teresa Casuso — la nouvelle amie de Castro, veuve du fameux poète Pablo de la Torriente Brau, tué pendant la guerre d'Espagne — était également une amie de Prío. Elle raconte qu'à la demande de Castro elle avait pris l'avion pour passer cinq jours à Miami avec l'ancien Président « qui manifesta une grande envie de parler à Fidel ». En conséquence, celui-ci pénétra illégalement aux Etats-Unis en septembre, selon les récits de ses amis, pour rencontrer Prío dans la ville texane de McAllen, à l'hôtel Casa de Palmas. Les auteurs de plusieurs textes publiés prétendent que Castro reçut sur-le-champ cinquante mille dollars de l'homme dont il avait dénoncé naguère la corruption. D'après Teresa Casuso, « Prío contribua largement à payer les dépenses entraînées par deux années de coûteuses expéditions... et par les envois clandestins d'armes et de combattants ».

Au printemps de cette même année, Castro avait vu dans un catalogue d'armements la photographie d'une vedette lance-torpilles, dite PT [patrouilleur-torpilleur — c'était le type d'embarcation sur laquelle s'était illustré John Fitzgerald Kennedy quand il était dans la marine, pendant la guerre. NdT]. Le bateau était en vente à Dover dans le Delaware, sur le fleuve du même nom. Equipé de torpilles et d'un canon de 40 mm, il était connu pour sa rapidité et sa maniabilité. Un ami mexicain de Castro, Antonio del Conde Pontones, connu comme trafiquant d'armes sous le sobriquet de « El Cuate », fut envoyé avec Jesús Reyes pour examiner la vedette. L'embarcation semblait être en bonnes conditions, aussi les deux émissaires acceptèrent-ils de la payer vingt mille dollars avec un dépôt comptant de dix mille dollars, vers la mi-juin. Ils devaient prendre livraison du bateau et verser le complément de la somme quelques semaines plus tard. Mais au moment de la livraison Castro se trouvait en prison et El Cuate s'était fait prendre à son retour des Etats-Unis. Il ne put partir qu'en août pour le Delaware, avec les dix mille dollars (le reste du versement), en compagnie d'Onelio Pino et de Rafael del Pino (l'étudiant qui s'était trouvé avec Fidel à Bogotá en 1948 et qui appartenait maintenant au Mouvement), pour ramener le bateau dans un port mexicain. Comme tout semblait en ordre, El Cuate reçut comme instructions de s'arrêter à Miami pour y rencontrer Prío pendant que les deux Cubains concluaient l'affaire du bateau.

D'après El Cuate, il fut introduit auprès de Prío par Juan Manuel Márquez qui représentait alors le Mouvement aux Etats-Unis, et l'ancien président lui donna vingt mille dollars, dont il déclare : « Je les remis à Fidel à Mexico. » Cet argent était le bienvenu car, à ce stade, il s'était révélé impossible d'obtenir du gouvernement américain un permis d'exportation pour le PT — dont le propriétaire refusait maintenant de rembourser le prix en alléguant d'obscures raisons. En temps normal, il était facile d'obtenir des licences d'exportation mais, cette fois, le département d'Etat s'était montré réticent en raison des troubles enregistrés dans les Caraïbes. Or l'on ne pouvait sans courir de grands risques faire naviguer le bateau dans l'illégalité. La révolution était maintenant à cours de vingt mille précieux dollars et n'avait toujours pas de bateau capable de transporter les combattants à Cuba en temps utile pour que fût honorée la promesse de Castro. Celui-ci envisagea la possibilité d'acheter un hydravion Catalina PBY qui déposerait ses hommes à faible distance de la côte, mais il abandonna l'idée ; il rejeta également la suggestion d'Universo Sánchez qui proposait d'entamer la guerre par un bombardement aérien de la forteresse de La Cabaña, à La Havane.

Vers la fin de septembre, Castro et El Cuate étaient allés dans les collines au-dessus du port de Tuxpán, sur la côte du golfe, entre Tampico et Veracruz, pour essayer des fusils automatiques Remington calibre 30-'06 dans des conditions géographiques semblables à celles des sierras cubaines. El Cuate demanda alors à son compagnon de descendre avec lui jusqu'à la rive de la Tuxpán pour y inspecter un yacht qu'il voulait s'offrir. Mais quand Fidel le vit, il s'écria : « C'est dans ce bateau que j'irai à Cuba ! » Le Mexicain allégua que le beau navire blanc était trop luxueux, trop petit pour une telle expédition. Mais Castro répliqua : « Si vous pouvez me l'obtenir, c'est là-dedans que j'irai à Cuba. » El Cuate s'inclina. Comme il le proclama plus tard : « On ne peut dire non à Fidel. »

Le yacht s'appelait la *Granma* et appartenait à Robert B. Erickson, un Américain installé à Mexico. C'était une embarcation en bois, longue de douze mètres, construite en 1943 ; elle pouvait transporter jusqu'à vingt-cinq personnes en toute sécurité. Elle possédait deux moteurs diesel mais la capacité de ses réservoirs n'atteignait pas sept mille litres de fuel. Le bateau avait été coulé par un cyclone en 1953 et il était resté longtemps immergé. Il fallait dépenser beaucoup d'argent en réparations pour le rendre à nouveau navigable. Aussi Erickson acceptait-il de le vendre pour vingt mille dollars, à condition d'obtenir encore vingt mille dollars pour une maison moderne qu'il possédait également sur la Tuxpán. Castro décida de conclure le marché car il avait besoin d'une demeure où loger les hommes qui travailleraient à la *Granma* et ceux qui s'embarqueraient. Il procéda donc à un premier versement de dix-sept mille dollars et ordonna d'entamer immédiatement les travaux. Deux rebelles furent désignés pour occuper la maison et Onelio Pino fut nommé capitaine de la *Granma*.

Fidel était extrêmement optimiste maintenant qu'il avait fait l'acquisition du bateau, mais il gardait un regard rivé sur la politique cubaine et les activités des autres révolutionnaires. Pedro Miret, Faustino Pérez et Nico López étaient venus le rejoindre au Mexique pour prendre part à l'expédition. Ainsi tout l'état-major du Mouvement était-il à pied d'œuvre avec son chef. Le dirigeant de la FEU, José Antonio Echeverría, revint à Mexico en octobre pour s'entretenir une fois encore avec Castro. Mais les différences entre leurs personnalités, comme entre leurs façons d'aborder les problèmes de la révolution, furent encore plus profondément marquées que lors de leur première rencontre. A leur rivalité politique naturelle s'ajoutaient des divergences de vues sur la stratégie à adopter ; Echeverría insistait sur la poursuite d'actions violentes, Castro souhaitait une plus grande coordination. Manifestement, ce qui était en jeu entre les deux hommes c'était, à plus longue échéance, l'autorité suprême. Une semaine après le retour d'Echeverría à Cuba, un commando du Directoire révolutionnaire étudiant tua dans une embuscade le chef du SIM, le colonel Manuel Blanco Rico, au moment où l'officier quittait une boîte de nuit appelée Montmartre. L'agression, réalisée par Juan Pedro Carbó Servia et Roland Cubela (qui tenterait pendant les années 1960 d'assassiner Castro pour le compte de la CIA), avait pour cible le ministre de l'Intérieur, Santiago Rey ; mais celui-ci n'ayant pas fait son apparition comme prévu, le colonel avait été abattu à sa place. Castro jugea sévèrement l'événement. Dans une interview accordée à un journal, il déclara : « Je ne condamne pas les tentatives d'assassinat si cela peut être utile à la révolution, quand les circonstances l'exigent. Mais ces tentatives ne peuvent être perpétrées sans discrimination. Je ne sais pas qui a conduit l'agression contre Blanco Rico, mais je ne crois pas que, d'un point de vue politique et révolutionnaire, l'assassinat était justifié car la victime n'était pas un exécuteur. » A La Havane, la police envahit l'ambassade de Haïti, pensant y trouver Carbó qui n'y était pas, et massacra dix autres jeunes gens protégés par le droit d'asile politique.

Le 24 octobre, Frank País apporta d'autres mauvaises nouvelles de Santiago. Il était venu pour chercher à convaincre Castro d'ajourner le débarquement des rebelles jusqu'à l'année suivante ; en effet, comme il l'avait annoncé dans une lettre précédente, transmise par des voies secrètes, il nourrissait des doutes sur l'efficacité de ses groupes armés, en Oriente ; il les trouvait « mal protégés, mal préparés et mal coordonnés ». País et son ami Pepito Tey avaient travaillé dur pour organiser un réseau clandestin dans la province, rassembler des armes et préparer, comme convenu, le soulèvement de certaines unités du Mouvement du 26 juillet dans les villes, au moment où d'autres groupes protégeraient le débarquement des rebelles le long de la côte ouest de l'Oriente, entre Manzanillo et Pilón. Celia Sánchez, l'une des plus proches collaboratrices de País, était chargée de diriger ces groupes armés dans la zone du débarquement. Mais País estimait qu'une invasion était encore prématurée et il la déconseillait. Fidel et lui-même passèrent cinq journées à discuter, mais le jeune homme dut finalement accepter que l'opération eût lieu dans les deux mois. Castro s'était montré intraitable et il avait souligné qu'il perdrait toute crédibilité s'il ne tenait pas sa promesse de retourner à Cuba en 1956 ; de toute façon, après les arrestations de juin, il devenait trop dangereux de demeurer plus longtemps au Mexique.

Castro devait en outre régler un nouveau problème, et c'était les communistes qui le lui posaient. A la mi-octobre, Osvaldo Sánchez Cabrera, l'un des dirigeants du Parti Socialiste Populaire clandestin (PSP), qui passait la plus grande partie de son temps au Mexique, avait tenté de persuader Fidel de renoncer à débarquer à Cuba. Au nom de son parti, Sánchez Cabrera avait suggéré que l'invasion fût ajournée jusqu'à la fin janvier, au moment où commencerait la récolte de canne, de sorte que l'on pourrait alors lancer une grève parmi les ouvriers sucriers pour appuyer le débarquement. Une nouvelle fois, Fidel expliqua qu'il était vital pour lui de tenir sa parole. Vers la mi-novembre, l'état-major du PSP se réunit secrètement à La Havane pour envoyer un autre émissaire à Castro. Cette fois, c'était Flavio Bravo, l'ancien secrétaire général des Jeunesses socialistes, le mentor idéologique de Raúl et un ami de Fidel depuis le temps de leurs études à l'université. Lázaro Peña, qui résidait également au Mexique, était chargé d'organiser l'entrevue, mais Flavio rencontra par hasard Melba Hernández et Jesús Montané dans la rue, aussi le contact fut-il instantanément établi avec Fidel.

Le message des communistes était clair : le parti estimait que la situation intérieure à Cuba n'était « pas favorable à une action militaire avant le 31 décembre », que le projet de débarquement ne tenait pas compte des réalités et que la tentative pourrait se solder par un échec. Flavio Bravo rappela à Fidel qu'à un certain moment, au cours de la guerre d'indépendance, José Martí lui-même avait reconnu la nécessité « d'ajourner une action militaire pour créer des conditions matérielles et subjectives plus favorables. » Mais Fidel estimait qu'il comprenait les « conditions subjectives » mieux que le PSP (pour ne pas parler de Martí) et il le fit savoir à Flavio Bravo. L'envoyé persista à affirmer que l'opposition se trouvait très « désunie » et que la politique communiste de « front commun » et de « lutte des masses » n'obtenait guère de résultats satisfaisants. Le PSP, ajouta-t-il, souhaitait rassembler tous les groupes de jeunes révolutionnaires avant de les lancer dans une insurrection, sinon les masses ne suivraient pas. Spécifiquement, les communistes pressaient Castro d'accepter leur propre conception d'une union — qu'ils étaient vraisemblablement avides de diriger — et d'ajourner le débarquement. Fidel publierait une courte déclaration dénonçant Batista, faisant appel à l'union de l'opposition et réclamant des élections générales avec des garanties pour tous les partis politiques. Le parti suggérait que le mieux serait que Castro fît cette déclaration sous forme de « lettre ouverte » adressée aux ouvriers, aux étudiants, aux paysans, à la jeunesse et à toutes les institutions civiles. Ce serait le « dernier appel » en faveur d'une solution pacifique ; le refus probable de Batista justifierait aux yeux de l'opinion publique le recours à une action armée contre la dictature.

Castro lui expliqua patiemment qu'il n'avait pas le choix et devait même agir vite. Non seulement il avait une promesse à tenir, mais la police mexicaine était de nouveau passée à l'offensive. Elle avait découvert une cache d'armes, confisqué son contenu et arrêté Pedro Miret ainsi que Teresa Casuso. Si Castro ne prenait pas la mer le plus vite possible, il craignait de perdre tous ses hommes et tout son arsenal. Il espérait que son arrivée à Cuba serait saluée par des soulèvements et, bien que le temps manquât, il demandait au parti communiste un effort de coopération. Puis Castro conseilla à Flavio Bravo de prendre un vol direct pour La Havane au lieu de faire un détour, afin de mettre immédiatement son parti au courant des raisons pour lesquelles le Mouvement ne pouvait changer de tactique. Les récits officiels qui ont été faits de cet échange de vues, par la suite, donnent à entendre que ce fut là un tour d'horizon tout amical, mais Fidel avait dû livrer à cette occasion un dur combat politique ; les communistes continuaient à se méfier de lui et à vouloir lui dérober sa révolution.

Le même jour, il apprit que son père, Don Angel, était décédé à Birán le 21 octobre. On ne sait quelle fut la réaction de Fidel. On ne possède pas de lettres à ce sujet.

Le 19 novembre, le général Francisco Tabernilla, commandant en chef de l'armée, déclara à la presse : « Il n'existe aucune possibilité de voir se réaliser le débarquement annoncé par Fidel Castro », car « d'un point de vue technique, un débarquement opéré par un groupe de personnes exaltées et indisciplinées, dépourvues de toute expérience militaire et de moyens de combat, serait voué à l'échec ». Pourtant, au même moment, des navires de guerre et des avions cubains patrouillaient le long des côtes, entre le Pinar del Río à l'Ouest, et l'Oriente à l'Est ; les garnisons de l'armée et de la garde rurale (gendarmerie) étaient mises en état d'alerte.

Fidel Castro comprenait fort bien que la décision d'appareiller devait être prise immédiatement, mais il temporisait, surtout parce que la *Granma* n'était pas tout à fait prête. Une grande partie du travail sur les machines et l'amélioration des conditions générales de navigabilité avaient été effectuées trop vite et sans soin, en raison de l'urgence. Mais lorsque Castro apprit, le 21 novembre, la désertion de deux rebelles à l'entraînement dans le camp d'Abasolo, près de la frontière des Etats-Unis, au sud de Matamoros, il comprit qu'il ne pouvait se permettre d'attendre plus longtemps. La nuit du 23 novembre, il se rendit de Mexico à la maison de la rivière Tuxpán, pour surveiller le chargement des armes, des munitions et du ravitaillement à bord de la *Granma*. En même temps, les commandants rebelles respectifs dans tous les camps d'entraînement, d'Abasolo et Veracruz à Mexico, reçurent l'ordre d'acheminer leurs hommes vers Tuxpán. Ils commencèrent à arriver en bus et en voitures sous une pluie torrentielle.

Avant de quitter Mexico, Fidel avait envoyé des messages codés à Frank País, indiquant qu'il débarquerait le 30 novembre et que l'emplacement choisi serait une plage appelée las Coloradas, au-dessous de la ville de Bélic, au sud de Niquero, sur la côte occidentale de l'Oriente. Le 24 novembre, en route vers Tuxpán, il rédigea son testament qui devait être confié aux amis avec lesquels vivait Fidelito depuis plus d'un an. Il avait écrit : « Je laisse mon fils à la garde de l'ingénieur Alfonso Gutiérrez et de sa femme Orquídea Pino. J'ai pris cette décision parce que je ne veux pas voir en mon absence mon fils Fidelito entre les mains de ceux qui ont été mes ennemis et détracteurs les plus féroces, ceux qui, par un acte de bassesse sans limites, ont utilisé les liens familiaux qui m'attachaient à eux pour attaquer mon foyer et le sacrifier à la tyrannie sanglante qu'ils continuent de servir. Parce que ma femme s'est montrée incapable de se libérer de l'influence de sa famille, mon fils pourrait être élevé dans les exécrables idées que je combats aujourd'hui. Si j'adopte cette mesure, ce n'est pas par ressentiment mais en pensant seulement à l'avenir de mon fils. Je le laisse à ceux qui peuvent lui assurer la meilleure éducation, une famille bonne et généreuse, mes meilleurs amis dans mon exil, des personnes chez qui les révolutionnaires cubains ont trouvé un vrai foyer. Je leur laisse mon fils, à eux et au Mexique, pour qu'il puisse grandir et s'instruire dans ce pays libre et amical, dont les enfants se sont montrés héroïques. Il ne doit pas retourner à Cuba avant qu'elle soit libre ou qu'il puisse combattre pour la libérer. J'espère que ce désir, juste et naturel de ma part en ce qui concerne mon fils unique, sera respecté. »

(Le 15 décembre, quelques jours à peine après le débarquement de la *Granma*, la sœur de Fidel, Emma, déclara à la police mexicaine : « Trois inconnus armés de pistolets ont intercepté la voiture dans laquelle nous nous trouvions, au coin des avenues Revolución et Martí, et ont enlevé mon neveu Fidel Castro Díaz, âgé de sept ans... » A La Havane, le ministre des Affaires étrangères, Gonzálo Güell, annonça : « L'enfant est avec sa mère ; cela exclut toute possibilité de considérer qu'il s'agit d'un enlèvement... »)

Une cape noire jetée sur son costume de laine sombre, Castro affrontait la pluie, sur le quai, et regardait ses quatre-vingt-un hommes monter à bord du petit yacht blanc. Le port de Tuxpán était fermé en raison de la tempête mais El Cuate avait convaincu son ami, le chef de la capitainerie du port, de le laisser partir car « j'avais projeté d'organiser une petite fête à bord ». Universo Sánchez demanda : « Quand allons-nous monter sur le vrai bateau ? Où est le grand bateau ? » A 1 h 30 du matin, le 25 novembre, les machines de la *Granma* furent mises en marche ; le bateau largua les amarres et se mit à descendre la rivière, tous feux éteints, en direction de l'Ouest, de la mer et de Cuba. El Cuate suivit le yacht, dans sa voiture, sur la route parallèle à la rive, jusqu'au moment où il atteignit la haute mer et disparut dans l'obscurité.

9

Entre Tuxpán, sur la côte mexicaine du golfe, et les rivages cubains de la province d'Oriente, la traversée de la *Granma* fut un vrai cauchemar. Sept jours et quatre heures au lieu des cinq jours et cinq nuits prévus par Fidel Castro. Les conditions météorologiques étaient terrifiantes. Fouetté par un puissant vent du nord — *El Norte* —, ralenti par des avaries, le yacht traînait péniblement sa charge écrasante de quatre-vingt-deux personnes lourdement armées, alors qu'il était conçu pour transporter vingt-cinq passagers. (Fidel avait laissé derrière lui cinquante autres rebelles, faute de pouvoir trouver le moindre centimètre carré libre à bord.) Il n'y avait pas plus de trois marins professionnels pour conduire le bateau, ce qui contribua encore à accroître les épreuves des hommes et le retard du bâtiment. Ce retard, à son tour, provoqua une tragédie bien inutile à l'arrivée.

Le plan de Castro était risqué, à cause de la surcharge des voyageurs à bord de la *Granma*, mais il n'était pas entièrement déraisonnable. Par un temps relativement beau, tout se serait bien passé, c'est-à-dire que le yacht serait arrivé à destination à peu près au moment voulu et par la route choisie — longue de 2 000 kilomètres — qui se justifiait, d'un point de vue stratégique. Le yacht aurait dû naviguer presque en ligne droite selon une direction ouest-est; aller d'abord de Tuxpán à la pointe de la péninsule du Yucatán pour sortir du golfe du Mexique, puis franchir le tronçon de mer compris entre le bout de cette péninsule et l'extrémité occidentale de l'île de Cuba (c'était la partie du voyage la plus dangereuse parce que les patrouilles cubaines, maritimes et aériennes, pouvaient y repérer facilement le bateau); descendre alors vers le Sud, à distance prudente des plages méridionales de Cuba, pour atteindre enfin la côte ouest de l'Oriente, à la hauteur de Niquero. Le risque de se faire prendre dans le golfe du Mexique était minime; les forces maritimes et aériennes de Batista ne pouvaient opérer aussi loin; quant à la traversée de la zone des Caraïbes, Castro pensait tromper la vigilance de ses adversaires en naviguant loin des côtes cubaines, cap à l'Est, jusqu'à parvenir en vue des rivages de l'Oriente, pour foncer ensuite vers la plage au dernier moment. Les forces de Batista ne patrouillaient pas si loin vers le Sud ; Castro se maintiendrait pratiquement à la limite des eaux territoriales britanniques au large des îles Cayman.

Le temps était extrêmement mauvais, ce qui rendit la traversée excessivement difficile. La *Granma* devait chevaucher les vagues avec un poids trop élevé, des machines mal adaptées à cet emploi et un équipage peu compétent. Castro n'avait pas voulu différer le départ, par crainte de voir les autorités mexicaines saisir l'expédition au dernier moment et liquider toute l'entreprise. Sa décision d'appareiller immédiatement équivalait à parier que la chance ne l'abandonnerait pas. De Mexico, il envoya un télégramme à Frank País, à Santiago, le 27 novembre ; le texte était ainsi rédigé : LIVRE EN COMMANDE EST ÉPUISÉ ; signé : Editions *Divulgación;* c'était le signal codé annonçant le départ du bateau et l'arrivée probable de celui-ci le 30 novembre en début de journée. Deux autres messages codés furent expédiés, l'un à La Havane pour le Directoire révolutionnaire des Etudiants, l'autre à Santa Clara, pour la Résistance locale.

Pourtant le mauvais temps défavorisait également Batista. Le régime commençait à penser, sans le dire, que Fidel était peut-être assez fou pour tenter de se ruer à Cuba ; ses services de renseignements avaient établi une liste des navires présents dans les ports mexicains et que les rebelles pourraient projeter d'utiliser pour une invasion de l'île. Parmi eux figurait la *Granma*. A partir du 5 novembre, dans le plus grand secret, l'armée de l'air se mit à patrouiller en permanence le long des côtes nord et sud de l'Oriente avec un bombardier léger B-52 (voire plusieurs) ou des transporteurs C-47. (L'Histoire cubaine avait persuadé Batista, tout comme Castro, que le débarquement *devait* avoir lieu en Oriente.) Mais sur la côte méridionale l'avion n'allait pas au-delà de trente kilomètres du rivage et c'était bien ce que Castro avait prévu, au moment où il naviguait à plus de 250 kilomètres au sud. Le mauvais temps généralisé qui régnait au cours des derniers jours de novembre avait d'ailleurs bien réduit les activités maritimes et aériennes de Batista. Pourtant le régime avait commencé à envoyer des troupes au sol dans la région de l'Oriente ; des unités d'artillerie furent justement expédiées par avion de La Havane à Holguín, le lendemain du départ de la *Granma ;* la garnison de Santiago fut renforcée et mise en état d'alerte.

Pour les membres de l'expédition, l'horreur avait commencé à l'instant où le bateau était entré dans le golfe du Mexique, juste avant l'aube du 25 novembre. Ils avaient salué la haute mer en chantant l'hymne national cubain et la Marche du 26 juillet, et aux cris de « *Viva la Revolución !* », « A bas la dictature de Batista ! » — puis ce fut la mer qui les attaqua. Aussitôt la plupart des hommes furent pris de violentes nausées (et comme le dit Universo Sánchez : « commencèrent à faire dans leurs pantalons »). Ce n'était plus une unité combattante mais une bande de pauvres gars très malades. Che Guevara a écrit que « tout le navire présentait un aspect ridiculement tragique : les hommes avaient l'angoisse peinte sur le visage et se tenaient l'estomac à deux mains ; certains plongeaient la tête dans des seaux ; d'autres gisaient immobiles, dans les plus étranges postures, les vêtements couverts de vomi ; à part les trois marins et quatre ou cinq autres, toute la troupe avait le mal de mer. « Che, Fidel et Faustino Pérez étaient parmi ceux qui n'avaient pas succombé à la nausée ; Guevara fouillait frénétiquement le yacht en quête d'antihistaminiques, mais en vain. Puis la *Granma* commença à faire eau ; il se révéla que les pompes étaient hors d'usage et il fallut écoper avec deux seaux jusqu'au moment où la fuite put être localisée et colmatée.

Le troisième jour, le temps s'améliora et Fidel ordonna un nouveau calibrage des fusils ; il y eut quelques exercices de tir. Mais il apparut alors que le bateau ne filait que 72 nœuds, au lieu de 10 nœuds comme le capitaine Onelio Pino et Fidel Castro l'avaient prévu. En outre, il avait fallu zigzaguer en raison du mauvais temps, et le décalage s'était encore accru de ce chef. Là-dessus, l'une des machines se mit à donner des inquiétudes. L'expédition commençait à prendre un sérieux retard. Quand les hommes eurent commencé à se sentir mieux, ils demandèrent à manger et Castro dut rationner les vivres après avoir compris que la *Granma* n'arriverait jamais à destination en cinq jours. Dans la précipitation du départ, il n'avait pris que 2 000 oranges, 48 boîtes de lait condensé, 4 jambons cuits, 2 jambons en tranches, une caisse d'œufs, 100 tablettes de chocolat et neuf livres de pain. Cela ne suffirait certes pas à faire vivre quatre-vingt-deux hommes pendant une semaine ou plus. Au cours des deux derniers jours, il n'y eut plus ni vivres ni eau potable à bord. Le 29 novembre, la *Granma* arriva en vue de deux bateaux de pêche, mais comme Castro faisait mettre ses deux canons antitanks en batterie dans la perspective d'un éventuel combat, les pêcheurs disparurent.

A l'aube du vendredi 30 novembre, l'expédition croisait au large de Grand Cayman ; elle n'avait parcouru que les trois quarts du trajet. Mais c'était juste à ce moment-là que Frank País et les groupes armés du Mouvement du 26 juillet, à Santiago, s'attendaient à la voir arriver sur les plages comme cela était prévu. País avait préparé un soulèvement qui devait coïncider avec le débarquement, conformément au plan qu'il avait établi avec Castro. Il n'avait aucun moyen de savoir que la *Granma* était en retard de quarante-huit heures sur son horaire. Aussi, à sept heures du matin, son détachement, pathétiquement faible, formé de vingt-huit hommes seulement, s'en prit au quartier général de la police nationale et de la police maritime, comme prévu, en espérant faire suivre cette attaque d'un assaut contre Moncada. Revêtus d'uniformes vert olive et portant le brassard rouge et noir du Mouvement du 26 juillet, les rebelles incendièrent la caserne de la police nationale, mais perdirent Pepito Tey, l'un des principaux dirigeants du Mouvement à Santiago, tué par un tir de mitrailleuse. Au siège de la police maritime, ils prirent un certain nombre d'armes mais n'eurent pas la possibilité de faire mouvement vers Moncada ; l'armée avait mis en place dans la ville quatre cents membres des forces anti-guérillas, supérieurement entraînés, les combats de rues se prolongèrent pendant la journée du lendemain, puis tout rentra dans l'ordre. Le Mouvement avait perdu trois de ses chefs militaires locaux (Frank País réussit à s'en sortir sans dommage) et neuf combattants avaient été tués par la police. Non seulement l'insurrection avait échoué, mais le régime savait maintenant que Castro était sur le point de débarquer... quelque part. Ni à La Havane ni en d'autres points de l'île, le Mouvement et le Directoire révolutionnaire des Etudiants n'avaient les moyens d'organiser une action armée quelconque. Castro apprit par la radio cubaine la tragédie de Santiago et grinça des dents avec une rage impuissante. Il dit à Faustino Pérez : « Je voudrais pouvoir voler... »

Sur les plages, entre Niquero et Pilón, les membres du Mouvement du 26 juillet attendaient vainement depuis l'aube. Celia Sánchez Manduley, la coordinatrice du Mouvement à Manzanillo, avait rassemblé cinq camions, des barils d'essence et plusieurs douzaines d'hommes près de la ville de Bélic et de la plage Colorada. Selon le plan, les hommes débarqués de la *Granma* devaient être transportés d'abord à Niquero et à Media Luna où ils saisiraient les armes de la gendarmerie locale, puis les membres du Mouvement les auraient accompagnés à la Sierra Maestra où Castro devait entamer sa campagne de guérilla. A l'intérieur des terres, des paysans favorables au Mouvement avaient tout préparé pour accueillir chez eux et nourrir les *Fidelistas*. Mais, faute de voir arriver Castro, quand Celia apprit le fiasco de l'insurrection à Santiago, elle ordonna aux « comités d'accueil » de se replier, le soir du 1er décembre. Dès lors, la petite armée de la *Granma* serait livrée à elle-même lors de son arrivée, si elle parvenait à toucher terre.

Cette nuit-là, le samedi 1er décembre, le yacht blanc tanguait sur les vagues en approchant des côtes d'Oriente dans une obscurité totale. Il n'y avait pas de lune ni aucune lumière sur le rivage. Castro ordonna aux rebelles d'enfiler leurs uniformes vert olive et distribua les armes. Les membres de l'équipage montaient sans cesse sur le toit de l'habitacle pour tenter d'apercevoir le phare du cap Cruz qui leur permettrait de faire le point (ce cap formait la pointe sud-ouest de la péninsule) lorsque le navigateur, Roberto Roque, glissa et tomba par-dessus bord. Castro ordonna de faire demi-tour et de chercher à le repêcher malgré l'obscurité. Après avoir décrit des cercles pendant une heure, les rebelles entendirent une faible voix répondre à leurs appels ; miraculeusement, ils parvinrent à retrouver le disparu à la seule lueur d'une lanterne brandie au-dessus des vagues. Faustino Pérez et Che Guevara, médecins l'un et l'autre, ramenèrent à la vie le navigateur à moitié noyé et Castro proclama que l'on était désormais en route vers la victoire.

La *Granma* reprit sa prudente progression vers la côte et pénétra dans le chenal de Niquero. Mais en voyant les bouées, le capitaine comprit que ses relevés étaient faux et qu'il ne retrouverait pas son chemin. L'aube du dimanche 2 décembre commençait à poindre quand le yacht heurta soudain un banc de vase à marée basse et s'arrêta net ; il était quatre heures et vingt minutes. L'embarcation s'était échouée à Los Cayuelos, près de deux kilomètres au sud de l'endroit où Castro avait voulu débarquer et juste au-dessous d'un point appelé, par une ironie du sort, Purgatorio. Les hommes reçurent l'ordre de sauter dans l'eau en emportant seulement leurs armes individuelles. Tout l'armement lourd et les équipements furent abandonnés. René Rodríguez, un poids léger, se lança le premier et le sol résista sous ses pas. Castro le suivit mais, beaucoup plus lourd, il s'enfonça dans la vase jusqu'aux hanches. Che Guevara remarqua par la suite : « Ce n'était pas un débarquement ; c'était un naufrage. » Le yacht s'était échoué à cent mètres de ce qui semblait être la côte. Fidel et ses hommes parvinrent à patauger jusque-là. Che Guevara et Raúl Castro furent les derniers à quitter le bâtiment en essayant de sauver quelques équipements.

En atteignant le rivage, les rebelles comprirent qu'ils se trouvaient entourés par une mangrove, un vaste marécage de palétuviers, dans l'eau jusqu'aux genoux et parfois jusqu'au cou, trébuchant sur des racines noueuses surgies devant eux, comme autant d'obstacles opposés à leur marche en avant, le visage battu et lacéré par des lianes et des feuilles coupantes comme des lames de rasoirs, exposés aux attaques de nuages de moustiques résolus à les dévorer vivants. Leurs lourdes bottes toutes neuves ralentissaient leur avance, mais certaines d'entre elles étaient déjà si trempées et déchiquetées qu'elles commençaient à tomber en lambeaux, de même que les uniformes. Les fusils et les munitions furent mouillés, les équipements perdus. Les membres du haut commandement, c'est-à-dire Fidel Castro, Juan Manuel Márquez et Faustino Pérez (le premier avec le titre de commandant en chef et les deux autres avec un grade de capitaine), montraient la voie aux hommes qui butaient sans cesse sur des troncs immergés, tombaient, se remettaient mutuellement debout, s'appuyaient les uns sur les autres, mais parvenaient pourtant à progresser. Il faut avoir tenté de traverser soi-même une mangrove pour commencer à comprendre que l'effort a de quoi faire perdre le souffle au plus robuste.

A certain moment, Castro se sentit en proie à la peur paralysante d'avoir atterri sur un îlot de la côte (il y en a près de deux mille le long des rivages cubains) et non pas sur la terre ferme, de sorte qu'ils étaient pris au piège de l'eau, sans aucun moyen d'en sortir. Mais bientôt l'un des hommes, appelé Luis Crespo, parvint à grimper sur un arbre et, dans les premières lueurs de ce matin d'hiver, il put discerner la terre, des palmiers, des cabanes et des montagnes au loin. La petite armée de guérilleros de Castro mit encore deux heures pour parvenir sur un terrain plus solide, en traversant le marécage et un lagon qui se trouvait en son centre — soit moins de quinze cents mètres en ligne droite. Ce fut une expérience terrifiante et épuisante pour eux après une semaine passée en mer dans le yacht surpeuplé. Quand ils parvinrent enfin sur un sol plus ferme, ils s'effondrèrent, tout pantelants, pour se reposer. Mais Juan Manuel Márquez et sept hommes étaient manquants. Ils semblaient avoir été engloutis par le marécage et leurs compagnons avaient des raisons de s'inquiéter à leur sujet.

Pourtant Castro avait tenu parole ; il était revenu à Cuba avant la fin de l'année 1956, et maintenant il se trouvait à pied d'œuvre pour faire à Batista une guerre ouverte. Comme José Marti qui avait débarqué à Playitas à la faveur des ténèbres avec une poignée de compagnons, soixante ans plus tôt, Castro se tenait sur la côte d'Oriente, en cette journée du 2 décembre, impatient de libérer Cuba de ses ennemis intérieurs.

C'était le début d'une guerre de vingt-cinq mois et il fallait tout l'optimisme, toute la foi de Castro pour penser en cet instant qu'il parviendrait à survivre, avec son petit corps expéditionnaire, sans même parler de victoire finale. L'après-midi du 2 décembre, la bande avait retrouvé tous ses effectifs, soit quatre-vingt-un hommes (Juan Manuel Márquez et les sept disparus avaient rejoint le gros de la troupe après être sortis de la mangrove un peu plus au nord), mais elle ne comptait plus qu'un armement des plus réduits ; elle se trouvait dépourvue de nourriture et privée de contacts avec le reste du Mouvement. Le régime de Batista avait, quant à lui, une armée permanente, une aviation et une flotte — soit au total plus de quarante mille hommes —, outre une gendarmerie militarisée (la garde rurale) et la police nationale. Elle possédait des tanks Sherman et de l'artillerie ; à la mi-novembre, peu avant le débarquement de Castro, l'ambassadeur des Etats-Unis à La Havane, Arthur Gardner, avait remis à l'armée de l'air cubaine une escadrille de T-53, des avions à réaction destinés à l'instruction des personnels mais également utilisables au combat. Les Etats-Unis continuaient à soutenir le gouvernement de Batista, sans tenir compte du fait que celui-ci suscitait dans le pays une opposition croissante et plus forte de jour en jour. A Washington, on ignorait manifestement encore l'existence d'une petite bande de révolutionnaires résolus à débarquer dans l'île.

Batista, cependant, était fin prêt pour accueillir Castro. Par suite du soulèvement de País à Santiago, le 30 novembre, les garanties constitutionnelles avaient été levées pour quarante jours ; moins de deux heures après le débarquement, les autorités militaires étaient informées du retour de Castro à Cuba. Une péniche chargée de sable, la *Jibarita*, et un canot côtier avaient repéré la *Granma* enlisée dans la vase à peu de distance de Los Cayuelos et alerté les autorités maritimes. La nouvelle d'un débarquement réalisé par des inconnus sur la côte sud-ouest parvint au commandement de la garde rurale à Manzanillo peu après sept heures du matin, juste au moment où les rebelles atteignaient la terre ferme. Une patrouille fut aussitôt envoyée sur les lieux mais elle revint sans avoir trouvé trace des *Fidelistas*. L'officier commandant le poste signalait pourtant que les paysans parlaient de « deux cents hommes environ, bien armés et commandés par M. Fidel Castro ».

C'était Castro qui avait révélé lui-même son identité aux habitants. Sur les hautes terres juchées au-dessus de la mangrove, les rebelles avaient découvert une cabane de charbonnier appartenant à un certain Angel Pérez Rosabal ; c'était la première personne qu'ils rencontraient à terre. Castro lui dit : « Ne craignez rien, je suis Fidel Castro et nous sommes venus libérer le peuple cubain. » C'était exactement le genre de chose que l'on pouvait attendre de Fidel, mais on ne peut croire aisément à la version officielle selon laquelle Rosabal, paysan indigent et illettré, avait déjà entendu parler de Castro, dans cette région dépeuplée et misérable. En tout cas, Rosabal invita celui-ci et plusieurs de ses hommes à pénétrer dans la cahute et partagea son repas avec eux. A ce moment retentit une violente explosion sur la côte et Fidel ordonna de gagner les collines voisines à marche forcée, Rosabal guida la colonne. Le bruit provenait du bombardement des palétuviers par un navire des gardes-côtes et par un avion de l'armée de l'air, après la découverte de la *Granma*. Castro craignait que les abris le long de la côte ne fussent également visés par les bombardiers. Très probablement, un paysan de l'endroit avait dû entendre Castro se présenter à Rosabal et avait passé le mot aux gendarmes. Rosabal lui-même rentra chez lui vers le milieu de l'après-midi. Dans les collines, les rebelles affamés rencontrèrent deux autres paysans qui les conduisirent à un puits et leur donnèrent de l'eau ; ils trouvèrent également une ruche et firent main basse sur le miel.

Tandis que la petite troupe de Castro bivouaquait sur une colline boisée pour y passer sa première nuit à terre, le régime se vantait déjà d'avoir remporté une victoire totale. Des forces de gendarmerie et un bataillon d'artillerie convergeaient encore vers Niquero où l'on s'attendait à une attaque des rebelles et de nouveaux renforts étaient acheminés vers la région ; mais bien que les forces gouvernementales ne fussent pas parvenues à localiser leurs ennemis, ce dimanche-là, le général Pedro Rodríguez Avila, inspecteur général de l'armée et commandant en chef des opérations en Oriente, fit savoir à la presse qu'un bombardement aérien avait « pilonné » pendant la nuit le corps expéditionnaire, et anéanti quarante membres du haut commandement du Mouvement révolutionnaire du 26 juillet... parmi lesquels son chef, Fidel Castro, âgé de trente ans. Le général ajouta que l'armée avait retrouvé les corps des rebelles ; ceux de Fidel, de son frère Raúl Castro et de Juan Manuel Márquez avaient été identifiés, prétendait-il, grâce à des papiers trouvés dans leurs poches... Les insurgés, déclara le général, avaient été « littéralement pulvérisés » par l'aviation ; on indiquait aussi de source officielle que les cadavres avaient été « provisoirement » enterrés dans des tombes peu profondes et seraient ramenés à La Havane par des navires de guerre. Ce communiqué de l'armée fut à l'origine d'une dépêche diffusée dans le monde entier par Francis McCarthy, chef du bureau de l'agence United Press à La Havane, annonçant que Castro avait été tué et que son identité était confirmée par l'examen du passeport trouvé dans sa poche. Au début, l'histoire ne fut pas mise en doute, ni à Cuba ni dans le reste du monde, mais bientôt la crédibilité du régime de Batista subit à son grand dam les effets de ce communiqué mensonger. (Castro lui-même ne pardonna jamais à McCarthy d'avoir prématurément annoncé sa mort ; le correspondant de l'UP dut quitter Cuba après la victoire des *Fidelistas*.)

La Sierra Maestra est un massif montagneux qui s'étend le long de la côte sud de l'Oriente ; elle commence par des contreforts à l'Ouest, juste au-delà du cap Cruz, et se prolonge jusqu'à Santiago vers l'Est. Elle ne couvre que 130 kilomètres environ, de bout en bout, et sa plus grande largeur ne dépasse pas 50 kilomètres, du Sud au Nord. Sa ligne de crêtes, appelée *el firme* en espagnol, se dresse à quelque 1 350 mètres en moyenne et son sommet le plus haut, le Pico Turquino (c'est aussi le point le plus élevé de Cuba), dépasse à peine 1 800 mètres. Le terrain est rebutant — avec une alternance de vallées et de pics montagneux, de forêts et de rochers, où circulent cours d'eau et torrents. Aujourd'hui encore, la région reste pauvre et la population y est toujours clairsemée. Au temps où Fidel Castro s'y était installé, elle était presque entièrement coupée du reste du pays, faute de grandes voies de communication bien pavées : ses routes en terre étaient souvent impraticables en raison des pluies diluviennes qui les transformaient en rubans de boue rouge et profonde. S'il était difficile de se déplacer dans ces montagnes, la Sierra Maestra offrait un terrain idéal à la guérilla. Une fois que l'expédition se trouva sur la rive, à Los Cayuelos, et que le projet d'occuper Niquero et Media Luna eut été abandonné, il devenait urgent pour Castro de traverser les contreforts occidentaux de la sierra, où les rebelles étaient vulnérables aux attaques terrestres et aériennes, pour gagner au plus vite le refuge impénétrable de la montagne. Au cours de leur progression vers l'Est en direction de ce havre, les hommes avaient pour instructions de garder toujours les champs de cannes basses à leur gauche et les montagnes à leur droite.

Certes, Castro avait toujours eu l'intention de mener sa guerre du haut de la Sierra Maestra, et tous les préparatifs réalisés par ses partisans sur la côte étaient destinés à lui faciliter la chose, mais un doute subsiste encore aujourd'hui sur la nature de la véritable stratégie qu'il avait en tête au moment où il débarquait à Cuba. Faustino Pérez, qui était l'un des deux chefs d'état-major de Fidel, a déclaré : « [Pendant la traversée de la *Granma*,] aucun de nous n'était convaincu que le poids du combat reposerait principalement sur une armée formée dans les montagnes. » Il explique : « Ce que nous imaginions, c'était un Mouvement d'ampleur nationale qui organiserait une grève générale où la présence d'une bande de guérilleros revêtirait une grande importance symbolique ; mais cela ne signifiait pas que cette troupe pourrait, à un moment donné, infliger une défaite aux armées de la tyrannie. » Et Faustino d'ajouter : « Ce qui s'est passé c'est que les camarades installés dans la montagne ont commencé à se sentir en confiance, que la guérilla a pris de l'ampleur, que des coups ont été portés à l'armée du tyran et qu'il est ainsi devenu concevable de mettre sur pied une armée révolutionnaire capable de battre les forces de la tyrannie. » A ce moment-là, dit-il, les groupes urbains du Mouvement du 26 juillet croyaient que l'on pourrait obtenir de bons résultats en livrant bataille dans les villes.

Fidel Castro, pour sa part, avait une idée différente de la stratégie de base des rebelles — du moins en a-t-il une aujourd'hui. Dans une interview qu'il a donnée vingt ans après le début de la guérilla, il a déclaré : « Nous ne sommes pas arrivés là dans le but de créer un foyer d'agitation qui s'étendrait à tout le pays et nous ne pensions pas non plus que le problème serait résolu par un coup d'état militaire ; nous avons toujours été hostiles à l'idée d'un tel coup. » Ces divergences entre les interprétations que donnent Pérez et Castro de la stratégie initiale de la guérilla sont très importantes pour la bonne compréhension de tout le processus révolutionnaire cubain. En effet, cette discussion sur le point de savoir si la direction générale des opérations devait revenir à la Sierra ou être partagée avec les groupes de résistants urbains, devint très vite la question politique capitale pour la conduite de la guerre. Par la suite, cela entraîna la suppression du Mouvement du 26 juillet et l'apparition de « l'unité », sous la direction du nouveau parti communiste de Castro. Pourtant, en toute honnêteté, il faut reconnaître qu'à plusieurs reprises, *avant* le débarquement de décembre 1956, Castro avait contesté violemment qu'une révolution fût compatible avec le maintien de l'armée existante ; et Faustino lui-même admet que les rebelles devaient créer leur propre force armée ; il reconnaît aujourd'hui qu'après l'installation de Castro dans la sierra, la création d'une véritable armée rebelle était devenue possible. En attendant, après cette première nuit inconfortable passée sur le sol cubain, une priorité immédiate s'imposait à Castro : atteindre la Sierra Maestra.

Comment Castro put-il se remettre d'un terrible revers initial, regrouper ses forces, les mener au combat, commencer à remporter des victoires sur les forces de Batista et former en fin de compte son armée rebelle victorieuse ? Cela ne s'explique que par l'extraordinaire soutien qu'il reçut des paysans de la Sierra Maestra. Sans cet appui, fourni d'abord par des individus isolés, puis par de vastes réseaux de paysans, Castro n'aurait jamais survécu aux premières semaines qu'il avait passées dans la montagne et n'aurait pas été en mesure d'organiser sa guérilla. D'emblée, les paysans et leurs familles cachèrent et protégèrent cette petite bande de rebelles affamés et mal armés. Ils lui servirent de principale ligne de communication et lui permirent de recevoir de la nourriture, des armes, des munitions et tout le ravitaillement qui pouvait être trouvé dans la sierra ou devait être fourni par les groupes de la Résistance. Finalement, ils furent le réservoir où Castro puisa ses effectifs. Ce ne fut pas une révolution paysanne qui amena Castro au pouvoir, mais la révolution n'aurait pas eu lieu sans les paysans à qui Castro sut inspirer un esprit de sacrifice et de solidarité étonnant, malgré le danger que cela présentait pour leur vie.

L'histoire des relations entre les rebelles de Castro et les paysans de la Sierra Maestra commence avec la débâcle d'Alegría de Pío, le mercredi 5 décembre, lorsque la gendarmerie piégea, dispersa et détruisit peu ou prou le corps expéditionnaire, quatre jours à peine après son arrivée à Cuba. Les hommes avaient passé leur deuxième nuit, du 3 au 4 décembre, dans une clairière, sur une colline boisée appelée La Trocha. Ils avaient marché vers l'Est pendant toute la journée sur un chemin pierreux, guidés par Tato Vega, le fils d'un paysan dont ils avaient trouvé la cabane sur leur route, et chez qui ils s'étaient arrêtés à midi. Ce soir-là, ils avaient dîné de riz et de haricots noirs et pris un bon repos. Puis Tato Vega les quitta en prétendant rentrer chez lui et il ne vint pas à l'esprit des chefs rebelles encore inexpérimentés que le garçon irait tout droit révéler aux gendarmes la présence de la petite troupe dans le secteur. Ce fut l'un des rares cas de trahison dont furent victimes les rebelles dans la sierra mais il entraîna une catastrophe. Le mardi 4 décembre, la colonne de Castro reprit sa route vers l'Est jusqu'à un petit village de charbonniers appelé Agua Fina, où un épicier espagnol leur donna des saucisses en boîtes et des crackers. Comme le terrain qui s'étendait devant eux était couvert de champs de cannes où ils pouvaient se faire repérer par l'aviation, Fidel décida de marcher toute la nuit, après une brève halte pour le dîner. Ils parvinrent à Alegría de Pío le lendemain matin dans un état d'épuisement total. Il leur avait fallu marcher pendant trois jours et deux nuits sur des sentiers de rochers et de cailloux, pour franchir seulement les trente-cinq kilomètres qui séparaient Los Cayuelos du point où Castro ordonna d'installer le camp.

Ce faisant, le chef avait commis deux fautes très graves. Tout d'abord, il avait choisi une colline basse, dépourvue de toute protection, au bord d'un champ de cannes, plutôt qu'une hauteur boisée et plus élevée qui se trouvait à proximité. Mais les hommes étaient si fatigués qu'il avait hésité à leur demander de faire encore plusieurs centaines de mètres. La marche de nuit sur un terrain montant, couvert de ces cailloux que les Cubains appellent « crocs de chien », où les hommes trébuchaient continuellement, titubaient, tombaient même parfois sans connaissance (certains avaient ainsi cassé leurs lunettes), avait déjà exigé d'eux un trop gros effort. La seconde erreur avait été de placer les sentinelles trop près du camp ; l'alerte fut donnée trop tard au moment de l'attaque. En outre, Castro n'avait prêté aucune attention au fait que ses hommes laissaient derrière eux un sillage de débris de canne à sucre dont ils suçaient le jus tout en marchant. Enfin, il y avait eu la trahison du guide, Tato Vega.

Le 5 décembre, les hommes se réveillèrent peu après seize heures ; chacun reçut un morceau de saucisse, un cracker et une gorgée de lait condensé. Nombreux étaient ceux qui avaient ôté leurs bottes pour panser leurs pieds en sang. A seize heures trente, dit Raúl Castro, « l'hécatombe commença ; nous étions pris dans une embuscade tendue par l'armée ». Une compagnie de gendarmerie, forte de cent hommes, tirait sur les rebelles à la mitrailleuse et au fusil et faisait de la colline ce que Raúl décrit comme un « infierno ». Le groupe des révolutionnaires éclata, purement et simplement.

Fidel tirait à la carabine tout en hurlant des ordres pour tenter d'organiser une retraite en bon ordre, dans l'espoir que ses hommes pourraient se cacher dans les champs de canne et se regrouper ; mais comme à Moncada, il était trop tard, c'était le sauve-qui-peut. Che Guevara fut atteint par une balle au bas de l'épaule ; Faustino Pérez se trouvait près de lui et pensa que l'Argentin avait été tué. Guevara a écrit dans son journal : « J'ai pensé que j'étais mort ; j'étais tombé et je dis à Faustino : " Je suis foutu ". Immédiatement je pensai à la meilleure façon de mourir en cette minute où tout semblait perdu. Je me rappelai une vieille histoire de Jack London où le héros, appuyé contre un tronc d'arbre, se prépare à finir sa vie avec dignité en sachant qu'il va mourir de froid dans les plaines gelées de l'Alaska. C'est la seule image dont je me souvienne. » En réalité, la blessure de Che était superficielle et il put sortir du piège en se dirigeant vers l'Est avec quatre compagnons, y compris Juan Almeida et Ramiro Valdés. Fidel, Faustino et Universo Sánchez se retrouvèrent ensemble un peu plus tard dans l'après-midi et entamèrent leur odyssée sous les chaumes de canne à sucre. Il avait fallu que plusieurs hommes traînent Fidel de vive force hors du champ de bataille.

L'armée rebelle était détruite. On sut par la suite que trois membres de l'expédition avaient été tués ce soir-là pendant la bataille. Les soixante-dix-neuf autres, perdus pour la plupart dans les champs en flammes, se dispersèrent en vingt-six groupes différents, comme ceux de Fidel et de Che ; certains de ces « groupes » n'étaient d'ailleurs formés que d'une seule personne. L'une d'elles était Juan Manuel Márquez, le commandant en second, qui fut bientôt capturé par l'armée et sauvagement mis à mort. Jesús Montané, prisonnier lui aussi, fut incarcéré à La Havane. On sait que vingt et un autres furent pris et tués dans les deux jours qui suivirent. Vingt-deux rebelles furent arrêtés et jetés en prison. Dix-neuf hommes disparurent sans laisser de traces. Quelques-uns réussirent à sortir de la sierra et à rentrer chez eux, où ils purent se cacher ou furent contraints de se rendre. Il y en eut que l'on ne revit plus jamais. Sur les quatre-vingt-deux hommes qui avaient débarqué de la *Granma,* le 2 décembre, seize survivants seulement poursuivirent la guerre avec Fidel après la débandade d'Alegría de Pío. Pourtant, tout l'état-major avait survécu et se trouvait prêt à reprendre le combat, à l'exception de Juan Manuel Márquez et de Nico López (également pris et exécuté). En plus de Fidel et de Che, les rescapés comprenaient Raúl, Faustino Pérez, Juan Almeida, Ramiro Valdés et Camilo Cienfuegos, mais Fidel ne saurait rien d'eux pendant plusieurs jours. Pourtant, couché dans le champ de *paja* de canne à sucre, en compagnie de ses deux compagnons, Fidel leur chuchota pendant tout un jour et toute une nuit comment et quand ils allaient se regrouper pour retourner à la bataille. Comme le rappelle Faustino Pérez : « Ce fut une grande leçon de foi et d'optimisme — comme de réalisme — que Fidel nous donna ce jour-là. » Mais tout cela n'aurait servi de rien à Castro, n'eût-ce été pour les paysans de la Sierra Maestra.

Après l'affaire d'Alegría de Pío, le général Batista et son gouvernement étaient convaincus que Fidel Castro était mort et son corps expéditionnaire complètement écrasé. L'armée avait fait tant de prisonniers que Batista avait des raisons de se croire hors de danger. Même si le corps de Castro n'avait pas été matériellement retrouvé, ce ne pouvait être qu'une question de temps. De sorte que le 13 décembre, le haut commandement de l'armée retira du secteur de la Sierra Maestra la plus grande partie de ses unités combattantes. Celles-ci ne laissaient derrière elles que les garnisons normales de la Garde rurale dans les villes et les villages. Toute reconnaissance aérienne fut également interrompue. Un communiqué officiel déclara que « le mouvement insurrectionnel » était tenu pour terminé. Les parents, amis et partisans de Fidel Castro étaient également convaincus que la grande aventure révolutionnaire avait mal tourné et que Fidel et Raúl étaient probablement morts. Leur mère, Lina Ruz de Castro, déclara à un journal de Holguín : « Si on me laisse aller dans les montagnes de Niquero, je les ramènerai avec moi... Je souffre comme une mère de soldats et de révolutionnaires, mais si Fidel et Raúl ont décidé de mourir, je souhaite qu'ils meurent avec dignité... Je pleure mes enfants mais j'embrasserais les mères des compagnons de mes fils de la même façon que toutes les mères des soldats qui sont morts au cours de cette douloureuse guerre. »

Encore en deuil de son mari, décédé en octobre, Lina Ruz de Castro se rendit à Santiago avec son fils aîné, Ramón, pour régler les questions de succession — y compris les héritages de Fidel et de Raúl — et dans l'espoir d'avoir des nouvelles de ces derniers. Ramón Castro déclara qu'ils n'avaient rien appris : « Il n'y avait rien de concret pour prouver qu'ils avaient tué [Fidel] ni que celui-ci était vivant... Je crois que si mon frère était mort en combattant, le gouvernement l'aurait déjà annoncé officiellement. » Il avait bien raison car, trois semaines après l'embuscade d'Alegría de Pío, on ne possédait encore aucune information sur le sort de Fidel. Marta Rojas, la journaliste qui avait rendu compte du discours de Castro, « L'Histoire m'acquittera », après l'affaire de Moncada et le procès organisé à la prison de Santiago, révéla dans *Bohemia* que Fidelito, désormais de retour à La

Havane auprès de sa mère, demandait sans cesse : « Est-ce que papa a écrit ? Où est papa ? » Mirta (remariée avec le fils du chef de la délégation cubaine aux Nations unies) insistait sur le fait qu'elle n'avait pas enlevé Fidelito au Mexique mais que les tantes de l'enfant du côté paternel, Emma et Lidia, lui avaient volontairement remis le garçon.

Pendant tout le mois de décembre, la presse cubaine entretint un sentiment d'incertitude au sujet de Castro (la censure avait été levée une fois encore), mais en insinuant de plus en plus clairement que Fidel pourrait bien être vivant et se disposer à faire sa réapparition. Les déclarations de deux rebelles prisonniers avaient fourni des récits assez exacts de la traversée de la *Granma* et des premiers jours passés par les membres de l'expédition sur le sol cubain ; l'opinion publique pouvait donc se faire une idée de ce qui était arrivé. Comme Che Guevara était encore un inconnu, les comptes rendus se contentaient de mentionner « un médecin argentin nommé Guevara » parmi les troupes de Castro. Vers la fin de décembre, le journal de Holguín révéla que Fidel, Raúl et quarante hommes campaient depuis le 18 du mois au sud du Pico Turquino dans la Sierra Maestra ; leur guide, un paysan nommé Crescencio Pérez, avait été prétendument arrêté.

Cela sema une belle confusion parmi les amis comme parmi les ennemis de Fidel. En réalité, c'était le 16 décembre que Fidel, Faustino et Universo avaient atteint le domaine de Cinco Palmas appartenant à Ramón « Mongo » Pérez, dans une localité dite Purial de Vicana, sur un cours d'eau également appelé Vicana ; l'exploitation se trouvait située au nord-est d'Alegría de Pío, dont la séparaient quelque cinquante kilomètres de chemins tortueux. Mongo était le frère de Crescencio Pérez, l'un des deux principaux membres du réseau rural du Mouvement du 26 juillet — et l'un de ceux qui avaient vainement attendu l'arrivée de la *Granma*, sous les ordres de Celia Sánchez, le dernier jour de novembre. L'autre dirigeant de la résistance paysanne était Guillermo García Frías. Le plan d'origine prévoyait d'ailleurs que les révolutionnaires installeraient chez Mongo Pérez leur premier quartier général opérationnel dans la Sierra Maestra. Mais l'exploitation se trouvait à plus de cent vingt kilomètres, à vol d'oiseau, à *l'ouest* de la région du Pic Turquino où la présence de Castro avait été signalée. En outre, si Crescencio Pérez dirigeait bien le réseau paysan du Mouvement, ce n'était pas lui qui avait servi de guide à Fidel ; ce n'était pas lui non plus qui avait été arrêté, mais son fils Sergio, lequel avait conduit un groupe de quatorze rescapés d'Alegría de Pío, en débandade vers le Sud dans la direction de la côte. Six d'entre eux avaient été capturés, torturés et exécutés. Fidel ignorait bien entendu la publication de ces articles dans la presse, mais ils lui furent très utiles en confirmant qu'il était bien vivant, ce qui empêcha le Mouvement de se désintégrer dans tout le reste du pays, tout en trompant les autorités sur le lieu véritable de sa retraite.

Il avait fallu six jours à Fidel et à ses deux compagnons pour atteindre le domaine de Mongo ; l'aide des paysans de la sierra avait été pour eux d'une importance cruciale en cette circonstance. Ils avaient quitté leur cachette, dans le champ de cannes, après le crépuscule, le 10 décembre, cinq jours après la bataille fatale. Ils avançaient en file indienne, lentement et avec précaution vers le Nord-Est ; c'était généralement Universo qui marchait en tête. Guidés par les étoiles et par leur instinct, ils couvrirent quatre kilomètres, cette nuit-là. Ils passèrent toute la journée du lendemain dans un autre champ de cannes, puis le trio reprit sa marche dans la soirée du 11 décembre ; il atteignit une montagne tapissée de forêts et appelée La Conveniencia, après minuit. Il n'y avait plus de cannes à sucre et le terrain était moins rocailleux ; les trois hommes purent alors avancer plus rapidement. La silhouette du massif de la Sierra Maestra était maintenant visible dans le clair de lune et les aidait à se diriger. Sous La Conveniencia, le terrain descendait abruptement vers la rivière du Toro. La Sierra Maestra elle-même commençait sur l'autre versant. Fidel remarqua une chaumière de paysan au bas de la pente, mais préféra l'examiner soigneusement avant de se risquer à prendre contact avec les habitants. Sous une averse qui semblait ne jamais devoir prendre fin, ils restèrent en observation pendant toute la nuit et une bonne partie du lendemain. Ils n'avaient pas de vivres, pas d'eau, ils étaient trempés, et Universo qui avait perdu ses bottes à Alegría de Pío souffrait pour avoir tant marché pieds nus. Quand Fidel fut convaincu que la famille des paysans se livrait à ses activités normales — et qu'il n'y avait pas de soldats dans les parages —, il ordonna à Faustino de se montrer. Il était quatre heures de l'après-midi, le 12 décembre, seize heures après le moment où ils avaient atteint La Conveniencia.

Les paysans, Daniel Hidalgo et sa femme Cota Coello, faisaient pousser du café dans la montagne. Suivant les instructions de Fidel, Faustino demanda de quoi nourrir vingt ou vingt-cinq hommes, pour donner l'impression d'appartenir à une troupe nombreuse. Puis Fidel et Universo le rejoignirent devant la maison. Leurs hôtes tuèrent un cochon de lait et les trois rebelles s'empiffrèrent de viande et de légumes. C'était aussi la première fois depuis sept jours qu'ils buvaient de l'eau. Daniel Hidalgo avait entendu parler du débarquement d'un groupe d'hommes armés sur la côte, et il confia à Castro qu'il avait également entendu parler de lui. Ils passèrent le reste de la soirée à examiner les diverses façons de pénétrer dans la Sierra Maestra. A la tombée de la nuit, Castro décida de repartir. Guidés par l'un des fils Hidalgo, les trois révolutionnaires descendirent le long d'un étroit canyon, traversèrent le Toro, escaladèrent les hauteurs du Copal et franchirent encore plusieurs kilomètres en direction des sommets de Yerba. Maintenant, ils étaient dans la Sierra Maestra.

Le matin du 13 décembre, après avoir marché toute la nuit et couvert treize kilomètres dans la forêt montagneuse, Castro et ses deux compagnons parvinrent à la demeure de Rubén et Walterio Tejeda, deux frères qui appartenaient au réseau paysan du Mouvement clandestin. Les fugitifs avaient enfin rétabli le contact avec l'organisation ; ils ne seraient plus réduits à compter sur la chance ou sur leurs propres ressources — inexistantes. Après un repos de trois heures et un repas composé de racines de *malanga* et de lait, le trio poursuivit sa route dans la montagne jusqu'à une ferme proche du village d'El Plátano. C'était le fief de la famille García — une vraie tribu — et le foyer de Guillermo García Frías, ami d'enfance de Celia Sánchez. Membre actif du Mouvement depuis deux ans (il avait été recruté par Celia), il faisait partie de ceux qui avaient vainement attendu le débarquement des rebelles le 30 novembre. Mais le premier García que rencontra Castro ce jour-là fut le père de Guillermo, Adrián García, qui traînait un seau plein de riz, de pain, de café et de lait. Il avait entendu dire que des rebelles se trouvaient dans le secteur et il les cherchait avec, littéralement, les mains pleines. Castro n'avait pas encore compris à quel point le réseau de communication de la sierra était efficace, aussi se présenta-t-il sous son nom de code « Alejandro », pour s'entendre aussitôt appeler « Fidel ». Un peu plus tard dans la journée, une vingtaine de jeunes paysans vinrent offrir leurs services à l'armée rebelle. Castro promit de les enrôler dès qu'il pourrait réorganiser ses troupes. Pourtant son souci immédiat était d'atteindre le domaine de Mongo, encore plus loin vers le Nord-Est, où il espérait trouver assez d'autres membres de l'expédition pour reconstituer ses forces. Mais il lui fallait d'abord franchir le « cordon sanitaire » que l'armée avait disposé autour du massif principal de la Sierra Maestra. Cela signifiait qu'il faudrait traverser la grand-route de Pilón à Niquero ; la maison de Mongo se trouvait de l'autre côté de cette voie étroitement surveillée. Pour passer, il lui fallait être guidé par Guillermo García. Or, celui-ci se trouvait quelque part dans la montagne à la recherche de rebelles perdus et d'armes abandonnées (il avait assisté à la bataille d'Alegría de Pío du haut d'un sommet). Fidel décida de l'attendre à El Plátano où il se sentait suffisamment en sécurité. On lança des messages à travers la sierra, pour demander à Guillermo de rentrer chez lui au plus vite.

Guillermo García arriva à la *finca* à une heure du matin, le vendredi 14 décembre. Fidel et lui se lancèrent aussitôt dans une conversation qui dura toute la nuit. Ce fut un épisode mémorable dans l'histoire de la Révolution cubaine, car Guillermo García ne fut pas seulement le premier paysan à s'enrôler dans l'armée rebelle, il en devint l'un des principaux chefs et ce fut plus tard l'un des personnages clefs du régime *Fidelista*. S'il est un homme dans la sierra qui puisse se voir attribuer le mérite d'avoir, à lui seul, aidé Castro à survivre et à triompher, c'est bien ce paysan rude et courtaud ; il avait alors vingt-sept ans.

Guillermo est également l'un des personnages les plus intéressants de la Révolution cubaine. Ses antécédents et ses allégeances expliquent en grande partie pourquoi, dès l'origine, Fidel s'est trouvé à même d'obtenir un soutien considérable parmi les paysans de la montagne. Il appartenait à une famille de onze enfants qui parvenait à peine à survivre avec ce qu'elle pouvait tirer du sol rocheux ou gagner chez les riches propriétaires fonciers des environs. Un peso (dollar) par jour, telle était la paie normale dans les années 1950. Guillermo raconte que le médecin le plus proche se trouvait à Niquero, à une journée de cheval de la *finca* (deux de ses frères étaient morts de gastro-entérites alors qu'ils étaient encore des bébés), et demandait deux pesos pour la visite. « Mon docteur était ma mère, dit-il ; elle me soignait avec les herbes médicinales qu'elle trouvait dans les champs. » L'école la plus proche — une école élémentaire — se trouvait à cinq kilomètres, dans la montagne, et Guillermo l'avait quittée à dix ans pour travailler. Il aidait sa famille aux champs, gardait les troupeaux des propriétaires (il devint ainsi éleveur lui-même) et, encore enfant, accompagnait un oncle qui vendait des primeurs dans la région.

Il avait rencontré Celia pour la première fois à l'âge de douze ans. Avec son oncle, il allait toutes les semaines livrer des légumes à la famille de la jeune fille, à Media Luna — à plus de quarante kilomètres de là, soit une journée de voyage à cheval. Celia avait huit ans de plus que lui et faisait de la politique. Bien plus tard, elle allait le faire entrer dans le Mouvement — deux ans après l'attaque de Moncada, en 1955. Guillermo se rappelle avoir été fasciné par la façon dont elle expliquait que les idées de Castro reflétaient les aspirations de tous les jeunes Cubains, surtout dans les familles de sa catégorie sociale, condamnées à vivre au sein d'une culture marquée par la pauvreté.

Cuba est une île de faibles dimensions ; les traditions politiques et historiques y revêtent donc une importance accrue ; elles se transmettent de génération en génération, même parmi les couches les plus pauvres de la population. Or, les paysans et les esclaves ont combattu côte à côte les colonisateurs, au XIXᵉ siècle, et Guillermo souligne que son grand-père, Bautista Frías Figueredo, était un ancien combattant des guerres d'Indépendance de 1895 et de 1898. Au cours de la guerre hispano-américaine dont Cuba était l'enjeu, les aïeux de Guillermo avaient fui la plaine pour se réfugier dans les montagnes d'Oriente où ils avaient formé « une sorte de tribu... puis notre nouvelle génération a surgi, une troisième génération de paysans ». Dans ce sens, Guillermo estime qu'il était logique pour lui de se joindre au Mouvement du 26 juillet. Trois de ses frères s'enrôlèrent également dans l'armée rebelle ; l'un d'eux fut tué, l'autre devint général, comme Guillermo lui-même ; le troisième retourna à ses montagnes.

Après la bataille d'Alegría de Pío, Guillermo avait couru toute la région qu'il connaissait comme sa poche, coordonné le sauvetage des rebelles égarés et retrouvé lui-même une demi-douzaine de rescapés. Parmi ces survivants se trouvait Calixto Morales, le soldat qui avait failli se faire exécuter pour indiscipline, au camp d'entraînement mexicain, après avoir refusé de prendre part aux marches forcées à cause d'une déviation de la colonne vertébrale qu'il ne voulait pas avouer. Morales avait été découvert par un autre paysan qui le remit à Guillermo, après quoi il rejoignit rapidement Fidel et combattit pendant toute la guerre. Garcia affirme : « Les rebelles passaient en toute sécurité d'une ferme à l'autre, car dans ce secteur les paysans étaient vraiment bien organisés... J'étais tout à fait tranquille parce que je connaissais les idées politiques de chaque paysan, ainsi que sa moralité. Ceux qui n'avaient pas de morale, je m'efforçais de les isoler complètement. » Pourtant certains des hommes sauvés par Guillermo préférèrent ne pas rejoindre Castro.

Selon Guillermo, Fidel et ses deux compagnons étaient dans un état physique déplorable quand il les rencontra ce soir-là ; Faustino avait été transformé en « loque humaine » par l'épuisement, la faim, et les profondes coupures que lui avaient infligées les plantes de la montagne. Castro pourtant « était incroyable ». « Il avait commencé à m'interroger sur notre organisation, notre programme, la manière dont nous allions mobiliser les paysans ; il voulait savoir comment nous allions réunir des armes pour les combattants de la sierra, combien de fusils de chasse il nous fallait, et ainsi de suite... On aurait dit qu'il commandait déjà une armée... Je décidai donc de rester avec lui. » Bien qu'il n'eût pas dormi depuis quarante-huit heures, Castro parla toute la nuit. Il voulait être renseigné sur les mouvements de l'armée, les sentiments de la population dans la région, savoir qui était fiable et qui ne l'était pas.

Le vendredi 14 décembre, tard dans la soirée, Guillermo et deux de ses amis escortèrent Fidel, Faustino et Universo jusqu'au pied de la montagne, dans un champ de cannes proche du village de La Manteca où ils arrivèrent après avoir fait halte deux fois chez des paysans pour se restaurer. Le champ se trouvait en bordure de la route qu'il leur fallait traverser pour pénétrer au cœur de la Sierra Maestra. Guillermo voulait attendre le moment où ils pourraient le faire en toute sécurité, quand il n'y aurait aucune patrouille de l'armée dans les parages. Ils attendirent plus de vingt-quatre heures ; enfin Guillermo jugea que leurs mouvements, même s'ils faisaient quelque bruit, n'attireraient pas l'attention parmi les flonflons du samedi soir, la musique que répandaient les juke-boxes d'un bar, au coin de la route, les chants, les cris, et même le bruit d'une centrale électrique située à proximité. A plat ventre, les six hommes se traînèrent jusqu'à la bouche d'un conduit transversal de drainage, sous l'autoroute ; trois minutes plus tard, ils ressortaient de l'autre côté après avoir pataugé dans la boue et les ordures nauséabondes qui se décomposaient à l'intérieur du tuyau. Guillermo avait pensé que ce serait le moyen le plus sûr pour traverser la route et Fidel en était convenu. Après quoi, les hommes marchèrent pendant onze heures par monts et par vaux, couvrant plus de quarante kilomètres, avec un seul arrêt pour se reposer, et ils arrivèrent finalement à la ferme de Mongo Pérez à sept heures, le dimanche 16 décembre, au matin. Deux semaines exactement s'étaient écoulées depuis le débarquement à Cuba quand Castro parvint en lieu sûr ; cette fois, il avait vraiment la possibilité d'entamer sa guerre.

A la ferme de Mongo Pérez, Fidel installa son camp au milieu d'un champ de cannes. Les trois hommes avaient maintenant la possibilité de manger, de se désaltérer, de se reposer, de dormir. Le plan de Castro consistait à attendre encore quelques jours l'arrivée d'autres membres de l'expédition qui viendraient se joindre à lui ; ensuite, il irait de l'avant. Grâce aux paysans et à leur réseau d'information, il savait que d'autres passagers de la *Granma* se trouvaient dans le secteur, le jour de leur arrivée ; aussi envoya-t-il l'infatigable Guillermo à leur recherche. Le mardi 18 décembre, Raúl Castro, accompagné de quatre hommes, atteignait le domaine, à moins de deux kilomètres du camp de son frère. Pendant une semaine, ils avaient été, eux aussi, nourris et guidés par des paysans de la sierra. A chaque étape, Raúl s'était fait un devoir de laisser une note signée par lui avec son titre de « capitaine », en témoignage de l'aide qu'il avait reçue des paysans ; ceux-ci pourraient s'en prévaloir après la Révolution. Apprenant que Fidel se trouvait dans un champ de cannes tout proche, Raúl confia à un paysan son permis de conduire mexicain et le fit porter à son frère pour lui faire savoir qu'il approchait avec ses hommes. Fidel, toujours prudent, renvoya le paysan avec quelques questions pièges à poser pour vérifier l'identité de Raúl. Juste avant minuit, les deux frères s'embrassaient parmi les cannes à sucre. Fidel demanda à Raúl : « Combien de fusils rapportes-tu ? » Raúl répondit : « Cinq. » Fidel s'écria alors : « Avec les deux que j'ai déjà, cela nous en fait sept. Oui, maintenant nous avons vraiment gagné la guerre ! » Le lendemain, Calixto Moráles arriva mais sans armes. L'armée rebelle comprenait dès lors neuf hommes et sept fusils.

Il n'y avait pas de temps à perdre. Le 20 décembre, Castro envoya Mongo Pérez à Manzanillo, sur la côte nord-ouest de l'Oriente, puis à Santiago pour faire savoir aux dirigeants du Mouvement que certains guérilleros étaient sains et saufs. Il confia également à Mongo de longues instructions concernant ses besoins, en vivres, en armes, en équipements et en hommes. Raúl nota dans son journal, à cette date : « [les paysans] ont mis sur pied une fort bonne organisation et nous sommes en train de la perfectionner, particulièrement en ce qui concerne les liaisons et l'espionnage... Tout mouvement de qui que ce soit, dans le voisinage, nous est aussitôt signalé. » Dans la soirée, Fidel déplaça son camp qu'il installa dans un champ de café tout proche, au bord d'un ruisseau où ils pouvaient se baigner et nager.

Le groupe de huit rebelles, qui comprenait Che Guevara, Juan Almeida, Ramiro Valdés et Camilo Cienfuegos — tous les futurs chefs de la Révolution —, avait rencontré des paysans pour la première fois le 13 décembre, après avoir erré sans but pendant toute une semaine entre la côte sud et les contreforts de la Sierra Maestra. Accueillis dans une ferme, à l'abri des arbres, les huit hommes, si épuisés qu'ils ne pouvaient faire un pas de plus, passèrent toute la nuit à « festoyer sans interruption », selon Che Guevara. Comme leur estomac n'était plus habitué à digérer de telles quantités de nourriture, ils furent tous épouvantablement malades. Le lendemain, les paysans leur donnèrent des vêtements propres pour remplacer leurs uniformes en loques et les rebelles se répartirent en deux groupes. Sauf Che et Almeida qui ne voulaient pas lâcher leurs mitraillettes, ils laissèrent leurs armes à la ferme et reprirent leur marche vers le Nord-Est. Ils savaient déjà par leurs hôtes que Fidel était vivant et les attendait. Après avoir appris que l'armée était sur leur piste, Che, Almeida et deux autres rebelles se cachèrent dans une maison d'El Mamey à quelques kilomètres de là, chez un prédicateur (un Adventiste du Septième Jour) appelé Argelio Rosabal — encore une figure extraordinaire de la Sierra. Non loin de là, dans une autre ferme, Camilo Cienfuegos fut dissimulé au fond d'un puits asséché. Rosabal, qui travaillait comme ouvrier dans les champs de canne pendant la semaine, et « à l'église le dimanche », se rappelle avoir rencontré auparavant un groupe de quatre rebelles dans la montagne, près de chez lui juste à l'Ouest de Pilón, trois jours après l'affaire d'Alegría de Pío. Il savait qu'il y avait eu bataille et que des hommes venus d'un navire y avaient participé. Il avait donné du café et des vêtements propres aux quatre inconnus qui poursuivirent leur chemin. Nul ne devait plus jamais les revoir. Ils avaient dit à Rosabal qu'ils étaient venus « libérer Cuba ». Le prédicateur laïque se rendit ensuite à son église, rassembla une quinzaine ou une vingtaine d'autres Adventistes et leur dit : « Il faut sauver ces hommes qui sont venus remplir une mission, d'après ce qu'ils prétendent, et nous soulager un peu de notre misère. » Il ajouta : « Vous devez tous veiller sur leur existence ; si vous apprenez que l'un d'eux est dans les parages, recueillez-le ; si vous n'osez pas le faire, prévenez-moi. » Quelques jours plus tard, Rosabal fut informé qu'un groupe de huit hommes se cachait dans la sierra, chez l'un de ses amis (c'était la petite bande qui comprenait Che et Almeida). Le prédicateur en prit quatre chez lui. Ensuite, il fallait leur permettre de se remettre en route. Rosabal raconte : « Je suis un homme de Dieu et je me dis : " Les choses ne sont pas faciles. Prions ". Nous sommes tous tombés à genoux et j'ai demandé au Seigneur de me guider, dans cette circonstance. » Che Guevara, qui appelle affectueusement Rosabal « le pasteur », s'était sans doute agenouillé pour la première fois de sa vie.

Sous la conduite de Rosabal, Che — souffrant toujours de sa blessure à l'épaule — et les trois autres marchèrent toute la nuit jusque chez la belle-sœur de l'Adventiste ; on y tua un poulet pour leur donner à manger. Che vomit deux fois avant que son estomac pût supporter un peu de bouillon. Puis Rosabal leur ôta leurs bottes et monta la garde pendant leur sommeil. Che demanda s'il pouvait faire parvenir des télégrammes « anonymes » à leurs familles et le pasteur répondit qu'il essayerait. Il emporta un papier avec les adresses, dissimulé dans un panier de haricots rouges, et descendit à Pilón, chez le père de Celia Sánchez qu'il connaissait bien. Ne sachant pas que la famille Sánchez appartenait au Mouvement, il s'assura que le docteur prendrait les rebelles sous sa protection avant de lui montrer la liste d'adresses que Che lui avait confiée.

De retour à la ferme, Rosabal apprit que l'armée avait capturé l'un des rebelles du groupe des huit (l'homme avait été laissé sur place, avec les armes, parce qu'il souffrait d'une forte fièvre) et saisi le petit arsenal caché dans la maison. Il devenait urgent de conduire Che et ses trois compagnons au cœur de la sierra ; aussi, le 16 décembre, Guillermo García (qui se révéla être le beau-frère de Rosabal) arriva de la ferme de Mongo pour les guider. Il rassembla les hommes cachés dans les parages — six au total — et les emmena tous ensemble chez Mongo où ils parvinrent le 21 décembre à l'aube. Ils y retrouvèrent les frères Castro. (Raúl nota dans son journal que parmi les survivants se trouvait son « inséparable ami Ramiro Valdés ».) Che était en pleine crise d'asthme quand il atteignit la *finca* mais il avait tenu bon. Guillermo dit à Che et à ses compagnons : « Vous ne saurez jamais tout ce que vous devez à cet homme, Rosabal. »

En vérité, il ne semblait pas y avoir de limites à ce que les paysans étaient disposés à faire pour les guérilleros de Castro. Argeo González, épicier et colporteur dans la sierra, au moment où étaient arrivés les rebelles, s'en explique : « Si tous les paysans les ont aidés c'est parce qu'ils avaient appris la vérité sur leur lutte contre la tyrannie... Les propriétaires fonciers ne laissaient personne avoir des terres ; tout leur appartenait... Les paysans ne pouvaient s'en sortir sans révolution. » Argeo fut l'un des premiers à ravitailler volontairement et de façon régulière cet embryon d'armée rebelle. Il allait chercher des armes et des vivres dans la plaine pour les transporter sur les hauteurs de la Sierra Maestra. Selon lui, si les paysans ne connaissaient pas Castro au début, celui-ci avait vite « gagné leur confiance parce qu'il les aidait et ne les maltraitait pas ». Quand un gendarme de la Garde rurale pénétrait dans une maison de la montagne, raconte Argeo, « on lui offrait du pain, il prenait un poulet s'il y en avait un et une fille de la famille s'il y en avait une — mais les rebelles étaient différents ; ils respectaient tout et c'est comme ça qu'ils ont inspiré confiance. » Quand un rebelle sortait du droit chemin, il était instantanément puni par Castro qui le faisait parfois exécuter... Les paysannes, affirme Argeo, furent vite « les premières à vouloir se rallier à Castro et l'aider ». En même temps, les rebelles disaient aux paysans qu'après la Révolution la terre serait à eux, qu'elle appartiendrait à ceux qui la cultivaient. Universo Sánchez se rappelle que Castro insistait pour payer dix pesos un poulet, même s'il n'en valait que cinq.

Mario Sariol, autre commerçant de la sierra, transformé en fourrier clandestin, se rappelle avoir rencontré Fidel dans un champ de café au début de 1957, et avoir reçu de lui une accolade pour avoir offert de préparer le repas des rebelles. Il raconte aussi que la barbe de Fidel commençait tout juste à pousser, que « Raúl avait à peine quelques poils au menton, pas plus, [et que] tous ressemblaient à des gamins ». (En fait, Castro avait décidé depuis le début que ses hommes ne chercheraient même pas à se raser dans la montagne ; pendant leur entraînement, au Mexique, le général Bayo leur avait fait jeter rasoirs et brosses à dents « parce qu'il n'y en aura pas, là où vous allez ».) D'après le récit de Sariol, les paysans avaient commencé à manifester un sentiment protecteur envers les *Fidelistas*. Ainsi, à un moment où il n'avait plus assez d'argent pour leur acheter des vivres dans la ville de Las Mercedes, l'épicier local lui avait dit : « Mario, tu ne dois pas laisser ces gens avoir le ventre creux, même un seul jour ; viens et prends ce qu'il faut. » Il n'accepta jamais d'être payé. Sariol raconte que, par la suite, Castro lui avait donné pour instructions de tenir à jour l'inventaire des dépôts de vivres et de veiller à ce qu'il eût de quoi manger pour les rebelles mais aussi pour les paysans. Sergio Casanova, volontaire enthousiaste, fut écarté du rang par Castro quand celui-ci eut appris que ce paysan, père de six enfants, n'avait d'autre ressource que le salaire aléatoire de ses quelques journées de travail. « Je ne peux pas te prendre avec nous, lui avait dit Fidel. Qui s'occupera de ta famille ? » Quand il évoque ce temps-là, Casanova affirme : « Pour moi, Fidel était un dieu. »

Sur les terres de Mongo Pérez, à Purial de Vicana, Fidel Castro accorda à ses hommes le repos dont ils avaient grand besoin, tout en veillant à leur faire garder la meilleure forme possible. Le lendemain du jour où Che et son groupe étaient arrivés, toute la troupe se reposait à flanc de colline, quand Castro hurla soudain : « Nous sommes cernés ! Branle-bas de combat ! » Les rebelles occupèrent aussitôt leurs positions, l'arme au poing, couchés ou dissimulés derrière les arbres, mais rien ne se produisit. Nul ne bougeait. Castro leur expliqua alors, avec le sourire, qu'il s'agissait d'un exercice, d'une fausse alerte.

A ce stade, l'armée rebelle comptait vingt hommes, y compris Fidel. Seize d'entre eux faisaient partie de l'expédition de la *Granma*, les quatre autres étaient des volontaires dûment recrutés parmi les paysans : Guillermo García, Crescencio Pérez, son fils Ignacio Pérez, et Manuel Fajardo. Après la victoire, la propagande officielle prétendit que Castro avait repris l'offensive avec douze hommes. Mais ce n'était qu'un simple symbole apostolique. D'après les souvenirs de Guillermo García, Fidel avait décidé de ne pas « se battre » avant d'avoir réorganisé ses forces de façon satisfaisante. Tout en choisissant avec soin les paysans qui seraient admis à s'engager dans l'armée rebelle, il ne trouvait pas « opportun de rassembler trop de monde sur les lieux pour pouvoir conserver toute sa mobilité en cas d'attaque ennemie ». En outre, les volontaires devaient être recommandés par des paysans sûrs, pour éviter toute infiltration de la part des agents de Batista.

Le plus grave problème à résoudre, pour Castro, était celui des armes. Il en possédait douze pour vingt hommes. Il était furieux contre Che, Almeida et leurs compagnons qui avaient laissé leurs fusils dans une ferme de la montagne. « Il y aurait de quoi vous condamner à mort pour votre stupidité. C'est un crime dans ces circonstances », fulminait-il. Mais le voyage de Mongo à Manzanillo produisit rapidement ses effets. Le 20 décembre au matin, des paysans se présentèrent à la *finca* avec une mitraillette Thompson et huit fusils. Le 23 décembre, deux hommes et deux femmes (l'une d'entre elles était la fille des Pérez) arrivèrent de Manzanillo : ils étaient envoyés par le Mouvement du 26 juillet auquel Mongo avait fait savoir que Fidel était vivant. L'autre femme, Eugenia Verdecia, dissimulait trois cents cartouches de mitraillettes et neuf bâtons de dynamite sous sa jupe.

Un peu rassuré au sujet des armes, Fidel put penser aux aspects politiques de la révolution. Sa première décision importante fut d'envoyer Faustino Pérez à Manzanillo, Santiago et La Havane, avec une double mission : exposer la situation des rebelles de la Sierra Maestra au Directoire national du Mouvement du 26 juillet, et attirer des journalistes — si possible des correspondants étrangers — dans la montagne, pour faire savoir au monde que Castro était vivant et combattant. Dans la pensée de Fidel, la lutte armée et la propagande allaient toujours de pair.

Faustino pense avoir été désigné parce qu'il appartenait à la fois au Directoire national et au commandement militaire, de sorte qu'il se trouvait fort bien placé pour obtenir un soutien en faveur de l'armée rebelle dans la sierra et confirmer de façon crédible la présence belligérante de Castro. Dans l'immédiat, il fallait faire envoyer des renforts par la plaine, pour étoffer le petit groupe des combattants en montagne, et faire écrire des articles sur Fidel par les journalistes. Le dimanche 23 décembre, trois semaines après l'arrivée de la *Granma* à Cuba, Faustino montait dans la jeep qui avait amené de Manzanillo les quatre membres du Mouvement. Comme l'armée avait cessé depuis une semaine toute opération destinée à retrouver et à anéantir les *Fidelistas*, il ne devait pas être trop difficile de parvenir à destination. Faustino était déguisé en *guajiro* et portait un chapeau de paille ; Eugenia Verdecia, la fille qui avait dissimulé les munitions sous sa jupe à l'aller, devait se faire passer pour sa fiancée. Après son arrivée à Manzanillo, dans la soirée, Faustino vit aussitôt Celia Sánchez ; désormais le contact était rétabli entre l'armée rebelle et le Mouvement. Faustino et Celia parlèrent toute la nuit, mais d'abord, dit-il, « on me servit un repas que je n'oublierai jamais en raison de la faim pathologique dont je souffrais — avec une merveilleuse crème d'asperges. »

Le lendemain, Faustino se rendit en voiture à Santiago pour y rencontrer les principaux dirigeants du Mouvement : Frank País, le coordinateur provincial qui avait critiqué la précipitation avec laquelle Castro voulait déclencher l'invasion, Vilma Espín, son adjointe locale, et, venus de La Havane, Armando Hart, Haydée Santamaría et María Antonia Figurea. Le jour de Noël, Faustino rentrait discrètement à La Havane. Il resterait absent de la Sierra Maestra pendant près d'un an et demi.

A la *finca* de Mongo, les membres de l'expédition et leurs amis paysans passèrent la soirée dans un champ de café, et réveillonnèrent d'un cochon de lait arrosé de vin. Le jour de Noël, Fidel estima qu'il n'était plus prudent de rester à la même place et que le moment était venu de s'enfoncer plus avant dans la Sierra Maestra. Avant de partir, juste avant minuit, quinze rebelles signèrent une lettre de remerciements adressée à Mongo Pérez. Elle avait été rédigée par Fidel et déclarait : « L'aide que nous avons reçue de vous et d'autres comme vous, aux jours les plus critiques de la Révolution, nous incite à poursuivre la lutte avec une foi plus grande que jamais, convaincus qu'un peuple comme le nôtre mérite tous les sacrifices... » C'était le premier document établi par Castro pendant la guerre de la Sierra. Fidel était impatient d'entamer des opérations militaires. Après avoir quitté la ferme de Mongo, les rebelles passèrent toute la nuit à faire des exercices, à prendre d'assaut une hutte en terre, à traverser et retraverser le cours de la Vicana dix-huit fois dans le noir. Puis Castro obliqua vers le Sud-Est en direction de la côte des Caraïbes, à travers les hautes montagnes de la Sierra. Le 28 décembre, la colonne fut rejointe par trois membres de l'expédition que l'on avait cru perdus et par trois volontaires paysans. Ils avaient un fusil et apportaient à Fidel des journaux et des magazines. Leur lecture lui apprit que José Miró, président de l'ordre des avocats cubains, et Elena Mederos, personnalité de gauche et membre de la Société des Amis de la République, avaient rencontré le Premier ministre de Batista, Jorge García Montes, pour demander que les *Fidelistas* capturés après la bataille d'Alegría de Pío fussent traité de façon correcte et humanitaire. Castro enregistra leurs noms dans un coin de sa mémoire : l'un et l'autre seraient invités à faire partie du gouvernement révolutionnaire.

Le 29 décembre, Eugenia Verdecia rejoignit la colonne de Castro dans les montagnes ; elle avait dissimulé sur elle seize charges explosives, quatre chargeurs de mitraillettes, trois cartouches de dynamite et huit grenades à main. Une fois de plus, une femme cubaine jouait un rôle crucial dans la Révolution. Son compagnon apportait des livres d'Histoire et de Géographie sur Cuba ; ils seraient utilisés pour faire la classe aux paysans qui se joindraient à l'armée rebelle. Calixto Moráles, ancien instituteur, fut chargé de l'enseignement et de l'endoctrinement ; c'était là une fonction importante dans la mise sur pied de la nouvelle armée. Che Guevara reçut le livre d'algèbre qu'il avait demandé. Puis il y eut une nouvelle nuit de marche sous une pluie froide, avec un arrêt de deux heures seulement chez un paysan où un repas chaud attendait les rebelles. Ceux-ci, au nombre de vingt-neuf hommes (ils avaient été rejoints par quelques autres paysans), passèrent la nuit du Nouvel An sous un vaste abri sans murs, gardés par des sentinelles, sur un versant boisé.

L'année 1957 commença par des averses de pluie glaciale qui immobilisèrent les guérilleros pendant deux jours. Ils n'avaient que neuf petites couvertures de nylon pour protéger leurs armes mais rien pour eux-mêmes. Une nuit, Raúl Castro dormit dans un sac de farine. La progression reprit le 3 janvier. Deux jours plus tard, les rebelles se trouvaient au sommet des monts Tatequiero, sur la divisoire de la Sierra. Au loin, Castro pouvait apercevoir les trois pics du mont Caracas, vers l'Est. « Si nous y arrivons, dit-il, ni Batista ni personne ne pourra nous faire perdre cette guerre. »

Ils reprirent donc leur marche, toujours vers le midi, car Castro pensait pouvoir pénétrer plus facilement au cœur de la Sierra Maestra en passant par le Sud, pour remonter les vallées naturelles et les canyons, plutôt que de les traverser d'Ouest en Est. Le trajet était plus long mais moins éprouvant. En outre, Castro pensait qu'en attaquant une petite garnison sur la côte, il pourrait s'emparer de nouvelles armes. La marche de Tatequiero à la côte prit onze jours, jusqu'au 16 janvier ; la petite colonne avançait parfois de jour, parfois de nuit ; de nouveaux paysans vinrent s'y joindre au début de janvier, de sorte que l'armée rebelle comptait maintenant trente-trois hommes. Le 8 janvier, elle faisait halte pour quarante-huit heures dans la ferme d'un paysan de toute confiance, appelé Eutimio Guerra, au village d'El Mulato situé juste au Sud des pics Caracas. Les hommes purent se rassasier et boire du cognac au miel, mais soudain ils apprirent que leur présence avait été signalée à l'armée de Batista et aussitôt Castro donna l'ordre du départ en pleine nuit. La pente était si raide qu'il leur fallait parfois s'accrocher à la végétation ou avancer à quatre pattes. Ramiro Valdés fit une chute et se fêla un os du genou. Après avoir été soigné par Che, il se traîna de son mieux. Le 11 janvier, cinq paysans décidèrent de rentrer chez eux et Fidel les laissa partir. Il avait déjà choisi son objectif : il attaquerait la garnison de La Plata, sur la côte, et ne voulait autour de lui que des hommes dont il pût être absolument sûr. En outre, les gens de Batista sentaient qu'une attaque se préparait dans la montagne et, le 13 janvier, les militaires se saisirent de treize paysans ; tous furent assassinés.

Le 14 janvier, les rebelles atteignirent les rives d'un cours d'eau appelé la Magdalena, juste à l'ouest de La Plata ; ils laissèrent Ramiro Valdés et un autre rebelle, souffrant, dans une ferme de la montagne. Après avoir traversé la Magdalena, ils rencontrèrent deux apiculteurs ; ils leur donnèrent dix pesos en échange de soixante livres de miel mais résolurent d'emmener l'un des hommes en otage pour éviter d'être trahis ; l'autre fut laissé en liberté, non sans avoir juré de garder le secret. L'otage était payé cinq pesos par jour à titre d'indemnité pendant la durée de sa captivité et Fidel le laissa dormir dans son propre hamac. Le lendemain, guidés par leur prisonnier, les *Fidelistas* atteignirent les hauteurs situées au-dessus de l'estuaire de La Plata. Ils pouvaient voir, au-dessous d'eux, les soldats en uniforme, autour des quatre édifices du poste, la caserne et la maison du régisseur employé par la compagnie propriétaire de toutes les terres environnantes.

A La Havane, le général Batista avait annoncé, le 15 janvier, que les Etats-Unis lui avaient vendu seize bombardiers B-26 tout neufs. Il était toujours sceptique quant aux chances de succès d'une révolution castriste, mais sachant Fidel libre de ses mouvements, quelque part en Oriente, il jugeait prudent de moderniser et d'étoffer ses forces armées. Le gouvernement Eisenhower fut heureux de lui rendre ce service. Au-dessus de La Plata, ce même jour, Castro préparait le premier assaut qu'il allait livrer contre l'armée depuis l'attaque de Moncada, trois ans et demi plus tôt. La petite garnison, sur la plage, était composée de cinq gendarmes et de cinq marins sous le commandement d'un sergent (un bateau des gardes-côtes était à l'ancre à quelque distance du rivage) et Castro était bien décidé à gagner cette bataille.

Il emmenait vingt-six hommes avec lui et, pour une fois, avait l'avantage du nombre. Avec quelques rebelles, il prit position, dans la nuit du 16 janvier, à moins de trois cents mètres de la caserne, pour intercepter quelque passant capable de lui indiquer ce que faisaient au juste les soldats. Il arrêta quatre paysans et apprit que Chicho Osorio, l'intendant de la compagnie propriétaire, était craint et détesté par la population ; l'homme ne tarderait d'ailleurs pas à passer pour rentrer chez lui. A ce moment, Osorio lui-même, une bouteille de brandy à la main et complètement ivre, apparut au bout du sentier, monté sur une mule jaune. Castro se saisit de lui et lui ôta son pistolet calibre 45, avant de se faire passer pour un colonel de l'armée ; le surveillant, mettant en bouche ses fausses dents, lui expliqua : « Les ordres sont de tuer Fidel Castro… Si je le trouve, je l'abats comme un chien… Vous voyez ce calibre 45 que vous m'avez pris ? C'est avec ça que je le descends si je l'attrape. » Puis il donna à Castro les noms de ceux qui étaient soupçonnés d'aider les rebelles. Il ajouta : « Vous voyez les bottes que je porte ? Elles appartenaient à l'un de ceux qui étaient venus avec Fidel Castro et que nous avons tué près d'ici… » A ce moment, écrit Che Guevara, Osorio avait signé son propre arrêt de mort.

On lui lia les mains derrière le dos et, le lendemain 17 janvier, avant l'aube, Castro lui ordonna de guider la petite troupe jusqu'à la caserne, en prétendant qu'en sa qualité de colonel il avait l'intention de surprendre les soldats en flagrant délit de négligence. Toujours ivre, le surveillant accepta joyeusement. Juste à ce moment, un soldat à cheval vint à passer, tirant au bout d'une corde cinq paysans prisonniers. Osorio se vanta fièrement d'être son ami. Les rebelles furent divisés en quatre détachements. Fidel, Che et quatre autres combattants se déployèrent à droite de l'objectif, les autres complétèrent l'encerclement. A deux heures trente du matin, les *Fidelistas* ouvrirent le feu sur la garnison. Au même moment, Osorio était exécuté par ses gardiens sur l'ordre de Fidel. Raúl Castro écrit dans son journal : « Le sort d'Osorio avait été réglé depuis longtemps, comme celui de tout régisseur qui tombera entre nos mains ; tous seront exécutés sommairement, car c'est la seule façon de traiter ces canailles… » Les rebelles se montrèrent sans merci pour les traîtres, les « exploiteurs » du peuple, et les individus connus pour avoir assassiné ou maltraité des familles paysannes.

Le combat fut bref. Deux soldats furent tués, cinq autres blessés (trois d'entre eux allaient mourir de leurs blessures), un homme put s'enfuir et les trois autres furent capturés. Les armes et les munitions furent confisquées, la caserne et les autres bâtiments incendiés. Le butin comprenait neuf fusils Springfield, une mitraillette Thompson, une grande quantité de munitions et des matériels divers. Pour la première fois depuis la bataille d'Alegría de Pío, Fidel avait plus d'armes que d'hommes. C'était sa première victoire et il n'avait pas subi de pertes ; aussi ses compagnons et lui-même se montrèrent-ils magnanimes. Che soigna les blessés et Fidel déclara aux prisonniers : « Je vous félicite. Vous vous êtes conduits comme des hommes. Vous êtes libres. Occupez-vous de vos blessés et partez quand vous voudrez. » Les rebelles laissèrent de quoi soigner les victimes avant de s'évaporer de nouveau dans la Sierra Maestra. A La Plata, Castro avait fixé sa politique vis-à-vis de l'ennemi pour toute la suite de la guerre : les prisonniers eurent toujours la vie sauve et furent remis en liberté ; les traîtres et les « exploiteurs » furent exécutés sans merci.

La victoire de La Plata est un jalon important dans l'histoire de la guérilla, pour des raisons à la fois psychologiques et militaires. Pedro Alvarez Tabío, l'historien officiel de la campagne de la Sierra Maestra, déclare : « [Cette bataille] prouva pour la première fois la véracité de l'axiome que Fidel allait appliquer pendant toute la guerre, à savoir qu'une armée de guérilleros ne doit compter que sur les armes et le ravitaillement pris à l'ennemi ; à part quelques livraisons d'armes parvenues de l'extérieur de la sierra, telle serait la règle pendant toute la guerre. » A quatre heures trente du matin, le 17 janvier 1957, exactement deux heures après le début de la bataille, Castro donna l'ordre à ses hommes triomphants de reprendre la route et de réintégrer les profondeurs de la Sierra Maestra. Il leur fixa pour but les Pics de Palma Mocha. Comme il en fit la remarque par la suite : « Nous avions livré notre première bataille victorieuse alors que personne ne nous croyait plus vivants. »

10

Deux semaines après leur victoire de La Plata, les compagnons de Castro échappèrent de justesse à une attaque aérienne inattendue. Les bombardiers B-26 et les avions de combat P-47 de Batista vinrent pilonner avec une précision extraordinaire leur campement installé en plein cœur de la Sierra Maestra. Ce fut pur hasard si les rebelles ne perdirent aucun homme pendant le raid (une bombe avait explosé sur l'énorme fourneau de cuisine où le petit déjeuner était en train de chauffer ce matin-là), mais une fois de plus ils durent se disperser et se retrouvèrent désorganisés. Il fallut trois jours à Castro, après ce bombardement et ce mitraillage acharnés, pour regrouper ses forces sur les pentes des monts Caracas où elles s'étaient scindées en trois sections conduites respectivement par lui-même, Raúl, et Che.

Mais, à la faveur de cette alerte, Raúl et Che se trouvèrent presque officiellement reconnus comme les principaux chefs des rebelles après Castro. Pendant les deux mois qui avaient suivi le débarquement de la *Granma,* ils avaient déjà largement supplanté les autres responsables parmi les survivants, même des combattants aussi fameux que Ramiro Valdés, Camilo Cienfuegos et Universo Sánchez. Incontestablement, Raúl et Che possédaient une éducation et un bagage intellectuel dont leurs pairs étaient dépourvus ; en outre, ils faisaient preuve d'une maturité politique bien plus grande. Sur le plan idéologique, Raúl avait été membre du parti communiste cubain depuis près de quatre ans ; Che, de trois ans son aîné, avait acquis de sérieuses connaissances en matière de marxisme-léninisme et ne cherchait pas à dissimuler ses sympathies à cet égard.

Quant aux liens qui les unissaient, Raúl était sans aucun doute plus proche de Fidel, tant en politique que sur le plan personnel. Il avait le flair du vrai politicien et se trouvait tout naturellement désigné pour occuper le deuxième rang chez les guérilleros — position qu'il devait conserver par la suite. Mais sur le plan intellectuel, Che — par son érudition, son sens de l'ironie et sa vivacité d'esprit — avait plus d'affinités avec Fidel. Magnifiques joueurs d'échecs l'un et l'autre, ils étaient également passés maîtres dans les joutes verbales. Che personnifiait la conscience de la révolution cubaine, ou du moins s'y efforçait-il, bien qu'il n'eût jamais pu surmonter tout à fait son sentiment de rester un étranger parmi les Cubains. Pour un politicien, il n'avait pas l'esprit pratique d'un Raúl ; ses principes révolutionnaires lui interdisaient tout compromis. Il n'hésita pas à se disputer avec Castro sur des points de doctrine pendant la guerre de la Sierra, ni à critiquer l'Union soviétique, bien des années plus tard, quand il estima que les idéaux révolutionnaires étaient en jeu. Che a peut-être fait preuve de naïveté, mais c'était l'idéaliste le plus pur et le plus honnête de la révolution. Malgré les apparences, ses rapports avec Raúl n'étaient pas aussi chaleureux qu'avec Fidel. D'une certaine façon, ils étaient pourtant amicaux et intimes. Che enseigna le français à Raúl pendant les longs mois passés dans la Sierra, mais il ne chercha jamais à le supplanter auprès de Fidel.

Quand des hommes se trouvent réunis pour vivre et faire la guerre, leurs liens, leurs caractères, leurs forces et leurs faiblesses se révèlent plus nettement et plus rapidement que dans d'autres circonstances. Ce fut particulièrement vrai pour la guérilla cubaine avec son cortège de dangers ou d'épreuves constamment partagés. Au bout de deux mois de guerre et de vie commune, on pouvait facilement percevoir ce que Fidel, Raúl et Che représentaient déjà, et ce qu'il adviendrait de chacun dans l'avenir. Ils avaient, au plus haut point, conscience de leur rôle historique, comme en témoignent leurs actes, leurs convictions, leur conduite personnelle, leurs conversations, leur correspondance officielle ou privée, et, dans le cas de Raúl et de Che, les journaux intimes qu'ils rédigeaient pendant la campagne — pleins de poésie et de romantisme, voire carrément lyriques sur ce point. La nature de la production littéraire de Fidel, pendant ces deux années dans la Sierra, devait être d'un autre ordre : correspondance, ordres du jour, et manifestes politiques. Connaître Fidel, Raúl et Che pendant la campagne de la Sierra Maestra, c'est déjà entrevoir ce qu'ils deviendront ultérieurement, quand ils exerceront le pouvoir. Ils n'ont jamais changé, en réalité, même si le caractère de leur révolution s'est transformé.

Pour la troisième fois en deux mois, depuis leur arrivée à Cuba, les rebelles s'étaient trouvés près d'être anéantis : ils avaient survécu au naufrage de la *Granma*, à la défaite d'Alegría de Pío et enfin ils venaient d'échapper au bombardement du 30 janvier 1957. Cette offensive aérienne était le résultat d'une délation, celle d'Eutimio Guerra, chez qui ils avaient séjourné pour préparer l'attaque de La Plata. C'était lui qui, pendant des semaines, leur avait servi de guide du haut en bas de la montagne. Or, ni Fidel, avec son sixième sens qui l'avertissait des dangers et des traîtrises, ni Raúl, avec son obsession de l'espionnage et du contre-espionnage, n'avaient été capables de percer à jour les desseins de cet homme — c'est une des plus grandes fautes qu'ils aient commises au temps de la guérilla. Une semaine auparavant, l'armée de Batista avait déjà monté une opération dans le but d'encercler et d'anéantir les rebelles, mais Fidel avait su la déjouer et même tendre une embuscade aux soldats qui avaient perdu cinq hommes. A cette occasion, il avait affronté pour la première fois le lieutenant Angel Sánchez Mosquera ; celui-ci était sans doute le meilleur officier de l'armée de

Batista, sur le terrain, et devait demeurer la bête noire de Castro jusqu'à la fin de la guerre.

Eutimio était un paysan mince et toujours souriant ; il avait une trentaine d'années. Il avait su inspirer une si bonne opinion de lui-même, que ce guide tout dévoué à la révolution avait été autorisé, le 20 janvier, à faire une courte visite dans son foyer à El Mulato, au Nord-Ouest de l'endroit où les rebelles s'étaient installés ce jour-là ; Fidel lui avait même, en fait, donné de l'argent. Mais, sur le chemin du retour, Eutimio avait été arrêté par l'armée. La veille, l'unité d'élite commandée par Sánchez Mosquera avait subi un revers à Llanos del Infierno, au-dessus de La Plata. Le guide avait dû choisir : être exécuté pour avoir aidé les rebelles ou trahir ces derniers. Plus précisément, Eutimio s'était vu promettre dix mille pesos, un grade de major dans l'armée et une ferme de son choix s'il parvenait à assassiner Castro ou à indiquer l'endroit où se trouvaient les guérilleros afin que les troupes de Batista puissent les liquider. Il avait apparemment accepté le marché puisqu'il fut relâché le 25 janvier, muni d'un sauf-conduit de l'armée. A ce moment-là, les forces de Fidel faisaient mouvement vers l'ouest, en direction des monts Caracas, pour atteindre les contreforts sud-ouest de la Sierra, où devait avoir lieu une rencontre avec les dirigeants urbains du Mouvement du 26 juillet. Au bout de deux jours, Eutimio avait retrouvé les rebelles dans un champ de café, à La Olla, près d'El Mulato. Il avait reçu un accueil chaleureux de la part des guérilleros sans méfiance et leur avait raconté tout au long comment il avait traversé le champ de bataille de Llanos del Infierno ; il disait avoir vu des maisons calcinées et couru pour mettre Fidel en garde contre la présence de l'armée dans les parages. Il avait également apporté des friandises à ses camarades.

Sur la foi de ces renseignements, Castro avait décidé de reprendre sa marche pendant la nuit et de monter jusqu'à une passe située en altitude dans les Caracas pour s'y établir. Comme la nuit était froide, Fidel avait invité Eutimio à dormir avec lui sous sa couverture, à même le sol. Le paysan s'était allongé à ses côtés avec son Colt et deux grenades ; mais aux questions qu'il avait posées sur l'emplacement des sentinelles postées autour d'eux, Castro avait instinctivement répondu de façon évasive. De toute évidence, le guide n'avait pas eu le courage de tuer Fidel sur le champ, et préféré laisser ce rôle à l'armée. Le lendemain matin, 28 janvier, Eutimio avait quitté de nouveau les rebelles, cette fois sous prétexte de partir à la recherche de ravitaillement et de plusieurs guérilleros qui s'étaient écartés du gros de la troupe. En fait, il s'était rendu tout droit au quartier général avancé de l'armée, près d'El Mulato, pour indiquer la position des rebelles. Dans l'intervalle, Fidel avait décidé de déplacer ses hommes à l'improviste vers le haut de la montagne, à quelque trois cents mètres au-dessus de la gorge où venait d'être installé le gros fourneau de la cantine ; cette fois encore, son instinct lui permit de sauver la vie de ses compagnons.

De l'avis de Castro, au sommet des Caracas, il se trouvait à l'abri de tout encerclement : le terrain était trop escarpé, trop difficile à escalader. Il avait donc dépêché quatre hommes à Manzanillo avec de nouvelles instructions au sujet de sa réunion prochaine avec les dirigeants du Mouvement.

L'armée rebelle, en montagne, comptait à ce moment-là vingt-cinq combattants, dont dix-sept avaient participé à l'expédition de la *Granma* (d'autres survivants de la bataille d'Alegría de Pío avaient encore rejoint Castro au fil des semaines); il y avait en outre des volontaires venus de Manzanillo. Les effectifs de la petite armée variaient chaque jour, en fonction des arrivées et des départs. Ramiro Valdés et un autre rebelle poursuivaient leur convalescence dans une ferme toute proche, mais devaient se cacher en forêt quand une unité de l'armée était signalée dans les parages. Depuis la veille au soir, le groupe de Castro prenait quelque repos dans son camp de montagne. Le journal de Che indique : « Fidel a fait un discours à ses troupes pour les avertir des sanctions qui seraient prises en cas d'indiscipline et de démoralisation... Trois crimes seraient punis de mort : l'insubordination, la désertion et l'abus de pouvoir... » Au même moment, Eutimio était arrivé à Macho, au sud des Caracas, pour examiner avec le commandement de l'armée la meilleure manière d'anéantir Castro. Etant donné la nature du terrain, le commandement avait conclu que le moyen le plus efficace serait un raid aérien; Eutimio avait été emmené en jeep au port de Pilón, où le lendemain matin il lui faudrait monter dans un avion de reconnaissance pour indiquer sur une carte l'emplacement exact du camp des guérilleros.

Le 30 janvier, juste après sept heures du matin, l'aviation de Batista frappait les *Fidelistas*, et les rebelles se séparaient en trois groupes pour évacuer le secteur. Les treize hommes de Castro traversèrent la crête des Caracas pour se rendre sur le versant sud-est où le feuillage les rendrait invisibles aux avions. Castro ne décolérait pas à l'idée que ses troupes s'étaient débandées pour la seconde fois, juste au moment où il croyait les avoir cimentées. Quand, le lendemain à midi, il fut rejoint par Raúl et ses quatre hommes, les choses lui apparurent de nouveau sous un meilleur jour; Che, Guillermo García et trois autres hommes s'étaient perdus dans la forêt et il leur fallut deux jours pour retrouver Fidel. Le 1er février, apprenant que trois colonnes de l'armée convergeaient vers les Caracas, Castro ordonna aux rebelles de reprendre leur avance en direction de l'Ouest. La guerre des maquis en montagne ressemble un peu au jeu de colin-maillard, mais aucun des deux adversaires ne peut voir ni entendre l'autre, quitte à se cogner soudain contre lui dans le noir; l'avantage appartient généralement à celui qui dispose des meilleurs éclaireurs et connaît mieux le terrain. C'est Castro qui, décidément, possédait cet atout et il parvint à tromper l'armée une fois de plus.

Le véritable ennemi maintenant, c'était la faim et la soif. Les rebelles n'eurent pratiquement rien à manger pendant deux jours, si bien que le 3 février, pendant la traversée d'une forêt, l'un des combattants s'écroula; la soif l'empêchait de bouger. Castro lui donna un citron desséché qu'il avait dans sa poche; l'homme le suça et l'avala. Un autre absorba l'eau putride d'une bouteille de bière qu'il trouva sur la piste. Che Guevara, atteint d'une crise de malaria, réussit à se traîner à grand-peine jusqu'à l'endroit où la colonne devait passer la nuit, avant de perdre connaissance. Il dut rester à l'arrière le lendemain, avec deux camarades chargés de veiller sur lui. A plusieurs reprises, Che s'évanouit en essayant de marcher;

« J'eus dix fois la diarrhée », écrivait-il plus tard. Une nuit, il fut trempé par une averse, au bivouac. Avec ses deux compagnons, il s'égara de nouveau le 5 février ; ce fut Raúl, à la tête d'une patrouille, qui les retrouva ; il leur avait apporté du bouillon de poulet chaud.

Eutimio Guerra fit sa réapparition ce soir-là, alors que les hommes prenaient un peu de repos dans une ferme ; il avait un pantalon blanc tout neuf, une *guayabera* de couleur crème, un nouveau chapeau ; il apportait cinquante boîtes de lait condensé. Le corps expéditionnaire lui fit fête une fois encore. Afin de faciliter la traversée de la sierra vers l'Ouest, Castro décida de diviser son armée en deux sections ; la première, qui comprenait Ramiro Valdés et huit autres compagnons, prit le départ pendant la nuit. Fidel et vingt hommes, y compris Eutimio, restèrent sur place un jour de plus. C'est alors que le guide demanda à Castro de le suivre seul dans un champ de café, mais Universo Sánchez tint à les accompagner, ce qui visiblement rendit l'homme nerveux. En fin de compte, Castro commençait à trouver suspects les fréquents déplacements d'Eutimio, la facilité avec laquelle il se procurait des vivres, et ses questions permanentes. Il ne savait pas encore que plusieurs membres du Mouvement avaient entendu des officiers de l'armée prononcer le nom d'Eutimio au cours de conversations, tant à Manzanillo qu'à Santiago. Il lui fallait d'autres preuves pour agir.

Les avions de Batista bombardèrent et mitraillèrent de nouveau les hauteurs des Caracas, le 7 février. Eutimio conseilla à Castro de dresser son campement près d'un hangar abandonné, au creux d'un profond ravin. Fidel accepta et posta des sentinelles tout autour de l'endroit. Mais l'aviation était de retour dès le lendemain, et de nouvelles bombes se déversèrent sur les guérilleros. Comme Eutimio plaisantait nerveusement — « Je ne leur avais pas dit de bombarder ici » —, Castro se trouva presque convaincu, cette fois, d'avoir affaire à un traître. Raúl a noté dans son journal : « L'aviation ne nous a infligé qu'une énorme peur, malgré ses nombreux raids. » Le vendredi 8 février, il pleuvait à torrent ; Raúl paria avec Fidel et Che que la pluie était encore plus violente sous leur abri, au fond du canyon, qu'à l'extérieur. Au retour d'une autre de ses mystérieuses expéditions, Eutimio se porta volontaire pour monter la garde à l'entrée du précipice. C'était apparemment pour laisser l'armée pénétrer dans le ravin, mais la pluie dut lui faire abandonner son plan. Désormais les guérilleros avaient les soldats sur leurs talons. Le samedi 9 février, Raúl nota dans son journal : « La conduite d'Eutimio préoccupe Fidel. » C'est alors qu'Universo Sánchez arriva en courant pour crier qu'une importante colonne de l'armée approchait. Eutimio, une fois de plus, s'était absenté ce matin-là sous prétexte d'acheter des vivres.

Ce même jour, un paysan du cru, intercepté par une sentinelle rebelle, fit savoir à Fidel que 140 soldats avaient pris position au-dessus du ravin. Fidel grimpa sur un rocher pour observer le dispositif ennemi avec son fusil à lunette. Il entendit le paysan raconter également qu'il avait vu Eutimio Guerra « là-bas » le matin même. Castro, convaincu de la trahison d'Eutimio, en informa alors ses hommes, puis il les fit sortir du canyon et escalader le mont Espinosa qui surplombait tout le secteur. Soudain, plusieurs rebelles aperçurent Eutimio qui courait derrière un bouquet de buissons ; aussitôt, des soldats, postés derrière des monticules, tout près de là, ouvrirent le feu sur les *Fidelistas*. Julio Zenón Acosta, l'un des tout premiers paysans engagés dans l'Armée Rebelle, fut tué sur le coup ; il se tenait à quelques pas de Fidel. Il avait été le premier élève de Che Guevara qui lui apprenait à lire et qui nota dans son journal : « Nous commencions à peine à faire la différence entre le A et le O, et entre le E et le I... Ce *guajiro* analphabète était capable de comprendre l'énormité des tâches qui attendaient la Révolution, et il s'y préparait en apprenant les premières lettres de l'alphabet. Il ne put achever son travail... »

L'escarmouche se poursuivit pendant des heures. Les rebelles, de nouveau, durent se diviser en trois groupes pour battre en retraite vers la montagne la plus proche. Fidel et Raúl avaient pris la tête d'un groupe de cinq hommes et, sous le feu nourri des soldats, ils rampèrent dans l'herbe haute pour éviter d'être repérés. Des ronces leur arrachaient la paume des mains. Che, Juan Almeida, et dix autres hommes, se frayèrent un chemin vers le sommet en passant par l'autre versant ; les soldats lancés à leurs trousses tiraient sur eux avec des armes automatiques. Guevara perdit tous ses médicaments, ses livres et son fusil : « J'en avais honte », devait-il noter dans son journal. Une fois de plus, les forces rebelles étaient dispersées, mais elles ne se laissèrent pas encercler. Elles avaient perdu un combattant, mais l'opération tentée par l'armée dans la montagne se soldait par un fiasco. Il avait été convenu d'avance que tous les groupes devraient tenter d'atteindre une montagne des environs appelée Lomón ; le 12 février, dans une dernière tentative pour en finir avec les rebelles, l'armée y envoya des avions mitrailler la forêt. A la nuit tombée, les *Fidelistas* se trouvaient de nouveau réunis mais ils n'étaient plus que dix-huit ; en effet, quelques-uns des paysans en avaient eu assez et ils étaient rentrés chez eux ; en outre, plusieurs guérilleros avaient été envoyés en mission par Fidel. Les rebelles découvrirent une ferme dans une clairière, où des paysans leur servirent, tard dans la nuit, un rôti de porc pour le dîner. Quatre jours plus tard, dans les contreforts situés au sud-ouest de la Sierra Maestra, Fidel Castro atteignait la ferme où il allait incessamment écrire un nouveau chapitre de l'histoire politique de la révolution. Le trajet s'était effectué sans incident, à part quelques tirs de mortier inoffensifs, de la part de l'armée. Le tour d'Eutimio Guerra viendrait plus tard.

C'est un groupe de combattants fortement soudés et aguerris par les épreuves qui se présenta à quatre heures du matin, le samedi 16 février, à la ferme d'Epifanio Díaz et de sa femme María Moreno. Les dix-huit hommes avaient rendez-vous avec le Directoire national du Mouvement et un éditorialiste du *New York Times* pour une interview soigneusement préparée. Castro ne doutait pas qu'ils feraient une forte impression sur les visiteurs. Ces deux réunions revêtaient pour lui la plus grande importance ; elles lui permettraient de s'affirmer comme le chef incontestable de la révolution — c'est pour cette raison qu'il avait pris le risque de se rendre aux confins de la Sierra Maestra, à quarante kilomètres seulement, à vol d'oiseau, de la ville de Manzanillo. Le régime de Batista avait montré qu'il était désormais bien résolu à l'assassiner, mais Castro, de son côté, avait la conviction de dominer la situation.

« Nous nous étions si totalement identifiés à la montagne, à sa nature et à son cadre », raconte-t-il, « nous nous y étions si bien adaptés que nous avions l'impression de nous trouver dans notre milieu naturel. Cela n'avait pas été facile, mais je pense que nous avions fait corps avec la forêt de la même manière que les animaux sauvages qui y vivent (*en fait, il n'y a pas de bêtes sauvages dans la Sierra Maestra*). Nous étions constamment en mouvement. Nous ne dormions que dans la forêt. Au début, nous couchions à même le sol. Nous n'avions absolument rien pour nous couvrir. Plus tard, nous avons disposé de hamacs, de sacs de couchage... avec des bâches en matière plastique pour nous protéger de la pluie. Les corvées de cuisine étaient réparties par équipes. Le groupe dont c'était le tour coltinait le matériel et le ravitaillement. Au commencement, nous devions nous arrêter dans des maisons pour manger, mais plus tard nous nous sommes organisés autrement. Et nous ne connaissions pas bien la région. Nous n'y avions quasiment aucun contact de caractère politique. C'est avec la population que nous établissions des rapports. Nous avons étudié le terrain tout en combattant... Batista menait une terrible campagne de répression, il y avait beaucoup de maisons incendiées, de nombreux paysans tués. Notre attitude envers les paysans était bien différente de celle des soldats de Batista, et peu à peu nous avons gagné le soutien de la population rurale — jusqu'au jour où ce soutien nous a été totalement acquis. Nos combattants étaient recrutés dans cette population. »

Che Guevara, qui a toujours eu plus d'esprit critique que les autres, montrait davantage de scepticisme dans ses estimations. Il écrivait que « la paysannerie n'était pas prête à prendre part à la lutte, et les communications avec la base (du Mouvement) dans les villes étaient pratiquement inexistantes ». Pour lui, la « mentalité subjective » qui caractérisait les débuts de la lutte, juste après le débarquement, se traduisait par « une confiance aveugle dans l'imminence d'une explosion populaire, un enthousiasme et une foi dans la possibilité de liquider rapidement la puissance de Batista par un soulèvement armé accompagné de grèves révolutionnaires spontanées qui entraîneraient la chute du dictateur ». D'une certaine manière, Guevara avait raison de penser que la confiance de Castro était exagérée, mais le « subjectivisme » *était* bien la clé de l'idée que celui-ci se faisait de la révolution, à savoir qu'un chef mobilisateur (comme lui) pouvait, grâce à une habile propagande, rallier les masses à de grandes causes nationales. Il est intéressant de rappeler que le « subjectivisme » de Fidel était à l'origine de son conflit avec les communistes cubains : il se trouvait effectivement en contradiction avec la théorie marxiste classique, professée par le parti et selon laquelle les « conditions objectives » nécessaires devaient être réunies avant le début d'une insurrection.

Au cours du troisième mois qui avait suivi le débarquement, Castro s'était donc heurté à tous les genres de désastres imaginables : il avait fait naufrage dans une mangrove, ses forces s'étaient débandées par trois fois, il avait été épouvantablement trahi, et sa minuscule troupe se trouvait désormais harcelée sans relâche par toutes les forces aériennes de Batista et pas moins de trois mille soldats appartenant à des corps d'élite (le chiffre est de Castro lui-même). Pourtant rien de tout cela n'avait pu entamer sa volonté de continuer la lutte, ni le zèle de ses partisans prêts à participer à l'insurrection. Ce que Castro avait compris, probablement mieux que Guevara, c'était que les révolutions n'obéissent pas strictement à des règles rationnelles. Certes, les échecs précédents avaient permis à Fidel de vérifier l'exactitude de ce commentaire de Che : « Les survivants de notre petit groupe, imprégnés du même esprit de lutte, avaient une caractéristique commune : ils avaient compris combien il était illusoire d'imaginer des soulèvements spontanés d'un bout à l'autre de l'île. » Mais pour la phase suivante, Castro se fiait à son magnétisme et à son imagination pour maintenir à son plus haut niveau le moral de ses hommes et donner de l'ampleur à la guérilla. Ce genre de « subjectivisme », très ardent en lui, se révéla efficace dans les montagnes.

En ce qui concerne les paysans en général, les rebelles avaient cessé de leur inspirer de la crainte aussitôt que Castro fut parvenu à leur expliquer que les guérilleros étaient des leurs. L'attitude d'Eutimio Guerra fut l'exception et non la règle chez les *guajiros*. Che Guevara lui-même a reconnu que les rebelles « étaient la seule force capable de résister (à l'armée) et de punir les exactions qu'elle commettait à l'encontre de la population civile ; trouver refuge parmi les guérilleros représentait une bonne solution » pour les paysans menacés et soucieux de se mettre à l'abri. Ceux-ci applaudissaient des deux mains quand Castro faisait régner sa « justice révolutionnaire » sur le passage des rebelles, à travers la Sierra Maestra ; si un gendarme tortionnaire ou le régisseur d'une compagnie foncière était exécuté, la nouvelle s'en répandait instantanément, d'un bout à l'autre de la montagne. Les compagnons de Castro se rendirent encore plus sympathiques aux yeux des *guajiros* lorsqu'ils remisèrent leurs armes pour aider à la récolte du café en mai 1957. De nombreux paysans avaient été arrêtés par l'armée au cours d'expéditions punitives ; la survie de leurs familles dépendait de la récolte qui, sans l'aide des rebelles, eût été en grande partie perdue. Naturellement, les planteurs de café eurent droit à un discours révolutionnaire de Castro au beau milieu de la Sierra.

Pour maintenir le moral parmi les rebelles, tout particulièrement chez les paysans et les volontaires de la plaine, Fidel avait instauré une discipline de fer (il avait décrété que l'insubordination et la désertion seraient punies de mort) ; mais il entretenait en même temps des relations personnelles chaleureuses avec ses hommes. Selon Guillermo García, les rapports de Fidel avec les combattants étaient pour celui-ci « une préoccupation constante » ; il leur parlait, leur expliquait les choses, les écoutait, demandait l'opinion de chacun à tout propos. A chaque étape, quelle qu'eût été la longueur de la marche, Castro « se mettait à nous expliquer ce qui s'était passé ce jour-là, nos problèmes et ceux de l'ennemi, puis il nous donnait un aperçu de la région où nous nous trouvions ». De cette manière, affirme García, les hommes étaient « parfaitement au courant de tout ce qui était en train de se passer » ; en retour, ils témoignaient un « extraordinaire respect à Fidel ». Il se rappelle aussi que « si quelqu'un était malade ou se sentait mal, c'était pour Fidel un terrible souci, et cela contribuait à le faire respecter par tous... il demandait toujours aux gens : " Comment vous sentez-vous ?... " " Avez-vous bien dormi ?... " " Comment était le dîner d'hier soir ?... " Il prenait soin de chaque soldat ». D'après García, Fidel savait aussi écouter les paysans et leur parler : « Il apportait un exemplaire de son programme pour en discuter avec les paysans, écoutait leurs opinions, demandait ce qu'ils pensaient des divers problèmes sociaux et politiques... Dans l'esprit de Fidel, il était fondamental que chaque paysan, chaque enfant, chaque adolescent, chaque adulte, comprît les raisons de son combat révolutionnaire... » Inversement, les paysans ne prêtaient pas l'oreille aux propos tenus par les fonctionnaires du gouvernement ou par les militaires, même quand ceux-ci tentaient de s'adresser à eux, dit García, car « ils n'avaient rien à leur dire... Ils étaient incapables de tenir une conversation pendant cinq minutes avec un humble paysan, un pauvre ouvrier, par crainte de s'entendre demander : " Que m'apportez-vous ?... " " Qui défendez-vous ? " ».

Pourtant, à les voir et à les entendre, on aurait pu prendre Fidel et sa bande pour de vrais durs. A la fin de février, la plupart d'entre eux étaient *barbudos ;* ils avaient des barbes de tailles et de couleurs variées, des cheveux longs, des vêtements sales et déchirés. En guise de couvre-chefs, ils portaient aussi bien des casques militaires — pris à l'ennemi — que des chapeaux de paille ou la même casquette verdâtre que Castro. Il y avait de quoi effrayer ceux qu'ils rencontraient, et l'odeur qu'ils dégageaient était vraiment violente. Raúl nota en février qu'il venait juste de prendre son troisième bain (dans un torrent) depuis qu'il avait quitté le Mexique à la fin de novembre. Leur vocabulaire était tout aussi épouvantable. Carlos Rafael Rodríguez, le dirigeant communiste qui passa plusieurs mois auprès de Castro dans les montagnes, en 1958, remarqua : « Dans la Sierra Maestra, il avait contracté un langage grossier et brutal, si je peux m'exprimer ainsi... il vivait alors dans le climat d'exaltation que procure la bataille et tous les trois ou quatre mots, il employait une expression... bon, vous voyez ce que je veux dire... » Mais Rodríguez ajoutait que Castro surveillait toujours ses paroles en présence des dames.

Le samedi 16 février, peu après cinq heures du matin, Castro rencontra la femme qui allait devenir le personnage le plus important de sa vie. Celia Sánchez Manduley avait trente-six ans. Elle était célibataire, extrêmement intelligente et efficace, brune et séduisante sans être une beauté, totalement acquise aux idées du Mouvement du 26 juillet, telles que Castro les avait définies. C'était l'une des cinq filles d'un médecin, le Dr. Manuel Sánchez Silveira ; elle résidait à Manzanillo et à Pilón, dans le Sud-Ouest de la province. Depuis sa petite enfance, elle connaissait quasiment tout le monde dans cette toute petite partie du globe, les politiciens comme les paysans ; et elle s'était profondément engagée dans la politique. Après le coup d'état de Batista, en 1952, Celia avait rendu visite aux dirigeants du parti *Ortodoxo* à La Havane, mais n'avait jamais rencontré Castro.

En s'exilant au Mexique, au milieu de l'année 1955, juste après être sorti de prison, Fidel avait aussitôt commencé à mettre sur pied ses plans d'invasion. Celia, à l'époque, avait noué des liens solides avec le Mouvement naissant. C'est elle qui avait procuré à Pedro Miret les cartes de la côte sud-ouest d'Oriente, quand il était allé reconnaître les lieux avec Frank

País. Armando Hart, l'un des fondateurs du Mouvement, se rappelle que Celia s'était rendue ultérieurement à La Havane pour demander à participer aux projets d'invasion de Castro. Pourtant, dit-il, Frank País voulait la faire rester à Manzanillo pour préparer l'aide nécessaire au corps expéditionnaire après le débarquement.

En Oriente, elle avait travaillé avec Frank País pour mettre sur pied, chez les paysans, le réseau clandestin qui devait accueillir la *Granma* avant de transporter les rebelles dans la Sierra ; mais, comme l'on sait, l'arrivée de Castro se fit attendre plus de quarante-huit heures et il fallut modifier les plans. Après l'affaire d'Alegría de Pío, alors qu'elle venait juste d'entrer au Directoire national du Mouvement, Celia avait organisé à Manzanillo le premier dispositif urbain destiné à fournir un soutien aux guérilleros (le groupe de Frank País à Santiago avait été dissous après le soulèvement avorté du 30 novembre) ; elle avait fait acheminer dans la montagne, par son réseau de paysans, des armes, des munitions, des vivres, des fournitures et des volontaires. Ce n'était pas encore, au départ, une aide importante mais pour Castro chaque cartouche comptait. Quand Faustino Pérez descendit de la Sierra, à Noël, pour annoncer au monde que Castro était bien vivant et poursuivait le combat, c'était Celia qui l'avait reçu et aidé à poursuivre sa route jusqu'à Santiago et La Havane. (Elle avait envoyé une jeep le chercher dans la sierra dès qu'elle eut été alertée par un premier messager.) C'est elle encore qui avait ensuite préparé la réunion du Directoire national avec Castro et arrangé l'interview du *New York Times*. Elle avait fait de Manzanillo la base logistique des rebelles, au nez et à la barbe de la police de Batista, des services de renseignements militaires et de toute la garnison. Celia fut la dernière à rejoindre la cohorte de ces femmes providentielles qui étaient toujours intervenues au moment décisif dans l'histoire du Mouvement.

Celia, dont les noms de code étaient « Norma » et « Aly », avait quitté Manzanillo avec Frank País pendant la soirée du vendredi 16 février, dans une voiture conduite par un membre du Mouvement, Felipe Guerra Matos. Aux alentours de minuit, ils atteignaient l'endroit convenu, à l'orée de la Sierra, et durent encore marcher toute la nuit, sous la conduite d'un rebelle. Juste après l'aube, ils tombèrent sur Luis Crespo, l'un des meilleurs soldats de Castro, puis sur Fidel et son groupe, qui, eux aussi, avaient dû marcher toute la nuit jusqu'à la ferme d'Epifanio Díaz. Il était cinq heures du matin quand Celia et Fidel se trouvèrent face à face, au beau milieu d'un pré situé à quelques centaines de mètres de la maison. Si Castro avait rencontré Frank País à deux reprises, Celia n'était encore pour lui qu'un nom sans visage. Ni l'un ni l'autre n'ont décrit cette première entrevue, mais il ne fait pas de doute qu'ils durent produire l'un sur l'autre une impression profonde. Leur rencontre dans le pré marqua la naissance d'une association qui allait durer vingt-trois ans, jusqu'à la mort de Celia.

Raúl rejoignit son frère dans le pré pour voir Celia et Frank ; ils discutèrent tous les quatre jusqu'à midi passé, puis, par précaution, décidèrent de se rendre dans un champ de cannes à sucre, à huit cents mètres de là, pour y déjeuner (au menu figuraient les friandises apportées de Manzanillo par les visiteurs) et poursuivre la conversation. Fidel leur fit un récit détaillé de ce qui s'était passé depuis que les rebelles avaient quitté le Mexique. De leur côté, Celia et Frank lui rendirent compte de l'échec du soulèvement de Santiago, des progrès que leurs efforts avaient fait faire au Mouvement, et des rumeurs selon lesquelles Eutimio Guerra était à la solde de l'armée. Fidel insista sur l'urgence de ses besoins en hommes, en armes et en munitions, qu'il incombait aux villes de lui procurer. Ensemble, ils définirent les grandes lignes d'un plan destiné à faire de Manzanillo, sous la direction de Celia, le principal relais sur la route de la Sierra Maestra ; la ferme d'Epifanio Díaz serait le point de passage vers les profondeurs de la montagne. L'endroit, baptisé Los Chorros, avait été choisi pour abriter la réunion, car la famille Díaz était totalement digne de confiance sur le plan politique (deux de ses fils appartenaient au Mouvement). Castro trouvait qu'elle offrait une excellente voie d'accès au maquis. Vers le milieu de l'après-midi, comme il menaçait de pleuvoir, Fidel demanda à Guillermo García et à deux autres rebelles de dresser un abri dans le champ ; la discussion à quatre se prolongea jusqu'à la tombée de la nuit. Entre-temps, Castro avait décidé de se tenir à l'écart de la ferme jusqu'à l'arrivée du journaliste américain et des autres dirigeants du Mouvement ; il passa la nuit à la belle étoile.

Faustino Pérez, Armando Hart, Haydée Santamaría et Vilma Espín avaient fait leur apparition dans la soirée et avaient été conduits dans le champ, auprès des frères Castro, de Celia et de Frank. Depuis qu'il avait quitté La Havane, au milieu de l'année 1955, Castro n'avait pas revu Armando ni Haydée (qui s'étaient fiancés dans l'intervalle). C'était la première fois qu'il rencontrait Vilma ; elle était la fille d'un médecin de Santiago et avait fait ses études aux Etats-Unis ; elle n'appartenait pas au Directoire national, mais s'était montrée si active dans le Mouvement, en Oriente, que Frank País avait tenu à l'inviter. De plus, Vilma parlait anglais et pourrait servir d'interprète auprès du journaliste. C'est à cette occasion qu'elle fit la connaissance de Raúl, dont elle devait devenir la femme juste après la Révolution. Il y eut un assez grand nombre de mariages parmi les dirigeants des rebelles — Melba Hernández et Jesús Montané étaient déjà mariés — mais, dans la plupart des cas, ces unions se terminèrent plus tard par des divorces. Raúl et Vilma firent exception à cette règle.

Frank País et Haydée, en allant à la Sierra, avaient l'intention de persuader Castro de quitter Cuba pour un pays d'Amérique latine, où il pourrait réorganiser le Mouvement en toute sécurité. Haydée a rapporté par la suite leur conversation sur ce point ; Frank lui avait dit : « Je n'en ai pas encore parlé à Fidel ; voyons comment le lui dire... Ils sont bien capables de le tuer [s'il reste ici] et nous ne pouvons pas nous permettre ce luxe. » Mais avant d'aborder le sujet ce soir-là, dans le champ de la Sierra, Fidel s'était écrié : « Regardez comme ces soldats tirent d'en bas mais n'osent pas monter jusqu'ici ! Si vous pouvez m'apporter les balles et les fusils qu'il me faut, je vous garantis qu'en l'espace de deux mois je serai en pleine bataille... Nous avons seulement besoin de quelques milliers de balles, avec vingt hommes armés de plus, pour gagner la guerre contre Batista. » Frank et Haydée, avant de rencontrer Castro cette nuit-là, avaient sous-estimé son optimisme et la confiance qu'il avait en lui-même. Haydée ajoutera aussi, plus tard : « Nous ne pouvions rien lui dire ; il parlait avec une telle force de conviction et ses exigences étaient si modestes... » Celia concluait de son côté : « Frank s'en alla convaincu, comme moi, que Fidel voyait juste... » La nuit venue, un paysan leur apporta de la ferme une grande casserole de poulet, de riz et de racines de *malanga*. Après dîner, Luis Crespo leur indiqua qu'il y avait un peu plus loin une cabane abandonnée où les trois femmes pourraient dormir. Fidel, Raúl et les autres hommes proposèrent de les accompagner, mais personne ne put trouver la cabane. Celia racontera par la suite : « Nous avons tourné en rond si longtemps que nous étions incapables de retrouver le campement (où nous avions dîné), et nous nous sommes endormis dans le champ, à la belle étoile. » Fidel estimait qu'il était dangereux de se promener de nuit à l'aveuglette ; il arrêta son choix sur un bouquet de palmiers dans un pré. Il était deux heures trente du matin quand ils s'endormirent et, comme Castro l'a précisé : « La nuit était froide, les moustiques abondants, et les soldats tout proches. »

A l'aube, l'envoyé du *New York Times* atteignit l'un des camps situés autour de la ferme ; Universo Sánchez dénicha Castro pour le lui annoncer. Celui-ci lui donna pour instructions de raconter au journaliste qu'il se trouvait à une réunion d'état-major, dans un autre camp de rebelles, non loin de là, et qu'il rentrerait aussitôt que possible. Il voulait avant tout empêcher le journaliste de découvrir que son armée ne comptait que dix-huit hommes. Il n'avait pas eu le temps d'inspecter le campement où la rencontre devait avoir lieu, en raison de ses conversations avec Celia, Frank et les autres, pendant les dernières vingt-quatre heures ; mais il avait pris des dispositions pour que ses hommes rendent l'endroit aussi animé que devait l'être un poste de commandement en temps de guérilla. Castro était passé maître dans l'art de soigner les détails autant que les questions de grande envergure.

C'est Herbert L. Matthews que le *New York Times* avait envoyé à la Sierra Maestra. Il appartenait au comité de rédaction du journal, où il était tenu en très haute estime, et il s'était spécialisé dans les affaires d'Amérique latine. Pour le compte du *Times*, il avait assisté à l'invasion italienne en Ethiopie, à la guerre civile espagnole et à la Seconde Guerre mondiale. Au cours des années 1950, il était devenu l'éditorialiste attitré du journal pour les affaires du continent américain. Quand Faustino Pérez était rentré à La Havane, après avoir quitté la sierra pour mettre au point la visite d'un journaliste américain à l'armée rebelle, le Mouvement du 26 juillet avait immédiatement contacté le bureau du *Times*. C'est Javier Pazos, étudiant en sciences économiques et sympathisant du Mouvement, qui se chargea de cette démarche. (Son père avait été président de la Banque Nationale de Cuba avant la dictature de Batista.) Il avait appris que Matthews avait l'intention de se rendre à Cuba, de sorte que Ruby Hart Philipps, le correspondant local du *Times*, n'eut plus qu'à câbler à New York pour suggérer que Matthews avance son voyage. En un temps où la presse américaine savait à peine qu'il existait un problème cubain — ou un personnage nommé Fidel Castro —, Matthews s'était déjà intéressé à Cuba. Il accepta donc cette mission sur-le-champ, sans poser de questions. Le

Times n'avait aucune idée non plus de ce qui pouvait bien attendre Matthews.

Pour le journaliste, ce reportage revêtait une grande signification ; il y avait à cela des raisons tant personnelles que professionnelles. C'était un homme cultivé et réservé, chez qui battait un cœur romantique. Il ne s'était jamais complètement remis du choc affectif que lui avait causé la victoire des Nationalistes fascistes sur les Républicains espagnols, tragédie à laquelle il avait assisté. Il allait bientôt écrire, dès son retour de Cuba : « Le glas sonne dans la jungle de la Sierra Maestra. » (C'était un rappel discret du roman de Hemingway sur la résistance espagnole, *Pour qui sonne le glas* N.d.T.) Aux yeux d'un homme qui s'était fait le champion de la démocratie en Amérique Latine, dans ses éditoriaux du *Times*, la révolte castriste constituait la dernière des grandes causes à défendre sur le continent américain ; dans son esprit, Castro et son Mouvement représentaient une possibilité de revanche, après le drame vécu par l'Espagne. Matthews, alors âgé de cinquante-sept ans, éprouvait des sentiments quasi paternels pour ces jeunes Cubains révoltés.

Même si Castro n'avait jamais entendu parler de Matthews, la visite de celui-ci revêtait une importance politique immédiate à ses yeux et il en avait soigneusement calculé l'impact. Cette fois encore, il s'était inspiré de José Martí. En effet, l'Apôtre avait fait appel à un journaliste américain pour rendre compte de sa guérilla contre les Espagnols, peu de temps après avoir débarqué en Oriente, le 11 avril 1895. C'était George E. Bryson, du *New York Herald*, qui avait interviewé Martí le 2 mai, tandis que le rebelle traversait les montagnes situées au Nord-Ouest de Santiago. Martí et le général Gómez, son commandant en chef, avaient écrit une longue lettre destinée à être publiée par le *Herald*, pour exposer, dans ses grandes lignes, le programme du Mouvement révolutionnaire cubain. Bryson avait emporté cette lettre à New York, mais Martí fut tué au combat le 19 mai. Dans son journal, celui-ci notait qu'il avait travaillé « avec le correspondant du *Herald* jusqu'à trois heures du matin », et même le jour suivant : « J'ai travaillé toute la journée au manifeste pour le *Herald*, et également au reportage de Bryson. » Il ajoutait que son interlocuteur américain s'en était allé le 4 mai.

Soixante-deux ans plus tard, la scène du dialogue entre Martí et Bryson allait se répéter avec Matthews. Celui-ci n'était pas homme à se laisser prendre au dépourvu et il avait bien étudié son dossier ; dans son propre récit du voyage à Cuba, il a écrit que Castro « était un mythe, une légende, un espoir, mais pas une réalité… A l'instar du général Gómez, il avait dû se dire : " Sans la presse nous n'aboutirons à rien. " » Mais Matthews avait aussi ajouté que « grâce à la presse [Gómez] avait obtenu l'intervention américaine ». Toujours est-il que Matthews et sa femme Nancie, d'origine anglaise, s'envolèrent de New York pour La Havane le 9 février. Le vendredi 15 février, au soir, les Matthews se trouvaient avec Javier Pazos, Faustino Pérez et Liliam Mesa, dans une voiture qui les emmenait vers une destination inconnue. Matthews savait seulement qu'il devait rencontrer Castro dans la Sierra Maestra, le lendemain à minuit. Il ne connaissait pas Faustino, qui se faisait appeler « Luis » et passait pour le mari de

« Marta », nom de code utilisé par Liliam Mesa. Matthews a décrit Marta comme « une jeune femme séduisante... issue d'une famille aisée de la haute société de La Havane », et « une adhérente fanatique du Mouvement du 26 juillet, un exemple typique de ces jeunes femmes qui risquent — et parfois perdent — leur vie dans une insurrection ». Il a aussi fait observer très pertinemment : « Il était extraordinaire de constater à quel point les Cubaines s'étaient laissé emporter par la passion révolutionnaire, d'autant plus que les femmes des pays latins étaient élevées pour rester au foyer, à l'écart des affaires publiques et de la politique. »

Marta conduisait la voiture, et il leur fallut rouler seize heures pour atteindre Manzanillo, dans l'après-midi du 16 février (Castro était arrivé sur les lieux du rendez-vous à l'aube). Matthews partit pour la Sierra dans la soirée, laissant Nancie aux soins d'une famille cubaine. Le voyage jusqu'aux contreforts de la Sierra s'effectua à bord de la jeep de Felipe Guerra, en compagnie de Javier Pazos et de deux autres jeunes gens ; c'était la troisième fois de la journée que Felipe accomplissait ce trajet, dans un secteur infesté de patrouilles militaires — d'abord avec Celia et Frank, puis avec Faustino et ses compagnons. A minuit, Matthews et les autres descendirent de la jeep pour entamer à pied l'ascension de la montagne. Ils se perdirent, durent attendre deux heures « sous un épais bosquet d'arbres et de buissons, ruisselant de pluie... accroupis dans la boue... cherchant à trouver un peu de sommeil, la tête sur les genoux. » Puis un guide rebelle apparut, se fit reconnaître en émettant les deux sifflements très bas, très doux, presque imperceptibles, qui servaient de signal aux guérilleros. Il conduisit Matthews et son escorte au camp de Los Chorros où il devait rencontrer Castro. C'est à partir de là que commença la mise en scène préparée par celui-ci. Dans sa première dépêche au *Times*, Matthews écrivait que « Señor Castro se trouvait dans un autre camp, non loin de là ; un soldat alla lui annoncer notre arrivée et lui demander s'il viendrait à notre rencontre ou si nous devions aller le rejoindre. Il s'en revint quelque temps après, porteur de l'heureuse nouvelle : nous devions attendre ; Fidel arriverait à l'aube. » Castro était parvenu à donner à Matthews l'impression qu'il disposait de nombreux campements et, comme le prétendait l'article du *Times*, qu'il « possédait la maîtrise de toute la Sierra Maestra ».

C'était du théâtre, un « spectacle de franc-tireurs », comme disent les critiques, mais au sens le plus littéral du terme, une représentation que Castro avait montée pour Matthews. Un compte rendu officiel de la guerre dans la Sierra, publié en 1979 par le journal du parti communiste *Granma*, raconte que « avant d'entrer dans le camp [pour rencontrer Matthews], Fidel avait donné consigne à ses compagnons d'adopter un air martial ». Mais, ajoutait le texte, « pour certains d'entre eux, il n'était pas facile de concilier les exigences de Fidel avec l'état de leurs vêtements et leur aspect général... Manuel Fajardo, par exemple, portait une chemise dont le dos était parti en lambeaux au contact des courroies de son havresac. Pendant tout le temps que le journaliste resta au camp, Fajardo fut contraint de marcher de biais ». A un moment, Raúl Castro amena Luis Crespo, dégoulinant de sueur, à l'endroit où Castro et Matthews étaient en conversation, pour lui permettre d'annoncer : « Commandant, l'agent de liaison de la colonne numéro deux vient d'arriver », et Fidel de répondre, avec hauteur : « Attendez que j'aie fini. »

Comme l'explique l'article publié par *Granma*, il s'agissait « de faire impression sur Matthews par les effectifs de guérilleros, sans lui raconter ouvertement de mensonge », et « finalement, le journaliste crut avoir compté quelque quarante combattants là où il n'y en avait pas vingt; il s'en alla convaincu de n'avoir vu qu'une partie de forces beaucoup plus importantes ». Dans son reportage publié par le *Times*, Matthews citait une déclaration de Castro selon laquelle les troupes de Batista se déplaçaient en colonnes de deux cents hommes : « ... et nous par groupes de dix à quarante, c'est pourquoi nous sommes en train de gagner ». Ailleurs, Matthews écrivait : « Les rapports qui parviennent à La Havane et font état de fréquents affrontements et de lourdes pertes pour les troupes gouvernementales, sont assurément vrais ». Il observait que Castro avait tout d'abord « réduit les soldats du gouvernement à rester dans leurs cantonnements, tandis que lui-même accueillait de jeunes volontaires venus de toutes les régions d'Oriente... et que lui parvenaient armes et ravitaillement; puis il avait entrepris des raids en série et les guérilleros étaient passés à la contre-offensive ».

Matthews n'avait aucun moyen de le savoir, mais l'armée rebelle ne s'était encore trouvée engagée que dans deux accrochages mineurs avec l'armée et Castro était fort heureux d'avoir pu traverser la Sierra sans encombres pour rencontrer le journaliste, car son autorité s'étendait seulement aux quelques pouces de terre sur lesquels ils étaient assis. L'Américain n'aurait jamais voulu croire que l'armée rebelle se composait en tout et pour tout de dix-huit hommes qu'il avait vus passer et repasser sans cesse au cours de son entrevue de trois heures avec Castro. Il ne faut pas, néanmoins, reprocher à Matthews d'avoir été dupe ou naïf : il se trouvait dans un décor où Castro était bien chez lui; le chef cubain était éminemment crédible et il avait par-dessus tout le mérite d'être bel et bien en vie, alors que Batista le prétendait mort. Enfin, Matthews voyait juste quand il concluait : « D'après la tournure que prennent les choses, le général Batista ne peut espérer venir à bout de la révolte castriste. Son seul espoir, c'est qu'une colonne de son armée finisse par tomber sur le jeune chef rebelle et son état-major pour les exterminer. Il est douteux que cela se produise... »

Aussitôt que Matthews eut quitté le camp pour être reconduit à Manzanillo, Castro reprit ses discussions avec le Directoire national. Ils examinèrent pendant quatre heures la possibilité de recruter un contingent d'hommes armés dans les villes d'Oriente pour étoffer les effectifs de l'armée rebelle. Fidel souligna que le premier devoir du Mouvement était d'apporter un soutien à la guérilla. Ce faisant, il soulevait la question des divergences de vues entre la Sierra et le *llano* (la plaine) quant à la hiérarchie des priorités. Ce différend devait bientôt engendrer une lutte pour le pouvoir au sein des dirigeants puis conduire, après 1959, à la liquidation du Mouvement du 26 juillet et au règne des « nouveaux » communistes cubains soumis à Castro. Dans ce sens, la bataille politique sur le sort futur de la révolution débuta dès cet instant-là, deux mois et demi après le débarquement des *Fidelistas* dans l'île, et à un moment où ceux-ci ne représentaient encore qu'une force de dix-huit hommes.

Au cours de la conférence, Faustino Pérez, qui passait pour représenter à la fois le groupe de la *Sierra* et les formations insurrectionnelles urbaines, proposa l'ouverture d'un « second front » dans la Sierra de l'Escambray qui fait partie de la province de Las Villas, au centre du pays ; il s'agissait de faire baisser la pression exercée sur la petite bande de Castro. L'armée de guérilleros à laquelle il pensait devait dépendre directement du Mouvement du 26 juillet et faire pendant à l'Armée rebelle d'Oriente. Son argument était qu'il serait plus facile d'obtenir des armes à La Havane et que celles-ci pourraient être plus efficacement utilisées dans l'Escambray. Selon la version reprise par le chroniqueur de *Granma,* cette proposition fut retenue, « bien que Fidel ne fût pas convaincu de son opportunité car il trouvait plus important, à cette époque, de réserver toutes les ressources disponibles au noyau de guérilleros qui existait déjà ». Une autre version circulait sous le manteau, selon laquelle Castro aurait tout simplement opposé son veto à la suggestion de Faustino. Il y voyait une menace pour sa propre suprématie ; en effet, l'Escambray était géographiquement plus proche de La Havane que la Sierra Maestra, ce qui facilitait une entente politique entre les maquisards locaux et les groupes urbains. Quoi qu'il en soit, une bonne année plus tard, le Directoire révolutionnaire étudiant, rival du *Fidelismo,* devait effectivement créer un « second front » dans l'Escambray. Che Guevara, qui n'assistait pas à la conférence, puisqu'il ne faisait pas partie du Directoire national (et qu'il était étranger), écrivit que les deux branches du Mouvement, celle de la Sierra et celle des villes, « constituaient pratiquement deux groupes séparés, avec des tactiques et une stratégie différentes ». Il ajoutait : « Il n'y avait encore aucun signe avant-coureur des graves divergences qui allaient mettre le Mouvement en danger quelques mois plus tard, mais il était déjà évident que nous avions des conceptions différentes. »

Castro mit fin à la séance en soulignant l'importance des femmes dans la lutte révolutionnaire et en annonçant qu'il allait écrire un manifeste adressé au peuple de Cuba, afin que les membres du Directoire l'emportent avec eux en quittant la montagne. Comme toujours, il ne s'accordait aucun répit ; il était sur la brèche, vingt-quatre heures sur vingt-quatre, absorbé par son entreprise politico-militaire et sa propagande révolutionnaire. Il prit quand même le temps d'expliquer à Celia Sánchez le fonctionnement de son fusil automatique à lunette ; comme par magie, il avait trouvé une femme qui, non contente de partager et de comprendre ses idées politiques et philosophiques, s'entendait également, de façon experte, au maniement d'armes. Manifestement ils étaient faits l'un pour l'autre.

Dans l'après-midi, Castro ordonna l'exécution du traître, Eutimio Guerra. Pour incroyable que cela puisse paraître, celui-ci avait fait son apparition dans les parages de la ferme où les *Fidelistas* étaient réunis ce jour-là ; il espérait vraisemblablement pouvoir, en fin de compte, tendre un piège mortel à Fidel. Il ne se savait pas encore suspect. Tandis qu'il explorait les alentours de la ferme, Eutimio était tombé sur un compagnon et un parent engagé dans l'armée rebelle. Celui-ci était au courant des soupçons qui pesaient sur le guide ; il le confia à la garde de l'autre et courut prévenir Fidel, qui ne fut pas surpris par cette réapparition : il avait prédit le retour d'Eutimio, et il envoya aussitôt une escouade dirigée par Juan Almeida pour capturer le traître qui fut ramené, menottes aux poignets. On trouva sur lui des sauf-conduits délivrés par l'Armée. Raúl a écrit que, dans un premier temps, il avait été question de faire d'Eutimio un « agent triple » et de l'employer contre l'armée, mais l'homme avait refusé. Fidel l'interrogea alors longuement. (Raúl expliqua plus tard : « Il aurait pu nous donner davantage de renseignements si nous l'avions torturé, mais nous n'utilisions pas ces méthodes, même envers quelqu'un d'aussi sordide. ») Un orage terrifiant éclata au-dessus d'eux, avec coups de tonnerre et éclairs, et à 7 heures du matin Eutimio Guerra fut fusillé.

Pendant les trois jours qui suivirent, Castro resta à la ferme pour rédiger son Manifeste, un « Appel au peuple de Cuba », qui devait être distribué dans toute l'île à peu près au moment où paraîtrait l'article de Matthews dans le *New York Times*. La démarche s'inspirait de l'accord conclu entre Martí et Bryson : d'abord l'interview, puis le document soigneusement rédigé pour être publié par le *Herald*. Dans le cas présent, Fidel avait calculé que le reportage de Matthews établirait qu'en vérité il était bien vivant — ce qui en soi ferait sensation ; l'audience du Manifeste s'en trouverait considérablement accrue. Ce devait être aussi le premier document officiel du Mouvement du 26 juillet publié dans la Sierra Maestra ; il établirait de manière irréfutable que Castro, et lui seul, était le Commandant en Chef de la révolution.

Lors de leur visite, les dirigeants du Mouvement avaient apporté des journaux et des magazines. C'était pour Fidel la possibilité de se mettre au courant des affaires qui agitaient le reste du monde (en temps normal, il ne disposait que des informations captées par sa radio de campagne). Parmi les événements rapportés par la presse de La Havane, il était question de la cérémonie au cours de laquelle l'Ambassadeur des Etats-Unis, Arthur Gardner, avait remis sept tanks Sherman au général Batista et qualifié Castro d' « agitateur de la racaille ». La même semaine, le porte-avions *Leyte* et quatre destroyers s'étaient rendus en visite officielle à La Havane. La politique américaine consistait toujours à apporter un soutien sans équivoque au régime ; le gouvernement de Washington ne s'était jamais rendu compte qu'une situation totalement nouvelle avait pris place dans l'île. Avant même de connaître ces tout derniers événements qui témoignaient de l'appui fourni par les Etats-Unis à Batista, Castro s'était plaint à Matthews de ce que le régime utilisait des armes américaines non seulement contre lui mais « contre tout le peuple cubain... Ils ont des bazookas, des mortiers, des mitrailleuses, des avions et des bombes ». En réponse à la question qui avait suivi, Castro avait affirmé : « Soyez persuadés que nous n'éprouvons aucune animosité envers les Etats-Unis et le peuple américain. »

Il est compréhensible que, dans ces conditions, Castro piquât une crise de rage en apprenant les honneurs décernés par les Américains au colonel Carlos M. Tabernilla y Palmero, Commandant de l'armée de l'air : l'homme qui avait bombardé et pilonné les rebelles et les paysans de la

Sierra, avait été décoré de la *Legion of Merit* par le général Truman Landon, de l'armée de l'air américaine, venu tout spécialement par avion à La Havane pour en remettre les insignes à Tabernilla (dont le père était Chef d'Etat-Major de l'Armée cubaine), afin de « faire progresser les relations amicales établies entre l'armée de l'air cubaine et l'armée de l'air américaine entre mai 1955 et février 1957 ». Au même moment, le Congrès des Etats-Unis apprenait qu'entre 1955 et 1957, les Américains avaient livré à Cuba 7 tanks, une batterie légère d'artillerie de montagne, 4 000 fusées, 40 mitrailleuses lourdes, 3 000 fusils semi-automatiques M-1, 15 000 grenades à main, 5 000 grenades de mortier, et 100 000 cartouches perforantes anti-chars calibre 50 pour mitrailleuses.

A la ferme, Fidel et ses hommes eurent aussi l'occasion de lire le journal clandestin du Mouvement, *Revolución*, publié depuis le milieu de 1956 à La Havane, par Carlos Franqui, un ancien communiste et un *Fidelista* de la première heure. Le numéro paru à la fin de janvier portait un gros titre FIDEL DANS LA SIERRA ; il avait été envoyé à Santiago pour une réimpression, et sa diffusion totale avait, disait-on, atteint vingt mille exemplaires. Frank País et Vilma Espín en avaient apporté quelques exemplaires à Castro ; les guérilleros s'en étaient régalés en attendant l'explosion d'une autre bombe, celle de Herbert Matthews.

L'événement se produisit une semaine plus tard, le dimanche 24 février. Pour ce qui concernait les guérilleros, l'essentiel se trouvait dans le chapeau de l'article : « Fidel Castro, le chef rebelle de la jeunesse cubaine, est vivant et poursuit avec succès son dur combat dans les âpres montagnes et l'immensité presque impénétrable de la Sierra Maestra... Batista a déployé la crème de son armée dans la région, mais c'est une bataille perdue d'avance que livrent ses troupes, jusqu'à preuve du contraire, pour détruire le plus dangereux ennemi que le général Batista ait dû affronter dans sa longue et aventureuse carrière de dirigeant et de dictateur. » Plus loin, Matthews écrivait : « La personnalité de l'homme est écrasante. Il est facile de constater que ses hommes l'adorent et de comprendre comment il a enflammé l'imagination de la jeunesse cubaine, d'un bout à l'autre de l'île. C'est un fanatique désintéressé et instruit, un homme qui possède un idéal, du courage et de remarquables qualités de chef. »

Comme prévu, l'effet des articles de Matthews (le *Times* en fit paraître trois pendant trois jours consécutifs) fut énorme. Comme la censure avait été levée à Cuba cette semaine-là, les reportages de Matthews furent abondamment reproduits dans la presse nationale ; Castro se trouva instantanément promu au rang de héros. Le régime de Batista s'enferra encore quand le ministre de la Défense, Santiago Verdeja, fit, au lendemain de la parution du dernier acticle, une déclaration prétendant que Matthews avait écrit « un chapitre de roman fantastique », qu'il n'avait pas interviewé « l'insurgé pro-communiste, Fidel Castro », et que même si Castro était en vie, il n'était pas entouré de « sympathisants ». A l'appui de ces affirmations, le ministre prétendait que si l'interview avait vraiment eu lieu, sa publication aurait été accompagnée d'une photo où Matthews et Castro figuraient ensemble, à titre de preuve. Bien entendu, le *Times* disposait d'une photographie de ce genre et la publia le lendemain ; mais même dans

ces conditions Batista resta incrédule. Dans ses mémoires d'exil, il a admis :
« J'étais moi-même influencé par les déclarations du haut commandement,
et je doutais de l'authenticité [de l'interview]... Castro commençait à
devenir un personnage de légende et il finirait dans la peau d'un monstre de
terreur. » La visite de Matthews représentait un tournant majeur dans la
carrière de Castro ; notons incidemment qu'un magazine new-yorkais
publia une caricature de Fidel, avec en sous-titre le slogan publicitaire du
journal, « J'ai trouvé un emploi grâce au New York Times ». Aujourd'hui,
plus personne ne se souvient de Herbert Matthews à Cuba : seuls les
anciens, comme Faustino Pérez, l'évoquent avec attendrissement. Castro
n'en parle jamais.

L'Appel au peuple de Cuba, daté du 20 février, invitait les Cubains à se
livrer à des actions violentes à travers toute l'île pour manifester leur soutien
à la révolution pour laquelle, « si c'est nécessaire, nous nous battrons
pendant dix ans dans la Sierra Maestra ». L'armée de dix-huit hommes se
trouvait dans un grand état de faiblesse, mais Castro, après avoir monté la
mise en scène théâtrale de sa guérilla à l'intention de Matthews, savait se
donner l'apparence d'un chef puissant et victorieux. Sa façon magistrale de
mobiliser toutes ses ressources par le moyen de la propagande lui avait été
enseignée par Martí et Lénine, ses auteurs favoris.

Le programme révolutionnaire en six points écrit par Castro, au nom du
Mouvement, appelait à « une intensification des incendies des champs de
cannes à sucre... destinés à priver la tyrannie des revenus qui lui servaient à
payer ses soldats pour semer la mort, acheter des avions et des bombes pour
assassiner des dizaines de familles dans la Sierra Maestra ». Il posait la
question suivante : « Qu'importe d'avoir un peu faim aujourd'hui, s'il
s'agit de conquérir demain le pain et la liberté ? » Une fois que les champs
auront été brûlés, écrivait-il, « nous brûlerons le sucre dans les entrepôts... ». Le point suivant suggérait « le sabotage de tous les services
publics ». Puis Castro réclamait « l'exécution sommaire, sans autre forme
de procès, des bandits qui torturent et assassinent les révolutionnaires... et
de tous ceux qui s'opposent au Mouvement révolutionnaire ». Il exigeait
l'organisation d'une « résistance civique » dans toutes les villes cubaines et
une « grève générale révolutionnaire qui marquerait la fin et le point
culminant de la lutte ». Le document fut dactylographié en plusieurs
exemplaires et les dirigeants du Mouvement rentrèrent chez eux à
Manzanillo, Santiago et La Havane, en cachant sur leur personne des copies
de l' « Appel ».

A ce stade, les prises de position idéologiques n'intéressaient pas Castro.
Il les avait écartées bien plus franchement que dans son texte « L'Histoire
m'acquittera ». Il se préoccupait des aspects matériels de la lutte contre
Batista, de l'insuffisance de sa bande de guérilleros, et du fait que le
Mouvement se révélait incapable d'attirer dans son sein, ou de regrouper
sous ses auspices, les autres formations révolutionnaires. Ce qui comptait
de plus en plus dans l'esprit de Castro, c'était la question de l'unité — et
l'instauration d'une direction unique. Il veillait à ne pas introduire dans la
politique révolutionnaire, d'un maniement délicat, des proclamations et des
déclarations superflues sur ses projets futurs. Les grands principes

pouvaient attendre un climat politique plus favorable et le moment où il jouirait d'un pouvoir plus grand. Il avait préféré, pour ces mêmes raisons, se désolidariser personnellement du programme détaillé de Mario Llenera, le responsable des relations publiques du Mouvement à l'étranger (désigné par Frank País et non par Castro) ; ce programme ne lui avait pas été soumis pour approbation dans ses montagnes. Au contraire, il mit surtout l'accent sur l'organisation du Mouvement de Résistance civique, déjà évoqué tout au long de son « Appel », ce qui s'avéra extrêmement payant. Au retour de la conférence de la Sierra, Armando Hart et Faustino Pérez donnèrent la priorité à ce projet, et la Résistance civique clandestine devint une partie essentielle de l'action entreprise par le Mouvement du 26 juillet. La propagande, le financement, et toutes sortes d'actions de soutien que le Mouvement s'attachait à mener, étaient de nature à attirer ceux qui étaient prêts à apporter leur aide mais non à se battre.

Pendant les trois mois qui suivirent, l'Armée rebelle de Castro connut une période d'expansion, de préparation et de privations. (Un autre groupe révolutionnaire de La Havane, le DR, vivait, pour sa part, une véritable et douloureuse tragédie.) Quant à l'ensemble de la conjoncture, la situation était stationnaire entre Batista et son opposition. L'armée ne parvenait pas à écraser les guérilleros, ni la police à anéantir les organisations clandestines impliquées dans les sabotages, la propagande, et l'aide aux combattants de la Sierra Maestra. D'un autre côté, Castro se savait trop fragile pour s'aventurer hors des cachettes sans cesse différentes que lui offrait la montagne. Pour le régime de Batista, néanmoins, cette absence de victoire représentait une défaite. Chaque jour qui passait permettait aux rebelles de poursuivre leurs opérations et augmentait le danger pour la dictature. Fidel le disait à ses hommes à la mi-mars : « A trois reprises nous avons failli périr... nos ennemis nous menacent de toutes parts... en même temps qu'ils nient notre existence... Nous n'avons que douze fusils en tout et quarante cartouches pour chacun, mais nous avons tenu notre promesse envers le peuple cubain... Nous sommes ici ! »

Si Castro faisait preuve d'un optimisme irrésistible, pour Che Guevara c'était « des jours amers... l'étape la plus douloureuse de la guerre ». Des crises d'asthme répétées le tenaient littéralement paralysé, depuis qu'au troisième jour de la marche il avait perdu son médicament à base d'adrénaline. Même si la troupe avançait lentement, Guevara avait du mal à la suivre. Un jour où les rebelles furent attaqués au mortier par l'armée, et où la retraite ne présentait aucune difficulté mais devait s'exécuter rapidement, Guevara écrivit : « Ma crise d'asthme était telle qu'il m'était véritablement pénible de mettre un pied devant l'autre. » Luis Crespo, le meilleur montagnard de la troupe, dut traîner Guevara ainsi que leur équipement et fusil respectifs pendant des heures, en grognant affectueusement : « Marche, marche, toi, foutu Argentin, ou je te ferai avancer à coups de crosse... » Une autre fois, dans une masure, en un lieu qui portait le nom de Purgatorio, Castro se présenta au propriétaire comme le « Commandant González de l'Armée cubaine » en présence d'un autre paysan. Ce dernier vitupéra « ce rebelle de Fidel Castro » comme s'il prononçait une formule incantatoire. Après son départ, Castro avoua sa véritable identité au maître du logis. Le vieil homme le serra chaleureusement dans ses bras et proposa d'aller à Manzanillo acheter des médicaments pour Guevara. Castro reprit la route avec sa troupe, laissant Che derrière lui en compagnie d'un jeune rebelle et du meilleur fusil de son arsenal. Après le retour du vieux paysan avec les médicaments, Che mit dix jours à rentrer de la ferme, en prenant appui sur chaque arbre et sur son fusil, tandis que le jeune soldat « avait une crise cardiaque chaque fois que mon asthme me faisait tousser... ».

En quittant la Sierra, après sa rencontre avec Castro, Frank País avait promis de lui envoyer un groupe de volontaires pour le 5 mars, deux semaines après. Avec trois semaines de retard par rapport aux prévisions, cinquante-huit nouvelles recrues venues de Santiago et de Manzanillo se présentèrent à la ferme, le 25 mars. Ils étaient conduits par le Capitaine Jorge Sotús. Trente hommes seulement étaient armés. Il y avait parmi eux trois jeunes Américains, tous fils de fonctionnaires employés à la base navale de Guantánamo : Charles Ryan, Victor Buehlman et Michael Garney. Désormais, constata Castro, l'armée rebelle avait presque retrouvé ses effectifs d'origine qui comprenaient quatre-vingt-deux hommes au moment où la *Granma* avait atteint la côte. L'acheminement du dernier contingent, jusqu'à la Sierra, avait été organisé par Celia Sánchez à partir d'un endroit secret qu'elle avait aménagé dans une petite ferme connue sous le nom de La Rosalia, à deux pas de la prison de Manzanillo. Les hommes étaient restés cachés dans des fourrés (il n'y avait pas d'arbres à proximité de la ferme) pendant plusieurs jours. Puis ils furent emmenés par petits groupes au pied de la Sierra dans des camions appartenant à un planteur de riz nommé Huber Matos (ce dernier était aussi enseignant à temps partiel et jouait un rôle actif dans le Mouvement). De là, les nouveaux venus, encore inexpérimentés, avaient grimpé jusqu'aux avant-postes des rebelles.

Tandis que Castro et ses hommes attendaient la colonne de Sotús à la ferme, ils apprirent par la radio l'échec d'une attaque lancée par le Directoire révolutionnaire étudiant (DR) contre le palais présidentiel de La Havane. Trente-cinq membres du DR, sinon plus, avaient été tués au palais ; José Antonio Echeverría, le président de l'organisation estudiantine, avait été abattu lors d'une échauffourée aux abords de l'université ; des dizaines d'autres avaient été arrêtés, torturés et mis à mort. Pelayo Cuervo Navarro, dirigeant très connu du parti *Ortodoxo*, avait été assassiné à son domicile, dans une luxueuse banlieue résidentielle de La Havane. La veille de l'attaque, Echeverría avait rédigé un manifeste où il exposait que ses motivations reposaient sur « l'engagement que nous avons contracté envers le peuple de Cuba, en signant le Pacte de Mexico, lequel a fait l'unité de notre jeunesse et guidé sa conduite comme son action ». Il faisait allusion à l'accord qu'il avait conclu avec Castro, quand il lui avait rendu visite au Mexique en septembre 1956, et qu'ils avaient signé tous deux, au nom du DR et du Mouvement du 26 juillet, respectivement. Il n'avait pas été question d'assigner alors à l'un ni à l'autre groupe certaines opérations particulières ; mais manifestement, c'était à qui des deux prendrait la tête du mouvement révolutionnaire à l'échelle nationale ; dès que l'un se lancerait dans une action de quelque importance, l'autre, pour des raisons psychologiques et politiques, n'aurait de cesse avant de relever le défi. En outre, les deux jeunes meneurs représentaient des couches sociales différentes, avec tout ce que cela signifiait alors à Cuba. Castro, soutenu par une poignée d'intellectuels, avait choisi d'en appeler aux classes laborieuses ; Echeverría s'était fait le porte-parole des jeunes Cubains de la classe moyenne — et d'un petit noyau d'intellectuels, de même origine sociale, qui avaient combattu dans les rangs de l'armée républicaine pendant la guerre civile espagnole.

Dans ce climat de rivalité, le premier geste spectaculaire avait été accompli par Castro, lorsqu'il avait débarqué à Cuba en décembre et prouvé, au cours des mois suivants, qu'il était capable de tenir bon et de prendre de l'importance. Pendant ce temps, le DR n'avait pas réussi à provoquer un soulèvement à La Havane pour soutenir le débarquement. Or, la réputation de Fidel Castro avait considérablement grandi grâce aux articles de Matthews dans le *Times*. Certaines affirmations contenues dans le manifeste d'Echeverría s'inscrivaient par conséquent dans cette logique : « Les conditions nécessaires ne se sont pas trouvées réunies au bon moment pour que notre jeunesse puisse tenir le rôle qui était le sien, et les circonstances nous ont contraints de surseoir à l'exécution de nos obligations... Mais nous pensons que le temps d'agir est venu. Nous sommes persuadés que la pureté de nos intentions nous vaudra l'aide de Dieu dans l'accomplissement de notre mission qui est de faire régner la justice dans notre pays. » Bien des années après la révolution, au cours d'une cérémonie destinée à commémorer l'attaque du palais, Castro s'empara du micro pour protester avec véhémence contre le président de la manifestation qui avait omis, en citant le manifeste d'Echeverría, de mentionner la référence à Dieu. Malgré les divergences fondamentales qui l'opposaient à l'ancien dirigeant étudiant dans la plupart des domaines, Fidel estimait que supprimer cette invocation c'était offenser sa mémoire.

Bien des mystères subsistent sur les événements de cette journée de mars. On ignore notamment les raisons pour lesquelles le DR et Echeverría ont choisi cette date précise, et ce genre d'action en particulier, pour monter sur la scène révolutionnaire et faire la démonstration de leur *machismo* politique. Il n'est pas absolument certain que l'idée d'investir le palais pour tuer Batista ait en réalité germé dans l'esprit d'un Echeverría. Pourquoi, en effet, cet étudiant en architecture n'a-t-il pas dirigé personnellement l'assaut, plutôt que d'attaquer, au même moment, une station de radio ? D'autres points demeurent obscurs : comment avaient été obtenues les armes utilisées pour cette opération ? Qui avait assuré le financement de l'entreprise ? Est-il possible que de riches émigrés cubains aient persuadé (ou mis au défi) Echeverría et ses compagnons de tuer le dictateur ? Le DR avait déjà, dans le passé, procédé à des assassinats politiques en choisissant soigneusement ses cibles ; aussi des commanditaires demeurés dans l'ombre peuvent avoir misé sur les étudiants pour exécuter Batista dans son palais. Quoi qu'il en soit, les différentes opérations de la journée étaient merveilleusement orchestrées et leurs exécutants s'étaient montrés d'un héroïsme exceptionnel — s'ils avaient échoué, c'était parce que Batista avait réussi à se barricader au troisième étage du palais alors que les étudiants s'emparaient du deuxième étage d'où ils avaient été finalement délogés par les puissants renforts de l'armée accourus sur les lieux. Si l'attaque avait réussi, Fidel Castro, au fin fond de ses montagnes, aurait soudain perdu tout intérêt sur l'échiquier révolutionnaire.

D'après une des versions qui a été donnée des événements, le DR aurait rassemblé des armes à La Havane non seulement pour tuer Batista mais aussi pour empêcher Castro de prendre le pouvoir dans la capitale quand la dictature aurait été renversée d'une manière ou d'une autre. Deux raisons rendent cette version crédible : d'une part, les armes utilisées sur le « second front », créé par le DR dans l'Escambray, l'année suivante, étaient extraites de caches disséminées dans La Havane ; d'autre part, des unités armées du DR s'emparèrent du palais présidentiel, après la fuite de Batista, le 31 décembre 1958, pour éviter que Castro ne le fît, et prendre celui-ci de vitesse.

De toute manière, Castro et les dirigeants du Mouvement du 26 juillet faisaient peu de cas du DR et de ses manœuvres. On affirme que Faustino Pérez, peu après son retour de la Sierra Maestra, avait décliné les avances du Directoire qui proposait au Mouvement de participer à l'assaut du palais ; faute de temps pour en informer Castro — qui n'était donc pas au courant —, la décision, en tout état de cause, aurait appartenu à Pérez. Fidel, pour sa part, n'a pas caché qu'il désapprouvait totalement l'initiative du DR, en laissant clairement entendre qu'elle faisait, selon lui, partie d'une lutte interne pour la direction de la Révolution. Au cours d'un entretien radiophonique avec un correspondant américain, un mois après l'action du DR, il la dénonça en ces termes : « Un inutile bain de sang. La vie du dictateur est sans importance... Je suis contre le terrorisme. Je condamne ces procédés qui ne résolvent rien. C'est ici, dans la Sierra, qu'ils auraient dû venir se battre. » L'attitude de Castro n'a pas varié pour ce qui concerne l'assassinat politique considéré comme arme révolutionnaire. Vingt années après l'assassinat de John F. Kennedy, il y revint pour affirmer : « Nous n'avons jamais cru qu'il pouvait être utile d'assassiner des dirigeants... nous avons fait la guerre à Batista pendant vingt-cinq mois, mais nous n'avons jamais essayé de le tuer. Il nous aurait été plus facile d'y parvenir que d'attaquer la caserne Moncada ; mais nous ne pensions pas que nous pouvions abolir, liquider, le système politique en supprimant les hommes au pouvoir ; or c'était au système que nous en voulions. Nous nous battions contre des idées réactionnaires, pas contre des hommes. »

Ces commentaires désobligeants de Castro mettent pourtant en relief la question des luttes pour le pouvoir qui se déroulèrent alors à Cuba. Quand il dit que les étudiants auraient dû aller se battre dans la Sierra Maestra, il implique évidemment qu'ils se seraient placés sous son autorité. On pourrait également ironiser sur le fait que les communistes cubains dénoncèrent, eux aussi, l'attaque du palais, au même titre que les opérations de guérilla de Castro. Quatre jours après l'assaut, Juan Marinello, président du Parti (communiste) socialiste populaire, qui avait été ministre de Batista dans les années 1940, écrivait à Herbert Matthews : « Notre position est très nette ; nous sommes opposés à ces méthodes. » Marinello écrivait qu'il n'était nullement besoin d'une « insurrection populaire », et qu'il suffisait d' « élections démocratiques » à Cuba pour faire accéder au gouvernement « un Front démocratique de Libération nationale »... un Front que les communistes se seraient évidemment efforcés de dominer. Par conséquent, Marinello faisait savoir à Matthews : « Nous pensons que ses objectifs [ceux du Mouvement du 26 juillet] sont nobles mais qu'en règle générale ses méthodes sont erronées. Pour cette raison, nous désapprouvons ses activités, mais nous appelons toutes les familles politiques et toutes les couches de la population à prendre sa défense contre les coups de la tyrannie... » La position des communistes n'avait pas varié entre novembre et mars, même si Castro avait montré qu'il était capable de survivre à toutes les épreuves. Pas plus que Batista, ils ne le prenaient au sérieux. Cela vaut la peine d'être noté, étant donné les déclarations ultérieures de la propagande officielle, selon lesquelles les communistes sont censés avoir apporté leur aide aux guérilleros dès 1957.

Une autre question sans réponse concerne cette fois les communistes eux-mêmes et leur participation au « crime du 7 rue Humboldt » — c'était l'adresse d'un appartement où se trouvaient cachés, pendant la semaine de Pâques, les dirigeants étudiants qui avaient échappé à la répression, après l'attaque du palais. Il y avait là Fructuoso Rodríguez, élu Président de la FEU (Fédération des Etudiants universitaires) après la mort d'Echeverría, et Joe Westbrook (qui s'était tenu auprès d'Echeverría à la station de radio), José Machado et Juan Pedro Carbó Serví. Le dimanche de Pâques, 20 avril, tous quatre furent tués par la police secrète, qui avait pu localiser et investir l'appartement grâce aux informations fournies par un indicateur. Après le triomphe de la révolution, il s'avéra que le traître était un étudiant, un certain Marcos Armando « Marquito » Rodríguez. Marquito avait des relations personnelles extrêmement étroites avec l'équipe dirigeante du « vieux » parti communiste, dont il ne semble pourtant pas avoir été membre à cette époque. En 1964, Marquito Rodríguez, qui entre-temps avait bénéficié d'une bourse d'études à l'université de Prague, fut arrêté et jugé. Au cours du procès, ce fut Castro qui prononça le réquisitoire ; Rodríguez fut déclaré coupable de trahison dans l'affaire de la rue Humboldt et finalement exécuté. Les communistes ne furent jamais nommément mis en cause au cours de l'enquête sur les agissements de Rodríguez, mais le procès fit éclater au grand jour les relations que le délateur entretenait avec ses tout-puissants amis du « vieux » parti commu-niste, à qui il aurait avoué son crime pendant leur exil au Mexique. (Comme par hasard, la plupart d'entre eux avaient été éliminés par Castro en 1962 pour avoir voulu former une « clique sectariste » contre lui au sein du « nouveau » parti communiste qu'il s'employait alors à fonder. Il faut rappeler que le parti de ces « vieux » communistes était classiquement placé sous l'influence de Moscou.) On n'expliqua jamais clairement pourquoi ils avaient attendu si longtemps pour informer Castro de la « confession » du traître Rodríguez, si toutefois celui-ci leur avait véritablement fait des aveux. On peut se demander également pourquoi il avait fallu cinq ans au régime révolutionnaire pour faire toute la lumière sur l'un des épisodes les plus dramatiques et les plus douloureux de la lutte contre Batista. Mais les voies choisies par Castro pour faire comprendre ses intentions lui ont toujours été très personnelles.

Pour en revenir à la guérilla, Fidel transformait sa petite armée et ses nouveaux renforts en une véritable unité combattante. Il enseignait aux dernières recrues les secrets de la guerre de partisans, les entraînait à supporter des marches épuisantes et bien d'autres épreuves similaires. Il résistait encore aux demandes de Che Guevara qui souhaitait engager immédiatement le combat ; il trouvait que les hommes n'étaient pas prêts à participer à une bataille en règle ; il fallut deux mois pour que, selon lui, le moment fût venu. Pendant ce temps, le groupe menait une existence de nomades, changeant de campement presque chaque jour, marchant de nuit et se passant parfois de sommeil pendant plusieurs jours d'affilée. Les rations étaient maigres, et Che raconte que les rebelles durent se résoudre à manger du cheval. Ce fut un met « exquis » pour certains, et « une épreuve pour les estomacs influençables des paysans qui croyaient commettre un acte de cannibalisme en mâchant la chair du plus vieil ami de l'homme ».

Fin avril, Castro fut rejoint dans ses montagnes par Robert Taber et Wendell Hoffman, de la chaîne de télévision américaine CBS (Columbia Broadcasting System). Après le succès qu'avait remporté le voyage de Matthews, il avait demandé à rencontrer davantage de journalistes venus des Etats-Unis. Mais il ne savait pas qui étaient Taber et Hoffmann (il avait seulement appris par un bref message que des reporters américains iraient le voir dans la Sierra). Il ne se doutait pas des difficultés qu'il fallait surmonter pour acheminer jusqu'à son refuge montagnard d'Oriente les deux hommes avec leur lourd matériel de prises de vues. Armando Hart et Haydée Santamaría étaient chargés de tout organiser à la Havane, mais Hart avait été arrêté et c'est Haydée qui avait conduit les Américains à Bayamo, en compagnie de Marcelo Fernández, le coordinateur du Mouvement du 26 juillet à La Havane (Haydée s'était arrangée pour sauver plusieurs milliers de pesos sur les fonds que Hart avait réunis au moment de son arrestation.) A Bayamo, ils avaient rencontré Celia Sánchez et Carlos Iglesias, un responsable du Mouvement à Santiago, puis ils avaient accompli tous les six le voyage, jusqu'à Manzanillo d'abord, puis dans la montagne.

L'équipe de la télévision américaine, de même que Celia et Haydée, passèrent près de deux mois avec les guérilleros, pendant que Castro se consacrait à l'élaboration d'un système logistique pour assurer son ravitaillement dans la région. Des caches furent préparées chez des paysans pour recevoir les vivres fournis par « la plaine ». Des camps permanents furent construits par les guérilleros pour leur servir d'abri au cours de leurs déplacements constants. Des réseaux de liaison furent organisés et des paysans désignés pour servir de courriers ou même assurer un service de renseignements rudimentaire. On avait également choisi des endroits précis où Castro et ses hommes pourraient prendre contact avec la population locale. A ce stade, la domination des rebelles commençait à s'exercer sur une zone de plus en plus étendue de la Sierra, qu'ils nommèrent le « territoire libre ».

Puis toute la colonne grimpa jusqu'au Pic Turquino, le plus haut sommet de Cuba. C'est là que Castro allait donner son interview à la télévision américaine, devant le buste de José Martí que Celia Sánchez et son père y avaient érigé, bien des années auparavant. Fidel proclama : « Nous avons fait jaillir l'étincelle de la révolution cubaine. » Selon Che Guevara, Castro, qui ne connaissait pas encore l'endroit, vérifia à l'aide de son altimètre si l'altitude était bien celle qu'indiquaient les cartes ; il ne se fiait à personne ni à rien. S'il avait gagné le sommet du Turquino, c'était parce qu'il avait modifié ses plans ; de nouveau il envisageait d'opérer au centre de la Sierra Maestra ; il s'y sentait mieux protégé et il savait pouvoir y établir une infrastructure efficace pour ce qui, désormais, lui semblait devoir être une guerre fort longue. Quant à la partie adverse, les renseignements font défaut sur la stratégie adoptée par le haut commandement de Batista et sur les projets d'offensives conçus par lui à cette époque ; en effet, dans l'euphorie qui suivit la victoire de la révolution, la foule a détruit de précieuses archives militaires, tant à La Havane qu'à Bayamo.

Pourtant un fait subsiste : dorénavant, amis et ennemis allaient être obligés d'admettre officiellement la présence de Castro à Cuba ; elle constituait un élément majeur que devaient prendre en compte tous les hommes politiques ; c'est pourquoi bien des formations rivales cherchèrent à se mettre en travers de la route. L'ancien Président Carlos Prío finança une expédition de vingt-sept hommes, commandée par un ancien combattant de l'armée des Etats-Unis, Calixto Sánchez, pour créer son propre front de guérilla contre Batista dans la partie septentrionale des monts d'Oriente. Etant donné la nature des hommes politiques cubains (et la fortune de Prío), il n'y avait rien d'étonnant à ce qu'il commandite une entreprise concurrente après avoir subventionné Castro au Mexique. Prío voulait avoir sa part du gâteau. Son groupe prit donc la mer à Miami, le 19 mai, à bord du yacht *Corintia* qui jeta l'ancre à Cuba le 24. Trahis par un paysan, le 28 mai, vingt-quatre membres de l'expédition furent pris et massacrés par l'armée. Il y avait parmi eux plusieurs membres du DR.

La guerre continuait donc d'être l'affaire exclusive de Castro. Le jour où fut exterminé le groupe du *Corintia*, Fidel mena ses hommes au combat, pour la première fois depuis le mois de janvier. C'est le 28 mai qu'eut lieu la bataille d'Uvero ; l'Armée rebelle se hasarda très loin vers l'Est pour s'emparer d'une garnison sur la côte des Caraïbes. Castro avait de bonnes raisons pour faire mouvement dans cette direction. Il avait reçu un message en provenance de Santiago le prévenant que des émissaires du Mouvement allaient déposer dans un endroit précis de la Sierra Maestra, à l'Est du Turquino, un important chargement d'armes modernes dont les guérilleros avaient grand besoin. Mais, comme d'habitude, il y eut des retards et la cache ne fut découverte que le 20 mai. Dans l'intervalle, Che Guevara s'égara pendant toute une journée (à cette occasion, il découvrit qu'il ne suffisait pas d'avoir une boussole pour retrouver son chemin dans la montagne et qu'une connaissance du terrain était essentielle), les rebelles exécutèrent un espion de Batista qu'ils avaient attrapé, et ils reçurent la visite d'un autre journaliste américain, Andrew St. George. De nouveaux paysans s'enrôlèrent dans les troupes rebelles (chaque fois, Castro se livrait avec le volontaire à un long entretien qui lui permettait d'examiner le passé et les motivations de l'homme, avant de l'accepter). Vers la fin du mois de mai, les *Fidelistas* étaient déjà au nombre de 120. Mais ce qui, par-dessus tout, réjouissait le cœur de Castro, c'était le nouvel armement dont il disposait : trois mitrailleuses à trépied ; trois mitraillettes et dix-neuf fusils automatiques, dont plusieurs M-1 américains. Che Guevara avait reçu une mitraillette et se considérait pour la première fois comme un combattant à temps complet ; jusqu'alors, il avait surtout servi de médecin auprès des guérilleros et des villageois qu'ils rencontraient : il ne participait aux combats qu'en cas de nécessité absolue. Cela ne l'empêcha pas de donner de lui-même, dans son journal, l'image d'un homme dur et impitoyable... Il y relate, par exemple, un incident survenu juste avant la bataille d'Uvero, quand les rebelles avaient capturé un caporal de l'armée de Batista, coupable de divers abus. « Plusieurs d'entre nous, écrit Guevara, pensaient qu'il fallait l'exécuter, mais Fidel refusa de lui faire le moindre mal. » Castro était toujours partisan de fusiller les traîtres, les espions, les déserteurs et les violeurs, mais il ne touchait pas aux prisonniers de guerre. Che, toujours selon ses propres Mémoires, ordonna l'exécution d'un partisan enrôlé chez les guérilleros et qui en avait profité pour commettre des vols ; en outre, l'homme se faisait passer pour Che Guevara et, se disant médecin, demandait aux villageois : « Amenez-moi les femmes. Je vais toutes les examiner... »

La bataille d'Uvero fut extrêmement violente et coûteuse pour les forces en présence : sur les quatre-vingts rebelles mis en ligne, six furent tués et neuf blessés (dont Juan Almeida, membre de l'état-major de Castro) ; parmi les cinquante-trois soldats de l'armée gouvernementale, il y eut quatorze tués, dix-neuf blessés, et quatorze prisonniers. C'était l'affrontement le plus sanglant qui se fût produit depuis l'embuscade d'Alegría de Pío ; il dura de l'aube jusqu'à trois heures de l'après-midi et, cette fois, les *Fidelistas* l'emportèrent. Ils s'emparèrent de deux mitrailleuses et de quarante-six fusils ; Castro déclara : « Ce jour marque le début d'une nouvelle phase [de la lutte] dans la Sierra Maestra. » Che s'occupa des blessés ennemis et, selon Fidel, les laissa « entre les mains de leur propre médecin, afin que l'armée puisse les recueillir et les envoyer à l'hôpital, grâce à quoi aucun ne mourut ». Pour l'historien militaire, Pedro Alvarez Tabío, la bataille d'Uvero « avait une très grande signification stratégique, car elle fournissait pour la première fois aux combattants rebelles la preuve... que leur Armée était en mesure de vaincre les forces de la tyrannie, et qu'une défaite militaire des troupes gouvernementales pouvait conduire à la prise du pouvoir ».

Tout de suite après le combat d'Uvero, Celia Sánchez quitta la Sierra avec l'équipe de la CBS, pour se rendre à Santiago où Herbert Matthews était de passage. Castro voulait qu'elle lui raconte les derniers exploits des guérilleros. Elle avait elle-même pris part à la bataille et fut la première femme à combattre dans les rangs de l'Armée rebelle. Quatre mois s'écouleraient avant qu'elle ne revînt, car sa présence était nécessaire à Manzanillo où elle devait coordonner l'acheminement des hommes, des armes et des matériels destinés à la Sierra. Fidel lui écrivit, peu après son départ, en l'appelant par son nom de guerre « Norma » : « Nous avons gardé un si bon souvenir de ta présence parmi nous que chacun ressent ton absence comme un véritable vide. Même quand une femme bat la montagne fusil au poing, sa compagnie incite nos hommes à se montrer plus soignés, plus convenables, plus distingués — et même plus braves. Après tout, ils sont toujours convenables et distingués. Mais que dirait ton pauvre père... » La fausse nouvelle de l'arrestation de Celia ayant circulé un jour, Castro demanda à Raúl, Che Guevara, Camilo Cienfuegos, et autres compagnons d'armes, de signer une lettre adressée à Norma, où il était écrit : « Toi et David (Frank País) êtes nos piliers de soutènement. Si tout va bien pour toi et pour lui, tout va bien pour nous, et nous sommes tranquilles... » Les chefs rebelles avaient déclaré dans un communiqué officiel : « En ce qui concerne la *sierra*, quand sera écrite l'histoire de cette période révolutionnaire, deux noms devront figurer sur la couverture : David et Norma. » Che Guevara a écrit que Celia « constituait notre seul contact connu et sûr... son arrestation aurait entraîné notre isolement ». Sans elle, l'Histoire de Cuba aurait peut-être suivi un autre cours.

Frank País fut tué par la police de Batista, à Santiago, le 30 juillet. Castro écrivit à Celia Sánchez, le lendemain, que « pour le moment, tu devras assumer, en ce qui nous concerne, une bonne partie du travail de Frank, d'autant plus que tu t'y entends mieux que n'importe qui ». País n'était pas seulement le principal dirigeant du Mouvement en Oriente — surtout pour l'aide logistique qu'il apportait à l'armée rebelle dans la montagne —, il faisait de plus en plus figure de penseur politique à l'échelle nationale ; c'était peut-être le plus grand esprit de la révolution, après Fidel Castro (Che Guevara était argentin et, durant cette période, il avait encore tendance à rester à l'écart des grandes manœuvres stratégiques des Cubains). La mort de País était un coup très dur pour le Mouvement, au moment où celui-ci traversait une crise politique d'une importance fondamentale.

Le développement de l'armée *Fidelista* et l'extension progressive du « Territoire libre » rendaient inévitable un affrontement entre Castro, enfermé dans ses montagnes, et les éléments citadins du Mouvement. Ce qui était en jeu, c'était la direction de la Révolution et l'exercice des responsabilités politiques. En juillet, l'armée des guérilleros était forte de deux cents hommes que les troupes militaires de Batista ne se trouvaient plus en mesure de déloger ; c'est alors que les premières frictions entre la montagne et les plaines prirent la tournure d'une querelle aiguë, quoique feutrée. Castro estimait que l'aide à la guérilla était la priorité absolue et essentielle des membres du Mouvement dans les plaines. Cela impliquait, bien entendu, que le Mouvement reconnaissait la suprématie de Fidel à l'échelle nationale. Pour le faire admettre, celui-ci était prêt à se battre aussi ardemment que pour vaincre Batista. Dans ses lettres envoyées à Celia, en juillet et en août, il insistait : « Le vrai mot d'ordre désormais doit être : *Tous les fusils, toutes les balles et tout le ravitaillement pour la Sierra.* » Dans les villes, cependant, grandissait le sentiment que Castro devait partager le pouvoir de décision avec le Directoire national ; officiellement, on prétextait qu'il se trouvait bien trop isolé dans les montagnes pour se tenir dûment informé des derniers événements survenus à Cuba ; en réalité, de nombreux dirigeants du Mouvement pensaient qu'ils avaient, eux aussi, voix au chapitre, quant à la façon d'envisager l'avenir du pays. Ils mettaient en avant, à juste titre, les envois d'armes, d'argent et de matériels qu'ils faisaient parvenir à Castro. De surcroît, le Mouvement du 26 juillet et la Résistance civique lui apportaient également un concours d'un autre ordre en procédant à des sabotages de l'activité économique, sous forme d'attentats contre les installations publiques, les usines et les bureaux de l'administration, à l'incendie des champs de canne à sucre, et autres actes de résistance. Leurs combattants clandestins étaient arrêtés, torturés et tués par dizaines dans les villes.

Fidel venait à peine de consolider sa position militaire dans la Sierra Maestra, après la bataille d'Uvero, qu'il lui fallait maintenant consacrer toute son attention à la lutte politique en gestation dans les rangs révolutionnaires. Castro savait parfaitement ce qu'il en était, mais c'est Frank País qui l'avait finalement obligé à regarder en face la réalité du problème politique. País était en effet le principal lien entre la Sierra et le *llano*. Au début de juillet, il avait envoyé une longue lettre à Castro pour l'informer qu'en raison du chaos et de la confusion générale dont souffrait le Mouvement à travers toute l'île, il avait décidé avec Armando Hart de « prendre des dispositions hardies pour requinquer entièrement » l'organisation.

Il est révélateur que cette décision ait été prise sans consultation préalable. Une telle démarche, en elle-même, constituait un défi à l'autorité de Castro. De plus, País lui faisait savoir que « la direction devait être centralisée pour la première fois entre les mains d'un groupe restreint ; ainsi, les diverses responsabilités et les différentes tâches assignées au Mouvement seraient clairement réparties ». Si País invoquait l'absence de coordination à l'intérieur du Mouvement pour justifier ces réformes, il était clair néanmoins qu'il avait en tête de diviser le pouvoir entre la montagne et les villes — notamment en ce qui concernait le Directoire national, lequel devait inclure désormais les six coordinateurs des provinces. L'Armée rebelle serait représentée par un délégué. De plus, il soulignait que l'un des « défauts » du Mouvement était « l'absence de programme clair et bien présenté qui soit à la fois sérieux, révolutionnaire et réaliste ». País révélait alors à Castro qu'il avait déjà confié la rédaction de ce programme à un groupe d'intellectuels. Enfin, il recommandait instamment la création par le Mouvement d'une milice armée à l'échelle nationale. Là encore, Castro se voyait privé de ses prérogatives par ce jeune dirigeant de Santiago, âgé de vingt-deux ans seulement. Bien sûr, País affirmait respectueusement à Fidel : « C'est à vous tous de décider, mais je vous demanderais de faire connaître votre avis au Directoire aussi rapidement que possible. »

Castro soupçonna-t-il en Frank País un rival en puissance ou un concurrent déjà dangereux — sinon, pour le moins, une personnalité trop indépendante ? (Les versions officielles cubaines présentent País comme un disciple dévoué.) De toute façon, Fidel comprit ce qui était en train de se passer. Même avant de recevoir la lettre de País, il avait appelé auprès de lui deux personnalités modérées et respectées, deux hommes de la génération antérieure : Raúl Chibás et Felipe Pazos. Il avait besoin de leur prestige pour renforcer sa position politique dans le pays. En grand tacticien, il préférait pour le moment faire ostensiblement alliance avec les centristes. C'est ce que Che, avec son franc-parler habituel, a décrit comme « la genèse d'une trahison » dans son journal où il dénonçait avec grossièreté Chibás et Pazos : pour lui, l'un et l'autre étaient par nature des traîtres à la Révolution. Néanmoins, Castro se servit d'eux tant qu'ils lui furent utiles, jusqu'en 1959. Les communistes, de leur côté, tenaient encore le Mouvement pour « putschiste, aventurier et petit-bourgeois » — de toute manière, Castro ne trouvait pas encore opportun de collaborer ouvertement avec eux.

Chibás est un homme modeste, tranquille mais courageux ; il se rappelle fort bien les circonstances de son arrivée dans la Sierra le 4 juillet, après sa rencontre avec Frank País à Santiago et avec Celia Sánchez à Manzanillo. País était ennuyé que « Fidel prenne tant de décisions... le problème c'était qu'il se conduisait en *caudillo*... qu'il prenait des décisions sans tenir compte de l'existence du Directoire ». Chibás fut conduit à une maison perdue dans la montagne, pour y attendre Castro ; celui-ci se présenta bientôt à la tête d'une colonne de quelque 160 hommes, suivi de Che Guevara avec un groupe de rebelles blessés. La scène, dit-il, « ressemblait à quelque extrait de film ; on les voyait arriver, prendre position tout autour de la maison, dans le plus profond silence car ils n'échangeaient que des chuchotements. Pendant un mois, je me suis trouvé réduit à murmurer tout comme eux ; ils étaient rompus à cette discipline et c'était l'un des contrastes qui existaient entre l'Armée rebelle et celle de Batista. Les troupes gouvernementales ne se déplaçaient qu'à grands cris, c'est pourquoi il était facile de les surprendre : on savait toujours où elles se trouvaient. Les rebelles, par contre, avaient des manières bien à eux. Par exemple, s'ils devaient franchir un champ à découvert, ils le traversaient un à un, de sorte qu'en cas de reconnaissance aérienne, les observateurs ne croyaient voir qu'un paysan marchant à travers champs ».

Chibás connaissait Castro depuis près de dix ans ; au cours de leurs longs entretiens, dans la Sierra, il insista pour que des élections aient lieu à Cuba dans l'année qui suivrait la victoire sur Batista. Il expliqua à son interlocuteur qu'en disposant d'une majorité à la Chambre, on pourrait faire adopter « toutes les lois révolutionnaires nécessaires ». Chibás fait remarquer que Castro approuva le principe des élections, « sans y être forcé par personne ». Le Manifeste de la Sierra Maestra, publié le 12 juillet, résultait des rencontres de Castro avec Chibás et Pazos ; il fut signé par les trois hommes. Le texte déclare : « Nous voulons qu'il y ait des élections [dans l'année] mais à condition qu'elles soient vraiment libres, démocratiques et impartiales. » Castro prenait ainsi l'engagement ferme et catégorique d'organiser des « élections libres et démocratiques » ; tel était le point essentiel de ce Manifeste qui, à ses propres yeux, devenait le programme du Mouvement, et se substituait au texte préparé par Frank País à Santiago. Deux ans plus tard, profitant de la liesse générale qui régnait sur l'île après la victoire de la Révolution, Castro allait rompre cet engagement, non sans accumuler les explications successives pour bien faire comprendre à tous que Cuba n'avait pas besoin d'élections.

Selon Chibás, Castro a rédigé le manifeste « entièrement, à lui tout seul », sans se laisser influencer ni par lui-même ni par Pazos, contrairement aux accusations de Che Guevara. Mais Chibás ajoute que Pazos a poussé Castro à y proposer la création d'un « front civique révolutionnaire [dont les différents membres appliqueraient] une stratégie commune dans la lutte », ainsi que la désignation immédiate du président du futur gouvernement provisoire — dont l'élection serait assurée par les « institutions civiques ». Castro aimait l'idée du « front civique révolutionnaire » parce qu'il y voyait la possibilité de court-circuiter le Mouvement du 26 juillet, et qu'il pourrait en assumer personnellement la direction sans quitter la Sierra puisque la proposition venait de lui. De même, la notion de « gouvernement provisoire » lui plaisait, parce que cette institution lui fournirait une prestigieuse façade derrière laquelle il abriterait ses propres activités révolutionnaires et parce qu'il espérait bien avoir la possibilité d'en nommer lui-même le président, du haut de ses montagnes, dans la Sierra (même si le Manifeste prévoyait qu'il serait choisi par des « institutions civiques », comme l'ordre des avocats et celui des médecins, tous deux en lutte, désormais, contre Batista). Fidel avait su donner à Chibás et à Pazos, chacun séparément, l'impression que leur candidature à la présidence du gouvernement provisoire serait envisagée ; en fait, il avait toujours eu l'intention d'y mettre une personnalité purement décorative.

Le Manifeste était un pur produit de l'imagination de Castro et reflétait ses talents de manipulateur ; il obtint l'effet désiré : ce texte proposait en effet une solution, au moins provisoire, à la crise politique du Mouvement, sous prétexte de sauvegarder « l'unité nationale » — confiée aux bons soins et à l'autorité de Fidel. Sur un ton protecteur, les signataires précisaient : « Nul n'a besoin d'aller dans les montagnes pour en discuter... nous pouvons nous faire représenter à La Havane, au Mexique, et partout où cela s'avérerait utile » ; le document faisait passer les *Fidelistas* pour les tenants de la modération et de la raison. Reste l'éternelle question de savoir si le ton du Manifeste montre bien que Castro n'était pas marxiste-léniniste à l'époque, ou si la rédaction était destinée à masquer son véritable propos ; la meilleure réponse est sans doute celle qu'apporte Che Guevara dans les commentaires qu'il a rédigés postérieurement, au sujet de ces événements. Pour lui, le Manifeste était un « compromis », bien que Castro ait omis d'y inclure des propositions plus explicites quant à la réforme agraire. Et Guevara de conclure : « Nous n'étions pas satisfaits de ce compromis, mais il était nécessaire, et il était même progressiste à ce stade-là. Pourtant, il ne pouvait pas durer au-delà du moment où il aurait entraîné un blocage dans le processus révolutionnaire... Nous savions que c'était un programme minimum, un programme qui enfermait notre effort dans certaines limites, mais nous savions aussi qu'il n'était pas possible d'imposer notre volonté, du haut de la Sierra Maestra, et que nous devions nous attendre à ce que, pendant longtemps, toute une série " d'amis " cherchent à utiliser notre force militaire et la grande confiance que le peuple accordait déjà à Castro, au profit de leurs sinistres manœuvres... pour maintenir la domination de l'impérialisme sur Cuba. » Castro n'a jamais contesté, en substance, l'interprétation du Manifeste que donne Guevara. Ultérieurement, au cours de la même année, il reprendrait l'offensive pour s'assurer la direction absolue de la révolution. Le Mouvement fut doté d'un nouveau Directoire national, mais on ne sait pas vraiment qui en avait désigné les membres.

Fidel avait aussi des problèmes d'ordre tout à fait personnel qui le rendaient bien malheureux. Au cours de l'été, il écrivit à Celia : « Quand m'enverras-tu le dentiste ? Si je ne reçois pas d'armes de Santiago, de La Havane, de Miami ou du Mexique, au moins envoie-moi le dentiste, afin que mes dents me laissent penser en paix. C'est le comble : maintenant que nous avons des vivres, je ne peux pas manger ; plus tard, quand mes dents auront été soignées, il n'y aura plus de nourriture... J'ai vraiment l'impression de n'avoir pas de chance quand je vois tous les gens qui arrivent ici, et aucun n'est dentiste. » Mais Celia lui avait envoyé un nouvel uniforme, et il lui écrivait : « Je vais le porter pour entamer ma quatrième campagne. Et toi, pourquoi ne fais-tu pas un petit saut jusqu'ici ? Penses-y et arrive dans les tout prochains jours... Je t'embrasse. »

Pendant le reste de l'année 1957, l'Armée rebelle confirma sa domination sur la Sierra Maestra, non sans étendre encore le « Territoire libre » plus loin vers l'Est. Che Guevara, que Castro avait promu *comandante* (le grade de commandant était le plus élevé de tous chez les guérilleros), emmena sa propre colonne vers le Sud-Est, pour réduire de petites garnisons de Batista, à Bueycito et El Hombrito, et faire main basse sur leurs armes. Dans la région d'El Hombrito, il installa pour ses hommes une armurerie, une boulangerie, et la rédaction d'un journal, *El Cubano Libre*. Mais l'opposition connaissait aussi quelques revers. Un soulèvement de la marine contre Batista, dans le port de Cienfuegos, le 5 septembre, fut maté par des unités blindées et par l'aviation loyaliste ; trente-deux officiers et marins furent tués. La rébellion de Cienfuegos faisait partie d'un vaste complot militaire qui s'étendait de La Havane à Santiago, et comprenait le port de Mariel, mais au dernier moment le projet de mutinerie générale et organisée fut annulé ; par suite d'une panne dans les transmissions, les forces navales de Cienfuegos n'avaient pu être prévenues, et elles avaient commencé à s'emparer de la ville alors qu'aucun autre soulèvement ne se produisait simultanément ailleurs.

Le moment choisi par les conjurés prit Castro au dépourvu ; les militaires ne l'avaient pas mis entièrement dans le secret. Cela le confirma dans ses soupçons : il pensait en effet qu'il existait des projets destinés à permettre l'éviction de Batista sans le concours de l'Armée rebelle. Ce qu'il craignait par-dessus tout, c'était que le dictateur fût renversé par un coup d'état militaire, qui confierait le pouvoir à une junte et rendrait sa propre révolte sans objet.

Pour toutes ces raisons, Castro réagit avec colère quand il fut tardivement informé que sept groupes de l'opposition avaient signé un pacte en novembre, à Miami, en vue de créer une Junte de Libération de Cuba. Parmi d'autres dispositions qui devaient être prises après la chute de Batista, il était question d'incorporer ses forces révolutionnaires dans l'armée régulière. Non seulement il n'avait pas été consulté au préalable, mais le Pacte de Miami était signé pour le compte du Mouvement du 26 juillet par Felipe Pazos et deux autres dirigeants du Mouvement, sans l'autorisation spécifique du Directoire national. Dans une communication cinglante, le 14 décembre, Castro faisait savoir que le Mouvement « n'avait désigné aucune délégation autorisée pour participer à ces négociations », et que « le Mouvement du 26 juillet revendique pour lui-même le soin de maintenir l'ordre public et de réorganiser les forces armées de la République » ; il ajoutait : « Pendant que les dirigeants des autres organisations signataires [du pacte] conduisent à l'étranger une révolution imaginaire, ceux du Mouvement du 26 juillet se trouvent en territoire cubain, et font une révolution bien réelle. » Il affirmait que le Mouvement « ne renoncerait jamais à guider et à diriger notre peuple... Nous seuls saurons comment vaincre ou périr... Pour mourir avec dignité, personne n'a besoin de compagnie. »

En rejetant le Pacte de Miami, Castro prononçait la mort de la Junte de Libération, avant même que sa naissance fût rendue officielle. Il était évident que sans l'adhésion de l'Armée rebelle, cette organisation devenait absolument sans objet. Par la même occasion, Castro se faisait d'autres ennemis dans l'opposition, et notamment au sein du Directoire révolutionnaire étudiant (DR) dont la nouvelle direction avait signé le pacte. Faure Chomón, le chef politique du DR, écrivit : « Nulle organisation ne peut ou ne devrait prétendre, comme le fait Monsieur Castro, de la façon la plus sectaire, représenter à elle seule la révolution qui est en train de s'accomplir grâce à l'ensemble des Cubains. » Castro allait au cours de l'année suivante rencontrer bien des problèmes avec le DR et le Mouvement du 26 juillet, mais pour l'instant il dominait de nouveau entièrement la situation. Il regagna aussi la confiance de Guevara, qui avait, pour quelque raison étrange, imaginé d'abord que le Pacte de Miami était signé avec l'autorisation de Castro. En apprenant que Fidel le rejetait, Guevara lui écrivit qu'il avait retrouvé « la paix et le bonheur ». Il précisait que l'on pouvait aisément deviner « qui est en train de tirer les ficelles en coulisse », et ajoutait : « Malheureusement, il nous faudra affronter l'Oncle Sam avant longtemps. »

Cependant l'Oncle Sam se trouvait engagé, à Cuba, dans un certain nombre d'activités aussi contradictoires que mystérieuses. D'un côté, les Etats-Unis continuaient à fournir des armes au régime de Batista pour combattre les rebelles, mais d'un autre côté, ils faisaient secrètement parvenir des fonds au Mouvement du 26 juillet par le truchement de la CIA.

Il est surprenant de constater l'existence du soutien — soigneusement calculé — fourni par la CIA à la rébellion castriste. On ignore encore si l'opération fut formellement autorisée par le gouvernement Eisenhower ou si l'initiative en fut prise par les services secrets. On ignore même si Castro a vraiment su qu'une partie de l'argent reçu par lui ou par son Mouvement provenait de la CIA. Des enquêtes récentes sur le rôle joué par les Etats-Unis vis-à-vis de Castro ont montré qu'entre octobre et novembre 1957, ainsi que vers le milieu de 1958, la CIA a fourni au moins cinquante mille dollars à une demi-douzaine (ou davantage) de membres du Mouvement du 26 juillet à Santiago. C'est un montant assez important eu égard à ce que le Mouvement avait la possibilité de réunir à Cuba. L'ensemble de cette opération clandestine est encore considéré comme un secret d'Etat par le gouvernement américain ; c'est pourquoi on ne peut s'expliquer un tel financement de façon satisfaisante. Toutefois, le bon sens permet de supposer que la CIA cherchait à garantir sa mise à Cuba et à s'assurer la sympathie de certains membres du Mouvement, sinon celle de Castro, à toute éventualité. L'anecdote illustre fort bien la politique constamment menée par la CIA, partout dans le monde, quand des conflits locaux mettent en cause les intérêts des Etats-Unis.

Ces fonds étaient gérés par Robert D. Wiecha, un agent de la CIA attaché en qualité de vice-consul au consulat général des Etats-Unis, à Santiago, entre septembre 1957 et juin 1959. Le regretté Park Fields Wollam, qui faisait fonction de consul général, était alors le supérieur hiérarchique de Wiecha ; il avait donc informé ses collègues, au Département d'Etat, du rôle joué par la CIA auprès de l'organisation castriste. En outre, il existe actuellement, dans les archives officielles de Cuba, une correspondance qui remonte aux temps de la guerre de la Sierra et prouve que Wiecha a très fortement insisté pour rencontrer Fidel lui-même, dès son arrivée à Santiago. L'agent de la CIA était en contact avec le groupe de Frank País ; au début de juillet, celui-ci avait écrit à Castro qu'un diplomate américain souhaitait le voir (País ignorait que Wiecha appartenait à la CIA). Castro répondit : « Je ne vois pas pourquoi la visite d'un diplomate américain susciterait la moindre objection de notre part. Nous pouvons recevoir ici-même n'importe quel diplomate américain, comme nous le ferions pour un diplomate mexicain ou un diplomate de quelque autre pays que ce soit. »

Dans sa réponse, Castro poursuivait : « C'est là une reconnaissance de notre condition de belligérants, et par conséquent une victoire de plus sur la tyrannie. Nous ne devons pas craindre cette visite car nous sommes convaincus de pouvoir, en toutes circonstances, porter haut la bannière de la dignité et de la souveraineté nationales. S'ils ont des exigences, nous les rejetterons. S'ils veulent connaître nos opinions, nous les leur exposerons sans aucune crainte. S'ils souhaitent nouer des liens amicaux avec la démocratie triomphante à Cuba, c'est magnifique ! C'est le signe qu'ils prévoient l'issue de la lutte. S'ils proposent leur médiation amiable, nous leur dirons qu'aucune médiation honorable — aucune médiation tout court — n'est possible dans un tel combat. »

Le 11 juillet, Frank País écrivait à Castro : « María A. nous a fait savoir de façon pressante, à midi, qu'un vice-consul américain voulait s'entretenir avec toi, en présence d'un tiers, mais elle ne savait pas qui. » C'est la première référence directe à Wiecha ; País ajoutait : « Je lui ai dit que je te demanderais ton avis, mais que nous voudrions d'abord savoir qui est ce tiers, où ils veulent en venir, et quels sujets ils souhaitent aborder. » Cette lettre de País révèle aussi qu'il existait d'autres contacts secrets entre le Mouvement et l'ambassade des Etats-Unis à La Havane : « Je suis écœuré et fatigué de ces tergiversations et discussions de l'ambassade ; je pense que nous aurions intérêt à serrer les rangs un peu plus, sans perdre contact avec eux, mais sans leur donner autant d'importance que nous le faisons maintenant ; je me rends compte qu'ils ont une idée derrière la tête mais je ne peux pas voir clairement ce que sont leurs objectifs réels. »

A cette époque, un nouvel ambassadeur américain venait d'arriver à Cuba, pour remplacer Arthur Gardner. Earl E. T. Smith avait été nommé à ce poste pour des raisons de politique intérieure, propres à Washington. Il se rendit à Santiago le 1er août, le lendemain de l'enterrement de País. Deux cents femmes vêtues de noir s'étaient rassemblées sur son passage pour réclamer une intervention des Etats-Unis contre les mesures de terreur prises par le régime. Au moment où les manifestantes commençaient à scander « *Libertad ! Libertad !* », les forces de l'ordre chargèrent à la matraque et les aspergèrent avec des canons à eau. Au cours de la conférence de presse qui suivit, Smith éleva une protestation contre cet « usage excessif de la force ». Cette semaine-là, Raúl Chibás se trouvait aux côtés de Castro dans la Sierra ; il se rappelle que l'annonce de cette déclaration suscita « un moment de bonheur parmi les rebelles... les hommes se disaient les uns aux autres : " Tu vois, l'ambassadeur a déjà changé, on dirait qu'il ne continue pas de soutenir Batista. " » Selon Chibás, Castro lui-même pensait que la politique américaine pouvait se modifier ; et il ajoute : « Les nôtres en parlaient comme d'un signe favorable qui devrait faciliter la lutte... Il n'y avait pas d'anti-américanisme dans l'Armée rebelle. »

Le 16 octobre, Armando Hart écrivait à Castro : « Je suis en rapport avec des milieux proches de l'ambassade. D'après eux, certaines personnes qui sont de notre côté — sans qu'il y paraisse — ont eu des conversations avec l'ambassadeur lui-même. Je pense que c'est la meilleure politique à suivre pour nous, puisqu'elle nous permet d'être informés de tout ce qui se passe là-bas et de tous les projets américains, sans que le Mouvement se trouve lui-même officiellement engagé. » Selon toute probabilité, les informateurs d'Armando Hart devaient être des agents du bureau de la CIA à l'ambassade américaine ; leur action était synchronisée avec les efforts de Robert Wiecha, à Santiago, pour rencontrer Castro et avec l'utilisation des fonds secrets dont il disposait pour financer le Mouvement. Robert Taber, le reporter de la CBS qui avait rendu visite à Castro dans les montagnes, en a parlé dans son livre sur la révolution cubaine : « Wiecha a rendu des services humanitaires inestimables à l'opposition, dans sa lutte contre Batista. » Taber ne savait pas que Wiecha travaillait pour la CIA ; il l'a présenté comme le vice-consul qui, à force de s'enquérir du sort d'Armando Hart, de Javier Pazos et d'Antonio Buch, arrêtés à Santiago, « a contraint le général Chaviano à présenter les prisonniers, sains et saufs, pour prouver qu'ils n'avaient été ni torturés ni tués ». C'est à l'occasion de cette intervention de Wiecha que furent noués les rapports involontaires d'Armando avec la CIA, et que naquit probablement la relation secrète entre les services américains et les rebelles. D'après une version crédible mais officieuse, la CIA aurait également organisé le parachutage d'armes destinées à Raúl sur le « Deuxième Front ».

Pour des raisons que Castro ignore, sa rencontre avec Wiecha n'eut jamais lieu. Il se peut que des personnalités officielles américaines s'y soient opposées, notamment quand l'Ambassadeur Smith lui-même exprima l'espoir de voir Batista procéder à des élections dans des conditions satisfaisantes pour les Cubains. Curieusement, au moment où la puissance de Castro augmentait, l'aide américaine à Batista parut s'intensifier ; il est caractéristique de noter qu'elle lui fut retirée peu après, mais trop tard, à un moment où ce geste ne présentait plus aucune utilité pour la politique des Etats-Unis. L'affaire Wiecha donne à penser que les Américains ont peut-être manqué une occasion extraordinaire de nouer le dialogue avec Castro quand il se trouvait encore dans les montagnes et, en théorie du moins, d'entretenir des rapports positifs avec lui par la suite. Mais rien ne sert d'imaginer ce qui aurait pu arriver.

Si les Américains ne sont pas allés au-devant de Fidel Castro dans la montagne en 1957, les communistes, eux, n'y manquèrent pas — même si l'entrevue fut ourdie dans le plus grand secret. En l'occurrence, l'émissaire qui se présenta dans la Sierra en octobre s'appelait Ursinio Rojas ; il était ouvrier dans une sucrerie et appartenait au Comité central du Parti. C'était le premier dirigeant communiste de haut rang qui voyait Castro depuis l'échec de la démarche de Flavio Bravo au Mexique, l'année précédente, lorsque le Parti avait tenté de dissuader Fidel de débarquer dans l'île. (Gottwald Fleitas, le dirigeant communiste de Bayamo, était monté dans la Sierra au printemps, soi-disant pour raconter à Castro que les militants communistes, au sein de la population paysanne, avaient reçu pour instructions de « coopérer » avec les guérilleros.) Rojas s'était trouvé en prison à La Havane au début de 1957, en compagnie d'Armando Hart, de Faustino Pérez et de Carlos Franqui, et au cours de ses longues conversations avec eux, il s'en était tenu à la thèse officielle du Parti, selon laquelle Castro était en train de mener une opération « putschiste » dans la Sierra. Mais à la fin de la même année, les communistes avaient commencé à réviser leur politique et Rojas apprit à Castro que certains membres du parti allaient être autorisés à s'engager dans l'Armée rebelle, à titre individuel. Un an après la mainmise de Castro sur la Sierra, c'était tout ce que les communistes étaient disposés à faire, pas davantage. *El Campesino*, leur journal clandestin, déclarait : « Il existe une grande différence quant au niveau de la lutte, entre la Sierra Maestra... et le reste de Cuba, c'est-à-dire presque tout le pays. » Fidel Castro semblait incapable de se faire prendre au sérieux par les Etats-Unis et par les communistes : les uns et les autres se contentaient de chercher à sauver leur mise.

Avant la fin de l'année, Castro accueillit une invitée à demeure, Celia Sánchez ; sur le point d'être arrêtée par la police, elle avait renoncé à poursuivre ses opérations à Manzanillo et pris le chemin de la Sierra. Elle allait demeurer aux côtés de Fidel pendant toute l'année, jusqu'à la victoire.

11

Les temps n'étaient pas favorables aux dictatures militaires, en Amérique latine. Le 23 janvier 1958, au Venezuela, le général Marcos Pérez Jiménez, après avoir passé dix ans au pouvoir, était renversé par les forces armées, ce qui mit un terme à un soulèvement de la population civile conduite par des étudiants, des intellectuels et même des hommes d'affaires. L'année précédente, en Colombie, le général Gustavo Rojas Pinilla avait été destitué par les militaires dans des circonstances à peu près identiques — cette fois l'église catholique avait joué un rôle de premier plan dans la rébellion — après un règne de trois ans. Le général Juan Perón, en Argentine, et le général Manuel Odría, au Pérou, s'étaient retirés en 1955 et 1956 respectivement (Odría l'avait fait de son propre chef, exemple sans précédent dans l'histoire de l'Amérique latine). C'était en vérité le crépuscule des tyrans ; pourtant, à Cuba, le général Batista, imperturbable, ne paraissait pas s'apercevoir de la vague qui déferlait sur l'hémisphère occidental — aveuglement que partageait le gouvernement Eisenhower, dans le Nord du continent.

Ce que La Havane et Washington comprenaient encore moins, en ce début de l'année 1958, c'était le caractère de la lutte menée contre la dictature, dans la Sierra Maestra, par Fidel Castro et son Armée rebelle de plus en plus étoffée. Certes, l'élimination des dictateurs dans quatre pays de l'Amérique du Sud y avait entraîné, pour l'essentiel, la restauration de la démocratie libérale et représentative, mieux adaptée au monde moderne que les régimes totalitaires ; mais si Castro continuait d'affirmer publiquement que la déposition de Batista serait suivie « d'élections libres et démocratiques », au cours de l'année, il préparait en réalité, sans fanfares, une révolution qui bouleverserait la société cubaine de fond en comble. Il ne tarderait pas à faire savoir aux Cubains que l'organisation d'élections libres était incompatible avec la mise en œuvre d'une révolution sociale — et, au sens le plus strict, son analyse était politiquement et idéologiquement correcte. En attendant, Fidel se démenait pour donner l'impression qu'il était attaché à la démocratie autant qu'à la justice sociale.

Au mois de février, le magazine *Coronet*, de New York, publiait sous la signature de Castro un article (très probablement écrit par lui-même) ; avec une insistance étonnante et excessive, il présentait sa « lutte armée sur le sol cubain », comme la voie de la démocratie et du libéralisme les plus favorables à la libre entreprise. Même si Castro mettait en application le principe de la « justification historique », cher à Marx et à Martí, qui consiste à dissimuler, dans l'intérêt d'une cause supérieure, les objectifs réels que l'on poursuit, l'article du *Coronet* frisait la malhonnêteté intellectuelle. Fidel n'en avait d'ailleurs nul besoin : l'opinion publique américaine, dans son ensemble, lui était favorable de toute façon, et il savait sûrement que le gouvernement Eisenhower n'accordait aucune foi à ses déclarations.

Castro proclamait : « D'abord et par-dessus tout, nous nous battons pour en finir avec la dictature et pour établir à Cuba les fondements d'un gouvernement authentiquement représentatif. » Il affichait ensuite sa « répugnance personnelle » à briguer la présidence après Batista — mis à part le fait que, selon la Constitution, il n'avait pas l'âge d'être éligible : « A trente et un ans, je suis beaucoup trop jeune pour être candidat à la présidence, et le resterai pendant dix ans encore » (en fait, Castro ne devait assumer la fonction présidentielle que *dix-sept ans* plus tard, en 1976 — mais ce n'était là qu'un détail technique quant à l'exercice réel du pouvoir). Il disait, sans mentir : « Nous voulons balayer la corruption de la vie publique cubaine » et « nous avons l'intention de lancer une campagne intensive contre l'analphabétisme ». Il cherchait par contre à tromper son lecteur en déclarant : « Nous ne soutiendrons aucun projet de réforme agraire... qui ne prévoirait pas une juste indemnisation des personnes expropriées » et « nous n'envisageons pas d'expropriation ou de nationalisation qui affecterait les investissements étrangers dans notre pays ». Il reconnaissait que l'étatisation des services publics appartenant à des firmes américaines « était inscrite dans nos programmes les plus anciens, mais nous avons actuellement suspendu la préparation de tout projet sur ce point ». Il mettait l'accent sur l'industrialisation et prononçait cet avertissement : « Quand un pays de six millions d'habitants compte un million de chômeurs, c'est le symptôme d'une terrible maladie économique qu'il convient de guérir sans délai, faute de quoi l'infection présentera un terrain d'élection pour le communisme. » Il expliquait qu'il avait dû prendre « la terrible décision » de faire incendier toute la récolte de canne à sucre afin de paralyser le régime et de forcer Batista à « capituler » ; il précisait même : « Ma famille possède d'importantes plantations de cannes ici en Oriente, et j'ai donné des instructions sans équivoque à nos groupes d'action clandestine pour qu'ils brûlent nos champs en priorité, afin de donner l'exemple à tout le pays. » Il répéta les mêmes considérations en février lors d'une interview publiée par le magazine *Look* ; il y démentait violemment que son mouvement fût d'inspiration communiste.

Quoi qu'il en soit, au cours des premiers mois de 1958, Castro croyait toujours que la guerre serait longue. C'est dans cette perspective qu'il prit une série de dispositions militaires en ouvrant trois nouveaux fronts dans la Sierra Maestra. Sur le plan politique, il manifestait clairement ainsi qu'il souhaitait une prolongation de la guerre ; cela lui donnerait plus de temps pour préparer l'Armée rebelle et le pays à la vaste révolution qu'il avait en tête. (Dans une lettre à Celia, en juillet 1957, Castro écrivait : « A mon sens, si le régime tombait dans une semaine ce serait moins fructueux pour nous que dans quatre mois... En manière de plaisanterie, j'ai l'habitude de dire aux camarades que nous ne voulons pas donner naissance à une révolution [prématurée] de *sept mois*. »)

L'Armée rebelle, tout spécialement, était en train de devenir le fer de lance du processus révolutionnaire, ce qui permettrait d'en faire plus tard le foyer idéologique et opérationnel des grands bouleversements futurs. Si les révolutions chinoise et vietnamienne ont été conduites par des partis communistes préexistants, Castro réservait ce rôle à sa nouvelle Armée rebelle, pour bien s'assurer qu'il exercerait son emprise sur l'intégralité du monde politique cubain, tout de suite et dans l'avenir.

Mais pour que l'Armée rebelle fût en mesure d'assumer efficacement cette fonction politique, il fallait d'abord édifier un mythe autour d'elle, et c'était là une des tâches hautement prioritaires de Fidel Castro. Ce mythe, qui s'incarne encore dans les Forces armées, trente ans après la révolution, était fondé sur le rôle social et révolutionnaire des guérilleros autant que sur leurs faits d'armes. C'est pourquoi les rebelles étaient de plus en plus attentifs à distribuer des terres aux paysans qui travaillaient sur le « Territoire libre » de la Sierra — une sorte de « miniréforme agraire » avait été instaurée sur place — ou à prêter leurs bras aux travaux des champs (comme en 1957 pour la cueillette du café). En protégeant les familles des paysans contre les régisseurs des propriétaires et contre les gendarmes de la Garde rurale, en appliquant leur « justice révolutionnaire » aux violeurs et aux exploiteurs, en ouvrant quelques écoles et dispensaires, ils faisaient figure d'amis du peuple. Le mythe se confondait ainsi avec la réalité. Guevara, qui gouvernait son propre secteur d'une façon plutôt indépendante depuis 1957, écrivait : « Nous sommes devenus des révolutionnaires à l'intérieur de la révolution... nous sommes venus renverser un tyran, mais nous découvrons que c'est l'immense région rurale, dans laquelle notre combat traîne en longueur, qui a le plus urgent besoin d'une libération... » Bien plus que Castro, absorbé par ses devoirs de Commandant en chef et toujours par monts et par vaux, Guevara entreprit très vite l'éducation politique de ses propres troupes et des paysans ; il ne prêchait pas encore le marxisme mais la réforme agraire et d'autres bouleversements sociaux indispensables à Cuba. Son journal, *El Cubano Libre*, avait publié un article où il était dit : les communistes « sont tous ceux qui prennent les armes parce qu'ils en ont assez de la pauvreté... »

En s'octroyant le rôle de révolutionnaires sociaux, les combattants rebelles s'attirèrent, dans la paysannerie, une sympathie qui allait bien au-delà de l'aide initialement accordée à Castro pour lui permettre de subsister au cours des premiers mois. Au début, les paysans avaient agi par instinct, puis pour manifester leur admiration devant l'attitude des rebelles. Quand leur soutien redevint vital, au moment où la guérilla entrait dans une nouvelle phase en 1958, les *guajiros* fournirent des vivres aux rebelles, les aidèrent à se procurer des armes, leur offrirent une main-d'œuvre gratuite pour la construction de leurs arsenaux et entrepôts (ils refusaient de se faire payer), donnèrent l'alarme chaque fois que l'armée de Batista s'aventurait dans les montagnes, et assurèrent la liaison entre les différents groupes de rebelles, comme entre Castro et les dirigeants du Mouvement dans le *llano* ; quelques-uns des meilleurs messagers étaient des femmes. Ce furent également les paysans qui fournirent à l'Armée rebelle la majorité de ses nouvelles recrues : ils savaient trouver leur chemin dans la montagne, ils étaient durs à la peine, ils avaient foi dans le *Fidelismo,* et ils étaient plus doués pour la guérilla que les volontaires venus des villes. Or Castro avait besoin des meilleurs combattants possibles pour donner une ampleur accrue à la guerre.

Le 10 mars 1958, sixième anniversaire du coup d'état de Batista, Raúl Castro quitta le camp de Fidel avec soixante-cinq hommes pour ouvrir un nouveau « front » dans la Sierra de Cristal, le long de la côte nord de l'Oriente. L'endroit se trouvait à l'Est de Birán, où étaient nés les frères Castro, et au Nord-Est du principal théâtre d'opérations, où se tenait l'aîné. Il fallait s'assurer un second « territoire libéré » en Oriente, ce qui déplacerait la guerre vers le Nord et augmenterait la pression exercée par les rebelles sur les forces de Batista. Fidel, toujours soucieux de cultiver le mythe, baptisa ce « deuxième front » du nom de Frank País. La troupe de Raúl était appelée « Colonne numéro 6 » ; cela donnerait à croire que l'Armée rebelle se composait de nombreuses unités. A peu près au même moment, Juan Almeida était chargé, avec une autre colonne, d'ouvrir un « Troisième Front » sur la frange orientale de la Sierra Maestra, juste au Nord-Ouest de Santiago. En avril, Camilo Cienfuegos fit mouvement en direction du Nord, vers Bayamo, pour harceler les troupes de Batista cantonnées dans le secteur. Guevara et sa « Colonne numéro 4 » opéraient au cœur de la Sierra Maestra, autour d'El Hombrito, depuis août 1957. En conséquence, au printemps 1958, l'Armée rebelle occupait ou dominait presque tout le massif montagneux de l'Oriente. La stratégie de Fidel consistait à sortir de cette forteresse naturelle qui avait abrité les rebelles pendant un an, et de contester des territoires de plus en plus vastes à l'ennemi. Cependant il croyait aussi à la prudence ; dans une note envoyée à Guevara en février, il recommandait à Che d'annuler sa prochaine opération, si aucune unité rebelle supplémentaire ne pouvait être appelée en renfort : « Je ne crois pas aux vertus d'une action suicidaire ; [en l'occurrence] nous risquerions de subir trop de pertes et de manquer l'objectif », écrivait-il. « Je te recommande fortement d'être prudent. S'il le faut, je t'ordonne de ne pas attaquer. Prends bien soin de tes hommes... »

Peu à peu, sa troupe de partisans se transformait en une armée plus conventionnelle et mieux équipée. En avril, Fidel se procura un nouveau modèle de jeep Toyota ; les rebelles tenaient sous leur coupe un territoire assez vaste dans la région pour qu'il pût y circuler en voiture plutôt qu'à pied, dans un rayon de quinze à vingt-cinq kilomètres ; la plupart des chemins de montagne étaient accessibles en jeep, et les rebelles tenaient même quelques routes. Le colonel Arturo Aguilera, qui fut le premier chauffeur de Castro et son aide de camp, raconte que, pour des raisons de sécurité, ils changeaient de place tous les deux ou trois jours ; Castro faisait toujours preuve d'une extrême prudence. Pour éviter d'être repérés par l'aviation, ils roulaient de nuit tous feux éteints ; « Celia ou Fidel emportait une lanterne pour le cas où ce serait nécessaire ». Aguilera dit qu'ils se déplaçaient toujours seuls, sans escorte, car le secteur était aux mains des rebelles. Entre la fin d'avril et le début de mai, Castro passa son temps à inspecter ses forces dans l'attente d'une offensive ennemie de grande envergure, qu'il croyait imminente. Il fit construire des fortifications aux abords de la ligne de crêtes de la Sierra Maestra ; il pensait qu'il perdrait une partie de son territoire, mais qu'il vaincrait à la longue s'il parvenait à conserver ses positions sur les principaux sommets de la chaîne montagneuse.

Partout le moral était au zénith. Un hôpital avait été installé dans la montagne pour les blessés graves, sur le territoire de Guevara ; bien dissimulé par la végétation, il était invisible pour les avions de reconnaissance, mais très inconfortable pour les patients en raison d'une humidité excessive. Un autre hôpital fut organisé sur le versant ouest de la Sierra, et de petites antennes médicales furent dispersées dans tout le territoire des rebelles. Des médicaments parvenaient régulièrement de la plaine, mais ils ne correspondaient pas toujours aux quantités demandées ni aux besoins. Une station de radio à faible rayon avait été mise en place depuis le mois de février, à Alto de Conrado, chez Guevara ; ses émissions ne pouvaient être captées que par quelques patrouilles et par les familles paysannes dans les environs immédiats. Guevara avait également commencé à fabriquer des engins explosifs connus sous le nom de M-26 ; il avait aussi fait construire un abattoir pour le bétail capturé et un petit atelier de fabrication de cigares.

La discipline rigide imposée par les commandants et aussi l'exemple qu'ils donnaient, renforçaient le moral des troupes. Fidel, Raúl, Che et les autres s'exposaient toujours en première ligne, sans jamais demander aux hommes de prendre des risques qu'eux-mêmes n'eussent pas accepté de courir. Un jour, un officier recruté chez les paysans tua accidentellement d'un coup de fusil un soldat passible d'une sanction disciplinaire. Les camarades de la victime réclamèrent l'exécution du meurtrier. Fidel et Che leur expliquèrent pendant des heures pourquoi le coupable ne méritait pas la peine de mort, et les hommes l'acceptèrent à contrecœur — surtout à cause du respect personnel que leur inspiraient leurs chefs. Guevara ne prenait jamais un repas sans s'être assuré que tous ses soldats avaient reçu la même nourriture et en même quantité. Universo Sánchez se souvient d'avoir partagé un repas de poule au riz avec Castro, dans la même assiette ; après que chacun eut englouti sa ration, très exactement, il restait un seul morceau de viande, mais ni l'un ni l'autre n'accepta de le manger. Comme le mentionne Guevara, la seule chose qui ne manquait pas était le café : on pouvait toujours en avoir une tasse dans une cabane de paysan. Rien n'échappait au regard vigilant de Che ; il fut le chroniqueur le plus parfait de la guerre dans la Sierra, malgré sa plume acerbe, comme en témoignent son journal de campagne et ses écrits ultérieurs. La plupart de ses textes font violemment et amèrement état des dissensions politiques qui déchiraient en deux le Mouvement du 26 juillet.

Cette crise politique connut son apogée à propos de la question de la grève générale qui provoqua un conflit sur le fond du problème, parmi les dirigeants du Mouvement. Cette crise, à son tour, exerça une influence déterminante sur le cours que devait suivre la future révolution cubaine. L'idée d'organiser une grève générale à l'appui d'un soulèvement national contre Batista n'était pas nouvelle ; dès l'origine, Castro en prévoyait une, et elle devait même être synchronisée avec le débarquement à Cuba. En juillet 1957, Frank País avait informé Castro de la création d'un Front ouvrier à l'échelle nationale (FON), qui organiserait des comités de grèves, au nom du Mouvement, en vue d'une grève générale. Castro, dans la communication qu'il avait adressée en décembre à la Junte de Libération cubaine pour rejeter le Pacte de Miami, avait fait tout particulièrement référence à une grève générale, en citant les « actions concrètes... utiles au renversement de la tyrannie » qui pourraient être menées à bien grâce à la « coordination efficace des efforts entrepris par des organisations civiques conjointement avec le Mouvement du 26 juillet ».

Néanmoins, il y a bien des raisons de penser que, dans l'esprit de Castro, le soutien apporté à sa guerre dans la Sierra l'emportait encore, à ce stade, sur tout ce que le Mouvement pouvait entreprendre ou entreprendrait dans le *llano* — c'est-à-dire les plaines et les villes. Il se plaignait abondamment de ne pas recevoir suffisamment d'armes, de munitions, de fournitures et d'argent de la part du *llano ;* à tel point qu'Armando Hart, l'un des cofondateurs du Mouvement, lui écrivit de Santiago en octobre : « Tous nos camarades ici ont toujours considéré le Mouvement, là ou ailleurs, comme une seule et unique entité... Votre ravitaillement là-haut revêt pour nous une importance tellement vitale que nous en avons fait notre obligation révolutionnaire prioritaire et fondamentale. » Au début de décembre, Hart écrivit une lettre désespérée à Celia dans la Sierra Maestra pour lui dire que si le travail du Mouvement dans les villes était tenu pour inutile, « cela soulèverait la question de savoir si les membres du Directoire actuel doivent se contenter de n'être que les pourvoyeurs de la Sierra... Nous pensons que notre devoir est d'organiser les travailleurs, de renforcer la résistance de la population civile, de mettre en place, à l'échelon municipal et provincial, un encadrement confié à de vrais révolutionnaires qui, en agissant de concert avec l'armée révolutionnaire de la Sierra Maestra, assureront l'exécution de notre programme. Nous devons aussi aider nos milices qui, en dehors de la Sierra Maestra, ont réussi héroïquement, sans armes et sans ressources (tout ce que nous avions vous a été envoyé), à faire progresser la révolution au-delà des frontières de la Sierra Maestra et ont créé une organisation qu'il est de votre devoir, et du nôtre, de protéger ». René Ramos Latour, qui avait remplacé Frank País au poste de coordinateur en Oriente (son nom de guerre était « Daniel »), écrivit à Castro pour exprimer sa surprise « devant une note signée de toi, qui exprime essentiellement de la méfiance à notre égard, nous accuse implicitement d'être responsables de la situation d'abandon dans laquelle se trouvent nos forces de la Sierra, et de retenir au profit des villes un prétendu arrivage d'armements qui vous seraient destinés... Non, nous n'avons jamais sous-estimé la Sierra. [Mais] nous pensons que la bataille ne se limite pas uniquement et exclusivement à la montagne ; nous devons combattre le régime sur tous les fronts ».

Telles étaient les tensions grandissantes qui servaient de toile de fond aux relations entre Fidel Castro, là-haut, et le Directoire du Mouvement, en bas, quand la question d'une grève générale revint sur le tapis au mois de mars. De part et d'autre, on refusait d'admettre qu'il s'agissait d'une lutte pour le pouvoir politique, mais il était évident que Castro ne supportait aucun rival. C'est à contrecœur et bien tardivement, en février 1958, qu'il finit par reconnaître l'existence d'un nouveau front de guérilla ouvert par le Directoire révolutionnaire étudiant dans les montagnes de l'Escambray, au centre de Cuba, vers la fin de 1957. Le message qu'il fit publier à cette occasion faisait remarquer que « sans préjuger du militantisme révolutionnaire de votre groupe, nous avons donné pour instructions au Mouvement de vous apporter toute l'aide possible ». Quant au DR, il se souciait encore moins de collaborer avec l'Armée rebelle ; sous peu, les deux groupes allaient se trouver entraînés dans d'amères querelles. Puis, un « Second front de l'Escambray » fut ouvert par un groupe universitaire rival et des opportunistes politiques de La Havane. Telles étaient, dans leur ensemble, les relations de Castro avec les révolutionnaires du *llano* et c'est dans ce contexte qu'il dut examiner la question d'une grève générale. Il était à prévoir que d'autres groupes hostiles à Batista prendraient l'initiative de diverses opérations pour leur propre compte. La création de deux groupes de guérilleros dans les Montagnes de l'Escambray en était un exemple ; une autre illustration en fut donnée lors d'une action de commando organisée par la Résistance civique vers la fin de 1957, à Holguín, une ville de garnison située dans le Nord de l'Oriente : l'assassinat du colonel Cowley Gallegos, l'un des chefs les plus brutaux et les plus haïs de l'armée de Batista.

Dans ces conditions, Castro devait considérer — même de mauvaise grâce — que la grève générale lui fournirait le moyen de rétablir l'unité révolutionnaire. Faustino Pérez, en sa qualité de délégué du Directoire national du Mouvement à La Havane, était retourné dans la Sierra au début de mars. A l'issue de conférences avec Fidel et d'autres membres du Mouvement, il se joignit à Castro pour signer un manifeste intitulé « Guerre totale contre la tyrannie » : c'était un appel à la grève générale. Pour Pérez, la grève devait avoir lieu dans les plus brefs délais. Il croyait que Castro manquait simplement « d'informations de première main sur les conditions existant à La Havane », et il se fit un devoir de les lui fournir. Après tout, il se considérait lui-même comme l'un des plus proches collaborateurs de Fidel — il s'était trouvé à bord de la *Granma*, il avait été l'un des deux compagnons de Castro pendant les jours et les nuits de désespoir qui avaient suivi la bataille d'Alegría de Pío, voire le premier émissaire de la Sierra à Santiago et à La Havane. Il était convaincu que Fidel prêterait l'oreille à ses recommandations.

Le Manifeste en vingt-deux points, daté du « Quartier Général des Forces Rebelles, au Camp de la Colonne numéro 1 » commençait, par proclamer : « La lutte contre Batista entre dans sa phase finale » et « la stratégie choisie pour porter le coup décisif se fonde sur une grève générale révolutionnaire appuyée par une action militaire... L'ordre de grève sera donné au moment opportun » et l'action se poursuivra en même temps que la lutte armée « si une junte militaire tente de s'emparer du pouvoir ». Une fois encore, Castro était décidé à empêcher tout accord conclu derrière son dos entre les militaires et les éléments civils de l'opposition. Le nouveau Manifeste contenait une disposition supplémentaire qui assurait à Castro la maîtrise de la situation ; il réaffirmait la désignation de Manuel Urrutia Lleó comme chef du gouvernement provisoire qui serait formé après la chute de Batista et qui aurait pour mission de préparer des élections nationales. Castro avait déjà proposé le nom d'Urrutia dans la lettre qu'il avait adressée en décembre à la Junte de Libération cubaine, mais Faustino Pérez et lui-même estimaient que cette nomination devait être entérinée le plus vite possible.

Urrutia était un magistrat de cinquante-huit ans. C'était lui qui avait présidé la Cour d'appel d'Oriente et désapprouvé le vote de ses assesseurs quand ceux-ci avaient déclaré coupables les membres de l'expédition de la *Granma* et les activistes du Mouvement arrêtés au cours du soulèvement avorté de Santiago, le 30 novembre 1956. Le verdict condamnait les rebelles à huit ans de prison. Urrutia avait ultérieurement écrit qu'à ses yeux les accusés étaient « des modèles de dignité et de patriotisme » et que son opinion se fondait sur « le droit sacré à la résistance contre l'oppression » garanti par l'article 40 de la Constitution cubaine de 1940. Il avait ajouté : « Je tenais pour légitime l'action armée entreprise par les accusés car c'était une tentative pour en finir avec l'oppression qui régnait à Cuba. » Quatre ans plus tôt, Urrutia, encore juge d'instruction, avait dû établir les circonstances du décès des rebelles morts le 26 juillet lors de l'assaut contre la caserne Moncada ; ses sympathies pour le Mouvement remontaient à ce dimanche sanglant.

Quand Castro avait conçu l'idée d'un gouvernement provisoire, ses candidats à la présidence avaient d'abord été Raúl Chibás et Felipe Pazos, ses cosignataires du Manifeste de la Sierra Maestra, en juillet 1957. Mais Chibás avait refusé, et Castro en était arrivé à la conclusion que Pazos se trouvait trop impliqué dans la politique politicienne. Il avait alors pensé à Urrutia, qui avait le mérite d'être un candidat apolitique parfait. En novembre, il avait envoyé des émissaires au juge, à Santiago, pour lui proposer la présidence au nom du Mouvement. Urrutia accepta, démissionna de sa charge, et partit pour les Etats-Unis à la fin de décembre, en attendant que l'on fasse appel à lui après la chute de Batista. Sa mission était « de conduire notre pays à la démocratie, à la liberté, et au règne de la loi ».

Juriste libéral et anticommuniste, Urrutia ajoutait au prestige de la cause *Fidelista* — ce dont Castro avait un besoin urgent ; à Washington, il fut reçu au département d'État par des fonctionnaires de haut rang, chargés des questions d'Amérique latine. En l'occurrence, il cherchait à persuader les Etats-Unis d'interrompre leurs livraisons d'armes à Batista ; il se peut qu'il ait joué un rôle dans la décision prise par le gouvernement Eisenhower, le 14 mars 1958, de suspendre ces livraisons sous prétexte que les armes étaient utilisées pour la sécurité intérieure et non pour la défense de l'hémisphère, comme l'imposait la loi. Toutefois, c'était un geste trop tardif pour valoir à son auteur la gratitude des rebelles cubains. Les bombes fournies par les Américains continuaient de se déverser sur eux, et le 5 juin Fidel envoya sa fameuse note à Celia dans laquelle il déclarait que sa « véritable destinée » était de combattre les Américains pour leur faire « payer chèrement ce qu'ils sont en train de nous infliger ». Les envois d'armes avaient cessé, mais les bombardiers de Bastista étaient autorisés à remplir leurs réservoirs sur la base navale de Guantánamo entre deux raids contre les rebelles.

Le Manifeste de la « Guerre totale » annonçait qu'à partir du 1er avril toute circulation sur les autoroutes et les voies ferrées d'Oriente serait interdite, et qu'il serait fait feu sur tout véhicule en mouvement. Après cette date, il était défendu de payer des impôts à Cuba — le fait de s'en acquitter serait considéré comme « antipatriotique et contre-révolutionnaire ». A ce stade, l'Armée rebelle ne comptait guère que trois cents hommes sous les armes, mais le goût de Fidel pour la mise en scène et la propagande le poussait à annoncer : « Dorénavant, le pays doit se considérer comme engagé dans une guerre sans merci contre la tyrannie... la nation tout entière est résolue à être libre ou mourir. »

La grève générale était secrètement fixée à la date du 9 avril ; les représentants du Mouvement avaient reçu l'ordre d'accélérer leurs efforts dans la clandestinité, et l'armée rebelle se préparait à lancer des assauts bien synchronisés. Pour la première fois, fin mars, les *Fidelistas* avaient reçu des renforts par le premier avion qui s'était posé sur le « Territoire libre » de la Sierra. C'était un bimoteur C-47 venu de Costa Rica avec un chargement d'armes et de munitions ; il transportait également deux responsables de haut rang : le premier était le principal conseiller militaire de Castro, Pedro Miret, qui se trouvait en prison au Mexique quand la *Granma* avait levé l'ancre pour Cuba et n'avait pas été en mesure de rejoindre ses camarades ; le second était Huber Matos, le planteur de riz dont les camions avaient transporté naguère les volontaires, de Manzanillo à la Sierra Maestra. Matos, qui avait organisé le vol et qui avait été chargé de remettre une lettre de Castro au président du Costa Rica, se vit aussitôt confier un commandement. Pedro Miret se rappelle que Castro les attendait dans la prairie où l'avion atterrit au crépuscule — en détériorant son hélice. Fidel incorpora aussitôt le nouveau venu à son état-major. A ce moment-là, Faustino Pérez était déjà retourné à La Havane pour coordonner le mouvement de grève. Pendant tout le mois de mars, des groupes d'action furent très occupés à faire exploser chaque nuit dans la capitale des dizaines de bombes, afin de créer un climat psychologique favorable à la grève générale. Une opération spectaculaire vint renforcer les résultats obtenus. Ce fut l'enlèvement du champion automobile argentin, Juan Manuel Fangio, à la veille d'une importante compétition qui devait avoir lieu à La Havane. Le coup avait été manigancé par Faustino Pérez. Fangio fut relâché le lendemain et fit savoir qu'il avait été bien traité. Le régime s'en trouva profondément humilié. Au sein du Mouvement du 26 juillet, l'optimisme était à son comble.

Mais la grève fut un échec terrible. Fidel Castro en parle comme du « coup le plus rude infligé à la Révolution » parce que « [nos] gens n'avaient jamais éprouvé autant d'espoir que ce jour-là, et nous ne nous sommes jamais fait autant d'illusions qu'en cette occasion. » Ce qui se produisit peut s'expliquer par une longue série de raisons — l'organisation était déficiente, notamment à La Havane, la coordination inexistante entre les différents groupes, la synchronisation défectueuse, la réaction et la participation populaires insuffisantes ; si Castro avait cru à la possibilité de provoquer une révolution rapide dans les villes, ses espoirs furent anéanis par la force des baïonnettes. Le régime avait suspendu une fois de plus les garanties constitutionnelles et mobilisé sept mille hommes supplémentaires ; il était prêt à écraser la grève. D'un bout à l'autre de l'île, une centaine de personnes au moins furent tuées par la police au cours de cette seule journée et plusieurs centaines arrêtées. Le général Batista crut que la roue avait tourné et qu'après le fiasco de la grève, les rebelles de la Sierra Maestra pourraient être écrasés par une offensive militaire de grande envergure.

Parmi les questions qui restent sans réponse, à propos de cette grève, il en est qui concernent le rôle du Parti communiste et ses relations avec le Mouvement du 26 juillet avant la journée d'action. Les communistes, dont l'opposition de principe à la révolte *Fidelista* était bien connue, furent accusés d'avoir saboté la grève, afin de provoquer la disparition du Mouvement ; cela leur aurait permis de regagner une partie de leur influence parmi les révolutionnaires et même de faire adopter leur stratégie. Toutefois, cette histoire est bien plus complexe. Aucun compte rendu complet n'a jamais été publié sur le drame de la grève générale — c'est une question qui, à Cuba, reste particulièrement délicate ; par conséquent, la reconstitution des événements et de leurs conséquences ne peut être que fragmentaire. Ramiro Valdés et Faustino Pérez, tous deux anciens ministres de l'Intérieur, ont des avis différents sur ce point mais s'obstinent à demander que la controverse ne soit pas évoquée sur la place publique. Il ne fait pas de doute, toutefois, que l'échec de la grève générale marqua un tournant capital dans l'histoire de la révolution : l'influence politique des membres modérés du Mouvement, dans le *llano,* s'évanouit, tandis que la prise en main du pouvoir révolutionnaire par Fidel et ses « militaristes » les plus radicaux devenait totale.

En ce qui concerne les communistes, ce fut le FON (Front Ouvrier National, organisé par le Mouvement) qui eut le tort d'éviter tout contact avec les dirigeants syndicalistes du Parti — pourtant très influents parmi les ouvriers des sucreries ; le FON s'abstint même de les faire participer à l'organisation de la grève, à toutes fins pratiques ; il se méfiait tellement des communistes qu'il ne leur avait même pas communiqué la date de l'action, encore que le Parti eût certainement été au courant de ce qui allait se passer. D'après les communistes, l'idée que le Mouvement se faisait d'une grève générale était pour le moins sommaire : elle revenait à appeler la population à se joindre instantanément aux arrêts de travail et aux actions armées organisées en plusieurs points de La Havane désignés d'avance — sans aucune préparation antérieure dans les usines, les bureaux et autres lieux de travail. Au début d'avril, le Parti en était arrivé à la conclusion qu'il fallait faire avorter la grève si les méthodes employées n'étaient pas améliorées sur-le-champ ; il avait expédié Osvaldo Sánchez, membre du Comité central, dans la Sierra pour informer Castro de ses inquiétudes. Sánchez est censé avoir dit à Castro que les chefs du Mouvement à La Havane avaient surestimé leurs forces, omis de prendre la peine d'organiser la grève sur les lieux de travail, refusé de coopérer avec les communistes, et manifesté une confiance excessive dans les réactions spontanées qui étaient censées se produire, quand l'appel à la grève aurait été lancé.

Six ans plus tard, le 9 avril 1964, le journal du parti communiste, *Hoy,* publiait pour la première fois une déclaration faite par Castro le 26 mars 1958, où il était dit : « En appelant la nation à la lutte finale contre la tyrannie, notre Mouvement n'exclut absolument personne... tous les travailleurs cubains, quelle que soit leur appartenance politique ou révolutionnaire, ont le droit de faire partie des comités de grève sur leurs lieux de travail. Le Front Ouvrier National n'est pas un organisme sectaire... La direction du Front établira une coordination avec toutes les sections ouvrières des organisations politiques et révolutionnaires qui combattent le régime, et avec toutes les factions organisées qui luttent pour faire aboutir les revendications économiques et politiques de leur classe, afin qu'aucun travailleur ne puisse être écarté de cet effort patriotique. » Les communistes prétendent toutefois que le Mouvement ne révéla pas les instructions de Castro et continua de mener ses activités unilatéralement. Le 2 avril, la publication clandestine du Parti communiste, *Carta Semanal,* appela à une grève générale tout en notant que « les forces de la désunion demeurent présentes. »

En tout cas, Fidel Castro n'annula pas la grève. Le matin du 9 avril, à dix heures, trois stations de radio de La Havane investies par les révolutionnaires retransmirent un appel du Mouvement « à la grève générale révolutionnaire » immédiate. Le texte disait : « Le jour de la libération est venu... partout à Cuba, en ce moment même, a commencé la lutte finale qui se terminera par le renversement de Batista ! » De la Sierra, la radio lançait : « Grève ! Grève ! Grève ! Tout le monde en grève ! Tout le monde dans la rue !... » Une autre émission recommandait aux patriotes : « Jetez des pierres par vos fenêtres sur les briseurs de grève... Jetez des cocktails Molotov sur les voitures de police... » Mais il y eut très peu d'arrêts de travail, notamment parce que l'appel avait surpris tout le monde, sauf la police qui se trouvait présente, en force, en tous lieux. A La Havane, il y eut des actes de sabotage, et à Sagua La Grande, des combats très violents (la ville dépendait de la province de Las Villas, au centre du pays). Le lendemain, un message de Castro prétendait : « Tout Cuba flambe et se soulève, dans une explosion de colère contre les assassins, les bandits et les gangsters, les indicateurs et les briseurs de grève, les canailles et les militaires encore fidèles à Batista. » Mais tout était déjà fini.

Le 13 avril, Faustino Pérez et ses collègues du Mouvement adressèrent un rapport aux comités d'émigrés pour leur rendre compte de l'échec et reconnaître les fautes commises par la direction urbaine. Ils avouaient que la plus grave de toutes les erreurs avait été de tenir secrète la date de l'action, puis de diffuser l'ordre de grève sur les ondes « à une heure où seules les ménagères écoutent la radio », au lieu de lancer l'appel quarante-huit heures plus tôt. Fidel était plus sévère ; dans une lettre à Celia, datée du 16 avril, il disait : « L'expérience de la grève se solde par une grave défaite morale pour le Mouvement... la Révolution, une fois de plus, est en danger mais son salut est entre nos mains... nous ne pouvons pas continuer à décevoir les espoirs de la nation... Nul ne me fera plus jamais accorder ma confiance à l'organisation... Je suis censé être le chef de ce Mouvement ; donc, aux yeux de l'Histoire, je dois assumer la responsabilité des stupidités commises par les autres ; or je suis une merde qui ne peut décider de rien du tout... Je ne crois pas qu'un schisme se prépare dans le Mouvement, mais à l'avenir nous résoudrons nous-mêmes nos propres problèmes. » Quatre jours plus tard, il disait à Celia : « Nous n'avons pas renoncé à considérer la grève générale comme une arme décisive contre la tyrannie... Nous avons perdu une bataille, mais pas la guerre. »

Désormais, l'heure était venue de l'empoignade décisive entre les révolutionnaires. Castro en donna le signal dans une lettre à Raúl Chibás et Mario Llerena, les responsables du Mouvement pour le Comité de Miami ; il y faisait l'inventaire de ses récriminations : « Le Mouvement a gravement manqué à son devoir en ce qui concerne notre ravitaillement »... « L'égoïsme et parfois la mauvaise foi, dans certains secteurs, se sont ajoutés à l'incompétence, à la négligence et même à la déloyauté de quelques camarades... L'organisation n'est pas parvenue à nous envoyer de l'étranger un seul fusil ni une seule cartouche... Mais en dehors de toutes considérations morales, c'est encore une fois à nos hommes qu'il incombe de tirer la Révolution d'une des plus graves crises qu'elle ait dû traverser ». Castro énonçait en outre ses propres conclusions : « Le danger d'un coup d'état militaire accrédite la thèse selon laquelle seule l'armée peut renverser les dictateurs, de même qu'elle les a installés au pouvoir ; cette opinion enfonce la population dans une apathie fataliste et dans un sentiment de dépendance vis-à-vis des militaires... l'échec de la grève a fait passer cette question au premier plan. *Et l'échec de la grève n'est pas seulement dû à une question d'organisation, il s'explique aussi par le fait que notre propre action armée n'est pas encore assez vigoureuse...* »

Cette diatribe prépare l'éviscération du Mouvement que Castro veut soustraire à toute influence politique autre que la sienne. Le *llano* était spectaculairement accusé de lui avoir refusé des ressources en provenance de Cuba comme de l'étranger ; il est impossible de savoir jusqu'à quel point ces reproches étaient justifiés, car les premiers avions venant de Floride commençaient à atterrir dans la Sierra avec leur chargement de matériel de guerre. Mais Castro restait hanté par une double obsession : éviter à tout prix un coup d'état militaire et la constitution d'une junte ; ces deux spectres jumeaux étaient bien difficiles à conjurer. Enfin, Castro se lavait les mains de toute responsabilité dans l'issue désastreuse de cette grève dont il avait pourtant approuvé d'avance le principe. Ce fut le 3 mai, dans une ferme située sur les hauteurs de Mompié, au cœur de la Sierra Maestra, qu'intervint le véritable affrontement entre les deux ailes du Mouvement du 26 juillet, au cours d'une réunion du Directoire national. La séance, commencée très tôt dans la journée, se prolongea jusqu'au lendemain à deux heures du matin. Castro en assurait la présidence et l'assistance se composait principalement des dirigeants du *llano* : Faustino Pérez et Marcelo Fernández, venus de La Havane, René Ramos (Daniel) Latour, le coordinateur de Santiago, le dirigeant syndicaliste David Salvador — l'un des plus proches alliés personnels de Fidel au sein du Directoire —, Celia Sánchez, Vilma Espín, de Santiago, et Haydée Santamaría. Che Guevara ne faisait pas partie du Directoire national, mais il avait été invité, à la demande de Faustino Pérez et de Latour, qui avaient été la cible de ses critiques les plus virulentes pour l'échec de la grève. C'est ainsi que Guevara fit officiellement son entrée dans le cercle des principaux responsables politiques de la révolution cubaine. Che a également été le meilleur chroniqueur de ce qu'il a appelé la « réunion décisive ».

Plus honnête et plus franc que ses camarades, Guevara a écrit : « Les divisions entre la sierra et le *llano* étaient bien réelles... nous étions séparés par des divergences de vues en matière de stratégie. » Avant la grève, Guevara avait noté : « Les camarades du *llano* constituent la majorité » au sein du Directoire national, enclin « à privilégier certaines activités " civiles ", à manifester une certaine hostilité envers le *caudillo* qu'ils craignaient [de trouver] en Castro — et envers la faction " militariste " que nous représentions, nous autres, gens de la *sierra*. » A l'issue de la réunion de Mompié, où l'on avait pratiquement instruit le procès de Faustino Pérez, de Latour et de Salvador, les « conceptions des guérilleros », à savoir la primauté de l'action militaire directe, « triomphèrent » ; cela ne manqua pas de « consolider le prestige et l'autorité de Fidel [qui] fut nommé commandant en chef des forces armées, y compris la milice, placée jusqu'alors sous l'autorité du Directoire, c'est-à-dire du *llano*. » Après ce que Guevara décrit comme « une discussion épuisante et souvent violente », Faustino Pérez, Latour et Salvador furent démis de leurs fonctions au sein de la direction du Mouvement. Il conclut : « Sur le plan politique, le Directoire national fut transféré dans la Sierra Maestra... avec un secrétariat de cinq membres, nouvellement créé, et Fidel prit le poste de secrétaire général. »

A La Havane, Marcelo Fernández devint coordinateur du Mouvement sous l'autorité de Fidel, et Faustino Pérez fut remplacé au poste de dirigeant national du *llano* par Delio Gómez Ochoa, un militaire dévoué à Castro. Faustino, Latour et Salvador furent rappelés dans la Sierra où Castro confia aux deux premiers d'importantes responsabilités. Personnellement, il n'est pas vindicatif, sauf quand il se croit trahi ; or il pensait que les talents de Faustino et de Latour ainsi que leur loyalisme pouvaient trouver utilement un emploi. Faustino, qui affirme avoir été considéré, à l'époque, comme un homme « de droite » à l'intérieur du Mouvement, fait toujours partie de l'équipe révolutionnaire, groupée autour de Castro depuis trente ans ; Latour fut tué au combat quatre mois plus tard, cette année-là. Urrutia, déjà nommé président provisoire de Cuba, se vit attribuer un salaire et quitta les Etats-Unis pour Caracas où il devait attendre que l'on fît appel à lui (il fut le seul dirigeant salarié du Mouvement). Haydée Santamaría fut envoyée à Miami pour coordonner les collectes de fonds aux Etats-Unis. Carlos Franqui fut rappelé à Cuba pour animer la station de *Radio Rebelde*, dont les émissions commençaient à être captées dans toute l'île, depuis qu'elle s'était installée au sommet de la Sierra Maestra, là où se trouvait le quartier général permanent de Castro. *Radio Rebelde* devint immédiatement, pour Fidel, l'une des armes les plus importantes de la guerre psychologique. Pour Che, le principal résultat de l'épisode de Mompié était que « désormais, la conduite de la guerre allait être assurée, militairement et politiquement, par Fidel, en sa double qualité de commandant en chef de toutes les forces armées et de secrétaire général de l'organisation ».

Mais Guevara, en dépit de ses fréquentes déclarations d'allégeance au marxisme-léninisme, n'était pas content des communistes cubains. En 1958, il écrivait qu'il existait des « craintes réciproques » entre le Mouvement et le Parti communiste : « Par-dessus tout, le parti des travailleurs n'a pas compris assez clairement le rôle de la guérilla ni le rôle personnel de Castro dans la lutte révolutionnaire. » Che se rappelait avoir dit à un dirigeant communiste : « Vous êtes capables de former des cadres qui sauront se faire mettre en pièces au fond d'un obscur cachot sans souffler mot, mais vous n'êtes pas capables de former des cadres qui sauront prendre d'assaut un nid de mitrailleuses. » Quoi qu'on en ait dit et qu'il soit arrivé par la suite, les chefs de la guérilla au plus haut niveau — à l'exception, peut-être, de Raúl Castro — éprouvèrent de l'aversion pour les communistes pendant la plus grande partie de la guerre de la Sierra. Castro s'en est expliqué, en 1958, dans l'interview publiée par *Look* : « Les communistes cubains... ne se sont jamais opposés à Batista, pour qui ils semblent avoir éprouvé des sentiments d'étroite affinité. » Il est vrai qu'à l'époque ses propos peuvent lui avoir été dictés par un souci de tactique. Il ajoutait que les Américains « devraient se renseigner davantage sur les mouvements démocratiques et nationalistes de l'Amérique latine... Pourquoi craindre de libérer les peuples, qu'il s'agisse des Hongrois ou des Cubains ? »

Fidel Castro ne cessa de critiquer les communistes, parfois brutalement, en public et en privé ; mais à la lumière des événements de 1958 et de l'évolution politique qu'il subit alors, il semble que le traumatisme causé par l'avortement de la grève l'amena à prendre la décision de s'engager sur la voie du marxisme-léninisme, au moins à titre préliminaire. La grève lui avait révélé l'inconsistance politique des libéraux et des modérés au sein du Mouvement ; il ne pourrait plus se fier à eux ni en tant que révolutionnaires ni en tant qu'organisateurs. Les hommes et les femmes qui ont vécu cette période aux côtés de Castro s'accordent tous pour penser qu'il en a tiré la leçon, à savoir que les stratégies, les méthodes et les techniques marxistes-léninistes étaient, dans la pratique, les seules qui convenaient à la « véritable » révolution future. Castro, disent ces témoins, accordait peu d'importance au fait que le Parti communiste traditionnel persistait à lui refuser son soutien ; il avait déjà en tête l'idée de forger *son* propre Parti communiste — prétention qui, après tout, n'était pas plus absurde que celle de renverser Batista à lui tout seul. Evidemment, ses anciennes sympathies pour le marxisme n'étaient pas étrangères à son choix et ses ressentiments envers les Etats-Unis y étaient aussi pour quelque chose. Mais surtout, il pensait que les communistes — contrairement aux membres du Mouvement du 26 juillet — possédaient des talents d'animateurs et une expérience des organisations de masse qui pouvaient être mis au service de la révolution, sous sa direction. Dans ce sens, Castro en son âme et conscience n'a jamais dû connaître de déchirements idéologiques, comme l'ont suggéré certains commentateurs. A partir de là, incontestablement, tout un processus irréversible se trouva entamé ; telle fut la conséquence de la grève générale d'avril 1958.

Cependant, c'était maintenant Batista qui prenait l'initiative d'une guerre totale. A la fin de 1957, une offensive destinée à isoler la Sierra Maestra avait produit de bien piètres résultats ; aussi le haut commandement de La Havane avait-il élaboré une stratégie différente pour « l'offensive d'été » du mois de mai. Il s'agissait d'encercler d'abord la Sierra, puis de réduire graduellement le cercle, et enfin de lancer l'assaut final qui porterait le coup fatal à Castro, sur les hauteurs de La Plata, au cœur de la Sierra Maestra, où se trouvait son quartier général. A l'origine, ce plan se contentait de laisser de côté la « zone libérée » de Raúl Castro, au Nord-Est, à l'exception de quelques raids aériens. On supposait en effet que les forces du cadet s'écrouleraient tôt ou tard, une fois liquidées celles de Fidel. En juin, pourtant, Raúl dut subir de violentes attaques aériennes et terrestres. Le plan de Batista supposait un mouvement vers le centre de la Sierra Maestra à partir du Sud, où des troupes venues du Nord-Ouest et du Nord avaient débarqué sur les côtes. Pas moins de dix mille hommes, soit quatorze bataillons, avaient été mis en ligne pour cette opération baptisée FF (Fin de Fidel) ; ils étaient répartis en trois corps de bataille, soutenus par de l'artillerie, des hélicoptères, des avions et des frégates de la marine qui croisaient au large pour canonner la côte.

La colonne numéro 1 de Castro, au centre de la Sierra, se composait de 280 hommes armés, y compris le détachement de Che Guevara à l'Est ; elle fut plus tard renforcée par plusieurs douzaines de rebelles du groupe de Juan Almeida qui avait été rappelé du « Troisième Front », à l'extrémité orientale du dispositif. Batista disposait d'une supériorité écrasante en hommes et en puissance de feu, mais Castro avait transformé la montagne en une citadelle qu'il pouvait défendre avec des effectifs très réduits, d'autant plus que ses hommes connaissaient chaque sentier forestier, chaque tournant de route, chaque demeure paysanne, sur un terrain extrêmement accidenté. Des deux côtés, on savait que cette bataille serait décisive pour l'issue de la guerre, et Castro se rendait compte que le jeu consisterait pour lui à frapper rapidement quand il le pourrait, pour fuir tout aussitôt. Il était prêt à céder du terrain jusqu'à une certaine ligne de défense qui protégeait son quartier général de La Plata, pour contre-attaquer ensuite à partir d'embuscades et se battre jusqu'à la mort. « Chaque accès à la Sierra Maestra ressemble aux Thermopyles », raconta plus tard Fidel à des journalistes vénézuéliens, « et chaque défilé étroit se transforme en piège mortel. »

Quand les forces gouvernementales commencèrent à attaquer, le 20 mai, Castro était entré dans ce que Guevara appelle une « phase de sédentarisation » ; il avait élargi son quartier général de La Plata, consolidé ses positions dans le « Territoire libre » qu'il avait pourvu d'une organisation administrative et politique. A Minas del Frío, non loin de La Plata, Che Guevara avait créé une école destinée aux recrues de l'Armée rebelle ; les nouveaux volontaires y étaient formés par un ancien capitaine de l'armée de Batista. Le quartier général, appelé *comandancia*, se trouvait dans une grande clairière au cœur de la forêt, sur la ligne des crêtes de la Sierra Maestra ; on ne pouvait y accéder que par une piste étroite et tortueuse, semée de pierres et de rochers, généralement couverte de boue. L'ascension était extraordinairement dure, et l'on ne pouvait utiliser les mules que pour une partie du chemin.

Les constructions en bois érigées à La Plata étaient enfouies sous des branches d'arbres pour les protéger d'une attaque aérienne, et chacune d'entre elles était si habilement située dans la forêt, à la lisière de la clairière, que personne ne pouvait les apercevoir, même en plein jour, avant d'avoir le nez dessus.

La maison de Castro était solidement bâtie contre le flanc d'un ravin, au-dessus d'un ruisseau ; pour le cas où elle serait attaquée du côté de l'entrée, il y avait une issue de secours, grâce à une longue échelle qui descendait jusqu'au ruisseau. Elle comprenait une chambre à coucher avec un lit double pour Fidel et Celia — mais une seule chaise —, une pièce qui servait de bureau à Celia, une terrasse où Castro recevait souvent ses visiteurs, et une cuisine. A proximité se trouvait la bâtisse où Faustino Pérez dirigeait l'administration civile des « territoires libres », puis venaient un hôpital, une maison d'hôtes, et un local pour le régiment de femmes-soldats. Dans cette dernière construction, les femmes disposaient d'une dizaine de machines à coudre dont elles se servaient pour confectionner des uniformes, mais elles abandonnaient fréquemment leur ouvrage pour saisir un fusil et marcher au combat. Le détachement portait le nom de Mariana Grajales (la mère patriote des généraux Antonio et José Maceo, héros de la guerre d'indépendance) ; son baptême du feu avait eu lieu en septembre 1958, au Nord-Ouest de La Plata. La première maison de la clairière était le cabinet d'un dentiste barbu appelé Luis Borges ; promu officier chez les guérilleros, il s'occupait de leurs dents et veillait sur les magasins de munitions. Castro, qui avait une mauvaise dentition, était son patient assidu, et il lui arriva plus d'une fois de recevoir des visiteurs ou des messagers pendant que le dentiste s'affairait dans sa bouche avec une fraise à pédale. Le studio et l'antenne de la radio rebelle se trouvaient à plusieurs centaines de pieds au-dessus de la clairière ; ils jouaient le double rôle de station de radio et de moyen de liaison entre Castro et Caracas, Mexico, Miami, ou divers points du territoire cubain. Enfin, un réseau téléphonique de campagne avait été installé entre La Plata et de nombreuses positions rebelles, ce qui évitait au commandement de dépendre des messagers pour chaque communication.

L'offensive de Batista dura soixante-seize jours, avant d'être définitivement repoussée par les *Fidelistas*. Les rebelles frôlèrent la défaite à plusieurs reprises après que l'armée se fut emparée de la plupart de leurs positions et des villages situés autour de La Plata. Le 19 juin, selon Castro, fut le « jour le plus critique » ; il dut vraiment risquer le tout pour le tout afin d'empêcher les soldats de Batista de déloger ses hommes de la ligne de crête de la Sierra Maestra. Aussi longtemps qu'ils la tenaient, les rebelles pouvaient canarder l'ennemi, au-dessous d'eux, et le tenir en échec. Les bataillons de l'armée s'efforcèrent inlassablement de traverser une rivière près de Santo Domingo pour escalader les falaises, mais chaque fois ils furent repoussés par les tirs de fusils, de mitrailleuses et de mortiers d'une poignée de rebelles, à peine une quarantaine, déployés le long de la crête. Castro, qui, en compagnie de Celia et de son aide de camp Arturo Aguilera, courait en jeep ou à pied d'un endroit à l'autre, fut parfois si près de l'ennemi qu'il pouvait compter les soldats en se servant de ses jumelles. C'est au cours de cette bataille aussi qu'il utilisa pour la première fois dans la Sierra des armes psychologiques, en installant des haut-parleurs qui hurlaient l'hymne national, des chants patriotiques, et des exhortations révolutionnaires aux troupes épuisées de Batista. Il pense que cela contribua à saper leur moral. En tout cas, l'offensive prit fin.

Ce fut une guerre violente et vicieuse ; pourtant elle fit naître entre Castro et quelques-uns des officiers de Batista des relations d'une courtoisie surannée que Fidel appréciait tout particulièrement. Ainsi, au début de l'offensive, il reçut un message du général Eulogio Cantillo, chef des forces de Batista dans la région, qui l'invitait à se rendre. Castro répondit instantanément : « J'ai la plus haute opinion de vous. Cela ne m'empêche pas d'avoir l'honneur de vous considérer comme un adversaire... J'apprécie vos nobles sentiments à notre égard, car, après tout, nous sommes vos compatriotes et non vos ennemis puisque nous nous trouvons en guerre contre la dictature, pas contre les forces armées... Après la fin de l'offensive, si nous sommes encore en vie, peut-être vous écrirai-je encore pour clarifier ma pensée et vous dire ce que je pense de vous, de l'armée, et ce que nous pouvons faire en faveur de Cuba... » Che Guevara voyait cette correspondance d'un mauvais œil.

Au début de juillet, avant que les rebelles ne repoussent l'offensive de Batista, Castro avait écrasé un bataillon conduit par le commandant José Quevedo, qui avait débarqué sur la côte avec l'ordre de foncer vers les hauteurs de la Sierra en remontant le cours de La Plata. Le bataillon se rendit aux rebelles, à la bataille d'El Jigüe ; mais auparavant Castro avait fait parvenir une lettre au commandant, qu'il avait connu au temps où ils étaient tous deux étudiants à la faculté de droit de La Havane. Il était difficile d'imaginer, disait-il, « qu'un jour nous serions en train de nous battre l'un contre l'autre, bien que nous n'éprouvions peut-être même pas des sentiments différents à l'égard de notre mère-patrie... J'ai eu des mots très durs pour juger les actions de certains hommes et de l'armée en général, mais ni mes mains ni celles de mes compagnons ne sont rougies du sang de nos prisonniers et nous ne nous sommes pas non plus abaissés à infliger de mauvais traitements à un seul d'entre eux... Je t'écris ces lignes sous l'impulsion du moment, sans chercher à te dire ou à te demander quoi que ce soit, mais seulement pour te saluer et te souhaiter, très sincèrement, bonne chance ». Cinq jours plus tard, Castro envoyait à Quevedo un autre message : « Tes troupes sont encerclées et elles n'ont plus le plus moindre espoir d'être sauvées... Dans cette situation, je t'offre une reddition dans l'honneur et la dignité... Tes hommes seront traités avec tout le respect et la considération possibles; les officiers seront autorisés à conserver leurs armes. » Mais Quevedo poursuivit le combat et, le 19 juillet, Castro lui dépêcha un de ses hommes pour lui demander de se rendre afin d'épargner des vies des deux côtés; il diffusa par radio un appel pour encourager le bataillon de Quevedo à abandonner la lutte et lui promettre un traitement de faveur; il eut ensuite un entretien avec le commandant lui-même. Quand Quevedo finit par capituler, les rebelles firent 220 prisonniers; Castro entra dans le camp et ordonna à Ramiro Valdés : « Que tous les officiers conservent leurs armes. Assure-toi que personne n'essaiera de les leur enlever. » Puis il envoya un message à Guevara pour lui demander de « tâcher de faire préparer un déjeuner » à l'intention des prisonniers, sur les hauteurs de Mompié, avant de les relâcher. Les vaincus furent remis à la Croix-Rouge trois jours plus tard, et Che Guevara arriva sur sa petite mule pour surveiller l'opération. Castro avait vivement filé à travers la montagne pour se battre à Santo Domingo.

Le 12 août, Fidel et Che se trouvaient ensemble à Las Mercedes pour assister à la remise de nouveaux prisonniers à la Croix-Rouge; ils étaient au nombre d'une centaine et appartenaient à une autre unité de Batista. Les deux chefs rebelles rencontrèrent le colonel de l'armée régulière qui représentait la partie adverse lors de la cérémonie, et prirent le café avec lui en bavardant aimablement. Le colonel leur dit que, d'après lui, les rebelles finiraient par l'emporter, « mais vous découvrirez un pays en ruines ». Comme Castro manifestait de l'intérêt pour l'hélicoptère du colonel, garé à proximité, l'officier invita les rebelles à faire un tour avec lui. Fidel, accompagné de Che, de Celia et d'un capitaine rebelle, survola la Sierra pendant quinze minutes; ce fut pour lui un moment merveilleux et il put reconnaître, d'en haut, des endroits qu'il connaissait bien. C'était la première fois qu'il montait dans un hélicoptère et ses collaborateurs horrifiés s'inquiétaient fort de sa sécurité. « C'était tout à fait typique de Castro », déclara le colonel Aguilera. De Las Mercedes, Castro rentra à la *comandancia*, pour préparer la contre-offensive rebelle — qui allait devenir l'offensive finale de la guerre. Aguilera se rappelle que « Celia ne le quittait jamais, elle était toujours avec lui. » Ils ne se séparaient que si Castro la chargeait de régler quelque problème particulier concernant l'Armée rebelle, à La Plata, tandis qu'il courait prêter main-forte à une unité soudainement attaquée. Selon d'autres témoignages, Celia avait toujours les poches de son pantalon et de sa chemise pleines de papiers et de documents militaires; Castro avait sans cesse quelque chose à lui dicter, à n'importe quel moment et n'importe où. Il recevait des rapports à tout propos et partout où il le pouvait. Elle lui servait, en fait, de secrétariat volant.

« L'offensive d'été » de Batista se termina donc par un échec. L'armée avait perdu un millier de morts et de blessés, sans compter les quatre cents prisonniers que les rebelles lui avaient restitués au fur et à mesure qu'ils les capturaient. Castro s'était emparé de plus de cinq cents armes modernes et même de deux tanks. La situation contrastait extraordinairement avec celle que l'on avait connue au mois de juin, à La Plata, quand Fidel n'avait que son fusil à lunettes et Aguilera un fusil de chasse. On évalue à 321 le nombre des rebelles qui avaient repoussé la grande offensive de Batista; à La

Havane, les hommes politiques et les personnalités de haut rang avaient compris, eux aussi, que les jours du régime étaient comptés. L'émetteur de Castro, *Radio Rebelde,* diffusait dans toute l'île des comptes rendus détaillés de chaque victoire ; ses communiqués claironnants étaient lus au micro par Violeta Casal, la première « speakerine » de la Sierra.

A la fin du mois de juin, Raúl Castro avait enlevé quarante-neuf citoyens américains, dans l'Est de l'Oriente ; il cherchait désespérément à faire cesser les activités de l'aviation de Batista qui bombardait sans trêve son unité sur le « Deuxième Front » ainsi que les familles de paysans éparpillées dans la zone des combats de la Sierra de Cristal. Fidel se trouvait alors en pleine bataille, occupé à repousser les troupes ennemies au centre de la Sierra Maestra. Sans le consulter, Raúl avait ordonné l'enlèvement des otages après avoir eu la preuve que les avions de Batista ne se contentaient pas de faire le plein de carburant à Guantánamo mais y chargeaient aussi des bombes ; il détenait des photographies montrant des avions cubains en train de remplir leurs soutes sur la base navale américaine ; un complice des rebelles, employé à l'ambassade cubaine de Washington, lui avait procuré des documents prouvant que trois cents fusées avaient été livrées aux généraux de Batista à Guantánamo. Les expéditions d'armes à Cuba avaient été officiellement interrompues depuis trois mois, mais le gouvernement Eiseinhower prétendait qu'il s'agissait seulement de « remplacer » des modèles défectueux et que l'opération était plus facile à effectuer à Guantánamo. Personne à Washington n'avait pris la peine de réfléchir aux aspects politiques de la question.

Les forces de Raúl étaient donc durement éprouvées par des bombardements intensifs, des tirs de roquettes et des mitraillages ; elles étaient presque à court de munitions. Dans un long rapport daté du 2 juin et adressé à Fidel, Raúl mentionnait le « manque de munitions de toutes sortes ». Il ajoutait : « Cette offensive m'inquiète. » Vilma Espín, qui avait rejoint le « Deuxième Front » en avril, écrivit par la suite : « Raúl passa à l'offensive contre les Américains parce que nous étions perdus ; nous n'avions plus aucun moyen de nous défendre. Nos munitions ne nous parvinrent qu'au milieu de l'offensive. Après le départ des Américains, [l'armée] nous attaqua de nouveau, mais désormais l'offensive de Fidel était en cours dans la Sierra, et elle empêchait l'armée de prendre l'initiative sur les autres fronts. »

C'est le 26 juin que les commandos de Raúl avaient effectué une incursion dans les mines de nickel appartenant à des sociétés américaines, à Moa et à Nicaro, et dans la sucrerie de l'United Fruit Compagny, à Guaro, dans le Nord de l'Oriente ; vingt-cinq Américains, des cadres et des employés, avaient été enlevés. Simultanément, un autre commando opérant sur la côte sud de la province s'était emparé d'un autocar qui ramenait vingt-quatre « Marines » (fusiliers marins) américains à la base de Guantánamo. Les rebelles avaient aussi réquisitionné des tracteurs et des camions dans les mines de nickel, « en tant que matériel strictement nécessaire à la guerre ». Le consul général américain, Park Wollam, quitta Santiago pour la Sierra afin de négocier avec Raúl la libération des otages ; on lui montra des fragments de bombes fabriquées aux Etats-Unis et les photographies prises à Guantánamo. Auparavant, on avait fait voir aux otages les dégâts causés par les bombardements, ainsi que des victimes brûlées par les bombes au napalm. Wollam et les autres Américains furent bien traités ; ils eurent même droit à une réception organisée en leur honneur par les rebelles, le jour de leur fête nationale (le 4 juillet). Raúl ne les relâcha qu'après en avoir reçu l'ordre de Fidel par la radio de La Plata, le 3 juillet ; certains même ne furent libérés que le 18 juillet. Pendant tout le temps que dura la captivité des Américains, les bombardements aériens avaient été suspendus sur le « Deuxième Front » (sans doute Washington avait-il suggéré à Batista que ce serait une bonne idée) ; Raúl profita de ce répit pour se ravitailler et réorganiser ses guérilleros.

Quant à Fidel, il tira parti de l'incident pour réaffirmer son autorité de chef suprême dans la conduite de la guerre, faire plaisir aux Etats-Unis et se solidariser avec les agissements de son frère. Quand il intervint enfin sur les ondes, une bonne semaine après l'enlèvement, il prétendit que son quartier général n'avait reçu aucun rapport à ce sujet en raison de la distance, car les forces de Raúl ne disposaient pas de poste émetteur, mais qu'un tel événement « était possible... en réponse à la récente livraison de trois cents fusées aux avions de Batista sur la base navale américaine de Caimanera (nom cubain de Guantánamo), engins utilisés pour le bombardement des populations civiles dans les territoires occupés par les rebelles. » Il avait conclu, non sans emphase : « En dépit de tout ceci, j'ordonne aujourd'hui publiquement la libération [des otages]... Cet ordre devra être exécuté dès qu'il sera parvenu à destination, si toutefois il est vrai que des Américains se trouvent retenus par des troupes révolutionnaires ; en effet, je ne crois pas que ces citoyens américains puissent être considérés comme responsables de la livraison de bombes à Batista par le gouvernement de leur pays. Je suis convaincu qu'aucune force rebelle ne prendrait en otages des citoyens des Etats-Unis à seule fin de leur montrer les conséquences des bombardements inhumains infligés à des civils cubains grâce aux armes fournies par leur pays... Le Mouvement du 26 juillet se bat pour faire respecter les droits de l'homme. Nous croyons que la liberté individuelle est l'un des droits inviolables de chaque être humain et que, par conséquent, nul ne peut être arrêté sans raison valable. Nous espérons que le gouvernement des Etats-Unis respectera de la même manière la vie et la liberté des Cubains... C'est à cette condition que pourront se poursuivre les relations amicales qui existent actuellement entre nos deux pays. »

Castro, qui se conduisait de plus en plus en homme d'Etat, régla avec tout autant de diplomatie un incident survenu à la fin du mois de juillet. Comme Batista avait retiré les détachements militaires qui protégeaient l'aqueduc reliant le territoire cubain à la base navale de Guantánamo (laquelle dépendait entièrement de Cuba pour son approvisionnement en eau), les « Marines » américains durent se charger d'assurer cette protection ; les rebelles protestèrent immédiatement contre ce qu'ils considéraient comme une intervention américaine en territoire cubain. Des émissaires rebelles, dont le journaliste Carlos Franqui, entamèrent des négociations discrètes avec les diplomates américains à Santiago — les réalités contraignaient de plus en plus les fonctionnaires américains à négocier avec les *Fidelistas*. Ces derniers commencèrent par repousser une proposition qui visait à faire considérer comme « territoire neutre » les environs immédiats de l'aqueduc. Là-dessus, Castro rendit publique une déclaration officielle pour affirmer : « La présence des forces nord-américaines... est illégale et constitue un acte d'agression contre le territoire national cubain... » Ce message était à la fois ferme et conciliant ; avec des mots soigneusement pesés, il faisait savoir que s'il ne voulait pas chercher querelle aux Etats-Unis, il ne leur ferait pour autant aucune concession chaque fois qu'à ses yeux la souveraineté de Cuba serait violée par les *Yanquis*. Cette attitude allait demeurer constamment la sienne, dans sa politique vis-à-vis des Etats-Unis.

Si Raúl n'avait pas consulté son frère avant d'enlever des Américains, comme il eût pu le faire, étant donné son habitude d'envoyer au quartier général rebelle de longs rapports sur ses opérations, cette attitude correspondait fort bien à la campagne de propagande marxiste qu'il menait indiscutablement dans son secteur, bien plus que ne le faisait Fidel. Il est également notoire que le Parti communiste entretenait avec les rebelles du « Deuxième front » des rapports bien plus étroits qu'avec les unités de Fidel. Si l'on examine la composition des cadres des Forces armées révolutionnaires que Raúl transforma en une armée moderne après 1959, on peut voir que parmi les officiers supérieurs, ceux qui forment encore le noyau dur, marxiste-léniniste, viennent du « Deuxième front ». Il est intéressant de noter que si Castro préférait traiter avec les communistes à l'échelon le plus élevé de leur hiérarchie politique, avant et pendant les années de guerre, Raúl se consacrait, pour son compte, à établir avec eux des liens politiques et militaires discrets mais efficaces. Il aurait pu s'agir d'une répartition délibérée du travail politique entre les deux frères, destinée à préserver la réputation de bon démocrate que voulait conserver Castro aux yeux de l'opinion publique internationale ; mais tout indique que Raúl avait pris ou avait été autorisé à prendre la liberté d'agir à sa guise dans ce domaine. Une évolution similaire allait se produire plus tard dans la sphère de Guevara, pendant les dernières phases de la guerre. Même leurs uniformes de guérilleros accusaient cette différence : Raúl et Che portaient des bérets noirs avec une étoile pour indiquer leur rang ; Fidel préférait sa casquette vert olive sans étoiles.

Un dirigeant du Parti, José « Pepe » Ramírez Cruz, avait servi de premier trait d'union entre les communistes et Raúl. Il exerçait d'importantes fonctions dans le syndicat des ouvriers sucriers, pour la région de La Havane. Au début du mois de mars, il avait reçu l'ordre de se rendre à Holguín, dans le Nord de l'Oriente, puis de rejoindre le « Deuxième Front » quand celui-ci avait été ouvert en avril. Fidel était très vraisemblablement au courant de la mission de Ramírez, mais le fait demeure que le communiste fut affecté au secteur de Raúl, et non à celui du commandant en chef. Sur ses montagnes, Raúl avait chargé Ramírez de l'organisation politique dans la région du « Deuxième Front », pour endoctriner les populations et préparer la convocation d'un « Congrès paysan » ; des délégués du parti communiste avaient été envoyés en renfort pour l'aider dans cette tâche. Un Bureau des Affaires agraires s'était ajouté à l'armée de Raúl. Après l'enlèvement des Américains, fin juin, Raúl avait envoyé Ramírez à La Havane pour en informer la direction du Parti communiste. Le Congrès eut lieu en septembre, et Raúl s'adressa aux quatre cents délégués dans des termes que Fidel n'utilisait pas à cette époque : « Les réactionnaires, soutenus par le capital étranger, maintiennent le régime tyrannique et sanglant de Batista qui leur permet de s'enrichir aux dépens du peuple et même au prix de l'étranglement de notre économie nationale. » (Depuis 1960, Pepe Ramírez préside l'Association nationale des petits agriculteurs, organisation révolutionnaire chargée des coopératives ; en 1986, il est devenu membre suppléant du Politburo, au sein du parti communiste castriste.)

Un autre jeune communiste, Jorge Risquet Valdés-Saldaña (qui faisait partie du Politburo en 1986), se vit confier par Raúl le Département de l'Education révolutionnaire et l'Ecole José Martí des Instructeurs militaires, au village de Tumbasiete, dans la Sierra de Cristal. Cette école servit de modèle aux centres militaires d'endoctrinement créés après la révolution ; on y dispensait une « formation idéologique » ainsi que des cours dans diverses matières, à des combattants triés sur le volet. C'est à Tumbasiete que, pour la première fois, des enseignants communistes ont utilisé un manuel d'Histoire de Cuba où les événements sont interprétés en fonction des théories marxistes. A la fin de 1958, tous les instructeurs de l'armée rebelle dans le secteur de Raúl sortaient de Tumbasiete, et l'influence marxiste gagna le milieu paysan dans la région très peuplée du Nord de l'Oriente. En outre, Raúl mit sur pied un corps d'officiers de renseignement (précurseur de ce qui serait la section G-2 au service de renseignement de l'armée) et un Comité des Paysans révolutionnaires qui faisait également office d'agence d' « information ».

Quand Carlos Rafael Rodríguez, l'un des principaux dirigeants du Parti, se rendit finalement dans les montagnes, à la fin du mois de juin, pour montrer que les communistes avaient changé d'attitude envers les rebelles, il s'arrêta d'abord pour voir Raúl. On lui attribua plus tard ce propos : « Dans la Sierra de Cristal, dont Raúl Castro avait le commandement, l'harmonie régnait avec les communistes ; mais en arrivant dans la Sierra Maestra de Fidel, je vis l'harmonie faire place à la suspicion. » C'était le premier voyage de Rodríguez au quartier général de Fidel ; il devait y en avoir d'autres.

Pendant ce temps-là, Fidel Castro mettait l'accent sur l'unité et la modération. Le 20 juillet, alors qu'il dirigeait les opérations contre le bataillon de Quevedo au-dessus de la côte sud, *Radio Rebelde* diffusa, du haut des montagnes, le « Manifeste unitaire de la Sierra Maestra », connu également sous le nom de Pacte de Caracas (il avait été signé cette semaine-là dans la capitale du Venezuela). Ce Manifeste était l'œuvre conjointe du Mouvement du 26 juillet et de huit autres groupements qui comprenaient des partis politiques de l'opposition ainsi que des organisations activistes et révolutionnaires — y compris un vieux rival du Mouvement, le Directoire révolutionnaire étudiant —, à l'exception des communistes. Castro justifia plus tard l'absence de ces derniers par les objections qu'avaient soulevées tous les autres groupes à leur participation (il les avait pourtant acceptées lui-même sans protester publiquement). Pendant longtemps, Castro avait refusé d'apporter sa caution aux pactes proposés par d'autres hommes politiques et par divers révolutionnaires cubains ; mais comme sa situation militaire le mettait maintenant en position de force, il était manifestement désireux de signer le document de Caracas. En même temps, le pacte contribuait à lui conférer une stature d'homme d'Etat. Il était désormais le chef incontesté de la révolution, et les autres signataires du « Manifeste unitaire », tous modérés, lui reconnaissaient cette qualité, au moins implicitement.

Le Manifeste ne contenait pas un programme révolutionnaire ; c'était un accord conclu « en vue de rassembler au sein d'une vaste coalition révolutionnaire et civique l'ensemble des composantes de Cuba ». Il fixait pour objectif aux signataires : « l'élaboration d'une stratégie commune pour vaincre la dictature par le moyen d'une insurrection armée » et « la mobilisation populaire de toutes les forces laborieuses, civiques, professionnelles et économiques à l'occasion d'une grande grève générale sur le front civil. » Quant au front militaire, le Manifeste disait : « L'action sera coordonnée dans tout le pays. » Mais, en ce qui concernait l'avenir, on ne trouvait dans tout le Manifeste que deux dispositions : « Il sera formé un gouvernement provisoire de transition qui rétablira tous les droits constitutionnels et démocratiques » et « Un programme minimum de gouvernement sera établi pour garantir le châtiment des criminels, les droits des travailleurs, le respect des accords internationaux, l'ordre public, la paix, la liberté, ainsi que le progrès économique, social et politique du peuple cubain. » Le Manifeste demandait aussi aux Etats-Unis « d'interrompre toute aide, militaire ou autre, au dictateur ». José Miró Cardona, le bâtonnier (en exil) de l'ordre des avocats cubains, était le coordinateur du pacte ; il était entendu que Manuel Urrutia, le président désigné qui se trouvait à New York au moment de la publication du Manifeste, s'envolerait bientôt pour la Sierra Maestra.

Si Carlos Rafael Rodríguez était allé voir Castro à la fin du mois de juillet, c'était pour discuter des mesures qui seraient prises, compte tenu du Manifeste, après la chute de Batista ; il s'en retourna à la Havane le 10 août pour faire son rapport à la direction du Parti. Quand Rodríguez parlait du climat de « suspicion » qui l'avait accueilli à La Plata, il est difficile de savoir s'il se référait à l'attitude personnelle de Fidel ; mais rien n'indique non plus que ces conversations préliminaires aient abouti à un accord en vue de quelque collaboration future. Selon Rodríguez, Castro lui aurait déclaré que l'on commettrait une grave erreur de tactique en alarmant prématurément l'ennemi par une définition trop précise des objectifs révolutionnaires ; cela ne prouve pourtant pas qu'il avait conclu une alliance avec les communistes. Le 6 septembre, Luis Más Martín, autre responsable important du Parti, succéda à Rodríguez à La Plata ; c'était un vieil ami des frères Castro. Más Martín raconta plus tard à un journaliste que Fidel avait évoqué avec lui le temps où tous deux allaient acheter des livres à la librairie du Parti communiste, à La Havane, et remarqué à ce propos : « Quand la

Révolution aura triomphé, nous nagerons dans les livres communistes jusqu'aux oreilles. » Là encore, on peut difficilement interpréter cette réflexion comme une déclaration d'intention dans le domaine politique. Ce qui est plus révélateur, c'est la décision prise alors par le Parti de désigner désormais un délégué permanent auprès de Castro ; le fait que celui-ci s'en soit manifestement accommodé n'est pas moins troublant. C'est ainsi que Rodríguez retourna à La Plata à la mi-septembre et demeura chez les rebelles jusqu'à la fin de la guerre. Aucun autre groupement politique cubain ne s'était fait représenter de la sorte ou n'avait cherché à le faire.

Il est impossible de dire avec précision quand Castro décida de conclure un accord avec les communistes ; selon toute vraisemblance, le moment survint pendant le séjour de Rodríguez dans la montagne et marqua le couronnement d'un processus tout à fait pragmatique qu'avait déclenché l'échec de la grève générale en avril. Cela expliquerait la facilité avec laquelle Castro entama des relations avec les communistes immédiatement après la victoire. Il importe pourtant de bien comprendre que l'intention de Castro était d'utiliser les « vieux » communistes pour les besoins de la cause, dans un premier temps, avant de finir par les dévorer. En effet, il n'y avait aucune autre organisation à laquelle il pût confier certaines responsabilités dans les villes (même pas son propre Mouvement du 26 juillet). L'Armée rebelle était l'avant-garde de la Révolution mais il ne pouvait s'en servir pour diriger le pays : elle n'était certainement pas en mesure de le faire au moment où elle descendait de la Sierra. Il y a de fortes chances pour que les « vieux » communistes, à l'exception de Carlos Rafael Rodríguez, n'aient deviné la stratégie de Castro qu'en se voyant finalement dans la gueule du lion ; c'est pourquoi ils tentèrent, mais un peu tard, de lui limer les crocs. Raúl Chibás, qui se rendit une deuxième fois dans la Sierra, par avion en août 1958, affirme qu'au cours de ses discussions presque quotidiennes avec Fidel, semaine après semaine, ils avaient abordé presque tous les sujets, sauf la question du communisme ; il pense toujours, après un quart de siècle d'exil, que Castro est « un *Fidelista*, pas un communiste ».

Régis Debray a très finement analysé l'attitude idéologique et politique de Castro ; cet intellectuel de gauche est certainement l'étranger qui le connaît le mieux ; il raisonne ainsi : un léniniste est un opportuniste qui a des principes ; or Fidel est léniniste ; ses principes sont fermes mais les circonstances sont changeantes ; ce qui prime chez lui c'est le réalisme avec lequel il combine les moyens provisoirement disponibles et la fin à atteindre. Dans son livre paru en 1967, *La révolution dans la révolution*, Debray fait remarquer que plus l'équipe révolutionnaire était forte à Cuba, plus elle pouvait se permettre de rechercher des alliances. Il souligne aussi combien les « vieux » communistes avaient négligé la nouveauté que représentait Castro : en fin de compte, selon l'auteur, ce serait la future Armée populaire qui donnerait naissance au parti (politique) dont elle aurait dû être, théoriquement, l'instrument ; et Régis Debray de conclure : en fait le parti est l'armée... le parti existait déjà de façon embryonnaire sous la forme de l'Armée rebelle. Fidel, en sa qualité de commandant en chef, était déjà officiellement, dès 1959, le chef du parti.

Le 10 octobre 1958, Fidel Castro signait, dans la Sierra Maestra, une loi sur la réforme agraire, connue sous le nom de Loi Révolutionnaire numéro 1 ; elle préservait sa réputation de modération. Ce texte rédigé par le conseiller juridique de l'Armée rebelle, Humberto Sorí-Marín, et approuvé par Castro, attribuait la terre aux fermiers et occupants divers, avec ou sans titres, qui la cultivaient ; elle ne contenait aucune disposition relative au partage des grandes propriétés. Cette réforme agraire, qui ne concernait que 42 pour cent des propriétés foncières privées, profitait à 64 pour cent des agriculteurs. Malgré les victoires remportées par l'Armée rebelle (ou à cause de ces victoires), la même modération émanait de tous les textes révolutionnaires promulgués en 1958, comme cela avait déjà été le cas pour le Manifeste de la Sierra, débonnaire dans son contenu, et la communication destinée à la Junte de Libération cubaine de 1957.

Depuis plus d'un quart de siècle, on s'interroge sur le point de savoir si Castro et son mouvement étaient, en secret, plus extrémistes qu'ils ne l'admettaient en public ; mais au regard de l'Histoire, cette question devient de plus en plus vaine. Les historiens cubains citent le discours de Castro intitulé « L'Histoire m'acquittera », en 1953, comme un bon exemple de la pensée marxiste — ce qui, pris au pied de la lettre, est discutable —, mais ne cherchent à donner aucune explication sérieuse de la modération manifestée par Castro dans la Sierra ; ils se contentent de se référer au commentaire de Che Guevara selon lequel les rebelles devaient se contenter d'un « programme minimum ». En fin de compte, ce sont les documents publiés qui font foi et un docte émigré cubain, Nelson P. Valdés, a probablement raison de dire que « les dirigeants [cubains] actuels ont péniblement besoin de faire établir leur passé de révolutionnaires authentiques, mais ne peuvent en produire aucune preuve ». La vérité est peut-être qu'un opportunisme pragmatique s'est constamment manifesté dans la Sierra Maestra, jusqu'au début de la dernière offensive de l'Armée rebelle, et que la version officielle l'a camouflé en extrémisme révolutionnaire, six mois après la victoire...

Karl E. Meyer, alors éditorialiste au *Washington Post*, a passé trois jours avec Castro à La Plata, juste au moment où débutait l'offensive rebelle. Il trouva un Fidel détendu, « vautré sur son lit », qui exprima des opinions « étonnamment modérées ». Meyer écrivit que « ses idées sociales sont vagues, mais tendent à prôner une sorte d'Etat-providence ». Quand Meyer arriva, Castro était en train de lire *Kaput* de Curzio Malaparte, un des journalistes favoris de Mussolini, et il cita une phrase du Duce : « Vous pouvez faire un coup d'état avec l'armée ou sans l'armée, mais jamais contre l'armée. » En brandissant son cigare, Castro fit observer : « Nous apportons la preuve que Mussolini était dans l'erreur. Nous sommes en train de gagner, ici à Cuba, contre l'armée. » Castro se plaignait de constater qu'Israël envoyait des armes à Batista depuis que les Etats-Unis avaient enfin suspendu leurs livraisons. « Pourquoi font-ils une chose pareille — nous n'avons rien contre le peuple juif. » Meyer affirme avoir, à son retour, transmis cette information au correspondant d'un journal israélien qui en fit état dans un article : « Cela provoqua une interpellation à la Knesset et, je pense, mit fin aux envois. » A la fin des entretiens, Castro déclara à Meyer : « Dans trois mois, les trois quarts de l'île seront entre les mains des rebelles. » Pendant la visite du journaliste, Castro avait reçu une photo de Fidelito dans un cadre doré ; rayonnant, il s'était exclamé : « C'est mon fils ! » Fidelito venait de passer un an dans une école de Queens, à New York, où sa mère et lui s'étaient rendus peu de temps après que l'enfant eût été enlevé à ses tantes, à Mexico.

Castro ne s'était pas trompé de beaucoup dans ses prédictions militaires. Camilo Cienfuegos, qui dirigeait les 82 hommes de la « Colonne Antonio Maceo » dans la Sierra Maestra, avait reçu l'ordre de progresser vers la province de Pinar del Río, à l'extrémité ouest du pays ; Che Guevara, qui se trouvait à la tête des 148 hommes de la « Colonne Ciro Redondo », avait mission de prendre la province centrale de Las Villas où se trouvaient les montagnes de l'Escambray. Ils se mirent en marche la troisième semaine d'août. Cette fois, les rebelles quittaient l'abri que leur offrait la Sierra pour s'aventurer dans les plaines où Batista disposait encore de soldats et de policiers par dizaines de milliers ; ce plan pouvait paraître dément mais Castro était persuadé que Cienfuegos et Guevara l'emporteraient. Ils étaient censés se conduire en gouverneurs militaires et installer des autorités révolutionnaires au fur et à mesure qu'ils avanceraient ; Castro lui-même envisageait d'attaquer Santiago plus tard, à l'automne.

Cienfuegos et Guevera, contre toute vraisemblance, parvinrent à atteindre Las Villas, dans les conditions les plus défavorables, sans cesser de marcher, de combattre et de crever de faim — ce qui auréola l'Armée rebelle de nouveaux mythes. Il fallut six semaines à la première colonne pour traverser la partie ouest de l'Oriente et la Camagüey, en se traînant dans des marécages et en traversant les fleuves à la nage, le ventre creux la plupart du temps. La seconde colonne, menée par Che, mit sept semaines pour arriver à Las Villas. Elles ne subirent que très peu de pertes et il ne vint jamais à l'esprit des chefs ou de leurs troupes de mettre en doute la sagesse de Castro qui leur avait ordonné de s'emparer de presque toute l'île avec un total de 230 hommes. Mais, de façon fort surprenante, l'armée battait en retraite devant eux, des volontaires venaient grossir les rangs des guérilleros descendus de la Sierra, et les rebelles poursuivaient leur progression. Le plan d'origine avait été modifié pour permettre à Cienfuegos et à Guevara d'avancer de conserve jusqu'à la côte nord de Las Villas pour couper l'île en deux. La marche sur le Pinar del Río était provisoirement suspendue. Dans les montagnes de l'Escambray, les chefs *Fidelistas* trouvèrent quatre autres maquis révolutionnaires différents : celui du Directoire révolutionnaire étudiant (DR), un élément dissident du DR connu sous le nom de « Second front national de l'Escambray », une unité du Parti communiste, et un groupe organisé par l'ancien Président Prio. Che Guevara écrit qu'il fallut de « pénibles négociations » pour élaborer une stratégie vaguement commune contre l'ennemi, en surmontant les problèmes engendrés par les divergences idéologiques et politiques des différentes formations. Le DR et les combattants du « Second front », convaincus que Cienfuegos et Guevara étaient communistes, se refusèrent en premier lieu à toute collaboration. Enrique Oltuski, qui était le coordinateur régional du Mouvement du 26 juillet, se querella aigrement avec Guevara à propos de questions idéologiques. L'unité du Parti communiste, le seul groupe de guérilleros réellement communiste dans toute cette affaire, coopéra correctement avec les rebelles de la Sierra. Pourtant les combats contre les troupes de Batista allaient se poursuivre encore pendant les mois de novembre et de décembre, pour la conquête de Santa Clara, la capitale de la province.

Fidel Castro, à la tête de la « Colonne numéro 1, José Martí », abandonna son refuge montagnard à la mi-septembre. C'était le début d'une offensive destinée à lui assurer tout d'abord la maîtrise de la plus grande partie de la province d'Oriente ; il espérait pouvoir ensuite encercler Santiago et forcer la ville à capituler. Les hommes de Raúl, à l'Est, se déployèrent en éventail pour prendre les forces de Batista à revers. Désormais, Castro était en plein élan, sur le plan militaire, et il disposait des ressources financières qui lui avaient fait défaut dans le passé : les contributions que les grands propriétaires fonciers, les industriels et les hommes d'affaires versaient au Mouvement du 26 juillet atteignaient de telles sommes qu'en octobre Fidel avait ordonné au commandant Almeida de payer, si nécessaire, jusqu'à un dollar chaque balle de fusil semi-automatique. L'Armée rebelle ne pouvait pas se permettre de manquer de munitions alors qu'elle était engagée dans une course contre la montre pour écraser Batista. Le 6 décembre, la colonne de Castro, après une sévère bataille, s'empara de la ville de Guisa, ce qui lui permettait d'accéder au cœur même de l'Oriente. Le même jour, Manuel Urrutia atterrissait secrètement dans un champ, sur les contreforts ouest de la Sierra Maestra, prêt à se faire proclamer Président provisoire de Cuba. Dans l'avion qui l'amenait de Caracas, Urrutia apportait un chargement d'armes et de munitions offertes aux rebelles par le Président provisoire du Venezuela, l'amiral Wolfgang Larrazábal. C'étaient les premières armes fournies par un gouvernement étranger, mais Larrazábal avait triomphé de la dictature dans son pays, moins d'un an auparavant, et il se sentait très proche de Castro ; il n'était pas du genre de ces militaires traditionnels que les *Fidelistas* craignaient tellement de voir remplacer Batista à Cuba.

Après la prise de Guisa, Castro força l'allure, s'empara des villes de Baire, Jiguaní, Maffo et Contramestre, non sans faire lui-même le coup de feu. Il faisait diffuser quotidiennement par la radio des communiqués, des proclamations et des ultimatums. Son avance victorieuse prenait une allure particulièrement spectaculaire car sa colonne se composait surtout des rudes recrues de l'école d'entraînement de base de Minas del Frío. Le 19 décembre, Fidel établit son poste de commandement près de Jiguaní, où il reçut pour la première fois Urrutia, le Président désigné, au cours d'une entrevue à laquelle assistaient également Celia, Raúl, Vilma Espín et Juan Almeida. Urrutia écrivit plus tard que Castro l'avait accueilli avec froideur, ce qui paraît peu plausible en ces jours d'euphorie. Le lendemain matin, l'aide de camp de Castro, le colonel Aguilera, dut s'empoigner avec son chef pour empêcher celui-ci de défiler à la tête de la colonne dans la grand-rue de la ville, sous le feu de l'ennemi.

Palma Soriano, qui se trouve juste au Nord-Ouest de Santiago, tomba le 20 décembre ; Castro se retrouva sur les pas du conspirateur qu'il avait été cinq ans plus tôt, en route pour Moncada. C'est alors que Batista commença à préparer sa fuite. Partout, à La Havane comme dans les autres villes et dans les campagnes, la population lui manifestait ouvertement son hostilité et, volant au secours du vainqueur, affichait avec ostentation des attitudes castristes. Le bateau faisait eau de toutes parts. Un groupe d'officiers supérieurs de l'armée avait pris secrètement contact avec un agent de Castro à La Havane ; le règlement de paix qu'ils avaient proposé aux rebelles consistait à remplacer Batista par une junte civile et militaire. Celle-ci comprendrait le général Eulogio Cantillo, avec qui Fidel avait échangé des lettres au cours de « l'offensive d'été », un autre officier, alors emprisonné pour son hostilité envers Batista, Manuel Urrutia et deux autres personnalités civiles dont le choix serait laissé aux révolutionnaires. De plus, l'agent fut informé que les Etats-Unis reconnaîtraient sur-le-champ une telle junte. C'était le piège du coup d'état militaire que Castro avait toujours soupçonné et redouté ; aussi répliqua-t-il par un bref message : « Conditions rejetées. Préparez entrevue entre Cantillo et moi. »

Malgré leurs démentis ultérieurs, les Etats-Unis s'étaient activement engagés dans des manœuvres secrètes pour empêcher Castro de prendre le pouvoir. Le rapport de la commission d'enquête sur l'invasion manquée de la Baie des Cochons déclare que la CIA chercha d'abord à collaborer avec le groupe *Montecristi* de Justo Carrillo, qui bénéficiait de sympathies au sein de l'armée, pour mettre en place un nouveau régime capable de barrer la route à Castro. Selon ce rapport, l'ancien ambassadeur américain à Cuba, William D. Pawley, et le principal observateur de la CIA à La Havane, James Noel, avaient « contacté Batista et proposé la création d'une junte à qui celui-ci remettrait les rênes du gouvernement » dès le 8 décembre 1958. Le département d'Etat appuyait ces efforts ; quant à la CIA, qui avait financé le M-26 au début de l'année, elle semblait avoir bien changé de politique.

Castro et Cantillo se rencontrèrent près de Palma Soriano le 28 décembre, et le chef rebelle réitéra son refus de toute junte ; le pouvoir, disait-il, devait être remis à l'armée révolutionnaire. Santiago étant encerclé, Cantillo accepta de provoquer une mutinerie, le 31 décembre, et de mettre ses troupes à la disposition de Castro, sans formuler aucune condition. Celia Sánchez et Vilma Espín se trouvaient là, en compagnie de Raúl Chibás et du commandant José Quevedo. Celui-ci venait juste d'arriver au nouveau quartier général de Castro installé dans une raffinerie de sucre, à proximité de Palma Soriano. (C'était ce vaillant commandant de l'armée de Batista que Castro avait vaincu en juillet et rallié à l'armée rebelle ; dans les années 1980, Quevedo faisait fonction d'attaché militaire à l'ambassade de Cuba à Moscou.) Toutefois, Cantillo manqua à sa parole, prévint Batista du plan concernant la junte, et lui donna jusqu'au 6 janvier pour quitter le pays. Puis il demanda à Castro de retarder d'une semaine l'application de l'accord, ce qui fit aussitôt naître des soupçons. Mais les événements se succédaient très rapidement. Che Guevara occupa finalement Santa Clara le 30 décembre ; il avait mis hors d'usage un train blindé et le régime n'avait plus aucun point d'appui. La veille du jour de l'an, juste après minuit, Batista, sa famille et ses collaborateurs les plus proches se firent conduire au terrain d'aviation du Camp Columbia d'où ils s'envolèrent pour la république Dominicaine. La dernière disposition du dictateur fut la nomination du général Cantillo à la tête des forces armées.

Fidel Castro passa tranquillement le réveillon du Nouvel An à la raffinerie de sucre, avec Celia et ses commandants ; il apprit à l'aube, par la radio, ce qui venait de se passer à La Havane. Carlos Rafael Rodríguez se trouvait lui aussi à Palma Soriano, mais apparemment il ne vit pas Castro cette nuit-là ; Chibás, à qui Celia avait demandé de venir retrouver Fidel dans sa chambre, dit que celui-ci semblait ennuyé par la présence de Rodríguez. Ce n'était pas bon pour sa réputation, selon Chibás. (Bizarrement, Errol Flynn se trouvait aussi au même moment à Palma Soriano où il tournait un film.) Le matin même, dans la capitale, Cantillo forma une junte présidée par un juge de la Cour Suprême, Carlos M. Piedra ; Castro entra aussitôt en action. De son nouveau camp, à Palma Soriano, il prit la parole au micro de *Radio Rebelde ;* pour commencer, il envoya un ultimatum à la garnison de Santiago, la sommant de capituler avant 18 heures, faute de quoi il passerait à l'attaque ; il ajouta que « l'histoire de 1898 ne se répéterait pas » ; c'était une allusion à ce qui s'était passé à la fin de la guerre d'indépendance contre l'Espagne, quand les forces américaines avaient empêché les indépendantistes cubains d'entrer dans la ville. Puis il lança un appel solennel au pays pour dénoncer la junte qui se faisait « complice de la tyrannie » et donner un ordre de grève générale pour le lendemain. Il avait chargé Camilo Cienfuegos et Che Guevara de marcher sur La Havane pour s'emparer, respectivement, du Camp Columbia et de la forteresse La Cabaña. « L'Armée rebelle poursuivra sa campagne de nettoyage », criait Fidel. « Révolution, *oui ;* coup d'état militaire, *non !* »

A La Havane, la junte s'effondra avant la tombée de la nuit. A midi, le général Cantillo avait reçu, au palais présidentiel, une délégation de diplomates qui comprenait l'ambassadeur des Etats-Unis, Earl Smith, mais dans la soirée, le Camp Columbia fut remis par ses officiers au colonel Ramón Barquín qui venait tout juste d'être relâché de la prison de l'Ile des Pins où il purgeait une peine de réclusion pour avoir conspiré contre Batista. Barquín mit Cantillo aux arrêts ; à minuit, un avion en provenance de l'Ile des Pins ramenait d'autres officiers qui y avaient été détenus — parmi eux se trouvaient le Capitaine José Ramón Fernández et plusieurs dirigeants civils comme Armando Hart. Cienfuegos et Guevara ne devaient pas atteindre La Havane avant l'après-midi du 2 janvier, de sorte que dans l'intervalle la capitale resta sans gouvernement ni autorité pour la diriger ; mais la ville ne connut ni violences ni vengeances, rien que des manifestations de joie, des chants et des danses toute la nuit. Les Cubains avaient eu à cœur de respecter les appels radiodiffusés de Castro, leur recommandant de ne pas se faire justice eux-mêmes.

Fidel Castro et son entourage entrèrent dans Santiago le 2 janvier, au milieu d'une explosion de liesse populaire. Pour le symbole, il prit possession de la caserne Moncada où il avait donné le signal de la révolution le 26 juillet 1953. Il nomma Manuel Urrutia Président provisoire de Cuba, déclara Santiago capitale temporaire, et le soir même prononça son premier discours de chef victorieux de la révolution devant une foule délirante de joie. Sans perdre un instant, il donnait le ton pour l'avenir, cet avenir qui était déjà présent : « La Révolution commence aujourd'hui. La tâche ne sera pas facile. La Révolution sera une entreprise très difficile, pleine de dangers. Cette fois, heureusement pour Cuba, la Révolution sera vraiment au pouvoir. Ce ne sera pas comme en 1898, quand les Nord-Américains sont arrivés pour se rendre maîtres de notre pays... Pour l'instant, nous devons avant tout consolider notre pouvoir... La Révolution ne se fera pas en deux jours, mais désormais je suis certain que nous sommes en train de la faire... que pour la première fois notre république sera vraiment et entièrement libre et que notre peuple obtiendra ce qu'il mérite... C'est le peuple qui a gagné la guerre !... »

QUATRIÈME PARTIE

LA RÉVOLUTION
(1959-1963)

1

C'est aux applaudissements enthousiastes de l'immense majorité de ses compatriotes qu'en janvier 1959, Castro s'empara de Cuba et lança sa grande révolution. En ce même mois de janvier, la CIA (Central Intelligence Agency) donna son approbation officielle à des plans ultra-secrets d'assassinat sur sa personne.

Il fallut à Fidel dix-huit mois pour mener son pays sur le seuil d'une conversion totale au marxisme-léninisme et d'une alliance avec l'Union soviétique. Pour reprendre les termes mêmes de son allié communiste le plus proche, Carlos Rafael Rodríguez, « la période démocratico-bourgeoise a vraiment pris fin à Cuba en août 1960 » ; et Castro avait d'ailleurs déclaré à l'époque : « Nous abordons une nouvelle étape de la révolution. » Il expliquait alors comment le mouvement révolutionnaire devait être l'œuvre de « nouveaux communistes... qui n'étaient pas encore connus comme tels ».

Dès le premier jour de son arrivée au pouvoir, Castro commença d'extirper méthodiquement jusqu'au dernier vestige de l'ordre social ancien. Il y parvint en appliquant un système extraordinairement astucieux qui fonctionna pendant plus d'un an ; il avait mis en place, à La Havane, un gouvernement « parallèle », dont ses propres ministres, sans parler du commun de ses compatriotes, ignoraient jusqu'à l'existence, et qui fonctionna jusqu'à ce qu'il eût consolidé son emprise révolutionnaire. C'est dans un secret identique qu'il signa immédiatement un pacte avec les « vieux » communistes et que, entamant une action totalement séparée, il eut, dans son bureau de l'INRA, ses premiers entretiens, agrémentés de caviar et de vodka, avec un émissaire soviétique, à l'automne de 1959.

Les dessous de cette histoire — c'est-à-dire la genèse de l'Etat communiste à Cuba — n'ont jamais été publiés jusqu'à présent ; les Cubains en ignorent à peu près tout. Nous l'avons reconstruite ici à partir d'interviews, obtenues à La Havane en 1985 auprès de plusieurs membres du « gouvernement caché » de Castro, ou de personnes ayant exercé des activités telles que la création d'écoles spéciales où les « vieux » communistes enseignaient les bases du marxisme-léninisme aux « nouveaux communistes » recrutés parmi les principaux *Fidelistas*. Au début, tout cela se faisait dans le secret le plus complet. En public, Castro rejetait avec la dernière énergie les accusations venues de l'étranger comme de l'intérieur, selon lesquelles le communisme aurait de plus en plus contaminé sa révolution humaniste ; il fit même jeter en prison pour crime de trahison certains de ses compagnons d'armes qui l'avaient quitté par suite de cette évolution. Le fil d'Ariane castriste demeurait invisible, tandis que le Líder Máximo (c'est ainsi que Fidel se ferait maintenant appeler) baignait dans l'adulation de son pays entier et mettait en place son « véritable » appareil révolutionnaire.

En paix comme en guerre, Castro est un maître tacticien et stratège, qui possède au plus haut point le sens de l'opportunité. Si l'on considère les événements survenus pendant la première année de la révolution (avec l'avantage du recul et d'informations puisées à bonne source), il paraît certain que Fidel savait exactement ce qu'il faisait, que ses improvisations avaient été soigneusement mises au point et qu'il n'avait rien laissé au hasard. Il avait parfaitement compris que sa propre personnalité serait, dans la pratique, l'élément crucial pour le succès de toute l'opération ; et il sut exploiter cet élément à fond. Il avait toujours affirmé que la propagande était l'outil indispensable à toute mobilisation des masses dans une révolution ; il s'empara donc de la télévision, qui avait déjà reçu un développement considérable à Cuba en 1959 ; c'était un instrument idéal pour servir ses besoins et ceux de la révolution. Il avait une personnalité télégénique grâce à quoi il « refila » littéralement la révolution aux Cubains. Antonio Nuñez Jiménez, écrivain et géographe, qui coordonnait son « équipe interne » et qui est resté à ses côtés pendant près de trente ans, affirme que les rapports de Castro avec la nation étaient exceptionnels : « Le cas de Fidel Castro est sans exemple dans l'histoire moderne... Lénine n'avait ni radio ni télévision et, de plus, il n'a jamais eu sur le peuple soviétique l'ascendant que Fidel exerce sur les Cubains. »

En politique, Castro a fait preuve d'une perspicacité étonnante dès l'instant où le pouvoir s'est trouvé à portée de sa main. Après avoir provoqué la chute de la junte qui avait tenté de supplanter Batista à La Havane, en appelant à la grève générale et en menaçant de lancer une attaque contre la capitale et contre Santiago, il maintint la pression pendant une semaine entière. Il fit durer la grève pendant deux journées de plus pour se garantir contre toute nouvelle tentative de coup d'Etat (ce qui revenait aussi à octroyer au peuple un « congé de la victoire » au cours duquel toute la nation eut les yeux fixés sur le héros), puis, le 3 janvier, il entama une lente marche triomphale sur La Havane, dans un style très romain. Ce matin-là, cependant, il commença par consulter Camilo Cienfuegos, venu de La Havane par avion pour l'informer de la situation dans la capitale, puis donna ses instructions à Raúl qui devait rester à Santiago pour assurer l'arrière-garde. La marche sur La Havane dura cinq jours et cinq nuits ; entouré de ses *barbudos*, Fidel, debout sur un char ou sur une jeep, recevait à chaque pas les folles acclamations de la population, tandis que la télévision retransmettait en direct chacun de ces instants. Son fusil semi-automatique à viseur télescopique (un M-2 américain) en bandoulière, et ses lunettes à monture d'écaille perchées sur son nez aquilin, Castro donnait la parfaite image d'un royal guerrier-philosophe. Avec sa célèbre barbe, son cigare entre les dents et son treillis vert olive (sans oublier la petite médaille de la Vierge de Cobre pendue à une chaîne accrochée à son cou et fort opportunément visible dans l'échancrure de sa chemise ouverte), il présentait à la foule tous les accessoires symboliques de sa personnalité et offrait exactement l'aspect qu'il souhaitait revêtir — celui dont il voulait laisser le souvenir. Avançant lentement, fendant des foules immenses, il s'arrêtait presque à chaque minute pour saluer ou embrasser quelqu'un qu'il reconnaissait, crier un mot d'ordre, prononcer quelques paroles ou même faire un discours. A l'automne, au moment où il avait lancé son offensive finale, Castro commandait trois cents hommes ; mais lorsqu'il fit son entrée dans Santiago, il était à la tête de trois mille rebelles armés. Dans sa marche sur La Havane, il était comme le joueur de flûte de la légende, attirant dans son sillage des partisans de plus en plus nombreux. Il raconte qu'en atteignant Bayamo, dans la partie ouest de l'Oriente, à la tête de mille combattants, il vit les deux mille hommes de la garnison se joindre à sa colonne avec leurs chars et leur artillerie (l'Armée rebelle était alors répartie entre Santiago, La Havane, Las Villas et autres lieux). Sur le moment, il accueillit favorablement ces hommes ; on verrait plus tard à faire le tri pour créer la nouvelle armée.

A coup sûr, il prenait un risque, personnel et politique, en restant cinq jours en chemin, mais il avait calculé que ses fidèles commandants répartis à travers l'île veilleraient à ce que rien de regrettable ne se produisît ; il était en contact radio et téléphonique permanent avec eux. Quant à la possibilité d'un assassinat, Castro s'était toujours montré fataliste et il n'était pas prêt à sacrifier sa familiarité avec les masses aux exigences de sa sécurité. En outre, cette marche sur La Havane, tout au long de la grand'route qui traverse l'île de l'Est à l'Ouest, représentait un capital politique d'une valeur inestimable ; elle prouvait abondamment la domination absolue du vainqueur sur la nation, voire l'adoration dont il était entouré, et qui — grâce à la télévision — croissait en progression géométrique ; de sorte qu'il était tout bonnement impossible d'y renoncer. Malgré le chaos et l'indescriptible confusion qui accompagnaient sa progression sur la route de la capitale, il continuait d'ailleurs à diriger sa révolution. Celia Sánchez était fermement installée aux commandes des communications et se tenait bien au courant des allées et venues de chaque personnalité qui comptait ; Fidel pouvait ainsi avoir des entretiens privés avec les hommes qu'il destinait aux postes clefs (par exemple, Raúl Chibás, le trésorier du Mouvement du 26 juillet, se rendit par avion de Santiago à Camagüey, où il rattrapa le Líder Máximo pour lui dire que le poste de ministre des Finances ne l'intéressait pas ; d'autres le rencontrèrent ici ou là pour parler de leur avenir). Dans le même temps, Celia était très occupée à envoyer des messages, tant à Cuba qu'à l'étranger, pour convoquer de vieux amis que Fidel voulait voir dès que possible.

A Cotorro, aux abords de La Havane, Castro finit par retrouver son fils, Fidelito ; il ne l'avait pas revu depuis son départ du Mexique, deux ans plus tôt. Le gamin de neuf ans fut amené à son père par des cousins ; de toute évidence, Mirta, sa mère, n'était pas opposée à cette réunion, et déjà elle perdait son autorité sur le petit garçon. Très vite, Castro devait retirer l'enfant de l'école privée où il allait en classe, à La Havane, pour l'inscrire dans un internat public, tout en s'assurant qu'il pourrait le voir chaque fois qu'il le désirerait. Naty Revuelta, la vieille amie de Castro, s'occupa de trouver une école pour Fidelito. Bientôt, Mirta, son nouveau mari et leurs enfants partirent définitivement pour l'Espagne.

Quelles que fussent les idées que Castro avait alors en tête pour l'avenir de Cuba, son instinct l'avait averti que mieux valait, en politique, s'assurer une transition sans accroc et un large consensus. Au cours de la première semaine, à Santiago, il laissa donc le président provisoire qu'il avait choisi avec le plus grand soin, Manuel Urrutia, nommer le Premier ministre et le cabinet, tout en gardant l'œil ouvert sur le processus. Il se réserva seulement le titre militaire de Commandant en chef, qui était déjà le sien dans la Sierra Maestra, sachant bien que son véritable pouvoir reposait sur le loyalisme aveugle de l'Armée rebelle. Urrutia était arrivé dans la Sierra au mois de décembre précédent et n'avait vu Castro que deux fois, mais il sut former un ministère composé d'hommes aux talents exceptionnels. Choisis dans l'aile modérée du Mouvement du 26 juillet, les ministres comprenaient seulement trois compagnons d'armes de Castro, dont l'un était Faustino Pérez, l'ancien guérillero de la montagne, idéologiquement modéré. Les autres barbudos étaient Augusto Martínez Sánchez, nommé ministre de la Défense, et Humberto Sorí-Marín, ministre de l'Agriculture ; ce dernier avait rédigé dans la Sierra le texte de loi sur la réforme agraire. Seul Armando Hart, nouveau ministre de l'Education, avait été recruté parmi les fondateurs du Mouvement du 26 juillet. La seule nomination de caractère idéologique fut celle d'Osvaldo Dorticós Torrado, ministre des Lois révolutionnaires, qui avait appartenu, à la fin des années 30, au comité universitaire du parti communiste interdit et s'était joint, à la fin des années 50, au mouvement de Castro ; pendant un certain temps, il avait présidé l'ordre des avocats cubains. José Miró Cardona, nommé Premier ministre par Urrutia, avait lui aussi occupé cette présidence. Plus tard, Urrutia devait écrire qu'il avait exposé à Castro « la nécessité de former un cabinet bien équilibré, représentatif de tous les secteurs révolutionnaires, mais que [Fidel] s'y était opposé, sous prétexte que le gouvernement devait être aussi homogène que possible ». A ce moment-là, Castro souhaitait en effet constituer un groupe cohérent dans la ligne du Mouvement du 26 juillet qui s'était attiré le respect du monde entier.

La vérité était qu'il voulait s'entourer immédiatement de gens compétents. L'Armée rebelle, recrutée dans la paysannerie, était presque totalement illettrée ; on ne pouvait guère puiser d'administrateurs dans ses rangs à aucun niveau, même modeste, et encore moins des ministres. (Pourtant, avant de participer à la guérilla, Faustino Pérez, Martínez Sánchez et Sorí-Marín avaient exercé des activités intellectuelles, contrairement au gros de la troupe ; ils étaient diplômés de l'université, et tous trois s'étaient signalés au sein du Mouvement du 26 juillet.) Castro expliqua par la suite que la révolution avait dû se tourner vers les « vieux » communistes, parce que les rebelles de la Sierra n'avaient aucune connaissance ni aucune expérience, en matière de gouvernement, mais il ne put faire cet aveu que deux années plus tard, au moins, sinon il aurait déclenché une violente opposition de la part de vastes secteurs de la population, à l'intérieur du pays, et, à l'extérieur, de la part des Etats-Unis. A la fin de 1960, sa police et son emprise politique étaient assez puissantes pour lui permettre de traiter avec l'opposition, et ses relations avec les Etats-Unis s'étaient tellement dégradées qu'il n'avait plus besoin de ménager Washington quand il voulait exprimer ses idées provocatrices. Parvenu à ce point de sa trajectoire, il avait les mains totalement libres et pouvait s'allier ouvertement avec les communistes du Parti socialiste populaire (PSP).

De même qu'il ne faisait pas entrer les communistes dans son cabinet en 1959 (le passé communiste de Dorticós était peu connu et Urrutia l'acceptait sans difficulté), le Líder Máximo dut aussi barrer la route au Directoire révolutionnaire étudiant pour maintenir le « caractère homogène » du gouvernement provisoire ; de plus, le DR avait défié son autorité en occupant par les armes le palais présidentiel et l'université de La Havane, avant que l'armée rebelle eût pu atteindre la capitale. Pour éviter de donner prétexte à toute opposition prématurée, Fidel confina volontairement son frère Raúl et Che Guevara dans des rôles effacés, du moins en apparence. Raúl exerçait le commandement militaire de Santiago, tandis que Che dirigeait la forteresse de La Cabaña à La Havane, mais leur puissance et leur influence réelles dépassaient largement celles de leurs modestes fonctions. Ils participaient à la prise de toutes les décisions révolutionnaires secrètes et ce furent eux qui choisirent dans les rangs de l'Armée rebelle les officiers pro-communistes qu'ils avaient remarqués au cours de la guerre, pour leur attribuer des postes stratégiques, à un échelon intermédiaire, dans tout le pays. L'impressionnante façade du conseil des ministres issu du Mouvement du 26 juillet, rehaussée par la présence d'économistes de renommée internationale comme Rufo López-Fresquet aux finances et Felipe Pazos à la présidence de la Banque nationale, conférait une certaine respectabilité au nouveau régime ; sous ce couvert, Castro et ses collaborateurs pouvaient, en toute quiétude, construire leur édifice marxiste-léniniste.

Comme toujours, Che Guevara voulait agir en pleine lumière et ne pas mâcher ses mots, mais le reste du noyau dirigeant préférait manœuvrer dans l'ombre. Enrique Oltuski, qui fut le premier ministre des Communications du régime (en même temps que le plus jeune membre du cabinet, à vingt-deux ans) avant d'être destitué et jeté en prison, devait plus tard évoquer la franchise du Che ; il l'avait vu pendant la campagne de Las Villas à l'automne 1959, alors qu'il était responsable du Mouvement du 26 juillet dans la province. Tandis qu'ils envisageaient l'avenir et qu'Oltuski prêchait la prudence afin de ne pas provoquer les Etats-Unis, Che Guevara lui avait dit : « Alors, tu es de ceux qui croient qu'on peut faire une révolution dans le dos des Américains... Mais tu es un bouffeur de merde ! La révolution, ce doit être une lutte à mort contre l'impérialisme. On ne doit pas déguiser une vraie révolution... » Dans une conférence prononcée à La Havane le 27 janvier et dont le sujet était « Les projections sociales de l'armée rebelle », Guevara alla beaucoup plus loin que Castro n'était prêt à le faire publiquement ; il déclara en effet que la réforme agraire signée dans la Sierra en 1958 ne serait « pas complète » tant que les grandes propriétés ne seraient pas confisquées et que la « masse paysanne » conjointement avec l'armée rebelle n'imposeraient pas une nouvelle loi. A une époque où Castro essayait d'attirer les investisseurs étrangers, Guevara signifiait à son auditoire : « Nous sommes une démocratie en armes » ; il réclamait la nationalisation des services publics (alors aux mains de sociétés américaines) et affirmait : « La nation cubaine tout entière doit se muer en armée de guérilleros » pour se défendre contre l'agression « d'une puissance presque aussi grande qu'un continent entier ». Cependant, à cette époque, nul ne prêtait guère attention au médecin argentin et aux conférences qu'il prononçait devant d'obscurs groupuscules.

L'intérêt de Cuba et d'un monde étonné se concentrait sur les activités publiques de Fidel Castro qui fascinait tout un chacun au cours de ces premiers mois de l' « Année de la Libération » (Castro avait un faible pour l'idée qu'avait eue la Révolution française de désigner les années d'après son propre calendrier, faisant ainsi « du passé table rase »). Le 8 janvier, son arrivée à La Havane avait été une véritable apothéose, admirablement mise en scène. Tandis qu'il faisait son entrée dans la vieille ville coloniale à la tête de la Colonne I, les cloches des églises carillonnaient, les sifflets des usines hululaient, les sirènes des bateaux mugissaient. La première halte se fit au port ; Fidel monta à bord de la *Granma* — que l'on avait depuis peu ramenée à La Havane —, tandis que les canons des frégates de la marine tonnaient. Ensuite, le cortège se fraya un chemin à travers la foule énorme qui s'amassait sur la place, en face du palais présidentiel où le Commandant en chef voulut s'arrêter pour saluer Manuel Urrutia et le gouvernement. Quelques jours auparavant, Urrutia avait pu s'installer dans le palais après que l'armée rebelle eut persuadé le Directoire révolutionnaire d'abandonner la place, mais les étudiants occupaient toujours l'université et Castro devait faire face à une première crise grave. Il décida de la résoudre par la parole plutôt que par la force et y parvint non sans récolter un surcroît d'acclamations et élargir le soutien dont il disposait.

La nuit était tombée ce 8 janvier, lorsque Fidel se rendit au Camp Columbia, quartier général de l'armée, dans la partie nord-ouest de La Havane, afin de prononcer, devant les dizaines de milliers de Cubains qui l'attendaient depuis de longues heures, son grand discours de la victoire. Le thème principal en fut la responsabilité de l'Armée rebelle dans la réussite de la révolution à venir ; cela l'amena à insister sur la nécessité de l'union et le conduisit à évoquer ouvertement la saisie des armes du DR. Se tournant vers Camilo Cienfuegos, chef d'état-major de l'armée rebelle (c'était le révolutionnaire le plus populaire après Fidel lui-même), il demanda : « Est-ce que j'ai raison, Camilo ? » et Cienfuegos, aux rugissements de la foule, répondit : « Tu as raison, Fidel ! » (Ainsi naquit un nouveau slogan révolutionnaire.)

Baissant le ton, Castro annonça qu'il avait une question « à poser au peuple » ; il inaugurait ainsi une nouvelle méthode de gouvernement : le dialogue avec les masses, grâce auquel le peuple entérinait ses décisions en psalmodiant des réponses à ses « questions ». Bientôt il dirait de son idée qu'elle instaurait la « démocratie directe... sur la place du marché », plus propre et plus honnête que les systèmes électoraux dépassés et pourris qui avaient eu cours autrefois. Mais, ce premier soir, les questions étaient celles-ci : « Pourquoi cacher des armes en différents endroits de la capitale ? Pourquoi dissimuler des armes en ce moment même ? Pour faire quoi ?... Des armes pour quoi ? Pour se battre contre qui ? Contre le gouvernement révolutionnaire qui a l'appui du peuple entier ? (hurlements de la foule : NON !)... Est-ce que la situation est la même avec le juge Urrutia à la tête de la République qu'avec Batista ? (hurlements : NON !)... Des armes pour quoi ? Est-ce qu'il y a une dictature ici ? (hurlements : NON !)... Est-ce qu'ils veulent donc se battre contre un gouvernement libre qui respecte les droits du peuple ? (hurlements : NON !)... Des armes pour quoi, quand il va y avoir des élections aussitôt que possible ?... Cacher des armes pour quoi ? Pour faire chanter le président de la République ?... Des armes pour quoi ?... Alors, il faut bien que je vous le dise, il y a deux jours, des membres d'une certaine organisation se sont rendus dans une base militaire et ils ont fait main basse sur cinq cents armes, six mitrailleuses et 80 000 projectiles (hurlements : ALLONS LES CHERCHER !).

« Des armes pour quoi ? » devint l'expression révolutionnaire à la mode et, un peu plus tard, cette nuit-là, les guérilleros du Directoire révolution-naire, qui avaient regardé Castro prononcer son discours à la télévision, rendirent leurs armes à l'Armée rebelle, ce qui mit fin à la crise sans qu'une goutte de sang fût versée. Peu après, les principaux dirigeants du DR allaient se joindre à l'entourage de Castro, et devenir l'épine dorsale de ses services de sécurité, alors même qu'il introduisait le socialisme à Cuba. Au Camp Columbia, Castro demanda à la foule s'il devait satisfaire à la « pétition » qui lui avait été présentée par le gouvernement provisoire de devenir Commandant en chef des forces terrestres, maritimes et aériennes, et de réorganiser les armées ; il lui fut répondu un « oui » unanime. Alors, il avertit la nation que si « les bons soldats qui n'avaient pas volé et qui n'avaient pas assassiné » avaient le droit de rester dans l'armée, lui, Castro, leur « affirmait que personne ne sauverait du peloton d'exécution ceux qui avaient commis des crimes ». C'est ainsi qu'il annonça le début des procès et des exécutions qui allaient frapper les « criminels de guerre » du temps de Batista. Ce premier des grands spectacles que le dirigeant cubain allait donner au peuple se termina sur ces paroles : « Pour nous, les principes sont au-dessus de toutes autres considérations et nous ne nous battons pas pour satisfaire nos ambitions. Je crois que nous avons donné assez de preuves sur ce point. Je pense que pas un seul Cubain ne peut avoir le moindre doute ! »

Tandis qu'il finissait de parler, les projecteurs qui l'éclairaient saisirent dans leurs faisceaux une couple de colombes blanches venues se percher sur ses épaules. Ce symbole saisissant déclencha une véritable explosion de : « FIDEL !... FIDEL ! », tandis que les premières lueurs de l'aube faisaient pâlir la nuit. A Cuba, les superstitions religieuses et spiritualistes sont puissantes ; elles se relient à des traditions afro-cubaines datant de l'esclavage, et cette nuit de janvier confirmait toutes les croyances car, dans les mythes cubains, la colombe représente la vie ; désormais, Fidel était sous la protection de ces oiseaux. Et il se trouve que, à plusieurs reprises, tandis qu'il faisait face à son peuple, des colombes vinrent atterrir sur ses épaules. La déification de Fidel Castro devint un véritable phénomène qui suivit immédiatement sa victoire, tant il avait touché le cœur des Cubains. Bientôt, la revue *Bohemia* publia un portrait, qui devait déclencher une vive controverse, de son Líder Máximo de trente et un ans, le visage entouré d'une légère auréole esquissée autour de son profil barbu. Certains Cubains pensèrent que c'était pousser un peu loin la fidélité politique. Mais Raúl Chibás, qui avait fait avec Castro une partie du chemin de l'Oriente à La Havane, se souvient que, de Santiago à Bayamo, « les vieilles dames l'embrassaient au passage... Toutes les cinq minutes, à chaque carrefour, des femmes l'arrêtaient, les plus âgées lui envoyaient des baisers et lui criaient qu'il était plus grand que Jésus-Christ. »

En fait, il devait se sentir en communion avec le Christ puisque, dans un discours qu'il prononça au mois de mars, juste avant Pâques, il devait s'écrier : « Car il y a ceux qui se prétendent chrétiens et qui sont racistes. Et ils sont capables de crucifier quelqu'un comme le Christ parce qu'il dit la vérité à une société indifférente et indolente. Parce que Jésus-Christ — et je ne me compare aucunement à lui, même de loin, je ne veux absolument pas me comparer à lui — parce que, je pose la question, pourquoi ont-ils crucifié Jésus-Christ ? Il est bon que nous abordions cette question pendant la Semaine Sainte. Ils ont crucifié le Christ pour une raison. Et c'était tout simplement parce qu'Il combattait pour la vérité. Parce qu'Il voulait réformer cette société de l'intérieur. Il était le fouet levé contre tout ce pharisaïsme et toute cette hypocrisie. Parce que, pour le Christ, il n'y avait pas de différence entre les races, et Il traitait les pauvres comme les riches et les Noirs comme les Blancs. Cette société, à laquelle Il a dit la vérité, ne Lui a pas pardonné sa prédication ; elle y a mis fin, tout simplement, en Le crucifiant parce qu'Il disait la vérité. »

Antonio Nuñez Jiménez raconte que, plus tard dans l'année 1959, dans un « discours secret » prononcé devant des fonctionnaires du nouvel Institut de la Réforme agraire, Castro déclara : « La Révolution... a cessé d'être romantique pour devenir quelque chose où seuls peuvent trouver place ceux qui subissent une métamorphose et se transforment en révolutionnaires fidèles au précepte du Christ : " Abandonnez tout ce que vous possédez et suivez-moi. ". C'est cela la réalité. » Dans un discours télévisé prononcé à la gloire de la Révolution, en décembre, il racontait avoir tenu à assister à une réunion catholique organisée à La Havane, « parce que notre Révolution n'est absolument pas contraire au sentiment religieux... notre Révolution aspire à donner plus de force encore aux idées et aux aspirations les plus nobles... Lorsque l'on mettra en pratique les préceptes du Christ, alors on pourra dire qu'une révolution s'est produite dans le monde... Parce que j'ai fait mes études dans une école religieuse, je me souviens de nombre d'enseignements du Christ et je me rappelle qu'il a été implacable envers les Pharisiens... Personne n'oublie que le Christ a été persécuté ; et nul ne doit oublier qu'il a été crucifié. Et que ses prédications et ses idées ont été combattues. Et que ses prédications n'ont pas trouvé un terrain favorable dans la haute société, mais qu'elles ont germé dans le cœur des humbles, en Palestine... » Vingt-cinq ans plus tard, Fidel Castro continuait d'invoquer le modèle du Christ et considérait le christianisme comme le fondement philosophique de la révolution socialiste cubaine.

Peu de jours après l'entrée du libérateur à La Havane, cette révolution socialiste fut secrètement mise en train par le « gouvernement caché » de Fidel Castro et par ses contacts clandestins avec les « vieux » communistes. N'exerçant ostensiblement aucune fonction gouvernementale au cours des six premières semaines d'existence du nouveau régime, puisqu'il était « simplement » Commandant en chef, il put s'engager dans cette entreprise sans attirer l'attention. De toute façon, le tourbillon de ses activités, à La Havane et ailleurs, lui fournissait un camouflage parfait. Pendant les trente jours qui suivirent son arrivée dans la capitale, le 8 janvier, Fidel prononça, devant des foules immenses, au moins douze discours dont certains constituaient d'importants exposés politiques, et adressa des déclarations à divers auditoires ; il tint cinq grandes conférences de presse, surtout destinées aux journalistes étrangers, et fit deux longues apparitions à la télévision (discours et conférences de presse furent eux aussi télévisés). A la fin du mois de janvier, il partit pour Caracas, entamant son premier voyage à l'étranger, dans son nouveau personnage de révolutionnaire triomphant, pour remercier l'amiral Larrazábal et la junte au pouvoir au Venezuela de lui avoir fait parvenir des armes lorsqu'il se trouvait dans la Sierra en 1958 ; il rendit aussi visite au président élu Rómulo Betancourt, malgré le mépris qu'il éprouvait pour l'attitude réformiste (et non révolutionnaire) de celui-ci au sein de la « gauche démocratique » d'Amérique latine. Libérés de la dictature un an auparavant, les Vénézuéliens accueillirent Castro dans l'ivresse des ovations. Il passa ensuite un bref moment à Artemisa, dans la province de La Havane, et à Pinar del Río, les deux secteurs d'où provenaient la plupart de ses compagnons de Moncada, puis quatre jours en Oriente dans les villes du piémont de la Sierra Maestra, pour vanter la réforme agraire devant les populations. Enfin, le 9 février, il annonça la décision prise par le gouvernement révolutionnaire, de déclarer l'Argentin Che Guevara citoyen cubain *de naissance,* en témoignage de gratitude et afin qu'il n'y eût aucun obstacle à l'exercice de ses fonctions au sein de l'Etat. Tout bien considéré, il était très difficile de savoir ce que faisait Fidel, qui passait son temps à quitter puis à réintégrer son appartement sis au vingt-troisième étage du Hilton, à La Havane, logement qui lui servit, dès le début, de domicile occasionnel et de principal bureau.

Entre-temps, ses opérations politiques secrètes se poursuivaient simultanément sur deux niveaux qui allaient se fondre en un seul, à partir du moment où l' « union révolutionnaire » serait solidement implantée à Cuba, dix-huit mois plus tard. Au premier niveau se déroulaient les contacts et les négociations avec les dirigeants communistes du Parti socialiste populaire, entamés à la suite des discussions que Castro avait eues avec Carlos Rafael Rodríguez, dans la Sierra Maestra, vers la fin de 1958. A l'autre niveau se situait le « gouvernement caché ». Fábio Grobart confirme que Castro avait pris la décision de rechercher la collaboration des communistes, avant même la chute de Batista. Agé maintenant de quatre-vingts ans, ce cofondateur du Parti communiste cubain, dont il est aussi l'historien et le doyen d'âge, se rappelle que les consultations commencèrent « dès les premiers jours » du nouveau régime. Cependant, les conversations secrètes entre Castro, entouré de ses collaborateurs, et les dirigeants communistes ne devaient pas permettre de parvenir plus rapidement à un partage du pouvoir ; il s'agissait plutôt de débats d'une grande complexité, portant sur la façon dont on pourrait transformer un parti révolutionnaire unifié en force marxiste-léniniste et, entre-temps, comment on pourrait utiliser au mieux les talents des communistes pour diriger le pays et préparer la transition. Dès le début, Castro insista pour que le « vieux » parti communiste fût incorporé à un nouveau parti placé sous sa direction ; il demandait en fait que le sort du parti lui fût confié, acte sans précédent dans l'histoire du communisme.

Il va sans dire que Castro entama ce processus en gardant toujours présent à l'esprit le fait que le régime modéré d'Urrutia n'était que transitoire ; en effet, comme instrument de la révolution, il était inacceptable à long terme. Dans ces conditions, il était indispensable de créer un « gouvernement caché » afin d'engager rapidement la nation sur la voie de la révolution, tandis que le concept de l'unité avec les communistes était mis au point. De plus, les entretiens devaient se dérouler dans un secret absolu à cause des susceptibilités idéologiques respectives des membres du Parti communiste et des tenants du Mouvement du 26 juillet, sans parler de la profonde méfiance réciproque et des rancunes tenaces qu'éprouvaient les uns et les autres. Ni Castro, ni les principaux dirigeants communistes présents aux réunions ne pouvaient en effet admettre qu'il s'agissait de liquider leurs organisations politiques respectives sous leur forme actuelle. Encore ces considérations ne tenaient-elles pas compte des réactions qui pourraient se faire jour aux Etats-Unis si l'on venait à savoir que le Líder Máximo traitait avec le communisme. Castro avait formulé une judicieuse mise en garde dans une remarque qu'il avait faite en privé à l'époque de la guerre : « Je pourrais proclamer (le socialisme) dès aujourd'hui, du haut du pic Turquino, la plus haute montagne de Cuba, mais rien ne garantit que je pourrais en redescendre après. »

Fábio Grobart a évoqué cet épisode au cours d'un long entretien sur les rapports entre Castro et le communisme : « Un processus qui prendrait des mois et des années était indispensable pour préparer l'opinion publique à admettre la nécessité d'un parti communiste unifié et à comprendre que le communisme, ce n'est pas si grave, ni si dangereux, ni si mal... » Mais en 1959, le Parti communiste orthodoxe n'était pas non plus prêt à accepter Castro. Le 11 janvier, son Bureau exécutif publia une déclaration appelant à la défense de la révolution et à la sauvegarde de l'unité révolutionnaire, mais c'est seulement en août de l'année suivante que le Parti reconnut formellement ses « erreurs » anciennes, du temps où il traitait par le mépris le mouvement de Castro et l'attaque de Moncada. En attendant que fût rendu public cet acte de contrition, les dirigeants devaient se montrer extrêmement vigilants : Fábio Grobart assure que, dans les premiers mois de 1959, il était impossible d'admettre ouvertement l'existence de ces rencontres. Même après que la décision de former un Parti communiste unifié sous la direction de Castro eut été prise, certains dirigeants communistes de la vieille garde tentèrent de saboter cette fusion, au point que plusieurs d'entre eux furent arrêtés et emprisonnés sous l'accusation de « complot ».

Certaine maison, juchée au sommet d'une colline, dans le village de pêcheurs de Cojímar situé à une quinzaine de kilomètres de La Havane, abritait la plupart de ces conversations clandestines. Au mois de mars, Agustín Cruz, ancien sénateur du parti *ortodoxo*, avait prêté cette demeure à Castro pour un temps indéterminé ; cependant, les premières réunions s'étaient tenues à La Havane, chez des particuliers. La grande villa de Cojímar, d'où la vue s'étendait sur la mer située à quelque distance, était fortement gardée par des membres de l'Armée rebelle et la discrétion y était garantie. Pendant la première année de la Révolution, Fidel y résida souvent, partageant le reste de son temps entre l'appartement de Celia et la suite du Hilton. Au cours de ses entrevues avec les communistes, il était toujours accompagné de Che Guevara, Camilo Cienfuegos et Ramiro Valdés ; on y voyait souvent Raúl qui faisait la navette entre Santiago et La Havane. Le chef d'état-major de l'armée, Cienfuegos, semble bien avoir été pendant la guerre un « communiste clandestin » ; mais il n'avait révélé ses sympathies marxistes qu'au cours de la campagne de Las Villas, à l'automne précédent. Son frère Osmany, architecte, qui était resté prudemment au Mexique pendant toute la durée de la guerre, était membre du Parti. Ramiro Valdés, ancien de Moncada, compagnon de geôle, passager de la *Granma* et combattant de la Sierra (adjoint de Che Guevara, à la fin de la guerre), était désormais le chef du bureau militaire chargé des enquêtes, le G-2 (autrement dit, la police secrète) ; or c'était un admirateur passionné du communisme et de l'Union soviétique. Quant à Raúl Castro, il était membre du Parti depuis 1953 et Che Guevara se situait très à gauche de tous les partis communistes existants. Fidel était donc le seul à cette époque à n'être pas ouvertement engagé vis-à-vis du communisme. La délégation du Parti était conduite par son secrétaire général, en poste depuis 1934, et par Blás Roca ; elle comprenait en outre Carlos Rafael Rodríguez et Aníbal Escalante du Bureau exécutif. Tous étaient beaucoup plus âgés que les *Fidelistas*, et les jeunes rebelles les considéraient avec un respect voisin de la vénération — tous, sauf Fidel.

Blás Roca avait soixante-dix-sept ans et se remettait fort bien d'une attaque lorsqu'il accepta, en 1985, d'évoquer le passé. Il avait été le premier à voir Castro après la révolution et à entretenir avec lui des contacts personnels en dehors des discussions de groupe. « Nous avons commencé à tenir des réunions dès que Fidel, Che et Camilo arrivèrent ici », raconte-t-il, et il se souvient que Castro s'était exclamé en riant : « Merde alors, nous avons beau être le gouvernement, il nous faut quand même nous rencontrer clandestinement ! » Une autre fois, tout le monde rit beaucoup, car Che avait fait remarquer : « Oui, les choses ont vraiment beaucoup changé, maintenant que nous avons un ordre du jour. » Blás Roca affirme qu'à cette époque-là, on n'avait pas révélé à la base que les grands dirigeants du Parti en étaient venus à considérer Castro comme le principal chef révolutionnaire de Cuba. « Nous n'informions pas les militants, mais seulement un petit noyau de dirigeants. » De même, toujours à en croire Blás Roca, la direction du Parti se gardait bien de faire savoir à ses membres que Castro était considéré comme socialiste et marxiste, parce que « la réussite [des négociations] exigeait que les Américains ne trouvent aucun prétexte pour intervenir comme ils l'avaient fait au Guatemala ; aussi devions-nous continuer à garder le secret comme nous y étions parvenus jusqu'alors, et cela avait contribué à notre succès. » Cependant, poursuit-il, les principaux dirigeants communistes commencèrent à persuader les organisations affiliées d'accepter l'idée que Castro avait un pouvoir de décision sur les nominations au sein du gouvernement, à faire remarquer que, au cours des périodes révolutionnaires, être communiste ne conférait aucun privilège particulier, contrairement à ce qu'affirmaient bien des activistes. Blás Roca raconte ensuite comment, lors de réunions syndicales, il précisait toujours devant les travailleurs qu' « un nouveau chef de la classe ouvrière cubaine était apparu et que ce chef était Fidel. »

Fábio Grobart, quant à lui, rappelle que, avec le temps, les rencontres entre *Fidelistas* et communistes finirent par s'institutionnaliser. « Il y avait déjà une coordination de nos activités et une collaboration entre nous. C'était un début. » A la fin de 1959 ou au commencement de 1960, Castro et les communistes décidèrent que le moment était venu de commencer à organiser un parti communiste unifié, mais Fábio Grobart remarque que la première étape consista à fonder les « Organisations révolutionnaires intégrées » (ORI) en faisant fusionner le Mouvement du 26 juillet, le Parti socialiste populaire et le Directoire révolutionnaire étudiant. Chacune des parties conservait son autonomie et son identité, affirme-t-il, mais toutes reconnaissaient le pouvoir suprême de Castro. En 1961, prélude à la création du nouveau Parti communiste qui devait se faire en 1965, les trois organisations se fondirent officiellement en une seule. En réalité, cette naissance se déroula en 1959, dans la villa de Cojímar, ce village où Hemingway avait découvert le pêcheur de son roman *Le Vieil Homme et la Mer*.

Parmi les premières décisions que Castro et les communistes prirent ensemble, figure la création d'écoles spéciales dans lesquelles on enseignerait les principes du marxisme-léninisme aux jeunes *Fidelistas*, en particulier à ceux qui avaient un avenir politique, afin de préparer la dernière étape vers l'instauration du communisme dans l'île. On les nomma Ecoles d'instruction révolutionnaire (EIR), ce qui, au début, camoufla l'enseignement marxiste derrière une façade trompeuse : les cadres de la nation devaient apprendre à diriger les institutions révolutionnaires. En fait, ces écoles étaient les équivalents des centres militaires de formation politique, institués dans les garnisons de La Havane par Camilo Cienfuegos et Che Guevara, et qui s'étendirent peu après à toutes les unités de l'Armée rebelle. Ces centres avaient été précédés par l'Ecole des instructeurs de la troupe, organisée en 1958 sur le « Deuxième Front » et dirigée par un chef militaire communiste — à savoir Raúl Castro lui-même. Les centres avaient à leur tête des membres du Parti socialiste populaire et des officiers membres du Parti. Tout cela était dans la ligne du principe énoncé par Fidel selon lequel l'Armée rebelle devait jouer un rôle idéologique de premier plan au cours de la révolution ; d'ailleurs, le manuel de base offert aux militaires était un livre d'instruction civique publié vers la fin de 1959. Il était utilisé par l'Armée rebelle pour son programme d'alphabétisation et son contenu, très marxiste dans l'ensemble, insistait sur les « luttes anti-impérialistes ».

Quant aux civils, la première Ecole d'instruction révolutionnaire s'ouvrit à la fin de 1959, dans un immeuble de la Première Avenue, au cœur du quartier de la Playa à La Havane ; dès le mois de décembre 1960, tout un ensemble de ces écoles était inauguré. Le premier directeur en fut Lionel Soto, chef des Jeunesses socialistes à l'université de La Havane dans les années cinquante et ami très proche de Castro ; les premiers enseignants étaient des intellectuels du Parti communiste, comme Raúl Valdés Vivó, et des dirigeants comme Carlos Rafael Rodríguez, Blás Roca et Lázaro Peña. Fábio Grobart raconte que « les principaux directeurs des Ecoles d'instruction révolutionnaire venaient des rangs du Parti socialiste populaire, car ils avaient une plus grande expérience de l'enseignement et de l'organisation de ces écoles. »

Lorsque fut proclamée l'existence des Organisations révolutionnaires intégrées, en 1960, les écoles jouèrent un rôle capital dans la formation des « nouveaux communistes » ; ceux-ci se voyaient alors préciser les tâches qui seraient les leurs dans le cadre du futur Parti unifié. Pour reprendre les paroles de Grobart, « quiconque sort de cette école est un *cadre* prêt à agir de multiples façons en chef politique de la révolution ». Avec le temps, ces écoles furent centralisées sous l'autorité de l'Ecole centrale Nico López du Parti communiste cubain, qui est en fait une université marxiste-léniniste (l'éventail des cours y est très vaste et va de la formation de base en trois mois au doctorat de sciences sociales préparé en cinq années). Tous les dirigeants cubains doivent sortir de l'Ecole Nico López (par exemple, José Ramón Fernández, vice-président et ministre de l'Education, y a repris ses études après l'âge de cinquante ans pour obtenir son diplôme), et le programme comprend, entre autres, les matières suivantes : communisme scientifique et athéisme, philosophie, construction du parti, lutte idéologique, histoire universelle, histoire de Cuba, économie politique du socialisme, économie politique du capitalisme. A la fin de 1961, plus de trente mille personnes avaient été endoctrinées dans ces écoles, mais l'élite en était une classe de cinquante-trois étudiants composée des jeunes dirigeants les plus prometteurs. A partir du mois de janvier 1962, ils reçurent un enseignement complet, à raison de neuf heures de cours par jour, sur le marxisme, l'économie et la philosophie. Au mois de mars, Fidel Castro se rendit à l'école afin de choisir dans cette classe, un groupe de vingt jeunes gens secrètement chargés d'assurer la transition qui transformerait les ORI en Parti uni de la révolution socialiste cubaine (PURSC) ; cette transformation venait d'être annoncée et elle constituait l'étape intermédiaire vers la formation du nouveau Parti communiste. Cela dit, il n'y avait toujours pas de communistes, en décembre 1960, au conseil des ministres, mais le marxisme-léninisme avait conquis de nouvelles têtes de pont. Tel était certainement le cas du « gouvernement caché » mis en place par Fidel Castro en 1959.

Ce dernier groupe portait le nom tout à fait innoffensif de Bureau des plans et de la coordination révolutionnaires, au cas où certains auraient posé des questions, mais son existence était quasiment inconnue en dehors du cercle le plus étroit qui entourait Castro. Le Bureau avait à sa tête Antonio Nuñez Jiménez ; Che Guevara, Alfredo Guevara, Vilma Espín, Oscar Pino Santos et Segundo Ceballos en étaient les membres. Cette équipe était chargée de mener à bien tous les projets politiques de Fidel. Introduit dans l'entourage de Castro par Che Guevara, Nuñez Jiménez se conduisit aussitôt en compagnon fidèle et en planificateur de confiance. Géographe, géologue et historien, il était — il est toujours — très au fait de toutes les difficultés de Cuba ; c'était exactement l'homme qu'il fallait à Castro, intellectuellement et idéologiquement, pour assurer la transition.

Alfredo Guevara, l'ami communiste de Fidel au temps de leurs études et son compagnon de voyage lors du soulèvement de Bogotá en 1948, avait été victime de la torture aux mains de la police de Batista, à La Havane, pendant la dernière année de la guerre. Il s'était ensuite réfugié aux Mexique ; il était à peine revenu d'exil, dans la première semaine de janvier 1959, et se trouvait encore à Matanzas, en route vers La Havane, quand Fidel avait demandé à sa sœur Lidia de le convoquer. Devenu cinéaste, il avait espéré lancer une industrie cinématographique révolutionnaire, mais Fidel l'avait persuadé qu'il y avait d'autres tâches plus urgentes. Vilma Espín, originaire de Santiago et diplômée du MIT, avait rejoint le « Deuxième Front » de Raúl Castro en 1958 ; elle devait l'épouser en 1959, mais Fidel était alors trop occupé pour assister à la cérémonie qui se déroula en Oriente. La présence de Raúl au sein de l'armée à Santiago était encore nécessaire, mais il n'en était pas moins profondément impliqué dans les activités du « gouvernement caché » et faisait sans cesse la navette entre les deux villes. Oscar Pino Santos, économiste communiste, et Segundo Ceballos, journaliste d'un certain âge, spécialisé dans les problèmes agronomiques, avaient rang de conseillers, mais ne participaient jamais aux décisions politiques. Pedro Miret, l'aide de camp de Fidel, était de plus en plus au fait des projets secrets à mesure que le groupe se transformait, tout au long de l'année 1959, en « gouvernement caché ». Quant à Celia Sánchez, elle était la principale assistante de Fidel Castro.

Ce groupe de travail se rencontrait dans une maison de Tarará, station balnéaire où Che Guevara se remettait des maladies qui l'avaient éprouvé pendant deux ans, au cours de la guerre de la Sierra : crises d'asthme et accès de paludisme s'étaient conjugués pour l'épuiser physiquement. Tarará se trouvait à une demi-heure de voiture de La Havane, à quelques kilomètres à l'est de Cojímar où Fidel s'était installé au mois de mars. Le groupe de Tarará avait pour tâche principale la rédaction, toujours en secret, d'un nouveau texte de réforme agraire beaucoup plus radical que le projet signé par Castro dans la Sierra l'année précédente, ainsi que d'autres lois révolutionnaires ; le groupe devait encore se familiariser avec certaines fonctions gouvernementales en vue de la prise de pouvoir définitive. Nuñez Jiménez raconte : « Pendant deux mois, nous avons tenu des réunions nocturnes à Tarará, où Che passait sa convalescence ». Castro, affirme-t-il, se tenait au courant des progrès de la rédaction de la loi agraire, pivot de la législation révolutionnaire, « proposant des idées et des modifications ». Il ajoute encore que la rédaction fut gardée secrète jusqu'à ce que Castro eût présenté le projet pour révision au ministre des lois révolutionnaires, Dorticós, en court-circuitant tous les membres du cabinet ; Dorticós était un de ses fidèles alliés.

C'est Alfredo Guevara qui nous fait le mieux comprendre l'importance du mandat confié au groupe. Selon lui, « nous nous rencontrions tous les soirs et nous restions chez Che jusqu'à l'aube, en attendant l'arrivée de Fidel qui changeait tout », « mais nous devions aussi préparer une loi pour la marine marchande et nous devions devenir experts en quantité de choses incroyables ; nous avons commencé, par exemple, à travailler à la Banque nationale. » Felipe Pazos, qui présidait la nouvelle Banque créée par le régime (de concert avec Raúl Chibás et Castro), était l'auteur du premier Manifeste de la Sierra en 1957, mais, toujours selon Alfredo Guevara, « Castro voulait que nous allions à la banque, alors nous nous y rendions une fois par semaine... Fidel répétait sans cesse : " nous ne savons pas ce qu'est une banque et il faut absolument que nous le sachions. " » Par la suite, Che Guevara remplacerait Pazos à la tête de la Banque nationale.

« Personne ne savait ce que nous faisions, affirme Alfredo Guevara. Par exemple, le ministre de l'Agriculture ignorait que nous préparions une loi de réforme agraire, et tout le monde était dans le même cas. » A l'époque, ledit ministre était Humberto Sorí-Marín, qui avait rédigé le projet de la Sierra et que l'on fusilla par la suite pour avoir conspiré contre le régime. Et Guevara poursuit : « En discutant entre nous, nous nous sommes aperçus qu'aucun de nous n'avait la moindre notion de quoi que ce soit, que tout le monde était pour la réforme agraire mais que personne n'avait de véritables connaissances en la matière... Quant à la marine marchande, nous n'en savions pas plus. »

Les activités du « gouvernement caché » changèrent et prirent de l'importance après que, le 13 février, Castro eut persuadé le président Urrutia de le nommer Premier ministre non sans avoir demandé sa démission à José Miró Cardona, le titulaire. La chose était facile : les circonstances n'avaient pas permis à Miró Cardona d'exercer vraiment ses fonctions, sa mesure, surtout parce que la plupart des ministres soumettaient d'abord leurs projets à Castro, en privé, dans son luxueux appartement du Hilton. Avant de mourir en exil, Urrutia devait déclarer par écrit que Castro lui avait rendu plusieurs visites au début du mois de février pour lui faire savoir qu'il accepterait le poste de Premier ministre, « mais que, devenu responsable de la politique du gouvernement, il aurait besoin, pour agir efficacement, de pouvoirs suffisamment étendus ». Evoquant ces événements bien des années plus tard, Carlos Rafael Rodríguez exprima les choses plus carrément : « Le gouvernement qui s'était créé le premier janvier ne pouvait passer pour vraiment révolutionnaire étant donné sa composition et ses façons d'agir... Le pouvoir révolutionnaire, à ce moment-là, n'était pas entre les mains du gouvernement, il reposait sur l'Armée rebelle, dont Castro avait le commandement. Quand il fut nommé Premier ministre, la fusion entre le pouvoir révolutionnaire et le gouvernement se réalisa enfin. » Mais Castro voulait garder tous les ministres à leur poste pendant un certain temps; il refusa donc l'offre de démission d'Urrutia. Il progressait encore pas à pas, même s'il avait obtenu du Président et du conseil des ministres une modification de la nouvelle Constitution : le Premier ministre avait désormais le pouvoir de diriger la politique du gouvernement. Or cette Constitution avait été approuvée seulement six jours auparavant, le 7 février.

Le pouvoir d'Urrutia s'étrécissait; il en était réduit à apposer sa signature au bas des textes de lois, même si, comme il devait l'écrire, Castro « m'avait concédé un droit de veto, tout en me demandant d'en faire usage aussi rarement que possible ». A partir de cette date, Castro commença de présider les réunions du conseil des ministres dans le palais présidentiel, tandis qu'Urrutia y assistait en témoin muet et que le groupe spécial de Tarará agissait en coordinateur invisible de sa politique. Alfredo Guevara révèle encore que Castro le chargea de convoquer le cabinet et de l'aider à le mener. Peu après, Fidel s'installa à Cojímar, où le groupe transporta son quartier général, armé d'un pouvoir plus grand encore. Che Guevara avait recouvré ses forces, on pouvait donc abandonner Tarará. La première étape de la révolution cubaine était accomplie; Castro assumait ouvertement un pouvoir total. Il était temps de passer à la phase suivante.

2

Pourtant, Cuba devait faire face à une réalité immédiate et accablante, à savoir la détérioration de ses relations avec les Etats-Unis, situés à quelque cent quarante kilomètres seulement. L'antagonisme entre la nouvelle révolution cubaine et ses voisins américains fut instantané, implacable, violent — et inévitable. Castro avait déclenché de part et d'autre du détroit de Floride une explosion de nationalismes, de ressentiments et de malentendus historiques, de différends aigus concernant les questions d'intérêts nationaux, ainsi qu'un choc culturel énorme — véritable séisme auquel les deux camps n'étaient nullement préparés.

Cet antagonisme, qui se mua rapidement en une hostilité réciproque ouverte, n'était que le prélude aux grands affrontements entre Cubains et Américains. Ces heurts seraient dus au choix, qu'avait fait Castro, de la voie communiste pour conduire sa révolution, aux divergences idéologiques entre les deux parties et enfin à l'alliance militaire soviéto-cubaine. Si l'on juge ces événements avec le recul que donne plus d'un quart de siècle, il est évident que ces rapports antagonistes étaient en fait déjà inscrits dans le cours de l'histoire ; il n'est pratiquement rien que les deux camps eussent pu faire, dans les limites de ce qui était alors politiquement possible, pour éviter la montée vers l'affrontement. En un mot, Fidel Castro était obsédé par la crainte de se voir frustrer de sa révolution par les Etats-Unis, comme l'indépendance avait été volée aux Cubains au terme de la guerre hispano-américaine de 1898. De leur côté, les Américains (et pas seulement le gouvernement Eisenhower) voyaient se profiler, derrière le cri de défi des *barbudos*, de graves menaces pour leurs intérêts nationaux et économiques, sans pour autant être toujours en mesure de distinguer la part de la réalité et celle de leur imagination.

Ce sont donc ces attitudes de caractère fondamental qui ont déterminé, dès le premier instant, le comportement des deux voisins — le petit et le grand. Ce serait néanmoins une énorme erreur historique d'en conclure que si Castro et Eisenhower (et leurs partisans) avaient agi d'une manière moins paranoïaque, l'issue s'en serait trouvée modifiée. Le fait est que les Etats-Unis ne pouvaient tolérer qu'une révolution échappe à leur influence ou à leur contrôle dans un territoire si proche, juste au sud de Key West. D'autre part, Castro répudiait le traditionnel « fatalisme géographique » qui avait toujours incité les Cubains à écarter toute décision d'ordre national susceptible de déplaire aux Américains ; il était résolu à affirmer sa totale indépendance. Dans son esprit, cette liberté de choix impliquait déjà l'implantation du marxisme-léninisme à Cuba, bien qu'il fût encore loin d'être prêt à le proclamer. C'est pourquoi aucun compromis durable n'était possible et il est manifestement faux de croire que les agissements américains aient poussé Castro vers le communisme ou, à l'inverse, que les Etats-Unis n'aient pas cherché à l'évincer avant qu'il eut transformé sa révolution en un instrument antiaméricain et procommuniste.

Tout tend à prouver que l'objectif de Castro, au lendemain de la victoire, était de forger l'unité révolutionnaire autour de son propre parti communiste aussitôt que l'occasion s'en présenterait ; au bout de vingt-sept ans, nous n'avons aucune raison de mettre en doute certains de ses commentaires sur ce thème : « Nous mettions notre programme en place petit à petit. Toutes les agressions (des Etats-Unis) ne firent qu'accélérer le processus révolutionnaire. En étaient-elles la cause ? Non ; prétendre le contraire serait une erreur. Je ne peux dire que ces attaques ont été la cause directe de l'instauration du socialisme à Cuba. C'est faux. A Cuba, nous voulions construire le socialisme d'une façon aussi ordonnée que possible, en un temps raisonnable, avec un minimum de traumatismes et de problèmes, mais les agressions de l'impérialisme ont accéléré le processus révolutionnaire. »

A Washington, la tendance était également à la fermeté. Avant même que le gouvernement Eisenhower eut commencé à comprendre ce qui se passait à Cuba (et jamais les Américains ne le comprirent vraiment, comme le montrerait deux ans plus tard le débarquement de la Baie des Cochons), on prit au plus haut niveau la décision de se débarrasser de Castro. L'ordre du jour de la réunion du Conseil national de Sécurité en date du 10 mars 1959 — deux mois et demi après la défaite de Batista et alors qu'un gouvernement modéré régnait toujours officiellement à Cuba — comprend expressément, au premier rang des questions à traiter, les moyens de porter « au pouvoir un autre régime à Cuba ». Les Cubains n'avaient encore saisi ni nationalisé aucun des biens ou intérêts américains sur l'île, et les Etats-Unis n'avaient aucune raison à cette époque de se plaindre de leurs faits et gestes. En fait, la politique officielle voulait que l'on *paraisse* entretenir des rapports amicaux avec Castro ; le 7 janvier, l'Amérique fut le deuxième pays au monde (après le Venezuela) à reconnaître le régime révolutionnaire. L'Union soviétique n'entretenait pas de relations diplomatiques avec La Havane et semblait se désintéresser du combat que menait Castro contre Batista. Philip W. Bonsal, diplomate de carrière réputé pour ses opinions de gauche, son excellente connaissance de l'Amérique latine et sa pratique de la langue espagnole, fut immédiatement nommé ambassadeur à Cuba en remplacement d'Earl T. Smith, ami de Batista. Bonsal (qui avait été en poste dans le pays lorsqu'il était jeune diplomate et dont le père était correspondant de guerre en 1898) rencontra Castro à Cojímar le 5 mars, le lendemain du jour où il avait présenté ses lettres de créances à Urrutia, et

leur première conversation fut agréable. L'ambassadeur écrivit plus tard :
« J'avais tout lieu de penser que nous pourrions établir de bonnes relations,
mutuellement avantageuses pour nos deux pays... Castro s'était mis en
frais, il indiqua qu'il souhaitait vivement avoir de fréquents entretiens avec
moi. » Le lendemain, lors d'un discours télévisé, Castro parla de ses
« conversations cordiales et amicales avec l'ambassadeur des Etats-Unis » et
annonça qu'il projetait de se rendre, le mois suivant, aux Etats-Unis où il
était invité par des éditeurs de journaux (mais en décembre 1961, il donna
une version différente de l'entretien, au cours d'un autre discours télévisé,
et accusa Bonsal « d'avoir eu l'air de quelqu'un venu donner des ordres »).

Nul ne sait pourquoi le Conseil national de Sécurité discuta de la
liquidation de Castro cinq jours après sa première rencontre avec l'ambassadeur Bonsal, sans laisser une chance à la diplomatie. Le Conseil ignorait
alors que Castro n'était pas disposé, à long terme, à entretenir des relations
amicales avec Washington, conscient comme il l'était certainement de
l'incompatibilité entre une telle attitude et ses plans révolutionnaires, si
bien que toute cette discussion ne rimait à rien ou presque — sauf si le
gouvernement Eisenhower avait un second plan secret visant à faire
dérailler la révolution elle-même. Il est vrai que cette dernière stratégie
avait porté ses fruits au Guatemala en 1954, alors que les mêmes hommes se
trouvaient à la tête de la Maison-Blanche et de la CIA, et peut-être avait-il
semblé facile de renouveler l'opération à Cuba cinq ans plus tard. Si une
telle action affaiblissait la position de l'ambassadeur, lequel n'en avait pas
été informé, les politiciens de Washington n'en avaient cure : c'était la règle
du jeu dans ce genre de situation.

Pourtant, il existait, au sein des services de renseignements américains,
des divergences à propos de Cuba. Fin mars, par exemple, une réunion
spéciale organisée par le Bureau des Experts de la CIA conclut, dans un
rapport secret, que Castro n'était pas à cette époque « un communiste pro-
soviétique », opinion exacte à laquelle Bonsal avait souscrit. Sous la
pression du directeur de la CIA, Allen W. Dulles, qui avait mis sur pied
l'affaire du Guatemala, le Bureau finit néanmoins par rejeter cette
conclusion. Pourtant, le 5 novembre 1959, le général C. P. Cabell, directeur
adjoint de la centrale de renseignements, déclarait encore sous serment
devant la sous-commission du Sénat pour la sécurité intérieure que les
communistes cubains eux-mêmes ne considéraient pas Castro comme « un
membre du parti communiste ni comme un pro-communiste... ». Il avait
ajouté : « Nous savons que les communistes tiennent Castro pour un
représentant de la bourgeoisie et qu'ils se sont trouvés dans l'impossibilité
d'obtenir de sa part un témoignage public de reconnaissance ni aucun
engagement pendant la révolution. » Rétrospectivement, il est évident que
ces opinions, recueillies par l'antenne de la CIA à La Havane, émanaient
soit de membres subalternes du parti, tenus dans l'ignorance des pourparlers secrets entamés entre le commandement fidéliste et leur propre
direction, soit de dirigeants assez bien informés, au contraire, pour vouloir
propager l'idée que Castro n'était pas contaminé par Marx et Lénine. C'est
en mars 1960 seulement que le gouvernement des Etats-Unis prit vraiment
la décision de monter une opération paramilitaire contre Fidel ; la CIA avait

commencé à fournir des armes aux premiers guérilleros antifidélistes, apparus dans la Sierra del Escambray, au centre de l'île, à la fin de 1959. C'étaient surtout d'anciens soldats de Batista et des paysans aisés ; se trouvaient également parmi eux une poignée d'idéologues de droite et d'aventuriers. Mais juste au moment où ces bandes commençaient à poser un problème à Castro, la CIA les abandonna, aussi brusquement qu'elle les avait d'abord encouragés.

Au printemps 1959, alors que Fidel Castro se préparait à se rendre triomphalement aux Etats-Unis, les tensions réelles qui se faisaient jour entre les deux pays provenaient plutôt d'une série ininterrompue de faits quotidiens irritants, faisant boule de neige, que de grandes orientations politiques. A nouveau, les relations entre les deux voisins se trouvèrent sous le coup de facteurs affectifs et psychologiques, qui creusaient encore davantage le gouffre de la mésentente culturelle. Le problème, c'était que les Américains s'entêtaient à juger les attitudes des Cubains selon des critères américains ; la réciproque était également vraie du côté des Cubains ; cela créait une situation sans issue, lourde de conséquences. Jamais ce phénomène ne fut plus évident que lors des procès des « criminels de guerre » de Batista, menés par des tribunaux révolutionnaires.

En simplifiant à l'extrême, Fidel Castro et une foule de Cubains s'étonnaient que le gouvernement américain ne se fût jamais inquiété des assassinats et des tortures commis par la police et les soldats de Batista, et dont des milliers d'opposants à l'ancien régime avaient été les victimes (l'opinion publique américaine n'y accorda que peu d'attention), pour ensuite s'indigner parce que les révolutionnaires victorieux punissaient les coupables à grand renfort d'exécutions et de lourdes peines d'emprisonnement. Ni Castro ni de nombreux Cubains, qui en temps normal n'étaient guère assoiffés de sang, ne comprenaient pourquoi il y avait, en fait, deux poids et deux mesures, ni pourquoi les Etats-Unis condamnaient si nettement et si violemment la révolution qui mettait en œuvre sa propre conception de la justice. Ces tragiques malentendus atteignirent leur apogée au Sénat, avec l'intervention de Wayne Morse, connu comme un homme de gauche et sénateur de l'Oregon, qui se leva pour dénoncer le « bain de sang » en cours à Cuba et pour demander l'arrêt des exécutions « en attendant que les passions soient apaisées ». Castro, considérant toute critique envers Cuba comme une menace contre sa révolution, répliqua que justice serait faite « jusqu'à ce que tous les criminels du régime de Batista aient été jugés » et que « si ce qui se passait à Cuba ne plaisait pas aux Américains, ils n'avaient qu'à faire débarquer des *marines* [dans l'île], auquel cas, 200 000 *gringos* trouveraient la mort... ». Il s'agissait là d'une remarque faite à brûle-pourpoint devant un groupe de journalistes et Castro eut le bon sens de s'en excuser, mais cette menace s'étala à la une, dans tous les journaux du monde entier, ce qui empoisonna encore davantage le climat. Nous n'étions alors qu'en janvier, moins d'un mois après le triomphe de la révolution.

Incontestablement, Castro utilisa l'affaire des procès, qui suscitèrent une immense passion auprès des milliers de familles dont les fils, les frères et les maris avaient été mutilés et tués, pour pousser l'opinion publique cubaine à se détourner des Etats-Unis. Bien évidemment, une telle démarche ne pouvait avoir été calculée à l'avance, mais l'affaire servit à accélérer et à justifier le tour extrêmement radical que prenait la révolution. En un sens, les Américains faisaient le jeu de Fidel, mais il importe également — d'un point de vue historique — de replacer l'épisode des procès dans leur contexte. En premier lieu, il n'y eut, au sens généralement admis, aucun « bain de sang » à Cuba après la chute de Batista. Autrement dit, nulle foule vengeresse ne se fit justice elle-même, et l'ambassadeur Bonsal, observateur des plus impartiaux, écrivit par la suite que « trente ans plus tôt, les laquais du gouvernement Machado, jugés coupables de crimes similaires, avaient été tout simplement débusqués par la populace et massacrés... La procédure employée par Castro, à savoir l'instauration de tribunaux spéciaux chargés de juger ceux qui, sur la base de principes de Nuremberg, étaient accusés de crimes graves, aurait pu constituer une amélioration par rapport à la méthode utilisée précédemment... [Mais] ces tribunaux spéciaux étaient l'objet de toutes sortes de pressions, y compris celles que leur infligeait l'espèce d'atmosphère de cirque qui présidait à nombre de ces procès ».

Castro reconnaît que quelque cinq cent cinquante « criminels » à la solde de Batista furent exécutés en 1959 et 1960 après un jugement sommaire, d'abord devant des cours martiales, ensuite devant des tribunaux révolutionnaires spéciaux (les juridictions spéciales furent abolies au bout de six mois environ, mais ressuscitèrent à la fin de 1959 pour juger les « contre-révolutionnaires » qui commençaient à faire leur apparition, parfois avec l'assistance de la CIA). Quoi que l'on puisse trouver à dire des procédures appliquées devant ces tribunaux, les prévenus n'étaient pas choisis au hasard, mais parce qu'ils étaient réputés avoir commis des crimes et des exactions à grande échelle ; ils étaient donc passibles de peines, conformément aux dispositions des lois révolutionnaires proclamées dans la Sierra en 1958. Ces procès révolutionnaires ne pouvaient en aucun cas être comparés aux véritables bains de sang qui suivirent les révolutions sociales mexicaine, chinoise et russe au XXe siècle — ni même aux scènes de vengeance populaire qui se produisirent à Cuba après la dictature de Machado, en France et dans d'autres pays occupés par les nazis après la Libération, au Venezuela après la déposition du dictateur Pérez Jiménez en 1958 et en république Dominicaine après le meurtre de Trujillo en 1961. De même, la révolution cubaine ne s'adonna pas à des tueries massives et institutionnalisées comme celles qui furent perpétrées à l'encontre de centaines de milliers de Chinois en Indonésie au lendemain du coup d'Etat militaire anticommuniste, ou ces massacres de milliers de personnes attribués aux autorités militaires chiliennes après le renversement du président Salvador Allende Gossens, en 1973. Si l'on tient compte du fait que, lors des premiers jours de la révolution, l'ordre public dans la majeure partie de l'île était assuré par des milices locales du Mouvement du 26 juillet, des scouts et des unités de l'avant-garde rebelle, on est en droit de s'étonner que les Cubains, prédisposés à la violence, soient demeurés si peu violents.

Cependant, en janvier, Castro commit sa plus grave erreur en organisant au stade de La Havane un « procès-spectacle » pour trois anciens officiers de Batista exceptionnellement cruels. Peut-être avait-il pensé que, grâce à ces audiences publiques et télévisées, il écraserait dans l'œuf toute tentation de se faire justice soi-même, en montrant au peuple que les crimes de Bastista étaient jugés dans les plus brefs délais. Mais, pour l'opinion publique internationale, ce fut un désastre total et c'est cette manifestation qui est à l'origine de la légende de « l'espèce d'atmosphère de cirque » à laquelle fait allusion Bonsal (en fait, un seul des procès se déroula dans le stade). Le principal prévenu était l'ancien commandant Jesús Sosa Blanco, accusé d'un grand nombre de meurtres commis dans la province d'Oriente et célèbre pour sa brutalité, mais il ne s'agissait pas d'un tribunal irrégulier. Les trois juges étaient le ministre de l'Agriculture, Humberto Sorí-Marín, juriste catholique, assesseur de l'Armée rebelle (exécuté plus tard pour activités contre-révolutionnaires), Raúl Chibás, de tendance modérée, trésorier du Mouvement du 26 juillet (qui s'enfuit de Cuba deux ans plus tard), et Universo Sánchez, l'ancien compagnon d'armes de Castro. De même que ses coinculpés, Sosa Blanco avait des avocats pour le défendre. Néanmoins, il contribua à instaurer l'atmosphère de cirque en criant qu'il était soumis à une procédure digne d'un « cirque romain ». Il fut condamné à mort ; la sentence fut confirmée, par la suite, lors d'un procès plus tranquille, dans la salle d'audience d'un tribunal militaire.

Raúl Chibás, qui, à la demande personnelle de Castro, fit office de juge dans d'autres procès et qui réside aux Etats-Unis depuis son exil, déclare, un quart de siècle après les événements, que ces procédures étaient parfaitement légitimes. « Sincèrement, j'étais d'accord avec ces procès, dit-il. J'étais d'accord dès le départ et j'avais débattu avec Fidel [dans la Sierra] de la nécessité d'appliquer la justice après la chute de Batista... en arguant du fait que si justice n'était pas faite, le peuple s'en chargerait comme à l'époque de Machado, lorsque la foule traînait des cadavres dans les rues... Quand on essaye de procéder selon la loi, une réaction inverse s'amorce. C'est là, malheureusement, de l'hypocrisie ; j'en avais parlé avec Castro... Ils [les officiers partisans de Batista] avaient été avertis par la proclamation que nous avions lancée dans la Sierra ; ils savaient que la justice frapperait ceux qui avaient volé et assassiné les paysans ; aussi ai-je pensé que nous avions agi conformément à ce que nous avions promis. » L'idée d'organiser les procès dans le stade a « fait boomerang », pense-t-il, mais « Fidel voulait prouver qu'il s'agissait de meurtriers, responsables de plus d'une centaine d'assassinats et de quantité de viols... » Une autre erreur de Castro a été d'exiger un nouveau procès au mois de mars pour rejuger quarante-quatre aviateurs, acquittés par un tribunal révolutionnaire de Santiago : ils étaient accusés d'avoir bombardé des paysans dans la Sierra. Castro avait déclaré à la télévision que « la justice révolutionnaire ne reposait pas sur des préceptes juridiques mais sur des convictions morales ». L'un des fondateurs de sa police secrète, le commandant Manuel Piñeiro Losada, fut nommé président du tribunal qui condamna tous les aviateurs à diverses peines de prison.

Mais un aspect philosophique demeure, qui sous-tend ces procès et qui est à l'origine de l'incompréhension totale entre Cubains et Américains.

S'appuyant sur les lois révolutionnaires du temps de guerre, Castro était persuadé que la révolution avait absolument le droit de tenir ces procès, tandis que, en 1959, l'opinion américaine axée sur les procédures anglo-saxonnes voulait, en toute hypocrisie, feindre d'ignorer l'émotion des Cubains. Il ne faut pas non plus oublier le fait que le droit cubain, reposant sur des codes *napoléoniens*, peut sembler parfois laisser à l'accusé (à l'inverse du *common law* anglais) la charge de faire la preuve de son innocence. Mais pour Fidel Castro, « dans la Sierra Maestra, nous avions constitué un embryon d'Etat et nous avions rédigé un code pénal prévoyant le châtiment des crimes de guerre... une fois acquis le triomphe de la révolution, les tribunaux ont considéré que nos lois étaient applicables et validées par la victoire ; aussi ont-il jugé de nombreux criminels de guerre qui n'avaient pu prendre la fuite... » C'est cela, affirme-t-il, qui « donna à l'étranger le coup d'envoi des campagnes contre Cuba, en particulier aux Etats-Unis où l'on comprit très vite que nous avions là un régime différent, un gouvernement qui ne se montrerait pas docile ; c'est ainsi que commencèrent de furieuses campagnes contre la Révolution. » Pour Rufo López-Fresquet, ministre du Trésor modéré et pro-américain, qui suivit Castro pendant quatorze mois, « l'étranger, en particulier l'Américain du Nord, insistait sur les aspects juridiques des procès révolutionnaires », tandis que « le Cubain s'intéres-sait au concept moral de la justice... Si nous exécutions un homme qui se vantait d'avoir tué d'autres hommes par dizaines, sous la protection de l'uniforme du dictateur, les Cubains pensaient que justice était faite. Le reste du monde s'attachait à critiquer le processus révolutionnaire. Les deux parties avaient sans doute raison, mais leurs conceptions étaient trop éloignées l'une de l'autre. Peu de voix se sont élevées pour tenter de concilier, sans passion, des points de vue aussi différents... »

(Ni les Cubains ni les Américains n'auraient dû être pris de court : en effet, en février 1958, un an avant la fin de la guerre, *Look* à New York et *Bohemia* à La Havane avaient publié un reportage-photos intitulé « Justice dans la Sierra ». On y voyait Castro, assis par terre, interroger des prisonniers accusés de viol et d'assassinat devant un « tribunal révolution-naire » qui avait siégé pendant douze jours ; on y voyait aussi Raúl Castro commander un peloton d'exécution.)

Ainsi les campagnes anticubaines commencèrent-elles à prendre forme au sein du gouvernement américain, puis du Congrès, et dans certains secteurs des médias, tandis que Castro observait ces événements avec attention. Persuadé qu'au sein de l'opinion cubaine comme en Amérique, il existait toujours une « mentalité plattiste » (c'est-à-dire la conviction que l'amende-ment Platt, reconnaissant aux Etats-Unis le droit d'intervenir à Cuba, pouvait encore s'appliquer malgré son abrogation de longue date), il trouvait des conspirateurs partout et croyait voir ses prophéties s'accomplir. Quand l'Amérique condamna les procès, Castro réagit en l'accusant d'avoir donné asile aux pires « criminels de guerre » de Batista (ce qui était vrai), lesquels s'empressaient de conspirer contre la Révolution (ce qui était également vrai).

Dès la première semaine de son arrivée à La Havane, dans chacun de ses discours, Castro s'employa à faire comprendre aussi clairement que possible aux Etats-Unis qu'ils n'avaient plus leur mot à dire. Le 13 février, devant le Lion's Club, il devait rappeler à son auditoire que « l'amendement Platt n'existait plus », même si sa révolution faisait déjà l'objet de certaines attaques aux Etats-Unis ; il ajoutait que les Cubains avaient le droit de prendre leur destinée en main et même de « faire mieux que ceux qui n'avaient que la démocratie à la bouche et envoyaient des chars Sherman à Batista ». Deux jours après, il affirmait aux Rotariens : « Personne ne peut intervenir chez nous, parce que notre souveraineté n'est pas une faveur que l'on nous aurait accordée, mais bien un droit conquis par la nation. » Le lendemain après-midi, il déchaîna une véritable ovation de la part de centaines de milliers de personnes rassemblées devant le palais présidentiel en disant que si les Etats-Unis souhaitaient entretenir de bons rapports avec Cuba, « la première chose qu'ils avaient à faire était de respecter sa souveraineté ». Enfin, cinq jours plus tard, lors d'un autre rassemblement de masse devant le palais, il rouvrit la question de la validité des procès en exigeant de l'immense foule qu'elle lève la main, « si vous pensez que les assassins doivent être exécutés ». Une forêt de mains se dressa et Fidel proclama : « Le jury d'un million de Cubains de toutes les classes sociales et de toutes idéologies vient de voter ! »

Au mois de mars, Castro devait prendre des initiatives politiques dont le moins que l'on puisse dire est qu'elles renfermaient plusieurs contradictions s'il souhaitait vraiment un revirement de l'opinion américaine en faveur de la Révolution. En acceptant l'invitation de l'Association des directeurs de journaux à prendre la parole lors de sa réunion annuelle à Washington, il se rendait aux Etats-Unis sans en avoir été prié par le gouvernement Eisenhower ; mais en lançant l' « Opération Vérité » au bénéfice des membres de la presse américaine, désireux de visiter Cuba en qualité d'hôtes du gouvernement, on pouvait croire qu'il faisait la cour aux Américains. Pourtant, dans le même temps, il était « intervenu » au sein de la compagnie cubaine des téléphones dont les capitaux étaient américains ; en d'autres termes, le régime avait pris la direction de la société afin de mener une enquête sur ses activités. Cette attitude correspondait parfaitement aux déclarations que Castro avait faites, au temps de l'attaque contre Moncada, sur la nécessité pour son pays d'être maître de ses services publics, mais du point de vue de la politique, le moment était bien mal choisi, à la veille d'un voyage aux Etats-Unis. De surcroît, il s'en prit publiquement à José Figueres, l'ancien Président du Costa Rica, qui était l'un de ses premiers alliés, en l'accusant de faire montre de tendances « impérialistes » intolérables : lors d'un grand rassemblement, Figueres avait en effet insinué que, dans l'affrontement entre Américains et Soviétiques, on ne pouvait être que du côté de Washington. Et c'est là-dessus que Fidel Castro s'en fut aux Etats-Unis.

La plupart des nouveaux dirigeants, en Amérique latine, partaient aussi vite que possible en pèlerinage dans la capitale des Etats-Unis afin d'y solliciter les faveurs du gouvernement et d'y gagner une aide économique d'urgence. Cependant Fidel Castro fit exception, car non seulement il ne demanda pas d'argent, mais il refusa même d'en parler. Le monde politique en fut ébranlé. Le ministre des Finances, Rufo López-Fresquet, faisait partie de la suite de Castro avec une centaine d'autres personnalités ; dans ses Mémoires (écrits en exil), il rapporte que Fidel lui déclara à cette occasion : « Je ne veux pas que ce voyage ressemble à ceux que font les nouveaux dirigeants latino-américains ; ils se rendent toujours aux Etats-Unis en quémandeurs. Je veux que ce voyage prouve ma bonne volonté. En outre, cela étonnera les Américains et quand nous regagnerons Cuba, ils nous offriront leur aide sans que nous ayons eu à la leur demander. Notre position en sera donc renforcée. » López-Fresquet considère que « le raisonnement n'était pas complètement illogique », même si, à ce moment-là, les réserves du gouvernement étaient inférieures à un million de dollars. Il est une chose que Castro ne confia pas à son ministre : sa volonté de prouver aux Cubains et aux autres pays d'Amérique latine qu'il pouvait faire acte de présence aux Etats-Unis aux conditions qu'il avait lui-même posées (et sans invitation officielle du gouvernement), agir en égal et ne pas ternir son image de marque par des discussions d'argent dans lesquelles il aurait forcément tenu le rôle de demandeur. Dans l'esprit de Fidel, ce voyage devait faire ressortir la totale indépendance de la révolution cubaine à l'égard de son puissant voisin, mais surtout il se voyait déjà dans le rôle du plus grand dirigeant de tout l'hémisphère occidental. Il n'empêche qu'il avait emmené avec lui ses principaux experts économiques et ses meilleurs conseillers financiers.

La visite aux Etats-Unis était avant tout un exercice en matière de relations publiques et une tentative pour montrer aux Américains du Nord ce qu'était le nationalisme latino-américain ; elle débuta le 15 avril au soir dans le chaos et la confusion caractéristiques de toutes les activités politiques. Déjà, il était monté à bord de l'avion spécial de la compagnie Cubana Aviación avec deux heures de retard. Fidel faisait attendre tout le monde, à Cuba comme à Washington (il dit à l'un de ses conseillers qui manifestait son inquiétude : « Nous allons rester quinze jours là-bas ; une heure ou deux de plus ou de moins, quelle différence cela fait-il ? »). Manifestement, il savourait ce moment. Son dernier voyage aux Etats-Unis datait de quatre ans ; à l'époque, il n'était qu'un révolutionnaire impécunieux et plutôt obscur qui demandait aux immigrés cubains des subsides destinés à financer la guerre promise contre Batista et avait dû solliciter humblement une prolongation de son visa de tourisme. En fait, malgré son anti-américanisme, Fidel, consciemment ou non, était venu quérir la bénédiction de l'Amérique du Nord pour la personne et les actes de Castro ; c'est sans doute pourquoi, plus de trente années après, il demeure extrêmement sensible à tout ce que l'on écrit sur lui aux Etats-Unis, jusqu'au moindre détail.

Arrivé à destination, Castro reçut un accueil délirant ; par la suite, fonctionnaires, sénateurs, représentants à la Chambre et journalistes le sermonnèrent à l'envi sur les dangers du communisme et les beautés de la démocratie, avec cette condescendance exaspérante que les Américains manifestent envers les étrangers. Il s'amusait prodigieusement et faisait mine de tout croire ; il fit jouer son charme et dit tout ce que ses hôtes voulaient entendre. Les acclamations et l'attention qu'il attirait sur lui le faisaient jubiler ; à neuf ans, Fidelito, qu'il emmenait partout, ne faisait que lui attirer de nouvelles sympathies ; il réservait l'expression de son mépris aux amis qu'il comptait parmi ses gardes du corps. Il passa moins d'une semaine à Washington et pendant ce laps de temps, le président Eisenhower s'arrangea pour aller jouer au golf ailleurs, ce qui n'avait rien d'insultant dans la mesure où le Cubain n'était pas chef d'Etat et n'avait pas été invité officiellement. Sans doute eût-il été plus avisé de le prier à la Maison-Blanche. Il n'en reste pas moins que, revêtu de son treillis vert olive, Castro vit se dérouler devant lui tous les tapis rouges : convié à un déjeuner donné par le secrétaire d'Etat par intérim, Christian Herter, il fut reçu par le vice-président Nixon pendant deux heures et demie, dans son bureau du Capitole, alors déserté (c'était un dimanche après-midi et Fidel avait refusé de se rendre à la résidence du Vice-président). La réunion se termina par un constat d'incompréhension totale et réciproque ; Nixon en sortit convaincu de la mainmise des communistes sur Cuba. Suivit un déjeuner au National Press Club où Castro répondit de bonne grâce aux questions des journalistes dans un anglais étonnamment facile, bien qu'avec un fort accent ; il y eut ensuite une interview télévisée dans le cadre de l'émission *Meet the Press ;* des entretiens avec des sénateurs et des représentants parmi les plus en vue ; enfin, une réception donnée à l'Ambassade de Cuba où il résidait, dans la 16ᵉ Rue. A cette occasion, il apparut pour la première fois en grand uniforme, avec cravate et tunique, et eut un bref entretien avec l'ambassadeur d'URSS, Mikhaïl A. Menchikov. C'était là sa première entrevue avec une personnalité soviétique.

Dans ses moments de liberté, Castro visita les monuments dédiés à Jefferson et à Lincoln, et se promena pendant une heure dans les jardins de Mount Vernon, la demeure historique de Georges Washington. Devant le Jefferson Memorial, quelqu'un lui demanda son opinion sur la pratique des coups d'état, à quoi il répondit : « Je ne suis pas partisan de changer fréquemment les lois et les Constitutions, mais lois et Constitutions doivent aller de pair... c'est bien là un principe révolutionnaire... il faut introduire des modifications progressives dans les institutions, à mesure que les mentalités évoluent. » Le samedi soir, après la réception à l'ambassade, il s'offrit le plaisir d'une escapade comme il en faisait à La Havane ; échappant pendant quatre heures à l'énorme dispositif de sécurité mis en place par les Américains, il fit une promenade en voiture dans Washington, en compagnie de cinq de ses compatriotes. Après avoir dîné dans un restaurant chinois du centre, il discuta avec un groupe d'étudiants qui occupaient les tables voisines, et finit par rentrer vers trois heures du matin.

Il sut se montrer très fin politique au cours de ce séjour, même si, rétrospectivement, il est évident qu'il trompait tout le monde, ce qui dans son esprit était « historiquement justifié ». Sur la question du communisme à Cuba, dont on lui rebattait les oreilles, il répondait sans cesse : « Nous ne sommes pas communistes » ; il ajoutait que, s'il y avait des communistes dans son gouvernement, leur « influence était nulle », et qu'il n'était pas en accord avec leur doctrine. On a avancé plus tard que, à l'époque de ce voyage aux Etats-Unis, Castro n'avait pas encore fait le tri de ses allégeances idéologiques et qu'on ne pouvait douter de la véracité de ses réponses sur le communisme. Mais ce raisonnement ne tenait pas compte du fait, encore ignoré, que Fidel avait entamé des conversations secrètes en vue d'une alliance avec les « vieux » communistes, trois bons mois auparavant. Sans doute afin de rassurer les Américains au cours de la période de transition qui suivit la victoire, il annonça que Cuba ne procéderait à aucune confiscation de biens privés appartenant à des étrangers (ce qui désignait surtout des sociétés à capitaux américains) et que l'on chercherait à attirer des investissements afin de créer des emplois. S'adressant, lors d'un déjeuner, aux journalistes qui l'avaient invité aux Etats-Unis, il dit encore : « La première chose que font les dictateurs est d'abolir la liberté de la presse et d'instaurer la censure. Il ne fait pas le moindre doute qu'une presse libre est la plus grande ennemie de ce genre de régime. »

A Washington, Castro annonça publiquement qu'il n'y aurait pas d'élections à Cuba dans un avenir prévisible ; devant les journalistes de la télévision qui l'interrogeaient, il déclara qu'il faudrait un délai de quatre ans avant que le gouvernement révolutionnaire puisse « instaurer les conditions nécessaires à des élections libres ». Jusqu'alors, il avait affirmé que le délai ne dépasserait pas deux ans et il n'y avait attaché aucune condition. Les premiers signes d'un changement fondamental dans sa conduite politique étaient apparus à l'occasion d'un discours prononcé à La Havane, le 9 avril, huit jours avant son départ pour Washington : « Nous voulons que, lorsque le temps des élections viendra,... tout le monde ait du travail, la réforme agraire soit passée dans les faits... tous les enfants aillent à l'école... chacun puisse se faire soigner dans un hôpital... chaque Cubain connaisse ses droits et ses devoirs, chaque Cubain sache lire et écrire... Alors, nous pourrons organiser des élections démocratiques ! » En fait, il proposait un délai qui devait s'étaler sur toute une génération, mais à Washington, il préféra dire que les temps seraient accomplis à quatre ans de là et que, en attendant, « les gens affamés n'étaient pas prêts à accueillir une vraie démocratie ».

De manière presque imperceptible, tout en offrant son sourire désarmant aux caméras de la télévision dans la capitale américaine, Castro avait modifié les règles du jeu à Cuba. Les « conditions » posées pour des élections libres — et certes, il se gardait de dire qu'il n'y en aurait pas — semblaient éminemment raisonnables et, après tout, 90 % des Cubains lui faisaient confiance. Poussant ses pions sur plusieurs fronts, y compris ceux qui n'étaient pas visibles, le Premier ministre de la Révolution avait sa stratégie et sa tactique bien en main. Très vite, on devait entendre et lire un nouveau mot d'ordre : « La Révolution d'abord, les élections après ! » Ainsi Fidel pouvait-il prétendre qu'il obéissait simplement à la *vox populi*. Vers la fin du mois de juin, les élections (comme l'anticommunisme) étaient devenues un thème contre-révolutionnaire.

Sûr de n'être pas inquiété à l'intérieur du pays où Raúl, investi des pleins pouvoirs, tenait en main la politique révolutionnaire (bien que Martínez Sánchez, le ministre de la Défense, fût censé être Premier ministre par intérim), Fidel pouvait pleinement profiter de son voyage dans le Nord du continent américain et préparer en toute quiétude ses futurs déplacements au Sud. C'est à ce moment que se situe un épisode extrêmement bizarre, une partie de poker menteur dans laquelle aucun des joueurs n'en savait assez sur l'autre. A ce jour, peut-être Castro ignore-t-il encore la vérité ; seuls les vieux agents de la CIA ont des chances de la connaître. Etait-ce pour mettre à l'épreuve ses protestations de pureté à l'égard du communisme ou pour profiter des connaissances qu'il avait acquises sur les communistes ? Toujours est-il que la CIA s'arrangea pour que Castro acceptât de recevoir un individu qu'elle faisait passer pour son principal expert ès-communisme en Amérique latine ; il s'agissait d'un Allemand, réfugié du temps de guerre, nommé Gerry Drecher (souvent identifié par erreur comme étant un certain « Droller ») ; l'homme était grand fumeur de havanes, utilisait pour pseudonyme le nom de Frank Bender et ne connaissait strictement rien à la situation en Amérique du Sud. A Washington, Castro avait refusé de le voir, mais il finit par céder et accepta de le rencontrer à New York dans un appartement qu'il occupait à l'hôtel. (Il était arrivé dans cette ville le 21 avril, après avoir prononcé un discours à l'université de Princeton.)

C'est par l'intermédiaire de López-Fresquet (poussé par ses amis américains) que les contacts s'étaient noués. La rencontre entre Castro et Bender dura plus de trois heures, écrit-il. Puis, « Bender me rejoignit dans mon appartement ; il nageait en pleine euphorie... il me demanda à boire et, l'air soulagé, s'exclama : " Non seulement Castro n'est pas communiste, mais il est farouchement opposé au communisme. " » Ensuite, Bender confia à López-Fresquet « qu'il s'était arrangé avec Castro pour échanger des renseignements sur les activités des communistes » et que le ministre devait être son contact à Cuba... « Un mois après, à La Havane, lors d'une réception à l'ambassade de France, une personnalité américaine s'approcha de moi et me donna un message oral à transmettre à Castro de la part de M. Bender. Je communiquai le renseignement à Castro pendant le conseil des ministres, mais il ne me donna aucune réponse et jamais il ne me confia la moindre bribe d'information à faire passer à M. Bender, l'expert ès-communisme. » Il y a une chose que López-Fresquet ne dit pas : Bender-Drecher se préparait déjà à jouer l'un des premiers rôles dans la mise au point de l'invasion de la Baie des Cochons, qui devait se produire deux ans plus tard ; il dirigerait l'action politique pour toute l'opération. Bien étrange rencontre. Bender pensait-il vraiment que Castro lui passerait des renseignements sur les communistes et fut-il sa dupe ? (Il ne pouvait rien savoir des rencontres de Cojímar.) Castro soupçonna-t-il qu'il recevait un futur conspirateur ? (Probablement pas.) En tout cas, à Washington, Fidel devait confier à López-Fresquet, qui conservait toujours ses illusions : « Ne t'inquiète pas, Rufo, je laisse les communistes se montrer pour pouvoir tous les connaître. A ce moment-là, je les balaierai d'un seul coup de ma casquette. »

Pendant les quatre jours qu'il passa à New York, Fidel se conduisit en héros conquérant ; il alla au palais des Nations unies, s'adressa à une foule de 30 000 personnes un soir dans Central Park, visita l'Hôtel de Ville ainsi que la Bourse du café et du sucre, prit la parole au cours de dîners et de déjeuners, s'adressant à des éditeurs, des hommes d'affaires, des financiers. L'effet qu'il produisit fut superbe et presque personne ne prêta attention à une remarque prononcée à l'ONU : les Cubains, à l'en croire, étaient « unanimement » opposés à des élections dans l'avenir immédiat parce qu'ils courraient le risque d'un retour de « l'oligarchie et de la tyrannie ».

Passa également inaperçue une dépêche à la une du *New York Times*, émanant du correspondant du quotidien à La Havane, Ruby Hart Phillips. Ce dernier rapportait, en date du 23 avril, que « le Parti populaire socialiste communiste est en train de prendre en main chaque village ou bourgade... l'influence communiste dans les syndicats se fait de plus en plus sentir... les dirigeants du Mouvement du 26 juillet combattent ces tentatives, mais ces jeunes rebelles sont des amateurs si on les compare aux communistes ». De New York, Castro se rendit à Boston par le train, prit la parole à l'université Harvard, puis, de là, il partit pour Montréal ; une fois au Canada, il déclara son intention d'aller immédiatement à Buenos Aires afin d'y assister à une conférence économique interaméricaine.

Cette décision visait à atteindre un objectif que s'était fixé Castro : prendre contact aussitôt que possible avec les dirigeants d'Amérique du Sud — son premier geste à la Bolivar — et affirmer son indépendance à l'égard des Etats-Unis. Il voulait, par la même occasion, clarifier son attitude envers les autres mouvements révolutionnaires en Amérique latine, préciser l'assistance que Cuba était susceptible de leur apporter (si l'on se fiait à ses propres déclarations) et, enfin, s'expliquer sur une série d'incidents bizarres qui s'étaient produits dans l'île pendant son séjour aux Etats-Unis.

En l'occurrence, la principale proposition qu'il avait faite consistait à offrir « l'hospitalité » de Cuba, une possibilité d'emploi et une aide matérielle à tous les émigrés des pays d'Amérique latine qui espéraient renverser les dictatures installées chez eux. Ce fut là, effectivement, la première allusion à ce qu'on allait baptiser « l'internationalisme » de Castro, mais comme ce dernier ne cesserait de le répéter pendant les trente ans à venir : « la révolution cubaine n'est pas un produit d'exportation » ; il estimait que les révoltes devaient être engendrées par des situations propres à chaque nation. Néanmoins, il avait dû se rendre compte qu'une certaine agitation régnait dans cette partie du monde. Pendant son voyage aux Etats-Unis, de nombreux rapports avaient fait état d'invasions imminentes, lancées à partir de bases cubaines, par des rebelles nicaraguayens, panaméens ou haïtiens. En fait, ces rapports étaient embarrassants pour lui car on soupçonnait fortement, à l'époque, que ces expéditions se préparaient, en l'absence de Fidel, sous l'égide de Raúl Castro. En fait, le 18 avril, on arrêta dans leur camp, situé au cœur de la province de Pinar del Río, plus d'une centaine de Nicaraguayens et leurs armes furent saisies ; le commandant de l'Armée rebelle pour cette province déclara que Castro avait interdit les coups de main lancés à partir du territoire cubain. Le même jour, à La Havane, un dirigeant de l'opposition panaméenne, Ruben Miró, déclara que ses groupes armés allaient débarquer à Panama dans moins d'un mois. Le 21 avril, la célèbre ballerine Margot Fonteyn, arrêtée à Panama, fut expulsée du pays, tandis que son mari, Roberto Arias, un homme politique, prenait le maquis ; leur yacht avait été repéré en train de croiser au large de la côte de façon suspecte. López-Fresquet, qui se trouvait à Boston en compagnie de Castro, se souvient d'avoir surpris une conversation téléphonique entre Raúl et Fidel, le jour même où le Panama

431

annonçait la capture de trois rebelles, dont deux citoyens cubains; apparemment, Fidel était furieux contre son cadet.

Entre Montréal et l'Amérique du Sud, le 27 avril, l'appareil de Castro fit escale à Houston où Raúl accourut en avion pour voir son frère; l'entrevue, à l'aéroport, dura une demi-heure. Fidel n'a jamais officiellement expliqué pourquoi il avait convoqué Raúl, mais le lendemain, alors qu'il survolait Cuba, il fit diffuser une condamnation de la conduite « irresponsable » de ses compatriotes qui avaient débarqué à Panama, au grand dam de la révolution cubaine. Devant l'O.E.A. à Washington, le nouvel ambassadeur de Cuba, Raúl Roa García, dénonça lui aussi l'aventure panaméenne — et l'on applaudit vivement Fidel pour les qualités d'homme d'Etat dont il avait fait preuve. Fidèle pourtant à son « internationalisme », il ne tourna jamais le dos aux révolutionnaires sud-américains. Il avait, par contre, un talent inégalable pour tirer avantage de toutes les situations.

Il consacra dix jours à son voyage; on fit un triomphe à sa personne comme à sa révolution; il attira des foules immenses; des ovations le saluèrent partout et l'attention des dirigeants resta fixée sur lui. Le Premier ministre Eric Williams l'accueillit à Port d'Espagne; à São Paulo, il proclama que « nos aspirations sont identiques à celles de toute l'Amérique latine »; puis il se rendit par avion sur le site de la future Brasilia pour y conférer avec le président Juscelino Kubitschek; à Buenos Aires, il rencontra le président Arturo Frondizi; à Montevideo, où il fut reçu par le gouvernement uruguayen, il prit la parole devant un grand rassemblement populaire; il retourna au Brésil pour d'autres entretiens avec Kubitschek, s'adressa à la foule et passa à la télévision, ravi de se faire voir partout. Mais l'apogée du voyage, ce fut la conférence économique de Buenos Aires où il siégea, toujours vêtu de son treillis vert olive, au milieu des ministres de l'Economie de tout l'hémisphère (les Etats-Unis s'étaient contentés de déléguer un simple adjoint au secrétaire d'Etat) : « L'heure est venue, s'exclama-t-il, pour les peuples d'Amérique latine de consentir un effort de chaque jour afin de trouver une véritable solution à nos problèmes, qui sont économiques par nature ». Dans ce discours, prononcé le 2 mai devant le Comité des 21, Castro pressait les Etats-Unis de consentir à l'Amérique latine une aide de 30 milliards de dollars, échelonnée sur dix ans; aussitôt, Washington repoussa et ridiculisa cette idée, aussi grotesque que démagogique. Pourtant, deux ans plus tard, le président John Fitzgerald Kennedy offrirait 25 milliards de dollars pour un programme de développement de l'Amérique latine, dans le cadre de l'Alliance pour le Progrès. (Castro s'amusa prodigieusement de cette tentative faite pour s'approprier ses propres idées.) Il est certain que, pour tout ce qui touchait aux besoins des populations d'Amérique latine, Fidel avait un flair extraordinaire qu'aucun gouvernement des Etats-Unis ne pourrait ni ne voudrait comprendre dans les décennies à venir. Le contraste entre ce voyage triomphal et le fiasco de la tournée entreprise exactement un an plus tard par le vice-président Nixon, sous les crachats de la foule et les jets de pierres, fit ressortir de manière spectaculaire l'ambiance qui régnait dans cette partie du globe.

Prenant des bains de foule partout où il se rendait — Etats-Unis, Canada, Amérique du Sud —, Castro fut toujours une cible facile pour des assassins.

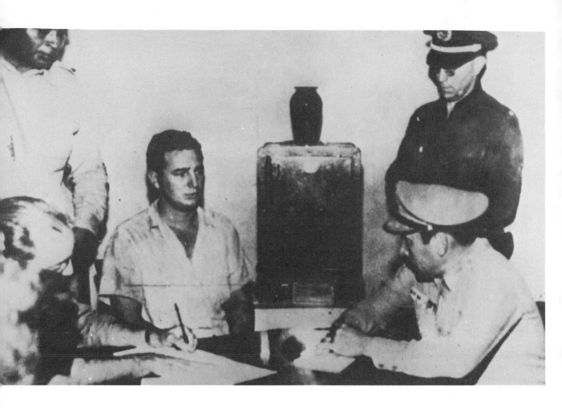

1

2

4

6

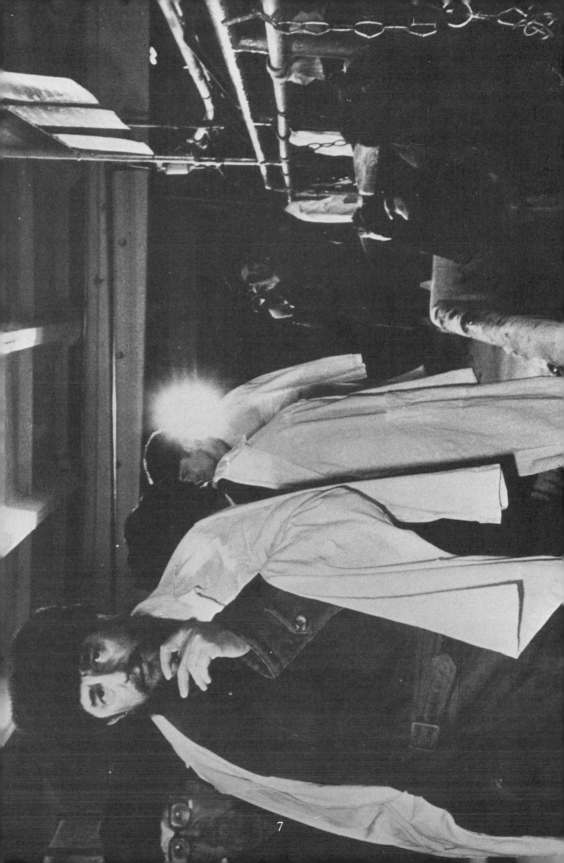

8

Nulle part, pourtant, il n'y eut d'attentat contre sa personne. D'ailleurs il faisait montre d'un fatalisme de guérillero ; à New York, où on lui avait montré une manchette de journal parlant d'un « complot contre sa vie », il avait souri et répondu : « Je ne m'inquiète pas. Je ne vivrai pas un seul jour après ma mort. »

Le 7 mai, Castro était de retour à La Havane ; dès le lendemain, il donna le coup d'envoi à la phase suivante de la révolution. Toujours aussi conscient de la nécessité du contact avec les masses, il rassembla sur la grande place de la capitale (rebaptisée Plaza de la Revolucion) une foule composée de dizaines de milliers de personnes et affirma devant elles : « La Révolution ne renoncera jamais à ses principes d'humanité... ni à la justice sociale à Cuba ». Puis le cortège des voitures officielles — des Oldsmobile — s'ébranla pour se rendre à Cojimar où Fidel présenta à ses ministres le texte de la loi sur la réforme agraire, déjà rédigé en secret par son équipe clandestine qui avait travaillé dans la maison de Che Guevara. Le 17 mai, à quelques pas de son ancien quartier général dans la Sierra Maestra, tous les ministres signèrent le texte de loi et Castro déclara à la télévision : « une ère nouvelle commence pour Cuba ».

La principale disposition de ce texte (qui remplaçait la loi agraire rédigée dans la Sierra en 1958) limitait la propriété individuelle à 390 hectares ; les plantations de canne, les rizières, les élevages de bétail pouvaient couvrir jusqu'à 1 330 hectares. La propriété privée de la terre n'était pas posée en principe ; des indemnisations étaient promises en cas de nationalisations. Dans la pratique, cependant, le phénomène politique et économique de la grande propriété fut aboli. La loi visait surtout à affirmer la nationalisation des terres, mais faisait en sorte que les grandes plantations et les élevages puissent continuer de produire. La réforme agraire marqua la première étape importante de la Révolution, ainsi que Castro devait le dire plus tard : « De là date la véritable rupture entre la Révolution et les secteurs riches et privilégiés du pays, la rupture avec les Etats-Unis [et] avec les multinationales. » Comme il le fit remarquer, certaines sociétés américaines possédaient jusqu'à 200 000 hectares des « meilleures terres » de Cuba. Il n'est pas surprenant que la loi ait reçu un accueil délirant de la part de la population, surtout chez les paysans ; dans la foulée, l'appareil de propagande intérieure, qui fonctionnait à la perfection, sortit un nouveau slogan : « La réforme agraire, ça marche ! » On l'entendait répéter sans fin sur les ondes et à la télévision, tandis que toutes les téléphonistes qui prenaient un appel le récitaient à leurs correspondants au lieu de dire « Allô ».

Au point de vue politique, la loi fournit à Castro son plus bel instrument de pouvoir absolu en lui permettant de créer l'Institut national de la Réforme agraire (INRA) qui lui procura, en fait, le camouflage de son « gouvernement caché ». Castro, qui était déjà Premier ministre et Commandant en chef, fut nommé président de l'INRA et Antonio Nuñez Jiménez, le coordinateur du groupe secret de Tarará, en devint le directeur. Une liaison s'établit aussitôt entre l'INRA et l'Armée rebelle, pour mettre à exécution les décisions politiques et économiques du premier. C'était là une étape logique dans le déroulement du plan de gouvernement de Castro : une armée rebelle forte et modernisée devait être le noyau du pouvoir révolutionnaire et son avant-garde. En fait, on ne put bientôt plus distinguer entre l'Armée et l'INRA, et Castro n'assistait plus que rarement aux réunions du conseil des ministres ; celui-ci n'était plus qu'un simple ornement.

Lorsqu'il évoque cette première année, Nuñez Jiménez se rappelle que, sous la direction de Castro, l'INRA était « le bastion où s'élaborait la Révolution pendant ces quelques mois... l'organisme qui porta le coup fatal à la bourgeoisie et à l'impérialisme. » Il ajoute que « ce n'était pas de bonne tactique de modifier soudain le conseil des ministres... notre peuple n'était pas idéologiquement préparé à voir éclater une lutte ouverte entre la révolution et la contre-révolution au cœur même de l'Etat... Au sein de l'INRA, Fidel créa donc les équivalents des plus importantes fonctions du gouvernement révolutionnaire », notamment un département de l'industrialisation, confié à Che Guevara qui devenait, de ce fait, ministre de l'Industrie. Plus tard, quand ce dernier fut appelé à la présidence de la Banque nationale, Nuñez Jiménez en fut nommé vice-président pour y faire entendre la voix de l'INRA ; l'ancien ministère du Commerce se transforma en département de la commercialisation, dépendant de l'INRA. Peu à peu, ministères et départements se chevauchèrent, jusqu'à ce que le « conseil des ministres fût entièrement formé de révolutionnaires », précise Nuñez Jiménez. Ensuite, avec l'aide de Raúl Castro, l'INRA créa son armée, une milice de 100 000 hommes répartie en unités bien organisées et consacra 11 millions de pesos à une école d'artillerie, ainsi qu'à la mise sur pied des premières unités d'artillerie anti-aérienne et antichar. De même, au cours de cette première période de la révolution, l'INRA finança la construction de la plupart des routes de l'île et fit bâtir des logements pour les agriculteurs, ainsi que des stations touristiques. Sous son égide, les officiers de l'Armée rebelle furent dotés du pouvoir de saisir certains domaines et de diriger les exploitations agricoles transformées en coopératives, tandis que Che Guevara prenait la décision de confier les nouveaux projets d'industrialisation à ses anciens compagnons d'armes. Tout cela était l'œuvre du « gouvernement caché » et pourtant, même dans les hautes sphères, la plupart des Cubains ignoraient son existence.

De son bureau situé dans le grand bâtiment de l'INRA (destiné par Batista à être l'hôtel de ville de La Havane), Castro redonnait force à la révolution au cours de réunions régulières qui rassemblaient les cadres supérieurs de l'Institut et les administrateurs sur le terrain. Dans ses « discours secrets » (l'expression est de Nuñez Jiménez), le Premier ministre annonça ainsi, à la fin de 1959, que tous les champs de canne à sucre seraient confisqués à leurs petits propriétaires privés, immédiatement après la récolte de l'hiver 1960, et transformés en coopératives ; cette décision était en contradiction avec la loi agraire adoptée au printemps, mais seuls comptaient les ordres de Fidel. Parvenu à ce stade, Castro fit connaître sa volonté de continuer à diriger Cuba par l'intermédiaire de l'INRA, affirmant dans un autre de ses « discours secrets » que l'Institut était un « instrument politique, un appareil capable de soulever les masses

pour qu'elles accomplissent leur tâche et défendent, au besoin, l'existence »
de l'Institut lui-même. « L'INRA sera ce gigantesque appareil, il aura un
pouvoir de mobilisation [du peuple] extraordinaire, surtout si nous
organisons les paysans en groupes sociaux et militaires... Un peuple en
armes sera la garantie suprême de la Révolution, précisément parce qu'il
sera armé. »

Il ajoutait : « Dans la situation actuelle, l'INRA constitue notre instrument essentiel, sa responsabilité révolutionnaire est considérable. L'Armée
et l'Institut sont les deux outils indispensables de la Révolution, et nous
devons nous grouper autour d'eux avec toutes les forces que nous pouvons
rassembler dans la perspective des combats qui nous attendent... Nous
consoliderons nos victoires. Ne nous cherchons pas d'autres ennemis que
ceux que nous réserve chaque instant. N'oublions pas que, pendant la
guerre, nous avons d'abord attaqué les villages, puis les villes... »

La fin du printemps 1959 fut un passage dangereux pour la révolution, à
l'intérieur comme à l'extérieur. Pourtant, Castro continua de rappeler à ses
compagnons qu'ils devaient aller de l'avant, progressivement et avec
précautions, tandis que lui-même consoliderait son pouvoir à partir du
bastion de l'INRA. A l'intérieur, la révolution et son organisateur
conservaient leur immense popularité, mais les antennes politiques extrêmement sensibles de Fidel décelaient des signes inquiétants. Il n'était pas
certain de la loyauté de son propre Mouvement du 26 juillet, en particulier
de son « aile droite bourgeoise », comme il l'appelait ; c'est la raison pour
laquelle il avait créé le gouvernement caché au sein de l'INRA, court-
circuitant ainsi le cabinet et le président — jusqu'à ce qu'il fût prêt à les
écarter. Evoquant cette période, Pedro Miret, l'un des plus proches
compagnons de Castro, rappelle qu'« il fallait neutraliser un peu le
Mouvement du 26 juillet ». Castro avait réussi à se rallier le Directoire
révolutionnaire étudiant et à attirer son chef, Faure Chomón, dans les rangs
du gouvernement, mais il ne se sentait pas à son aise avec cette organisation
de la classe moyenne. Et il y avait aussi le problème des *barbudos,* dressés
sur leurs ergots (dont certains s'étaient vraiment battus dans les montagnes,
et d'autres non), exigeant des places et des privilèges. Cette attitude
poussait Castro au paroxysme de la fureur. Fou de rage, il dénonça
« l'imbécillité, la démagogie, l'opportunisme et les intrigues politiciennes
de tous ceux qui, aujourd'hui, veulent avoir l'air plus révolutionnaire que
les autres ».

Enfin, il y avait les communistes. Castro continuait de conduire les
pourparlers avec les dirigeants du parti pour réaliser l'unité à long terme,
mais il se rendait compte qu'il y avait des divisions entre ses interlocuteurs,
d'autant plus que nombre de vieux militants le jalousaient et éprouvaient du
ressentiment à son égard. Dans l'ensemble, le parti ne lui avait pas encore
juré allégeance (peut-être parce que Moscou hésitait encore) et ne
reconnaissait pas le génie révolutionnaire qui lui avait permis de triompher
à sa guise, au lieu de suivre les voies marxistes-léninistes orthodoxes. Aussi
pragmatiques qu'ils aient tenté de se montrer, les principaux dirigeants du
parti trouvaient dur de devoir avaler les couleuvres de Castro quand celui-ci
déclarait, aux Etats-Unis, la révolution cubaine exempte de toute influence

communiste ; ils supportaient tout aussi mal les accès d'impatience que Castro se permettait en privé, face à l'arrogance et à la volonté de puissance manifestées par certains d'entre eux. Une polémique s'ouvrit qui portait sur le soutien apporté à Batista par les communistes dans les années quarante ; les protagonistes de la controverse étaient *Revolución,* organe officiel du Mouvement du 26 juillet, et *Hoy,* le quotidien communiste. Pendant un certain temps, Carlos Rafael Rodriguez fut le seul à maintenir le contact au plus haut niveau ; Conchita Fernández, la secrétaire de Castro à l'INRA, rappelle qu'aucun autre communiste de quelque importance ne s'était joint, à cette époque, au groupe restreint de l'Institut.

Quant à l'extérieur, Castro craignait toujours une intervention américaine, surtout après la signature de la loi sur la réforme agraire. Par la suite, l'ambassadeur des Etats-Unis à La Havane, Philip Bonsal, devait écrire ceci : « Au printemps 1959, Castro estimait probable que la révolution cubaine, telle qu'il l'envisageait, allait, plutôt dans l'immédiat que plus tard, entrer inéluctablement en conflit avec les intérêts américains dans l'île ; il pensait aussi que la riposte des Etats-Unis prendrait l'aspect d'une invasion de Cuba en bonne et due forme. » Mais le diplomate ajoutait : « A l'époque, Castro ne faisait pas entrer en ligne de compte l'aide massive qu'il allait bientôt recevoir de l'Union soviétique sous forme d'assistance économique et de livraisons d'armes. S'il commença d'envisager une dépendance à l'égard de Moscou, ce fut seulement après que les initiatives américaines du printemps et de l'été 1960 n'eurent laissé au Kremlin aucune autre possibilité que de lui venir en aide. » C'est là une déclaration complexe, mais lorsqu'elle émane d'un diplomate aussi perspicace que Bonsal, elle vaut d'être étudiée avec soin.

Certes, le seul à connaître toute la vérité, sans fioritures mythiques et idéologiques, c'est Fidel Castro en personne — mais si Bonsal ne se trompe pas j'estime pour ma part que le facteur décisif a été la ferme volonté des Etats-Unis d'empêcher Cuba de se procurer des armes n'importe où dans le monde en ces années 1959 et 1960, bien avant qu'Eisenhower eût déclenché une guerre économique et des actions clandestines contre les révolutionnaires. On peut discuter à perte de vue sur le point de savoir si Castro aurait pu adopter des solutions marxistes sans pour autant dépendre militairement et économiquement de l'URSS, si les Etats-Unis n'avaient pas menacé son existence même ; les analogies ne manquent pas et l'on peut citer les cas de la Yougoslavie et de la Chine qui ne sont pas aussi éloignées géographiquement de l'Union soviétique. En outre, un an s'est écoulé, ou même davantage, avant que l'aide soviétique ne commence à se manifester, et Washington n'était pas obligé de refuser toutes les solutions possibles. Enfin, si l'on étudie attentivement les documents, on se rend compte que Castro avait commencé à conduire sa révolution vers le socialisme bien avant d'avoir obtenu la moindre promesse de Moscou. Tout cela s'accorde parfaitement avec ce qu'affirme Fidel, à savoir que les « agressions » américaines ne firent qu'accélérer le processus révolutionnaire.

Immédiatement après sa victoire, Castro considéra la modernisation de l'Armée rebelle, puis de la nouvelle milice populaire, comme une priorité du régime. Ce qui comptait surtout à ses yeux c'était la milice ; car si, pour lui, l'Armée rebelle était le fer de lance du pouvoir révolutionnaire, il ne voulait pas la laisser se transformer en institution élitiste capable (ne fût-ce qu'en théorie) de présenter à l'avenir un danger politique, surtout en l'absence d'un parti dominant. De plus, il trouvait trop coûteux d'entretenir une puissante armée permanente (même si, tous les jours, il craignait d'apprendre que les Américains avaient débarqué); selon lui, une milice bien entraînée, mobilisable en quelques heures, compléterait parfaitement une force militaire de métier, bien équipée. Enfin, la milice, expression de la « nation en armes », ajoutait une nouvelle dimension à l'engagement du peuple dans la révolution. Au printemps 1959, dans ses « discours secrets », il répétait au groupe de l'INRA qu'il voulait lever 100 000 hommes dans les milices paysannes (qui s'ajoutaient aux effectifs des milices ouvrières et étudiantes), bien entraînées au maniement des armes, et même familiarisées avec les mitrailleuses lourdes, montées sur trépied : il était prévu de former 1 000 hommes tous les 45 jours. Le matériel que Batista avait abandonné ne convenait pas aux forces modernes et mobiles dont Castro voulait se doter ; aussi, à la mi-mai, des émissaires de confiance furent-ils dépêchés à l'étranger pour acheter des armes.

Rufo López-Fresquet, le premier ministre des Finances de la Révolution, se souvient d'avoir été convoqué par Fidel dans son appartement à l'hôtel, vers la fin de janvier, et de s'être fait demander s'il avait des fonds disponibles pour « acheter des armes immédiatement ». Castro s'inquiétait d'une invasion possible en provenance de la république Dominicaine où Batista avait trouvé refuge auprès de Trujillo ; or les armes manquaient car, ajouta-t-il, « les généraux ont volé l'argent et malgré les fortes dépenses d'armements qui avaient été faites, on n'en trouvait trace nulle part ». López-Fresquet put retrouver quelque cinq millions trois cent mille dollars de fonds militaires cubains dans des banques européennes. On acheta donc 25 000 armes automatiques légères FAL (dont 2 000 étaient équipées de lance-grenades), 50 millions de cartouches et 100 000 grenades, en provenance de Belgique. Les Etats-Unis n'avaient pas encore exercé de pressions sur les gouvernements étrangers pour qu'ils refusent de vendre des armes à Cuba, et le premier envoi de FAL arriva à La Havane au mois de septembre, juste à temps pour équiper de nouvelles unités de la milice (dont Castro ne devait annoncer la création que le 26 octobre).

José Ramón Fernández, l'officier de carrière naguère accusé de complot et jeté en prison par Batista, devint l'un des principaux acheteurs d'armes pour le compte de Castro, tout en veillant à l'organisation des milices. (Il est aujourd'hui vice-président de Cuba et membre suppléant du Politburo du parti communiste.) Fernández se rappelle être allé en Suisse, en Allemagne fédérale et en Israël pour se procurer des armements qu'il trouva finalement en Italie. Cuba se fit ainsi livrer près d'une centaine de mortiers de 81, deux batteries de canons de 105 (fabriqués aux Etats-Unis) et une centaine de mitrailleuses lourdes, de lance-flammes et d'armes légères ; mais à la suite d'un désaccord entre Rome et La Havane, ces expéditions furent interrompues. En Israël, Fernández eut une entrevue avec Golda Meir, alors ministre des Affaires étrangères, mais après avoir visité les usines israéliennes, il ne trouva aucun matériel qui pût convenir à l'armée cubaine.

Israël consentait à lui vendre des pistolets mitrailleurs Uzi, mais ces armes ne correspondaient pas à ce que voulait Castro. Bientôt cependant, à la suite de pressions exercées par Washington, les pays européens hésitèrent à vendre des armes à Cuba. Pour satisfaire une requête américaine, la Grande-Bretagne refusa de fournir des chasseurs à réaction Hawker Hunter à l'armée de l'air cubaine. La Yougoslavie, qui avait fait l'objet de démarches secrètes en 1959, décida de son propre chef de ne pas vendre d'armes à Castro, sans doute pour éviter de mécontenter les Etats-Unis avec lesquels elle entretenait des rapports malaisés.

Au mois d'octobre, Castro annonça la création des milices devant un million de Cubains rassemblés sous les fenêtres du palais présidentiel; en effet, selon lui, les dangers contre-révolutionnaires et les menaces des Etats-Unis ne faisaient que croître. Il ajouta : « Si nous ne pouvons pas acheter d'avions, nous nous battrons au sol lorsque le moment viendra de se battre... nous allons commencer immédiatement l'entraînement des paysans et des travailleurs... si l'Angleterre ne nous vend pas d'avions, nous irons en acheter ailleurs; et si nous n'avons pas assez d'argent, c'est le peuple qui les achètera... » Se tournant vers le chef d'état-major de l'armée, Juan Almeida, Castro s'écria : « Je vous donne ici même un chèque de la part du Président de la République et du Premier ministre : ce sera notre contribution à l'achat d'appareils. »

D'après José Ramón Fernández, les premiers arrivages d'armes en provenance de Tchécoslovaquie et d'Union soviétique eurent lieu vers la fin de 1960, plusieurs mois après la rupture des derniers liens économiques entre les Etats-Unis et Cuba; les premiers chasseurs n'arrivèrent que vers le milieu de 1961. Comme l'avait dit Castro, Cuba achèterait des armes à qui voudrait lui en vendre (et accepterait qu'on lui en fournisse gratuitement), mais rien ne donne à croire que, au cours de 1959, La Havane ou Moscou ait pensé à passer de tels marchés. Cuba avait d'abord essayé les sources occidentales et Philip Bonsal a raison de dire que les révolutionnaires se virent obligés d'avoir recours au bloc soviétique. D'après Fernández, les premières livraisons en provenance de Tchécoslovaquie se composaient de fusils automatiques M-52, de mitrailleuses BEZA-792, utilisables pour la défense aérienne, et de mortiers de 82. Des instructeurs tchèques accompagnaient les armes. Le matériel soviétique devait suivre.

Si, en 1959, Castro redoutait une invasion américaine, il craignait aussi une attaque en provenance de la république Dominicaine, menée par son ennemi juré. Trujillo n'avait pas oublié la part qu'avait prise Castro dans l'expédition manquée de Cayo Confites, douze ans auparavant. Lui aussi s'inquiétait d'un débarquement cubain sur les côtes dominicaines ou à Haïti. Les deux dirigeants commencèrent donc à prendre des dispositions afin de prévenir toute attaque, même si aucun d'eux ne semblait comprendre la situation politique qui régnait dans le pays de l'autre. Trujillo mit sur pied une « légion étrangère » composée de mercenaires antillais, de Cubains anticastristes, d'Espagnols fascistes parmi lesquels se trouvaient quelques anciens combattants de la Division Azúl, d'Allemands et d'opposants croates. On n'a jamais su si cette « légion » devait servir à défendre Haïti ou à attaquer Cuba, mais Castro frappa le premier, après avoir fourni une préparation militaire à des Dominicains hostiles à Trujillo. A l'aube du 14 juin, un bimoteur de transport C 46, fourni par le Venezuela, atterrit à Constanza dans les montagnes du centre ; cinquante-six rebelles, dont dix Cubains, se trouvaient à son bord, sous les ordres du commandant Delio Gómez Ochoa, ancien coordinateur du Mouvement du 26 juillet à La Havane. Rapidement, l'armée dominicaine anéantit le petit groupe et captura Gómez ; six jours après, les forces aéro-navales de Trujillo coulaient deux bateaux de plaisance chargés de rebelles dominicains qui tentaient de débarquer à Puerto Plata, sur la côte septentrionale. Ainsi prit fin le seul effort tenté par Castro pour affronter Trujillo, et il importe sans doute peu de savoir s'il faisait de l'« internationalisme », ou s'il espérait empêcher le vieux dictateur de se frotter à lui.

De toute façon, Trujillo n'entendait pas en rester là ; tout de suite après l'incident de Constanza, ses meilleurs agents entrèrent en contact avec deux *comandantes* de l'Armée rebelle qu'ils estimaient prêts à lâcher Castro. L'un était un mercenaire américain nommé William Morgan et l'autre, un Espagnol, Eloy Gutiérrez Menoyo, qui avait participé avec son frère Carlos à l'attaque du Directoire révolutionnaire contre le palais de Batista en 1957. Carlos avait été tué au cours de l'assaut et, l'année suivante, Eloy rejoignit la guérilla du DR dans la Sierra del Escambray ; il y fit la connaissance de Morgan qui semblait ne s'intéresser qu'à l'argent. C'est à eux que Trujillo aurait offert par la suite un million de dollars pour fomenter une révolte dans la Sierra del Escambray ; la « légion » dominicaine et quelques émigrés cubains les soutiendraient en débarquant sur différents points de la côte. Dans la mesure où une certaine hostilité existait entre Castro et les diverses factions du DR, Morgan et son ami espagnol semblaient être, aux yeux des Dominicains, des traîtres tout à fait plausibles ; en fait, l'Américain toucha 500 000 dollars en guise de premier paiement.

Mais Trujillo ignorait une chose : Morgan et Gutiérrez Menoyo avaient tenu Castro au courant du complot, grâce à quoi les Cubains purent enregistrer les communications radio qui s'échangeaient entre les deux *comandantes* et la capitale dominicaine. Il est tout à fait possible que les deux hommes aient pratiqué un double et même un triple jeu pour être à même de choisir la solution la plus lucrative, mais le 12 août, sur ordre de Castro, ils appelèrent Ciudad Trujillo pour avertir que les « guérilleros rebelles » s'étaient emparés du port de Trinidad et attendaient des renforts. Assis dans un bosquet de palétuviers à proximité de l'aérodrome, Castro et ses gardes du corps écoutèrent les conversations radio toute la nuit, puis ils virent atterrir un avion dominicain qui déchargea des munitions et repartit ; ils finirent par se montrer, à l'aube du 13 août, pour cueillir dix Cubains tout juste débarqués d'un second appareil dominicain. Ce fut pour Fidel son cadeau d'anniversaire. Le secteur fut immédiatement bouclé par plusieurs bataillons de l'Armée rebelle. Fidel cependant revivait avec délectation les beaux jours de la guérilla ; il captura personnellement le pilote, le lieutenant-colonel Antonio Soto, celui-là même qui avait emmené Batista lors de son départ pour l'exil, le premier janvier. Il est curieux que Trujillo soit tombé dans le piège tendu par Castro ; quatre jours auparavant, en effet, les forces de sécurité cubaines avaient arrêté un millier d'anciens soldats de Batista, ainsi que de nombreuses personnes qui avaient des liens avec la république Dominicaine. La logique n'a jamais régné en maîtresse sur les Antilles. Quant à Morgan et Gutiérrez Menoyo, le premier devait être fusillé deux ans plus tard pour avoir trempé dans des actions « contre-révolutionnaires », tandis que le second était fait prisonnier en 1961 après avoir débarqué clandestinement d'un bateau de la CIA venu de Floride. Il ne fut libéré qu'en 1987, grâce aux démarches du gouvernement socialiste espagnol.

L'incident de Trinidad représenta pour Fidel une distraction aussi plaisante que bienvenue au milieu des soucis de la révolution qui l'obligeaient à vivre derrière un micro et à jongler avec bon nombre de problèmes politiques. Toujours incapable de rester à la même place, il s'arrangeait assez souvent pour satisfaire ses envies de mouvement et de changement. A La Havane, il pouvait travailler dans ses bureaux de l'INRA (il détestait le palais présidentiel et ne mettait jamais les pieds dans l'immeuble réservé au Premier ministre), dans son appartement au dernier étage du Hilton, dans la villa de Cojímar, chez Celia Sánchez dans la 11e rue, ou encore dans un autre immeuble qui lui avait été attribué à Miramar, près du cinéma Chaplin. Dans le quartier résidentiel de Vedado, il disposait encore de son poste de commandement militaire secret. Il allait sans cesse d'un endroit à un autre, et se montrait toujours agité. Parfois, le soir, il se rendait au stade Cerro pour lancer quelques balles contre un fronton, ou bien on le voyait s'asseoir à la terrasse du café Carmelo, dans le Vedado, face à l'école de danse d'Alicia Alonso ; il y mangeait une glace et discutait avec les autres clients ; ou encore, il faisait une apparition à quelque soirée diplomatique. Un soir de la fin du mois de mars, après avoir dîné vers minuit d'un steak avalé dans la cuisine de l'hôtel Habana Libre (le Hilton rebaptisé), il nous emmena, Herbert Matthews et moi, sur une plage voisine, boire du Coca-Cola et visiter à l'aube les stations balnéaires que la révolution avait bâties pour le peuple. Après quoi, il se plut à bavarder avec nous jusque vers le milieu de la matinée, dans la cafétéria de l'hôtel ; il était le seul à ne pas tomber de sommeil. Il lui arrivait aussi de passer plusieurs jours dans un camp militaire, généralement en Oriente, pour parler aux hommes, lire et écrire. Il arriva une fois que des pluies incessantes le bloquèrent dans l'un de ces camps pendant trois jours, qu'il passa à jouer aux dominos et aux échecs pendant des heures de suite, avec passion, et sans montrer le moindre signe d'impatience. Parfois, torse nu, il faisait de la gymnastique, s'entraînait au basket, ou jouait avec son berger allemand, Guardián. Celia Sánchez l'accompagnait habituellement dans ces expéditions, mais Castro semblait également apprécier les rapports de camaraderie martiale qu'il entretenait avec ses amis et ses gardes du corps, notamment son médecin, René Vallejo, le chef de sa garde, Jesús Yañez Pelletier (le gardien de prison de Santiago qui lui avait sauvé la vie) — jusqu'à son renvoi pour mauvaise conduite —, son ami Nuñez Jiménez, ainsi que Raúl Castro et Che Guevara s'ils se trouvaient dans les parages. Fidelito était pensionnaire et il voyait rarement son père, sauf quand on l'emmenait à Cojímar. Au printemps de 1959, l'enfant eut la rate perforée dans un accident de voiture près de Matanzas ; il fallut des heures avant que l'on puisse prévenir Castro, introuvable, et le conduire à l'hôpital.

Toujours à l'affût de nouveautés et de surprises, Fidel Castro avait découvert la Baie des Cochons et y avait débarqué deux ans avant que les Américains y pensent. Quand la CIA décida de le surprendre en passant par le grand marais du sud, elle ignorait totalement que Fidel connaissait la Ciénaga de Zapata comme sa poche, grâce à quoi il remporta facilement la victoire. L'Histoire a de ces coïncidences. La Ciénaga de Zapata est un marais immense, quasiment inhabité, qui s'étend loin à l'intérieur des terres, sur les côtes méridionales des provinces de La Havane et de Matanzas — c'est le royaume des sables mouvants, des ramasseurs de tourbe, des alligators et des moustiques. Peut-être parce que c'était la dernière région qui lui restait à conquérir après la Sierra Maestra et parce qu'elle était encore plus pauvre que la sierra, la Ciénaga exerça sur Castro une extraordinaire attirance ; à partir de mars 1959, il s'y rendit régulièrement et faillit perdre la vie au moins deux fois dans l'immensité de ces étendues marécageuses et traîtresses.

Le programme conçu pour la Ciénaga offre un exemple parfait de l'esprit avec lequel Castro abordait les projets de développement économique : enthousiaste, généreux, balayant tout sur son passage, mais trop souvent irréaliste. Fidel était persuadé qu'avec de grands travaux de drainage, on pourrait transformer les quelque 200 000 hectares de la Ciénaga occidentale en un immense grenier à riz, que la riziculture et l'expansion du tourisme sortiraient les familles de tourbiers de leur misère et qu'il fallait donc sans plus attendre construire les canaux, les routes et les stations touristiques indispensables. Plus d'un quart de siècle après, cependant, on n'y trouve aucune grande rizière, la première ferme expérimentale reste la seule et le tourisme demeure marginal malgré la présence des alligators et des lamantins qui ont été préservés. Les plans les plus ambitieux de la révolution se sont ainsi effrités, faute de ressources, de savoir-faire et d'esprit de suite.

Un jour, au début de ses randonnées dans les marais, le bateau qui emmenait Fidel et Celia, ainsi que Nuñez Jiménez et sa femme, chavira dans un chenal et seul l'agile commandant en chef parvint à sauter sur la terre ferme. Lorsque ses compagnons, trempés, le rejoignirent, il était étendu sur la berge, en train de lire un ouvrage de Giovanni Papini, qu'il avait dans sa poche. Les jours suivants furent fertiles en aventures. D'abord, le pilote de l'hélicoptère de Castro, le commandant en chef de l'armée de l'air Pedro Luis Díaz Lanz, l'avertit qu'il n'avait pas assez de carburant pour faire le tour de la Ciénaga comme il était prévu. Il laissa Castro, Nuñez Jiménez et Pedro Miret à Playa Girón, une des plages sur lesquelles débarquèrent les commandos de la Baie des Cochons, afin d'aller chercher du kérosène dans une sucrerie au nord ; il devait être de retour au bout de quelques heures. Les trois hommes firent des exercices de tir tout l'après-midi, mais comme Díaz Lanz ne revenait pas, ils durent passer la nuit dans une cabane de pêcheur. Le lendemain matin, Castro et ses compagnons durent parcourir environ quinze kilomètres à pied jusqu'à trouver un poste militaire où ils purent téléphoner à la sucrerie — l'hélicoptère n'y était jamais arrivé. Après avoir donné à La Havane l'ordre d'entreprendre des recherches aériennes, Castro monta à bord d'un petit monomoteur en compagnie d'un pilote et partit sous une pluie battante pour tenter de retrouver Díaz Lanz; il revint au bout d'une heure pour signaler qu'il avait repéré l'hélicoptère, mais qu'il ne semblait y avoir personne à proximité. Entre-temps, Raúl Castro, Che Guevara et d'autres officiers de l'Armée rebelle étaient arrivés de La Havane à bord de l'avion personnel du Premier ministre, le *Sierra Maestra*, escorté par deux hélicoptères. Fidel prit place à bord de l'un d'eux, tandis que la tempête continuait de faire rage, et quatre appareils, dont l'un emmenait Raúl, décollèrent à sa suite pour quadriller la zone. Fidel se posa à côté de l'hélicoptère accidenté, tandis que le petit avion de Raúl disparaissait dans les nuages et la pluie. A la fin de la journée, on avait découvert Díaz Lanz à l'autre bout du marais où il avait été secouru, mais Raúl était toujours porté manquant. Le lendemain matin, son appareil fut retrouvé couvert de boue, près de la côte. Perdus dans les marais, Raúl et les deux pilotes furent enfin sauvés par une équipe de secours et installés à bord d'un Catalina de la marine, mais au cours du vol vers La Havane, le train d'atterrissage eut une défaillance; le pilote réussit à atterrir sur le ventre.

Ces aventures ne découragèrent pas Castro le moins du monde. L'assainissement des marais était devenu son projet favori et, dans tous ses discours, il y faisait des allusions lyriques. Dans une allocution dont la CIA n'a pas dû prendre connaissance, il s'exclamait, au mois de décembre : « Nous avons redécouvert la Baie des Cochons, en long, en large et en profondeur; nous avons une nouvelle baie. Cuba vient de redécouvrir une baie ! » La veille de Noël, Castro et Nuñez Jiménez quittèrent La Havane en voiture pour se rendre à Laguna del Tesoro, au centre de la Ciénaga, d'où ils s'envolèrent en hélicoptère pour Soplillar, village de tourbiers, où l'on dîna de porc rôti en chantant des chants révolutionnaires. Une photo de l'époque montre un Fidel Castro tout sourire, un fusil dans la main gauche, la main droite posée sur une mitrailleuse, le ceinturon rempli de cartouches, contemplant une table entourée d'enfants et couverte de bouteilles de vin et de rhum, de verres et de friandises. Après Noël, il fit ériger à Laguna del Tesoro une construction légère en verre et aluminium, où il avait aussi un bureau : pendant un certain temps, ce fut sa retraite préférée et c'est là qu'il recevait ses invités privilégiés.

A La Havane, cependant, les révolutionnaires et leurs ennemis s'acheminaient vers un affrontement, à l'intérieur comme à l'extérieur. Au mois de juin, Castro se sentit suffisamment puissant pour obtenir la démission du ministre des Affaires étrangères, Roberto Agramonte, homme politique de la vieille école, favorable aux Etats-Unis; il nomma à sa place Raúl Roa, ambassadeur auprès de l'OEA et révolutionnaire vociférant. Deux ans auparavant, ce dernier avait vigoureusement dénoncé l'intervention soviétique en Hongrie dans une série d'articles, mais il avait depuis rejoint le camp fidéliste. Quatre autres ministres « modérés » furent ainsi évincés. Castro se prépara alors à se défaire du président Urrutia. La question fondamentale sur laquelle se concentrait désormais le combat à l'intérieur du pays concernait le communisme : les modérés affirmaient que les communistes s'emparaient de la révolution et le camp castriste rétorquait que l'anticommunisme était le principal instrument de la « contre-révolution », forgé par Washington. Cela se passait deux mois exactement après que Castro eut proclamé à New York : « Je l'ai dit de façon claire et définitive, nous ne sommes pas communistes... Les portes sont ouvertes aux investissements privés qui contribuent au développement industriel de Cuba... Il nous sera absolument impossible de progresser s'il existe une incompréhension entre les Etats-Unis et nous. »

En juin pourtant, Castro et l'ambassadeur Bonsal lui-même semblaient ne plus se comprendre. Après le signature des nouvelles lois agraires, Bonsal avait adressé au gouvernement cubain une note qui exposait les problèmes auxquels se heurtaient désormais les investisseurs américains ; le lendemain, le 12 juin, il fut invité à rendre visite à Castro à Cojímar. Malgré les demandes réitérées de l'ambassadeur, c'était sa première entrevue officielle avec le Premier ministre depuis la visite de courtoisie qu'il lui avait faite, au mois de mars. Dans ses notes, Bonsal remarque que Castro se montra « cordial » et répliqua par « une affirmative sans équivoque » à la question de savoir si les intérêts américains avaient encore un rôle à jouer à Cuba. Toujours selon lui, Castro nia, par le canal de la presse, avoir dit que « ma manière de l'aborder était celle... d'un proconsul ». Mais, dans un discours datant de décembre 1961, Fidel évoque de façon totalement différente ses relations avec Bonsal : « Dès le début, il y eut des différends entre nous sur divers critères et points de vue, et nos entrevues devinrent si intolérables que... pendant trois mois, il ne cessa de demander une audience jusqu'à ce que, à la fin, il devînt impossible, pour des raisons élémentaires de protocole, de la lui refuser plus longtemps. Pourquoi ? Parce que les déclarations de ce monsieur étaient tout bonnement intolérables. » Douze ans après ces faits, Bonsal disait dans ses Mémoires : « Loin d'être unique, cet exemple illustre la façon dont la mémoire élastique du *Líder Máximo* lui permet de faire des déclarations contraires à la vérité lorsqu'il évoque un événement passé. » Tout cela était fort regrettable, surtout parce que Castro ne semblait pas comprendre que Bonsal jouait pratiquement sa carrière chaque fois qu'il essayait de convaincre Washington de maintenir le dialogue avec les Cubains.

L'éviction du président Urrutia en juillet était dictée par la logique de la politique révolutionnaire de Castro : le juge patriote et naïf de Santiago qu'il avait nommé président par intérim dans la Sierra devenait un obstacle à la Révolution. Réduit depuis le mois de février à apposer sa signature au bas des textes de lois préparés par son Premier ministre ou par le cabinet, Urrutia accrut encore sa vulnérabilité, vers le milieu du printemps, en s'abstenant d'assister aux conseils des ministres présidés par Castro, et en retardant la promulgation des lois. Le ministre des Finances, López-Fresquet lui-même, devait écrire que son comportement fut « une erreur » et que « sa conduite troublait la bonne marche du gouvernement... l'animosité de Castro envers Urrutia ne faisait que croître, surtout quand il s'intéressait à une loi ainsi remise en question... Par son comportement, le

Président ne réussit qu'à s'aliéner le cabinet qui n'éleva aucune objection à son éviction. » Alors Urrutia commença à prononcer des discours anticommunistes et à faire des déclarations télévisées dans le même sens, comme s'il voulait forcer Castro à un affrontement dont lui-même ne pouvait sortir vainqueur. Jouant sans s'en apercevoir le jeu du Premier ministre, il offrit de partir « en congé » — sans fixer de date de retour — le jour du mois de juin où la première fournée de modérés fut éliminée du cabinet. Urrutia n'avait pas compris qu'aux yeux de Castro une démission revenait à une manifestation d'hostilité envers sa personne et envers la révolution, aussi se laissa-t-il convaincre, à la fin du mois de juin, de ne pas partir. Castro préférait agir lui-même sur les événements.

Le 29 juin, le commandant Díaz Lanz, qui avait servi de pilote à Castro lors de l'expédition dans la Ciénaga le mois précédent, fit défection; il témoigna à Washington, devant une sous-commission du Sénat, dénonçant l'emprise du communisme sur Cuba, ce qui ne fit que précipiter la crise de La Havane. La même semaine, le Président déclara devant les caméras de la télévision : « Je ne crois pas au communisme et je suis disposé à discuter de cette question avec n'importe qui. » Prêt désormais à lui porter le coup de grâce, Castro répondit publiquement : « Je considère qu'il n'est pas tout à fait honorable, si nous voulons éviter d'être traités de communistes, de nous embarquer dans des campagnes contre les communistes; aucun gouvernement soucieux de son honneur n'agirait de la sorte... » Le 13 juillet, à la télévision, Urrutia ne fit que resserrer le filet qui l'entourait déjà en déclarant : « Les communistes infligent un préjudice terrible à Cuba. » Il est certain, rétrospectivement, que s'il avait démissionné au moment choisi par lui, à propos du communisme qui semblait tant l'inquiéter, il aurait retiré de cet affrontement avec Fidel un bien plus grand avantage; mais, face au chef de la révolution, il ne faisait pas le poids.

Lorsque Fidel fut prêt à frapper, il réunit toute la panoplie du drame révolutionnaire. Le 16 juillet au soir, la radio et la télévision annoncèrent que le Premier ministre avait démissionné de son poste (mais il restait commandant en chef), parce qu'Urrutia avait refusé d'approuver les lois révolutionnaires, ainsi que certaines autres mesures gouvernementales. Pendant vingt-quatre heures on n'entendit plus parler de lui. Mais il avait ordonné de faire transporter à La Havane tous les paysans qui souhaiteraient assister aux cérémonies organisées pour célébrer le sixième anniversaire de l'attaque de Moncada; ils commencèrent à affluer dans la capitale juste à temps pour voir se lever le rideau sur la « comédie du pouvoir » qui leur avait été préparée. Le 17 juillet, les ministres se virent convoquer au palais présidentiel, cerné par la troupe et par une foule sans cesse grandissante. Urrutia restait invisible. Le ministre de la Défense, Martínez Sánchez, semblait avoir pris les choses en main, tandis que le cabinet rassemblé attendait la suite des événements. Dans la soirée, Fidel prononça à la télévision un discours de deux heures, dans lequel il expliquait sa démission par son désaccord avec le Président, puis établissait un lien entre l'attitude d'Urrutia et la défection de Díaz Lanz : « Voilà qui est bien proche de la trahison, camarades! s'exclama-t-il; nous avons été à deux doigts de la trahison! » Il accusa Urrutia d'avoir forgé de toutes pièces une

« légende » à propos du communisme à Cuba dans le seul but de provoquer une agression étrangère ; il ajouta que le Président avait acheté une maison « de 30 000 ou 40 000 dollars ».

Tandis que les foules massées à l'extérieur réclamaient la démission d'Urrutia sur l'air des lampions, ce dernier la signa avant même que Castro eût terminé son discours. Les ministres l'acceptèrent et nommèrent à sa place Osvaldo Dorticós, le ministre chargé de la rédaction des lois révolutionnaires. C'est le ministre de l'Education, Armando Hart, l'un des collaborateurs les plus zélés de Fidel, qui avait proposé son nom. Là-dessus, Castro fit irruption dans la salle pour « être mis au courant » du changement. Dorticós allait être un loyal collaborateur. Mais la pièce continuait, puisqu'il fallait à Fidel une manifestation massive de soutien en sa faveur de la part de la « nation ». Il participa donc à un rassemblement des ouvriers du textile qui se déroulait dans le stade, pour y entendre les prières qui lui étaient adressées, le suppliant d'assumer à nouveau sa charge de Premier ministre. Le 23 juillet, les syndicats révolutionnaires appelèrent à une grève générale d'une heure pour réclamer son retour. Il avait réussi son coup d'état par télévision interposée. *Habaneros* et paysans coiffés de chapeaux de paille, la machette dans son étui de cuir brun passé à la ceinture, défilèrent dans toute la ville pour acclamer leur chef ; des chants à la gloire de Fidel et de la réforme agraire s'élevaient dans l'air du soir. Le 26 juillet, Castro s'adressa à une foule d'un million de ses partisans, réunis sur la grande place ; il acceptait de reprendre son poste, mais il lança cet avertissement : « Quiconque s'attaquera à Cuba aura affaire à l'Amérique latine tout entière. »

Pendant ce temps, sur le front intérieur, il s'efforçait de réparer les dégâts causés à la révolution et de désarmer les critiques qui allaient croissant et qui visaient les progrès du communisme au sein même de son gouverne-ment et de l'Armée rebelle. Comme dans le cas d'Urrutia, il considérait comme des actes de trahison toutes les démissions pour motif politique émanant de personnalités haut placées ; aussi, lorsque le commandant Huber Matos Benítez, gouverneur militaire de la province de Camagüey et ancien chef militaire de la Sierra, se prépara à se démettre de ses fonctions à cause des communistes, il le traita de la même manière. Averti le 20 octobre que Matos avait envoyé sa lettre de démission et qu'une vingtaine d'officiers allaient l'imiter, il envoya le commandant de l'armée rebelle, Camilo Cienfuegos, arrêter le démissionnaire, tandis que lui-même partait en toute hâte pour Camagüey. Le 21 octobre au matin, il prit la tête d'un défilé révolutionnaire qui marcha sur le quartier général de la province, afin de prévenir toute tentative de rébellion. Cet incident fit courir de grands dangers à Castro qui avait besoin de l'unité et de la fidélité de l'armée ; ce fut la crise politique la plus grosse de périls qu'il eût traversée depuis sa prise du pouvoir. Comme Díaz Lanz, venu de Floride, avait le même jour survolé La Havane à bord d'un petit avion d'où il avait lancé des tracts hostiles à Castro (il aurait même tiré à la mitrailleuse sur la capitale), Fidel lia immédiatement cette affaire au cas de Matos pour en faire une vaste conspiration fomentée aux Etats-Unis, dans laquelle, pour faire bonne mesure, il impliqua aussi l'infortuné Urrutia. Le 26 octobre, devant une foule toujours aussi énorme — un million de personnes environ — rassemblée à La Havane pour condamner les complots « contre-révolutionnaires », il annonça officiellement la création de la milice et demanda à ses partisans si la révolution devait rétablir la peine de mort et les tribunaux révolutionnaires. La foule hurla son approbation, en scandant : « Au poteau ! » « Au poteau ! ». En décembre, après un discours passionné et accusateur de Castro, Matos fut condamné à vingt ans de prison. Fidel ne voulait se fier à personne pour défendre la révolution en ce moment crucial.

Il continuait cependant de consolider son pouvoir et de serrer les boulons. La veille de l'affaire Matos, Raúl Castro avait été nommé ministre des Forces armées révolutionnaires, ce qui officialisait son emprise sur les militaires. Le 26 novembre, Che Guevara devint président de la Banque nationale, tout en demeurant responsable de l'industrie. Son adjoint du temps de guerre, Ramiro Valdés, assisté de Manuel Piñeiro Losada, l'idéologue à la barbe rousse, assuma la direction de la DIER qui regroupait les services de renseignements et la police secrète. Mais vers la fin du mois d'octobre, la Révolution perdit le plus aimé de ses dirigeants après Castro : Camilo Cienfuegos disparut à bord du petit avion qu'il pilotait seul, entre Camagüey et La Havane. Malgré les recherches terrestres et aériennes dirigées personnellement par Castro, on ne retrouva jamais trace de l'appareil. Camilo fit son entrée au panthéon des héros de la Révolution, sur lesquels se fondent toujours les mythes d'aujourd'hui.

Tout au début, l'orientation de plus en plus accentuée de la révolution cubaine vers le socialisme ou le communisme n'attira guère l'attention ni le soutien des Soviétiques. C'est là une réalité qui dément une fois pour toutes l'idée d'une conspiration diabolique des Russes (ou des Chinois) bien décidés de prime abord à se ménager, grâce à la rébellion castriste, une tête de pont communiste à la porte des Etats-Unis. Tout indique au contraire que Castro dut faire un effort énorme pour convaincre les Soviétiques de l'intérêt que sa personne et sa révolution pouvaient présenter pour eux au moment où il devint évident que Cuba avait besoin de l'URSS pour assurer sa survie économique et militaire face à l'hostilité des Etats-Unis. On peut même avancer des arguments à l'appui de la thèse selon laquelle Castro aurait forcé l'Union soviétique à s'engager plus avant et plus vite qu'elle ne l'aurait souhaité, en jouant sur la convergence de plusieurs événements internationaux. En tout cas, le Kremlin partageait l'opinion des communistes cubains ; ces derniers voyaient en Castro un personnage qui n'était fiable ni dans son idéologie, ni dans ses pratiques. A la fin de 1959, cependant, Fidel avait réussi à faire des Russes ce qu'il voulait — un antidote aux Américains.

L'Union soviétique reconnut le régime révolutionnaire le 10 janvier 1959, trois jours après les Etats-Unis, mais cela ne signifiait pas grand-chose, car Batista avait rompu les relations diplomatiques avec Moscou en 1952, et personne à ce stade ne proposa de les rétablir. Contrairement à Raúl, Nuñez Jiménez ou Che Guevara (qui finit par changer d'avis), Fidel n'avait jamais été un admirateur ardent et inconditionnel de l'URSS ; d'ailleurs, l'établissement de relations avec Moscou n'avait rien d'urgent.

Néanmoins, au cours d'un entretien télévisé, il annonça que Cuba était prête à vendre du sucre à l'Union soviétique, ce qui n'avait rien de surprenant puisque cette dernière figurait de toute façon parmi ses clients habituels. Pendant l'année 1959, Moscou signa un accord pour l'achat de 500 000 tonnes de sucre, à peu près la même quantité qu'en 1955 ; la Chine, pour sa part, se porta acquéreur de 50 000 tonnes. Au total, ces achats représentaient à peine 10 % de la récolte.

Une délégation syndicale soviétique avait été invitée à La Havane pour les fêtes du 1er mai, mais les visas ne furent pas délivrés à temps ; cependant, trois syndicalistes soviétiques firent une brève visite à Cuba en novembre. Mais l'antenne de la CIA à La Havane s'intéressa beaucoup plus aux séjours que fit en mai, puis de nouveau en octobre, un certain Vadim Vadimovitch Listov : celui-ci était tenu pour un agent de renseignement soviétique de grade élevé. En même temps, les Américains apprenaient que quatre des meilleurs pilotes cubains étaient partis en secret pour la Tchécoslovaquie, afin de mettre au point un programme d'entraînement sur MIGs ; leur chef était le capitaine Victor Pina Cardoso, ancien pilote de guerre dans la Royal Air Force.

Pendant l'année 1959, Moscou ne se prononça pas officiellement pour l'établissement de liens étroits avec le régime castriste, peut-être pour ne pas aller compromettre « l'esprit de Camp David » — résultat de la rencontre entre Nikita Krouchtchev et le président Eisenhower. Anastase Ivanovitch Mikoïan, vice-président du conseil des ministres et membre influent du Politburo, s'était rendu à New York et au Mexique où il avait inauguré des foires commerciales, mais personne ne lui suggéra de faire un crochet par La Havane afin d'y rencontrer Castro. La mise au point des premiers contacts fut très subtile. Le 16 octobre, dix jours avant sa disparition, Camilo Cienfuegos confia à Nuñez Jiménez que, dans un hôtel de La Havane, il avait eu un long entretien avec Alexandre Alexeiev, correspondant de l'agence TASS, qui, après avoir attendu huit mois pour obtenir un visa à destination de Cuba, souhaitait rencontrer Castro. On ignore comment Alexeiev était entré en relations avec Cienfuegos.

Nuñez Jiménez transmit l'information à Fidel ; ce dernier fit savoir à Alexeiev qu'il le recevrait pour un entretien « amical », dans les bureaux du Premier ministre, au dernier étage de l'immeuble de l'INRA. Vêtu d'un complet noir, le cou orné d'une cravate grise, le Soviétique fut escorté par deux soldats barbus de l'Armée rebelle qui étaient allés le chercher à son hôtel. Castro et Nuñez Jiménez portaient des treillis vert olive. Alexeiev salua Castro et lui tendit un paquet enveloppé dans un journal moscovite ; il contenait une bouteille de vodka, plusieurs boîtes de caviar et un album de photos de Moscou. Le Russe brisa la glace en exprimant à Fidel la « grande admiration » que le peuple soviétique éprouvait à son égard et à l'égard de la révolution. Le gouvernement soviétique et le parti communiste, ajouta-t-il, tenaient en grande estime l'œuvre qu'il accomplissait en faveur du progrès social à Cuba : Castro se montra aimable et répondit que son régime révolutionnaire était tout prêt à nouer, en temps voulu, des relations commerciales avec l'Union soviétique.

Nuñez Jiménez rappela qu'il avait vu Mikoïan à la foire soviétique de

New York au mois de juillet, et la conversation porta sur la possibilité d'organiser une manifestation du même ordre à La Havane. Castro ajouta que la présence de Mikoïan à l'inauguration de la foire aurait « un grand impact ». A un certain moment, Alexeiev remarqua une médaille d'argent au cou du Premier ministre, mais celui-ci lui affirma aussitôt : « Ne vous inquiétez pas, c'est l'image d'un saint catholique ; une petite fille de Santiago me l'a envoyée lorsque j'étais dans la Sierra Maestra. » Puis Fidel enchaîna : « Puisque vous avez apporté du caviar et de la vodka, nous ferions aussi bien d'y goûter. » Conchita Fernández apporta des crackers, et les trois hommes se mirent à l'aise pour festoyer. Se tournant vers Nuñez Jiménez, Fidel s'exclama : « Quel délicieux caviar, quelle extraordinaire vodka ! Nuñez, je crois que cela vaut la peine de nouer des relations commerciales avec l'Union soviétique ! Qu'est-ce que tu en penses ? »

« Très bien, Fidel, remarqua Alexeiev, nous comptons sur vous pour établir les échanges commerciaux, mais les relations diplomatiques, qu'en faites-vous ? — Ah, répondit Castro, je vois pourquoi vous avez mis votre beau costume... Mais il vaut mieux continuer à parler. Il faut que nous agissions ainsi pour l'instant, parce que nous avons besoin temps pour créer des conditions [favorables]. Vous souvenez-vous d'un article de Lénine, dans lequel il disait que, pour appliquer une politique nouvelle ou pour introduire des idées neuves, il fallait persuader les masses, les faire participer à la décision ? C'est ce que nous ferons... L'idée d'une foire commerciale est excellente... C'est une occasion de montrer aux Cubains les progrès accomplis en Union soviétique. Jusqu'à présent, tout ce que l'on en dit est négatif, mais nous veillerons à ce que cela change. La foire, une visite de Mikoïan, cela constituerait un bon début, qu'en pensez-vous ? Nous avons déjà commencé avec le caviar et la vodka. » Les trois hommes entrechoquèrent leurs verres, et Castro conclut : « L'essentiel, pour l'instant, ce ne sont pas les relations diplomatiques. Ce qui compte, c'est que les Russes et les Cubains soient déjà des amis. »

Moins de trois mois après, Mikoïan se trouvait à La Havane pour inaugurer les relations soviéto-cubaines qui allaient connaître un brillant avenir. Alexandre Alexeiev deviendrait le deuxième ambassadeur d'Union soviétique à La Havane. Mais, au cours des vingt-cinq années suivantes, cinq dirigeants soviétiques successifs, de Khrouchtchev à Gorbatchev, allaient connaître à leurs dépens les immenses frustrations que leur vaudrait leur alliance avec Fidel Castro.

3

Le 20 septembre 1960, dans un hôtel du quartier de Harlem à New York, deux des plus grands comédiens politiques de notre temps, Fidel Castro et Nikita Khrouchtchev, tombèrent dans les bras l'un de l'autre, scellant ainsi une alliance qui, deux ans plus tard, allait pousser le monde au bord extrême de la guerre nucléaire. C'était la première fois que le Secrétaire général du Parti communiste d'URSS apparaissait en public depuis son arrivée aux Etats-Unis où il venait assister à l'Assemblée générale des Nations unies ; la visite du dirigeant soviétique de soixante-six ans au Premier ministre cubain de trente-quatre ans (qu'il qualifia de « héros ») donna l'impression que Cuba figurait au premier rang des priorités soviétiques en matière de politique étrangère. Castro fut ravi de cette attention, au point qu'il fut le premier à bondir sur ses pieds, quelques jours plus tard, pour applaudir le discours de Khrouchtchev à l'ONU. Le numéro Khrouchtchev-Castro fut du grand théâtre politique et ne laissa aucun doute sur le fait que Cuba avait troqué l'influence américaine contre celle des Soviétiques, avec tout ce que cela pouvait entraîner comme conséquences politiques pour l'hémisphère occidental et les relations Est-Ouest.

Les manifestations de cordialité qui rapprochaient les deux hommes avaient pour arrière-plan immédiat la dégradation catastrophique des rapports entre Cuba et les Etats-Unis ; séparés par 90 milles marins d'eau bleue sur la mer des Caraïbes, les deux pays allaient inéluctablement et de plus en plus vite vers un affrontement. Au cours de l'été, Castro avait décrété la nationalisation de biens américains pour une valeur de 850 millions de dollars ; l'éventail allait des sucreries aux élevages de bétail, des raffineries de pétrole aux services publics, tandis que le gouvernement Eisenhower décidait de priver les Cubains d'une ressource vitale pour eux : leur part du marché sucrier américain qui leur était d'un si fructueux rapport. En outre, les Etats-Unis avaient secrètement pris deux décisions parallèles : former et équiper des commandos d'émigrés cubains dont l'objectif était de débarquer à Cuba ; faire assassiner Castro par la mafia, aux frais de la CIA.

Dans le même temps, tout au long de l'année 1960, la situation internationale avait changé du tout au tout ; soudain, Cuba et sa révolution fidéliste revêtaient un intérêt puissant pour l'Union soviétique. Castro et Khrouchtchev étaient l'un comme l'autre des joueurs qui savaient prendre des risques calculés ; aussi unirent-ils leurs talents pour exploiter ce nouvel aspect des choses ; il ne faut cependant pas croire qu'ils s'étaient départis d'une saine méfiance mutuelle. Pour le Kremlin, l' « esprit de Camp David », qui remontait au mois de septembre précédent, s'était dissipé pour faire place à des tensions inquiétantes ; au mois de mai en effet, les Soviétiques avaient abattu un avion espion de la CIA, un U-2, ce qui avait provoqué l'annulation de la rencontre au sommet entre Khrouchtchev et Eisenhower. Simultanément, la guerre idéologique qui couvait depuis longtemps entre Moscou et Pékin avait éclaté au grand jour ; aussitôt, les deux puissances communistes devinrent rivales et tentèrent de s'assurer les sympathies et l'allégeance des nouvelles nations du tiers monde. Dans un contexte aussi brusquement modifié, les bonnes relations avec Cuba acquirent aux yeux de Moscou des vertus qui leur avaient manqué jusque-là. (En Amérique latine, les Soviétiques n'entretenaient de relations diplomatiques qu'avec le Mexique, l'Argentine et l'Uruguay ; jusqu'alors, cette partie du monde n'avait guère présenté d'intérêt pour eux.) Il n'était pas question pour Khrouchtchev de laisser la Chine se poser en champion de la révolution cubaine. Les Soviétiques se rendaient certainement compte que nombre de jeunes révolutionnaires cubains avaient été, dès les débuts, attirés par les communistes chinois, conscients qu'ils étaient des similitudes entre leurs révolutions « paysannes » respectives ; certains dirigeants du PSP partageaient cette inclination, notamment le secrétaire général Blás Roca, qui avait été cordialement reçu par Mao Tsé-toung au mois d'avril 1960. D'ailleurs, c'est de Pékin que Blás Roca s'était rendu à Moscou afin d'y rencontrer pour la première fois Khrouchtchev (jusqu'alors, aucun dirigeant cubain de quelque importance ne s'était montré dans la capitale de l'URSS).

Les Chinois courtisaient Cuba, tout en s'appliquant à ignorer Khrouchtchev. (L'agence officielle chinoise Hsin Hua, par exemple, n'avait consacré qu'un seul paragraphe de son bulletin quotidien au discours de deux heures prononcé par le Soviétique aux Nations Unies.) A ce moment-là, cependant, Castro avait déjà observé en toute logique que le Kremlin avait, pour soutenir ses entreprises révolutionnaires, des moyens que la Chine miséreuse ne possédait pas — mais pendant deux ans encore, il allait tenter de naviguer entre les géants du communisme ; il alla même, chose stupéfiante, jusqu'à se poser en médiateur possible dans la grande querelle marxiste-léniniste. En privé, lui-même et ses conseillers les plus proches reconnaissent que la gravité du différend sino-soviétique de 1960 joua un rôle déterminant dans la décision prise par Khrouchtchev de miser sur Cuba. Moscou alla bien au-delà de l'accord économique signé à La Havane par Mikoïan, à la suite de la conversation cordiale agrémentée de caviar et de vodka qui avait réuni Castro et Alexeiev. Khrouchtchev n'avait pas manqué de remarquer combien l'hostilité croissait entre Cuba et les Etats-Unis ; il en déduisit que l'île avait une valeur inestimable pour les

Soviétiques, à cette époque où la portée des armes nucléaires était relativement réduite et où la technologie restait assez élémentaire dans ce domaine. Après l'incident de l'U-2, avec toutes ses implications stratégiques, Cuba représentait un atout militaire potentiel beaucoup trop important aux yeux du dirigeant soviétique — toujours incliné vers l'aventurisme — pour qu'il résiste à la tentation de s'engager à fond. Pour Khrouchtchev, en effet, le moment était venu « d'acheter Cuba », comme le confiait récemment en privé, avec une certaine aigreur, une haute personnalité cubaine — et tout laisse penser qu'il savait ce qu'il faisait. Il est moins sûr, d'autre part, que Castro ait compris pleinement dans quel processus géopolitique il s'embarquait lorsqu'il étreignait affectueusement Khrouchtchev à New York. C'est pourtant lui qui poussa au mariage, inconscient des conséquences possibles.

Castro et Khrouchtchev figuraient parmi les chefs d'Etat et de gouvernement qui avaient décidé de se rendre à la session de l'Assemblée générale des Nations unies marquant, en 1960, le vingt-cinquième anniversaire de l'organisation. Le concours de personnalités était sans précédent — le président Tito était venu de Yougoslavie, le président Nasser représentait l'Egypte, Jawaharlal Nehru l'Inde, Macmillan la Grande-Bretagne, Eisenhower était lui aussi présent — mais le grand Cubain barbu et le Russe aussi chauve que corpulent furent immédiatement les vedettes du spectacle, même si l'on ne tenait pas compte de leurs excentricités. Le Cubain et son entourage, se jugeant offensés, avaient abandonné par dépit leur hôtel du centre de Manhattan pour aller se loger au Theresa Hotel, en plein Harlem, où Khrouchtchev leur avait rendu visite; cette entrevue allait être la consécration publique de leur nouvelle alliance.

Leur relation avait commencé de prendre forme avec l'arrivée à La Havane, le 4 février 1960, du premier vice-président du conseil des ministres, Mikoïan, l'un des rares « vieux Bolchéviques » encore vivants qui avaient participé à la Révolution russe. Au cours de sa visite de neuf jours à Cuba, il devait, muni des pleins pouvoirs, passer un accord complexe et de grande envergure avec Fidel Castro; aujourd'hui encore, on n'en connaît pas tous les termes. Castro et Che Guevara, qui avaient accueilli Mikoïan à l'aéroport, étaient les principaux négociateurs du côté de Cuba, l'Argentin agissant en sa qualité de président de la Banque nationale. Mikoïan inaugura l'exposition soviétique de la Science, de la Technologie et de la Culture au musée des Beaux-Arts de La Havane, ce qui était la raison officielle de son déplacement, et prononça un discours devant la confédération gouvernementale des syndicats, cérémonie au cours de laquelle il donna à Castro, de manière quelque peu incongrue, un chèque de 90 000 dollars, destiné à l'achat d'armes et d'avions.

Ensuite, on l'emmena visiter des coopératives agricoles dans les provinces de Pinar del Rio, de Camagüey et d'Oriente, puis il se rendit dans la Ciénaga de Zapata, si chère à Fidel, et dans l'île des Pins; on lui fit voir la cellule où le chef de la révolution avait été autrefois enfermé. Le 13 février, fut publié un communiqué commun soviéto-cubain; il déclarait que la consolidation de la paix dans le monde dépendait étroitement « du droit inaliénable de toute nation de choisir librement la voie politique, économique et sociale qu'elle entendait suivre » ; pour la première fois les Soviétiques s'engageaient à protéger la révolution cubaine, même si le procédé semblait indirect. Le communiqué présentait un autre aspect politique ; il y était mentionné la volonté commune d'envisager, dès que les circonstances s'y prêteraient, la reprise des relations diplomatiques entre l'Union soviétique et Cuba. Les circonstances durent s'y prêter très rapidement, puisque cette reprise « au niveau des ambassades » fut annoncée le 8 mai. Les dirigeants cubains affirment que Castro chercha à obtenir de Mikoïan des garanties explicites sous une forme quelconque, mais la question n'est pas abordée dans le communiqué. On sait cependant que le représentant du Kremlin informa Castro de l'arrivée prochaine des premières cargaisons d'armes en provenance d'Union soviétique ; et en fait, elles suivirent de peu les premières expéditions d'équipement tchèque, avant la fin de l'année. En un sens très large donc, on peut dire qu'une entente stratégique avait été conclue.

Les résultats économiques — tels qu'ils avaient été esquissés dans le communiqué — n'eurent rien de particulièrement remarquable, mais il fallait du temps pour que Cuba puisse absorber l'aide soviétique. L'accord mis au point par Mikoïan, Castro et Guevara fut baptisé « accord commercial », terme qui, à l'avenir, s'appliquerait à toutes les tractations économiques entre les deux pays ; les Cubains n'étaient pas très désireux de voir le mot « assistance » imprimé noir sur blanc. Pour en venir aux détails, les Russes consentaient à acheter jusqu'à la fin de l'année 1960 425 000 tonnes de sucre cubain en plus des 345 000 tonnes qu'ils avaient déjà acquises au printemps (le total était légèrement supérieur à leurs achats de 1959, mais il ne représentait que le cinquième de la récolte cubaine de l'année). Le prix n'était pas mentionné dans le communiqué, aussi en conclut-on que Moscou s'alignait sur le cours du marché mondial qui était extrêmement bas ; cela représentait environ la moitié du prix subventionné que les Etats-Unis consentaient selon leur système de quota, auquel Cuba participait encore. De plus, les Soviétiques s'engageaient à acheter un million de tonnes de sucre par an (pour 1960, le total se montait à 770 000 tonnes) pendant les quatre années à venir, ce qui ne suffisait certainement pas à satisfaire les besoins en devises étrangères de Cuba, dans la mesure où il s'agissait pratiquement d'un accord de troc avec paiement en nature. C'est ainsi que, pour la période 1961-1964, les Soviétiques offrirent à Cuba 100 millions de dollars de crédit « pour l'acquisition d'équipement, de machines et de matériel », et sous forme d'assistance technique.

Contrairement à ce que prétendent les Cubains, l'affaire n'avait rien de fabuleux pour La Havane — en fait, elle était plutôt avantageuse pour Moscou — mais elle engagea plus avant l'Union soviétique dans l'avenir de la révolution cubaine. Si tel était l'objectif à long terme de Castro et de Guevara, ce sont eux qui se sont joués de Mikoïan (il était pourtant arménien...), incapable de prédire, en l'état actuel des choses, le futur des relations américano-cubaines. D'autre part, les motifs invoqués par les Cubains pour expliquer les raisons de l'accord montrent que leurs dirigeants ne comprenaient rien à l'économie mondiale ou bien trompaient sciemment le peuple. Dans divers discours prononcés un mois après la signature, Castro et Guevara prétendirent que peu importait si 20 % seulement du sucre cubain vendu aux Soviétiques rapportait des dollars, parce que « le dollar ne sert qu'à faire des achats, le dollar n'a d'autre valeur que son pouvoir d'achat et quand nous recevrons des produits manufacturés ou des matières premières [d'Union soviétique], nous les paierons en sucre au lieu de payer en dollars ». Un quart de siècle plus tard, tandis que 80 % des exportations cubaines partaient pour le bloc soviétique aux termes des accords de troc conclus entre les deux partenaires, Castro cherchait à se procurer des dollars par tous les moyens, car les produits de la technologie de pointe dont il avait besoin ne pouvaient être achetés que sur les marchés occidentaux et seulement en échange de devises qu'il ne possédait pas. Mais le 18 mars, à peine quatre semaines après la signature de l'accord avec Mikoïan, Castro reçut un hélicoptère pour son usage personnel, en guise de cadeau de l'URSS. Il lui fut remis en grande pompe par le chef de la mission commerciale soviétique, déjà installée à La Havane.

Il est curieux de savoir que, lors de sa visite à Cuba, Mikoïan demanda tout particulièrement à voir une personne : il s'agissait d'Ernest Hemingway qui, depuis 1939, avait vécu plus ou moins régulièrement à la Finca Vigía, à San Francisco de Paula, dans la banlieue sud-est de La Havane. Hemingway avait séjourné à Cuba pendant la première moitié de 1958, la dernière année de la guerre, et, dans son abondante correspondance, on décèle un certain intérêt pour la révolution. Dans une lettre adressée à son fils Patrick, écrite dans l'Idaho au mois de novembre, on lit par exemple ceci : « Les choses vont vraiment mal à Cuba... vivre dans un pays ou personne n'a raison — les deux côtés sont aussi abominables l'un que l'autre — savoir ce qui va se passer, les assassinats et le reste, quand les nouveaux prendront le pouvoir — constater les abus dont se rendent coupables les gens actuellement en place — j'en suis bien revenu... » Toujours de l'Idaho, il écrivait à un journaliste de New York, à la fin de janvier 1959, que « l'officier commandant la garnison de La Havane est originaire de San Francisco de Paula ; il jouait dans l'équipe de base-ball locale pour laquelle j'étais lanceur... j'ai connu Philip Bonsal, le nouvel ambassadeur, à l'époque où il travaillait pour ITT... C'est un type honnête, il est bien, mais naturellement il favorisera nos intérêts... Castro va se heurter à un sacré tas d'argent... S'il pouvait gouverner sans compromission, ce serait formidable. » Hemingway n'alla pas à Cuba en 1959, mais en 1960, peu avant de retourner dans l'île, il écrivit à l'un de ses amis, le général Charles T. Lanham : « Je suis persuadé de la nécessité historique de la révolution à Cuba. Je ne me mêle pas de la politique cubaine, mais j'essaie de voir les conséquences à long terme qu'aura la révolution. Je ne m'intéresse ni aux événements quotidiens, ni aux questions de personnes... Dans la situation actuelle, il n'est rien que je puisse dire qui ne serait déformé ou mal interprété. J'ai un travail fou et je veux qu'on me laisse le faire. » Hemingway trouva cependant le temps de recevoir Mikoïan à déjeuner à la Finca Vigía ; il existe une photographie où on le voit, souriant, verser à boire à son hôte ainsi qu'à Vladimir Bazikine, alors ambassadeur d'Union soviétique au Mexique. Castro n'avait pas accompagné Mikoïan, et sa seule rencontre avec Hemingway se produisit au mois de mai au club nautique Barlovento, à La Havane, où tous deux assistaient au tournoi de pêche Hemingway. Ce jour-là, Castro avait gagné le championnat individuel; c'est lui qui avait pêché le plus gros marlin bleu. On peut se demander pourquoi il n'a jamais cherché à voir Hemingway à l'époque où, en 1960, ce dernier vivait toujours à Cuba, étant donné l'admiration qu'il lui portait et la sympathie de l'écrivain pour sa révolution; ce fut sans doute la seule fois où Fidel hésita à s'imposer à quelqu'un, en l'occurrence à un homme qu'il tenait pour un génie. Selon Gabriel García Márquez, Castro connaît l'œuvre d'Hemingway « en profondeur, il aime en parler et sait la défendre de manière convaincante ». (Dans une interview qu'il donna en 1984, Castro a dit assez maladroitement qu'il n'avait jamais fait la connaissance de l'écrivain « parce que, dans ces premières journées de la Révolution, nous étions très occupés, et puis personne ne pensait qu'il mourrait si vite ». Il ajouta encore : « Ce que je préfère chez lui, ce sont ses monologues. »)

Après la visite de Mikoïan et le rétablissement des relations diplomatiques entre Cuba et l'Union soviétique (Serguei Koudriatsev, spécialiste de l'Amérique latine, fut le premier ambassadeur soviétique à La Havane, tandis que Faure Chomón, l'ancien dirigeant du Directoire révolutionnaire étudiant, occupait le poste de Moscou), la nouvelle alliance connut une extension directement proportionnelle à l'hostilité croissante entre Cuba et les Etats-Unis. Rétrospectivement, il apparaît qu'à ce stade Castro et Khrouchtchev étaient tout prêts à exploiter cette inimitié — et sans doute Castro plus encore que son allié — mais il semble que les Etats-Unis ne comprenaient pas encore très bien quoi faire, devant ce nouvel axe La Havane-Moscou, sauf qu'ils en avaient peur. Philip Bonsal affirme que, à son avis, les accords Mikoïan « ne mettaient pas en danger la position économique américaine à Cuba », mais que « dans certains milieux de Washington, on avait donné la signification la plus alarmante aux plaisanteries échangées entre Mikoïan et Castro, au mois de février. Les accords économiques entre Cuba et l'Union soviétique semblaient intolérables à des gens accoutumés depuis longtemps à voir l'Amérique occuper une position dominante à Cuba. »

C'est alors qu'un navire sauta dans le port de La Havane, et cette explosion anéantit les dernières chances qui existaient encore de voir se réconcilier Fidel Castro et les Américains. Le navire était un cargo français, *La Coubre,* qui avait accosté dans le port le 4 mars, chargé de soixante-dix tonnes de munitions et d'explosifs en provenance d'Anvers : il s'agissait du reliquat de la livraison de matériel militaire acheté aux Belges l'année précédente. La première explosion, qui se produisit vers cinq heures du soir, tua et blessa principalement des membres de l'équipage et des dockers; une seconde eut lieu une heure plus tard, dont les victimes furent, cette fois, des soldats, des miliciens et des pompiers cubains. Le bilan se monta à quatre-vingt-un morts. Arrivé sur place, Castro dirigea les opérations de sauvetage, tout en accusant les Etats-Unis de « sabotage ». Les Cubains ne purent produire aucune preuve d'un sabotage quelconque et les causes de l'explosion n'ont jamais été officiellement déterminées. Les

Etats-Unis démentirent l'accusation avec indignation et firent remarquer qu'on ne faisait pas entrer un navire bourré d'explosifs dans un port encombré sans violer les règlements internationaux en matière de sécurité ; cependant, le capitaine du cargo n'a jamais expliqué pourquoi il avait amarré son bateau à cet endroit. De toute façon, la tragédie rallia les masses cubaines autour de Castro à un moment où il devait faire face à des problèmes de politique intérieure de plus en plus difficiles, et où sa cote de popularité était en baisse. Lors des obsèques qui furent célébrées le lendemain, au cimetière Colón, Fidel prononça un discours chargé d'émotion et proclama notamment : « J'ai pu voir aujourd'hui que notre nation était plus forte que jamais, j'ai pu voir aujourd'hui que notre révolution était plus forte et plus invincible que jamais », promettant que « Cuba ne se montrera jamais lâche, Cuba ne reculera pas, la Révolution ne se laissera pas entraver... La Révolution poursuivra sa marche vers la victoire !... » Il termina en lançant pour la première fois son grand mot d'ordre révolutionnaire *Patria o Muerte, Venceremos !* (La Patrie ou la Mort ! Nous vaincrons !) Depuis ce jour, tout discours révolutionnaire prononcé à Cuba se termine sur ce slogan que l'auditoire reprend en chœur et répète avec une ferveur croissante.

De maintes façons, l'affaire de *La Coubre* marqua une étape. Pour une majorité de Cubains, l'explosion confirma les prédictions de Castro selon lesquelles les Etats-Unis avaient décidé d'écraser la révolution ; ils étaient persuadés que la tragédie était l'œuvre des « ennemis de la révolution... qui ne veulent pas que nous recevions des armes pour nous défendre ». Quant à Castro, il se vit conforté dans son idée que le danger extérieur renforçait la révolution, parce que le nationalisme exerçait sur les réactions populaires de puissants effets ; les Etats-Unis, naturellement, ne firent que lui fournir de nouvelles occasions de vérifier son hypothèse, depuis les débuts de son nouveau régime jusqu'au débarquement dans l'île de la Grenade en 1983, où des Cubains combattirent, les armes à la main, des forces américaines bien supérieures en nombre.

Les accusations lancées par Castro au moment de l'affaire du *La Coubre* fournirent aux Etats-Unis l'argument officiel dont ils avaient besoin et qui, d'après l'ambassadeur Bonsal, a « peut-être bien... fait pencher la balance en faveur de l'abandon de la politique de non-intervention à Cuba ». Et puis, 1960 était une année d'élections et, comme le dit Bonsal, « l'attitude de modération des Etats-Unis face aux insultes et au comportement agressif de Castro était en train de tourner au désavantage des Américains ». L'ambassadeur n'en fut pas informé officiellement, mais il croyait bien que « la nouvelle politique des Etats-Unis... consisterait à se défaire de Castro par tous les moyens disponibles, à l'exception toutefois de l'emploi officiel des forces armées américaines à Cuba ». D'ailleurs, le 17 mars, le président Eisenhower donna son approbation à une proposition portant sur le sujet suivant : « Programme d'action clandestine contre le régime castriste ».

Le projet avait été mis au point par la CIA et par le « groupe spécial » de la Maison-Blanche (le sous-secrétaire d'Etat adjoint, l'adjoint au secrétaire à la Défense, le directeur de la Central Intelligence Angency et l'assistant spécial du Président pour les affaires de sécurité nationale) ; la principale disposition prévoyait « la création d'une force paramilitaire en dehors de Cuba pour une opération de guérilla à venir ». Assez vite, l'idée de créer un groupe de guérilleros se développa et l'on en vint à envisager un véritable corps expéditionnaire qui envahirait l'île. On sait maintenant que le vice-président Nixon avait été l'un des principaux défenseurs de ce plan. Après avoir rencontré Castro à Washington l'année précédente, il en avait conclu que ce dernier était un communiste. De plus, il était candidat à la présidence et la question de Cuba tenait une grande place dans la campagne électorale.

Pourtant, on ne peut vraiment croire que la réaction cubaine à l'explosion de *La Coubre* ait été vraiment décisive pour la résolution américaine d'attaquer Castro. Un tel programme n'aurait pu être élaboré en douze jours seulement. En fait, le rapport de la commission d'enquête sur le débarquement de la Baie des Cochons a révélé que le groupe spécial avait rédigé son programme d'action clandestine contre Castro lors d'une réunion du *13 janvier,* afin qu'il soit présenté à la signature du Président le 17 mars. De nombreuses preuves indiquent que l'idée première de se débarrasser de Castro était restée ultra-secrète mais qu'elle remontait au mois de mars *1959* ; d'ailleurs, n'importe quel prétexte aurait suffi pour obtenir l'accord du Président sur le « programme » d'action contre Castro. Le gouvernement cubain et surtout les officiers de l'Armée rebelle rattachés à l'INRA pour mettre en œuvre la réforme agraire, saisissaient les biens américains sans tenir aucun compte de la loi signée par Castro ; la propagande anti-américaine ne connaissait aucun frein et le gouvernement révolutionnaire se sentait beaucoup plus en sécurité maintenant que Mikoïan lui avait procuré la bénédiction de Moscou. Les réactions de Washington, amplifiées par la fièvre des prochaines élections et par une totale incompréhension des réalités cubaines, étaient pain béni pour Castro et ne faisaient qu'accomplir ses prophéties.

Vers le milieu du printemps, malgré son étonnante patience, l'ambassadeur Bonsal en était venu à la conclusion que les relations américano-cubaines n'avaient pas d'avenir ; mais jamais il ne se montra favorable à une action violente contre Castro et jamais le gouvernement Eisenhower ne le tint au courant de ses tout derniers plans secrets. Un après-midi, au cours d'une conversation, il fit remarquer : « Vous savez, c'est un jeu où personne ne peut gagner... Dans tous les cas, c'est fichu... Il n'existe aucun moyen de satisfaire Castro. » L'ambassadeur et le Líder Máximo ne s'étaient pas vus depuis le mois de septembre précédent (date de leur troisième et dernière rencontre) et la propagande officielle cubaine s'en prenait fréquemment au ministre américain. Au mois de janvier, par exemple, la presse l'avait vivement critiqué parce qu'il s'était rendu à l'aéroport afin de saluer l'ambassadeur d'Espagne, Juan Pablo de Lojendio, auquel Cuba avait donné l'ordre de quitter le territoire dans les vingt-quatre heures. Lojendio avait été expulsé pour avoir fait irruption dans un studio de télévision au moment où Castro était en train de prononcer un discours en direct, parce que, dans la première partie de son allocution, ce dernier avait violemment attaqué le régime franquiste. L'Espagnol, qui se trouvait dans sa résidence et regardait l'émission sur son écran, s'était rué, bouillant d'indignation, vers les studios pour apporter la contradiction à Castro. C'était un homme de petite taille, à la calvitie naissante, et son bref affrontement verbal avec le grand Cubain touchait au grotesque.

Avant l'affaire de *La Coubre*, le département d'Etat avait fait une dernière tentative pour entamer des négociations avec Cuba, mais ces efforts ne purent aboutir parce que Castro posait comme condition préalable que les Etats-Unis s'engagent à ne prendre aucune mesure contre l'île pendant toute la durée des pourparlers. Il voulait ainsi s'assurer que, entre-temps, le Congrès des Etats-Unis ne modifierait ni ne réduirait le contingent de sucre cubain — au mois de janvier, le gouvernement avait demandé au Congrès de l'autoriser à moduler les quotas; mais le département d'Etat repoussa la requête de Castro, arguant du fait, juridiquement exact, qu'un ministre ne pouvait prendre d'engagement au nom du pouvoir législatif. Avec un peu de bonne volonté, il eût été possible de trouver un terrain favorable à la négociation mais, au fond, Eisenhower et Nixon ne pouvaient plus supporter Castro et ils avaient d'autres solutions en tête; comme Castro était également convaincu que le régime de la « fatalité historique » lui serait appliqué sans ménagements, il n'avait guère envie, lui non plus, de transiger. Chacun campait sur ses positions et, pendant les vingt-cinq années à venir, cette attitude allait caractériser les relations américano-cubaines — avec parfois de brèves périodes de détente et l'envoi de quelques ballons d'essai destinés à vérifier de part et d'autre l'état d'esprit de la partie adverse.

La guerre économique éclata pour de bon au mois de mai; à cette époque, Che Guevara informa trois sociétés qui possédaient chacune une raffinerie, deux américaines et une britannique, qu'elles allaient désormais devoir traiter du pétrole brut importé d'Union soviétique. Jusqu'alors, ces compagnies avaient transporté à Cuba le pétrole qu'elles produisaient au Venezuela et ce régime faisait partie du système de production-expédition-vente-raffinage alors en usage chez la plupart des multinationales. Che Guevara affirma que Cuba avait le droit souverain d'importer du but soviétique moins cher (les Soviétiques en abaissaient le prix à leur gré et, de toute façon, Cuba paierait en sucre et non en dollars, selon les termes de l'accord Mikoïan); de plus, il avertit les sociétés que le gouvernement ne leur verserait pas les 50 millions de dollars dont il était encore redevable pour des importations antérieures. Agissant sur les conseils donnés directement par le département du Trésor (le département d'Etat n'avait pas été consulté), les compagnies rejetèrent la requête de Cuba sans négociations sérieuses. Le 29 juin, Castro fit saisir les trois raffineries tandis que les Soviétiques rassemblaient suffisamment de pétroliers pour transporter, à partir des ports de la Mer Noire, tout le pétrole brut dont Cuba pourrait avoir besoin; déjà des techniciens soviétiques faisaient subir aux raffineries les transformations nécessaires au traitement du nouveau pétrole. L'anniversaire de l'arrivée du premier pétrolier, l'*Andreï Vychinski*, est toujours célébré comme l'une des grandes fêtes de la révolution. Castro fit passer son pays pour la victime du différend; Bonsal écrivit : « la Révolution cubaine a remporté une grande victoire et un puissant allié s'est jeté dans ses bras ». Ce jour-là, un porte-avions américains croisa au large de La Havane ; il envoya deux de ses chasseurs survoler les raffineries. Khrouchtchev et Eisenhower faisaient ce que souhaitait Castro, chacun à sa manière.

Le 6 juillet, Eisenhower franchit une autre étape dans la guerre économique avec Castro ; il annonça que les Etats-Unis n'autoriseraient pas l'importation du reste du quota de sucre cubain pour l'année 1960, soit le quart du total annuel de trois millions de tonnes. Eisenhower laissa clairement entendre que, jusqu'à nouvel ordre, les Etats-Unis n'achèteraient plus *du tout* de sucre cubain. La Maison-Blanche avait agi immédiatement après que le Congrès eût autorisé le gouvernement à réaménager les contingents de sucre des producteurs étrangers ; Fidel Castro traita cette mesure de « loi du poignard », poignard planté dans le dos de la révolution. Bonsal, qui s'était opposé à la suppression du quota, refuse d'admettre qu'Eisenhower avait agi en représailles contre la saisie des raffineries de pétrole : « La suspension des contingents de sucre était un élément essentiel du programme visant au renversement de Castro ». Quant à ce dernier, il avait prévenu, au cours d'un discours télévisé diffusé deux semaines auparavant, au moment où la « loi du poignard » allait être adoptée : « Si nous perdons tout notre quota de sucre, ils pourraient bien dire adieu à tous leurs investissements à Cuba », sans compter leurs énormes excédents commerciaux annuels. La perte du contingent de sucre, déclara Castro dans un discours de cinq heures, qui fut un véritable traité de l'histoire du sucre et des échanges commerciaux entre Cuba et les Etats-Unis pendant plus d'un siècle, « coûterait aux Américains jusqu'au dernier clou de leurs chaussures ».

Castro attendit cependant un mois entier avant de frapper à son tour. Toujours pleinement conscient de la portée stratégique et tactique de ses actes, il essaya d'abord de tirer un avantage politique maximum de l'affaire du sucre, en faisant passer Cuba pour la victime « d'une agression économique » des Etats-Unis, contraire à la charte de l'Organisation des Etats américains (dont il se souciait comme d'une guigne) ; il tenta ensuite d'obtenir le soutien sans faille de l'Union soviétique pour la cause cubaine.

Fidel avait toujours bien saisi l'immense importance que représentait pour sa révolution la solidarité du tiers monde ; dès le milieu de l'année 1959, il avait envoyé Guevara en mission en Afrique et en Asie pour y chercher des amis. Au début du mois de mai 1960, le président Achmed Soekarno, allié objectif de l'Union soviétique, fut le premier chef d'Etat étranger à rendre visite à Cuba ; le Premier ministre de la Guyanne britannique marxiste, Cheddi Jagan, fut l'hôte de l'île à deux reprises cette année-là. A la fin du mois d'août, la délégation cubaine quitta une conférence interaméricaine des ministres des Affaires étrangères qui se tenait à San José, au Costa Rica, parce qu'une motion critiquant les ingérences cubaines en Amérique latine y avait été votée ; le 2 septembre, Castro réunit à La Havane un million de Cubains qui l'entendirent dénoncer la réunion de San José et « approuvèrent » la Première Déclaration de La Havane, condamnant l'exploitation de l'homme par l'homme au détriment des régions du monde les plus pauvres. Déjà, Fidel tentait de s'arroger la direction du tiers monde, où il savait que se trouvaient ses alliés naturels. Mais, à cette époque, Washington ne prenait pas le tiers monde très au sérieux ; la décolonisation de l'après-guerre était encore loin de son terme.

Nikita Khrouchtchev sortit de l'affaire en triomphateur. A peine Eisenhower avait-il supprimé le contingent de sucre que Moscou annonçait l'achat (au prix mondial) des 700 000 tonnes destinées aux Etats-Unis, en plus des 770 000 tonnes déjà acquises par son pays en 1960. Plus d'un quart de la récolte de sucre de l'année allait donc prendre le chemin de l'URSS. Castro et Guevara n'avaient pu encore décider si Cuba allait demeurer l'un des grands pays producteurs de sucre, ou si elle allait concentrer ses efforts sur son industrialisation (comme Guevara le préconisait), mais les Soviétiques étaient déjà devenus les garants de la survie économique de l'île. Il est certain que Khrouchtchev avait déjà pris une décision d'importance statégique : celle de s'allier avec Cuba ; mais il est difficile de comprendre les raisonnements du gouvernement Eisenhower qui ont tant contribué à ouvrir la route à cette amitié toute neuve. Le 9 juillet, Khrouchtchev prit un engagement tout à fait extraordinaire envers Cuba ; il déclara en effet dans un discours : « L'Union soviétique fait entendre sa voix et tend une main secourable au peuple cubain... en un sens, si cela devenait nécessaire, la puissance militaire soviétique peut soutenir le peuple cubain avec des fusées... »

Certes, la phrase peut être entendue de manière symbolique — Krouchtchev avait bien dit « en un sens » — mais Castro manipula ce discours pour l'utiliser à ses fins ; il continue d'obscurcir de la même manière les origines de la crise des missiles de 1962. Au cours d'une émission mélodramatique, le lendemain, Castro, couché sur son lit de douleur (on n'a jamais su de quoi il souffrait), s'adressa aux Cubains par l'intermédiaire de la télévision pour remercier les Soviétiques de lui avoir offert leur soutien, mais il répéta à plusieurs reprises que l'offre de Khrouchtchev était « absolument spontanée » — et il sut aussi insinuer lourdement que Moscou avait offert de « vraies » fusées. En fait, avec son astuce habituelle, Castro semblait essayer de convaincre Washington que ce n'était pas *lui* qui avait demandé des « fusées » soviétiques, tout en magnifiant l'importance de l'appui soviétique pour servir ses propres desseins. Khrouchtchev devait commencer à s'apercevoir que traiter avec Fidel n'était pas une sinécure et il dut mettre le holà à cette interprétation castriste de ses paroles, car toute référence aux « fusées » a complètement disparu aujourd'hui des textes officiels cubains. Au mois de juillet 1960, cependant, il était essentiel pour Castro de pouvoir faire figurer en bonne place dans tous ses journaux les promesses soviétiques de « fusées », même si un communiqué conjoint publié à Moscou après la visite que Raúl Castro fit à Khrouchtchev au mois d'août, ne mentionnait aucune fusée d'aucune sorte.

De toute façon, le 26 juillet, Fidel était de retour à la Sierra Maestra, en pleine forme, pour célébrer le septième anniversaire de la bataille de Moncada et proclamer : « Nous continuerons de montrer notre patrie en exemple, pour faire de la chaîne des Andes la Sierra Maestra de toute l'Amérique. » Il était désormais prêt à punir les Etats-Unis pour avoir supprimé son contingent de sucre. Immédiatement après la décision d'Eisenhower, le conseil des ministres cubain avait adopté une loi sur les nationalisations ; dès le 5 août, Castro était prêt à la mettre en vigueur. C'était, selon ses termes, la « loi de la machete » en réponse à la « loi du poignard » américaine. Déjà, de nombreuses terres, appartenant en particulier à l'United Fruit, avaient été confisquées, mais désormais Fidel s'attaquait à l'ensemble des investissements américains. Conchita Fernández, sa secrétaire à l'INRA, se rappelle que, tard dans la soirée, il la fit venir dans son bureau du quatrième étage pour lui dire : « Appelez Che et appelez aussi ce Mexicain surnommé Fofo, parce que je vais nationaliser toutes ces sociétés étrangères, maintenant : Shell, Standard Oil, Esso... tout de suite, à minuit. » Il lui donna encore pour instructions de convoquer Carlos Franqui, alors rédacteur en chef de *Revolución,* pour s'assurer que la nouvelle des nationalisations paraîtrait dès le lendemain. Elle se souvient encore que Fidel était resté trois jours et trois nuits dans ses bureaux de l'INRA pour y préparer les nationalisations en compagnie de Che Guevara ; soudain, il annonça qu'il était prêt à signer les documents. Il dit encore à Conchita : « Nous allons donner une bonne gifle à toutes ces sociétés impérialistes. » Ensuite, il se rendit à un rassemblement de jeunes d'Amérique latine qui se déroulait dans le stade de La Havane, pour annoncer ce qu'il venait de faire. En tout, Cuba avait nationalisé trente-six sucreries appartenant à des Américains, deux raffineries de pétrole et deux sociétés de services publics (deux mines de nickel, dont l'une appartenait au gouvernement des Etats-Unis, furent confisquées au mois d'octobre). C'était la fin d'une époque — et le début d'une autre pour Cuba, sur le front intérieur comme dans l'arène internationale.

Dans le contexte de sa rupture quasi totale avec les Etats-Unis et de sa nouvelle alliance avec les Soviétiques, Fidel Castro partit pour New York au mois de septembre afin de prendre la parole aux Nations unies et, au moins autant, pour rencontrer Nikita Khrouchtchev en territoire américain. C'était bien là le genre d'ironie dont Fidel se délecte. Il se sentait puissant et sûr de lui, ayant essuyé avec succès son premier grand affrontement avec les Etats-Unis et consolidé son pouvoir à l'intérieur. Le ministre des Finances Rufo López-Fresquet, le dernier modéré de son conseil des ministres, ayant donné sa démission au mois de mars, Fidel n'avait plus besoin de son « gouvernement caché » pour régner. Avec ses compagnons, il assumait ouvertement la charge de tout ce qui comptait à Cuba ; ce qui restait d'activités indépendantes — dans le domaine culturel, notamment — allait bientôt être enrégimenté. La Confédération des Travailleurs cubains (CTC) avait bien essayé de tenir les dirigeants communistes à l'écart, mais Castro mit fin à ces tentatives au mois de novembre 1959 ; il força alors le congrès de la CTC à abandonner sa liste de candidats non communistes ; sa force de persuasion finissait toujours par lui assurer la victoire quand tout le reste échouait. Le secrétaire général de la CTC, David Salvador, l'un des principaux chefs du Mouvement du 26 juillet, fut démis de ses fonctions et alla rejoindre les rangs de la résistance anticastriste avant d'être arrêté.

La propagande et la prise en main de l'opinion publique sont fondamentales pour Castro ; aussi, dès que la révolution fut suffisamment consolidée, il tourna son attention vers ces deux domaines. Il faut être un observateur bien superficiel pour se laisser prendre à l'aspect furieusement désordonné des activités de Fidel et à son style de vie chaotique ; tout cela peut donner à croire qu'il dirige Cuba au gré de ses caprices. On s'aperçoit rétrospectivement qu'il a toujours su exactement ce qu'il faisait — comment il le faisait et à quel moment. Chaque pas franchi était l'aboutissement logique de celui qui l'avait précédé ; son choix du moment était impeccable parce qu'il pressentait toujours ce que la nation était prête à accepter, ses discours en forme de sermons correspondaient parfaitement au concept de l'endoctrinement révolutionnaire et, quant à ses improvisations, elles étaient aussi minutieusement préparées qu'une partie d'échecs. Le monde extérieur, qui commentait avec dédain les « délires » de Fidel, ne comprenait pas qu'il était engagé dans une campagne d'éducation des masses à qui il transmettait ses croyances ainsi que ses analyses politiques et économiques.

Il était donc logique de subordonner les médias à la révolution. Au cours de la première année, *Revolución*, l'organe du Mouvement du 26 juillet, et *Hoy*, le quotidien communiste, reprirent leurs activités peu après la victoire ; Carlos Rafael Rodríguez, le principal allié communiste de Castro, était le rédacteur en chef du journal de son parti. Dès le début, Castro se fit le super-rédacteur en chef de *Revolución* ; il faisait des apparitions dans les bureaux, conférait presque tous les jours avec Carlos Franqui, rédacteur en chef et directeur de la propagande, et vérifiait que la ligne révolutionnaire était indiquée exactement comme il le voulait, à tout instant. Les deux principales chaînes de télévision, CMQ et *Mundo*, furent immédiatement placées sous surveillance officielle, même si pendant un certain temps on ne toucha pas aux compagnies privées qui en étaient propriétaires. Les stations de radio furent regroupées en un seul réseau baptisé FIEL, toujours prêt à diffuser les paroles de Fidel.

Au début de 1960, le moment était venu de museler la presse indépendante. Castro inventa la *coletilla*, petite note apposée en postscriptum à chaque article, chaque dépêche d'agence, chaque éditorial et chaque photographie qui se trouvait peu ou prou en désaccord avec la ligne officielle du parti, quel que fût le sujet traité. Les syndicats de journalistes et d'imprimeurs castristes étaient chargés de rédiger et de publier ces *coletillas*, ou encore ils avaient pour consigne de refuser de faire figurer dans une publication ce qui ne leur plaisait pas. C'était là une forme aussi subtile que mortelle de censure accompagnée d'intimidation, le tout au nom de la révolution ; vers le milieu de 1960, la presse dite « bourgeoise » cessa d'exister, parce que les journalistes ne pouvaient plus être maîtres du contenu de leurs publications et que, d'autre part, le secteur privé en déclin rapide ne pouvait plus leur apporter les ressources de la publicité. Pour Castro, seule la révolution pouvait assurer la vraie liberté de la presse à Cuba en faisant taire les partis pris droitistes de la bourgeoisie. Sa propagande fit un pas de trop dans l'absurdité, le jour où elle voulut supprimer l'image du Père Noël, symbole des fêtes de la Nativité. Un personnage révolutionnaire nommé « Don Feliciano » prit sa place et un chant populaire américain refit surface, assorti de nouvelles paroles :

461

« Jingle Bells, Jingle Bells, Toujours pour Fidel » (il n'eut pas plus de succès qu'une autre scie révolutionnaire, « Ping-Pang-Poong ! Viva Mao Tsé-toung ! »).

Il est surprenant que, en dépit de l'ardent soutien apporté par Khrouchtchev à la révolution cubaine, au mois de juillet, le « vieux » Parti communiste ait continué de donner à Castro du fil à retordre. Depuis dix-huit mois, Castro et son équipe avaient eu de nombreux entretiens avec les dirigeants communistes ; leur objectif était de parvenir en définitive à une fusion, mais le Parti résistait encore, face au caractère « exceptionnel » du triomphe fidéliste qui n'était pas conforme au dogme marxiste. Seul, Castro en personne avait la confiance de la vieille garde du PSP, si tant est qu'elle avait confiance en quiconque. Pedro Miret se souvient que, bien des fois, lorsque Raúl Castro lançait une proposition quelconque, Blás Roca, le secrétaire général du PSP, demandait : « Mais avez-vous le feu vert de Fidel ? » Au Huitième Congrès du PSP, au mois d'août 1960, Blás Roca semblait se situer en dehors de toute réalité lorsqu'il décrivait le régime révolutionnaire comme un pouvoir qui « représente et met à exécution la politique d'une coalition où sont représentés le prolétariat, la paysannerie, la petite bourgeoisie et les secteurs progressistes de la bourgeoisie nationale ». Aníbal Escalante, autre figure du PSP, s'était opposé à la confiscation des biens privés parce que la « bourgeoisie nationale a peur des changements révolutionnaires » ; il ajoutait : « Nous continuons d'appliquer notre stratégie qui suppose une alliance entre les diverses classes et se trouve à l'origine de la révolution. » C'était là un non-sens historique, mais, comme le montreraient les événements, les « vieux » communistes tentaient d'obtenir des postes clefs dans le gouvernement, ce que Castro n'était pas près de leur accorder.

Seul Carlos Rafael Rodríguez se montrait l'allié inconditionnel de Castro (il semblait beaucoup plus proche que ses collègues des idées de Moscou) et c'est en grande partie grâce à lui que fut réalisée, au mois d'octobre, la fusion entre les Jeunesses socialistes du Parti et la section Jeunesse du Mouvement du 26 juillet. Quand il évoque ces journées, Pedro Miret rapporte que le premier pas, pour les *Fidelistas*, consista à « diluer » le Mouvement, sans que la plupart des Cubains s'en soient rendu compte, parce que, dit-il : « nous devions créer notre petit groupe ». Castro préparait le terrain pour la création des Organisations révolutionnaires intégrées (ORI), cet appareil dont la mise en place devait lui permettre de fabriquer son propre Parti communiste ; mais pendant presque toute l'année 1960, les « vieux » communistes se firent prier, affirmant souvent avec insistance qu'ils représentaient, eux, les idées du Kremlin. Pour finir, Alexandre Alexeiev, de retour à Cuba en qualité de correspondant permanent de l'agence TASS, du moins en apparence (Koudriatsev servait d'ambassadeur), remit à Castro un message personnel de Khrouchtchev, où il était écrit qu'il n'y avait pas de « parti intermédiaire » entre les deux chefs d'Etat et que Fidel était le « chef authentique » de la Révolution. Avant même sa rencontre avec Castro à New York, Khrouchtchev évitait soigneusement de laisser croire à ce dernier qu'il était traité comme le chef d'un quelconque pays satellite d'Europe de l'Est.

Contrairement aux « vieux » communistes du Parti cubain, Khrouchtchev avait évidemment assez de bon sens pour accepter Castro tel qu'il était
à ce moment précis, au risque d'apprendre plus tard qu'on ne pouvait
facilement le manœuvrer pour le plier au dogme du Kremlin. Si l'on veut
reconstituer l'évolution idéologique de Fidel — et dissiper l'impression
tenace de tous les gouvernements américains successifs selon laquelle il a
toujours été un outil entre les mains des Soviétiques —, il convient
d'examiner les propos qu'il a tenus, sur l'interprétation du marxisme, au
cours de ses entretiens avec Régis Debray, pendant les années 1960. Castro
disait à peu près ceci : On m'accuse d'hérésie. On dit que je suis un
hérétique dans le camp marxiste-léniniste. Il est amusant que les prétendues organisations marxistes, qui se disputent comme chien et chat pour la
possession exclusive de la vérité révolutionnaire, nous accusent de vouloir
appliquer mécaniquement la formule cubaine et de ne pas comprendre le
rôle du Parti ; c'est cela l'hérésie. Pour Debray, la grande différence entre
Castro et les dogmatiques qui l'accusaient d'hérésie était la suivante : pour
Fidel, les partis marxistes-léninistes ne sont pas nécessairement la seule ni
la meilleure « avant-garde » des révolutions. La victoire sandiniste au
Nicaragua en 1979 lui donnerait raison dans l'avenir, mais entre-temps, il
devait continuer de prêcher ses hérésies.

Fidel Castro arriva à New York le 18 septembre, le lendemain du jour où
il avait signé les décrets portant nationalisation de trois succursales cubaines
de banques américaines. Quatre jours avant son arrivée, un complot
préparé par la CIA en vue de l'assassiner fut mis au point, dans un hôtel de
New York, avec la complicité d'une importante personnalité de la Mafia à
qui l'Agence voulait confier la mission. La décision d'assassiner Castro était
prise conformément au « programme » approuvé par Eisenhower en mars.
L'exécution du plan devait coïncider avec une intensification de la guérilla
dans l'île ; en fait, les premières opérations avaient déjà commencé dans les
montagnes de l'Escambray.

Une note de service de la CIA déclare que, « au mois d'août 1960 (le
Directeur adjoint) Richard M. Bissell avait demandé au colonel Sheffield
Edwards de voir si le Service de Sécurité disposait d'éléments susceptibles
d'aider à la réussite d'une mission délicate relevant d'une sorte de
gangstérisme ; l'objectif de la mission était la liquidation de Fidel Castro ».
Bissell, qui était également chargé de préparer l'opération de la Baie des
Cochons, mit le directeur de la CIA, Allen Dulles, au courant du projet et
ce dernier « donna son accord ». On ignore toujours si, en ordonnant
l'assassinat d'un chef d'Etat étranger, Dulles agissait de sa propre autorité
ou s'il avait obtenu l'agrément explicite du président Eisenhower. Dans les
années 1960, cependant, la Maison-Blanche pratiquait la méthode du
« démenti plausible » chaque fois qu'une opération risquée et potentiellement embarrassante pouvait mettre en péril le prestige du Président ; en
général le directeur de la CIA et le conseiller à la sécurité nationale
prenaient sur eux la responsabilité de ne pas avertir Eisenhower, dans ce
genre d'entreprises ; cela permettait au Président de proclamer son
ignorance sans mentir, si jamais la CIA était prise la main dans le sac.

L'autorisation nécessaire à ce genre d'opération découlait des directives générales données par le Président — comme la décision du mois de mars sur l'élimination de Castro. Un « démenti plausible » fut publié au mois de mai, au moment où les Soviétiques abattirent un avion-espion américain au-dessus de leur territoire — encore une entreprise de Bissell). On peut estimer que le même principe fut appliqué à la tentative d'assassinat contre Castro.

Ce dernier affirme pour sa part qu'il a toujours pensé figurer sur la liste des hommes à abattre, pour les Américains, mais il serait, croyait-il, plus en sécurité aux Etats-Unis qu'à Cuba ; à son avis, la CIA n'aurait pas pris le risque considérable de le tuer en plein Manhattan, en raison des conséquences politiques d'une telle affaire. D'après la note de service de la CIA, il fut demandé à un ancien agent du FBI (Federal Bureau of Investigation), Robert A. Maheu, s'il pourrait tenter de « pénétrer dans le milieu » ; c'eût été la première étape de l'organisation du meurtre. C'est ainsi que, le 14 septembre, à New York, Maheu avait rendez-vous avec un certain Johnny Roselli, signalé comme étant un « membre important du syndicat du crime ». L'offre de 150 000 dollars pour abattre le dirigeant cubain était censée provenir des « hommes d'affaires » qui avaient vu confisquer leurs biens par la révolution ; Roselli présenta Maheu à des chefs de la Mafia, Salvatore « Momo » Giancana et Santos Trafficante. L'entrevue eut lieu à Miami. Sur les conseils des gangsters, la Division des services techniques de la CIA mit au point et fabriqua des pilules composées « d'éléments rapidement solubles, hautement toxiques et difficilement décelables ». Il semblerait qu'il y eut « plusieurs vaines tentatives » pour faire absorber les pilules à Fidel et que « le projet fut annulé peu de temps après l'incident de la Baie des Cochons ». Lors d'auditions postérieures, devant une commission d'enquête du Sénat, sur les opérations secrètes dirigées contre Cuba, on s'aperçut que d'autres assassinats avaient été envisagés, à l'encontre de Raúl Castro et de Che Guevara ; en effet, dans l'esprit du chef de la Division de l'Hémisphère occidental, à la CIA : « si les trois principaux chefs ne sont pas éliminés d'un seul coup — ce qui est quasiment impossible —, cette opération risque de traîner en longueur et l'actuel gouvernement ne pourra être renversé que par l'usage de la force ».

Telle était l'attitude qui régnait dans les sphères gouvernementales américaines lorsque, sans préavis ou presque, Castro surgit en plein New York à la tête de la délégation cubaine qui venait siéger à l'Assemblée générale des Nations unies. L'ironie bien involontaire de l'accueil qui lui fut réservé résidait dans le fait que le gouvernement américain avait décidé de confiner Castro et sa suite dans l'île de Manhattan « afin d'assurer sa sécurité personnelle » pendant les dix jours que devait durer sa visite, et que le détachement de police composé de 258 hommes, préposé à sa garde, était presque aussi important que toute l'Armée rebelle (300 hommes) au moment où elle avait lancé son offensive finale en 1958. La police n'avait évidemment aucun moyen de savoir qu'un autre organisme officiel des Etats-Unis projetait de faire assassiner ailleurs l'homme qu'elle protégeait à New York ; et le département d'Etat (ignorant tout des plans de la CIA) cherchait partout dans la ville un hôtel qui acceptât de recevoir la délégation cubaine. Pour aggraver encore les choses, l'appareil de la compagnie Cubana Aviación qui avait amené Castro à New York dut repartir aussitôt pour La Havane afin d'éviter la saisie demandée par des créanciers américains ; deux jours auparavant, un autre avion cubain avait été placé sous séquestre à l'aéroport. La présence de Castro à New York entraîna une série de malentendus, quantité de soucis pour les Américains, des menaces contre sa personne émanant d'émigrés cubains et — chose ignorée alors — le risque d'un assassinat organisé en haut lieu. Castro n'avait sans doute pas entendu parler de Maheu, de Roselli ni des pilules empoisonnées, mais il se délectait de tout le reste. Pendant ce temps, à La Havane où Raúl Castro assumait l'intérim du Premier ministre, les déplacements de l'ambassadeur des Etats-Unis étaient limités au quartier résidentiel de Vedado, en guise de représailles.

Nikita Khrouchtchev avait décidé qu'il verrait Fidel Castro avant même de mettre le pied sur le pont du paquebot *Baltika* qui l'emmènerait de Kaliningrad à New York. Un jour, au cours de la traversée, il lança la conversation sur Cuba, alors que le *Baltika* se trouvait au nord de l'île ; Arkadi Chevtchenko, jeune diplomate et membre de la suite de Khrouchtchev en qualité de conseiller, évoque ce souvenir. (Devenu plus tard secrétaire général adjoint des Nations unies, il fit défection en 1978 et publia ses Mémoires sous le titre *Rupture avec Moscou* [Éd. du Roseau, 1985].) Il cite les remarques de Khrouchtchev : « J'espère que Cuba deviendra le phare du socialisme en Amérique latine... Castro alimente cet espoir et les Américains font notre jeu. » D'après lui, les Etats-Unis faisaient tout ce qu'ils pouvaient pour acculer Castro le dos au mur, au lieu d'établir avec lui des relations normales : « C'est stupide ; c'est à cause des hurlements que poussent les anticommunistes fanatiques qui voient du rouge partout, même s'il n'y a que du rose ou même du blanc... Castro finira par être attiré par nous comme la limaille de fer par l'aimant. »

A New York, Khrouchtchev s'empressa d'accélérer cette attraction en allant rendre visite à Castro en plein Harlem. Le choix qu'avait fait Fidel de s'installer dans le quartier noir fit de la visite un événement encore plus intéressant, politiquement, pour le Soviétique. Le jour de l'arrivée de ce dernier à New York, Castro avait abandonné l'hôtel Shelburne, établissement confortable situé au coin de Lexington Avenue et de la 37e Rue, à proximité des Nations unies, pour protester contre ce qu'il considérait comme des « demandes d'argent inacceptables » de la part de la direction ; peut-être ne s'était-il pas rendu compte que si le Shelburne lui avait loué vingt appartements (à vingt dollars chacun) c'était sur les instances du département d'Etat soucieux de trouver à loger la délégation cubaine. Le lendemain, Castro et cinquante Cubains se ruèrent au crépuscule vers le bâtiment du Secrétariat des Nations unies, dans la Première avenue, pour affronter le secrétaire général, Dag Hammarskjöld. Vêtu de son éternel treillis vert olive, Castro et sept de ses compagnons s'entassèrent dans une Oldsmobile noire, suivis du reste de la délégation, à pied ou en voiture, de la police et de centaines de journalistes. Une fois arrivé, Castro informa Hammarskjöld, toujours aussi affable, que sa délégation ne bougerait pas tant que la question de son hébergement ne serait pas résolue. Il ajouta que les Cubains étaient prêts à camper dans Central Park, en précisant : « Nous sommes des montagnards, nous avons l'habitude de dormir à la belle étoile. »

Castro refusa alors une offre de logement gratuit au Commodore Hotel, établissement plutôt luxueux situé à quelque deux cents mètres des Nations unies, pour se diriger avec son cortège assez stupéfiant vers le Theresa Hotel, un édifice de onze étages situé au coin de la Septième Avenue et de la 125e Rue, à Harlem ; de toute évidence, la direction y attendait les Cubains. Ils louèrent quarante chambres, et s'installèrent enfin vers minuit et demie. Après avoir ainsi relégué dans l'ombre toutes les autres activités des Nations unies avec ses équipées nocturnes à travers la ville, Castro annonça qu'il avait toujours eu l'intention de se loger à Harlem parce que les Noirs montreraient plus de sympathie envers la révolution cubaine. Il resta presque toute la nuit debout, pour recevoir des journalistes noirs et le chef des Musulmans Noirs, Malcolm X.

Khrouchtchev fait lui aussi le récit de ces événements dans ses Mémoires, intitulés *Souvenirs* (Paris, Robert Laffont, 1971) ; il évoque l'indignation avec laquelle il avait appris que les Cubains avaient été « jetés à la porte » de leur hôtel et invités à Harlem. Il s'y fit conduire le lendemain matin, pour « serrer la main à Castro en signe de sympathie et de respect », après avoir averti le Cubain par téléphone qu'il quittait la résidence officielle des Soviétiques pour aller le voir. Castro, raconte-t-il, avait proposé de venir lui-même parce qu'il « pensait que l'Union soviétique était un grand pays et que son jeune gouvernement révolutionnaire représentait un petit pays ; il lui revenait donc de me rendre visite le premier ». Mais, continue Khrouchtchev, « j'ai eu l'impression qu'il valait mieux pour moi que je me dérange, car je soulignais ainsi notre solidarité avec Cuba, et je faisais ressortir le contraste entre notre attitude et la scandaleuse discrimination dont il était l'objet... En allant dans un hôtel noir, en plein quartier noir, nous faisions coup double : nous dénoncions les pratiques discriminatoires appliquées par les Etats-Unis d'Amérique aussi bien à l'encontre des Noirs qu'à l'encontre de Cuba. »

Donc à midi, ce mardi 20 septembre, se produisit l'une des rencontres diplomatiques les plus inattendues de toute l'après-guerre : Fidel Castro accueillit Khrouchtchev à l'entrée de l'hôtel Theresa. C'est encore le récit de Khrouchtchev qui est le plus coloré : « Il me fit une forte impression. C'était un homme de haute taille, barbu, avec une expression à la fois aimable et déterminée. Ses yeux étincelaient de gentillesse pour ses amis. Nous tombâmes dans les bras l'un de l'autre. Si je dis que nous nous sommes " étreints ", je dois apporter une précision. Il ne faut pas oublier ma taille comparée à celle de Castro. Il dut se baisser et il m'enveloppa en quelque sorte de tout son corps. Si ma circonférence est respectable, on ne peut pas dire non plus qu'il était tellement maigre, surtout pour son âge. » Les deux hommes eurent une conversation de vingt-deux minutes, par l'intermédiaire de leurs interprètes, dans l'appartement de Castro situé au neuvième étage de l'hôtel. D'après Khrouchtchev, Castro « exprima le plaisir qu'il ressentait de ma visite ; je lui exprimai à nouveau mes sentiments de solidarité et mon approbation pour sa politique. La rencontre fut courte ; nous n'échangeâmes que quelques phrases... Vous pouvez facilement imaginer l'agitation que provoqua cet événement dans la presse américaine et ailleurs. » Le *New York Times* raconte que « ce fut le plus extraordinaire événement que la 125ᵉ Rue ait connu depuis les obsèques de W. C. Handy, l'auteur de " St. Louis Blues ", en 1958. »

De retour dans la résidence soviétique au coin de Park Avenue et de la 68ᵉ Rue, Khrouchtchev confia aux journalistes combien il était « satisfait de la conversation » qu'il avait eue avec Castro ; il décrivit celui-ci sous les traits « d'un héros qui a délivré son peuple de la tyrannie de Batista et lui a assuré une existence meilleure »... Il ajouta : « Je salue Fidel Castro et lui adresse mes vœux. » Mais la cour que faisait Khrouchtchev au chef révolutionnaire ne s'arrêta pas là. Lors de la séance de l'après-midi à l'Assemblée générale, il se leva de son siège qui était presque au fond de la salle, alla jusqu'aux travées avancées, traversa la tribune pour atteindre le côté opposé de la salle où se trouvait Castro, sur la première rangée, flanqué de ses diplomates. Fidel se leva et les deux hommes rayonnants s'embrassèrent à nouveau à plusieurs reprises pour la plus grande joie des photographes. Trois jours plus tard, Castro était invité à dîner par Khrouchtchev, dans la résidence soviétique de Park Avenue ; il y passa quatre heures et demie et c'est évidemment à ce moment-là que les deux hommes eurent leurs entretiens les plus sérieux — notamment au sujet de l'importance du soutien militaire que Moscou était prête à accorder à Cuba. La réunion se termina à minuit, et l'on vit Khrouchtchev, bras dessus bras dessous avec Castro, raccompagner ce dernier à sa voiture. Ils ne devaient se revoir que trois années plus tard au Kremlin, pour une tentative de réconciliation après leur grave différend sur la présence des missiles nucléaires soviétiques à Cuba.

D'après Chevtchenko, à son retour de Harlem, Khrouchtchev dit à son entourage qu' « il avait découvert que Castro souhaitait une amitié étroite avec l'URSS et qu'il demandait une aide militaire... De plus, il avait eu l'impression que Castro ferait un bon communiste. Mais s'il était enthousiaste, il ajouta cependant qu'il convenait d'être prudent. " Castro est comme un jeune poulain qui n'a pas encore été débourré. Il faudra le dresser, mais il est vif — nous devrons donc faire très attention. " »

A part ses rencontres avec Khrouchtchev, le Premier ministre cubain ne vit que le Président tchèque, Antonin Novotny, le Premier ministre bulgare Jivkov et, parmi les représentants des pays neutralistes, Gamal Abdel Nasser l'Egyptien, le Premier ministre Nehru pour l'Inde et le président Kwame Nkrumah du Ghana. Malgré les efforts déployés par le ministre des Affaires étrangères Raúl Roa, le maréchal Tito refusa de voir Castro. Le 26 septembre, ce dernier régala l'Assemblée générale d'un discours de quatre heures et demie, à partir d'un seul feuillet de notes, accusant les Etats-Unis d' « agression » contre Cuba. Khrouchtchev écouta le discours entier, l'interrompant souvent, tout souriant, par des applaudissements bienveillants.

Pendant son séjour à New York, Castro présida par téléphone un conseil des ministres qui se tenait à La Havane, pour décider de l'établissement de relations diplomatiques avec la République populaire de Chine et avec la Corée du Nord. Il passa une bonne partie de son temps dans l'appartement de l'Hôtel, sans doute parce qu'il n'avait pas assez de contacts avec le monde diplomatique pour occuper les dix jours de sa visite. Juan Almeida, son chef d'état-major — qui est noir —, l'avait accompagné pour rencontrer les dirigeants noirs des Etats-Unis, mais il n'en sortit pas grand-chose. En compagnie de Celia Sánchez et du capitaine Nuñez Jiménez, il se tenait au courant des événements de Cuba et la plupart de ses repas se composaient de plats de poulet au riz, livrés à l'hôtel par un restaurant voisin. Un soir, il invita les employés noirs du Theresa à manger un steak à l'hôtel en sa compagnie et celle du commandant Almeida; un autre soir encore, il reçut les dirigeants du comité « Fair Play for Cuba », qui comprenait les poètes Langston Hughes et Allen Ginsberg. Au bout de quelques jours, sa présence à Harlem ne constituait plus une nouveauté, les foules s'amenuisèrent et seule la présence de la police demeura importante. Il y eut même une victime : un cheval de la police, appelé Bangle, s'effondra devant l'hôtel, mort d'épuisement, par suite d'une affection rénale.

Enfin, le 29 septembre, Castro repartit pour La Havane à bord d'un Ilyouchine 18 soviétique à turbopropulsion, afin de ne pas risquer qu'un autre appareil cubain fût saisi par des créanciers américains. A l'aéroport, juste avant son départ, il déclara : « Les Soviétiques sont nos amis... Ici, vous nous avez pris nos avions — les autorités nous ont volé nos avions — les Soviétiques, eux, nous en donnent. » De retour à La Havane, accueilli par 150 000 compatriotes en liesse, il leur dit que les Etats-Unis étaient une « nation froide et hostile » et que New York était un « lieu de persécution ». Mais dans l'ensemble, Castro avait évidemment obtenu ce qu'il était venu chercher à New York : l'attention de l'opinion publique et une solide entente avec Nikita Khrouchtchev portant sur toutes formes d'assistance que recevrait son pays. Cette aide allait se révéler très bientôt nécessaire — et de manière urgente.

A son retour à Cuba, Fidel Castro dut immédiatement faire face à une masse de difficultés dont la plupart avaient trait à des pressions américaines maintenant que le gouvernement Eisenhower était absolument décidé à liquider sa révolution. Le 18 octobre, l'ambassadeur Bonsal fut rappelé « pour consultations prolongées », parfaitement conscient du fait que ce rappel marquait la fin de sa mission à Cuba; les Etats-Unis ne voulaient plus avoir affaire avec Castro. Le lendemain, les exportations de produits américains vers Cuba furent interdites — à l'exception des denrées alimentaires non subventionnées, des médicaments et des fournitures médicales. Ainsi fut décidé l'embargo, ou le « blocus » comme l'appelle Castro, qui est toujours en vigueur vingt-six ans plus tard; il compliqua la vie économique de Cuba en rendant l'île complètement dépendante de l'Union soviétique, mais il ne réussit pas à briser la révolution.

A l'intérieur, la situation était dangereuse sur un autre plan, mais là aussi les choses étaient étroitement liées aux efforts tentés par les Américains pour se débarrasser de Castro. Au mois de septembre, il dut accepter la réalité : il était impossible de tolérer plus longtemps la présence des groupes rebelles dans les montagnes de l'Escambray, au centre de l'île (elles étaient également présentes, mais en moins grand nombre, dans la province d'Oriente). Castro savait par expérience à quel point il est difficile pour une armée classique de lutter contre des guérilleros — et maintenant c'est *lui* qui se trouvait à la tête de l'armée conventionnelle — si on les laisse s'installer. De plus, il se rendait bien compte que les bandes de maquisards de l'Escambray étaient ravitaillées par des avions de la CIA, bien que la plupart des parachutages ne leur soient jamais parvenus, interceptés qu'ils étaient par l'Armée et par la milice.

Le principal atout de Castro était que ces rebelles n'avaient pas de commandement unifié et qu'ils n'avaient pour chef aucun dirigeant connu de la nation — puisque, une fois encore, c'est *lui* qui avait été le chef incontesté dans la Sierra Maestra — et, par conséquent, aucune coordination. Le 8 septembre, peu avant le départ de Castro pour New York, l'Armée rebelle mit sur pied des bataillons spéciaux destinés à participer à « l'opération de nettoyage de l'Escambray ». Ces hommes prirent position dans les montagnes environnantes en compagnie d'une centaine de milliers de miliciens et entamèrent une campagne d'extermination. Juste avant le retour de Fidel à La Havane, le gouvernement annonça qu'il avait remporté une victoire sur une unité rebelle de l'Escambray — pour la première fois, il était publiquement reconnu que l'on se battait dans les montagnes du centre. A ce moment-là, les premières armes lourdes soviétiques — des mortiers de 82 mm et des canons de 122 mm — commencèrent à arriver, afin de renforcer les défenses de l'île. Les premiers chars furent débarqués au début de 1961. Castro et ses conseillers croyaient que les soulèvements de l'Escambray annonçaient une invasion future et qu'il était donc urgent de les liquider. Ils avaient raison, car la CIA avait effectivement envisagé une liaison entre les forces présentes dans l'Escambray et les effectifs qui prendraient pied dans la Baie des Cochons (les montagnes sont proches des marais de Zapata) : lorsque les émigrés débarquèrent, cependant, l'Escambray avait déjà été neutralisée.

Le vice-président Fernández, l'un des rares officiers de carrière qui servaient alors sous le gouvernement de Castro, se souvient que, dans l'Escambray, le moment le plus dangereux se situa entre décembre 1960 et février 1961. C'est pourquoi, à son retour des Nations unies, Castro avait assumé personnellement le commandement des opérations ; il passa des jours et des nuits en compagnie des miliciens, se montrant aux troupes et aux populations locales. Là encore, son expérience de guérillero lui fut utile. Fernández raconte encore que la stratégie mise au point par Castro consistait à placer un milicien en sentinelle permanente tous les quarante ou cinquante mètres le long d'une route ou d'une crête. L'homme vivait dans sa tranchée où il recevait ses repas trois fois par jour. C'est ainsi que les montagnes furent complètement isolées, tandis que d'autres unités progressaient dans les collines afin de capturer les rebelles. Ces bandes armées, d'après Fernández, ne se composaient jamais de plus d'une vingtaine d'hommes, se déplaçant rapidement d'un endroit à un autre, mais ne formaient jamais un groupe plus puissant. A en croire les estimations de Castro comme celles de Fernández, le nombre total des guérilleros atteignit peut-être cinq mille à un moment (cinq cents d'entre eux furent pris en une seule opération). Ils formaient un mélange : petits propriétaires terriens redoutant la réforme agraire, anciens soldats de Batista, anciens combattants déçus de l'Armée rebelle, ou simples aventuriers ; presque tous se battaient au nom de l'anticommunisme.

D'après Fernández, la dernière bande de l'Escambray ne fut liquidée qu'en 1965, ce qui signifie que les miliciens restèrent mobilisés sur place, en plus ou moins grand nombre, pendant plus de cinq ans. Pour lutter contre les révoltés sans dégarnir les autres défenses de l'île, les miliciens recevaient un entraînement pendant vingt et un jours avant d'être envoyés au combat. Près de six mille hommes recevaient simultanément une formation à tout moment ; à la longue, les miliciens devinrent l'épine dorsale de la défense cubaine. En tout cas, leur rôle fut déterminant au moment du débarquement de la Baie des Cochons.

Le service de renseignements fut encore une autre arme d'une importance vitale pour Castro. Il était placé sous les ordres de Ramiro Valdés et de Manuel Piñeiro (Barberousse). Le service de renseignements de l'Armée s'était infiltré dans les groupes rebelles et antirévolutionnaires à un degré étonnant, grâce à quoi Castro a pu tenir ses ennemis en respect, y compris la CIA, pendant près de trente ans. Il prétend qu'à un moment donné, il existait quelque trois cents « organisations contre-révolutionnaires », dont chacune attendait le soutien des Américains et que « nous savions mieux qu'elles ce qu'elles faisaient », grâce à notre noyautage. Il affirme encore que « il est arrivé un moment où c'était des gens à nous qui avaient fini par se trouver à la tête de presque toutes ces organisations contre-révolutionnaires ». Toujours selon lui, les dossiers de renseignements étaient si complets que si un comploteur était arrêté en 1962, le régime connaissait toutes ses activités et tous ses contacts depuis 1960 et même avant.

Les organismes de sécurité qui fonctionnaient à plein temps ne suffisaient cependant pas aux yeux de Castro ; aussi le 28 septembre, le jour même de son retour, il annonça la création de Comités pour la Défense de la Révolution (CDR), système de « vigilance collective » populaire. Les CDR étaient son invention, car rien de comparable sur une pareille échelle n'existait, même en Union soviétique ; la fonction qui leur fut conférée sur-le-champ était d'informer la police et les services de sécurité de la présence de tout étranger dans le voisinage (il y a un CDR dans chaque ensemble d'immeubles en ville, dans chaque usine, dans chaque exploitation agricole), de dénoncer les citoyens qui critiquaient le régime et ainsi de suite. Castro estimait en 1986 que quatre-vingts pour cent de la population appartenait aux CDR, ce qui représente un maillage de sécurité sans égal. Mais, de nos jours, ces organisations sont également responsables de la vaccination des enfants et de toutes sortes de tâches d'ordre communautaire.

Pratiquement donc, la première grande phase de la révolution cubaine était terminée à la fin de 1960 ; elle avait duré deux ans. Pour reprendre les paroles de Carlos Rafael Rodríguez, ce fut la fin du « capitalisme » à Cuba, avec la nationalisation des firmes étrangères et de l'industrie, des exploitations agricoles et des entreprises commerciales. Les liens avec les Etats-Unis étaient rompus, l'alliance avec l'Union soviétique créait une relation d'une importance fondamentale, entièrement nouvelle. La sécurité à l'intérieur était bien en mains grâce aux milices et aux nouveaux CDR, et le gouvernement révolutionnaire se trouvait dégagé des influences « libérales » ou « modérées ».

Le 13 octobre, Castro avait ordonné l'expropriation de trois cent quatre-vingt-deux grandes sociétés industrielles et commerciales « appartenant à la bourgeoisie cubaine » et de toutes les banques cubaines et étrangères (à l'exception des banques canadiennes). Le 15 octobre, il était apparu à la télévision nationale pour proclamer que son programme révolutionnaire, déjà esquissé dans son discours « L'Histoire m'acquittera », avait été réalisé — nationalisation des sociétés étrangères et réforme agraire — et que la révolution entamait une nouvelle étape. Dans le même discours cependant, il affirmait que la révolution « n'avait pas besoin » de liquider les petites entreprises privées, boutiques et ateliers par exemple. L'installation de « Magasins du Peuple » dans les villes, continua-t-il, « ferait obstacle à la révolution », et la révolution ne s'intéresse pas aux rouages de la vente au détail. En 1968, au moment où une nouvelle étape de la révolution était à nouveau franchie, il revint sur sa parole pour tout nationaliser, le petit café du coin comme les taxis ; même les marchands ambulants n'eurent plus le droit d'exister. Castro fit alors l'expérience du « communisme pur », l'une de ses plus graves erreurs, comme il devait le reconnaître plus tard.

Lorsqu'il présenta son programme idéologique au Premier Congrès de son nouveau Parti communiste en 1975, il déclara que, au cours de la seconde moitié de l'année 1960, « la Révolution cubaine était entrée dans l'ère de la construction du socialisme ». En octobre 1960, naturellement, lorsqu'il avait annoncé l'ouverture de la nouvelle phase révolutionnaire, il avait omis de prononcer le mot « socialisme ». Mais le 31 décembre 1960, Castro ordonna la mobilisation générale pour défendre la nation contre une agression militaire imminente menée « par les troupes de l'impérialisme yankee », qui, prétendait-il, serait le dernier acte du président Eisenhower avant son départ de la Maison-Blanche. Fidel ne savait pas que ce serait à John F. Kennedy (alors président-élu) qu'il aurait à faire, et non plus à Dwight Eisenhower. Kennedy, depuis son élection, avait été mis partiellement au courant des plans relatifs à la Baie des Cochons. En fait, la nouvelle phase qu'allait traverser Cuba devait être beaucoup plus complexe et beaucoup plus explosive que Castro ne semblait le croire tandis que, à la veille du nouvel an, il ordonnait sa mobilisation générale.

4

Fidel Castro et John F. Kennedy appartenaient à la même génération. Tous deux étaient de grands esprits qui avaient leur propre vision de l'histoire. Jamais ils ne s'étaient rencontrés, mais chacun d'eux fascinait l'autre, comme adversaire et comme dirigeant de son pays. Je le sais pour avoir parlé de Castro avec Kennedy au cours des brèves années pendant lesquelles ils furent simultanément au pouvoir dans leurs pays respectifs, et pour avoir évoqué le souvenir de Kennedy avec Castro pendant un quart de siècle. Chacun d'entre eux s'intéressait passionnément à tout ce qui concernait l'autre. Il existait entre eux une sorte de respect intellectuel. Du point de vue historique, ils eurent une influence remarquable l'un sur l'autre, comme sur leurs pays ; à cause de Castro, Kennedy s'enferra dans le dramatique épisode de la Baie des Cochons et, par un paradoxe bizarre, se lança dans l'Alliance pour le Progrès, ce vaste plan d'assistance destiné à l'Amérique latine. La présence de Kennedy à la Maison-Blanche, que Castro craignait encore après l'épisode de la Baie des Cochons, poussa les Cubains à demander des garanties militaires à Moscou, d'où l'installation d'armes nucléaires soviétiques sur l'île et la crise des missiles de 1962 qui mit le monde à l'extrême bord de l'affrontement nucléaire.

On peut donc dire en ce sens que Castro et Kennedy avaient un destin commun. Aujourd'hui encore, Castro est persuadé que si Kennedy avait vécu, ils seraient parvenus un jour ou l'autre à régler de façon intelligente le différend entre leurs deux pays. Pour Castro, qui était lui-même une cible offerte aux assassins, la mort de Kennedy fut un coup terrible, dont il évoque fréquemment le souvenir. Quant à savoir si Kennedy aurait accepté un règlement et laissé Castro au pouvoir, la question restera à jamais sans réponse ; les historiens américains nourrissent cependant des opinions bien différentes sur ce point.

Ce qui est certain par contre, c'est que Castro a joué un rôle important pour la présidence de Kennedy ; la personnalité de ce dernier ainsi que les méthodes politiques qu'il appliquait ont contribué à parfaire l'attitude du Cubain à l'égard des Etats-Unis comme de l'Union soviétique. Enfin, c'est à cause de Castro que les deux superpuissances ont dû réviser et repenser les fondements de leur stratégie nucléaire ; dans le cas de l'Union soviétique, le fiasco subi par Khrouchtchev en cette circonstance à Cuba entraîna sa décision d'accélérer encore les efforts entrepris par l'URSS pour parvenir à la parité nucléaire avec les Etats-Unis, sinon pour obtenir une supériorité dans ce domaine. En d'autres termes, l'histoire de la révolution cubaine au cours des années 1960 est, dans une très large mesure, liée à l'influence qu'ont exercée, l'un sur l'autre, Fidel Castro et John Kennedy.

Mille neuf cent soixante et un, l'année baptisée par Castro « Année de l'Enseignement », la troisième de la révolution, marqua un tournant idéologique pour Cuba qui embrassa ouvertement la doctrine marxiste-léniniste. Pour les Etats-Unis, cette année était censée voir la liquidation de Fidel Castro, puisque le gouvernement Kennedy poursuivait les plans d'invasion, secrètement mis au point par son prédécesseur.

L'adieu d'Eisenhower à Cuba fut la rupture des relations diplomatiques entre les deux pays, signifiée le 3 janvier, lendemain du jour où Castro avait exigé, dans un discours prononcé pour l'anniversaire de la révolution, que le personnel de l'ambassade des Etats-Unis à La Havane soit réduit à dix-huit diplomates — l'ambassade de Cuba à Washington n'en comprenait pas davantage. Le personnel diplomatique américain en poste à La Havane comptait plus de soixante personnes, surtout parce que les intérêts américains dans l'île étaient, à tous points de vue, considérables ; Eisenhower décida de considérer la requête de Castro comme une provocation qui justifiait la rupture des relations diplomatiques. Désormais, les Etats-Unis avaient les mains libres pour entreprendre toute action qui leur conviendrait afin de se débarrasser de Castro. Au moment même où John Kennedy entrait en fonctions à Washington, des émigrés cubains suivaient un entraînement dans des camps secrets de la CIA au Guatemala, pour se préparer à l'invasion. Castro avait toujours pensé qu'il fallait crier « au loup ! », aussi se servit-il des fêtes de l'anniversaire de la révolution pour avertir son peuple que, en dépit du changement de gouvernement aux Etats-Unis, l' « impérialisme » présentait toujours un danger mortel ; il le fit bien voir en présidant à la première revue militaire de la révolution à La Havane. Les soldats « rebelles » et les unités de la milice avaient abandonné les oripeaux de la guérilla et brandissaient fièrement leurs nouvelles armes soviétiques, tchèques ou belges.

Naturellement, cette parade symbolisait aussi la nature du dilemme fondamental auquel Castro devait faire face : porter ou non la révolution au-delà des phrases ; démanteler ou non l'ordre économique et social ancien de fond en comble. Parce qu'il était vraiment menacé d'un danger mortel de la part des Etats-Unis, il lui fallait détourner au profit de la défense quantité de main-d'œuvre, de ressources, d'énergie et d'attention personnelle, qui auraient pu être mis au service de la « construction révolutionnaire ». D'autre part, comme il l'a souvent dit lui-même, le danger extérieur lui était indispensable pour insuffler de la vigueur à l'esprit révolutionnaire, en particulier quand les dures réalités de la vie quotidienne remplacèrent l'euphorie romanesque des premiers jours et de la victoire. Comme si les choses n'étaient pas encore difficiles, pendant les premières années de la révolution, Castro n'avait pas de politique économique bien définie, et il s'acharnait à refaire indéfiniment ses plans, à les modifier et à les adapter aux circonstances. De plus, après s'être débarrassé des « modérés » vers le milieu des années 1960, il manquait d'économistes et de gestionnaires au plus haut niveau. Pendant des années, la vie économique du pays fut dirigée personnellement par Castro lui-même à partir de l'INRA, sur les conseils de Che Guevara, du capitaine Nuñez Jiménez, géographe et idéologue, et, plus tard, d'un intellectuel de charme, Carlos Rafael Rodríguez, le meilleur homme politique qu'aient produit les communistes cubains.

Il suffit de relater par exemple l'emploi du temps de Castro et les événements survenus à Cuba pendant la première semaine de 1961 pour comprendre les pressions qui s'exerçaient sur lui et la manière dont il se laissait tirer, de plus ou moins bon gré, dans toutes les directions imaginables. En 1960, Fidel avait décidé que pour faire progresser Cuba, avec ou sans révolution, rien n'était plus urgent que l'alphabétisation de la population. Au moment de sa victoire, quelque quarante pour cent des six millions de Cubains étaient illettrés (comme la plupart des membres de l'Armée rebelle) ; il se livra donc à des calculs et conclut qu'il lui fallait environ dix mille instituteurs de plus dans les zones rurales. Au cours des deux premières années après la prise du pouvoir, le gouvernement avait fait construire dix mille salles de classes, mais il manquait toujours autant d'enseignants. L'idée d'une campagne d'alphabétisation accélérée naquit de ces réalités et, à partir de la mi-1960, on avait créé des « brigades d'alphabétisation » composées d'étudiants et de grands élèves de l'enseignement secondaire, qui s'étaient répandues dans toute la campagne. La formation des maîtres devait suivre. Castro avait donc décidé de faire de 1961 l' « Année de l'Enseignement », et de diriger personnellement la campagne, de même qu'il prenait toutes les décisions concernant la défense et l'économie. Voici donc comment se déroula la semaine en question :

Le 31 décembre, pour donner le coup d'envoi à la campagne d'alphabétisation, il dîna en compagnie de dix mille instituteurs, à La Havane, dans le camp militaire Columbia, désaffecté et converti en complexe scolaire ; par la même occasion, il prévint le peuple de l'imminence d'une « agression impérialiste ». Quelques heures auparavant, il était allé au centre de la ville pour diriger personnellement les opérations des pompiers occupés à lutter contre l'incendie de La Epoca, qui, à son avis, était le résultat d'un acte de sabotage. Le même jour, il avait aussi ordonné la mobilisation générale contre une invasion américaine. Le 1er janvier, il présidait au lancement officiel de la campagne nationale d'alphabétisation en proclamant que tout Cubain devait « en toute conscience révolutionnaire, comprendre qu'il est honteux de ne pas savoir lire et écrire ». Le 2 janvier, il passa en revue les troupes qui défilaient sur la Plaza Cívica et exigea une réduction du personnel diplomatique de l'ambassade des Etats-Unis. Le 4 janvier, après avoir signé à La Havane les Actes portant création d'un Centre culturel national, Fidel endossa son vieux treillis, se coiffa d'un béret marron puis, le fusil à la main et la boussole au poignet gauche, il alla se joindre aux miliciens qui se battaient dans la Sierra del Escambray. Le 5 janvier, à La Havane, il apprit que Conrado Benítez García, un étudiant-maître qui s'était porté volontaire pour participer à la campagne d'alphabétisation, avait été assassiné par des « contre-révolutionnaires » dans un village de l'Escambray, alors qu'il venait juste de commencer son travail auprès des paysans de l'endroit.

Benîtez figure maintenant au panthéon des martyrs de la révolution et Castro accusa aussi les Etats-Unis de sa mort, car les maquisards de l'Escambray étaient soutenus par la CIA. Désormais, partout où il se rendait, Fidel entendait psalmodier le tout dernier slogan révolutionnaire, « *Cuba si, Yanqui no !* »

(Plus tard, il y eut : « Fidel, ça c'est sûr, / sur les Yankees, il cogne dur ! », que les enfants scandaient encore en 1985 pour accueillir leur chef. Un peu penaud, il expliqua à un ami américain qui l'accompagnait lors d'une visite à une colonie de vacances : « Ils ne savent pas que *vous* êtes américain... » Un des moniteurs répliqua : « Oui, mais nous sommes censés le faire apprendre aux enfants. » Bizarrement, il n'y avait pas la moindre trace de haine dans tout cela, ni dans les voix des enfants, ni dans les explications de leur surveillant. C'était du simple folklore révolutionnaire, incorporé à l'histoire et à la vie quotidienne vingt-cinq ans plus tard ; le jeune moniteur n'était pas né au moment où le slogan avait résonné pour la première fois dans les rues de Cuba.)

Mais, en cette année 1961, ni les slogans, ni la ferveur révolutionnaire ne pouvaient redresser une économie qui s'effondrait faute de directives, et sous l'effet d'une improvisation au jour le jour, au moment où elle était brutalement coupée de l'économie américaine dont elle dépendait si étroitement. Le nœud du problème résidait dans le fait que Castro désirait remodeler rapidement toute l'économie de son pays, mais qu'il n'avait pas la moindre idée de la façon dont il fallait s'y prendre. Comme devait l'écrire plus tard l'agronome français René Dumont, que Castro avait consulté au début des années 1960 : « En 1959-1960, Cuba était confusément à la recherche d'un socialisme vraiment original », mais dans les dix années qui suivirent, une « impressionnante série d'erreurs furent commises... qui n'étaient pas le résultat du hasard. » (Après avoir publié des conclusions bienveillantes mais lucides dans un livre publié en 1971, René Dumont fut classé au rang des ennemis de la révolution par Castro qui supportait mal la critique.) Ce « socialisme vraiment original » ne revêtit jamais une forme réellement identifiable, dans la mesure où il dégénéra en mauvaises imitations de la planification centralisatrice exigée par l'orthodoxie soviétique, accompagnées d'une gestion et d'une administration chaotiques ; les nouveaux privilèges que s'arrogeaient les bureaucrates et les membres du parti, et les changements de cap intempestifs, aggravaient encore les choses. Castro avait promis que, dans tous les sens du terme, « la révolution cubaine serait aussi cubaine que les palmiers » ; sa volonté d'y parvenir acheva de l'égarer.

En affirmant à la fin de 1960 que le programme de Moncada, contenu dans le discours « L'Histoire m'acquittera », avait été rempli, Castro fit croire au peuple qu'il suffisait de prendre les mesures annoncées pour obtenir les résultats escomptés. Les nationalisations et la réforme agraire signifiaient que le régime révolutionnaire s'était lancé dans une nouvelle politique vis-à-vis de l'industrie, du commerce, de l'agriculture et de la banque ; mais rien ne transparaissait de ce que cette nouvelle attitude entraînerait pour la production, la distribution des ressources, etc. Par exemple, dans le numéro d'octobre 1960 de *Verde Olivo*, le périodique de l'armée, Che Guevara écrivait que « les lois du marxisme font partie du développement de la révolution cubaine » et que, entre le débarquement de la *Granma* et la victoire de la révolution, il s'était produit une « transformation idéologique » de ses dirigeants. Mais il n'expliquait pas du tout en quoi consistaient ces lois du marxisme ou comment elles s'appliquaient, en cette troisième année de la révolution. En tout cas, Guevara, qui allait toujours plus vite en besogne que le prudent Fidel, fut le premier des principaux dirigeants à utiliser publiquement le mot *marxisme* pour décrire les mécanismes de la révolution. En proclamant au cours du même mois que le programme de Moncada était rempli, Fidel annonçait bien le début d'une nouvelle période révolutionnaire, mais il prenait soin d'éviter les adjectifs idéologiques.

Pour ce qui touche aux grandes orientations de la politique économique, qui auraient dû être pratiques autant qu'idéologiques et politiques, il fallut très longtemps à Castro et à Guevara, les deux principaux planificateurs, pour décider quel rôle jouerait le sucre dans l'économie du pays. La canne était depuis toujours la principale production de l'île, ce qui n'empêcha pas les chefs de la révolution d'affirmer hardiment en 1959 et 1960 que Cuba devrait immédiatement cesser d'en dépendre — sans doute parce que c'était un rappel cuisant du passé « colonial » et de la domination américaine. En conséquence, la production chuta rapidement au cours des campagnes de 1962 à 1964, car les plantations avaient été fortement réduites depuis 1959. Dès lors, les réalités économiques s'imposèrent — le fait, par exemple, que Cuba n'avait guère que son sucre pour payer ne fût-ce qu'une partie de l'aide soviétique croissante ; sans compter qu'aucun emploi n'avait été créé pour la population rurale privée de la récolte de la canne, à une époque où le chômage était endémique. Ces considérations forcèrent Castro et Guevara à abandonner l'idée que l'industrialisation pouvait, du jour au lendemain, devenir la source de toutes les richesses. En 1965, les Cubains (peut-être sous la pression des Soviétiques) se tournèrent donc à nouveau vers la production du sucre, redevenue absolument prioritaire ; mais ils exagérèrent dans l'autre sens en cherchant à obtenir des récoltes records, ce qui fut, là encore, une coûteuse erreur.

Avec son incorrigible mentalité de professeur, Fidel Castro continua de tenir la nation informée de ces changements de cap à grand renfort de tableaux statistiques, de projections interminables et d'interprétations diverses. Quelle que fût la décision annoncée ou l'explication donnée, son invariable conclusion était que la sagesse collective de la révolution avait parlé ; aussitôt, les foules dont il était l'idole l'acclamaient et se mettaient à scander : « On va gagner ! » Jamais les masses ne mirent ses paroles en doute et d'ailleurs personne ne s'y entendait suffisamment en économie pour faire le tri, dans ses discours. Castro devait le reconnaître plus tard, les administrateurs militaires de l'INRA pour les terres confisquées commirent des erreurs colossales, en particulier dans le domaine de l'élevage du bétail où leur totale inexpérience et leur volonté trop purement politique d'augmenter immédiatement la production de viande, se combinèrent pour décimer les troupeaux et ruiner le marché.

Dès le début, Castro avait lancé une série de plans de diversification et de production absolument grandioses, quoique rationnels et prometteurs, qui allaient d'une forte croissance des rendements de riz et d'une gigantesque augmentation des cultures maraîchères (opération que la Chine venait de réussir à peu près à cette époque) à la création d'une industrie de la volaille à l'échelle nationale qui fournirait rapidement, à partir des œufs et des poulets, une source abondante et peu onéreuse de protéines. En 1959 — comme en 1986 — Castro était déjà convaincu qu'avec une technologie parfaitement au point, tenant compte de toutes les dernières découvertes, on pouvait résoudre n'importe quel grand problème économique — en agriculture comme dans tout autre secteur. Mais il manquait de ressources, de personnel et de patience, et il n'avait pas assez d'esprit de suite pour transformer ses rêves en réalité. Aussi rien ne sortit de tous ces projets, tandis que l'économie continuait de se dégrader et que Fidel, sans trêve ni repos, courait çà et là, d'une station expérimentale de riziculture à un nouvel hybride d'eucalyptus, avec des explosions d'impatience et dans un grand bouillonnement d'idées.

C'était encore la période où la révolution nageait en plein romantisme, mais par-dessus tout, Fidel Castro était obsédé par la volonté d'en finir avec le sous-développement dont souffraient la population, la société et l'économie cubaines. Pour comprendre Castro et sa révolution, il est indispensable d'appréhender ce concept de sous-développement qui revêtait à Cuba une importance psychologique cruciale, et probablement bien plus considérable que partout ailleurs dans le tiers monde. Pour Fidel et la génération révolutionnaire, le sous-développement signifie l'analphabétisme, la maladie, la pénurie économique, la dépendance à l'égard de l'Occident et le joug du « néocolonialisme », mais aussi des modes de pensée propres aux populations des pays pauvres. Pour lui et ses disciples, le sous-développement est une tare inséparable de la pauvreté économique et culturelle d'une société, c'est une prison de l'esprit, c'est la relégation à un statut de troisième ou de quatrième zone dans le monde. A Cuba, depuis la naissance de la révolution, le terme revient constamment dans les écrits et les paroles de Castro et de tous ceux qui parlent et écrivent : il exprime la dégradation et contient l'alibi des échecs et des insuffisances du système ou des individus ; c'est même par une sorte de défi qu'on le jette à la tête des critiques. L'expression figure dans d'innombrables articles, romans, films et conversations, car, au fil de leur révolution, les Cubains gardent toujours au cœur le sentiment de leur sous-développement, année après année, décennie après décennie. En fait, l'un des films les plus populaires — et aussi l'un des meilleurs — de la période postrévolutionnaire a pour titre *Memorias del desarollo (Souvenirs du sous-développement)*; il est mis en scène par Tomas Gutierrez Alea.

La grandiose obsession de Fidel Castro a donc été, dès les débuts, d'effacer le sous-développement dans tous les sens du terme, et c'était à cela que visaient les projets de justice sociale contenus dans le programme de Moncada, longtemps avant que Castro eût choisi de les traduire en langage marxiste. Depuis qu'il est parvenu au pouvoir, l'amélioration des conditions sociales a toujours figuré au premier rang de ses priorités et, dès le tout premier jour, il lui a consacré une part énorme de son temps et de son attention. Certes, il était vital de prendre des décisions sur le sucre et sur l'industrie, mais l'ambiance était telle, en ces premières années, que ce qui l'absorbait le plus était la campagne d'alphabétisation, la construction des salles de classes dans la Sierra Maestra, l'amélioration de l'habitat rural, la construction de routes dans les campagnes et la création d'un réseau de santé publique (quarante-cinq hôpitaux furent édifiés en une seule année) dont les résultats positifs se firent immédiatement sentir, surtout chez les enfants. En outre, ce qui signifiait beaucoup plus que le reste pour Fidel, c'était cette fierté toute neuve que ressentaient maintenant les Cubains. Il leur parlait d'égalité raciale et du « nouvel homme — ou de la nouvelle femme — de Cuba », longtemps avant d'évoquer le « nouvel homme — ou la nouvelle femme — socialiste » et, naturellement, les masses adoraient ce langage. Avec la première loi sur la réforme agraire, il donna des terres aux paysans (pour les leur reprendre plus tard) et, avec les réformes urbaines, il fit baisser les loyers de moitié et interdit à quiconque de posséder plus d'un logement par personne (mais l'Etat devait devenir massivement propriétaire des locaux d'habitation urbains, au cours d'un nouveau paroxysme révolutionnaire). Tout cela était bel et bon, mais coûtait beaucoup d'argent et aurait exigé une prospérité économique que Cuba ne pouvait se vanter de posséder à ce moment-là.

Castro se lança donc, pour l'économie et pour la défense, dans l'improvisation et tomba dans une dépendance croissante à l'égard de l'Union soviétique. Il était économiquement et militairement vulnérable, et il savait que le moment de l'affrontement avec les Etats-Unis, désormais placés sous l'autorité du président Kennedy, était aussi inévitable qu'imminent. Pour remettre de l'ordre dans le pays en prévision de ce grand choc, il tenta de resserrer les rênes dans le domaine économique en créant, au mois de février, trois nouveaux ministères : un ministère de l'Industrie, avec à sa tête Che Guevara qui renonça à la présidence de la Banque nationale (après s'être énormément diverti à signer les nouveaux billets de son seul surnom, « Che »), un ministère du Commerce extérieur et un ministère du Commerce intérieur. Guevara venait tout juste de rentrer d'un long séjour en Europe de l'Est et en Union soviétique — son premier voyage à Moscou — au cours duquel il avait trôné en compagnie des dirigeants du Kremlin pour passer en revue le défilé des troupes lors de l'anniversaire de la Révolution d'Octobre ; il avait également signé un nouvel accord commercial aux termes duquel les Russes achèteraient la moitié de la production de sucre cubain (2,7 millions de tonnes) à un prix supérieur à celui du marché mondial. Il avait encore vendu 1,3 million de tonnes aux autres pays d'Europe de l'Est, qui comptaient aussi parmi les nouveaux alliés de Cuba. Six mois auparavant, Nuñez Jiménez s'était rendu lui aussi à Moscou, à la tête de la première mission commerciale cubaine en Union soviétique ; il était revenu avec en poche une promesse d'installation de trente usines à

Cuba. Telle était l'idée que les dirigeants cubains se faisaient de l'industrialisation — mais il fallait cultiver beaucoup de canne à sucre pour pouvoir payer et les usines et le pétrole, ainsi que tous les autres produits envoyés par Moscou.

Les expéditions de matériel militaire soviétique revêtirent un caractère officiel après que Raúl Castro eut rencontré Khrouchtchev à Moscou, au mois de juillet 1960 ; le communiqué commun publié après leurs entretiens réaffirmait que les Soviétiques utiliseraient « tous les moyens pour manifester leur opposition à une intervention armée des Etats-Unis contre la république cubaine ». Ainsi Fidel était assuré de pouvoir équiper les FAR (Forces armées révolutionnaires) et les milices pour résister à toute attaque de forces conventionnelles venues de l'extérieur (l'accord signé par Guevara à Moscou, à la fin de 1960, lui permit de souffler un peu et de garder l'économie à flot ; l'une des clauses prévoyait l'envoi de 189 conseillers industriels soviétiques dans l'île). Enfin, Castro ne faisait pas mystère de sa dépendance à l'égard de l'aide soviétique : dans une interview accordée le 1er février 1961 à Jiřy Hochman, correspondant de l'organe officiel du Parti communiste tchèque, *Rude Pravo,* il faisait remarquer que « sans l'intervention de l'impérialisme, la révolution cubaine aurait pris son essor sans difficultés... La solidarité et l'aide qui, dans cette situation, ont été apportées à Cuba par les pays socialistes, ont joué un rôle décisif dans la victoire finale de notre peuple. Si le camp socialiste n'existait pas, s'il n'avait pas eu cette attitude, nous payerions un prix élevé pour nos lois révolutionnaires... Grâce aux armes que nous avons reçues des pays socialistes, nous avons pu créer une force défensive capable de susciter le respect chez les mercenaires comme dans les cercles les plus agressifs de l'impérialisme ».

La scène était donc prête pour un affrontement américano-cubain. Castro se sentait confiant ; il savait qu'il pourrait défendre Cuba contre toute attaque, sauf si les Etats-Unis intervenaient directement avec tous leurs moyens ; il doutait cependant que Kennedy engagerait l'armée américaine pour soutenir la brigade des émigrés cubains dont on connaissait bien l'existence à La Havane. A Washington, la CIA pressait le nouveau Président de ne pas retarder l'invasion car, à en croire son antenne à La Havane, les pilotes cubains qui suivaient un entraînement en Tchécoslovaquie avaient presque terminé leur formation et devaient revenir à Cuba d'un jour à l'autre, prêts à piloter les MIGs que les Soviétiques étaient supposés fournir (aucun d'entre eux n'était encore arrivé).

Castro s'inquiétait encore des bandes de maquisards de l'Escambray qu'il soupçonnait d'avoir été formés par la CIA pour apporter un soutien aux troupes d'invasion des émigrés. Il retourna donc dans les montagnes le 1er mars, afin de s'assurer que la situation était bien en main. De nouveau, il revêtit une tenue de combat et on le vit grimper dans les collines, parler aux miliciens et à leurs officiers, plaisanter avec les paysans de la région — toutes ces activités étaient bien entendu télévisées, photographiées et commentées en détail. Partout, il orchestrait ses préparatifs pour la bataille, bien que, en ce qui concernait l'Escambray, la CIA ne s'intéressât plus guère aux maquis dans la mesure où elle n'attendait pas leur concours au débarquement sur les plages de la Baie des Cochons. Ils n'étaient plus considérés comme un atout, mais Fidel ne pouvait en être sûr et il ne voulait prendre aucun risque. Entre-temps, les Etats-Unis avaient interdit à tout citoyen américain de se rendre à Cuba, ce que Fidel interpréta comme un signe que les hostilités étaient proches. Cependant, le 14 février, il se fit un devoir d'affirmer au correspondant de United Press International, Henry Raymont, que Cuba souhaitait entretenir des relations avec les Etats-Unis, à condition que Washington cessât de soutenir activement la « contre-révolution ».

Mais les événements se précipitèrent. Le 2 mars, le gouvernement Kennedy annonça son intention d'interdire toutes importations en provenance de Cuba. Le 11, Kennedy bloqua les ventes de denrées agricoles américaines à Cuba. Dans les jours et les semaines qui suivirent, Kennedy et Castro s'engagèrent dans un engrenage d'activités qui affectèrent simultanément les deux pays — parfois de manière surprenante et contradictoire, comme par exemple le 13 mars.

Ce jour-là, prenant la parole d'un ton inspiré, le président Kennedy invita l'Amérique latine à se joindre aux Etats-Unis en une « Alliance pour le Progrès », dont l'objectif serait l'amélioration de la vie des populations et le progrès économique ; la contribution américaine, promit-il, serait de 25 milliards de dollars répartis sur dix ans. L'ironie de la chose, que Castro perçut, réside dans le fait que, au moment où Kennedy prenait la parole à Washington, l'entraînement de la brigade d'invasion se terminait dans des camps guatémaltèques. Ce même jour encore, des roquettes furent tirées d'une vedette rapide sur une raffinerie de pétrole de Santiago, tuant un matelot et blessant un milicien ; l'incident faisait partie du harcèlement organisé par la CIA et destiné à saper le moral des Cubains avant l'invasion prévue. Enfin, à La Havane, Castro se rendit sur les grands escaliers de l'université pour commémorer par un discours de combat le quatrième anniversaire de l'assaut donné au palais de Batista par le Directoire révolutionnaire étudiant.

Nous savons maintenant que Kennedy éprouvait envers l'Alliance pour le Progrès un enthousiasme beaucoup plus grand que pour les plans supposés secrets concernant la Baie des Cochons. Et pourtant, les deux entreprises avaient leurs racines dans la révolution castriste : la première était destinée à éviter que l'expérience cubaine se répétât ailleurs en Amérique latine ; la seconde avait pour but de mettre fin à cette expérience. Au sein du gouvernement américain, dans la mesure où il s'y manifestait une pensée cohérente, on raisonnait ainsi : grâce à l'Alliance, un avenir radieux se lèverait pour l'Amérique latine sur les ruines de la révolution cubaine. Evidemment, il n'était pas venu à l'esprit des responsables américains qu'après la tentative imminente d'invasion dans la Baie des Cochons, ce noble dessein pourrait sembler moins altruiste que prévu. En fait, après avoir fait la sourde oreille aux plaintes de l'Amérique latine qui réclamait un programme de développement économique sur une grande échelle, les Etats-Unis, désormais placés sous la direction d'un homme jeune, finissaient par suivre exactement la proposition lancée par Castro à

Buenos Aires, deux années auparavant ; mais ils continuaient de sous-estimer complètement la séduction exercée par la révolution cubaine sur toutes les imaginations dans la partie hispanique de l'hémisphère.

Bien des années plus tard, en parlant de l'Alliance pour le Progrès, Castro reconnaissait sans se faire prier qu'il y avait un lien entre sa révolution et l'initiative de Kennedy. Pour lui, l'Alliance visait les mêmes objectifs que la révolution cubaine lors de sa première phase, à l'époque du programme de Moncada : tout y était, les idées de réforme agraire et de justice sociale, une répartition nouvelle de la richesse nationale, la réforme fiscale, etc. Castro pensait que le programme de l'Alliance relevait d'une « stratégie intelligente », mais qu'elle était vouée à l'échec parce que les classes possédantes des pays d'Amérique latine ne consentiraient jamais à de véritables réformes. D'après lui, les conditions qui régnaient dans le sud du continent américain ne laissaient pas beaucoup de choix ; seules étaient possibles la réforme de la société ou la « répression politique » ; en ce sens, l'Alliance était une « idée politiquement bonne », d'après lui, même si les réformes ne pouvaient suffire à satisfaire les besoins. De l'avis de Fidel Castro, ce que cherchait l'Alliance, au fond, c'était à couper l'herbe sous le pied des révolutionnaires.

En janvier 1984, au cours d'une conversation longue et réfléchie à propos de Kennedy, Fidel fit remarquer que l'Alliance avait pour « objectif politique d'agir comme un frein sur le mouvement révolutionnaire ; c'est, dit-il, un des mérites de Kennedy d'avoir vraiment compris [et] reconnu qu'il existait une situation économique et sociale qui, dans un avenir plus ou moins proche, donnerait naissance à une révolution ».

L'idée de Kennedy de créer le Corps des Volontaires de la Paix avait également fait une forte impression sur Castro, même si elle n'était pas assez révolutionnaire à son goût. Il y voyait une version américaine de ce qu'il appelait « l'internationalisme », c'est-à-dire un engagement direct dans les processus de développement d'autres pays par l'intermédiaire d'équipes d'assistance ou d'individus isolés. D'une certaine manière, il a repris l'idée de Kennedy sur une échelle plus vaste et dans un esprit plus politisé, en envoyant des milliers de médecins, d'infirmières, d'enseignants et de techniciens en Afrique et au Nicaragua ; les deux hommes avaient l'un et l'autre compris qu'il fallait établir des contacts personnels dans le tiers monde pour y exercer une influence. Castro était si profondément conscient de ce qu'il appelle « la solidarité internationaliste avec le tiers monde » que Cuba, pourtant à court de ressources, avait envoyé, aux victimes d'un raz de marée sur les côtes chiliennes, au printemps de 1960, toute une cargaison de médicaments, de produits alimentaires et de vêtements, à bord du cargo *Habana*. Il se trouve que le sénateur Salvador Allende Gossens, le médecin marxiste qui, dix ans plus tard, serait élu président du Chili, se rendait alors fréquemment à La Havane et c'est donc à lui que Castro présenta d'abord son offre d'assistance. Toujours en 1960, il prêta cinq millions de dollars à la Guyane britannique dirigée par le gauchiste Cheddi Jagan.

Certes, ni Castro ni Kennedy n'oubliaient la guérilla lorsqu'ils pensaient au tiers monde. Dès le début, les Cubains entreprirent de former des jeunes

481

gens, en Amérique latine et en Afrique, pour en faire des guérilleros dans leur pays (les envois au Chili comprenaient aussi des exemplaires de l'ouvrage de Che Guevara, *La Guerre de Guérilla*, son manuel sur la guerre insurrectionnelle dans les campagnes). Les guérilleros urbains et ruraux, au Venezuela, reçurent en 1960 une aide de Cuba ; les chefs du mouvement qui s'empara du pouvoir par la révolution dans la colonie britannique de Zanzibar, en 1963, avaient été entraînés à Cuba où ils possédaient un bureau depuis 1960. (Plus tard, Zanzibar fusionna avec le Tanganyika pour former la république de Tanzanie qui entretient des relations cordiales avec Cuba.) Il y eut bientôt d'autres exemples et l'enseignement de la guérilla se poursuit encore actuellement à Cuba. Kennedy réagit à ces menaces de subversion en créant une école spéciale à Fort Bragg, en Caroline du Nord, base de la 82e division aéroportée de l'Armée, qui porte aujourd'hui le nom de John F. Kennedy Special Warfare Center ; l'ouvrage de Guevara, traduit à la hâte, y devint l'un des principaux manuels utilisés par les instructeurs chargés d'enseigner l'art de l'insurrection et de la contre-insurrection. Les détachements des Forces spéciales de l'Armée américaine (les Bérets Verts), sous leur forme actuelle, sont nés dans l'Ecole JFK et l'une des premières unités envoyées à l'étranger alla au Panama aider les armées latino-américaines dans leur lutte contre toute insurrection. Il est paradoxal mais tout à fait probable que les conseillers américains rattachés à l'armée bolivienne en 1967 aient appris leur métier dans le manuel écrit par l'Argentin qu'ils contribuèrent à traquer et à abattre.

Les Etats-Unis et le régime révolutionnaire de Cuba rivalisaient également pour tenter d'exercer leur influence au plus haut niveau politique dans les pays d'Amérique latine. Au mois de mai 1960, après la visite que le président Eisenhower avait faite en Amérique du Sud au début de l'année, Castro envoya Osvaldo Dorticós, le président en titre, entreprendre un voyage similaire. Kennedy se rendit en Amérique latine à deux reprises durant sa brève présidence ; Castro pour sa part y retourna dans les années 1970. Le 1er mai 1961, dans le cadre de l'offensive internationaliste de Fidel, Radio La Havane inaugura son service international sur ondes courtes, en plusieurs dizaines de langues (de l'anglais au dialecte quechua des Indiens des Andes), avec l'un des émetteurs les plus puissants du monde. L'Agence internationale *Prensa Latina* fut créée à peu près au même moment. En cours de route, Fidel proclama le plus sérieusement du monde que le chef indien Hatuey, né dans l'île d'Hispaniola à l'époque de Christophe Colomb, et placé par la suite à la tête d'une tribu cubaine, avait été le « premier internationaliste » parce que pour lui les frontières n'existaient pas.

Entre la fin mars et la mi-avril 1961, les tensions continuèrent de monter. Kennedy ordonna de suspendre les achats de sucre cubain pour l'année (la loi donnait au Président le pouvoir de « suspendre » l'attribution des quotas ou de restreindre ceux-ci, mais non de les supprimer complètement) ; le 3 avril, le gouvernement américain publia son « Livre Blanc » sur Cuba qui dénonçait la suppression de la démocratie par les révolutionnaires. Cette parution constituait en fait la justification idéologique de l'invasion projetée, et c'est bien ainsi que Castro l'interpréta quand il reçut la nouvelle par les dépêches d'agence cet après-midi-là. Désormais, tous les jours, il mettait ses compatriotes en garde contre une invasion imminente ; il s'adressa à des milliers d'ouvriers du bâtiment qui avaient organisé des Comités pour la Défense de la Révolution au ministère des Travaux Publics ; il prit la parole devant les délégués syndicaux qui préparaient la fête du 1er mai ; il harangua un autre rassemblement syndical pour condamner l'émigration de travailleurs, d'intellectuels et de techniciens cubains ; enfin, par l'intermédiaire de la télévision, il fit un discours à la nation pour lui parler de la révolution et de l'enseignement. Il trouva encore le temps d'envoyer à Khrouchtchev un message de félicitations adressé à l'Union soviétique après le premier vol d'un engin habité dans l'espace.

Qu'une attaque fût imminente, ce n'était un secret ni pour Castro ni pour son service de renseignement, d'une grande efficacité. A ses exhortations du mois d'avril, il mêlait des sarcasmes et des menaces sinistres contre ses ennemis. Parlant du Front Démocratique Révolutionnaire, cette organisation politique fabriquée par la CIA, au nom de laquelle se préparait l'invasion, et de son chef José Miró Cardona (qui avait été le premier président du conseil sous la révolution), Castro demanda : « Ce sont vraiment ces hommes qui vont venir bousculer le peuples en armes ? Ne nous faites donc pas rire !... Ce gouvernement mercenaire ne durera pas plus de vingt-quatre heures à Cuba... » Le lendemain, il provoquait les émigrés : « Ici, le peuple demande souvent : " Mais quand vont-ils arriver ? " Il est impatient... Ceux qui mettent leurs illusions et leurs vains espoirs dans ces complots n'ont pas le choix : il leur faudra bien venir ici, un jour ou l'autre... C'est incroyable, mais ils ne comprennent pas que s'ils peuvent voir le commencement du combat contre la révolution, ils n'en verront jamais la fin ; il n'aura jamais de fin dans les campagnes, il n'aura jamais de fin dans les villes... » Fidel était bien décidé à préparer psychologiquement la nation pour le moment où viendrait l'attaque, et il accordait à cette tâche une importance au moins aussi grande qu'à ses préparatifs militaires.

Ses réseaux de renseignement et de sécurité fonctionnaient à la perfection. Ramiro Valdés, qui fut ministre de l'Intérieur jusqu'en 1986 et dont l'une des premières tâches, au service du nouveau régime, avait été, en 1959, la création des services de sécurité, affirme que les agents cubains étaient capables de suivre les préparatifs de l'invasion étape par étape, de Miami aux camps d'entraînement du Guatemala. « C'était un secret de polichinelle », ajoute-t-il. Les Cubains étant traditionnellement indiscrets, le quartier de la « petite Havane », à Miami, était si bourdonnant de rumeurs sur l'invasion prochaine que le plus grand problème des services de sécurité, à Cuba, était de faire le tri entre la vérité et les racontars, dans la masse d'informations qui parvenait du continent. (Evidemment, à l'époque, Miami était remplie d'agents de Valdés qui s'étaient infiltrés dans la ville.) Il lui parvenait une telle quantité de renseignements, raconte-t-il encore, qu'il soupçonnait parfois la CIA d'avoir monté une campagne de « désinformation », ou de mener une véritable guerre psychologique pour déstabiliser Cuba. « Quand vous apprenez tous les jours que l'invasion est pour tout de suite, cela vous aide à attraper le loup le jour où il se montre vraiment. »

En se fondant sur des renseignements recueillis à Miami, en Amérique centrale et à Cuba même, les Services de sécurité de l'Etat commencèrent, dès le 1er avril, à arrêter les personnes suspectes d'avoir des liens avec la CIA ou de tremper dans des activités clandestines hostiles au régime. Comme le raconte Valdés, « Nous les avions tous identifiés, nous savions de quelles armes ils disposaient, combien de munitions ils avaient, où ils allaient se trouver, combien ils seraient, à quel moment et pour faire quoi... Nous avions complètement noyauté les bandes contre-révolutionnaires. »

La CIA se justifie de n'avoir pas averti les maquis anticastristes de la date et du lieu de l'invasion en prétendant que cette information aurait pu tomber dans les mains du service de renseignement cubain et, toujours selon Valdés, les Américains avaient raison. Mais le débarquement n'avait plus aucun sens s'il se réalisait sans le soutien immédiat et massif de la Résistance, quel qu'en fût l'état ; et rien que pour cela, l'entreprise était vouée à un échec total. Entre-temps, au cours de la première semaine d'avril, les Services de Sécurité avaient mis la main sur les membres de six groupes anticastristes distincts — c'était surtout des hommes et des femmes qui avaient commis ou projetaient des actes de sabotage avec l'aide de la CIA. Dans plusieurs cas, des échanges de coups de feu précédèrent les arrestations. Les Comités de Défense de la Révolution apportèrent une aide inappréciable dans la dénonciation des suspects. Néanmoins, le grand magasin de La Havane, El Encanto, fut incendié et détruit. Mais dans la province d'Oriente, cent quarante-cinq membres des « bandes contre-révolutionnaires » furent capturés au début du mois d'avril.

Le 12 avril, au cours d'une conférence de presse, le président Kennedy donna l'assurance que les forces américaines n'interviendraient pas à Cuba. Castro pensa — à juste titre — que Kennedy ne parlerait pas d'exclure une participation des Etats-Unis si une attaque, menée sans doute par les émigrés, n'était pas prévue pour un proche avenir. Les commentaires du Président lui ayant confirmé l'imminence de l'invasion, il fonda sa stratégie de défense sur la supposition que ses seuls adversaires seraient des exilés cubains (mais les responsables américains ne s'étaient pas aperçus que Castro était parvenu à cette conclusion). Naturellement, Fidel avait préparé des plans de rechange pour le cas où Kennedy aurait finalement envoyé des Américains au combat (ce qu'il faillit faire, tout au moins sous la forme d'appui aérien). Il ne savait exactement ni où ni quand le principal débarquement aurait lieu, mais il pensait que l'offensive viendrait du sud, vers Cienfuegos ou Trinidad, avec des attaques simultanées au nord et au sud de la province d'Oriente, et dans celle de Pinar del Rio à l'ouest. La veille de la bataille, Castro possédait l'avantage relatif d'être prêt à faire face à plusieurs possibilités, tandis que, comme on devait s'en apercevoir bientôt, la CIA et ses conseillers du Pentagone ne se faisaient vraiment aucune idée claire de ce qui les attendait ; comme une commission d'enquête devait le découvrir plus tard, les stratèges étaient persuadés que Castro n'avait « aucune doctrine », quelle qu'elle fût. Une fois de plus, il eut la chance d'être sous-estimé.

Pour défendre l'île, Castro comptait appliquer une stratégie toute simple, déployer le gros de ses forces et confier des missions tactiques à des unités mobiles. Pour ce faire, il disposait de l'Armée rebelle régulière, composée d'environ 25 000 hommes bien entraînés et bien équipés, plus quelque 200 000 miliciens répartis en bataillons distribués dans tout le pays aux points sensibles. L'armée était divisée en trois commandements tactiques régionaux; le plan de bataille de Castro prévoyait que Raúl Castro commanderait les forces de l'Est (Oriente et Camagüey) et Che Guevara celles de l'Ouest (la partie occidentale de la province de La Havane et le Pinar del Río); au centre, le chef d'état-major, Juan Almeida, établirait à Santa Clara son quartier général. En sa qualité de commandant en chef, Fidel devait coordonner toutes les opérations à partir d'un poste de commandement secret, au cœur du quartier de Nuevo Vedado dans la capitale (il gardait directement sous ses ordres la garnison de La Havane), mais il était prêt à aller rapidement d'un point à un autre si nécessaire. Comme il l'expliqua plus tard, « chaque fois que l'on parlait d'une invasion lancée à partir des Etats-Unis, chacun de nous allait occuper son poste, dans tout le pays ». Selon cette stratégie défensive, aucune unité des forces principales ne devait s'éloigner de la zone qui lui avait été assignée, à moins que l'évolution des combats ne l'exige; les premières opérations tactiques étaient confiées aux bataillons de la milice. Ainsi, Castro ne se laisserait pas prendre aux opérations de diversion ni aux pièges ourdis par la CIA.

Deux semaines environ avant l'invasion, Castro s'était rendu dans la Ciénaga de Zapata, comme il le faisait régulièrement et, tandis qu'il marchait le long de la plage de Girón, à l'entrée de la baie, pour aller inspecter les travaux de construction d'un village de touristes, il se tourna brusquement vers un journaliste qui l'accompagnait et, montrant de la main une bâtisse de béton sans étage, il s'exclama : « Vous savez, ça ferait un bon endroit pour un débarquement... Nous devrions faire placer une mitrailleuse lourde exactement ici, juste en cas. » La veille de l'invasion, Juan Almeida avait inspecté la Baie des Cochons et décidé d'y envoyer une compagnie de la milice qu'il répartit entre les trois plages principales parce qu'il trouvait les communications insuffisantes. A ce moment même, les bateaux destinés au débarquement avaient levé l'ancre à Puerto Cabezas au Nicaragua (la brigade avait quitté le Guatemala), sous escorte de la marine des Etats-Unis. Le premier bateau de la force d'invasion appareilla le 11 avril et le dernier, le 13 : le débarquement était prévu pour quelques heures après minuit le 17 avril.

Fidel Castro ne dormit pas pendant la nuit du 14 au 15 avril qu'il passa dans son poste de commandement, désigné sous le nom de « Punto Uno » (Point n° 1); c'était une maison à un seul étage située dans la 47e rue, au cœur du quartier résidentiel de Nuevo Vedado à La Havane, près du jardin zoologique. Le commandant Sergio del Valle, son aide de camp qui avait été le médecin des guérilleros dans la Sierra Maestra, et Celia Sánchez étaient avec lui. Dans les jours précédents il avait reçu beaucoup d'indications qui semblaient signifier que « quelque chose » allait se passer; aussi avait-il fait de « Punto Uno » son domicile du moment; c'était surtout un centre de communications avec le reste du pays. Le vendredi 14 avril, Fidel reçut une information précise selon laquelle un navire suspect avait été aperçu au large des côtes d'Oriente, pas très loin de Guantánamo ; il en conclut que ce pouvait être l'avant-garde d'une force d'invasion. L'Oriente était effectivement la porte d'entrée habituelle des « libérateurs » de Cuba. Le renseignement était exact, mais le navire, le cargo *La Playa*, transportait un commando chargé d'une opération de diversion et non pas le gros du corps expéditionnaire. L'idée de la CIA était de lancer diverses attaques de dimensions modestes en quelques points de l'île, quarante-huit heures avant le véritable débarquement, afin de semer la confusion et de pousser Castro à l'improvisation. A l'aube du 15 avril, après trois jours de navigation, depuis Key West en Floride, *La Playa* devait donc débarquer 164 hommes placés sous les ordres du commandant Nino Díaz à l'embouchure du Mocambo, à quelque cinquante kilomètres de Guantánamo. Nino Díaz s'était battu sous les ordres de Raúl Castro dans cette même région de l'Oriente, mais la révolution l'avait déçu et il voulait combattre à nouveau dans cette même province. Cependant, une patrouille envoyée de *La Playa* à bord d'un dinghy retourna vers le cargo pour dire que des unités de la milice occupaient les plages. Díaz décida d'annuler le débarquement et donna l'ordre de rebrousser chemin.

Fidel Castro ne pouvait connaître l'échec de cette opération de diversion, mais un autre piège faillit littéralement lui sauter à la figure quelques minutes après six heures, le matin du samedi 15 avril. Il aperçut en effet deux bombardiers B-26 portant les insignes de l'aviation des FAR, survoler à basse altitude la piste d'atterrissage de *Ciudad Libertad* en la criblant de roquettes. L'ancien camp militaire Columbia avait été transformé en école, mais il restait une piste utilisable, située à moins de huit cents mètres du PC de Castro. Les avions firent demi-tour pour effectuer plusieurs passages en bombardant et en mitraillant tout sur leur passage, touchant des maisons dans ce quartier très populeux. Au bout de quelques minutes, on informa Castro que les bases aériennes de San Antonio de los Baños — la plus importante de l'île, située à proximité de La Havane — et de Santiago en Oriente, avaient été attaquées au même moment, chacune par deux B-26. Fidel pensa d'abord que ces attaques étaient le signal du début de l'invasion, mais rien ne suivit et quelques heures se passèrent avant que l'on comprît ce qui s'était passé.

L'attaque aérienne lancée contre les trois bases cubaines visait à détruire au sol l'aviation de Castro afin d'assurer aux envahisseurs la pleine maîtrise du ciel lorsque viendrait le moment du débarquement, deux jours plus tard, mais la CIA pensait faire croire au commandement cubain que les B-26 appartenaient aux FAR et que les pilotes étaient passés du côté des Etats-Unis après avoir mitraillé les autres appareils. En fait, les avions chargés de l'opération avaient décollé de Puerto Cabezas au Nicaragua, et faisaient partie de la brigade des émigrés recrutés par la CIA, mais cette dernière pensait qu'il était astucieux, à des fins de propagande politique, de faire croire au monde que les pilotes de Castro l'abandonnaient ; naturellement, au bout de quelques secondes, ce dernier savait qu'il n'en était rien. L'attaque fut aussi mal organisée que tout le reste des opérations : alors que seize B-26 devaient la mener à bien, la veille du jour prévu, Kennedy avait réduit ce nombre de moitié (le projet le mettait mal à l'aise et il consentait ainsi à un compromis). Des huit bombardiers qui appareillèrent, six seulement participèrent aux attaques (l'un d'entre eux fut abattu au-dessus de San Antonio, par des miliciens adolescents qui servaient une batterie de pièces antiaériennes tchèques quadritubes) et deux allèrent directement se poser en Floride parce qu'ils manquaient de kérosène. Les autres rallièrent le Nicaragua. Enfin, le mensonge fit long feu car des photos de presse, montrant un B-26 qui avait atterri à Miami, furent présentées le soir même à la Commission politique de l'Assemblée générale des Nations unies, réunie à New York en session extraordinaire, à la demande de Cuba. On voyait sur ces photos que le B-26 avait un nez en métal tandis que ceux de Castro, hérités de Batista, avaient tous un nez en plexiglas ; la CIA avait oublié ce détail que les Cubains portèrent immédiatement à l'attention de la Commission politique.

La petite aviation de Castro perdit cinq appareils, cloués au sol par ces raids, soit deux B-26, un avion d'entraînement à hélice AT-6, un transport DC-3 et un appareil d'entraînement à réaction T-33 — ce qui lui laissait quatre Sea Fury, bombardiers légers de fabrication britannique, un B-26 et trois T-33, soit en tout huit appareils opérationnels et seulement sept pilotes ; mais comme Fidel le fit remarquer plus tard, la CIA ne savait pas de quoi il était encore capable dans les airs. Elle comprit moins encore le talent étonnant avec lequel il savait changer en victoire une apparente défaite. A part le fait que les raids du samedi l'avaient averti de l'imminence d'une attaque — toutes les unités militaires furent aussitôt consignées et les sept pilotes se relayèrent à l'intérieur des cockpits ou dormirent sur des lits de fortune sous les ailes des avions —, Fidel se vit servir sur un plateau une grande victoire politique. Sept personnes avaient été tuées et cinquante-deux autres blessées à la suite du raid sur La Havane ; il transforma leurs obsèques en un spectacle électrisant où se mêlaient l'expression du deuil national, la manifestation de l'esprit patriotique, et le geste de défi révolutionnaire. Un quart de siècle plus tard, Castro se montrait encore plein d'indignation et d'émotion, au souvenir du raid ; il raconta un jour à un visiteur étranger : « L'un de ceux qui étaient en train de mourir là, un blessé qui perdait tout son sang, a tracé mon nom sur un mur avec son sang... C'était cela l'attitude du peuple. Un jeune milicien en train de mourir, et qui pour protester écrit un nom avec son sang. »

Dans l'oraison funèbre qu'il prononça au cimetière Colón, le dimanche 16 avril, Castro compara le raid aérien à l'attaque de Pearl Harbor, sauf, dit-il, que le raid était « d'une traîtrise deux fois plus grande et d'une lâcheté mille fois pire ». Il proclama que « l'attaque d'hier était le prélude à l'agression des mercenaires » payés par les Etats-Unis et que le gouvernement américain méritait d'être traité de « menteur » pour la fourberie dont il avait fait preuve en prétendant que les pilotes qui avaient mené l'attaque étaient des Cubains passés à l'ennemi. Il rappela à son auditoire de soldats et de miliciens que, l'année précédente, le gouvernement Eisenhower avait aussi menti lors de l'épisode de l'avion espion U-2 abattu au-dessus du territoire soviétique, et il enchaîna avec une comparaison entre la réussite

« admirable » des Soviétiques qui avaient lancé le premier homme dans l'espace et ce qu'avaient accompli les Américains, « bombarder les installations d'un pays qui n'a pas de forces aériennes ». Elevant la voix jusqu'au hurlement, Fidel Castro prononça alors son accusation idéologique : « Ce que les impérialistes ne peuvent nous pardonner... c'est d'avoir fait triompher une révolution socialiste juste sous le nez des Etats-Unis... une révolution socialiste, que nous défendrons avec ces fusils!... »

C'était la première fois que Castro désignait en public la révolution cubaine comme une « révolution socialiste », ce qui marqua un nouveau tournant dans son histoire. Mais, une fois encore, il s'abstint de préciser quand et comment il en était arrivé à conclure que le moment était venu d'instaurer le socialisme à Cuba — comme toujours, il interprétait l'histoire à sa convenance selon les besoins du moment. Dans une longue conversation idéologique, au mois de janvier 1984, Castro me raconta que, même s'il se considérait déjà comme marxiste-léniniste, « ni au moment de l'affaire de Moncada, ni lors du triomphe de la Révolution, nous n'avons considéré la mise en œuvre d'une révolution socialiste comme une question à résoudre dans l'immédiat... Je ne veux pas dire que je ne rêvais pas ou que je n'étais pas convaincu de voir, à long terme, une sorte de révolution socialiste convenir le mieux à notre pays ; mais ce ne pouvait être un objectif immédiat à ce stade, surtout si l'on pensait aux réalités nationales, au niveau de notre culture politique, au manque de préparation de la population, aux énormes difficultés objectives que nous aurions rencontrées si nous avions essayé d'instaurer ce genre de révolution. »

Si telle était son opinion, la question se pose de savoir pourquoi les raids aériens de la CIA rendirent soudain Cuba mûre pour le socialisme. Lors de ses entretiens avec un Dominicain brésilien, le Frère Betto, en 1985, Castro expliqua que « face à la menace d'une invasion yankee, notre pays [était] déjà en lutte pour le socialisme... Si depuis 1956 il se [battait] pour la Constitution, pour renverser Batista, pour un programme social progressiste, mais pas encore pour un programme socialiste, au moment de l'invasion il se [battait] pour le socialisme. Et cela revêt une portée symbolique très forte, car des dizaines de milliers d'hommes étaient prêts à faire face à toutes les éventualités... J'ai revendiqué le caractère socialiste de la Révolution avant la bataille de Girón. »

Ainsi que d'autres dirigeants cubains, Castro a dit en maintes occasions qu'il s'était vu dans l'obligation de révéler le caractère socialiste de la révolution dès le 16 avril, parce que les hommes qui allaient mourir au cours de l'inévitable affrontement avaient le droit de savoir pour quelle cause ils se sacrifieraient. Cela supposait, cependant, que l'on était en train d'instaurer le socialisme derrière le dos de la majorité de la population — ce qui était vrai — et cela revenait pour Castro à admettre qu'il avait trompé les Cubains, en particulier lorsqu'il fulminait contre les « mensonges sur le communisme ». N'oublions pas qu'en 1961 précisément, il organisait en toute discrétion la fusion de son mouvement révolutionnaire avec le Parti communiste. Certains pensent que seule la pression américaine, dont l'apogée fut l'opération de la Baie des Cochons, incita Castro à embrasser publiquement le socialisme (ou le communisme) avant de s'être vraiment engagé dans cette voie. Mais des dirigeants du calibre d'Armando Hart, membre du bureau politique du Parti, et Blás Roca, ancien secrétaire général du « vieux » Parti communiste, m'ont dit à diverses reprises, vers la mi-1985, que Castro avait prévu de proclamer la révolution socialiste dans son discours du 1er mai. En ce cas, la révélation ne fut avancée que de *deux semaines*. Etant donné les circonstances, la manœuvre de Castro était parfaitement logique : les passions patriotiques soulevées par les raids aériens réunissaient parfaitement les conditions qu'il fallait pour faire accepter la nouvelle idéologie officielle à une nation menacée d'un combat pour sa survie. Comme Fidel l'a toujours dit, Martí et Marx sont inséparables, pour la révolution cubaine ; il affirma à la foule en colère, rassemblée dans le cimetière Colón, que les Cubains défendraient cette révolution « des humbles, par les humbles et pour les humbles jusqu'à la dernière goutte de leur sang ».

En ce dimanche 16 avril, tandis que Castro parlait à La Havane, John F. Kennedy donnait la dernière autorisation nécessaire au déclenchement de l'invasion. Le Président se trouvait dans son domaine de Glen Ora en Virginie, d'où il téléphona au quartier général de la CIA à Washington. En même temps, il condamnait l'opération à l'échec en interdisant les raids aériens que devaient effectuer les émigrés cubains à bord de leurs B-26 contre le reste de l'aviation castriste, pour appuyer les débarquements du jour J. Le Président craignait que ces missions, accomplies à partir du Nicaragua ou de la Floride, ne compromettent les Etats-Unis aux yeux du monde. Les émigrés, confia-t-il à la CIA, pourraient entreprendre leurs raids dès qu'ils se seraient emparés d'une piste d'atterrissage en territoire cubain. L'invasion aurait sans doute échoué même si Kennedy avait autorisé les vols prévus pour le jour J, mais en leur absence, elle n'avait pas la moindre chance de réussite, car Fidel possédait une arme secrète et réservait bon nombre de surprises à ses adversaires.

Maître dans l'art de laisser ses ennemis s'enferrer tout seuls dans la défaite, Fidel Castro sortit son arme secrète et ses autres surprises moins de cinq heures après le premier débarquement des émigrés cubains sur les plages de la Baie des Cochons. Les hommes de la brigade 2506 (ainsi nommée d'après le numéro matricule du premier de ses morts — décédé au cours de l'entraînement au Guatemala) débarquèrent d'abord à Playa Larga (« Red Beach ») au fond de la baie, puis à Playa Girón (« Blue Beach ») à l'entrée orientale de la passe, vers une heure quinze, le lundi 17 avril ; les péniches de débarquement qui les déposèrent avaient été lancées par les navires qui les avaient transportés depuis Puerto Cabezas. Cette force se composait de 1 500 hommes environ, placés sous le commandement de José Pérez San Román (« Pepe »), jeune officier de carrière formé aux Etats-Unis, qui s'était battu dans l'armée de Batista contre Castro, puis s'était dressé contre le dictateur vers la fin de la guerre. Le gouvernement de La Havane devait beaucoup insister plus tard sur le fait que la brigade comptait près de deux cents anciens hommes de Batista, officiers, soldats ou fonctionnaires, dont certains étaient issus de familles riches ou de la bourgeoisie, et plus d'une centaine de ce que l'on appelait avec mépris des « lumpen ». Mais la brigade avait été bien entraînée et bien équipée, et Castro prit la nouvelle des débarquements tout à fait au sérieux, lorsqu'on la lui annonça peu avant deux heures trente du matin.

Les patrouilles de la milice avaient immédiatement repéré les envahisseurs et ce sont elles qui tirèrent les premiers coups de feu. Mais il fallut près d'une heure aux estafettes en jeep pour atteindre la ville de Jagüey Grande, au nord, où se trouvait le téléphone le plus proche. De là, les nouvelles du débarquement furent transmises par téléphone à « Punto Uno », à La Havane, et immédiatement relayées à Fidel qui passait la nuit chez Celia Sánchez, dans l'appartement de la Onzième rue, situé à moins de dix minutes. La réaction instinctive de Castro fut que l'essentiel de l'opération de débarquement se déroulerait bien dans la Baie des Cochons et il s'attacha aussitôt à faire usage de ses surprises stratégiques, sur terre et dans les airs — où son arme secrète attendait le moment d'entrer en action.

Le premier appel téléphonique que lança Castro était destiné à son fidèle ami le capitaine José Ramón Fernández (« Gallego »), qui se trouvait à son quartier général dans l'école des cadets de Managua, juste au sud de La Havane, pour lui transmettre les informations fragmentaires qu'il venait de recevoir et lui ordonner de faire route vers la Baie des Cochons. Il lui dit encore de prendre en chemin, à Matanzas, le bataillon d'élite de l'école des officiers de la milice — 870 hommes — et d'assumer le commandement opérationnel de toute la région du champ de bataille ; l'autre unité sur laquelle Fernández pouvait immédiatement compter était le bataillon 339 de la milice, basé à Cienfuegos, dont plusieurs détachements étaient répartis en divers endroits des grands marécages. A ce moment précis, Castro n'avait aucune idée de la taille ou de la composition de la force d'invasion, mais son instinct politique le poussait à empêcher à tout prix la consolidation d'une tête de pont suffisamment vaste pour permettre aux émigrés de créer un gouvernement provisoire et demander la reconnaissance des pays étrangers. Il se trouve que c'était exactement la pièce maîtresse du plan de la CIA. Tandis que Fernández se ruait vers le Sud dans sa jeep Toyota verte, Castro ordonnait aux unités d'artillerie de Managua et de La Havane de se porter immédiatement vers la zone des combats et de faire placer les chars soviétiques T-34 sur des plates-formes tractées pour les acheminer au même endroit. Il prit cependant soin de ne pas dégarnir La Havane de ses troupes — unités de l'Armée rebelle ou de la milice ; il ne savait pas encore s'il y aurait ou non des débarquements sur la côte nord.

Installé dans son quartier général de « Punto Uno », Castro appela ensuite la base de l'armée de l'air de San Antonio de los Baños que les B-26 des émigrés avaient attaquée le samedi précédent. Sur la piste, deux Sea Fury, deux B-26 et trois avions d'entraînement à réaction étaient prêts à décoller. C'étaient ces trois T-33 à réaction qui constituaient l'arme secrète de Fidel dans le cadre de sa stratégie aérienne pleine d'imagination. Il avait décidé que les Sea Fury, équipés de roquettes, concentreraient leurs attaques sur les huit vaisseaux de la flotille d'invasion pour en couler le plus possible aussi rapidement qu'ils le pourraient, pendant que les trois T-33 auraient pour tâche de neutraliser l'aviation ennemie. Au Pentagone et à la CIA, on estimait que la petite force aérienne de Castro avait été clouée au sol ; personne n'avait pu imaginer que les appareils restants seraient utilisés contre les navires — qui n'avaient donc pas de canons antiaériens. Quant aux T-33, il n'était jamais venu à l'esprit des Américains que Castro les avait fait armer de deux mitrailleuses de calibre 50 chacun. Dotés de cet armement, avec la mobilité et la vitesse d'un chasseur à réaction, les T-33 étaient bien supérieurs aux B-26 peu maniables qui commencèrent à l'aube leurs épuisantes missions de combat diurnes, faisant la navette entre le Nicaragua et la Baie des Cochons. C'est ainsi que les petits appareils à réaction jouèrent un rôle déterminant dans la victoire de Castro, car ils privèrent la brigade de débarquement de tout soutien aérien et permirent aux Sea Fury d'attaquer impunément la flotte. Au mois de mai, devant une commission d'enquête présidentielle, le général Thomas White, Chef d'état-major de l'armée aérienne, devait dire : « Je crois en somme que la force aérienne cubaine a joué un rôle formidable dans notre échec... J'ai été surpris de découvrir qu'ils [les T-33] étaient armés. » Il devait ajouter que, pour l'Etat-major interarmes, le T-33 n'était pas considéré comme un « avion de combat ». McGeorge Bundy, le Conseiller pour la Sécurité nationale, écrivit dans un rapport officiel adressé au général Maxwell Taylor, président de la commission d'enquête : « Il est étonnant de constater... que pas un seul des conseillers du Président n'ait songé à l'avertir des dangers que pouvaient présenter les T-33. »

Castro se fit un devoir d'encourager personnellement ses pilotes à découvrir et à détruire les bateaux ; il s'impatientait de plus en plus à chaque minute qui passait. Il connaissait tous les aviateurs pour s'être rendu souvent sur la base et il voulait leur faire bien comprendre à quel point il était indispensable de priver les envahisseurs de leurs vaisseaux encore chargés d'armes, de munitions, de ravitaillement et de matériel ; cette opération convenait parfaitement à son objectif qui était d'isoler la brigade déjà débarquée sur les plages, avant de l'écraser. Sa plus grande inquiétude était que les émigrés puissent prendre position sur des bancs de terre ferme, dans les marécages de Zapata, au-delà de leur tête de pont ; ils couperaient ainsi les trois routes pavées qui reliaient la Baie des Cochons à l'arrière-pays vers le Nord et vers l'Est. S'ils y parvenaient et s'ils continuaient d'être ravitaillés par mer, peut-être serait-il impossible de les déloger. Castro avait parfaitement compris la manœuvre de l'ennemi, aussi agit-il en conséquence.

A quatre heures trente du matin, il appela la base aérienne et demanda à parler au capitaine Enrique Carreras, le pilote le plus ancien, sanglé à l'intérieur du cockpit de son Sea Fury monoplace. Carreras courut au téléphone pour entendre Castro lui dire : « *Chico*, il faut absolument que tu me coules ces bateaux... » Aux premières lueurs de l'aube, avant six heures, Carreras décolla à bord de son appareil armé de roquettes et de quatre tubes de 20 mm, suivi d'un autre Sea Fury et d'un B-26. En atteignant la Baie des Cochons, il vit des engins de débarquement se diriger vers les plages et un grand cargo s'approcher de Playa Larga. Il manqua son premier passage, mais au second ses roquettes touchèrent le cargo. C'était le *Houston*, qui transportait le cinquième bataillon de la brigade et son équipement ;

491

quelques secondes plus tard, le second Sea Fury toucha lui aussi sa cible. A six heures trente, le *Houston* s'échoua à cinq milles au sud de Playa Larga et le bataillon ne put jamais débarquer pour prendre part au combat. Une péniche de débarquement d'infanterie, le *Barbara J*, qui servait de navire amiral à la CIA, fut endommagée par les tirs de mitrailleuse du Sea Fury, commença à faire eau, et prit la direction du large. Carreras revint à San Antonio pour faire le plein et se ravitailler en munitions ; il était de retour au-dessus de la baie à neuf heures trente et, cette fois, il toucha et coula le cargo *Río Escondido* qui transportait dix jours de munitions pour la brigade et des matériels essentiels pour les télécommunications. Sur ces entrefaites, d'autres navires de la flotte de débarquement quittèrent la baie, abandonnant à leur sort quelque 1 350 hommes de la brigade. Castro lui-même n'avait pas encore compris ce qui s'était passé, mais la bataille de la Baie des Cochons était gagnée par les Sea Fury huit heures après le début des opérations. L'un des moteurs de Carreras avait été touché par le feu d'un B-26 de la brigade, mais il parvint à rentrer à San Antonio où les équipes au sol commencèrent immédiatement les réparations. A leur tour, les T-33 prirent l'air afin d'en découdre avec les B-26 des émigrés ; ils en abattirent quatre au cours de la journée. Castro perdit deux Sea Fury (mais pas celui de Carreras ; vingt-cinq ans après, ce dernier vole toujours, il est pilote de ligne à La Havane) et deux B-26, mais d'un point de vue stratégique cela n'avait plus d'importance. Ses armes secrètes avaient accompli leur mission dans les airs.

Après avoir quitté Matanzas, Fernández se dirigeait vers le sud avec son bataillon d'officiers de la milice ; à Jovellanos, il reçut un appel de Castro qui voulait vérifier sa progression. Il atteignit la sucrerie Australia à la périphérie des marécages de Zapata vers huit heures ; Castro lui ordonna alors d'occuper Palpite, village situé à quelque cinq kilomètres au Nord de Playa Larga, l'une des deux têtes de pont de la brigade. Par la route, Palpite était à dix-neuf kilomètres d'Australia ; le bataillon de la milice, embarqué à bord d'autobus et de camions sous le feu de l'aviation ennemie, pénétra dans le village à midi, tandis qu'une autre unité se ruait à quelques kilomètres vers le Sud-Est pour prendre position dans le village de Soplillar et sur la piste d'atterrissage qui s'y trouvait. Fernández arriva juste à temps car des patrouilles de la brigade, venues de Playa Larga, essayaient d'atteindre Palpite et la route Nord-Sud. Il eut de la chance ; en effet, les parachutistes ennemis désignés pour cette mission avaient été lâchés trop loin et en pure perte. D'ailleurs, ils furent bientôt capturés par les miliciens. Une autre unité de parachutistes prit San Blás à l'Est de Girón, mais l'importance stratégique de son succès était nulle désormais et ses hommes se trouvèrent immédiatement sous le feu du bataillon de Cienfuegos.

Lorsque Fernández téléphona d'Australia à La Havane pour informer Castro de la prise de Palpite, Fidel s'exclama : « Nous avons déjà gagné la guerre… L'aviation a coulé trois navires sur quatre, et elle poursuit son action… Attaquez Playa Larga avec le bataillon de la milice… » Castro avait déjà poussé le même cri de triomphe, « Nous avons gagné la guerre », lorsque, après le désastre de 1956, avec deux survivants d'Alegría de Pío, il avait rencontré Raúl Castro et ses quelques compagnons dans les contreforts de la Sierra Maestra ; cette fois, sa déclaration était également justifiée. Après avoir éliminé l'escadre des envahisseurs et bloqué ces derniers sur les plages, il avait devant lui une simple opération de nettoyage, même si les combats étaient loin d'être terminés.

L'attaque menée par Fernández contre Playa Larga avec cinq cents miliciens armés de mortiers, de mitrailleuses et de fusils fut repoussée vers quatorze heures, avec des pertes considérables. Mais Castro était désormais confiant que sa présence allait de toute façon réconforter ses troupes (et puis il tenait à se trouver au cœur de la mêlée), aussi se précipita-t-il à Australia où il arriva vers quinze heures quinze — après une course de trois heures à tombeau ouvert. Il n'avait pas pris d'hélicoptère pour ne pas s'exposer à une attaque aérienne. Arrivé à la sucrerie, il informa Fernández que l'artillerie, les canons antiaériens et les chars étaient en route et que l'offensive contre Playa Larga devait reprendre promptement. Il voulut aller jusqu'au front, à Palpite, mais Fernández l'en dissuada. La première photographie de lui, dans la zone des combats, le montre vêtu de son battle dress et de son béret marron, un fusil dans la main gauche, un cigare entre les dents, en train de marcher, tout en écoutant Fernández qui le suit à un pas — elle fit aussitôt le tour du monde. Sur une autre photo célèbre, prise le lendemain, on le voit à Playa Larga, sauter à bas d'un char ; des millions d'affiches héroïques ont été tirées de cette image.

Le fait que Castro se soit rendu en pleine zone de combat au cours de la première après-midi fit également ressortir le fait qu'il se sentait tout à fait sûr de lui, militairement et politiquement. A La Havane, les hommes de troupe et les miliciens étaient parfaitement loyaux, le boulevard Malecón qui suivait le littoral était bordé d'artillerie et de canons antiaériens et dans la capitale seule, près de trente-cinq mille personnes soupçonnées d'être hostiles au régime furent détenues pendant la matinée par les services de sécurité de l'Etat, la police et les Comités de Défense révolutionnaires. L'évêque auxiliaire de La Havane comptait parmi les prisonniers, dont seize mille furent enfermés dans les prisons de la capitale, dix mille dans le stade et quatre mille dans l'immense cinéma Blanquita. Si la CIA avait vraiment espéré qu'une insurrection anticastriste appuierait l'invasion, Fidel fit en sorte que les Cubains désireux de se soulever ne puissent trouver nulle part le moindre chef. Avant de quitter La Havane, il avait rédigé un appel à la « solidarité » avec Cuba, en lutte contre « l'impérialisme des Etats-Unis » et les « mercenaires et les aventuriers qui ont débarqué sur nos côtes » ; le texte était adressé « aux peuples d'Amérique et du monde » ; il portait sa signature et celle du président Dorticós.

De durs combats se poursuivirent pendant deux jours encore. De l'avis même de Castro, la brigade se battait bien et lançait des actions d'arrière-garde, bien que sa situation fût désespérée. Malgré les bombardements de l'artillerie lourde, elle défendit Playa Larga jusqu'au matin du lendemain, 18 avril, où la milice reçut de nouveaux renforts. Ce matin-là, Castro retourna à La Havane parce qu'il avait appris la nouvelle d'un débarquement à Pinar del Río, dans l'ouest, mais ce n'était là qu'une autre manœuvre de diversion de la CIA qui utilisait simplement un appareillage électronique embarqué à bord de petits bateaux mouillés au large ; de bonne heure le mercredi 19, Fidel était de retour sur le champ de bataille — à temps pour assister à la victoire finale. Il se trouvait avec les batteries d'artillerie de Pedro Miret à l'Est de Girón lorsque San Blás fut repris et que l'étau se resserra autour de « Blue Bleach ». Les B-26 de la brigade qui avaient infligé de lourdes pertes aux milices de Fernández lors de leur progression vers Girón le mardi ne pouvaient plus prendre l'air, car leurs pilotes cubains étaient épuisés par les rotations de sept heures que leur imposaient les vols aller-retour entre Cuba et le Nicaragua. Quatre pilotes américains, recrutés par la CIA, dans la section aérienne de la Garde nationale d'Alabama, avaient été tués à bord de deux B-26 abattus par les T-33 de Castro. Le mercredi, Kennedy autorisa des sorties matinales d'une heure aux appareils à réaction américains embarqués sur le porte-avions *Essex ;* ils devaient protéger l'évacuation de Girón ; mais sans que personne puisse l'expliquer, ils arrivèrent trop tôt pour servir à quoi que ce soit. Les dernières tentatives de résistance cessèrent à dix-sept heures trente.

Si l'on tient compte du fait qu'il n'avait ni liaisons radio ni téléphone sur le vaste champ de bataille de Zapata (les messages écrits étaient portés par des estafettes en jeep, à motocyclette, ou même à pied), la manière dont Castro resta maître des événements pendant ces trois jours est tout à fait remarquable. Celia Sánchez était restée au poste de commandement de La Havane et le tenait informé par radio à ondes courtes et par téléphone de tout ce qui se passait ailleurs. Mais surtout, son flair stratégique se révéla infaillible. Fernández l'ayant informé le 19 que deux destroyers américains approchaient de Girón et que c'était peut-être là le prélude à un nouveau débarquement, Castro lui répondit : « Ce que vous voyez, ce n'est pas un débarquement, c'est une évacuation. » Il voulait immobiliser les canots de caoutchouc des émigrés mais il empêcha Fernández d'ouvrir le feu sur les navires américains, bien qu'ils fussent entrés dans les eaux territoriales cubaines. Il pensait à juste titre que les destroyers riposteraient et que s'il se produisait soudain un affrontement direct avec les Etats-Unis, les conséquences en seraient incalculables.

Castro passa toute la journée du jeudi 19 sur les plages de Girón, pour satisfaire sa curiosité en inspectant les positions ennemies et en parlant aux prisonniers. Il y en avait tant que bon nombre d'entre eux portaient encore leurs armes au moment même où ils entouraient Fidel pour lui répondre. Fernández connaissait personnellement la plupart des officiers de la brigade ; il raconte que les prisonniers craignaient d'être immédiatement fusillés et qu'ils « furent surpris de se voir traiter avec la plus grande correction... la dignité humaine a été scrupuleusement respectée. » Il fallut plusieurs jours pour rassembler les restes de la brigade ; enfin, 1 189 prisonniers, y compris les membres du haut commandement, furent emmenés à La Havane et internés dans l'hôpital de la marine près de la forteresse de La Cabāna. Les pertes de Castro se montèrent à 161 tués, tandis que la brigade déplorait 107 morts.

La victoire de Castro dans la Baie des Cochons eut pour effet de déterminer, dans ses grandes lignes, l'avenir de ses relations avec l'Union soviétique comme avec les Etats-Unis. D'abord, il avait prouvé de façon éclatante qu'il possédait de hautes capacités défensives ; ensuite, l'invasion avait montré que le Kremlin était disposé à prendre la défense de Cuba. Ainsi que Khrouchtchev l'exprimait dans une note à Kennedy en date du 18 avril : « Nous apporterons au peuple cubain et à son gouvernement toute l'assistance nécessaire pour faire échec aux attaques armées contre l'île. » Cependant, dix-huit mois allaient encore s'écrouler avant que Khrouchtchev montrât jusqu'où il était vraiment prêt à aller. Il ne fait pas le moindre doute que l'affaire de la Baie des Cochons eut pour conséquence directe la crise des missiles de 1962.

On ne peut contester non plus que les armes tchèques et soviétiques, y compris l'artillerie et les chars, avaient accéléré et facilité le triomphe de Castro, même si dès le début la manière dont il utilisa sa force aérienne avait été déterminante. Les armes étaient absolument neuves au point que, comme le raconte Fernández, les équipages des chars apprenaient encore à s'en servir, chemin faisant, entre les hangars et le champ de bataille. Rien ne laisse supposer, par contre, que les conseillers soviétiques qui commencèrent à arriver à Cuba avec cet équipement à la fin de 1960 avaient joué un rôle quelconque dans la victoire. Le général Alexei Dementiev, premier officier soviétique de son rang à être envoyé dans l'île, se présenta plusieurs mois après l'invasion pour assumer le commandement du groupe de conseillers militaires et aucun responsable de rang inférieur n'aurait seulement osé contester les idées de Castro. Les révolutionnaires remportèrent la victoire parce que la stratégie de Fidel était bien supérieure à celle de la CIA ; parce que leur moral était élevé ; et parce que Che Guevara, commandant du Département chargé de l'Instruction des Forces armées révolutionnaires, responsable de l'entraînement des miliciens, et Fernández, commandant de l'école des officiers de la milice, avaient accompli une tâche remarquable en préparant au combat quelque 200 000 hommes et femmes. De plus, la bataille de la Baie des Cochons renforça l'unité au sein de la population.

Le rapport de la Commission d'enquête Taylor, dont certains passages sont encore aujourd'hui secrets, reconnaissait sans équivoque que Castro avait été complètement sous-estimé. On y lit ceci : « on estimait que [ses troupes] n'avaient aucune doctrine sur la façon de conduire les opérations et pourtant elles ont clairement montré qu'elles connaissaient toute la valeur d'une supériorité aérienne ». Richard Bissell, responsable de l'invasion pour le compte de la CIA, avoue que parmi les erreurs d'appréciation commises figuraient « une sous-estimation des capacités de Castro dans certains domaines précis, en particulier son sens de l'organisation, la rapidité de ses mouvements et sa volonté de se battre... Contrairement à ce que nous pensions, les T-33 étaient armés, et leurs pilotes ont fait preuve d'habileté, de loyauté et de détermination ». Enfin, la Commission a estimé que l'idée de voir les survivants de la brigade vaincue se joindre aux maquisards de l'Escambray (hypothèse sérieusement avancée par la CIA) relevait de la plus haute fantaisie.

Pour l'ambassadeur Bonsal, l'échec de la Baie des Cochons « fut un grave revers pour les Etats-Unis... Il consolida le régime castriste et contribua de façon déterminante à prolonger la durée de vie qu'il connaît encore... Il devint évident pour toutes les parties concernées, à Washington, à La Havane et à Moscou, que pour le moment, il ne pourrait être renversé que sur une intervention directe de la puissance américaine ». Un quart de siècle plus tard, un énorme panneau qui domine la plage touristique de Girón proclame encore : GIRÓN — PREMIÈRE DÉFAITE DE L'IMPÉRIALISME EN AMÉRIQUE. Par une journée ensoleillée de l'été 1985, un groupe de marins soviétiques appartenant à l'équipage d'un navire de guerre en visite à Cienfuegos se faisaient photographier devant ce panneau : la plupart d'entre eux n'étaient probablement pas nés à l'époque où se déroulèrent ces événements.

Ayant « infligé une défaite à l'impérialisme », Castro ne perdit pas de temps pour tirer de son triomphe jusqu'à la moindre parcelle de gloire au bénéfice de la révolution, et au profit politique ou idéologique de son gouvernement — sans parler, naturellement, de l'orgueil national cubain. Il mit en scène, pour ce faire, un fantastique spectacle, qui se poursuivit du printemps à l'automne. Le 23 avril, dimanche de la victoire, il l'inaugura par une intervention de quatre heures, au cours de son programme de télévision préféré, « Université populaire », afin de narrer devant le peuple la saga de l'invasion et le triomphe de la révolution, à l'aide de cartes, d'une baguette et de documents pris à l'ennemi. Pour conter l'histoire de Girón, Fidel mêla à son discours l'humour, le sarcasme, le mépris, le défi et des explications exaltantes sur la stratégie révolutionnaire ; sa voix s'enfla et monta lorsqu'il vanta le courage de « nos hommes qui savent mourir et ne l'ont que trop prouvé ces jours derniers ! » Presque toute la population de Cuba regarda Fidel à la télévision ce dimanche-là ; les rues, les places et les jardins étaient déserts ; sa popularité semblait plus grande encore que le jour de sa première victoire, celle de 1959. La bataille de Girón avait soudé la nation derrière lui et, comme il devait le dire plus tard : « Notre parti marxiste-léniniste est vraiment né à Girón ; à partir de cette date, le socialisme a été scellé à jamais dans le sang de nos travailleurs, de nos paysans et de nos étudiants. »

Dans le même temps, Castro commença à exhiber les prisonniers à la télévision pour expliquer qui ils étaient, d'où ils venaient et quel rôle ils avaient joué dans la brigade de débarquement ; cela finit par devenir un véritable feuilleton télévisé qui se prolongea pendant des jours. Les émigrés exprimaient leur regret d'avoir participé à l'expédition de la Baie des Cochons (peut-être les avait-on persuadés de se repentir), ou confirmaient s'être portés volontaires pour envahir leur propre pays. Soumis à des interrogatoires, quatorze d'entre eux avouèrent avoir commis des assassinats et d'autres crimes, à l'époque où ils servaient dans les forces de Batista après le coup d'état de 1952 — et de nouveau, on flétrissait les « impérialistes » qui avaient utilisé les assassins du peuple cubain. Mais certains se montraient intraitables et demandaient pourquoi Castro n'organisait pas d'élections puisqu'il était si populaire. La semaine suivante, Fidel fit rassembler les prisonniers dans le Palais des Sports de La Havane et là, il interrogea les hommes, toujours devant les caméras de télévision, discuta et argumenta avec eux — ce fut un nouvel acte dans cette pièce à grand spectacle.

Pendant les combats, Castro avait décidé qu'il ne serait fait aucun mal aux prisonniers; il ne voulait à aucun prix ternir l'image de pureté et de générosité de la révolution par des brutalités, des exécutions sommaires, ou un procès en masse. Beaucoup plus subtilement et de façon plus pratique, il demanda une rançon aux Etats-Unis en échange de la très grande majorité des prisonniers, y compris tous les officiers. Au mois de septembre, il fit juger devant des tribunaux révolutionnaires les quatorze captifs accusés de crimes antérieurs au renversement de Batista. Cinq d'entre eux furent exécutés, les neuf autres étant condamnés à trente ans de prison. Sur ces neuf, sept se virent accorder des réductions de peine; en 1985, les deux derniers étaient toujours en prison.

Les négociations pour la libération des prisonniers de la brigade durèrent vingt mois. Castro avait d'abord demandé cinq cents tracteurs pour les relâcher, mais le gouvernement Kennedy avait refusé. Le 20 mai, il introduisit alors un nouveau coup de théâtre sensationnel dans son mélodrame, en envoyant par avion aux Etats-Unis une délégation de dix prisonniers chargés de plaider sa cause. Castro avait personnellement annoncé au groupe tout entier que dix d'entre eux, choisis par leurs camarades, pourraient se rendre à Miami et à Washington pendant soixante-douze heures, ou plus longtemps si les négociations l'exigeaient, pourvu qu'ils donnent leur parole d'officier qu'ils reviendraient à Cuba. Tous furent abasourdis par cette offre qu'il alla leur faire immédiatement après avoir reçu le Prix Lénine de la Paix à l'ambassade d'Union soviétique. Ce trait était bien dans le style de Fidel, toujours sensible à l'humour que pouvait présenter la synchronisation des événements. Autre détail caractéristique : les prisonniers voyagèrent revêtus de la tenue de camouflage de la brigade; ils étaient propres et bien rasés; par ce geste, habituel chez lui, Castro rendait honneur aux combattants ennemis. Les prisonniers sur parole apportèrent aux familles des lettres écrites par leurs camarades restés à Cuba et, au moment de leur retour à La Havane, huit jours plus tard, ils furent autorisés à leur rapporter quelque 300 kilogrammes de colis. Bien qu'Eleanor Roosevelt eût accepté de présider une « commission pour les tracteurs » (à quoi Castro consentit immédiatement, se proclamant heureux de négocier avec « la veuve du grand président »), on ne put parvenir à un accord, en partie parce que les Etats-Unis refusaient de laisser Cuba modifier l'aspect de l'échange et lui donner l'apparence d'une indemnisation consentie à Cuba pour l'invasion. Ce n'est pas avant le 23 décembre 1962 que les prisonniers furent relâchés contre une livraison de médicaments et de produits alimentaires d'une valeur de 53 millions de dollars.

J'ai eu par deux fois, à des dates très éloignées l'une de l'autre, l'occasion de parler de la Baie des Cochons — et du président Kennedy — avec Fidel Castro. La première conversation eut lieu en juin 1961, moins de deux mois après l'invasion. J'accompagnais Castro dans une tournée des champs de bataille; il jouait tout à la fois les rôles de guide, de général victorieux et d'historien militaire, tandis qu'il indiquait les sites où s'étaient produits certains épisodes importants. En racontant le deuxième jour de la bataille de Playa Larga, il éleva la voix avec emphase : « Ils attaquaient sans répit et nous avons contre-attaqué sans cesse. » Arrivé à la plage de Girón, il posa sa botte sur les restes d'un bombardier B-26 de la brigade, affirmant à qui voulait l'entendre, tout en gesticulant avec son grand cigare : « Ils nous ont sous-estimés et ils n'ont pas su utiliser leurs forces à bon escient. » Il poursuivit son récit et ajouta que la surprise fatale pour les envahisseurs était venue de sa maîtrise des airs mais que, de toute façon, ils auraient dû lancer plusieurs opérations de débarquement au lieu d'une seule.

« Ç'a été leur première faute, expliqua-t-il. Et comme ils avaient conquis une tête de pont assez vaste, il était devenu urgent pour nous, d'un point de vue politique, de les chasser aussi vite que possible pour qu'ils ne puissent pas constituer un gouvernement sur place. » Leur deuxième grande erreur, continua-t-il, poursuivant son analyse critique, a été de n'avoir pas su empêcher les chars, que nous transportions de La Havane sur des plates-formes, d'atteindre la zone de Zapata ; s'ils n'y sont pas parvenus, c'est parce que leurs parachutistes ont été lâchés beaucoup trop tard le matin du jour J pour couper nos communications : les routes étaient déjà aux mains des miliciens. On a fait un usage « beaucoup trop parcimonieux » des parachutistes, ajouta-t-il, mais à la question de savoir comment lui-même les aurait employés, il agita le doigt et répondit en riant : « Ce n'est pas à vous que je vais le dire ! » Enfin, commenta-t-il encore, les troupes d'assaut n'ont pas été débarquées assez rapidement après que la première vague eut pris pied à Playa Larga, de sorte que le *Houston* a été coulé avec tout un bataillon encore à son bord.

« Leur problème, poursuivit-il, manifestement ravi de son cours, c'est qu'ils n'avaient pas comme nous une mentalité de guérilleros et qu'ils se sont battus comme une armée régulière. Nous avons utilisé la tactique de la guérilla pour nous infiltrer à travers leurs lignes, sans cesser d'attaquer par air et par terre. Il ne faut jamais laisser l'ennemi s'endormir. » Il pensait, cependant, que la brigade avait été dotée d'un équipement de première classe et qu'elle avait une puissance de feu excellente. Son erreur à lui, ajouta-t-il, avait été de laisser un bataillon de la milice s'avancer, le deuxième jour, à découvert sur la route qui s'élève au-dessus des sables mouvants, dans les marécages. Là, il avait constitué une cible facile pour l'aviation ennemie. Mais la plus grande erreur des stratèges de la CIA, conclut-il, avait été de croire que le raid aérien lancé le 15 avril contre les trois bases de Cuba avait suffi à détruire toute son aviation. Là était la clef de la défaite « impérialiste » et de sa propre victoire.

Castro me parla une fois encore de l'invasion vers la fin de janvier 1984, près de vingt-trois ans plus tard. Nous étions dans son bureau du Palais de la Révolution, à La Havane. Nous ne nous étions pas vus dans l'intervalle, et la conversation reprit où nous l'avions laissée sur la plage de Girón. Je lui appris que, au mois de novembre 1961, sept mois après l'affaire de la Baie des Cochons, j'avais été convoqué dans le Bureau ovale par le président Kennedy qui souhaitait me parler de Cuba à titre privé. Ma stupéfaction fut immense lorsqu'il me demanda : « Si j'ordonnais l'assassinat de Castro, qu'en penseriez-vous ? » *. Je le dis à ce dernier : ma réponse fut que les Etats-Unis ne devraient pas se discréditer par des assassinats politiques, et la riposte de Kennedy fusa : « Je suis totalement d'accord avec vous. » Il avait ajouté, informai-je Castro, que certains de ses conseillers plaidaient auprès de lui en faveur de l'assassinat ; le Président s'était dit « heureux » de voir que je m'opposais à cette idée car il était persuadé que, pour des « raisons morales », son pays ne devait pas tremper dans de telles entreprises. Richard N. Goodwin, l'un des assistants du Président qui était présent à notre entretien, affirma en 1975, devant une commission du Sénat, qu'il avait évoqué cette conversation plusieurs jours plus tard avec Kennedy et s'était entendu répliquer : « Il est impossible de nous laisser entraîner dans ce genre d'aventure, sous peine de devenir nous aussi des cibles. » Je tins à citer cet échange de propos à Castro, ce qui le lança sur le sujet de John Kennedy. Bien sûr, Castro était au courant, en 1984, des nombreuses tentatives faites par la CIA pour le supprimer, mais, ainsi qu'il me le dit, il n'avait jamais pu se convaincre que le président Kennedy les aurait autorisées.

« C'est vraiment très intéressant ce que vous me racontez là, déclara Castro, et jamais je n'en avais entendu parler. Cela m'éclaire beaucoup, car il existe surtout une coïncidence troublante entre votre récit... et l'idée qu'avait eue Kennedy d'ouvrir le dialogue [avec Cuba]. » Il ajouta que, le 23 novembre 1963, le jour de l'assassinat de Kennedy à Dallas, il recevait Jean Daniel, le directeur d'un magazine d'information français, qui lui apportait un message secret du Président. Cela se passait un an après la crise des missiles. A en croire Castro, Kennedy avait demandé à Daniel de se rendre à La Havane pour connaître les sentiments du Cubain sur « l'éventualité de conversations et d'un dialogue avec les Etats-Unis »... Daniel était censé trouver les moyens « d'établir un contact, ouvrir un dialogue, venir à bout des tensions existantes ». Or, l'assassinat de Kennedy fut annoncé par la radio au moment même où, tout en déjeunant, il examinait avec Jean Daniel le message du Président. « C'est pourquoi, ajouta-t-il songeur, j'ai toujours eu l'impression que Kennedy avait beaucoup réfléchi à ses relations avec Cuba. »

Castro évoqua ensuite un discours de Kennedy, prononcé au printemps de 1963, à l'American University de Washington. Le Président y lançait l'idée de négociations avec l'Union soviétique sur le contrôle des armements nucléaires. « En réalité, c'était un discours de paix, rappelle Castro, et, à mon avis, il indiquait un changement radical dans la position des Etats-Unis à l'égard des problèmes internationaux. » Revenant sur la question de Cuba, il ajouta : « J'ai toujours eu l'impression que Kennedy était capable de corriger la politique de son pays [vis-à-vis de Cuba]... Je considère qu'il avait assez de courage pour modifier cette politique. C'est pourquoi je considère que, pour nous, pour Cuba et pour les relations entre Cuba et les Etats-Unis, la mort de Kennedy a été un terrible coup de l'adversité. »

Evoquant alors à nouveau la question de son propre assassinat, Castro estima que le récit de ma conversation avec Kennedy « correspondait

* Voir P. Collier et D. Horowitz, *Les Kennedy*, Payot, 1985, pp. 317-318. (*N.d.T.*)

logiquement à l'idée » qu'il se faisait du Président américain (« à sa personnalité... à l'opinion que j'ai de lui »). Mais, continua-t-il, « j'estime que Kennedy est à l'origine de tout ce qui s'est passé par rapport à Cuba, à commencer par Girón. Je ne le considère pas comme directement responsable de Girón, parce que l'idée a été lancée bien avant lui... Depuis la promulgation de notre loi sur la réforme agraire en mai 1959, les Etats-Unis avaient pris la décision de liquider la révolution cubaine, d'une façon ou d'une autre. Au début, ils ont peut-être pensé qu'un blocus économique, assorti de la suspension des achats de sucre et des fournitures américaines de biens d'équipement ou de pièces détachées, suffiraient à entraîner l'effondrement de la révolution cubaine et à provoquer un choc profond dans la population — sinon des dissensions internes qui renverseraient le cours du processus révolutionnaire. D'après ce que je crois savoir, après mon entretien au Capitole en 1959 avec Nixon, ce dernier était convaincu que j'étais communiste et qu'il était indispensable d'en finir avec la révolution cubaine. Pourtant la conversation semblait avoir été franche et amicale... J'avais abordé en toute sincérité les problèmes de Cuba. En réalité, nul ne pouvait déduire de notre échange de vues que Castro était un communiste. »

Deux ans après, continua Castro, se produisit la coïncidence entre l'affaire de la Baie des Cochons et l'Alliance pour le Progrès. Mais, affirmat-il avec force, « Kennedy avait hérité tout le plan de Girón du gouvernement Eisenhower. A cette époque, Kennedy était, de mon point de vue, sans le moindre doute, un homme plein d'idéalisme, de bonnes intentions, de jeunesse et d'enthousiasme. Je n'ai jamais pensé qu'il pût manquer de scrupules, je ne me fais pas cette idée de lui. Il était tout bonnement très novice, pourrait-on dire — sans aucune expérience de la politique, mais très intelligent, très avisé, très bien préparé et doué de qualités personnelles magnifiques. Quant à l'expérience et à l'inexpérience, je puis en parler savamment, quand je compare nos connaissances actuelles avec ce que nous savions de la politique vers 1959, 1960, 1961 — nous avons vraiment honte de l'ignorance qui était la nôtre à l'époque. Nous avons eu vingt-cinq ans pour parfaire notre expérience alors que Kennedy a gouverné quelques mois seulement. »

Evoquant l'affaire de l'invasion, Castro a dit : « Si j'en juge par tous les éléments que je puis rassembler, je suis persuadé qu'il avait des doutes sur toute cette histoire — mais il n'a pas pris la décision de tout annuler parce que trop de forces étaient en jeu : des institutions prestigieuses, le Pentagone, la CIA, la tradition qui exige que l'on s'en tienne aux décisions prises par les gouvernements précédents. Aussi, malgré ses doutes, il décida d'aller de l'avant. Et même si c'est lui qui a donné l'ordre de l'invasion, je pense que Kennedy a eu beaucoup de mérite. Nixon, par exemple, ne se serait pas résigné à l'échec et je suis sûr qu'il se serait produit une escalade, nous aurions alors été pris dans une guerre très sérieuse entre l'armée des Etats-Unis et le peuple cubain, parce que, cela ne fait pas l'ombre d'un doute, le peuple se serait battu. Il ne fait aucun doute que la Révolution aurait résisté. A ce moment-là, nous disposions déjà de dizaines de milliers d'armes que nous avions fait distribuer dans les montagnes, nous en avions partout. Nous avions des centaines de milliers d'hommes, même s'ils n'étaient pas toujours très bien entraînés... en prenant conscience de la menace militaire qui pesait sur nous, nous avions fait tout notre possible pour nous procurer des armes, surtout pour des fantassins ; notre pays aurait été le théâtre d'une guerre qui aurait fait des dizaines, des centaines de milliers de victimes. Je pense qu'un homme a eu les qualités personnelles, le courage personnel d'admettre la gravité de l'erreur commise, de retrouver son calme et de s'imposer un frein — cet homme-là c'était Kennedy. Donc, s'il y a bien eu une invasion préparée par Nixon et Eisenhower, nous avons eu aussi la chance que les Américains n'aient pas porté un Nixon à la présidence, la chance de trouver un Kennedy en face de nous, un homme doté d'une éthique ; or c'était lui, le président... C'est pourquoi nous reconnaissons que Kennedy avait suffisamment de courage moral pour assumer pleinement la responsabilité des événements...

« C'est ainsi que, pour moi, cette idée de m'éliminer physiquement se situe dans le même contexte que Girón — c'est quelque chose dont il avait hérité. Je ne lui en ai jamais voulu, même s'il a examiné la possibilité de mettre le projet à exécution, parce que la chose aurait pu se faire indirectement, ç'aurait pu aussi bien être la conséquence d'une réflexion fait à un moment donné, " et si on se débarrassait de Castro " — réflexion qu'on pouvait interpréter de mille manières : contre-révolution, invasion comme à Girón, blocus économique, débarquement direct, ou assassinat... Mais, à cause de l'opinion que j'ai de lui, je n'arrive pas à croire que Kennedy aurait jamais pu donner directement un ordre de cette nature — je ne dis pas cela parce qu'il est mort, mais parce que j'analyse les choses dans le calme et de sang-froid. Je puis ajouter que j'ai éprouvé un très réel chagrin le jour où j'ai appris la nouvelle de sa mort — ç'a été un choc, cela m'a fait mal, cela m'a consterné de le voir abattu. »

C'est ainsi que Fidel Castro évoquait la mémoire de John Kennedy, non seulement en se rappelant l'affaire de la Baie des Cochons, mais aussi à la lumière de la crise des missiles qui s'était produite l'année suivante.

5

Au mois d'octobre 1962, la crise des missiles fut la conséquence historique inéluctable des événements de la Baie des Cochons, même si, comme l'a fait observer Fidel Castro, le président Kennedy préféra se dispenser de lancer une véritable invasion de l'île. La dynamique de la situation, de part et d'autre du détroit de Floride, allait engendrer une nouvelle confrontation — aussi inévitable que s'il s'était agi d'une loi de la physique — et cette fois l'escalade fut telle qu'elle laissa Cuba loin en arrière et se déroula entre les superpuissances. Jamais auparavant — et jamais depuis — le monde ne s'était trouvé si près de la guerre nucléaire. Mais Cuba et Castro n'auraient constitué qu'un prétexte, un détonateur — c'est là un point essentiel que, à l'apogée de la crise, ce dirigeant révolutionnaire qui croyait raisonner à l'échelle planétaire ne sut comprendre. Cette incapacité à appréhender les réalités du monde des grandes puissances ne fit que l'intégrer plus profondément au système soviétique, même s'il allait y résister pendant six ans. Entre lui et les Russes, ce serait une lutte subtile et muette dont, aujourd'hui encore, bien des épisodes restent enfouis dans un secret absolu.

A peine le sang avait-il eu le temps de sécher sur les plages de la Baie des Cochons qu'une nouvelle polarisation commença de se produire à Washington comme à La Havane, John Kennedy et ses conseillers, d'une part, Fidel Castro de l'autre, se partageant également la responsabilité des blâmables conséquences auxquelles on aboutit. A la mi-juin, Kennedy reçut les conclusions de la commission d'enquête Taylor sur le désastre de la Baie des Cochons : « il est impossible d'accepter à long terme le voisinage de Castro » ; il fallait donc réévaluer la situation par rapport à Cuba et « donner de nouvelles orientations à l'action politique, militaire et économique, ainsi qu'à la campagne de propagande menée contre Castro ». Les membres du Conseil national de Sécurité et la CIA produisirent maintes études sur le sujet et, le 30 novembre, Kennedy adressa à Dean Rusk, son secrétaire d'Etat, une note l'informant de sa décision « d'utiliser tous les atouts qui sont les nôtres... pour aider Cuba à renverser le régime communiste ». Entre-temps, Castro proclamait, après le débarquement du mois d'avril : « Notre pays se bat désormais pour le socialisme » ; il s'employait à accélérer le processus par tous les moyens possibles, pleinement conscient sans doute de devoir provoquer ainsi de nouvelles réactions violentes de la part des Etats-Unis. Mais, pour lui, c'était une question de principe révolutionnaire ; en effet, il n'était plus du tout « contre-révolutionnaire » de considérer la révolution comme une étape socialiste dans la marche vers le communisme. Pourtant, avant les événements de Girón, des hommes avaient été jetés en prison pour avoir affirmé cela.

Tandis que le pays allait bientôt vivre la quatrième année du régime castriste, l'accélération du processus révolutionnaire consécutive à la tentative d'invasion mit en lumière les transformations considérables qui s'étaient produites dans la société cubaine et dans son mode de vie. Au nombre des nouvelles réalités on pouvait compter d'abord l'amélioration tout à fait remarquable apportée aux conditions de vie, à la santé et à l'instruction de la population, en particulier dans les campagnes les plus pauvres ; ensuite, une pénible dégradation de l'économie nationale pour des raisons diverses qui tenaient à des erreurs de planification, à la priorité dont bénéficiait la défense, et à la guerre économique livrée par les Etats-Unis ; enfin, l'enrégimentation quasi totale de la vie politique, intellectuelle et culturelle dans l'île. Pour dire les choses plus crûment, une dictature révolutionnaire s'était implantée à Cuba depuis la fin de 1961, parce que, comme l'avait proclamé Fidel Castro dans le discours qu'il prononça le 26 juillet de cette année-là : « C'est une lutte à mort ; elle ne peut finir qu'avec la mort et la destruction de la révolution ou de la contre-révolution ».

Après avoir déclaré que la révolution était socialiste et que la prochaine étape en serait la création du Parti uni de la Révolution socialiste cubaine (PURSC), destiné à devenir l'organisation politique dominante sous sa direction, Castro entreprit d'éliminer toutes les formes d'opposition (loyale ou non) et tout vestige de pensée indépendante. Toujours sous prétexte que ces mesures visaient seulement à réaliser l'unité nationale absolue, indispensable à la survie de la révolution, il pressa les Cubains de se joindre à lui pour saluer joyeusement l'avènement du nouvel âge de l'enrégimentation. Pendant son discours du 26 juillet sur la Place de la Révolution à La Havane, Fidel demanda aux membres des diverses organisations, milice, Comités de Défense de la Révolution, Confédération des Travailleurs révolutionnaires et Fédération des Femmes cubaines, de lever la main pour l'approuver, ce qui fut fait — et un ouragan d'applaudissements et de hurlements d'enthousiasme balaya les foules rassemblées. Ce fut, là encore, une de ces « consultations » populaires, comme les aimait Castro, à la suite de quoi il s'exclama : « La Révolution a organisé le peuple !... Même les enfants s'organisent dans les associations de Pionniers rebelles ! » Désormais, les Cubains s'appelaient l'un l'autre *compañero*, dans la fraternité de la révolution.

En dépit de ses échecs économiques, de l'invasion de la Baie des Cochons et de la menace que faisaient peser les nouvelles tentatives américaines et les guérilleros antirévolutionnaire de l'Escambray qui parvinrent à se regrouper vers le milieu de 1961, Fidel ne dévia jamais de sa trajectoire jusqu'à consolider définitivement sa domination politique ; il franchit toutes les étapes prévues par son plan. En fait, plus les pressions et les dangers étaient grands, plus il était décidé à faire respecter son programme fondamental, méthodiquement et sans compromis. Et rien ne pouvait troubler l'ordre de ses priorités ni aller à l'encontre des justifications un peu laborieuses mais souvent convaincantes qu'il donnait de ses actes.

La manière dont il traita les intellectuels, les écrivains et les artistes de Cuba, pour faire endosser au milieu culturel de son pays une camisole de force idéologique et le priver de ses derniers vestiges de liberté, au sens où l'on comprend ce mot dans le monde non totalitaire, mérite d'être citée en exemple : elle témoigne des abus de pouvoir, des manœuvres d'intimidation et des manipulations dont il a le secret. Comme la sagesse de la Révolution ne pouvait être mise en doute, Fidel eut l'habileté de faire acclamer par les meilleurs esprits de Cuba et les plus déliés le traitement mortel qu'il leur infligea. En fait, il transforma Cuba en désert culturel et, vingt-cinq ans plus tard, les premiers signes d'un retour de la créativité se font toujours attendre — ou du moins, ils ne sont guère visibles. Selon la logique de Castro, l'opération allait dans le droit fil de sa philosophie politique, mais le climat intellectuel et littéraire qui en est résulté est un mélange de Cervantes, de Kafka et d'Orwell. L'influence de Cervantes se manifeste sans cesse dans l'art consommé avec lequel Castro manie la langue espagnole ; la présence de Kafka se fait sentir dans l'aspect cauchemardesque que revêt la vie intellectuelle de Cuba ; et quant à Orwell, son seul nom symbolise la terrifiante efficacité d'un Etat tout-puissant et de son grand chef qui décident en toute omnipotence des activités culturelles auxquelles il est permis d'exister.

Les événements qui se sont déroulés trois samedis de suite, au mois de juin 1961, dans la salle de conférence de la Bibliothèque nationale José Martí, sont à l'origine de cet état de choses ; ils projettent un éclairage singulier sur le fonctionnement de l'étonnant esprit de Fidel Castro. Lecteur convaincu des œuvres d'Antonio Gramsci, le penseur marxiste d'après lequel nul ne pouvait obtenir (ou conserver) le soutien des masses sans exercer une domination sur la culture populaire, Castro attaqua le problème cubain en posant ce principe comme base de son action. Déjà, il s'était octroyé un pouvoir absolu sur les médias, tout en fondant d'ailleurs un institut cinématographique de haute qualité, dont il avait confié la direction à son vieil ami Alfredo Guevara, chargé de produire des longs métrages, des documentaires et des bandes d'actualités largement inspirés par l'idéologie révolutionnaire. En 1961, c'était le tour des écrivains, poètes, journalistes, artistes, compositeurs, réalisateurs (pris individuellement, cette fois), dramaturges et chorégraphes. En réalité, ce fut un différend plus ou moins idéologique autour d'un documentaire de douze minutes un peu douteux, qui précipita la crise du mois de juin ; le Conseil national de la Culture créé par Castro décida que le film ne serait pas diffusé, mais chacun comprit immédiatement que l'enjeu du conflit serait la définition de la liberté culturelle sous le régime révolutionnaire.

Pour incongru que cela puisse paraître, le vrai problème venait de ce que Castro et Edith García Buchaca, présidente du Conseil de la Culture et membre influent du Parti communiste, n'appréciaient guère le supplément littéraire hebdomadaire du quotidien *Revolución* qui était encore l'organe officiel du Mouvement du 26 juillet, le mouvement de Fidel. Ce supplément paraissait le lundi et portait donc logiquement le titre de *Lunes de Revolución* (*lunes* signifie « lundi ») ; il avait été lancé en mars 1959 et c'était probablement la meilleure publication littéraire, la plus intéressante, qui existât en Amérique latine. L'ennui était (comme l'exprima son premier éditorial) que si la révolution avait abattu « toutes les barrières du passé », *Lunes* ne professait « aucune philosophie politique déterminée, sans toutefois rejeter certains systèmes [comme] le matérialisme dialectique, la psychanalyse ou l'existentialisme. » *Lunes* publiait donc ce que ses rédacteurs (écrivains de valeur, dont la plupart avaient vécu à l'étranger pendant la dictature de Batista) jugeaient intéressant : cela pouvait aller des journaux de guerre de Raúl Castro et Che Guevara à des articles sur Marx et Lénine (ce qui irritait les fidélistes modérés), Trotsky et Djilas (ce qui agaçait les communistes), Proust, Tchékhov, Hemingway et les écrivains beatnik. Au départ, personne semble-t-il n'y prêta attention ; à l'occasion, Fidel passait dans les bureaux de *Lunes*, tard dans la soirée, pour prendre un *café con leche*. Un soir même, il y conduisit Jean-Paul Sartre et Simone de Beauvoir. On en était encore à la phase romantique de la révolution et Fidel aimait jouer à l'intellectuel bohème. Pourtant, en 1961, la révolution n'avait plus rien de romantique, Castro avait publiquement pris parti pour une idéologie dogmatique et pour les marxistes purs et durs qui dirigeaient le Conseil de la Culture. *Lunes* n'avait plus sa place dans le tableau.

A la Bibliothèque nationale, pendant deux samedis de suite, Castro écouta patiemment de longs débats opposant écrivains et artistes quant à la signification de la liberté de la culture en période révolutionnaire ; les séances s'animaient parfois lorsque, en présence de Fidel, des écrivains courtisans accusaient leurs meilleurs amis d'être des « contre-révolutionnaires ». Le troisième samedi était le 30 juin ; ce jour-là, Castro exposa ce que serait la législation révolutionnaire en matière intellectuelle et culturelle. Ce discours compte parmi les plus importants qu'il ait prononcés et il est connu sous le nom de « Quelques mots aux intellectuels » (quelques mots qui durèrent deux heures). Non content de citer les idées de Gramsci sur la culture populaire, Castro définit, sans plus laisser place à la moindre équivoque, la philosophie de la révolution et les limites de sa tolérance ou, plus exactement, la rigidité intrinsèque de son intolérance.

Trop intelligent et trop subtil pour servir des mots d'ordre marxistes à un tel auditoire (il s'abstint même de prononcer le mot socialisme dans ses « Quelques mots aux intellectuels »), Castro s'exprima très clairement : « Nous croyons que la Révolution a encore de nombreuses batailles à livrer et nous croyons que notre première pensée et notre première préoccupation doivent être de faire ce qu'il faut pour qu'elle soit victorieuse... J'ai entendu s'exprimer ici la crainte de voir la Révolution noyer cette liberté [ou cette expression], étrangler l'esprit créateur des écrivains et des artistes... Le point le plus controversé est de savoir s'il doit exister ou non une liberté de contenu dans l'expression artistique... [Mais] il est une chose que le révolutionnaire place au-dessus de sa créativité ; il place la révolution au-dessus de tout, et le plus révolutionnaire des artistes serait disposé à sacrifier jusqu'à sa vocation artistique pour la Révolution... Les écrivains et les artistes qui ne sont pas des révolutionnaires doivent pouvoir s'exprimer librement à l'intérieur de la Révolution. Cela veut dire qu'à l'intérieur de la Révolution, il y a tout ; contre la Révolution — rien. Contre la Révolution, rien, parce que la Révolution a elle aussi ses droits et que le premier d'entre eux est le droit d'exister... Quels sont les droits des écrivains et des artistes, révolutionnaires ou non ? A l'intérieur de la Révolution, ils ont tous les droits ; contre la Révolution, ils n'ont aucun droit. »

C'est ainsi que Castro instaura un nouveau principe politique selon lequel la révolution (ou quelque bureaucrate révolutionnaire, ou lui-même) pourrait interpréter — arbitrairement — ce qui *est* et ce qui *n'est pas* « à l'intérieur de la Révolution », sans possibilité de discussion ni d'appel. Cela impliquait une censure plus ou moins discrète des idées et encourageait l'autocensure ; chacun veillerait évidemment à prendre le moins possible de risque idéologique. Quant aux écrivains ou artistes qui souhaitaient savoir si leurs idées se situaient « à l'intérieur de la Révolution », Castro leur offrait de s'adresser au Conseil national de la Culture, « organisme parfaitement qualifié pour stimuler, promouvoir, développer et orienter — oui, orienter — cet esprit créateur... » Pour rassurer son monde, Fidel ajoutait que « l'existence d'une autorité dans le royaume de la culture ne signifie pas qu'il y ait lieu de craindre un abus possible de cette autorité ». Après avoir dévoilé sa conception révolutionnaire de la liberté de la culture, Castro s'employa à l'appliquer en convoquant un congrès chargé de mettre sur pied une association d'écrivains et d'artistes — encore une organisation révolutionnaire — et en proposant que cette association publie un « magazine culturel » ouvert à tous. Ce dernier remplacerait les multiples publications artistiques et littéraires qui tendent à entraîner la désunion. L'allusion fut parfaitement comprise : le 6 novembre 1961, *Lunes de Revolución* sortit son dernier numéro. Comme devait le dire plus tard l'un des membres de la rédaction, dans le climat de conformisme révolutionnaire et de soumission qui régnait alors, la disparition de *Lunes* ne fit verser de larmes à personne. Bientôt, il fut remplacé, ainsi que le supplément littéraire plus obscur du quotidien communiste, *Hoy,* par le nouveau « magazine culturel » de l'association, aussi plat que l'ensemble de la presse cubaine d'aujourd'hui.

La culture est affaire d'intuition autant que de définition. La notion occidentale traditionnelle de liberté de la culture a été effacée par la révolution castriste au profit d'une culture de masse. Il est certain que Fidel, le seul esprit vraiment cultivé parmi tous les dirigeants de la guérilla, repousserait avec fureur l'idée que son île aurait été transformée en désert culturel. (Che Guevara, qui était lui aussi un homme cultivé, se serait montré suffisamment cynique pour le reconnaître s'il avait vécu assez longtemps pour constater les ravages.)

Cependant Castro a su se convaincre qu'il existe une véritable culture populaire à Cuba, parce qu'il a réussi le quasi-miracle d'alphabétiser toute une nation ; parce que, en 1986, l'industrie du livre avait produit plus de *cinquante millions* d'exemplaires dans l'année ; et parce que les masses se voient proposer des spectacles de danse, des concerts de musique, des représentations théâtrales et des films de qualité. Dans le contexte de la Révolution, nul ne semble accorder d'importance au fait qu'aucune nouvelle idée ne se fasse jour dans un pays gouverné par un homme doté d'une intelligence aussi extraordinaire ; il n'y a là aucune contradiction aux yeux de Castro, pourtant soucieux de la place qu'il occupera dans l'Histoire. Cela ne semble pas le troubler de voir que, entre 1968 et 1976, les meilleurs écrivains cubains de sa génération ont été portés sur une liste noire, sans explication, par les éditeurs de l'île, et que l'autocensure est devenue elle aussi une institution révolutionnaire. Peut-être est-ce une manière d'évasion, mais vingt-cinq ans après que Castro ait prononcé ses « Quelques mots aux intellectuels », les auteurs les plus lus à Cuba sont Hemingway (que Fidel admire tant), Mark Twain, Dashiell Hammett et Raymond Chandler.

Enfin, dans les douleurs de son enfantement culturel, la révolution est responsable de la persécution subie par les homosexuels — parmi lesquels on compte certains des écrivains les plus talentueux et des artistes les plus brillants. Cette persécution atteignit son apogée dans les années 1960 et 1970 : par centaines, les homosexuels furent alors enrôlés de force (en compagnie de criminels de droit commun) dans de prétendues Unités militaires pour l'Aide à la Production (UMAP). Ces brigades de travail forcé ont été supprimées par la suite, mais on ne peut comprendre comment un homme aux penchants aussi humanitaires et aussi intellectuels que Fidel a pu en tolérer l'existence — comme s'il lui avait fallu affirmer le « machisme » des fiers combattants de la Sierra Maestra.

Son tempérament de guérillero, en lutte permanente, poussait Castro à clamer son défi révolutionnaire à l'intérieur du pays comme à l'étranger, quelles que pussent être les conséquences de cette attitude. Cela lui plaisait de pousser à bout ses ennemis les « impérialistes », comme s'il brûlait de les affronter à nouveau et de mettre à l'épreuve sa société militarisée. Dans son discours du 26 juillet 1961, il avait prêché la nécessité de toujours garder les armes à la main, « parce que les impérialistes ne veulent pas nous pardonner nos succès et que, plus nous nous organisons, plus ils sont furieux d'assister aux conquêtes de notre peuple ». Il avait pris la parole juste après avoir décoré de l'Ordre de Girón, tout nouvellement créé, son invité d'honneur, le cosmonaute soviétique Youri Gagarine, à qui il avait déclaré : « Vous auriez pu faire deux fois le tour du monde pendant mon discours. »

Le défi de Castro, c'était aussi la manière dont il acceptait l'effrayante fuite des cerveaux qui affectait les structures économiques de Cuba, car c'est par dizaines de milliers que médecins, ingénieurs, cadres et professeurs s'exilaient. Sur une population de six millions de personnes, 250 000 Cubains quittèrent l'île au cours des trois premières années de la révolution, mais Fidel, ne voyant en eux que des « parasites » et des contre-révolutionnaires en puissance, préférait les savoir aux Etats-Unis. C'était un risque calculé à long terme, mais il préférait se passer d'une classe dirigeante en laquelle, de toute façon, il n'avait pas confiance, et former ses propres élites révolutionnaires. De ce point de vue, Castro eut indubitablement raison, car vingt-cinq ans plus tard, l'avenir a justifié ce choix. En effet, Cuba a formé assez de médecins pour en envoyer des milliers travailler dans le tiers monde, non sans pouvoir se vanter d'un des taux les plus élevés du monde quant au nombre de médecins par milliers d'habitants.

Mais le suprême défi lancé par Fidel Castro fut son discours du 1er décembre 1961 par lequel il informa Cuba et le monde que le nouveau parti révolutionnaire unifié mettrait en œuvre un « programme marxiste-léniniste précisément adapté aux conditions objectives qui règnent dans notre pays » et que cela n'était plus « un secret »; il avait même ajouté : « aujourd'hui nous prouverons qu'il est méritoire d'être communiste ». Tel était l'apogée de trois années de révolution; ce discours cristallisa une fois pour toute l'identité politique et idéologique de Castro. A l'âge de trente-cinq ans, celui-ci avait atteint le dernier stade de l'évolution de sa personnalité sous tous ses aspects visibles : l'homme et le personnage politique ne changeraient plus guère au fil des années et des décennies. Naturellement, l'âge venant, la maturité et l'expérience l'accompagnent, mais il n'y avait pas beaucoup de différence entre les conversations que l'on pouvait avoir avec Castro en 1985 ou en 1961, immédiatement après l'affaire de la Baie des Cochons.

En 1961, lorsque je lui avais demandé pourquoi et comment il était devenu marxiste, Fidel m'avait répondu avec la sincérité et la familiarité sans prétentions qui lui sont si personnelles. Nous étions installés dans le restaurant du Riviera Hotel à La Havane et je venais de soulever la question idéologique, lorsque, faisant jouer son cigare entre ses doigts, il me répondit : « Les hommes changent, politiquement. Vous ne devez pas l'oublier. » Puis ses yeux brillèrent et il ajouta : « Vous savez, Dante a écrit une œuvre qui était par essence un roman, mais il l'a intitulée *La Divine Comédie*. Nous avons fait une révolution que nous avons d'abord baptisée " humaniste ", mais que nous appelons maintenant " socialiste ". J'en suis venu à croire au socialisme quand j'ai découvert que le capitalisme signifiait l'exploitation de l'homme par l'homme, quand j'ai vu se produire les crises cycliques du capitalisme, quand j'ai compris que l'impérialisme était condamné... Alors cela ne devrait pas vous étonner que j'aie atteint cette conclusion. Nous lisons tous les mêmes livres, n'est-ce pas ? »

Il est caractéristique de la manière d'agir de Fidel qu'il ait annoncé l'avènement du marxisme-léninisme dans le cadre du programme de télévision « Université populaire »; ce ne fut pas un vrai discours mais une sorte de causerie sur l'histoire de son mouvement révolutionnaire, au cours de laquelle il raconta sa propre jeunesse et plaisanta avec l'assistance. Il musa à voix haute sur le peu qu'auraient pu accomplir Lénine et Marx au XVIIIe siècle, pour en venir au fait que rien n'existe dans un vacuum et que la révolution cubaine s'était produite quand les conditions nécessaires à son éclosion s'étaient trouvées réunies. De Marx et de Lénine, il devait dire : « on ne peut être l'intellectuel d'une classe qui n'existe pas, ni formuler la théorie d'une révolution qui ne peut se produire ». En décrivant les premières phases de son mouvement, il admit qu'à l'époque de l'affaire de Moncada, « certaines propositions avaient été formulées de façon à ne pas limiter l'ampleur du mouvement révolutionnaire... Si nous n'avions pas rédigé ce texte avec grand soin, si nous en avions fait un manifeste extrémiste, le mouvement révolutionnaire en lutte contre Batista n'aurait pas acquis l'envergure qui a rendu la victoire possible ».

En bon rhétoricien, il énonça une série de questions pour pouvoir y répondre : « Est-ce que je crois entièrement au marxisme ? Oui, je crois entièrement au marxisme... L'avais-je compris [en 1953] comme je le comprends maintenant après dix années de combat ? Non, je ne l'avais pas compris comme je le comprends maintenant... Avais-je des préjugés contre les communistes ? Oui. Etais-je influencé par la propagande anticommuniste de l'impérialisme et de la réaction ? Oui... Est-ce que je croyais les communistes malhonnêtes ? Non, jamais... J'ai toujours cru que c'étaient des gens honnêtes et honorables... » Vingt-cinq ans après, en s'adressant à ses invités latino-américains lors d'une conférence, à La Havane — et même dans ses conversations privées —, Castro traitait la question en termes presque identiques, avec à peu près les mêmes mots. Il jonglait à la perfection avec la politique et l'idéologie, lançant en l'air des dizaines de balles à la fois, dont chacune était destinée à charmer et à fasciner tel ou tel auditeur dans son public. Il avait toujours une maîtrise parfaite de la situation.

En déclarant ainsi que Cuba prenait la voie marxiste-léniniste, Castro savait qu'il faisait augmenter considérablement le risque, voire la probabilité d'une nouvelle intervention des Etats-Unis, sous une forme ou sous une autre. Cette déclaration fit l'effet d'une bombe sur le gouvernement Kennedy. Mais, au moment même où il expliquait devant les caméras de télévision pourquoi Cuba devait se diriger vers le communisme, Fidel lançait cet avertissement : « ... toute la science militaire du Pentagone s'écrasera contre la réalité dans laquelle vivent les peuples d'Amérique ». Dans son for intérieur, il réfléchissait aux moyens les meilleurs et les plus rapides qui lui permettraient de protéger sa Cuba marxiste-léniniste contre le Pentagone — avec ses ressources propres et celles de ses nouveaux alliés lointains. La grande crise allait éclater dans moins d'un an, mais ni Kennedy à Washington, ni Khrouchtchev à Moscou n'avaient encore compris jusqu'où Fidel les entraînait.

Quant aux Soviétiques, ils éprouvaient autant de difficultés à concevoir comment Castro pouvait concilier son désir d'obtenir une aide économique et militaire croissante et indispensable (surtout au moment où une nouvelle crise avec l'Amérique s'annonçait) avec son attitude de dureté envers les « vieux » communistes, étroitement liés à Moscou, qui avaient osé contester son autorité. Fidel avait survécu avec succès aux épreuves des dix années précédentes parce que jamais il n'avait sacrifié ses objectifs — ni à Alegría de Pío, ni dans la Baie des Cochons — et il n'était pas près d'abandonner ses principes dans ses rapports avec les communistes cubains, ni dans ses négociations avec les Russes. La lutte pour le pouvoir à Cuba eut pour prétexte l'élimination du « sectarisme », notion qui avait fait son apparition en 1962, et Castro traita ses compatriotes communistes comme s'ils avaient été les « bandits » de l'Escambray.

Après avoir scellé son alliance avec les « vieux » communistes lors des rencontres secrètes de Cojímar au début de 1959, et pris la décision de fondre en une seule organisation politique le Mouvement du 26 juillet, le Directoire révolutionnaire étudiant et le Parti socialiste populaire, Castro dut procéder à l'exécution de son plan. En guise de première mesure, les trois groupes s'unirent pour former les Organisations révolutionnaires intégrées (ORI), afin de préparer la naissance du Parti unifié de la Révolution socialiste cubaine (PURSC) dont Fidel serait le secrétaire général. La création du « nouveau » Parti communiste marquerait la dernière étape du processus. En témoignage du respect qu'éprouvait Castro pour l'habileté politique (supposée) des « vieux » communistes, c'est à Aníbal Escalante, dirigeant de la vieille école, que fut confiée la tâche d'organiser les ORI. Cela semblait être une bonne idée, mais Castro s'aperçut, non sans indignation, qu'Escalante et ses amis politiques étaient tout bonnement en train de noyauter l'organisation entière en plaçant des hommes sûrs à tous les échelons : en fait, ils préparaient, de l'intérieur, la prise du pouvoir, selon les méthodes les plus classiques, au profit des communistes. Cette tentative silencieuse de coup d'état aurait abouti à placer la révolution entre les mains des communistes orthodoxes et probablement fait de Fidel une splendide potiche.

Castro n'a jamais laissé publiquement entendre que cette idée étonnante avait été mise au point à Moscou, mais il existe de bonnes raisons pour ne pas exclure cette possibilité. Aux yeux des Russes, Fidel était encore en quelque sorte un baril de poudre et peut-être voulaient-ils exercer un droit de regard sur un régime qui leur revenait de plus en plus cher. Il est possible aussi que, chez les « vieux » communistes, une petite faction ait décidé qu'il lui incombait de diriger Castro et non pas l'inverse ; il se peut également qu'elle ait trouvé, parmi les officiers de l'Armée révolutionnaire, des sympathisants favorables à l'idéologie marxiste, tout prêts à hisser Castro sur un piédestal digne du chef de la révolution, où il n'aurait exercé que des pouvoirs réduits. Une chose est sûre : Aníbal Escalante ne pouvait avoir imaginé ce plan tout seul — trop de « piliers » du Parti étaient impliqués dans l'affaire. Comment avaient-ils pu croire qu'ils pourraient réduire Castro à merci ? C'est toujours un mystère. Leur complot reçut le joli nom de « sectarisme ». Dans le contexte de la révolution cubaine, on dénonçait ainsi le complexe de supériorité que bien des dirigeants du Mouvement du 26 juillet et nombre de « vieux » communistes tendaient à afficher à tout propos — mais pour Fidel il s'agissait bel et bien de contre-révolution.

Toujours doué d'un admirable flair pour saisir le moment favorable, Castro attendit qu'il fût temps de frapper. Ainsi, il ne fit aucune déclaration publique quand furent révélés, le 9 mars 1962, les noms des vingt-cinq membres du Directoire national des Organisations révolutionnaires intégrées — désignés de toute évidence avec son approbation. Lui-même, Raúl Castro et Che Guevara figuraient en tête de la liste comme chefs du Mouvement du 26 juillet. Mais sur les vingt-cinq membres du Directoire, dix étaient de « vieux » communistes (qui n'avaient joué aucun rôle véritable pendant la guerre), et parmi les treize membres issus du Mouvement de Fidel, trois au moins penchaient vers le communisme. Le Directoire étudiant qui avait lutté contre Batista dans l'Escambray devait se contenter de deux sièges. En théorie donc, et Fidel le savait bien, la faction communiste orthodoxe avait les moyens de prendre la direction des ORI. Quatre jours après, il se livra à une véritable explosion de rage comme il n'en avait encore jamais eue en public, lors des cérémonies organisées à l'université pour l'anniversaire de l'attaque de 1957 contre le palais de Batista. Un orateur du Parti communiste, chargé de lire le « testament » du dirigeant étudiant José Antonio Echeverría, omit l'invocation à Dieu contenue dans le texte. Castro se mit à hurler que la mémoire d'un compagnon mort était censurée et défigurée. C'est tout à fait dans son style d'agir ainsi, par fidélité à ses principes.

Cependant, tous ceux qui le connaissaient bien savaient qu'il adressait un avertissement aux communistes. S'il en était bien ainsi, ils ne le comprirent absolument pas. Castro attendit encore quinze jours et le 26 mars (le quantième qu'il préférait superstitieusement), il mit en scène, à la télévision, une de ses grandes productions dramatiques. Déjà au mois de mars, sur le petit écran, il avait annoncé un programme de rationnement alimentaire aussi austère que décourageant (sous la révolution, l'agriculture ne suffisait pas à satisfaire la demande des consommateurs), mais ce jour-là il appela l'attention de la nation sur le complot « sectariste ». Comme il savait du reste que les drames politiques doivent être personnalisés si l'on ne veut pas qu'ils soient trop abstraits pour les masses, Castro choisit pour cible Aníbal Escalante ; ce fut une véritable rafale d'accusations effroyables, puisées par l'orateur dans son formidable arsenal d'invectives et de sarcasmes. Les Cubains apprirent qu'Escalante avait créé une « monstruosité contre-révolutionnaire » au sein des ORI ; qu'il avait bâti son propre « appareil » afin de s'emparer du parti et du gouvernement, et que les anciens combattants fidélistes de la Sierra Maestra se voyaient dépouillés de leurs commandements au bénéfice d'officiers communistes (qui avaient peut-être trempé dans le complot). Quant à Aníbal lui-même, Castro affirma qu'il étouffait Cuba, au point que « si une chatte avait quatre petits, il fallait se rendre aux bureaux des ORI » pour savoir quel devait être le sort de ces bêtes.

Fidel eut pourtant assez de sagesse politique pour ne pas déclarer la guerre aux « vieux » communistes ; il se contenta d'avoir marqué un point, avec l'exécution politique qu'il avait infligée en public à Escalante. Plusieurs autres dirigeants du Parti furent victimes de la purge, entre autres la principale responsable de la culture, Edith García Buchaca, et son mari Joaquín Ordoqui, membre du bureau exécutif du PSP. D'autres représentants de l'élite du Parti comprirent qu'ils ne pouvaient se mesurer à Castro et furent ravis de voir Aníbal Escalante jouer le rôle de bouc émissaire. (Son frère César se joignit aux bourreaux et conserva son poste.) Une fois de plus, Carlos Rafael Rodríguez se montra à la hauteur des circonstances et sut jouer un rôle de médiateur entre son ami Fidel et ses vieux camarades : il négocia avec le Parti en position de force dans la mesure où, grâce à

Castro, il était depuis un mois président de l'INRA. (Fidel avait démissionné de cette charge, en pleine crise de l'agriculture, pour se concentrer sur d'autres sujets ; il préférait laisser les problèmes agricoles à Rodríguez et à Che Guevara.) D'autres rentrèrent immédiatement dans le rang. Le secrétaire général du PSP, Blás Roca, écrivit dans *Hoy*, l'organe du Parti, que Castro était « le meilleur et le plus efficace des marxistes-léninistes de tout le pays », et « le guide et chef suprême » du marxisme-léninisme, éloges étonnants adressés à un homme qui avait embrassé cette doctrine cinq mois auparavant seulement. Vingt-cinq ans plus tard, le « sectarisme » d'Escalante demeure un sujet de réflexion douloureux pour les « vieux » communistes ; au cours d'entretiens séparés, en 1985, Blás Roca et Fábio Grobart, un peu mal à l'aise, en parlèrent l'un et l'autre comme d'un « simple accès de rougeole ».

Les Soviétiques ne se mêlèrent aucunement à cette bagarre domestique ; ils laissèrent les choses suivre leur cours et se gardèrent d'adopter prématurément une position quelconque. Le ressentiment que Castro nourrissait à leur égard pour des raisons inavouées se manifesta pleinement le jour où il refusa d'accorder une audience à l'ambassadeur d'Union soviétique, Koudriatsev, au moment de son départ ; c'était là chez lui une manifestation de mécontentement caractéristique (il semble que Fidel ait demandé le rappel de l'ambassadeur, après avoir laissé entendre à des amis que Koudriatsev « me fatigue encore plus que Bonsal »). Pourtant, Moscou continuait de resserrer ses liens d'amitié avec La Havane. Il est d'ailleurs probable que le schisme entre l'URSS et la Chine joua un rôle dans la décision de passer l'éponge sur les manifestations d'indépendance de Fidel. C'est ainsi qu'Alexandre Alexeiev, le jeune « journaliste » qui avait partagé une bouteille de vodka avec Fidel en 1959, fut nommé ambassadeur à La Havane, à la grande satisfaction des Cubains. Alexeiev, qui avait fait partie de la suite de Mikoïan en 1960, lors de la signature du premier traité de commerce, quitta donc son poste d'ambassadeur en Argentine. Le 11 avril, la *Pravda* publia un éditorial à la gloire de Castro ; l'auteur y malmenait le malheureux Escalante ; l'adjoint au ministre du Commerce extérieur, I. I. Kouzmine, se rendit à La Havane pour signer un nouvel accord commercial pour 1962 ; aux termes de ce traité, les échanges réciproques (c'est-à-dire les livraisons soviétiques à Cuba) passeraient de 540 millions de dollars à 740 millions.

Le mois précédent, un accord commercial plus modeste avait été signé avec la Chine, par suite de quoi les journaux officiels de Pékin saluèrent la lutte de Castro contre le « sectarisme ». Khrouchtchev ne pensait certainement pas que les Cubains passeraient dans le camp de la Chine, mais, au moment où les deux grands pays communistes se disputaient la domination du mouvement communiste mondial, la seule idée d'une parité de traitement avec Pékin l'agaçait, autant d'ailleurs que les sympathies procastristes d'un tiers monde dont l'importance se révélait de jour en jour. Castro avait gagné la partie et se trouvait dans la meilleure des positions pour arracher aux Soviétiques des garanties militaires pour la protection de Cuba contre les Etats-Unis. Dans un discours prononcé en juin, il eut la joie de décrire Khrouchtchev sous les traits de « ce grand et très cher ami de

Cuba ». A nouveau, Fidel avait démontré qu'il ne fallait pas confondre stratégie et tactique.

Les Etats-Unis représentaient toujours un danger pour lui et c'était ce qui l'inquiétait le plus. Le gouvernement Kennedy ne préparait aucune invasion de Cuba, pour autant qu'on le sache, mais Castro (et peut-être Khrouchtchev) croyait qu'une attaque directe était à l'étude. Cette erreur d'appréciation eut de tristes résultats, mais il est vrai que Castro ne pouvait se permettre de faire l'impasse sur cette possibilité. Aussi devait-il s'y préparer. Son comportement ultérieur, ainsi que les accords qu'il signa avec les Soviétiques, correspondent parfaitement à son attitude d'attente vigilante ; pourtant, encore maintenant, après une génération, on ne sait pas exactement comment Castro et Khrouchtchev ont pu avoir l'idée de déployer des armes nucléaires soviétiques dans l'île. On ne comprend pas non plus comment l'un et l'autre ont pu croire que les Etats-Unis ne découvriraient pas la présence de ces armes — ou ne feraient rien.

Mais Castro avait parfaitement raison de supposer que le gouvernement Kennedy tentait de le renverser par tous les moyens, hormis une invasion. Ses services de renseignement lui rapportaient les preuves abondantes d'activités subversives. Etant donné les circonstances, Castro se devait de conclure que, logiquement, la prochaine fois, ce serait un débarquement. En fait, depuis le début de 1962, il voyait se dérouler sous ses yeux les préliminaires d'une tentative baptisée « Opération Mangouste », autorisée par le Président au mois de novembre précédent, et dont l'objectif était d' « aider Cuba à se défaire du régime communiste ».

C'est un spécialiste de la contre-insurrection, le général Edward Lansdale, qui fut nommé pour diriger l'opération Mangouste ; le plan qu'il présenta à la Maison-Blanche vers la mi-janvier 1962 envisageait six étapes qui supposaient la participation du gouvernement américain afin de saper Castro de l'intérieur. Le grand moment serait pour le mois d'octobre — l'ironie du sort se manifesterait à cette occasion — « avec une révolte ouverte et le renversement du régime communiste ». Une invasion aurait fort bien pu se produire à ce moment-là, dans la mesure où le plan Lansdale prévoyait « l'utilisation des forces armées américaines pour appuyer le mouvement populaire cubain ». Un tel mouvement ne risquait guère de se produire, mais Castro avait certainement d'excellentes raisons pour s'inquiéter des projets des Etats-Unis.

En fait, l'opération Mangouste ne fut jamais près d'atteindre aucun de ses objectifs anticastristes (et pourtant quatre cents agents de la CIA, à Washington et à Miami, étaient attachés à plein temps au projet). Les seuls résultats tangibles furent de petites missions d'infiltration et de renseignement tout à fait secondaires, des opérations de sabotage sans importance et, pour la CIA, la reprise des projets d'assassinat de Castro. Le service de renseignement avait déjà tenté de monter un assassinat par l'intermédiaire de gros bonnets de la Mafia en 1960, aussi ces plans furent-ils sortis des tiroirs à l'occasion de l'opération Mangouste. Richard Helms, alors directeur adjoint de la CIA pour les « plans » (l'action clandestine), a témoigné devant une Commission du Sénat en 1975 ; pour lui, affirma-t-il, les pressions « intenses » exercées par le gouvernement pour renverser

Castro signifiaient que l'autorisation de le tuer était donnée, même si l'assassinat n'avait pas été ordonné en ces termes. En ce sens, Helms raisonnait, de son point de vue, à peu près comme l'avait fait Castro au cours d'une conversation avec moi ; il se demandait si les complots ourdis contre lui ne provenaient pas d'un zèle excessif et d'une mauvaise interprétation des instructions reçues sous forme de principes généraux. Ainsi Helms disait : « Je crois que, à l'époque, l'idée était de se débarrasser de Castro et s'il fallait le tuer pour y arriver, cela rentrait dans ce que l'on attendait de nous. »

Depuis des années, les historiens se disputent sur le point de savoir si les efforts tentés par le gouvernement Kennedy pour renverser Castro après l'échec de la Baie des Cochons sont ou non *directement* responsables du déploiement des armes nucléaires soviétiques à Cuba. Tous les témoignages recueillis, ainsi que l'opinion même de Castro, donnent à penser que la réponse pourrait être affirmative, mais seulement si l'on accepte l'idée que les Cubains et les Russes croyaient vraiment à la menace d'une véritable invasion, différente de l'opération Mangouste, en 1962. Puisque nous savons désormais que Kennedy n'envisageait pas cette éventualité, la discussion sur les responsabilités américaines dans la crise *nucléaire* s'appuie sur des prémisses fausses. En 1962, l'affaire des armes nucléaires relevait strictement des décisions stratégiques des Soviétiques, à partir du moment où Khrouchtchev était convaincu (ou s'était persuadé, *ainsi que* Castro) qu'il allait bien y avoir une invasion. Il est évident que, face au péril, Castro avait parfaitement le droit d'obtenir des Soviétiques le maximum de protection, mais on ne saura peut-être jamais lequel, de Fidel ou de Khrouchtchev, a manœuvré l'autre, dans le but d'aggraver la crise nucléaire. Les documents sont fragmentaires et contradictoires.

Il ne fait cependant aucun doute que des négociations soviéto-cubaines portant sur l'apport d'un soutien considérable au régime révolutionnaire commencèrent pour de bon au printemps de 1962, juste au moment où Castro en avait terminé avec la faction « sectariste » d'Escalante et liquidé la tentative communiste contre son autorité. Non seulement Fidel croyait au danger militaire qui pouvait venir des Etats-Unis, mais au mois de janvier, sous la pression de Washington, l'Organisation des Etats américains expulsa Cuba de ses rangs. La chose fut décidée lors de la conférence houleuse des ministres des Affaires étrangères qui se déroula à Punta del Este en Uruguay. On y vit à La Havane les signes d'une préparation politique en vue d'une invasion, l'idée étant de présenter Cuba comme l'ennemi communiste de tout l'hémisphère occidental et non pas seulement des Etats-Unis.

Castro riposta sur le plan politique en formulant la « Deuxième Déclaration de La Havane » au cours d'un discours particulièrement chargé d'émotion qu'il prononça le 4 février. Il accusa « l'impérialisme yankee d'avoir rassemblé les ministres », à Punta del Este, « afin de leur arracher — par des pressions politiques et un chantage économique sans précédent, de connivence avec les dirigeants les plus discrédités de l'hémisphère occidental — une renonciation à la souveraineté nationale de notre peuple et la consécration du droit odieux accordé aux Yankees d'intervenir dans les affaires intérieures de l'Amérique latine ». Prenant toujours l'offensive, Fidel ripostait à l'expulsion de l'OEA avec la sorte de défi calculé qui rendrait les réactions de Washington à son égard plus hystériques encore. S'adressant à l'immense foule qui couvrait la Place de la Révolution, il dit encore : « Le devoir de tout révolutionnaire, c'est de faire la révolution... La révolution triomphera en Amérique et dans le monde entier, mais ce n'est pas le rôle des révolutionnaires de s'asseoir sur le pas de leur porte en attendant que le cadavre de l'impérialisme passe devant eux. Un révolutionnaire ne doit pas se contenter de se lamenter comme Job. »

A l'intérieur, Castro avait aussi tout lieu de s'inquiéter de la résurgence des bandes de guérilleros qui avaient fait leur retour dans l'Escambray et, à un moindre degré, dans d'autres régions de Cuba, après les opérations de nettoyage réussies à la fin de 1960 et au début de 1961. Certes on avait réussi à neutraliser l'Escambray, qui n'avait pu apporter le soutien prévu au débarquement de la Baie des Cochons, mais à nouveau, en 1962, la guérilla posait un grave problème. Il est curieux que, dans le contexte de l'opération Mangouste, la CIA n'ait pas apporté son appui à ces hommes, et pourtant la situation était assez inquiétante pour que Raúl Castro en parle comme d'une « deuxième guerre civile ». A tous les points de vue, il fallait, pour colmater l'Escambray, puiser dans les ressources de la défense cubaine, ce qui les diminuait d'autant ; la vulnérabilité du régime en était accrue. Les frères Castro et des dirigeants comme Che Guevara se rendaient bien compte que l'existence de la guérilla était intolérable — ils le savaient d'expérience pour avoir vécu la guérilla de la montagne — et c'est avec angoisse qu'ils voyaient les bandes de maquisards devenir plus nombreuses ; vers l'été 1962, elles comptaient environ trois mille hommes, soit dix fois l'effectif dont Fidel avait disposé dans la Sierra à la fin de la guerre, mais, heureusement pour lui, il n'y avait ni commandement unifié ni aucun dirigeant véritable ; les maquisards étaient divisés en petits groupes dispersés qui ne communiquaient pas entre eux.

Du point de vue politique, il était embarrassant pour Castro d'admettre que tant d'hommes avaient pris les armes contre lui, même s'ils ne formaient pas une force cohérente, et l'on n'en sut rien à Cuba tant que les derniers maquisards ne furent pas enfin dispersés, ce qui n'arriva pas avant plusieurs années. La plupart des guérilleros étaient de modestes propriétaires terriens appartenant à la petite bourgeoisie rurale, d'anciens régisseurs, des contremaîtres et des ouvriers, mais il y avait aussi quelques commerçants et bon nombre d'anciens officiers de l'Armée rebelle et des dirigeants du Directoire révolutionnaire étudiant. Le socialisme révolutionnaire n'avait rien à leur offrir et, en fait, tous ces hommes avaient perdu bon nombre de privilèges par suite de la révolution. A l'inverse de Castro dans les années 1950, ils n'avaient aucune assise dans les villes et ne se réclamaient d'aucune doctrine politique ou idéologique. A en croire un spécialiste cubain de la question, les bandes de l'Escambray « ne présentaient pas de vrai danger pour la révolution, à condition d'agir à temps et en silence, et de ne pas en faire un sujet de préoccupation nationale ».

Lors d'une conférence stratégique à La Havane, Fidel interrompit soudain l'un de ses officiers qui parlait de guérilleros à propos des nouveaux rebelles, pour s'exclamer : « Ne répétez jamais cela ! Ce ne sont pas des guérilleros — ce sont des bandits. » Les unités qui allaient combattre les rebelles et suivaient alors un entraînement spécial à cet effet reçurent en conséquence le nom de « bataillons de lutte contre les bandits », et le terme fut adopté. Castro avait parfaitement compris les aspects psychologiques de la situation qu'il devait affronter et il ne laissa jamais le problème lui échapper. Bien des années plus tard, il expliqua longuement, dans un discours confidentiel adressé à des officiers angolais, qu'il avait vaincu les « bandits » en combinant l'envoi d'importantes forces militaires avec des pourparlers secrets : on proposait à certains de leurs chefs une reddition assortie de conditions généreuses s'ils poussaient les autres à se rendre aussi. (Ces négociations concernaient diverses bandes, fortes de plus de cinq cents hommes, qui avaient pris le maquis dans les montagnes de l'Oriente.) Mais de telles opérations étaient onéreuses et le bilan des victimes dans les forces castristes dépassa bientôt, dans les seules montagnes de l'Escambray, le chiffre de trois cents tués ; on pense qu'il en coûta environ un milliard de dollars à l'économie en récoltes détruites, maisons incendiées, matériel roulant, ponts et routes endommagés — sans compter les dépenses militaires entraînées par les campagnes contre les « bandits ». En dépit de ses autres sujets de préoccupation, Castro en assuma toujours personnellement le commandement. Une fois même, ce fut lui qui captura un certain nombre de « bandits », en escaladant avec quelques soldats une colline boisée au-dessus de la route de Cienfuegos où, lui avait-on dit, se cachait une bande de maquisards. Mais les derniers « bandits » de l'Escambray ne furent pris qu'en 1966.

Au printemps de 1962, les choses n'auraient pu être pires pour Castro, et c'est à ce moment-là qu'il se tourna vers Moscou pour obtenir une protection militaire. Les maquisards tenaient les montagnes, les « vieux » communistes tentaient de saper sa position, l'économie agricole s'effondrait et les Américains le harcelaient, d'une part, avec l'opération Mangouste et, d'autre part, en tentant de l'isoler diplomatiquement de l'Amérique latine. Il semble qu'aucun événement particulier n'ait vraiment déclenché les requêtes qu'il adressa à Moscou, mais certains indices donnent à penser qu'il souleva pour la première fois la question lors de la visite que fit à La Havane au mois de mai S. R. Rachidov, membre suppléant du Politburo soviétique. Depuis que Mikoïan avait ouvert la voie, deux ans auparavant, c'était la première fois qu'un dignitaire soviétique de rang aussi élevé se rendait à Cuba. Des conversations secrètes se sont certainement déroulées tout au long du mois de juin, car Castro révéla plus tard dans un de ses discours que les négociations pour le « renforcement de nos armées et l'envoi de missiles stratégiques à notre pays » avaient eu lieu au cours de ce même mois. Peut-être Alexeiev, qui venait de prendre son poste d'ambassadeur, en a-t-il été l'intermédiaire ; ou encore Carlos Olivares, le nouvel ambassadeur de Cuba à Moscou. Mais il est plus probable que l'on ait utilisé une filière secrète.

A ce stade, Fidel eut une fois de plus recours à son sens du théâtre. Le 15 juin, il partit à grand arroi vers la Sierra Maestra, affublé de son treillis de combat et tenant son fusil à la main. Il y passa une huitaine de jours, loin de La Havane, pour revivre la glorieuse épopée de la guérilla. Ses randonnées en montagne firent l'objet de reportages détaillés dans la presse et à la télévision, et l'on fit un sort à la phrase : « Une fois de plus, j'ai levé l'étendard de la rébellion. » Ce symbole s'adressait sans doute à Kennedy autant qu'à Khrouchtchev et aux Cubains qui se tenaient prêts à affronter une nouvelle crise. Le 1er juillet, le journal communiste *Hoy* entama la publication d'une série de reportages quotidiens sur les « violations » des eaux territoriales et de l'espace aérien cubains commises par les Américains. (*Révolución*, qui était pourtant toujours l'organe officiel du régime, n'en fit rien.)

Cette suite d'événements déboucha sur la visite de deux semaines que Raúl Castro rendit à Moscou, accompagné d'une délégation d'officiers. Les comptes rendus officiels rapportent que Mikoïan et le maréchal Rodion Malinovsky, ministre de la Défense, reçurent Raúl le 3 juillet, mais l'historien soviétique Roy Medvedev écrit que les pourparlers militaires durèrent une semaine. Medvedev, qui a toujours eu accès aux sources officielles soviétiques, ajoute encore dans sa biographie de Khrouchtchev qu'il « assista aux entretiens du 3 et du 8 juillet ». Et selon lui, ces discussions portèrent sur « la fourniture d'une aide militaire à Cuba et l'envoi d'un certain nombre d'experts militaires soviétiques » ; il ajoute : « C'est probablement au cours de cette semaine que fut prise la décision d'envoyer à Cuba des missiles à moyenne portée armés de têtes nucléaires, ainsi que des bombardiers capables de transporter des bombes atomiques ». Il y a de fortes chances pour que ce récit soit exact, même si des conversations complémentaires se sont poursuivies par des voies secrètes, entre juillet et début septembre, époque à laquelle les Soviétiques commencèrent à envoyer discrètement leurs premiers missiles à Cuba.

Peut-être y a-t-il eu aussi des contacts secrets avant la visite *officielle* de Raúl Castro à Moscou au mois de juillet. Ainsi, Fidel a raconté à l'un de ses visiteurs, un an après la crise, qu'en juin 1962, « mon frère Raúl et Che Guevara se sont rendus à Moscou pour discuter des moyens d'installer les missiles ». Si les dates que donne Fidel sont exactes — et malgré sa mémoire prodigieuse, il s'emmêle parfois dans les chronologies trop précises lorsqu'il évoque des événements passés auxquels il s'est activement intéressé —, Raúl et Che seraient allés secrètement à Moscou au moment où lui-même agitait l'étendard de la rébellion dans la Sierra Maestra.

Il n'existe aucune trace connue d'un accord entre Cuba et l'Union soviétique à propos des fusées et il est possible que l'on ait évité de coucher quoi que ce soit par écrit, afin de protéger Khrouchtchev aussi bien que Castro dans l'avenir. Dans un discours qui passa à peu près inaperçu, Raúl Castro mentionna au mois d'août que des « troupes soviétiques » avaient commencé d'arriver à Cuba, mais il ne donna aucun détail et l'on n'a jamais su s'il parlait de conseillers, d'unités combattantes ou de spécialistes chargés de préparer les sites de lancement des fusées. En même temps, les chasseurs-bombardiers à réaction MIG, destinés aux forces aériennes cubaines, commencèrent eux aussi à arriver. Che Guevara et le commandant Emilio Aragonés, qui était très proche des frères Castro, rendirent visite à Khrouchtchev dans sa datcha de Crimée, mais ce déplacement ne fut pas rendu public. Guevara était allé en Union soviétique, sous prétexte d'y signer un accord relatif à la modernisation des aciéries cubaines, et peut-être a-t-il mis le point final au pacte sur les missiles avec le Premier ministre.

Un accord militaire soviéto-cubain conclu le 2 septembre précisait que, pour faire face aux « menaces impérialistes », Cuba avait demandé au gouvernement soviétique de « l'aider en lui livrant des armements et en lui envoyant des techniciens qui instruiraient les troupes cubaines » ; Moscou avait répondu par l'affirmative. Mais ce texte a dû être rédigé de manière à expliquer de façon plausible les arrivées de personnel militaire soviétique et d'armement conventionnel, et peut-être même pour calmer les craintes des Américains à propos des missiles. Au cours de cette même semaine, Anatoly Dobrynine, le nouvel ambassadeur soviétique à Washington, fit tenir à l'*Attorney General* Robert Kennedy un message de Khrouchtchev adressé au Président ; il y était dit que, dans le matériel envoyé à Cuba, ne figurait aucune arme offensive. Le 12 septembre, l'Agence TASS publiait une déclaration selon laquelle les Soviétiques n'avaient « nul besoin » de déployer des « armes défensives » de représailles, sur le territoire d'un autre pays, « par exemple à Cuba ». Ce texte répondait à un avertissement de Kennedy : le Président avait affirmé que les Etats-Unis ne toléreraient aucune installation de missiles sol-sol à Cuba. Mais Khrouchtchev avait déjà commencé de mettre en œuvre son incroyable tentative en vue de tromper les Etats-Unis sur la présence de fusées nucléaires dans la grande île.

Un quart de siècle après la crise des missiles de Cuba, on discute encore sur le point de savoir si c'est Khrouchtchev ou Castro qui, le premier, a lancé l'idée d'installer les fusées dans l'île. Dans les diverses études consacrées à la manière dont les deux dirigeants décidèrent d'entreprendre cette action dangereuse, il y a aussi des différences subtiles. Cependant, Castro tient toujours beaucoup à ce que son interprétation des événements des mois d'octobre et novembre 1962 soit celle que retiendra l'Histoire. Au cours d'une conversation qui se prolongea pendant la nuit entière, dans son bureau du Palais de la Révolution à La Havane, j'évoquai la crise des missiles et Castro me demanda : « Cela vous intéresse-t-il de connaître mon opinion sur cet épisode ? » Alors, commença un récit qui dura des heures, sur les origines, l'évolution et les retombées de la crise, dans le contexte de ses rapports avec Khrouchtchev. Pour des raisons de simple chronologie, j'ai mis de l'ordre dans le récit de Fidel, car la conversation fut entrecoupée de multiples questions, d'autant de réponses, de retours en arrière et d'incidentes ; mais ce qui suit repose sur une transcription de l'enregistrement de notre entretien qui s'est déroulé en espagnol.

Je demandai à Fidel où et comment l'idée de déployer des missiles soviétiques à Cuba s'était fait jour et voici sa réponse :

« Bon, je vais vous dire très précisément comment l'idée est venue. Après Girón, le gouvernement des Etats-Unis était sans aucun doute extrêmement irrité, très mécontent des événements, et l'idée de régler la question par la force, de liquider par la force la Révolution cubaine n'avait pas été abandonnée. Mais personne ne pensait qu'il fût possible de revenir en arrière et de renouveler l'aventure de Girón ; aussi l'idée d'une invasion directe de Cuba a-t-elle été sérieusement envisagée et analysée. Et, par l'intermédiaire de diverses sources, nous entendions parler des plans qui s'élaboraient et nous étions certains que le danger nous guettait. »

Selon Castro, lors de la rencontre de Vienne entre Kennedy et Khrouchtchev au mois de juin — soit deux mois après l'affaire de la Baie des Cochons — la question de Cuba avait été soulevée et « Kennedy en parla avec beaucoup d'irritation ». Et Castro poursuit : « D'après les termes employés par Kennedy, on pouvait déduire qu'il estimait avoir le droit d'utiliser les forces armées des Etats-Unis pour détruire la Révolution cubaine. Il fit allusion à divers événements historiques [et] évoqua le sort de la Hongrie. Les renseignements que nous avons reçus sur ces entretiens nous ont donné à penser, ainsi qu'aux Soviétiques, que les Etats-Unis pensaient toujours à une invasion. »

Les Soviétiques furent évidemment à la source de ces renseignements sur les entretiens Khrouchtchev-Kennedy parvenus jusqu'à Cuba. D'ailleurs certains historiens ont émis l'hypothèse suivante : les Russes auraient sciemment laissé croire aux Cubains que Kennedy envisageait une invasion, alors qu'ils savaient pertinemment qu'il n'en était rien, afin de pousser Castro à demander une protection militaire de grande envergure. Au cours d'un autre entretien, Castro a déclaré ceci : Kennedy avait clairement rappelé à Khrouchtchev que les Etats-Unis étaient restés neutres à l'époque des événements de Hongrie — une telle allusion invitait les Russes à leur rendre la pareille et à ne pas intervenir si les Américains attaquaient Cuba. Dans ses Mémoires, Khrouchtchev ne parle même pas de Cuba dans le chapitre relatif à la rencontre de Vienne avec Kennedy, mais cela ne contredit pas nécessairement la version de Fidel. Ce qui compte, c'est qu'il accepta l'interprétation soviétique de la rencontre comme une confirmation de ses propres soupçons et qu'il adopta une attitude conforme à ses convictions. Enfin, la décision sur les missiles a peut-être été déclenchée par l'opinion que Khrouchtchev se fit de Kennedy à la suite de ces entretiens : il lui sembla que l'Américain était très indécis et qu'une fois les missiles installés à Cuba, il s'inclinerait devant le fait accompli — comme il avait accepté la défaite de la Baie des Cochons.

« Nous étions alors en pleines discussions avec les Soviétiques, continua Castro, à propos des événements de 1962. A ce moment-là, ils étaient vraiment à nos côtés. Ils nous accordaient une aide maximum ; ils avaient racheté notre sucre quand [nos] marchés aux Etats-Unis s'étaient fermés ; ils nous fournissaient du pétrole, alors que toutes les autres sources d'approvisionnement nous étaient interdites, ce qui aurait fini par avoir raison de notre pays. Comme je l'ai dit, ils marchaient vraiment avec nous et nous avions commencé à discuter des mesures à prendre. Ils nous ont demandé ce que nous en pensions et nous le leur avons dit exactement — nous n'avons pas demandé de missiles, mais il nous paraissait indispensable de faire bien comprendre aux Etats-Unis qu'une invasion de Cuba entraînerait une guerre avec l'Union soviétique. Nous leur avons dit : il faut prendre des mesures qui signifieraient, sans la moindre équivoque, que toute agression contre Cuba serait une agression contre l'Union soviétique. Voilà ce que nous avons dit... c'était l'idée générale. »

« C'est alors, continua Fidel, qu'ils proposèrent les missiles. A la suite de toutes ces discussions, notre idée était qu'il fallait prendre des dispositions pour bien montrer qu'une agression contre Cuba était exactement la même chose qu'une agression contre l'Union soviétique — nous pouvions conclure un pacte militaire, tout simplement. Et puis, parmi les mesures que nous examinions ensemble, l'installation de missiles de portée intermédiaire a fait surface. Pour notre part, nous pensions surtout aux inconvénients politiques d'une telle mesure. A l'époque, nous n'étions pas tellement conscients des dangers réels, parce que, vous le savez, nous avions passé pas mal de temps dans le maquis, nous sortions d'une guerre, nous étions encore furieux de tout ce qui s'était passé, de toutes les agressions dont nous avions été victimes ; c'est pourquoi nous avons surtout analysé les inconvénients politiques auxquels nous aurions à faire face. »

Quant au déploiement des missiles, Castro fit remarquer : « Nous avons analysé [le fait] que, s'il nous convenait à nous, ce déploiement pouvait aussi être utile aux Soviétiques d'un point de vue militaire. En somme, nous avons étudié les avantages que nous pouvions en retirer et ceux qu'ils en obtiendraient... d'un point de vue stratégique — cela, nous le comprenions. Nous avons conclu que [l'installation des missiles] serait profitable aux deux parties. » Puis il se mit à expliquer longuement qu'il aurait été « moralement peu convenable » de la part de Cuba « d'attendre d'un pays qu'il nous offre son appui au point de risquer une guerre pour nous, tandis que nous — pour des raisons de prestige ou pour éviter des engagements de type militaire, ou sous des prétextes purement politiques — nous ne ferions rien pour rendre la pareille à notre allié ». Par conséquent, « il nous a semblé vraiment équitable, il nous a semblé juste, il nous a semblé que c'était un geste de réciprocité élémentaire, d'accepter ces mesures qui nous assuraient la sécurité, même si, d'autre part, elles supposaient un prix politique à payer — le fait politique que les missiles seraient installés sur notre territoire.

« Alors, après avoir analysé la situation à la lumière de critères honorables, justes et vraiment sérieux, nous avons pris la décision de faire savoir aux Soviétiques que nous leur donnions notre accord pour le déploiement des missiles à Cuba. Je veux dire qu'il n'y a pas eu de pressions venant de leur part — les choses ne se sont pas passées comme si, un jour, ils étaient venus nous dire : " Nous voulons installer des missiles parce que cela nous est utile pour telle ou telle raison". Vraiment, l'initiative était venue de nous, c'est nous qui avons sollicité l'adoption de mesures qui donneraient à Cuba une garantie absolue contre toute guerre conventionnelle, contre une invasion des Etats-Unis. Mais, concrètement, l'idée des missiles est venue des Soviétiques. »

Les paroles de Castro donnent l'impression qu'il s'est laissé facilement convaincre par le Kremlin d'accepter les missiles en échange d'une protection militaire soviétique, après que Khrouchtchev lui eût expliqué, comme il le raconte dans ses Mémoires, que « le seul moyen d'aider [les

Cubains] à contrer la menace américaine était d'installer des missiles ». Mais Khrouchtchev lui-même indique que Castro a opposé une forte résistance à cette suggestion, ainsi qu'il l'explique : « Lorsque nous avons évoqué ce problème, Castro et moi, nous avons discuté et encore discuté. Notre entretien a été très animé. Mais à la fin, Fidel se rangea à mon avis. Plus tard, il commença à me fournir certaines données qui lui étaient parvenues. " Selon toute apparence, ce que vous m'avez affirmé était vrai", me dit-il. En soi, cela suffisait à justifier la suite. » L'allusion à « l'entretien... animé » soulève le point de savoir *en quel lieu* s'est déroulée cette conversation, à moins que le Soviétique n'emploie l'expression au figuré et qu'il ne fasse allusion à des échanges indirects, par l'intermédiaire de Raúl Castro ou par quelque autre moyen. Il n'existe aucune trace d'entretiens entre Khrouchtchev et Castro après leurs entrevues de 1960 à New York. Naturellement, il est possible que Castro se soit rendu secrètement en Union soviétique pour y rencontrer Khrouchtchev au mois de juin (à l'époque où il était supposé brandir l'étendard de la rébellion dans la Sierra Maestra ; en fait, personne ne le vit pendant plusieurs jours), mais cette hypothèse n'a jamais été avancée.

La plupart des historiens pensent effectivement que l'idée des missiles appartient à Khrouchtchev, même si l'évolution ultérieure du projet et la possibilité d'un accord militaire entre les deux gouvernements restent floues. Depuis le commencement, Castro n'a jamais varié dans ses déclarations quand il affirme, comme il l'a fait tout au long de l'entretien extrêmement approfondi qu'il m'a accordé, que l'idée émanait bien des Russes. Il s'est départi une seule fois de cette attitude en révélant à Herbert L. Matthews, au mois d'octobre 1963, que l'idée était venue de lui, « pas des Russes ». En novembre 1964, cependant, il revint sur cette déclaration devant C. L. Sulzberger, du *New York Times*, et insista sur le fait que « si Cuba a pris la responsabilité de l'installation des missiles... la Russie et Cuba y ont participé ». Dans la mesure où il y a eu un accord, il paraît évident qu'il existe une responsabilité commune.

Il est plus intéressant de constater que l'attitude officielle des Soviétiques, à l'époque de la crise, consistait à faire passer Castro pour l'auteur de la demande, aux yeux de Kennedy comme devant l'opinion publique de leur pays. Dans la lettre qu'il a adressée au Président américain, le 26 octobre, au plus fort de la crise, Khrouchtchev faisait ressortir que « tous les moyens [militaires] installés à Cuba sont, je vous l'affirme, de nature défensive, ne se trouvent sur le sol cubain que pour des raisons défensives et n'y ont été déployés qu'à la demande du gouvernement cubain ». Le 6 novembre, le vice-premier ministre Alexis Kossyguine, s'adressant à une réunion des dirigeants du Parti en Union soviétique, leur dit que les Cubains avaient demandé des missiles pour assurer leur sécurité nationale. Le discours parut dans la *Pravda*, mais — fait surprenant — pas dans la presse cubaine, sans doute parce qu'il justifiait aussi le retrait des fusées sous les pressions américaines et sans consultation préalable avec Castro. Khrouchtchev le répéta devant le Soviet suprême le 12 décembre. Mais tout prouve que, pendant la durée de la crise, en de nombreuses occasions, il avait menti à Kennedy comme à Castro.

On ne trouve aucune indication, ni dans les déclarations officielles soviétiques ni dans les déclarations cubaines, sur la façon dont Khrouchtchev et Castro ont pu imaginer quelles seraient les réactions de Kennedy devant le déploiement des missiles. Khrouchtchev, on le suppose, avait espéré que tout serait terminé avant que les Américains s'aperçoivent de quoi que ce soit ; dès lors, Kennedy n'aurait pu que s'incliner devant un ultimatum soviétique. Il n'est venu à l'esprit de personne — en tout cas, on n'en trouve nulle part le moindre indice — qu'au moment où la présence des missiles aurait été décelée, Cuba serait devenue infiniment plus exposée à une attaque de la part des Etats-Unis qu'avant l'introduction de ces armes sur son sol. J'ai donc demandé à Fidel comment il avait imaginé que réagirait Kennedy.

« J'étais persuadé, répliqua-t-il, que tout cela allait créer une situation très tendue et qu'il y aurait une crise. » Il me servit alors un de ces raisonnements dont il a le secret, et où le goût instinctif du risque calculé se mêle à des questions de principes (si l'on en juge par sa propre existence, de tels raisonnements finissent par sembler plausibles). Contrairement à ce que l'on pense généralement, le pari de Castro aurait mieux réussi, selon lui, que celui de Khrouchtchev, puisque Cuba y gagna, de la part des Etats-Unis, la garantie que le pays ne serait pas envahi — et que cela ne lui coûta rien. Mais pour leur part, les Soviétiques essuyèrent l'humiliation que leur infligea Kennedy. Il avait fallu plusieurs mois pour que Castro le comprenne pleinement. Il était trop absorbé par sa fureur contre Khrouchtchev qui avait conclu derrière son dos un accord avec Kennedy sur le retrait des missiles. Fidel étant ce qu'il est, il aurait voulu obtenir beaucoup plus qu'une simple garantie de survie.

Entre-temps, me dit-il, « mettez-vous à ma place — j'avais le choix entre deux situations : ou bien j'étais réduit à l'impuissance, face à un pays très puissant qui pouvait décider n'importe quand d'envahir Cuba, ce qui aurait coûté des millions de vie car les Cubains auraient résisté ; ou bien, par souci de ma propre sécurité, pour éviter de m'exposer au risque d'une guerre classique, je faisais courir au monde et à Cuba un risque de nature planétaire ». Castro avait réfléchi au fait que la menace d'un conflit nucléaire lui épargnerait une attaque non nucléaire de la part des Etats-Unis.

« Nous avons choisi de prendre des risques, quels qu'ils fussent, le risque de provoquer une grande tension, une crise très grave, de préférence à ceux que nous faisait courir notre impuissance dans l'attente sans espoir d'une attaque des Etats-Unis contre Cuba... Au moins, nous avions un parapluie nucléaire et nous nous sentions réconfortés par l'idée de la riposte que nous pouvions opposer à la politique d'hostilité et d'agression menée contre notre pays. D'un point de vue moral, je n'ai jamais eu le moindre doute, et je n'en aurai jamais aucun, quant à la légitimité de notre position. D'un point de vue strictement moral et strictement juridique, nous étions un pays souverain et nous avions donc le droit de faire usage des armes que nous jugions nécessaires pour nous protéger. De même que les Etats-Unis avaient des missiles en Italie et en Turquie, de même qu'ils disposaient de bases dans toutes les parties du monde, autour de l'Union soviétique, nous estimions, en tant que nation souveraine, que nous avions parfaitement le droit, en toute légalité, de mettre en œuvre des mesures identiques pour [le salut de] notre pays. »

Ainsi, continua Castro, le seul problème à prendre en considération était « politique ». Les Etats-Unis « agirent conformément à leur philosophie et à leurs formules politiques, compte tenu de leur puissance », afin d'empêcher le déploiement soviétique. Il reconnut pourtant que, à l'époque, « le rapport des forces dans le domaine nucléaire était en faveur des Etats-Unis » ; il ajouta qu'il s'agissait là d'un fait que « j'ignorais » en 1962. Castro indiquait par là qu'il s'était lancé dans cette aventure sans que les Soviétiques l'eussent suffisamment informé du rapport des forces nucléaires entre les deux superpuissances. Trop diplomate pour exprimer plus clairement sa pensée, il me donnait néanmoins à entendre que Khrouchtchev l'avait trompé en proposant de lui fournir des missiles — cela permet de se demander comment Fidel aurait réagi s'il avait connu la vérité. Ce fut là une révélation sans précédent sur les secrets des relations soviéto-cubaines.

« A l'époque, continua Castro, j'ignorais la quantité d'armes nucléaires que contenait l'arsenal soviétique et j'ignorais aussi combien les Américains en avaient. Je ne le savais pas et je n'ai pas pensé à le demander aux Soviétiques ; je ne croyais pas être en droit de leur dire : " Ecoutez une minute, combien de missiles avez-vous, combien les Américains en ont-ils, quel est le rapport des forces ? " Nous pensions en toute confiance que, de leur côté, ils agissaient en pleine connaissance de cause. Nous ne disposions pas de tous les éléments qui nous auraient permis de faire une évaluation complète de la situation, nous n'avions qu'une information fragmentaire. » Comme l'avenir devait le montrer, Castro ne pardonna jamais vraiment aux Soviétiques de ne pas l'avoir mis au courant, de l'avoir induit en erreur sur l'équilibre des forces nucléaires dans le monde, alors que lui-même mettait en jeu la vie même de son pays parce qu'il se fiait aux assurances que lui avait données Khrouchtchev. Les Cubains avaient une telle confiance dans le jugement des Soviétiques que le président Dorticós affirmait devant l'Assemblée générale des Nations unies à New York le 8 octobre : « Nous voulons vous mettre en garde contre toute erreur ; une agression contre Cuba pourrait, à notre grand regret et contre nos vœux, donner le signal d'une nouvelle guerre mondiale » ; au moment même où il parlait, le déploiement des missiles était déjà en cours, dans le plus grand secret.

Parmi les polémiques que continue de susciter la crise des fusées, depuis 1962, la question demeure de savoir à quel point exact le monde s'est *réellement* approché de la guerre, nucléaire ou conventionnelle. On pense généralement que le conflit aurait pu éclater si les cargos soviétiques faisant route pour Cuba ne s'étaient pas arrêtés, le 24 octobre, avant de traverser la limite fixée par Kennedy. Dans le cas contraire, les navires de la marine des Etats-Unis et les appareils de l'armée de l'air les auraient empêchés de poursuivre leur route — cet acte de guerre aurait certainement provoqué une réaction de la part des Soviétiques et il est impossible de savoir jusqu'où la spirale de l'escalade se serait poursuivie. Le danger demeura bien réel jusqu'au dimanche 28 octobre au matin : c'est alors qu'un échange de lettres entre Khrouchtchev et Kennedy mit fin à la crise. Un duel nucléaire aurait certainement pu se produire au cours de cette semaine, puisque les missiles de portée intermédiaire soviétiques déployés à Cuba étaient devenus opérationnels le 23 octobre ; on peut raisonnablement penser qu'ils étaient équipés d'ogives nucléaires.

Cependant, à en croire le récit de Fidel Castro tel qu'il l'a vécu, le samedi 27 octobre fut la journée la plus critique, non seulement parce que les batteries soviétiques de missiles sol-air SAM avaient abattu un appareil de reconnaissance de l'armée de l'air américaine, un U-2 qui volait à très haute altitude, mais aussi parce que les Cubains tentaient d'atteindre les avions américains volant à basse altitude. Castro avait affirmé que, contrairement à ce qui avait été publié, c'étaient les Russes (et non les Cubains) qui avaient abattu l'U-2 parce qu'ils s'étaient réservé l'utilisation des fusées SAM. Mais il se montrait tout aussi véhément lorsqu'il se disait bien décidé à abattre tout appareil américain que son artillerie antiaérienne pourrait toucher, sans se soucier des conséquences. Pour lui, une fois de plus, c'était une question de principes et de souveraineté. Quelques jours après que la crise eut été résolue, il ordonnait encore de faire feu sur tout appareil américain qui se montrerait dans le ciel de Cuba — au risque de réveiller le conflit. Au moment où il m'en parla, il savait que Kennedy avait décidé de bombarder Cuba si, après la perte de l'U-2, un nouvel avion américain était abattu.

« Les fusées [SAM] étaient aux mains des Soviétiques et les batteries antiaériennes, toutes les batteries conventionnelles, étaient sous notre autorité, raconta Castro. Nous avions des centaines de ces batteries. A cette époque-là, les roquettes ne pouvait pas atteindre leur cible à moins de mille mètres. Elles n'étaient efficaces qu'au-dessus de mille mètres. Or, à ce moment précis de la crise, en plus des survols des U-2, les Américains entreprirent des vols à très basse altitude, à deux cents ou trois cents mètres. Je me suis rendu compte que les SAM comme les missiles de portée intermédiaire [sol-sol] étaient directement menacés de destruction par ces attaques à basse altitude, contre lesquelles les SAM étaient absolument impuissantes. »

« J'ai donc ordonné de mettre en ligne toutes les batteries antiaériennes que nous possédions. Nous en avions environ trois cents. J'ai averti les Soviétiques que nous ne pouvions pas tolérer ces vols à basse altitude et que nos batteries allaient entrer en action. Nous les avons installées autour des bases de missiles SAM et autour de toutes les fusées et, le jour même, nous avons donné l'ordre d'ouvrir le feu. C'est nous qui avons ordonné de tirer sur les appareils à basse altitude. C'est là une réalité historique rigoureusement exacte. »

Le matin du 27 octobre, continua Castro, « deux avions ou plusieurs sont apparus en divers endroits, volant par paires à basse altitude, et nos batteries ont commencé à les canarder ». Les documents officiels américains confirment que, ce matin-là, deux appareils de reconnaissance volant très bas essuyèrent le feu des batteries antiaériennes, mais qu'aucun d'eux ne fut touché ; il était environ dix heures du matin, et c'est à ce moment-là que l'U-2 fut abattu par une fusée SA-II. Castro reconnut que « c'est sans doute à cause du manque d'expérience de nos artilleurs qu'ils ont manqué leurs cibles ; ils venaient tout juste d'apprendre à manœuvrer ces pièces ». Tandis que l'U-2 traversait l'espace aérien cubain et qu'il se trouvait à la verticale de l'Oriente, « une fusée sol-air soviétique fut tirée sur l'appareil et le toucha ».

Fidel me dit encore : « On ne sait toujours pas comment cela s'est passé. Nous n'avions aucun droit sur les batteries antiaériennes des Soviétiques ; ce n'est pas nous qui les commandions... Nous avions simplement présenté notre point de vue [aux Soviétiques], à savoir que nous voulions empêcher ces survols à basse altitude, et nous avions ordonné à nos artilleurs de tirer sur ces avions. Il nous était impossible d'abattre un U-2. Mais il y a eu dans le secteur un Russe — et pour moi le mystère demeure, je ne sais pas si le commandant de la batterie soviétique a été en quelque sorte contaminé par nos artilleurs, ce qui l'aurait poussé à tirer lui aussi, ou s'il en avait reçu l'ordre —, en tout cas, ce Russe a lancé une fusée. C'est une question sur laquelle nous ne savons rien nous-mêmes et d'ailleurs nous n'avions pas cherché à en savoir plus. »

Pour tout commentaire, je fis remarquer que l'attaque contre l'U-2 aurait pu déclencher une guerre mondiale, à quoi Castro riposta : « Je ne sais pas ce qui se serait passé s'il y avait eu d'autres incursions de ces avions, mais je suis absolument certain que si les vols à très basse altitude avaient repris, nous en aurions abattu un, deux, ou trois... avec toutes les batteries que nous avions, nous en aurions bien descendu quelques-uns. Je ne sais pas si cela aurait suffi à provoquer un conflit nucléaire. » D'après lui, si les appareils n'ont pas récidivé le lendemain, c'est parce que l'accord soviéto-américain avait été signé, mais plusieurs jours après, on a pu constater de nouveaux vols à basse altitude.

Castro poursuivit son récit en mentionnant que Mikoïan se trouvait déjà à La Havane « pour nous expliquer tout cela, mais nous l'avons prévenu qu'en aucune circonstance nous ne tolérerions les vols à basse altitude. Nous avons dit aux Soviétiques que, même s'ils avaient passé un accord avec les Américains, nous ouvririons le feu contre les appareils qui se livraient à ce genre d'exercice et nous avons donné des ordres en ce sens à nos artilleurs. Mais sans doute que les Soviétiques ont pris contact avec les Américains pour leur conseiller de ne plus entreprendre de telles opérations. Ce jour-là, j'étais à la base aérienne de San Antonio où nous disposions de quelques batteries ; tous les jours, à dix heures du matin, des avions américains passaient au-dessus de la base. C'est pour cela que je m'y étais rendu ; j'ai attendu les avions à dix heures, et je savais qu'il y aurait des représailles et que nous aurions des victimes, mais il était de mon devoir de me trouver là, présent, en un endroit qui allait sûrement être attaqué ; les avions ne sont pas venus. » Fidel avait presque l'air de le regretter. Mais il demeura attaché à sa conception de l'honneur militaire : il ordonna que le corps du pilote, le commandant Rudolph Anderson, soit rapatrié aux Etats-Unis pour y être enterré avec tous les honneurs. Par une ironie du sort, le commandant Anderson était l'un des deux pilotes qui, le 14 octobre, avaient rapporté les premières photographies de l'installation des missiles soviétiques à Cuba ; ce sont ces vues qui avaient déclenché toute la suite des événements.

Fidel Castro ne dissimula jamais son « irritation », comme il le dit lui-même, à l'égard de l'Union soviétique pour avoir conclu un marché avec les Etats-Unis pour retirer ses missiles, sans même l'avoir consulté. Sa rancune était encore bien présente lorsque, vingt-deux ans plus tard, il me raconta l'histoire de la crise, en faisant remarquer au passage : « il ne m'est jamais venu à l'esprit que l'idée de retirer les missiles pût être concevable ». Pour conclure, il déclara avoir maintenant compris les raisons de Moscou — à savoir l'infériorité de l'arsenal nucléaire des Soviétiques, dont il n'avait pas pris suffisamment conscience — et il reconnut que les Russes avaient eu raison, mais ajouta : « Nous leur en avons voulu pendant très longtemps. D'une certaine façon, cet incident a nui aux relations entre l'Union soviétique et Cuba pendant un bon nombre d'années — de nombreuses années... » C'était une chose qu'il n'avait jamais dite en public auparavant. Malgré l'étalage d'une amitié superficielle et les échanges de visites au plus haut niveau, ces relations sont restées tendues, difficiles et précaires jusqu'en 1969 — soit pendant six longues années — et Castro n'a jamais retrouvé la confiance qu'il avait placée en l'Union soviétique avant la crise d'octobre. D'ailleurs, la passivité totale des Soviétiques lors de l'invasion de la Grenade par les Etats-Unis au mois d'octobre 1983 (vingt-deux ans, exactement, après la crise des fusées) jeta de nouveau Castro dans une véritable explosion de rage contre ses alliés. Il est vrai qu'en cette occasion les troupes cubaines s'étaient battues contre les soldats américains pour la première fois, dans l'Histoire des deux pays.

Evoquant le choc qu'il éprouva en apprenant la conclusion de l'accord, Fidel s'exclama : « Jamais je n'avais envisagé le retrait comme solution ! Dans notre ferveur révolutionnaire, la passion, la fièvre de ces journées, il ne nous paraissait sans doute pas concevable que l'on nous retire ces missiles, après les avoir installés. » Pourtant, ajouta-t-il, il y avait une liaison entre les Soviétiques et nous ; nous échangions des communications au fur et à mesure que la situation évoluait, mais pendant les deux derniers jours, après que l'avion U-2 eut été abattu, les choses allèrent si vite qu'il ne fut pas possible de nous entretenir avec les Soviétiques, au sujet des propositions concernant le retrait. Et nous étions très irrités parce qu'un accord avait été conclu sans que nous y ayons participé, sans même que l'on nous ait consultés... Nous en avons été informés alors qu'il était déjà pratiquement acquis. » Fidel m'affirma que, s'il avait été consulté, « nous aurions compris qu'il était nécessaire de trouver une solution, mais nous aurions exigé au moins trois choses : l'arrêt des agressions contre Cuba, la levée du blocus [économique] imposé par les Etats-Unis et la restitution de la base navale de Guantánamo [à Cuba]. Telles auraient été nos conditions ; elles étaient parfaitement compréhensibles et tout à fait acceptables. »

Ce qu'il ne savait pas à l'époque — comme il me le dit —, c'est qu'une partie de l'accord Kennedy-Khrouchtchev prévoyait le retrait des missiles nucléaires Jupiter, installés en Turquie par l'armée américaine, en échange du retour en Union soviétique des missiles déployés à Cuba. Tout ce que savait Castro, c'était que Khrouchtchev reprenait ses armements atomiques afin d'éviter une guerre mondiale et parce qu'il avait reçu du président Kennedy la garantie que les Etats-Unis n'envahiraient pas Cuba. Dans la mesure où toute l'aventure dans laquelle s'étaient embarqués Castro et Khrouchtchev avait eu pour seul but, du moins pouvait-on le supposer, de protéger Cuba d'une invasion américaine, l'objectif recherché était atteint. Néanmoins, Fidel pensait que, si l'on discutait de son destin, il avait droit à quelques avantages politiques et, ainsi qu'il devait me le dire : « Un accord honorable aurait pu résoudre une fois pour toutes les questions qui ont continué pendant bien longtemps d'empoisonner les rapports entre les Etats-Unis et Cuba ». La position de Castro était judicieuse, mais à ce stade les Soviétiques se préoccupaient beaucoup plus de voir les fusées Jupiter quitter la Turquie que d'obliger Kennedy à faire d'autres concessions.

Fidel pense que toutes les conditions de l'accord d'octobre, y compris la clause secrète sur les missiles basés en Turquie et la promesse formelle de ne pas envahir Cuba, figurent noir sur blanc dans les documents échangés entre Kennedy et Khrouchtchev. Mais, comme il le fit remarquer, « au cours des semaines qui ont suivi la crise, il n'a pas été fait mention des missiles turcs. Une chape de silence a recouvert tout cela et nous ignorions complètement que le retrait des missiles basés en Turquie était l'une des clauses de l'accord ».

Je lui demandai combien de temps il avait été tenu dans l'ignorance sur ce point. Le silence dura, me répondit-il, jusqu'au moment de sa propre visite en Union soviétique, vers la fin avril 1963. « Un jour, Nikita, qui est en train de me lire tous les documents échangés entre les Etats-Unis et l'Union soviétique, me dit : " Dans le papier américain, il est écrit qu'ils prennent tel ou tel engagement, et par-dessus le marché qu'ils s'engagent à retirer leurs fusées de Turquie. " Voilà comment j'ai appris que ces fusées étaient incluses dans l'accord et qu'elles avaient été effectivement retirées. Mais nous n'en avions jamais entendu parler parce que les Américains avaient demandé aux Soviétiques de ne pas rendre publique cette partie du compromis. » Il ne se trompait pas. Les missiles Jupiter, qui étaient déjà anciens, furent rapatriés de Turquie vers la fin du mois d'avril 1963, sans que l'opération fût annoncée. Avec le temps, la nouvelle filtra, mais le gouvernement des Etats-Unis garda secrets jusqu'en 1985 les documents qui s'y rapportaient — soit près de deux ans après que Castro m'eut raconté toute l'histoire. On pense que bien des documents échangés avec le Kremlin lors du règlement de la crise resteront secrets indéfiniment.

En tout cas, il n'existe rien dans les archives publiques qui puisse confirmer que Kennedy se soit engagé *explicitement* à ne pas envahir Cuba, bien qu'aucun gouvernement américain ne l'ait vraiment nié depuis. Castro affirme avec insistance que l'engagement est « explicite, et non pas implicite » ; il en veut pour preuve le fait qu'aucune tentative d'invasion n'a eu lieu contre Cuba. Aux termes de l'accord Kennedy-Khrouchtchev, le retrait des missiles de Cuba devait être soumis à des vérifications de la part des Etats-Unis, mais Castro a violemment repoussé cette clause, en alléguant qu'elle aurait violé la souveraineté de Cuba. Le Secrétaire général des Nations unies, U Thant, se rendit spécialement à La Havane pour raisonner Castro, mais il ne put le faire changer d'avis. Enfin, ce furent des appareils militaires américains, basés à Guantánamo, qui menèrent l'inspection à bien, en volant à basse altitude au-dessus des navires soviétiques où les missiles étaient placés, bien en évidence, sur le pont supérieur. Puisque Castro avait refusé toute inspection, le gouvernement Kennedy décida de se montrer imprécis au sujet du pacte de non-agression. Arthur M. Schlesinger Jr., l'historien de l'ère Kennedy, l'a écrit : « La garantie n'a jamais fait l'objet d'un engagement formel. » En novembre, une fois que Khrouchtchev eut rapatrié de Cuba ses bombardiers Iliouchine-28 (nouveau motif de fureur pour Castro), Kennedy affirma que « si toutes les armes offensives sont retirées de Cuba, si elles demeurent hors de notre hémisphère à l'avenir, avec toutes les garanties et sauvegardes nécessaires, et si Cuba ne sert pas de plate-forme à des préparatifs d'agression communiste, alors la paix régnera dans les Antilles. »

Tandis que les missiles s'éloignaient de Cuba à bord des navires soviétiques, Castro s'arrangea pour faire sentir son ire à Khrouchtchev, tout en prodiguant en public l'assurance que tout allait pour le mieux entre les deux pays. L'économie cubaine était dans un état épouvantable (il y avait même eu, au début de 1962, des manifestations contre le régime à cause de la pénurie alimentaire à Matanzas). Il fallait donc augmenter considérablement la production sucrière, sans compter que, pour mener à bien le premier plan quadriennal que Castro venait juste de lancer et pour lequel il s'était engagé à investir un milliard de dollars destiné au développement industriel et agricole, il avait besoin de nouvelles ressources. L'accord entre Kennedy et Khrouchtchev lui valut le soutien de la Chine — qu'il n'avait pas demandé — car Cuba passait pour une victime de la trahison soviétique. Pourtant, c'est de Moscou que l'île dépendait pour ses indispensables appoints. Le 1er novembre, Castro apparut donc sur les écrans de télévision et s'écria : « Nous sommes marxistes-léninistes... Il n'y aura pas de rupture entre l'Union soviétique et Cuba. » Anastase Mikoïan, qui était arrivé à La Havane le 2 novembre pour calmer Castro, reçut de plein fouet les tirades vengeresses du Líder Máximo. Fidel se rendit à l'aéroport pour l'accueillir, mais refusa de le recevoir pendant plusieurs semaines, au point que le vice-premier ministre dut alléguer, pour obtenir une audience, qu'il lui fallait retourner à Moscou assister aux obsèques de sa femme. Il avait passé plus de trois semaines à La Havane, et les choses en étaient arrivées à un point tel que, selon certains témoignages, l'ambassadeur Alexeiev en pleura au cours de ses entretiens avec Castro qu'il tenait pourtant pour son ami.

Certes les rapports de Cuba avec le Kremlin étaient le pivot de la politique étrangère de Castro, mais jamais il ne perdit de vue la possibilité de quelque accommodement futur avec les Etats-Unis — à condition qu'il ne lui serait imposé aucune condition exorbitante à une éventuelle reprise des contacts. Il l'a dit, le règlement de la crise des missiles aurait pu être assorti de quelques clauses sur les relations américano-cubaines, et sans doute une belle occasion a-t-elle été perdue à ce moment-là. Dans nos entretiens de 1984, il a fait remarquer que « le retrait des missiles aurait pu permettre à Kennedy d'accorder à Cuba de petites concessions qui auraient éliminé les grands obstacles dont la présence continue de bloquer la voie vers une reprise des relations entre les Etats-Unis et Cuba ».

A propos du message que Jean Daniel lui avait apporté, de la part de Kennedy, le jour même de l'assassinat du Président, Castro me confia : « Kennedy n'aurait pas essuyé de rebuffade de notre part... J'avais beaucoup réfléchi, médité sur la question, et je pensais bien lui donner une réponse positive, constructive... A ce moment-là, nous aurions peut-être pu ébaucher un dialogue, un échange d'impressions... Après la crise de 1962, Kennedy avait acquis de l'autorité, il avait la volonté nécessaire... » En fait, l'intuition de Fidel était juste. La crise déboucha sur l'annulation de l'opération Mangouste (pourtant, la CIA persista pendant des années encore dans ses tentatives pour assassiner Castro) et, jusqu'à sa mort, Kennedy resta attentif à toute possibilité d'ouverture en direction de Cuba. Avant même que Jean Daniel ne se rendît à La Havane, le Président avait pensé envoyer un émissaire secret à Castro, et le Conseil national de Sécurité explorait déjà toutes les « voies de communication possibles avec Castro ». Comme l'a fait observer Arthur Schlesinger, en 1963, « la Maison-Blanche [se dirigeait] lentement vers un accommodement ». Mais au mois de novembre, la mort de John Kennedy paralysa toute manœuvre diplomatique pour améliorer les relations américano-cubaines ; cet état de fait devait persister pendant près de quinze ans. Suprême ironie du sort, le fonctionnaire de la CIA chargé de mettre au point le tout dernier complot visant à supprimer Castro avait rendez-vous à Paris avec son homme de main, le jour même où Kennedy fut assassiné à Dallas. Jamais le Président n'avait été tenu au courant des projets fomentés contre la personne de Fidel.

Si l'Union soviétique était indispensable à la survie économique de Cuba, les Russes avaient besoin des Cubains au point de vue politique — et même au point de vue militaire, en dépit de la sombre aventure des missiles. A la lumière du conflit idéologique qui allait s'envenimant entre l'URSS et la Chine, et des effets qu'il exerçait sur l'influence soviétique dans le tiers monde, le Kremlin ne pouvait s'offrir le luxe d'une rupture avec Cuba la révolutionnaire. Le retrait des fusées avait déjà causé de grands embarras aux Soviétiques sur la scène internationale, et il était indispensable pour Moscou de réaffirmer son indéfectible amitié avec La Havane. Le mariage de raison entre Castro et Khrouchtchev avait pris une telle importance qu'au nom de la « solidarité internationaliste et socialiste », ils montèrent une superproduction incroyable, lors du voyage que le dirigeant cubain fit en Union soviétique au printemps de 1963. Sa visite se prolongea pendant quarante jours, un record de durée dans les annales des voyages à l'étranger pour un chef de gouvernement.

Les destinées de Cuba furent confiées à Raúl Castro et aux Forces armées révolutionnaires, mieux armées et mieux entraînées que jamais. Après le retrait des missiles nucléaires, les Cubains avaient reçu, en guise de prix de consolation, plusieurs batteries de missiles SAM (ce qui leur permettrait, le cas échéant, s'ils le souhaitaient, d'abattre quelque U-2 en maraude) ; en raison du caractère défensif de ces armements, les Etats-Unis n'élevèrent aucune objection à leur présence. Mais ce qu'ils ne savaient pas à ce stade et qu'ils oublièrent par la suite, c'est qu'une brigade de l'Armée soviétique était restée sur place après le rapatriement des vingt mille hommes qui accompagnaient les missiles. Cette brigade était censée symboliser l'engagement des Soviétiques de prendre une part active à la défense de Cuba. En 1964, Castro devait la décrire à un journaliste américain en visite, comme « une solide unité combattante russe ».

En réalité, les effectifs de cette unité ont varié entre quatre mille et cinq mille hommes (outre les conseillers militaires qui se comptaient, eux aussi, par milliers), et personne ne semblait y accorder grande attention jusqu'au jour où elle fut « découverte » par le gouvernement Carter en 1979. L'émotion fut telle que le Président éprouva des scrupules à présenter le projet de traité sur la limitation des armements stratégiques (SALT-2) au Sénat qui devait le ratifier. (Il ne l'a jamais été.) Tout ce que faisait Cuba semblait affecter la politique des Etats-Unis de toutes les manières imaginables. Lorsque, au cours de nos conversations de La Havane en janvier 1984, je posai à Castro une question sur la brigade, il me répondit en riant : « C'est toujours la même brigade que les Russes ont laissée derrière eux en 1962. » Ce devait être la deuxième ou la troisième génération de soldats soviétiques casernés sur le sol cubain.

Pour donner le ton au premier voyage de Castro en Union soviétique, Khrouchtchev prononça à Moscou, au mois de février, un discours dans lequel il affirmait qu'une attaque « impérialiste » contre Cuba ou contre tout autre pays socialiste signifierait le début de la Troisième Guerre mondiale. Le 26 avril, Castro, accompagné d'une suite nombreuse, embarqua à bord du gigantesque Tupolev-114, avion de ligne soviétique à turbopropulseurs, pour le vol sans escale de La Havane à Mourmansk, le port septentrional russe. Cette ligne régulière d'Aeroflot avait été inaugurée en janvier, mais cette fois Fidel faillit bien ne pas atterrir. En arrivant au-dessus de Mourmansk le lendemain, l'appareil se trouva dans un brouillard si dense que l'aéroport avait été obligé de fermer. Il n'y avait plus assez de carburant pour rallier une autre piste d'atterrissage, aussi le pilote fut-il forcé de poser son appareil sans aucune visibilité ; or les installations destinées à permettre un atterrissage dans ces conditions, sur l'aéroport de Mourmansk, étaient déficientes. Mais tout se passa pour le mieux. Une fois de plus, c'était de manière dramatique et spectaculaire que Fidel Castro entamait une nouvelle aventure. Mikoïan, qui, désormais, consacrait la plus grande partie de son temps à Cuba et à ses problèmes, était venu accueillir le visiteur. Fidel, coiffé d'un bonnet de fourrure, se rendit directement de l'aéroport à un rassemblement de masses populaires au centre de la ville, comme si c'était la chose la plus naturelle du monde. Son discours en espagnol fut bref : « Nous avons ici des températures auxquelles nous ne sommes pas habitués : il fait très froid dehors, mais nos cœurs sont remplis de chaleur. » Et tout naturellement, la population de Mourmansk se montra ravie.

Pendant les quarante jours qu'il passa en Union soviétique, Castro visita quatorze villes, de l'Asie centrale à la Sibérie, de l'Ukraine à la Géorgie, et de Moscou à Léningrad ; inspecta la Flotte du Nord et une base de missiles stratégiques ; prononça d'innombrables discours dans des stades et des usines, sur des champs de bataille et des places publiques ; passa en revue le défilé du premier mai, du haut du mur du Kremlin ; reçut le titre de Héros de l'Union soviétique, l'Ordre de Lénine et la Croix d'Or ; assista à un ballet du Bolchoï à Moscou et un concert en plein air ; enfin, il passa des dizaines d'heures, en public ou en privé, avec Nikita Khrouchtchev. Tous deux prirent la parole à un rassemblement de masse sur la Place Rouge, rare honneur pour un étranger, mais Castro avait déjà eu l'occasion de rencontrer d'autres dirigeants soviétiques de très haut niveau. C'est près de Moscou, dans une datcha, qu'il fit la connaissance de Leonid Brejnev ; il plaisanta et discuta avec l'homme qui allait chasser Khrouchtchev et le remplacer dès l'année suivante — en partie à cause de l'humiliation subie par l'URSS à Cuba. Une photo prise dans la datcha montre Khrouchtchev et Brejnev, tous deux cravatés et engoncés dans leurs costumes mal coupés, le revers de leurs vestons alourdi par plusieurs rangées de décorations, tandis que Castro porte comme d'habitude son treillis vert olive.

Le voyage connut une réussite extraordinaire : depuis longtemps, aucun étranger n'avait reçu un tel accueil. Les foules et les téléspectateurs étaient comme fascinés par le guérillero auréolé de romanesque, descendu de ses lointaines montagnes cubaines, et tout le monde était en délire devant ce spectacle. Khrouchtchev accompagna Castro à Mourmansk pour le vol de retour à la fin du mois de mai. Jamais ce dernier n'avait été l'objet de tant d'attention, sur une si vaste échelle, et pour l'opinion internationale, ce voyage avait été une nouvelle lune de miel pour les Cubains et les Soviétiques. Mais Castro n'avait jamais baissé sa garde politique. Il avait fait discrètement connaître à ses hôtes ses besoins d'aide économique et s'était arrangé pour que les factions révolutionnaires cubaines ne retrouvent pas leur équilibre sur le front intérieur. D'une part, il s'était assuré que pas un seul des « vieux » communistes ne l'accompagnerait dans le voyage en Union soviétique (pas même son éternel médiateur, Carlos Rafael Rodríguez), comme s'il voulait bien souligner le *fidélisme* de sa révolution. D'autre part, il lança publiquement une attaque d'une rare violence contre *Revolución,* le journal du mouvement fidéliste, pour la façon dont il avait rendu compte de sa visite en URSS : la critique portait essentiellement sur un article dans lequel on le comparait à Lénine en des termes inspirés par l'adulation dont il avait été entouré pendant son séjour, et où l'on racontait quelques détails « amusants » qui, pensait-il, détournaient l'attention de la signification de son voyage. En termes clairs, c'était un avertissement adressé aux derniers « modérés » de la révolution rassemblés autour du journal et le message ne permit plus d'équivoque une fois que Castro eut déclaré avec le plus grand sérieux que la *Pravda* était le meilleur journal du monde. L'année suivante, *Revolución* fusionna avec le quotidien communiste *Hoy,* devint l'organe officiel du régime sous le nom de *Granma* et passa sous la coupe de journalistes communistes durs. De nos jours, *Granma* est un digne émule de la *Pravda* avec laquelle il rivalise en qualité, notamment pour la généreuse utilisation qu'il fait de l'encre rouge sur ses pages.

Au bout de cinq années de révolution, Fidel Castro était enfin devenu le chef incontesté de Cuba, puissant, impitoyable, plein d'imagination et imprévisible. Le pays était désormais en passe d'entrer dans le système communiste quant au mode de vie et de gouvernement. Fidel avait toujours de nombreux partisans dans toute la nation — sa popularité touchait souvent à l'adoration, surtout depuis sa victoire indiscutable sur les Etats-Unis dans l'épisode de la Baie des Cochons. La crise des missiles ne lui avait nui en rien. Comme à l'époque de la tentative lancée par la brigade des émigrés, en 1962, au moment du danger, lorsque les chasseurs américains grondaient au-dessus de la campagne cubaine et que les batteries anti-aériennes faisaient feu de tous leurs canons, les Cubains se groupèrent autour de leur drapeau — et de leur Líder Máximo.

Par-dessus tout, Castro savait garder intacte la ferveur de la nation et faire briller l'espoir à ses yeux, même au milieu des pires épreuves et des sacrifices. En 1963, le cyclone Flora, un des plus dévastateurs du siècle, ravagea l'île, inondant tout sur son passage. Castro était partout à la fois, toujours en première ligne comme d'habitude, organisant les opérations de sauvetage, prenant des risques, dirigeant les équipes et sachant inspirer tous les courages. Malgré l'aide soviétique qui restait considérable, la production économique de Cuba restait bien inférieure à ce qu'elle aurait dû être, mais Castro rappelait à son peuple que la révolution se préoccupait d'enseigner, de nourrir, de loger et de protéger ses enfants comme jamais auparavant dans l'histoire de Cuba. Et le peuple dans son ensemble se montrait loyal envers la révolution, il était reconnaissant au commandant en chef et prêt à débusquer la « vermine » contre-révolutionnaire partout où elle pouvait se cacher, à patrouiller dans les rues et les champs la nuit, à se faire endoctriner jusqu'à l'abrutissement pour comprendre enfin les arcanes et les mystères du marxisme-léninisme.

A la fin de 1963, Castro avertit les Cubains que non seulement l'économie du pays allait à nouveau s'orienter vers la production de sucre, mais que l'objectif fixé pour 1970 était une récolte de 10 millions de tonnes (en 1963, Cuba avait produit 3,8 millions de tonnes et le record jusqu'alors était de 6,7 millions de tonnes) ; le peuple fit confiance à sa sagesse. Si les étudiants et les citadins devaient travailler « volontairement » le dimanche pour aider leurs camarades paysans, ils s'y prêtaient puisque c'était pour le bien de la révolution. De plus, ils auraient été malvenus de protester ou d'essayer de se soustraire à leur devoir révolutionnaire : les camarades avaient l'œil ouvert et l'oreille fine.

Tandis que les cinq premières années de la révolution approchaient de leur fin, Castro et Cuba suivaient sans faillir le cap qu'ils s'étaient fixé. Fidel avait trente-sept ans, il savait exactement où il conduisait la nation, même si le chemin était montant et tortueux — comme dans la Sierra Maestra. Ayant survécu à l'affaire de la Baie des Cochons et à la crise des missiles, le régime révolutionnaire était désormais aussi assuré que quiconque — et peut-être plus — de ne plus subir d'attaque de l'étranger. Sa survie était garantie par l'Union soviétique parce que ni l'Histoire ni Fidel Castro n'avaient laissé le moindre choix aux Russes, en ce monde livré à toutes les rivalités.

L'existence de Fidel était toujours celle du guérillero, jamais en repos, sans cesse impatient, avide de succès, fier des aspects les moins orthodoxes de sa personnalité, prêt à tirer sur tout ce qui bougeait. Celia Sánchez réussissait à mettre un peu d'ordre dans ses activités mais pas trop, car il détestait les emplois du temps et haïssait l'administration. Et il continuait de s'amuser prodigieusement. Fidelito avait seize ans, il se préparait à entrer à l'université, puis à poursuivre ses études en Union soviétique. Au mois d'août 1963, la mère de Fidel, Lina Ruz de Castro, mourut dans la maison de famille de Birán. Tout le clan se réunit pour assister aux obsèques.

Au cours des vingt années suivantes, Fidel Castro allait maintenir le rythme révolutionnaire qu'il avait imposé à la vie de Cuba, mais il n'allait plus réserver de grandes surprises à son public, ni dans son comportement ni dans ses attitudes — ni même dans l'organisation de la société. Il allait s'employer à consolider l'idéologie régnante sous la bannière du parti communiste dont il allait prendre la direction. Il poursuivrait ses réformes partout où il resterait quelque chose à modifier (la troisième réforme agraire, en octobre 1963, limitait la propriété individuelle à 68 hectares, tandis que l'Etat devenait propriétaire de 70 % des terres), il pratiquerait « l'internationalisme » dans tout le tiers monde, offrant partout son aide aux révolutionnaires et envoyant des troupes cubaines outre-mer, et il tenterait enfin de se tailler un rôle d'homme d'Etat à l'échelle de la planète. Mais il perdrait Che Guevara.

CINQUIÈME PARTIE

LA MATURITÉ

(1964-1986)

1

Entre 1960 et 1970, un événement dramatique marqua l'histoire de la révolution cubaine : le 8 octobre 1967, la mort d'Ernesto Che Guevara dans la jungle bolivienne consacra la destruction du mouvement de guérilla qu'il y avait créé. Les mystères qui entourent son apparition, puis sa mort en Bolivie, n'ont jamais été élucidés, mais sa disparition eut un effet considérable sur l'évolution de la politique extérieure et intérieure de Fidel Castro. La mésentente qui couvait toujours entre ce dernier et l'Union soviétique depuis la crise des missiles de 1962 fut plus aisément aplanie dans la mesure où, au nom d'une romantique pureté révolutionnaire, le Che y faisait obstacle par les sévères critiques qu'il adressait aux Russes à qui il reprochait leur manque d'audace « internationaliste » et leur manière « impérialiste » de gérer l'aide économique au tiers monde. Enfin, Che Guevara était le dernier esprit complètement indépendant qui existât encore au sein des structures de plus en plus rigides édifiées autour de la personne de Castro, comme par Fidel lui-même, pour l'exercice du pouvoir. Guevara avait disparu de Cuba au début de l'année 1965 pour des raisons qui n'ont jamais été pleinement expliquées ; il n'avait donc pas participé aux dernières étapes de la mise en place d'un régime communiste à Cuba, par l'intermédiaire du nouveau parti qu'avait fondé Castro.

Il faut que ce dernier ait des raisons bien puissantes pour continuer de refuser, près de vingt ans après, à ce que quelque lumière soit faite sur la décision du Che, que l'on peut croire spontanée, de briser tous liens avec Cuba et, par conséquent, avec Fidel lui-même. Le seul élément d'explication que l'on possède se trouve contenu dans la lettre qu'il écrivit au dirigeant cubain, où il affirme : « il est d'autres collines de par le monde où l'on a besoin de mes modestes efforts » ; par la même occasion il déclare renoncer à tous les postes qu'il détenait à Cuba ainsi qu'à la nationalité cubaine. C'est ce texte que Castro lut à La Havane, le 3 octobre 1965, devant les chefs de file des « nouveaux » communistes, abasourdis : cela se passait lors de la présentation officielle des membres du Comité central du Parti communiste cubain tout nouvellement organisé — la création du parti n'avait été rendue publique que la veille. Fidel avait alors annoncé qu'un seul nom manquait à la liste, celui de Che ; et il donna lecture de la lettre. Il y eut un silence embarrassé. Sur les bandes d'actualités, Castro paraissait très mal à l'aise et très attristé, tandis qu'il poursuivait sa lecture : il ne reparla plus jamais de Che en public jusqu'au 15 octobre 1967 — deux ans après. Ce jour-là, on le vit paraître à la télévision pour annoncer que la nouvelle de la mort de Che était « malheureusement vraie ».

Castro confirma le départ de Guevara dès le 20 avril 1965. Interrogé par des journalistes étrangers, il leur répondit sèchement que « le *comandante* Guevara se trouve là où il sert le mieux la Révolution ». Le 15 mars, au retour de sa dernière tournée en Afrique et en Asie, Guevara avait été accueilli à l'aéroport par Castro et par le président Dorticós, mais on ne le revit pas et les journalistes commencèrent à s'enquérir de sa personne. On ne sait pas exactement à quel moment il a quitté Cuba, ni quand il a écrit sa lettre d'adieux à Fidel. Cependant, il n'existe aucune raison de douter de l'authenticité de cette missive dans laquelle il déclare : « J'ai le sentiment d'avoir rempli cette part de mon devoir qui m'a lié à la Révolution cubaine sur son territoire, et je vous dis adieu à toi et aux *compañeros*, à votre peuple qui est déjà le mien. » Il ajoute : « la seule erreur de quelque gravité que j'aie pu commettre a été de ne pas avoir eu plus pleinement confiance en toi dès les premiers instants que nous avons vécus dans la Sierra Maestra et de n'avoir pas compris assez rapidement tes qualités de chef et de révolutionnaire. » Non seulement le style est du plus pur Guevara, mais le contenu correspond tout à fait à sa personnalité, notamment quand Che mentionne, dans un esprit d'autocritique révolutionnaire, son « erreur » de la Sierra. Il s'agit des doutes qu'il avait exprimés, dans une lettre écrite pendant la guerre, à propos des tractations de Castro avec des hommes politiques en exil, à la fin de 1957.

En quittant Cuba, Che avait écrit à ses parents qui vivaient encore à Buenos Aires : « Une fois de plus, je sens sous mes talons les maigres flancs de ma Rossinante... Je reprends la route, ma lance au poing. » Il leur rappelait en outre que, plus de dix ans auparavant, il leur avait envoyé « une autre lettre d'adieu », au moment d'abandonner l'Argentine. Dans cette première missive, il leur disait : « Et voici le départ d'un soldat des Amériques » — et maintenant : « Dorénavant, mon marxisme est profondément enraciné et purifié... je crois que la lutte armée est la seule solution pour les peuples résolus à se libérer... Souvenez-vous parfois de ce petit *condottiere* du XXe siècle. » En 1985, Ernesto Guevara Lynch, le père du Che, qui s'était installé à La Havane après la mort de sa femme et son remariage, me dit qu'il avait pris la déclaration de son fils au pied de la lettre et qu'il comprenait son impatience inquiète. Mais il affirma qu'il n'en savait pas plus, n'ayant pas revu Che depuis 1961. Il est très probable que Fidel Castro soit la seule personne à connaître toute la vérité.

Il sait par exemple pourquoi Che a choisi la Bolivie pour y lancer sa nouvelle guérilla, bien que le choix fût hautement hasardeux étant donné qu'il aurait à se battre sur un territoire de jungle et de montagne extraordinairement difficile, sans aucune connaissance des langues indiennes locales (les paysans andins parlent rarement l'espagnol), au lieu de se diriger vers la province de Salta, dans son Argentine natale, d'où il avait déjà envisagé de déclencher une révolution. La mission qu'il s'était fixée en Bolivie était bien plus suicidaire que l'odyssée de la *Granma* ne l'avait été dix ans auparavant ; mais il est évident que Fidel en avait admis l'idée, au point d'affecter des combattants de l'Armée cubaine au groupe de guérilleros du Che. Il avait également équipé et financé l'expédition, et maintenu jusqu'à la fin un contact régulier avec Guevara par radio. Peut-être Castro aurait-il dû deviner que Che serait bel et bien trahi par le Parti communiste bolivien d'obédience moscovite, qui le livra pratiquement aux « rangers » de l'armée bolivienne et à leurs conseillers de la CIA.

On peut comprendre rétrospectivement que Che n'avait plus grand-chose à faire à Cuba, une fois la révolution affermie sur ses bases. Il était ministre de l'Industrie, mais sur les données fondamentales du développement économiste marxiste, il était en désaccord avec Castro. Pour simplifier les choses à l'extrême, leur différend portait sur le point suivant : dans son idéalisme, le Che était persuadé que la population avait besoin d'appels à la morale pour produire davantage, tandis que Castro, plus pratique, s'était convaincu que les incitations matérielles (augmentations de salaires et octroi de primes au rendement) stimuleraient plus efficacement la productivité. Pendant un certain temps, au début des années 1960, les opinions de Che Guevara prédominèrent, mais à la longue Fidel l'emporta (pour réinventer, en 1980, les incitations morales). Rien de tout cela, naturellement, n'avait filtré dans le public ni fait l'objet de publications à Cuba, et pourtant ce fut Castro qui m'en donna la meilleure preuve. En effet, en 1984, je l'interrogeai sur les erreurs commises par la révolution et il me répondit avec une franchise étonnante. Tandis que l'aube éclairait son bureau de La Havane, il parla de l'itinéraire de la Révolution et des problèmes formidables que posait la création d'une nouvelle société. Il était pensif et caressait lentement sa barbe tout en me parlant.

« Au début de la Révolution, dit-il, alors que nous devions assumer toutes les fonctions de l'Etat et même le pouvoir économique... nous avons entrepris cette tâche sans l'aide d'experts, entourés de gens ignorants qui ne savaient pas ce qu'il fallait faire... Notre développement économique a été soutenu ; il a connu des hauts et des bas, mais il s'est poursuivi au rythme de 4,7 pour cent par an, en moyenne, depuis vingt-cinq ans. Les choses ont démarré lentement pendant les premières années ; notre objectif alors était de survivre bien plus que de nous développer, mais le processus s'est accéléré au cours des années suivantes. Nous avons franchi des étapes, nous avons souffert des conséquences de diverses erreurs. L'une de celles que nous avons commises consistait à essayer de sauter des étapes nécessaires, parce que nous voulions arriver aux modes communistes de distribution [des richesses], sans passer par la phase socialiste — et il est impossible de sauter des étapes. Notre histoire démontre que nous voulions aller trop vite dans la mise en place des modes communistes de distribution, alors que la trajectoire consistait nécessairement à passer par une phase socialiste où la distribution s'adapte à l'effort de chacun... La formule communiste exige ceci : chacun doit donner selon ses capacités et recevoir selon ses besoins ; alors que la formule socialiste demande que chacun donne selon ses capacités et reçoive selon son travail... Nous nous acheminions trop rapidement vers les formules communistes, alors que la chose était prématurée. C'était faire un saut dans l'inconnu et cela nous a créé des difficultés. Mais nous avons rectifié le tir à temps. »

Il m'expliqua ensuite comment, dans les années 1980, un mélange de communisme et de socialisme s'était instauré à Cuba, et affirma que « nombre de produits sont distribués à la manière communiste ». Voici la définition qu'il me donna du marxisme-léninisme : « Je pense que les salaires sont fonction du travail effectué et des capacités de chacun. Mais l'enseignement, par exemple, est gratuit, universel et ouvert à tous; c'est un service de type communiste. Tout le monde a accès aux mêmes possibilités de formation et reçoit un enseignement identique, que l'on soit fils d'ingénieur ou de manœuvre, que l'on ait un père qui travaille beaucoup ou un père paresseux... Les services médicaux sont répartis égalitairement dans la population tout entière et c'est, là aussi, un service de type communiste... Nous partons du concept que, selon les idées de Marx, Engels et Lénine, le communisme est l'objectif suprême; mais il faut passer par l'étape du socialisme. Cette formule ne s'applique pas d'une manière chimiquement pure... Pour les salaires, on ne verse pas à un ouvrier ce qui correspond à ses besoins. Certains, qui ont un ou deux enfants, gagnent deux fois plus que d'autres qui en ont trois, quatre ou cinq, parce que la contribution qu'ils apportent à la société par leur travail et leurs connaissances est plus importante dans certains cas. Sous cet aspect, notre système de distribution n'est donc pas communiste, sinon il faudrait donner plus d'argent au travailleur qui a sept enfants à charge, et moins à celui qui en a seulement un... Selon la formule socialiste, le travailleur dont la contribution est plus importante est payé davantage, même si ses besoins ne l'exigent pas. Et celui dont les capacités sont moindres est moins payé, même si ses besoins sont plus grands. Dans un port, un débardeur capable de charger vingt tonnes à bord d'un cargo reçoit plus d'argent que celui qui n'en charge que dix. Mais, à un certain moment, nous avons versé le même salaire à celui qui coltinait vingt tonnes et à celui qui en transportait dix ou cinq. Ce fut une erreur car [cet égalitarisme] ne stimule pas le travail. »

Castro n'a jamais donné à entendre que de telles erreurs avaient pu être inspirées par Che Guevara, mais elles furent « rectifiées », comme il le dit, vers 1965, ce qui coïncide avec le retrait progressif du Che, quant aux prises de décisions économiques. En même temps, avec l'accord évident de Castro, Guevara concentrait de plus en plus son attention sur les contacts de Cuba avec le tiers monde et semblait heureux de s'être vu confier cette mission qu'il interprétait dans une optique révolutionnaire; il envisageait aussi toutes les contributions que les Cubains pourraient apporter à la cause du tiers monde. C'est du moins l'impression que je retirai des moments passés avec lui — pour la dernière fois — en décembre 1964 à New York, où il était venu prononcer un discours devant l'Assemblée générale des Nations unies. Après un passage à la télévision au cours duquel je lui posai quelques questions, nous prolongeâmes notre conversation en privé pendant plusieurs heures, parlant surtout de Cuba et du tiers monde; le lendemain, Che partait pour l'Afrique et la Chine communiste. C'était le dernier tour du monde qu'il effectuait pour le compte de la révolution cubaine.

Les anciennes tensions persistaient et de nouvelles querelles surgissaient dans les rapports qu'entretenait Fidel avec l'Union soviétique, comme avec les « vieux » communistes à l'intérieur du pays. Même après avoir été royalement reçu par l'URSS en mai 1963, le dirigeant cubain éprouvait toujours de la rancune à l'égard des Russes qui l'avaient « trahi » pendant la crise des missiles, et il continuait de les harceler pour qu'ils augmentent encore leur aide économique à Cuba. Il avait, en fait, élaboré un raisonnement selon lequel, dans la mesure où Cuba avait été laissée de côté lors de l'accord conclu entre Khrouchtchev et Kennedy, et n'avait donc bénéficié d'aucune concession, les Soviétiques devaient à son pays une aide accrue. C'est ainsi que Fidel, une fois de plus, transformait une défaite à son profit.

Cependant, les deux parties continuaient d'offrir au regard de l'opinion internationale toutes les manifestations d'un amour fraternel sans faille. Au mois de décembre 1963, Nikolaï Podgorny, membre influent du Politburo, se rendit à Cuba pour une visite de deux semaines ; c'était la première fois qu'un membre du Kremlin d'un rang aussi élevé venait à La Havane. Le 12 janvier, Castro l'accompagna à Moscou où il conféra longuement avec Khrouchtchev et Leonid Brejnev : dix jours plus tard, les Russes signaient avec lui un accord portant sur l'achat de la totalité du sucre cubain à un prix minimum garanti — supérieur à celui du cours mondial — pendant les cinq années à venir. Puis Che Guevara signa un traité d'assistance technique et les deux Cubains regagnèrent leur île, satisfaits selon toutes apparences de leur succès.

Mais deux mois après, Fidel Castro mit en scène le procès de Marcos Rodríguez. Cet étudiant, sympathisant communiste, avait trahi, en 1957, quatre de ses compagnons qui conspiraient contre Batista. Ils avaient été mis à mort par la police du dictateur — c'était le célèbre « crime de la rue Humboldt » — et l'on découvrit plus tard que Rodríguez était effectivement protégé par des membres influents du « vieux » Parti communiste. Faure Chomón Mediavilla, ancien chef du Directoire révolutionnaire étudiant dont les quatre jeunes gens assassinés étaient membres, produisit les preuves qui accablèrent Rodríguez. Le fait était d'autant plus intéressant que Chomón était alors ambassadeur de Cuba à Moscou. La vie politique cubaine fut évidemment affectée par le procès Rodríguez qui ravivait toutes les vieilles rancœurs fidélistes contre les communistes et contre les Russes, mais Castro préféra laisser crever l'abcès. Peut-être avait-il décidé d'utiliser l'affaire pour donner un nouvel avertissement aux « vieux » communistes et les empêcher de retomber dans les erreurs du « sectarisme », à la veille de la création du nouveau parti. En tout état de cause, le procès qui se tint pendant le mois de mars 1964 et qui connut son apogée avec un témoignage-fleuve de Castro, extrêmement confus et déroutant, fut tout à fait byzantin. Fidel réussit à laver le Parti de toute véritable culpabilité, mais en s'arrangeant pour que nombre de ses dirigeants soient éclaboussés : condamné à mort par deux fois (la seconde fois ce fut en appel, à l'initiative de Fidel), Rodríguez fut exécuté.

Au cours de l'été 1964, Castro laissa transparaître — surtout dans des interviews — quelques indications destinées à faire croire qu'il souhaitait une amélioration des relations de Cuba avec les Etats-Unis. Il inaugurait ainsi une tactique que l'on allait voir se développer au cours des vingt années suivantes : laissant toujours la porte ouverte à quelque accommodement avec Washington, il continuait de s'appuyer sur les Soviétiques pour assurer sa survie économique et sa défense militaire. Il était toujours persuadé que, en matière de politique étrangère, il fallait avoir plusieurs fers au feu, de manière à se servir de l'un ou de l'autre selon les circonstances. Vers la mi-1964, par exemple, il manifesta un regain d'intérêt pour d'éventuelles négociations avec les Etats-Unis, alors même qu'il s'intéressait de près aux complots révolutionnaires dans toute l'Amérique latine (sans guère de succès) et qu'il était la cible de fortes pressions de la part du gouvernement Johnson. A nouveau, les avions espions U-2 survolaient Cuba et la CIA trempait de plus belle dans des tentatives d'assassinat.

(Dans une interview qu'il m'accorda vers le milieu de l'année 1985, à l'époque où il était toujours ministre de l'Intérieur, Ramiro Valdés me raconta que la plupart des complots fomentés par la CIA, près d'une trentaine en tout, avaient pris place en 1964 et 1965. D'après lui, le seul qui fut bien près de réussir eut lieu en 1964, un jour où Fidel s'était arrêté, comme il en avait l'habitude, pour prendre un milkshake à la cafétéria de l'hôtel Habana Libre. Connaissant cette habitude, la CIA avait soudoyé l'un des serveurs et l'avait persuadé de jeter une capsule de cyanure dans le verre de Castro. Celui-ci se rendit à la cafétéria, commanda un milkshake, l'employé prit la capsule dans le réfrigérateur où il la gardait en réserve et se prépara à la mettre dans la boisson. Mais, raconte Valdés, « la capsule était gelée, elle se brisa et l'homme ne put la glisser dans le milkshake. Apparemment, il était très nerveux. Et comme vous le savez, le cyanure est un poison mortel ; Fidel aurait été tué sur le coup... Il l'a vraiment échappé belle, ce jour-là. »)

Les ouvertures en direction des Etats-Unis n'aboutirent à rien, mais au mois d'octobre 1964, Castro se trouva soudain en face de nouveaux interlocuteurs en Union soviétique. Au moment où le président Dorticós était en visite à Moscou, Nikita Khrouchtchev fut expulsé du Comité central et remplacé par Leonid Brejnev comme Secrétaire général du Parti communiste ; Alexis Kossyguine devint Premier ministre et Nikolaï Podgorny, chef de l'Etat. En novembre, Guevara se rendit à Moscou pour ce qui devait être son dernier voyage dans la capitale soviétique. Il allait y voir confirmer ses soupçons, à savoir que l'Union soviétique n'incarnait plus du tout la véritable révolution. Mais pour Castro, chargé de la responsabilité immédiate de maintenir Cuba à flot, la question brûlante était de savoir si, sous la direction de Brejnev, l'URSS continuerait d'apporter à l'île le même soutien inconditionnel qu'à l'époque de Nikita Khrouchtchev. Sa conclusion, qui se révéla exacte, fut qu'il n'y avait aucune raison pour que les choses changent.

Si le fait de n'avoir pas suffisamment consulté ses collègues du Politburo pendant la crise des missiles figura parmi les quinze chefs d'accusation officiellement retenus contre Khrouchtchev, et si l'équipée cubaine fut l'une des véritables raisons de sa disgrâce, Castro demeurait cependant un allié de valeur et un bon atout pour les intérêts stratégiques soviétiques ; il n'aurait pas été de bonne politique de le pénaliser. Fidel fit d'ailleurs remarquer un jour en privé que, suprême paradoxe de ces événements, c'est à la suite de l'humiliation infligée à Khrouchtchev par Kennedy à Cuba, que les Soviétiques prirent la décision de rattraper leur retard sur les Etats-Unis et se lancèrent dans un programme d'armement nucléaire accéléré ; ils voulaient être sûrs qu'ils ne seraient jamais plus en état de se voir imposer pareil revers. Dans ses Mémoires, Khrouchtchev écrit : « L'expérience de la crise des Antilles nous a également convaincus que nous avions raison de nous consacrer à la fabrication de missiles nucléaires... Lorsque nous avons créé des missiles dont l'Amérique et le monde entier savaient qu'ils pouvaient asséner un coup terrible sur n'importe quelle partie du globe — cela fut l'équivalent d'une victoire militaire triomphale... pour la défense de notre sécurité. » C'est ainsi que, sans l'avoir cherché, Castro contribua à modifier de façon fondamentale l'équilibre nucléaire des superpuissances.

Pendant ce temps-là, le dirigeant cubain décidait de faire une nouvelle démonstration de son indépendance ; il n'alla pas à Moscou féliciter Brejnev de son accession au pouvoir. Une telle démarche était de mise pour les dirigeants des pays satellites d'Europe de l'Est et d'Asie, mais elle ne convenait pas au chef révolutionnaire cubain qui avait fait ses preuves et qui avait déjà eu bon nombre de désaccords avec les Russes. Fidel attendit huit ans avant de se rendre à nouveau à Moscou. Il m'a dit que de nombreuses années s'étaient écoulées avant que les relations soviéto-cubaines retrouvent le ton de cordialité qui les caractérisait avant la crise des missiles. C'est à Raúl Castro que fut confiée la mission d'entretenir des contacts au niveau le plus élevé, avec le Kremlin ; il rencontra Brejnev pour la première fois le 2 avril 1965 et, par la suite, se rendit régulièrement à Moscou, en moyenne deux fois par an. Entre 1967 et 1971, le président Dorticós y alla quatre fois, tandis qu'Alexis Kossyguine faisait deux visites à La Havane en 1967 et en 1971. Mais, après 1965, le contact permanent entre Cuba et l'Union soviétique était établi au niveau des vice-présidents du conseil des ministres ; Carlos Rafael Rodríguez exerça cette responsabilité pendant plus de vingt ans et le vice-président Vladimir Novikov remplaça Anastase Mikoïan dans ce travail à plein temps qu'exigeaient les relations avec Cuba. Tout récemment, le vice-Premier ministre Ivan Arjipov a hérité de ce casse-tête stratégique.

Entre 1960 et 1970, le désaccord sous-jacent entre les Cubains et les Soviétiques était alimenté par les révolutions survenues dans le tiers monde — outre les retombées de la crise des missiles, les problèmes permanents de l'aide économique et le rôle des « vieux » communistes, inféodés à Moscou, dans le nouveau communisme introduit à Cuba par Fidel Castro. Che Guevara avait joué un rôle intellectuel crucial dans ce domaine, en véritable apôtre, convaincu que le devoir d'une révolution triomphante consistait à en engendrer de nouvelles en d'autres lieux. (Mais Che était trop fin pour adopter la rhétorique trotskiste et prêcher la « révolution permanente ».) Guevara et Castro avaient partagé cette opinion dès leur première rencontre au Mexique et tous deux cherchèrent à l'appliquer dès qu'ils eurent conquis le pouvoir.

Aux yeux de Guevara, il s'agissait d'un concept idéologique, romantique et mystique — un idéal suprême, pour lequel il consentit le sacrifice de sa vie dans les jungles boliviennes. Castro était beaucoup plus pratique à cet égard : il savait que, si elle faisait des émules ailleurs, en Amérique latine, la révolution cubaine en serait affermie. C'est lui qui avait inventé la fameuse formule à la Guevara : les Andes seront la Sierra Maestra des Amériques. Et le jour où il déclara solennellement, le 2 décembre 1961 : « Je suis marxiste-léniniste et je le demeurerai jusqu'à la fin de mes jours », il s'engageait à propager la révolution marxiste-léniniste dans le tiers monde. Telle était la raison du soutien qu'il apporta, dès le commencement des années 1960, aux débuts de la guérilla au Venezuela (après l'échec de ses premières expéditions révolutionnaires dans les Antilles), et des conseils que Che Guevara prodiguait aux gauchistes du Congo-Brazzaville comme aux guérilleros du FRELIMO au Mozambique.

Cependant, rien de tout cela ne plaisait aux dirigeants soviétiques (ni à l'époque de Khrouchtchev ni sous le règne de Brejnev) dont la pensée, toujours marquée par la prudence propre aux superpuissances, penchait vers les coalitions communistes traditionnelles et vers la formation de « fronts populaires » avec la « bourgeoisie progressiste », plutôt que vers des révolutions aux conséquences imprévisibles. Il est curieux de constater que les Soviétiques appliquaient au tiers monde les tactiques politiques modérées de l' « eurocommunisme » et prenaient bien soin de ne pas provoquer les Etats-Unis à l'excès. De plus, ils craignaient que les révolutions inattendues — et réussies — ne fussent récupérées par la Chine, ce tout nouvel ennemi irréductible du Kremlin. Dans le cas de Cuba, les Soviétiques s'attachaient donc à décourager les impulsions révolutionnaires dirigées vers l'Amérique latine ou l'Afrique. Suprême paradoxe, Moscou haïssait « l'exportation de la révolution » autant que Washington la craignait. Pour l'une et l'autre capitales, cette promotion des révolutions entreprise par Cuba était tout aussi « putschiste » et « aventuriste » à l'échelle internationale que l'avaient été en leur temps, à Cuba, le coup de main de Moncada et la guerre de la Sierra.

Pour montrer leur mécontentement, les Russes se mirent à harceler Castro de mille manières, imposant de longs délais à la signature des accords d'aide économique (baptisés « traités de commerce ») ou autres, ainsi qu'à la livraison de marchandises aussi indispensables que le pétrole. Pour les Soviétiques, c'était là le meilleur moyen de ramener Castro à la raison, sinon de le mettre à genoux — et l'intéressé réagissait par des manifestations d'indépendance, comme la création de nouveaux méca-nismes internationaux d'encouragement à la révolution, ou un refus de venir rendre visite à Brejnev à Moscou. Mais c'est à Che Guevara que revint l'initiative de lancer une attaque publique contre les Soviétiques. Dans le dernier discours qu'il prononça, le 24 février 1965, devant le séminaire économique patronné par l'Organisation de Solidarité des Peuples afro-asiatiques, à Alger, il accusa clairement Moscou d'agir de manière aussi nocive que les « impérialistes » à l'égard des nouveaux pays du tiers monde.

Che affirma d'abord que « les pays socialistes devaient souscrire au développement des pays qui commençaient de s'engager sur la voie de leur libération » et il attaqua les Russes qui, à l'en croire, imposaient des conditions trop dures aux pays bénéficiaires de leurs largesses. « Nul ne devrait plus parler de relations commerciales bénéfiques aux deux parties si l'on continue de pratiquer des prix que la loi de la demande et l'inégalité des relations internationales ont imposés aux pays en développement, s'écria Guevara. Si nous instaurons ce genre de rapports entre nos deux groupes de nations, nous devons admettre que les pays socialistes se font, dans une certaine mesure, les complices de l'exploitation impérialiste... C'est là une grande vérité, mais il ne suffit pas de dénoncer le caractère immoral de ce genre d'échange. Il faut aussi que les pays socialistes s'imposent le devoir moral de mettre fin à leur complicité tacite avec les exploiteurs de l'Occident... cela suppose un bouleversement de toutes les notions qui régissent les relations internationales. Les échanges internationaux ne doivent pas dicter la politique à suivre, mais bien au contraire, ils doivent obéir à une politique de fraternité entre les peuples. »

Ce n'était pas là un langage que les Soviétiques auraient normalement toléré de la part d'un de leurs clients, mais ils n'étaient pas en mesure de rompre avec Cuba, aussi n'y eut-il aucune réaction officielle à l'éclat de Guevara. Il se trouve que Raúl Castro et Osmany Cienfuegos, alors ministre de la Construction, arrivèrent à Moscou le jour même où Guevara parlait à Alger, afin de participer à une réunion préparatoire avant la Conférence des Partis communistes du monde entier, qui devait se tenir au mois de mars. La voix de Cuba était d'un grand poids, dans la rivalité sino-soviétique, et le Kremlin n'allait certainement pas froncer le sourcil devant l'attitude frondeuse de Guevara. Quoi qu'ait pensé Fidel de ce discours, il alla accueillir l'orateur à l'aéroport de La Havane le 15 mars ; le geste était également destiné aux Soviétiques.

C'est à ce moment que le fil se rompit et que Che disparut de la circulation — on ne devait plus revoir que son cadavre, trente mois plus tard, en Bolivie. Le mystère demeure toujours aussi épais quant à ce qui s'est vraiment passé : on ignore toujours s'il y a eu rupture entre Castro et Guevara, comme d'aucuns l'ont suggéré, ou si Che est vraiment parti de son plein gré. Etant donné la personnalité de Fidel, il est tout à fait invraisemblable que, pour des raisons politiques ou idéologiques, il ait tourné le dos à un compagnon aussi intime et aussi loyal que Che. Ce n'était certainement pas un rival. Mais il est exact pourtant qu'en 1965, il n'y avait plus place pour lui dans la révolution cubaine. Fidel avait rejeté ses plans de redressement économique et repris les commandes de l'agriculture en assumant à nouveau la présidence de l'INRA. Au point de vue international, Che perdait de son utilité pour Castro parce que le monde communiste le considérait dorénavant d'un œil soupçonneux. En l'absence de toute preuve qui nous permettrait d'apporter une conclusion contraire, il nous faut supposer que Guevara quitta Cuba à la suite d'une décision prise par les deux hommes. Il semble que ce départ ait eu lieu le 1ᵉʳ avril. Il est certain qu'il est difficile de l'imaginer aujourd'hui sous les traits d'un révolutionnaire vieillissant, approchant la soixantaine et occupant toujours une position inférieure à celles de Fidel et de Raúl. Cette pensée doit avoir traversé l'esprit d'un homme sensible et orgueilleux comme Che.

On aurait cependant tort de conclure que, à la suite de la disparition de Guevara, Fidel dut renoncer aux objectifs révolutionnaires qui leur étaient communs, ou se montrer plus souple vis-à-vis des Soviétiques et de leurs affiliés cubains.

Au mois de novembre 1964, Castro avait limogé Joaquín Ordoqui, un « vieux » dirigeant communiste, ministre adjoint de la Défense, et l'avait fait arrêter ainsi que sa femme, Edith García Buchaca. Tous deux avaient été mis en cause lors de la purge « sectariste » de 1962 comme dans le procès Rodríguez en mars 1964, mais Castro agit contre eux immédiatement après les changements survenus dans la direction du Kremlin, comme pour rappeler à la nouvelle équipe qu'elle n'avait pas à s'immiscer dans la politique cubaine à l'égard des communistes. Le traité commercial pour 1965 fut signé le 17 février, très en retard sur la date prévue, une semaine avant le discours vengeur de Che à Alger. Guevara se trouvait encore à l'étranger lorsque Castro se mit lui aussi à critiquer les Russes qu'il accusa de ne pas aider assez efficacement le gouvernement de Hanoï, de n'avoir pas réagi plus vigoureusement contre les bombardements américains contre le Nord-Vietnam depuis le mois de février. « Nous pensons qu'il faut accorder au Vietnam toute l'aide dont il peut avoir besoin, et que cette aide doit prendre la forme de fournitures d'armes ou d'envoi de troupes, nous souhaitons que le camp socialiste prenne des risques si cela se révèle nécessaire pour le Vietnam », proclama-t-il dans un discours, le 13 mars. Et Castro abandonna même sa position pro-soviétique dans le différend Moscou-Pékin pour protester contre ce clivage et constater : « Même les attaques contre le Vietnam du Nord n'ont pas aidé la famille socialiste à surmonter ces divisions qui la déchirent. »

Naturellement, Fidel ne put rien faire contre le débarquement des Etats-Unis en république Dominicaine, en avril 1965 ; les Américains étaient intervenus dans la guerre civile aux côtés des généraux en révolte contre les centristes de gauche, défenseurs du gouvernement légitime. Le président Lyndon Johnson avait ordonné cette opération afin d'étouffer dans l'œuf ce qu'il prétendait être une menace communiste, probablement fomentée par Cuba, mais en l'occurrence ce fut Castro qui moissonna les profits politiques. Il n'avait joué aucun rôle dans la guerre civile (même si, par la suite, les dirigeants vaincus devaient établir avec lui des liens étroits), mais le spectacle de soldats américains aux prises avec des Dominicains avait une valeur de propagande sans prix pour la stratégie « anti-impérialiste » de Fidel, en politique intérieure comme sur le plan international.

Le Vietnam et la république Dominicaine fournirent à Castro les meilleurs des arguments révolutionnaires pour la convocation de la « Conférence tricontinentale » à La Havane en janvier 1966 ; le but de l'opération était d'assurer à Fidel une position prédominante dans le tiers monde. La conférence engendra deux organisations, l'OSPAAAL (Organisation de Solidarité des peuples d'Afrique, d'Asie et d'Amérique latine) et l'OLAS (Organisation latino-américaine de Solidarité), qui avaient toutes deux leur siège dans la capitale cubaine. Parmi les délégations présentes à la Conférence figurait un dirigeant rebelle angolais, un poète nommé Antonio Agostinho Neto, chef du Mouvement populaire pour la libération de l'Angola (MPLA), engagé dans une guerre de libération contre le Portugal. Neto était un homme d'une remarquable intelligence, doté de multiples qualités ; Castro et lui sympathisèrent ; bientôt les guérilleros du MPLA commencèrent à recevoir en secret un entraînement sur l'île de la Jeunesse, en même temps qu'un nombre croissant d'autres groupes révolutionnaires originaires d'Afrique et d'Amérique latine. C'est à ces événements que remonte l'engagement massif auquel Castro devait satisfaire par la suite en Angola et, plus tard encore, en Ethiopie. Les Cubains firent venir du Brésil Francisco Julião, chef des ligues paysannes qui voulaient la réforme agraire dans le Nord-Est du pays, ruiné par la sécheresse (mais jamais Julião ne devint un véritable révolutionnaire).

Un mois après cette réunion de la Conférence tricontinentale, l'Union soviétique, faisant contre mauvaise fortune bon cœur et rengainant son hostilité envers les nouveaux instruments révolutionnaires onéreux de Castro, signa l'accord commercial de 1966 ; les échanges atteignaient le chiffre record de un milliard de dollars et Cuba recevait de nouveaux crédits pour la somme de 91 millions de dollars. Comme d'habitude, Castro avait bien calculé ses risques, et au cours de l'année 1967 il eut la satisfaction de pouvoir attaquer l'Union soviétique tout en se laissant courtiser par elle.

Dans un discours prononcé le 13 mars, il attaqua le Parti communiste vénézuélien, qui était dans l'obédience de Moscou, pour n'avoir pas aidé la guérilla en lutte contre le gouvernement démocratiquement élu par le pays : les guérilleros étaient trahis, selon lui. Au mois d'avril, une nouvelle session de la Tricontinentale à La Havane reçut un message radio, envoyé du fond de la jungle bolivienne par Che Guevara ; il contenait cette exhortation : « Comme nous serions proches d'un avenir radieux, s'il existait de par le monde deux, trois, ou de multiples Vietnam, chacun avec leur part de morts et leurs immenses tragédies, leurs tragédies quotidiennes, leur héroïsme de chaque jour et les coups répétés qu'ils porteraient à l'impérialisme. » S'adressant implicitement aux Soviétiques, Che faisait remarquer : « La solidarité de toutes les forces progressistes du monde avec le peuple du Vietnam ressemble aujourd'hui à l'affreuse angoisse de la plèbe encourageant les gladiateurs dans l'arène romaine. Il ne s'agit pas de souhaiter à la victime d'une agression qu'elle remporte la victoire, mais de partager son destin ; chacun doit l'accompagner jusqu'à la mort ou jusqu'à la victoire. »

Sans se montrer troublé le moins du monde, Alexis Kossyguine atterrit à La Havane le 26 juin 1967. Il revenait de sa rencontre au sommet avec le président Johnson, à Glassboro dans le New Jersey, et sur le chemin du retour, il s'arrêtait à Cuba pour quatre jours ; c'était là un geste de courtoisie exceptionnelle. Dans son discours du 26 juillet, Fidel fit savoir au monde qu'en cas d'agression, Cuba se battrait seule et que jamais elle n'accepterait d'armistice ; c'était une allusion transparente à l'accord américano-soviétique qui avait mis fin à la crise des missiles en 1962. Au début du mois d'août, il présida une conférence latino-américaine de l'OLAS ; il en profita pour renouveler ses attaques contre le Parti communiste du Vénézuela et accuser l'Union soviétique d'aider et de soutenir les gouvernements réactionnaires d'Amérique latine. (Il cita expressément le Vénézuela et la Colombie dirigés tous deux par des gouvernements démocratiquement élus, en lutte contre des mouvements de guérilla soutenus par Cuba et s'exclama avec indignation : « Si l'internationalisme existe, si la solidarité n'est pas un vain mot, le moins que nous puissions attendre de n'importe quel Etat du camp socialiste, c'est qu'il s'abstienne de fournir à ces régimes une aide financière ou technique. ») La résolution approuvée par la conférence de l'OLAS proclamait en guise d'avertissement que des révolutions et des insurrections armées éclateraient même sans le concours des partis communistes et que, en fait, point n'était besoin de confier aux communistes la direction des mouvements révolutionnaires.

Désormais, Fidel provoquait ouvertement les Russes, comme s'il voulait les pousser à bout, et il semblait jouer ce jeu simplement pour apporter la preuve que sa doctrine révolutionnaire était la bonne. Il n'avait rien à tirer de cet affrontement ; il avait déjà revendiqué sa différence à maintes reprises, les Russes avaient fait preuve à son égard d'une mansuétude qu'ils n'avaient manifestée envers personne d'autre et, par conséquent, il n'avait aucun besoin d'aller taquiner l'ours. C'est pourtant là un des traits caractéristiques de Castro ; il lui faut voir jusqu'où il peut aller ; il a agi ainsi d'abord avec les Américains, ensuite avec les Soviétiques.

Castro apprit la mort de Che Guevara le 9 octobre ; on lui fit également savoir que le corps avait été mutilé par les « rangers » boliviens. Un deuil officiel fut proclamé dans l'île et personne ne douta du chagrin de Fidel ; il *était* très attaché à Guevara, nonobstant les différends qu'ils avaient pu avoir lorsqu'ils essayaient ensemble de forger le communisme cubain. On ne sait si la mort du Che eut une influence ultérieure sur les relations entre Cuba et l'Union soviétique, mais celles-ci furent au plus bas pendant tout l'automne. Castro traita par le mépris le cinquantième anniversaire de la Révolution d'Octobre ; il refusa une invitation à se rendre à Moscou et se contenta d'envoyer une délégation à la tête de laquelle figurait le ministre de la Santé, José R. Machado Ventura (l'année précédente, à la même date, Raúl Castro et le président Dorticós avaient dirigé la délégation cubaine). Ce fut un militant d'origine polonaise, Fábio Grobart, le cofondateur du vieux Parti communiste cubain — et non Castro —, qui prononça le principal discours lors des célébrations de l'anniversaire à La Havane. Les frères Castro, Dorticós et les autres dirigeants daignèrent assister à la réception donnée à l'ambassade d'Union soviétique le 7 novembre, mais ils furent accueillis par le chargé d'affaires ; l'ambassadeur se trouvait comme par hasard à Moscou. Bientôt les Soviétiques décidèrent que le moment était venu de donner une leçon à Castro.

Pour Castro comme pour Cuba, 1968 se révéla être la pire des années depuis la révolution ; tout semblait se défaire et si Fidel put empêcher l'effondrement total, ce fut par sa seule énergie et grâce à ses mécanismes de sécurité. D'une certaine manière, les difficultés de 1968 furent plus redoutables et plus complexes que l'invasion de la Baie des Cochons et la crise des missiles, parce qu'elles mirent à l'épreuve l'essence même du régime révolutionnaire. Il est bizarre de constater que le gouvernement Johnson ne comprit jamais à quel point Castro était devenu vulnérable. Peut-être était-il trop absorbé par l'offensive du Têt qui se déroulait au Vietnam et par ses conséquences pour accorder beaucoup d'attention à la petite île des Antilles qui, pour l'heure, ne menaçait guère les Etats-Unis.

En hommage à Che Guevara, 1968 reçut le nom d' « année du *Guérillero héroïque* ». C'était exactement le personnage que Fidel devait être, lui aussi, à ce moment précis s'il voulait survivre. Tout allait mal ; tandis que l'économie cubaine vacillait au bord de la catastrophe en raison d'une planification aberrante (en fait, Castro n'avait jamais élaboré de plans économiques cohérents, il n'avait que de grandioses ambitions) et d'une gestion consternante, il ne cessait de provoquer les Russes qui représentaient pourtant la dernière planche de salut pour la révolution cubaine. De plus, pour être en accord avec lui-même, il écrasa la faction des « vieux » communistes, désormais incorporée à son Parti communiste cubain tout neuf, sous prétexte qu'elle était pro-soviétique. Dans un entretien qu'il eut au mois d'août 1967 avec le journaliste français K. S. Karol, Fidel affirma que « dans un an ou deux », Cuba se suffirait à elle-même dans le domaine économique, car ses exportations auraient augmenté au point que l'île n'aurait plus à dépendre d'un seul marché et d'un seul fournisseur. C'est pourquoi, affirma-t-il à Karol (dont le nom comme le livre sont bannis de Cuba à cause de sa critique « gauchiste » de Fidel), il n'avait rien à craindre si son indépendance idéologique et son attitude de défi le privaient du soutien soviétique. La réalité fut toute différente — et plutôt pénible à supporter —, comme il aurait dû le savoir.

Le premier aspect de cette réalité était la situation économique. Même si, dès 1960, Castro avait créé le JUCEPLAN, organisation centrale calquée sur le GOSPLAN, l'organisme de planification centrale soviétique, il fut personnellement responsable de son mauvais fonctionnement. Son impatience le poussait à des changements constants dans la planification à court terme, à moyen terme et à long terme ; l'improvisation était la règle. Jamais il ne laissait à une idée le temps de mûrir et de produire des résultats, bons ou mauvais. Il manquait donc une coordination d'ensemble. En outre, des pressions politiques ou ses propres idées de visionnaire le poussaient à prendre des décisions subites, à entreprendre des projets grandioses que l'état de l'économie ne permettait absolument pas. L'idée de produire en 1970 la plus grosse récolte de sucre de l'histoire illustre parfaitement notre propos. Dans le même temps, les importants investissements de capitaux exigés par des programmes de développement industriel ou agricole irréfléchis, coûtaient à Cuba des ressources d'autant plus précieuses qu'elles étaient détournées des activités économiques normales. Inévitablement, la production chuta dans tous les secteurs, les pénuries de toute sorte s'aggravèrent et les Cubains se virent exhorter (quand ils n'y étaient pas forcés) à consentir des sacrifices pour l'avenir de la révolution.

En 1968, Castro assumait personnellement la planification et l'application de la politique économique ; il refusait toute suggestion et n'admettait naturellement aucune discussion. Ce fut un tournant curieux dans sa vie. Ayant atteint la quarantaine, il ne ressemblait plus au jeune homme de la Sierra et s'était métamorphosé en un personnage étroitement dogmatique dans son credo idéologique, social et économique, n'ayant que dédain pour l'expérience des autres, individus ou sociétés, et rejetant avec mépris nombre de théories marxistes et soviétiques. Quand enfin les Russes lui imposèrent leur volonté, Fidel sut courber l'échine et mettre une sourdine à ses manifestations publiques d'indépendance, aussi longtemps que la prudence lui sembla l'exiger, mais il n'abandonna jamais son dogme personnel dont il était toujours prêt à proclamer les vertus. Entre-temps, la faillite de l'économie cubaine était proche. La sécheresse et les dégâts causés en 1967 par le cyclone Inez aggravèrent encore la situation. La production s'arrêta presque ; René Dumont, l'expert agronome français qui fut aussi l'un des observateurs étrangers les plus perspicaces de la scène cubaine vers la fin des années 1960, devait dire plus tard : « Il n'y avait rien à acheter, et c'est pourquoi il n'y avait aucune raison de travailler. » Ailleurs dans le monde communiste, en particulier en Hongrie et en Tchécoslovaquie, les planificateurs commençaient à faire l'expérience de l'économie de marché, justement pour qu'il y ait quelque chose à acheter. A Cuba, Castro semblait bien décidé à prouver que, dans l'histoire économique marxiste, reculer c'était aller de l'avant sur la voie du progrès.

Le 31 mars 1968, jour anniversaire de l'assaut des étudiants contre le palais de Batista, Castro proclama une nouvelle révolution radicale à Cuba, qui en un sens était pour lui l'équivalent de la Révolution culturelle chinoise, laquelle commençait à s'essouffler dans son pays d'origine. Cuba n'avait pas de Gardes Rouges et il n'y eut pas d'effusion de sang, mais Fidel décida de nationaliser tout commerce de détail qui appartenait encore au secteur privé, soit 58 012 affaires — de l'atelier de réparation à la petite boutique d'en face, et des cafés aux kiosques ambulants des vendeurs de sandwichs ou de glaces — tout cela pour des motifs idéologiques. A l'instar de Mao Tsé-toung, Castro avait dû sentir que la ferveur révolutionnaire du peuple s'épuisait et qu'une forte injection d'extrémisme était indispensable pour que la machine reparte. Il baptisa le tout du nom de « Grande Offensive révolutionnaire », procéda à la purification révolutionnaire de la société cubaine en éliminant les restes de la « bourgeoisie » qu'il exécrait tant, et mobilisa toute la population de Cuba sur une échelle colossale pour la faire participer à la production agricole (tout le monde devait faire volontairement du travail supplémentaire) et, en particulier, à la gigantesque récolte de sucre qu'il avait prévue pour 1970.

Castro dévoila ce que serait la nouvelle étape de la révolution dans l'un de ses discours les plus compliqués (et les plus longs). L'événement se déroula à l'université de La Havane, devant un auditoire composé de centaines de milliers de personnes. De mémoire, Fidel dévida une impressionnante série de chiffres et de statistiques sur la production et les importations de produits laitiers, sur la mesure des précipitations annuelles dans chaque province, les variations des cours du sucre pendant les seize dernières années, l'augmentation de la production des œufs, la croissance démographique, le produit de la pêche, la comparaison des différents PNB dans le monde, le revenu par habitant, les investissements économiques, l'enseignement, les sports et la distribution des produits alimentaires, y compris dans les cantines scolaires ou les réfectoires d'entreprise. Après avoir recensé les impressionnantes conquêtes sociales de la révolution, ce discours économique, qui n'était pas sans rappeler le modèle américain du « message sur l'état de l'Union », changea de ton, pour devenir une dénonciation en règle de « ceux qui ne travaillent pas, les paresseux, les parasites, les privilégiés et une certaine catégorie d'exploiteurs dont on trouve encore quelques spécimens dans notre pays ».

Castro a toujours été maître dans l'art de manipuler des chiffres et des faits aussi importants que vagues, et quantité de statistiques qui lui permettent de marquer des points en politique, de couvrir d'opprobre et de ridicule les victimes de ses attaques, tout en amusant follement son auditoire. Cette fois, il fit remarquer qu'il « existait encore [à La Havane] 955 bars appartenant à des particuliers, grapillant l'argent à droite et à gauche, et consommant des biens », ce qu'il considéra comme « une chose incroyable » neuf ans après la révolution. Il continua sur ce ton pendant près d'une heure, accumulant les résultats d'enquêtes sur ces bars et sur d'autres entreprises privées, et proposant de temps à autre des conclusions comme celle-ci : « les données recueillies sur les kiosques des marchands de hot-dogs... ont prouvé qu'un grand nombre de candidats à l'émigration se livrent à ce genre d'affaires, qui non seulement leur assurent des bénéfices élevés mais leur permettent d'avoir des contacts avec les *lumpen* et avec d'autres éléments antisociaux et contre-révolutionnaires ». Exploitant plus avant ce lien entre les hot-dogs et la contre-révolution, Fidel informa son auditoire que « le plus fort pourcentage des personnes qui ne se sont pas intégrées à la Révolution se trouve parmi les propriétaires de kiosques de hot-dogs ; sur les quarante et un individus qui ont répondu à cette question, trente-neuf, soit 95,1 %, étaient des contre-révolutionnaires ». Tandis que la foule riait et applaudissait, Castro s'écria : « Est-ce que nous allons construire le socialisme, ou bien seulement bâtir des kiosques à sandwichs ?... Nous n'avons pas fait la Révolution pour asseoir les droits du négoce ! Il y a eu une telle révolution en 1789 — c'était l'ère de la révolution bourgeoise, c'était la révolution des marchands, la révolution des nantis. Quand donc finiront-ils par comprendre que nous faisons ici une Révolution de socialistes, que c'est une Révolution de communistes... que personne ici n'a versé son sang en combattant contre la tyrannie, contre les mercenaires, contre les bandits, pour reconnaître à n'importe qui le droit de gagner deux cents pesos en vendant du rhum, ou d'en gagner cinquante en vendant des œufs frits ou des omelettes... »

La foule hurla son approbation quand Castro annonça : « Nettement et définitivement, nous devons proclamer que nous nous proposons d'éliminer toutes les manifestations du commerce privé ! » Il avait déjà fait remarquer que, grâce aux nationalisations de 1968, Cuba avait fortement progressé vers le véritable « socialisme » et qu'elle continuerait sa course sur la voie ultrarévolutionnaire. Alors que le rapport entre les prix et les salaires n'avait cessé depuis des décennies de tourmenter les économistes marxistes, Castro, lui, était prêt en toute naïveté à déclarer à K. S. Karol : « Il est absolument nécessaire de démythifier l'argent et non de le réhabiliter. D'ailleurs, nous envisageons de le supprimer complètement. »

Au début de 1968, la préoccupation immédiate de Fidel Castro était de prévenir l'effondrement de l'économie cubaine, car le refus de Moscou d'augmenter ses livraisons de pétrole risquait de provoquer une catastrophe. C'était la première conséquence de la décision prise par les Soviétiques de mettre Castro au pas, dans le double domaine politique et idéologique. Lorsque le ministre cubain du Commerce extérieur arriva à Moscou au mois d'octobre 1967 afin d'entamer les pourparlers sur un nouvel accord commercial, on lui apprit que les livraisons de pétrole ne seraient pas augmentées et que les 8 % de hausse annuelle demandés par Cuba pour assurer sa croissance resteraient lettre morte. De plus, les Russes refusèrent de transformer en pacte de trois ans les accords commerciaux annuels. (A cette époque, Castro souhaitait vivement voir les Soviétiques s'engager à l'aider sur de plus longues périodes.) Enfin, le Kremlin se montra très vague quant à la date probable de la signature de l'accord de 1968. En privé, quand on lui annonça ces représailles soviétiques sur la fourniture de pétrole, Fidel réagit par une explosion de fureur. Le 2 janvier, il parut à la télévision pour annoncer le rationnement de l'essence et pour ordonner aux sucreries de recourir à d'autres sources d'énergie. Cuba dépendait de l'Union soviétique pour 98 % de ses besoins en pétrole mais, dans sa déclaration télévisée sur le rationnement, Castro affirma que les possibilités d'augmentation des livraisons soviétiques étaient « limitées » et que, de toute façon, la « dignité » empêcherait la Révolution d'aller mendier du pétrole.

Dix jours plus tard, Fidel montrait aux Russes que non seulement il ne se laisserait pas intimider par eux mais qu'il était bien décidé à garder sa liberté de critiquer ouvertement leurs décisions et à conserver son indépendance par rapport au dogme. Il prit la parole lors de la session de clôture du Congrès international de la Culture organisé à La Havane pour redorer moralement le blason de Cuba ; la rencontre, qui avait duré une semaine, rassemblait cinq cents intellectuels venus de soixante-dix pays, parmi lesquels on pouvait remarquer Jean-Paul Sartre, Lord Bertrand Russell et Julio Cortázar, le plus grand romancier argentin du moment. Fidel, qui se trouvait au mieux de sa forme oratoire, pria ses invités de l'aider à définir de quelle manière les intellectuels pouvaient le mieux servir la révolution. C'était là une façon élégante d'en appeler à l'opinion publique mondiale pour qu'elle comprenne la valeur « réelle » de l'expérience cubaine ; mais Castro ne mâcha pas ses mots lorsqu'il exprima son opinion sur les partis communistes orthodoxes qui « restaient complètement en dehors de la lutte contre l'impérialisme ». Il faisait allusion au fait qu'à l'époque de la crise des missiles en 1962, les partis communistes européens n'avaient pas « mobilisé les masses » pour soutenir Cuba, sous-entendant qu'ils préféraient obéir aux instructions données par Moscou plutôt que de s'engager dans « un juste combat ». Enfin, Fidel fustigea « ces groupes » pour n'avoir pas levé bien haut « la bannière de Che » après la mort de ce dernier : ils ne « sauraient jamais mourir comme lui, ajouta-t-il, ni agir en vrais révolutionnaires comme lui ».

Le 25 janvier, Castro donna le coup de grâce à la prétendue « microfaction » du nouveau Parti communiste, c'est-à-dire à ces mêmes dirigeants, fidèles à l'ancienne ligne du Parti, qu'il avait déjà purgés pour « sectarisme », six ans auparavant, puis réhabilités par la suite. Là encore, cette attaque contre les « vieux » communistes était un coup mal déguisé porté aux Russes, étant donné les liens de longue date qui unissaient les uns aux autres. Aníbal Escalante, le chef supposé du mouvement « sectariste », était comme naguère la cible principale de cette nouvelle purge, mais cette fois il fut arrêté en compagnie de trente-six autres militants ; tous furent jugés pour « complot » contre la Révolution et condamnés à des peines de prison. Pour Escalante, la sentence fut de quinze ans de détention. Pour délicate que fût cette affaire de règlement de comptes au sein du Parti, le régime n'expliqua jamais ouvertement en quoi consistait le complot. Mais une rumeur circula immédiatement : la « microfaction » aurait cherché à convaincre Moscou d'interrompre toute aide économique à Cuba afin de forcer Fidel à partir, et de mettre en place un régime communiste « loyal ». S'il est impossible de savoir à quel point ces accusations correspondaient à la vérité — l'interprétation des attitudes est la clef des démonologies communistes —, il ne semble pas que Castro ait pu inventer toute cette histoire. Les Russes ne dédaignent pas de faire un coup d'état contre leurs meilleurs alliés, s'ils y trouvent leur intérêt, et Castro était en train de se rendre presque insupportable avec sa volonté d'indépendance idéologique et ses demandes de soutien économique massif.

Dans son discours du 13 mars 1968 sur l'Offensive révolutionnaire, Fidel affirma que le Comité central du Parti avait décidé de ne pas publier pour l'instant les minutes du procès à huis clos de la « microfaction » (jamais elles ne le furent). Mais il fit remarquer pourtant que, même si le groupe d'Escalante manquait d'envergure en tant que « force politique », ses activités étaient « très graves par nature... car elles dénotaient une intention politique et révélaient une tendance au sein du mouvement révolutionnaire, un courant conservateur, réactionnaire et franchement réformiste ». Lorsqu'il présenta l'affaire devant le Comité central, Fidel prononça le plus long discours de sa carrière en gardant la parole, sans interruption, de midi à minuit. Plus tard, il devait dire que « les tribunaux révolutionnaires ne se montrèrent pas aussi sévères que d'aucuns l'auraient souhaité, mais... la sévérité gratuite n'a jamais été une caractéristique de notre Révolution. ». Les centaines de Cubains qui ont été jugés par ces tribunaux et qui, vingt ou vingt-cinq ans après, croupissent encore dans les prisons où les ont jetés de vagues accusations ne partageront malheureusement pas cette opinion. Il y a au moins trois cents prisonniers politiques à Cuba — moins d'une trentaine ont été relâchés en 1986 — et, pour autant qu'on le sache, ils sont soumis à des traitements extrêmement rigoureux. Les prisonniers libérés font état de tortures systématiques qui n'ont cessé que vers 1975. Castro ne pourra jamais effacer de l'histoire de sa révolution la tache honteuse de la terreur, aussi absurde que capricieuse, qu'il fait régner dans son « Goulag du Sud », un quart de siècle après sa victoire.

Le seul récit sérieux que je connaisse de l'affaire Escalante, malgré la persistance du silence officiel, m'a été fait à La Havane en 1985 par Fábio Grobart, désormais président de l'Institut historique du Mouvement marxiste-léniniste de Cuba. Ce récit est important parce que Grobart est un proche de Castro et parce qu'il a rouvert à mon intention, comme Fidel l'avait fait lui-même peu auparavant, certains dossiers essentiels concernant les différends soviéto-cubains dans le contexte de la crise des missiles de 1962.

Comme devait me le raconter Grobart, le groupe d'Escalante, « doté d'une discipline qui lui était propre, avait ses objectifs particuliers et ses méthodes à lui, pour s'opposer à la direction du parti, qui était celle de Fidel Castro... Une telle ligne de conduite aurait fort bien pu mener à la destruction de la Révolution, à un clivage au sein même de la Révolution ». Surtout, continua-t-il, le complot d'Escalante « coïncidait avec les problèmes que nous avions en ce temps-là, au mois d'octobre 1962, avec l'introduction des armes nucléaires à Cuba ».

« A cette époque, précisa-t-il, l'Union soviétique a commis un certain nombre d'erreurs, notamment lorsqu'elle a retiré ces missiles sans avoir consulté le gouvernement cubain. Escalante, en véritable saboteur, a profité des désaccords [exprimés par Cuba] sur certains aspects des méthodes pratiquées par l'Union soviétique ; il s'est donné le masque d'un ami de Moscou pour salir la Révolution, en prétendant que " vous devriez savoir qu'ils [Fidel Castro] sont antisoviétiques " et ainsi de suite... Il a tenté de se faire passer pour le véritable champion de l'Union soviétique, ce que Fidel n'avait jamais cessé d'être. Il a essayé de faire des adeptes dans l'intention de démoraliser le Parti, d'affaiblir la confiance illimitée que le Parti et le peuple avaient placée en la personne de Fidel. C'est cela l'erreur, c'est cela le crime qu'Aníbal Escalante a commis. » Ce dernier a accompli une partie de sa peine, puis il mourut après avoir trouvé un emploi de régisseur.

S'étant débarrassé d'Escalante et de son groupe, Castro s'employa à manifester de plus belle l'irritation qu'il ressentait à l'égard des Soviétiques, en refusant d'envoyer une délégation à la conférence mondiale des Partis communistes, que Brejnev avait organisée à Bucarest, au mois de février, afin de porter remède aux divisions internes engendrées par la rupture avec la Chine. C'était là un soufflet direct ; dans son discours de mars, Castro commenta sa décision de ne pas assister au conclave de Bucarest, en expliquant sans avoir l'air d'y toucher que ce n'était « pas là, pour le moment, une question fondamentale ». Le Kremlin riposta, le 22 mars 1968, lors de la signature du nouvel accord commercial avec Cuba : l'ampleur de celui-ci était relativement modeste. Alors que le volume des « échanges » (cet euphémisme désigne l'« aide soviétique ») s'était accru de 23 % entre 1966 et 1967, l'augmentation pour 1968 n'était que de 10 %. De plus, l'accord prévoyait que Cuba paierait les intérêts d'un prêt de 330 millions de dollars destiné à financer le déficit de sa balance commerciale. Enfin, pour aggraver encore les choses, cette dette allait augmenter très rapidement, dans la mesure où Cuba s'était engagée à livrer cinq millions de tonnes de sucre à l'Union soviétique en 1969, alors que sa récolte de 1968 s'élevait à 5,3 millions de tonnes seulement (3 millions de tonnes de moins que la quantité prévue et un million de moins qu'en 1967) ; en outre, Castro savait que la récolte de 1969 serait inférieure à cinq millions de tonnes. Il savait encore que, si les Soviétiques n'augmentaient pas considérablement leur aide, il devrait renoncer à tous ses plans de développement économique si ambitieux. Tandis que *Granma*, l'organe officiel du régime, avait orgueilleusement affirmé le 2 février : « Personne ne peut prétendre que nous sommes un Etat satellite et c'est pour cela que le monde nous respecte », Castro n'eut guère d'autre possibilité que de rentrer dans le rang et d'abandonner, au moins pour un temps, ses exhortations à la lutte révolutionnaire armée partout dans le tiers monde.

Les relations entre La Havane et Moscou étaient très tendues. Alexandre A. Soldatov, diplomate soviétique coriace, fut transféré de Londres à La Havane pour essayer de traiter avec Castro. A Moscou, la *Pravda* fit paraître un éditorial pour dénoncer les « réactionnaires fidèles aux écrits d'individus qui appellent à des changements révolutionnaires dans tout l'ensemble du système social » ; l'accusation semblait bien viser Castro, mais pouvait concerner n'importe qui d'autre. Si aucune des deux parties ne pouvait prendre le risque d'une rupture définitive, il fallut pourtant attendre la fin du mois d'août pour que se dessine entre elles l'ébauche de nouveaux rapports.

2

Juste avant minuit, le 20 août 1968, des forces militaires soviétiques, est-allemandes, polonaises, hongroises et bulgares envahirent la Tchécoslovaquie, pour lui apporter une assistance « fraternelle » dans sa lutte contre le régime communiste réformiste dirigé par Alexandre Dubček. Cela se passait douze ans après que les armées soviétiques eurent noyé dans le sang la rébellion anticommuniste hongroise, sept ans après qu'une brigade d'exilés eut tenté, avec l'appui logistique des Américains, de débarquer dans la Baie des Cochons, et trois ans après que les fusiliers marins américains, appuyés par des troupes aéroportées, eurent débarqué en république Dominicaine pour intervenir dans une guerre civile afin de pallier une prétendue menace communiste.

Au bout de trois jours, Fidel Castro, fort de sa position de client et d'allié, toujours prêt à chercher querelle à son puissant protecteur, ancienne victime d'une invasion lancée par les Etats-Unis, se rendit dans les studios de télévision de La Havane pour expliquer au peuple comment la Révolution cubaine, et lui-même personnellement, réagissaient devant l'occupation d'un pays socialiste par les armées de nations socialistes amies. Il allait exposer longuement ses vues sur la fin prématurée du « printemps de Prague » et sur l'expérience tentée par le parti communiste tchécoslovaque, pour instaurer un « socialisme à visage humain », autrement dit un régime marxiste libéral et non répressif.

Je me trouvais à Prague la nuit de l'invasion. Etant donné que j'avais rendu compte des événements de la Baie des Cochons, de l'intervention en république Dominicaine, et que je m'intéressais en outre particulièrement à la révolution cubaine, j'étais fort curieux de savoir comment Castro se situerait dans la polémique de plus en plus vive qui opposait les partis communistes pro- et antisoviétiques de par le monde, à propos de l'application de la « doctrine Brejnev ». De façon tout à fait obscure, cette doctrine reconnaissait à l'Union soviétique (en réalité, tout simplement parce que Brejnev en avait décidé ainsi) le droit d'intervenir dans les pays communistes voisins si le communisme se trouvait en danger. Pour Cuba, cette idée avait quelque chose de très désagréable, car les Etats-Unis pouvaient décider d'appliquer la doctrine Brejnev dans l'autre sens, afin de protéger ou d'affirmer les démocraties représentatives dans *leur* sphère d'influence. En théorie, une nouvelle tentative similaire à celle de la Baie des Cochons, mais plus réussie, pouvait s'en trouver légitimée. Ainsi, la réaction de Castro face à l'intervention en Tchécoslovaquie pourrait jouer un rôle important dans son propre destin — comme aux yeux des Soviétiques. Ces derniers s'attendaient certainement à une expression de solidarité et de compréhension de la part de cet allié des Antilles qui leur coûtait si cher. Castro releva superbement ce magnifique défi intellectuel.

Il aborda de façon fort astucieuse tous les aspects de la question. Bien que la souveraineté de la Tchécoslovaquie et le droit international eussent été incontestablement bafoués, affirma Fidel, « nous acceptons la dure nécessité qui a exigé l'envoi de ces forces en Tchécoslovaquie, nous ne condamnons pas les pays socialistes qui ont pris cette décision », car il était « impératif d'empêcher à tout prix » que la Tchécoslovaquie se tourne vers « le capitalisme et tombe dans les bras de l'impérialisme ». Mais, continua-t-il, « parce que nous sommes des révolutionnaires... nous avons le droit d'exiger qu'une attitude cohérente soit adoptée à l'égard de toutes les questions touchant aux mouvements révolutionnaires dans le monde ». En d'autres termes, si les armées du bloc soviétique avaient agi pour empêcher la destruction du socialisme en Tchécoslovaquie, « les divisions du Pacte de Varsovie seront-elles envoyées à Cuba si les impérialistes yankees attaquent notre pays et si ce dernier sollicite cette aide au moment où il sera menacé par une attaque des impérialistes yankees ? » Ainsi, Castro manifestait sa solidarité avec l'Union soviétique et avec le principe de « l'intervention socialiste », tout en admettant que les Russes avaient bel et bien violé le droit international. De plus, il demandait une nouvelle garantie militaire soviétique pour la protection de Cuba contre les Etats-Unis, en échange de son « acceptation » de l'intervention de Prague ; il exigeait donc en réalité de nouvelles garanties en plus de celles que, pensait-il, le président Kennedy avait fournies à Khrouchtchev au moment du règlement de la crise des missiles. (L'« entente » Kennedy-Khrouchtchev sur ce point n'a jamais été explicite, mais cela fait vingt-cinq ans que les deux gouvernements la respectent.)

D'une certaine manière, Castro n'a pas été le seul à profiter de la fin du « printemps de Prague ». En soutenant le Kremlin à un moment où, par dizaines et par vingtaines, les partis communistes du monde entier condamnaient l'invasion, il s'octroyait un nouveau titre à l'aide économique soviétique et il utilisait la crise pour mettre un point final à son désaccord avec les Russes — tout cela sans perdre la face. Il se rendit encore utile à Brejnev en annonçant que Cuba était opposée à « toutes ces réformes économiques libérales qui s'étaient faites en Tchécoslovaquie et que l'on voyait aussi éclore dans d'autres pays du camp socialiste ». En ce domaine, en tout cas, il était tout à fait sincère étant donné son adhésion totale aux formes les plus rigides de l'économie marxiste et de la planification stalinienne. Il alla jusqu'à exprimer l'espoir de voir l'Union soviétique repousser la tentation de céder aux sirènes de l'économie de marché. Il lança une attaque en règle contre la Yougoslavie qui avait favorisé des

« politiques libérales bourgeoises » et qu'il accusait d'être un « instrument des impérialistes » tout en faisant semblant de se conduire en Etat communiste. Il dénonça encore les Yougoslaves pour avoir refusé de vendre des armes à Cuba en 1959 ; cet étalage de fureur déboucha plus tard sur des empoignades personnelles déplaisantes entre le maréchal Tito et lui-même, au sein du Mouvement des Non-Alignés.

En dépit du soutien apporté par Castro au Kremlin, à propos de la question tchécoslovaque, les relations soviéto-cubaines ne devaient pas connaître si vite un retour à la normale. Bien des années plus tard, Fidel me raconta que toutes les incompréhensions et toutes les rancunes issues de la crise d'octobre ne furent enfin liquidées que vers la fin de 1968. Les suspicions réciproques étaient encore fortes ; les Soviétiques imposaient toujours des restrictions aux livraisons de pétrole et d'autres produits destinés à Cuba, en attendant que soient résolus toute une série de problèmes en suspens. En fait, la pénurie de pétrole provoquée par les Soviétiques devint si grave à l'automne de 1968 que Raúl Castro dut disposer ses blindés le long des plages en position de siège, prêts à faire feu, parce qu'il n'avait plus de carburant. Dans son discours sur la Tchécoslovaquie, comme dans d'autres déclarations publiques, Fidel continua de critiquer les régimes et les partis communistes qui aidaient les « réactionnaires » d'Amérique latine, et persista à parler d'insurrection armée dans l'hémisphère — toutes choses qui formaient une source permanente d'irritation pour les Soviétiques. Mais son glaive révolutionnaire était émoussé désormais : la mort de Che Guevara en Bolivie, l'effondrement des mouvements de guérilla gauchisants au Venezuela, en Colombie et au Guatemala, rendaient son discours de moins en moins crédible. Castro comme les Russes finirent même par renouer ultérieurement des liens avec les militaires péruviens réformateurs (mais non marxistes) qui avaient renversé, vers la mi-1968, le gouvernement civil démocratique au Pérou. Moscou leur vendit des chars et des avions, tandis que Castro, surmontant en cette occasion sa répugnance à l'égard des régimes militaires, leur envoyait un peu plus tard son ami, le capitaine Nuñez Jiménez, en qualité d'ambassadeur extraordinaire à Lima — certainement dans l'espoir que, avec le temps, les Andes deviendraient un territoire fertile pour la révolution.

Peut-être le dernier point de friction entre Moscou et La Havane était-il la querelle déclenchée autour de Manuel Piñeiro Losada, le vice-ministre de l'Intérieur à la barbe rousse, responsable du département de la sécurité de l'Etat (la police secrète politique). Au cours de l'enquête menée pendant l'affaire Escalante, au début de 1968, le hasard avait voulu que Piñeiro surprît Escalante lui-même au cours d'un rendez-vous clandestin avec un membre du KGB. Plusieurs conseillers soviétiques appartenant à cette organisation étaient en effet attachés au ministère de l'Intérieur ; leur chef prit ombrage de ce que Piñeiro ne lui eût pas remis un rapport sur sa découverte. Raúl Castro, qui dirigeait l'ensemble de l'enquête sur la « microfaction », conta cette étrange histoire au Comité central, ce qui leva un coin du voile sur les rapports entre les deux polices secrètes. D'après son récit, Raúl aurait porté le rendez-vous d'Escalante à la connaissance de l'ambassadeur Soldatov et du principal responsable du KGB, pour découvrir que ce dernier était furieux contre Piñeiro : les Soviétiques n'étaient évidemment pas très satisfaits d'apprendre qu'un de leurs hommes s'était fait piéger en compagnie d'Escalante. Raúl aurait même fait remarquer au responsable du KGB : « C'est tout juste si vous ne me demandez pas d'arrêter Piñeiro parce qu'il ne vous a pas montré assez de respect, et moi je n'en ai pas l'intention. » A quoi l'homme du KGB avait répliqué : « C'est nous qui sommes les patrons de Piñeiro, pas vous... comment pouvez-vous croire que nous... » « Là-dessus, affirma Raúl, je l'ai interrompu en disant : " Nous ne sommes pas de cet avis, mais si vous avez pensé ou agi aussi bêtement, vous feriez bien de prendre ceci pour un avertissement ; il serait plutôt pénible pour nous de découvrir qu'une personnalité soviétique, qu'elle appartienne ou non au monde diplomatique, se mêle de nos affaires intérieures. " » On ne sait pas très bien comment se termina la querelle mais, peu après, Piñeiro abandonna ses fonctions de vice-ministre de l'Intérieur pour prendre la tête du département des Amériques au Comité central ; c'était un poste politique de première importance — et toujours étroitement lié aux services de renseignement.

Quoi qu'il en soit, au mois de novembre, les relations étaient toujours aussi fraîches. Pedro Miret se rendit à Moscou pour assister aux cérémonies marquant l'anniversaire de la Révolution (cette fois-là encore, Fidel, Raúl et le président Dorticós étaient absents). Et ce fut Faustino Pérez, le moins idéologiquement marqué des vieux compagnons de Fidel, qui fut choisi pour prononcer le discours de rigueur lors des célébrations à La Havane, tandis que, à la réception de l'ambassade soviétique, Raúl était la plus haute personnalité cubaine présente ; son grand frère boudait toujours.

Les trois préoccupations essentielles qui absorbaient l'esprit de Fidel en cette fin d'année 1968 étaient la commémoration du centième anniversaire de la première guerre d'indépendance, l'état présent de l'économie et une nouvelle tentative pour resserrer encore les rênes de la vie politique à l'intérieur. Ce dernier souci semble lui avoir été inspiré par la crainte d'une contagion du « printemps de Prague » ; c'est pourquoi, vers la fin de l'année, Raúl et son ministère des Forces armées révolutionnaires lancèrent une attaque contre les intellectuels « bourgeois » et la littérature « contre-révolutionnaire ». Le mot d'ordre était qu'aucun « affaiblissement » de l'esprit révolutionnaire ne serait toléré. En mars 1969, le ministère organisa un « Forum national sur l'Ordre intérieur », destiné à ses propres officiers, aux spécialistes du ministère de l'Intérieur et aux personnalités du Parti, ainsi qu'au Comité de Défense révolutionnaire.

Tous ces efforts entraient dans le cadre de l'Offensive révolutionnaire de 1968 mais, bien évidemment, l'impact des événements de Tchécoslovaquie avait été énorme. Dans l'un de nos entretiens au début de 1984, Fidel Castro m'affirma que, à mesure que tous ces incidents se déroulaient, il avait pensé que Dubček et les autres dirigeants communistes « libéraux » avaient eu grand tort, qu'ils étaient tombés dans l'erreur et qu'on aurait dû les « aider » à temps. Puis nous évoquâmes ce qui venait de se passer en

Pologne et, pour Castro, le Parti communiste polonais n'avait pas su faire face à la situation, en grande partie à cause de la corruption régnante qui avait engendré l'apparition du syndicat libre « Solidarité ». Fidel n'aimait pas du tout « Solidarité », c'était clair et net — d'autres dirigeants cubains ont laissé entendre qu'il y avait eu quelque inquiétude en 1980 et en 1981, au sujet d'une contagion possible à Cuba. Il émit l'hypothèse que le général Wojciech Jaruzelski, le Premier ministre communiste, avait épargné une invasion soviétique à la Pologne en lui imposant la loi martiale et en mettant « Solidarité » hors la loi. (Le point de vue officiel s'était vite répandu dans le monde du cinéma à Cuba : j'ai entendu des metteurs en scène cubains critiquer avec colère en privé le réalisateur Andrzej Wajda pour son *Homme de Fer*, ce superbe film qui évoque l'aventure de « Solidarité » et qui a reçu un prix au Festival de Cannes.)

Parmi d'autres aspects de la révolution cubaine qui prirent une allure troublante au cours des dix premières années du castrisme — et qui subsistent encore —, on peut noter cette même inaptitude du Parti communiste et cette même bureaucratie paralysante que Fidel avait observées avec tant d'inquiétude en Pologne, dans les années antérieures à la création de « Solidarité ». On remarquait aussi ce même conformisme épais de la pensée et du verbe, qui a poussé les cinéastes cubains à dénoncer le film de Wajda, simplement parce que la ligne officielle exigeait que l'on agît de la sorte. Déjà en 1968, il était devenu ordinaire pour Castro et pour *Granma* de déplorer régulièrement, comme pour satisfaire à quelque liturgie, les excès de la bureaucratie, sans jamais faire la moindre tentative pour y porter remède. En vérité, la révolution et la création du nouveau Parti communiste ont donné naissance à une nouvelle classe dominante privilégiée qui s'est édifiée autour et au-dessous de Fidel, et dans laquelle figurent les membres du Parti, ceux de l'appareil de sécurité intérieure et les militaires — il est évident que cette élite ne peut se maintenir qu'en se reposant sur une administration à sa botte. Le culte de la personnalité de Castro est directement dérivé de cette forme d'organisation politique de la société, et on ne peut que se poser immédiatement la question de savoir si, en un temps relativement court, Fidel ne s'est pas trouvé coupé de la masse, isolé des réalités que connaît son peuple.

Au début, sa conception du pouvoir consistait à communier avec les masses en quelque sorte, au moyen du dialogue par lequel il exhortait et enseignait, puis à demander à la foule d'approuver la politique qu'il lui proposait, et enfin de conclure de tout cela qu'il avait obtenu un consensus révolutionnaire. Il était évident pourtant que, en aucune façon, cela ne pouvait passer pour une consultation ; aussi, au bout de quelque temps, Castro ne savait plus ce que pensait le peuple et il ignorait tout de ses préoccupations. Comme il avait aboli la « liberté libéralo-bourgeoise de la presse » au début des années 1960, la lecture de ses journaux quotidiens ou de ses périodiques ne pouvait plus lui apprendre grand-chose de ce qui se passait. Les courtisans ne sont pas les meilleures sources d'information ni les meilleurs messagers de mauvaises nouvelles. Dans les premières années de la révolution, Fidel aimait aller de-ci de-là, un peu partout dans le pays, parcourant la campagne dans sa jeep, s'arrêtant de temps à autre, adressant la parole aux passants, leur demandant avec un intérêt véritable ce qu'ils faisaient et quels étaient leurs problèmes. Cette façon de faire avait elle aussi ses limites, mais il en retirait un sentiment réel de ce qui se passait. En janvier 1984, je lui ai demandé, alors que nous passions en jeep dans la banlieue de La Havane, ce qu'il en était advenu de cette vieille habitude. Il se retourna sur le siège avant — il était assis à côté du chauffeur — et secoua tristement la tête. « Non, je ne le fais plus guère, me répondit-il. Vous comprenez, maintenant que j'assume toutes les responsabilités de la conduite de l'Etat, que j'assiste à des réunions, que je reçois des ambassadeurs, etc., je n'en ai plus guère le temps. »

Dès 1968, les visiteurs étrangers qui passaient pas mal de temps avec Castro — comme les Français K. S. Karol et René Dumont — avaient commencé à se demander si Fidel voulait tout régenter par soif de pouvoir absolu, ou parce qu'il était victime du système qu'il avait lui-même instauré. Quand on le voit agir plus d'un quart de siècle après la révolution, la seule conclusion que l'on puisse en tirer est que les deux hypothèses sont justes et qu'il est lui-même son propre prisonnier, condamné à perpétuité.

S'il en est ainsi, c'est parce que, pour Fidel Castro, la révolution est une lutte permanente, pas nécessairement un combat communiste, socialiste ou marxiste, mais un combat national cubain. Le 10 octobre 1968, sous une pluie battante, il se rendit par avion dans la province d'Oriente afin d'y prononcer un discours patriotique commémorant le centième anniversaire du premier soulèvement de Cuba contre l'Espagne. Tout au long de son intervention, il martela le thème « cent ans de combat », et affirma que, pour Cuba, ce n'était encore que le commencement. Pas une fois il ne mentionna le socialisme, le marxisme-léninisme, le Parti communiste, ou l'Union soviétique. Son texte était consacré à Céspedes et à Martí, et à tous les autres héros des combats pour la libération — mais aussi à la production de sucre. Deux jours auparavant, il avait annoncé avec fierté, tandis que les vagues d'applaudissements s'élevaient autour de lui, que, sur toute la surface de l'île, les Cubains avaient planté exactement 14 287 hectares de canne à sucre en un seul jour, afin de marquer l'anniversaire de l'indépendance et de saluer la mémoire de Che Guevara. Dans l'esprit de Fidel, la récolte de sucre record qu'il prévoyait pour 1970 représenterait le début d'une deuxième période de « cent ans de combat » ; il savait que cet immense effort devait être inspiré par un élan patriotique et non pas idéologique.

Pour obtenir cette récolte de dix millions de tonnes de sucre en 1970, la nation se trouva mobilisée comme pour une guerre. Selon Fidel, l' « honneur de la Révolution » était en jeu. 1969 fut baptisée l' « année de l'Effort décisif ». En même temps, Fidel donnait l'ordre d'introduire de profonds changements dans les pratiques traditionnelles en la matière, pour que le travail commençât en juillet 1969 et se terminât en juillet 1970. Normalement, la durée de la récolte couvre les trois mois d'hiver, mais l'ampleur des plantations et des surfaces mises en culture était si extraordinaire qu'il fallut y consacrer l'année entière. Couper la canne devint donc une obsession ; ce fut l'effort économique essentiel de Cuba, au cours de l'année 1969 ; toutes les autres activités s'en trouvèrent réduites au strict minimum. Les employés du commerce et de l'industrie, les étudiants, les personnes âgées et les enfants, de même que des « brigades » de visiteurs étrangers, reçurent pour mission de couper la canne, tous les jours de la semaine, y compris le dimanche ; tous les congés furent supprimés. L'armée fut elle aussi enrôlée et l'on vit, à la télévision et sur quantité de photos, Fidel et tous ses compagnons couper la canne, certains jours, afin de donner l'exemple à la nation. Cependant, cette activité exige une certaine habileté, de l'endurance et de la vigueur physique, aussi les « volontaires » sans expérience gênaient-ils les 250 000 *macheteros* professionnels plutôt qu'ils ne les aidaient. Néanmoins la généralisation du travail « volontaire » était un impératif politique ; il justifiait la quasi-paralysie de tous les autres secteurs ; la récolte dura 334 jours. Comme une sécheresse aurait fait courir des risques à la canne à sucre, Castro annonça : « Nous avons passé un accord avec la pluie. » Et la pluie tint parole : pendant toute l'année, elle tomba chaque fois que l'on avait besoin d'elle.

Fidel était un incurable optimiste quant à l'avenir de la révolution et jamais il ne fut découragé par ses premiers échecs. Non seulement il voulait cette récolte de sucre record pour 1970, mais lorsqu'il prit la parole à l'occasion du dixième anniversaire de sa victoire, il promit que la production agricole de Cuba augmenterait d'au moins 15 % par an au cours des douze années suivantes — c'était le taux de croissance le plus élevé qu'eût jamais enregistré l'histoire de la planète. Etant donné la chute spectaculaire qu'avait connue l'agriculture cubaine dans les dix premières années de la révolution, et que Castro était le premier à reconnaître, cette promesse semblait complètement irréaliste. Pourtant personne ne mit sa parole en doute. Fidel affirma que, pour tenter d'atteindre ces objectifs, Cuba devait importer 8 000 tracteurs chaque année pendant dix ans, former 80 000 conducteurs de ces engins et apprendre à 180 000 paysans et ouvriers agricoles les rudiments de la mécanisation. En ce qui concerne les importations, il dut, une fois de plus, se reposer presque entièrement sur l'Union soviétique et sur les pays communistes. En 1969, ayant obtenu ce qu'ils voulaient, les Russes étaient prêts à reprendre leur fourniture d'aide sur une grande échelle — et à se remémorer l'importance stratégique de Cuba.

Les relations économiques soviéto-cubaines reposaient essentiellement sur l'idée que les livraisons de sucre cubain devaient payer, au moins en partie, les expéditions de pétrole, d'équipements mécaniques, de véhicules automobiles, de produits manufacturés et de tout ce qu'exige une économie moderne (les armements étaient un don). Mais même si Moscou attribuait au sucre une valeur bien supérieure à celle que connaissait le marché mondial (suivant en cela l'exemple des Etats-Unis avec leurs contingents d'importation), Cuba devait tout de même dix millions de tonnes d'arriéré en 1969 à cause de la chute spectaculaire que sa production agricole avait subie au cours des dernières années. C'est pourquoi Castro salua l'année nouvelle en annonçant le rationnement du sucre sur le marché intérieur, afin de disposer de quantités plus importantes pour l'exportation, en attendant la récolte record qu'il avait annoncée. Il fournit à la nation toute une série d'explications fort convaincantes là-dessus.

Entre-temps, les relations avec les Soviétiques connaissaient enfin une embellie. Le vice-Premier ministre Novikov, l'expert du Kremlin pour les affaires cubaines, assistait aux cérémonies du dixième anniversaire ; le discours de Castro débordait de louanges envers les Soviétiques. Au mois de février, un accord commercial très avantageux avait été signé. En avril, la lune de miel se prolongea avec un discours de Castro, prononcé à l'occasion de l'anniversaire de la naissance de Lénine et à la gloire de l'Union soviétique — qui aidait Cuba à devenir « le premier Etat socialiste » d'Amérique latine. Le même jour, Fidel présida la cérémonie inaugurale de l'Association de l'Amitié soviéto-cubaine. En juin, Carlos Rafael Rodríguez conduisit à Moscou une délégation du Parti communiste cubain qui allait assister à une conférence internationale boycottée par les partis communistes de Chine, de Corée du Nord, d'Albanie et du Vietnam du Nord (les Cubains avaient manifestement mis au rancart sans le moindre tapage leurs professions d'amitié envers le Vietnam). Rodríguez, le « vieux » communiste qui figurait maintenant parmi les principaux *Fidelistas*, au sein du nouveau communisme à la mode des Caraïbes, sut plaire à ses hôtes en déclarant que « Cuba est convaincue de l'importance que revêt l'unité d'action des communistes », au moment où se développe « l'offensive contre l'impérialisme et contre toutes les forces réactionnaires et bellicistes ».

Puisque Castro avait regagné le troupeau idéologique et économique, pour la première fois depuis 1962 et la crise des missiles, les Russes portèrent à nouveau leur attention vers l'équation stratégique que représentait Cuba. Huit unités de la marine de guerre soviétique mouillèrent à La Havane le 20 juillet ; les frères Castro, accompagnés de toute l'élite du régime, assistèrent à une réception donnée par le contre-amiral Stepan Sokolan, le commandant de la flottille. Puis Fidel et tout son gouvernement partirent en croisière à bord du navire amiral, le *Groznig* ; le Cubain et le Soviétique fêtèrent l'anniversaire du 26 juillet en coupant un peu de canne près de La Havane, avec un petit détachement de matelots en visite — expérience inoubliable, sans aucun doute. On vit ensuite le ministre de la Défense soviétique, le maréchal Andrei A. Gretchko, manier lui aussi la machette en compagnie de Fidel et de Raúl, au cours d'une visite qu'il fit à Cuba au mois de novembre. (Le 30 décembre, tout le personnel de l'ambassade d'Union soviétique à La Havane passa la journée à couper la canne ; la coutume s'en était instaurée parmi les étrangers pour lesquels c'était désormais un geste de piété, comme de déposer une gerbe devant un monument aux morts.) Comme la fin des années 1960 approchait, l'amitié soviéto-cubaine s'affermissait de plus en plus — et Fidel exprimait souvent sa gratitude pour l'assistance économique et militaire qu'il recevait de Moscou. A la fin de 1969, les Cubains devaient aux Soviétiques quatre milliards de dollars, soit la différence entre la valeur des livraisons soviétiques à Cuba et celle des livraisons cubaines. Castro lui-même avait calculé que, en dix ans, Cuba avait reçu gratuitement de Moscou du matériel militaire, y compris des appareils à réaction, pour une valeur de un milliard et demi de dollars.

Mil neuf cent soixante-dix fut baptisée l'« année des Dix Millions de Tonnes » — mais elle ne mérita guère son nom. Malgré des conditions météorologiques favorables et en dépit de l'effort surhumain consenti par la nation tout entière sur les ordres de Fidel Castro, Cuba n'atteignit pas le but recherché : la production fut de 8,5 millions de tonnes. En réalité, ce fut une récolte record (le chiffre précédent le plus élevé avait été de sept millions de tonnes en 1952) mais, même ainsi, le volume atteint était sans commune mesure avec le sacrifice économique et social consenti par tout le peuple cubain. Tel fut le résultat de la tendance stupéfiante de Castro à toujours faire des promesses et prendre des engagements sans savoir le moins du monde s'il pourrait les tenir. Sa faiblesse a toujours été son goût pour le geste politique superbe, habitude trop coûteuse pour n'être pas prohibitive. Après le fiasco du sucre dont il était lui-même responsable, il refit la même erreur avec le lait : il promit, en décembre 1968, que la production serait multipliée par quatre en deux ans ; mais, en 1970, elle était de 25 % inférieure à son niveau de 1969 (probablement parce que toutes les énergies avaient été mobilisées par la récolte des cannes).

Pourtant, Castro reconnaissait ses erreurs avec une franchise douloureuse. Dans le discours du 26 juillet 1970, il décrivit la déconvenue provoquée par la campagne, en ces termes : « indubitablement, nous n'avons pas été assez efficaces... cela signifie que nous étions incapables de livrer ce que nous avons appelé la bataille simultanée sur tous les fronts de la production ». Il reconnut que « l'effort héroïque tenté pour augmenter la production de sucre a provoqué des déséquilibres économiques, diminué la production dans d'autres secteurs et... accru nos difficultés ». Puis, l'air sombre, il annonça que les cinq prochaines années seraient plus difficiles encore, ajoutant : « Je veux parler de notre incapacité à remplir toutes les tâches de la Révolution... Nous devons accepter nos responsabilités devant ces problèmes et je dois en particulier admettre [les miennes]... Notre apprentissage de chefs de la Révolution coûte trop cher. » Auparavant, Fidel avait fait observer que « la bataille des dix millions de tonnes n'a pas été perdue par le peuple ; c'est nous, c'est l'appareil gouvernemental, nous, les chefs de la Révolution, qui l'avons perdue... Notre ignorance des problèmes propres à la production du sucre nous a empêchés de pallier toutes les difficultés en temps utile. » Cependant, René Dumont se trouvait à Cuba pendant cette période et il a noté que les experts sucriers désireux d'attirer l'attention de Castro sur la question s'étaient fait éconduire, purement et simplement.

Pourtant aucun revers ne pouvait ralentir son élan ou diminuer l'intérêt qu'il portait à toutes choses et à toutes personnes en tous lieux. Il refusait le statu quo. Quant à son esprit, on pourrait lui appliquer ce que Walter Lippmann a dit de H. G. Wells : « [Il] gagnait, semblait-il, grâce à un renouvellement constant de son effort, en refusant de sombrer dans l'acceptation placide du monde comme dans l'autosatisfaction que pouvait lui procurer sa propre vision des choses. » Ainsi, dans la seconde moitié de

1970, Castro put tourner le dos à la situation intérieure du pays, trop déprimante à son gré, pour s'occuper des problèmes internationaux et des polémiques dans lesquelles il se complaisait.

Deux séries d'événements de cet ordre se présentèrent au mois de septembre 1970, dans lesquelles Fidel se lança plus ou moins directement. La première fut la victoire de son ami Salvador Allende Gossens qui avait gagné la course à la présidence du Chili devant ses deux adversaires, le 4 septembre. Allende, que l'on voyait souvent à La Havane, appartenait à la mouvance marxiste; il présidait le Parti socialiste chilien et c'était la quatrième fois qu'il se présentait aux élections présidentielles. En 1970, la CIA et les sociétés américaines avaient investi bien vainement des dizaines de millions de dollars pour aider secrètement son adversaire de droite, Jorge Alessandri. Pourtant, Allende avait recueilli 36,3 % des voix; aux termes de la Consitution chilienne, il devait s'opposer à Alessandri le mois suivant, conformément à la procédure prévue en cas de ballottage.

Naturellement, l'idée qu'un président marxiste démocratiquement élu allait pouvoir gouverner un pays d'Amérique latine provoqua au sein du gouvernement Nixon une réaction d'horreur inquiète. Immédiatement à Washington se fit jour la crainte d'un scénario cauchemardesque : la création d'un axe révolutionnaire Castro-Allende. Bien évidemment, Fidel était ravi, pour des raisons inverses, mais il prit grand soin de ne pas triompher bruyamment, afin de ne pas fournir à Nixon un bon prétexte pour intervenir d'une manière quelconque (deux ans à peine auparavant, l'application de la doctrine Brejnev à la Tchécoslovaquie avait légitimé, dans une certaine mesure, les invasions de ce type en d'autres parties du monde). Tandis que le gouvernement américain s'occupait à dresser toutes sortes de plans, officiels ou secrets, afin d'obtenir la défaite d'Allende, le 24 octobre, devant le parlement chilien réuni en congrès, une nouvelle crise éclata soudain à Cuba.

Une semaine environ après la première victoire d'Allende, un avion-espion U-2 rapporta des photographies sur lesquelles on voyait apparaître de nouveaux casernements, des tours de communication et des sites d'artillerie antiaérienne en construction près de la base navale de Cienfuegos, dans la partie méridionale de Cuba. On voyait aussi un nouveau terrain de football et, dans la mesure où l'on ne pratique pas ce sport à Cuba, les agents de la CIA chargés de l'interprétation des photos en conclurent que le terrain était destiné à des Russes qui sont fervents footballeurs. De plus, plusieurs unités de la marine de guerre soviétique arrivèrent en visite à Cienfuegos le 14 mai, et d'autres encore y jetèrent l'ancre le 9 septembre. Parmi ces derniers, figuraient un bâtiment d'accompagnement de sous-marins, un vaisseau de 9 000 tonnes de la Classe *Ugra* et deux péniches remorquées dont la CIA croyait qu'elles étaient destinées à recevoir des déchets radio-actifs provenant des réacteurs de sous-marins nucléaires. Enfin, un sous-marin nucléaire soviétique fut repéré aux alentours de Cuba. Immédiatement, Nixon et Henry Kissinger, le conseiller à la Sécurité nationale, en conclurent que les Soviétiques étaient en train d'installer une base de sous-marins nucléaires à Cienfuegos. Etant donné les souvenirs qu'avait laissés la crise des missiles de 1962, le soupçon n'avait rien de déraisonnable, même si les Russes s'étaient alors engagés à ne pas introduire d'armes offensives dans l'hémisphère occidental. Le gouvernement ne pouvait pas être sûr que Brejnev ne serait pas séduit par une aventure semblable à celle qu'avait tentée Khrouchtchev.

Nixon et Kissinger gardèrent secrètes la découverte faite par l'U-2, ainsi que les conclusions qu'ils en avaient tirées, pensant qu'il serait plus habile de traiter avec les Soviétiques par la voie diplomatique. Mais, le 16 septembre, Kissinger convoqua l'ambassadeur soviétique Anatoly Dobrynine et lui montra les photographies aériennes, puis il tint une conférence de presse pour examiner devant les journalistes les dangers d'une victoire d'Allende au Chili et avertir les Soviétiques qu'il vaudrait mieux pour eux ne pas « utiliser de forces stratégiques à partir de Cuba, comme, par exemple, des sous-marins de type Polaris ». « Nous surveillons ce qui se passe à Cuba », ajouta-t-il. Désormais Castro et Allende semblaient former le nœud d'une crise, mais aucun d'entre eux ne se lança dans une polémique avec Kissinger. Au mois d'octobre, l'Union soviétique donna discrètement des assurances à ce dernier et affirma qu'elle n'était pas en train de construire de bases à Cuba, ce que TASS répéta bientôt publiquement. Castro n'a jamais évoqué le sujet en public et cette minicrise cubaine servit surtout à confirmer « l'entente » de 1962 entre les superpuissances sur les garanties réciproques qu'elles s'étaient données quant au sort de l'île. Les Américains étaient tout de même persuadés que Brejnev avait fort bien pu tâter le terrain en envoyant des navires de guerre à Cuba et en construisant, au vu et au su de tous, quelques installations militaires à Cienfuegos. Ce n'est certainement pas Fidel qui s'y serait opposé. Le 24 octobre, il apprit avec un très grand plaisir qu'Allende avait été confirmé dans ses fonctions de président par le parlement chilien. Il y vit la perspective de longues et fructueuses relations entre eux et promit au nouveau Président de la République chilienne qu'il lui rendrait visite l'année suivante.

En juin 1961, lorsque Fidel Castro avait averti un groupe d'écrivains, d'artistes et d'intellectuels que Cuba leur reconnaissait la pleine liberté de créer « à l'intérieur de la Révolution », mais pas « contre la Révolution », il instaurait un ensemble de critères culturels relativement souples. Il fallut, en 1971, l'offensive idéologique de la faction dure, évidemment inspirée par Castro lui-même, pour démontrer à quel point ces critères avaient pu changer en une décennie. Pour des raisons qui défient l'entendement si l'on prend en considération sa propre richesse intellectuelle, il voulut imposer (ou laissa imposer) à Cuba, peu après 1961, une parodie répressive et grotesque de vie culturelle — naturellement toujours au nom de la Révolution.

L'assaut contre les intellectuels supposés « contre-révolutionnaires » commença en 1965 ; à ce moment-là, la police du régime entreprit d'arrêter tous ceux qu'elle considérait comme des « éléments antisociaux », en particulier s'ils étaient homosexuels, et à les incorporer de force dans les UMAP, les bataillons de travail forcé de l'armée. Ce n'était là qu'une partie de l'offensive idéologique plus vaste contre les homosexuels en général, qui se déroula pendant toute la période des luttes pour le pouvoir, au cours des années 1960. En 1968, le climat politique devint particulièrement pénible et les idéologues du parti commencèrent à prendre pour cibles certains écrivains nommément désignés. La très officielle Union nationale des Ecrivains et des Artistes cubains (UNEAC), créée par Castro, avait cette année-là décerné un prix de poésie à Heberto Padilla et un prix au dramaturge Antón Arrufat, ce qui provoqua un affrontement idéologique interne, très caractéristique des mutations en cours dans l'environnement culturel. En guise de compromis, l'UNEAC décida de ne publier les œuvres récompensées qu'en les accompagnant d'une note émanant de son comité directeur, dans laquelle ce dernier exprimait son désaccord avec des œuvres « idéologiquement contraires à notre Révolution ». Dans un obscur jargon idéologico-marxiste, Padilla était accusé d' « ambiguïté » et d' « attitudes antihistoriques » ; quant à Arrufat, on l'accusait de propager une réalité « de type impérialiste ». Peu après, un Congrès des Ecrivains et des Artistes se tint à Cienfuegos, qui approuva une résolution aux termes de laquelle chaque écrivain devait « contribuer à la Révolution par son œuvre, ce qui suppose qu'il conçoive la littérature comme un instrument de lutte, une arme contre les faiblesses et les difficultés qui, directement ou indirectement, pourraient en entraver les progrès ». Pas un seul écrivain cubain ne savait ce que cela signifiait.

A la fin de 1969, le romancier José Lorenzo Fuentes, lauréat d'un prix littéraire, fut expulsé de l'UNEAC parce qu'il fréquentait un diplomate mexicain accusé de travailler pour la CIA. On eût dit que les idéologues culturels du parti s'employaient à assimiler le marxisme-léninisme au point de faire de Cuba la version tropicale d'un roman d'Arthur Koestler sur les Etats policiers communistes. En 1970, les plus prestigieux des romanciers et des poètes cubains découvrirent tout à coup que plus aucune maison d'édition, ni aucune revue ne voulaient publier leurs œuvres — sans offrir la moindre explication. Cette mystérieuse interdiction n'allait être levée que vers le milieu des années 1970.

La nouvelle ligne officielle fut définie dans une « Déclaration » publiée par le Premier Congrès national de l'Education et de la Culture qui se tint à La Havane en avril 1971. En lisant ce texte, on découvre à quel point la vie culturelle cubaine était devenue une monstruosité idéologique. « Le développement culturel » à Cuba, disait-on, doit être dirigé vers les masses « contrairement aux tendances des élites... Le socialisme crée des conditions objectives et subjectives qui rendent possible une véritable liberté créatrice, tout en rejetant comme inadmissibles ces tendances qui reposent sur des critères de libertinage et visent à dissimuler le poison contre-révolutionnaire d'œuvres qui conspirent contre l'idéologie révolutionnaire... »

Sur le même ton, pendant des pages et des pages, cet édit culturel prévoyait que des « conditions politiques et idéologiques seraient prises en compte » pour la sélection des candidats à des postes universitaires ; il en irait de même dans les différents médias et les institutions littéraires ou artistiques. Il était recommandé à chacun de se montrer sélectif dans les invitations adressées à des écrivains et à des intellectuels étrangers, afin d'éviter « la présence de personnes dont les œuvres et l'idéologie sont contraires aux intérêts de la Révolution ». De plus, le Congrès déclara que les « organes culturels ne devaient pas favoriser la prolifération de faux intellectuels qui veulent faire du snobisme, de l'extravagance, de l'homosexualité et autres aberrations sociales, l'expression d'un art révolutionnaire, aliéné des masses et de l'esprit même de notre Révolution ». Il semblait incompréhensible que Fidel Castro puisse supporter que ses idéologues insultent ainsi sa Révolution bien-aimée.

Et pourtant, Castro approuva bien évidemment l'attaque lancée contre les intellectuels cubains, car l'arrestation du poète Heberto Padilla au mois de mars 1971 ne peut qu'avoir été autorisée par lui. Cette action provoqua des remous dans les milieux intellectuels en Europe comme en Amérique latine, de Sartre à García Márquez, ainsi que l'envoi de nombreuses lettres à Castro, réclamant la libération de Padilla. Les portes de sa prison s'ouvrirent trente-sept jours plus tard, mais seulement après qu'il eut donné lecture de son autocritique et pressé les autres écrivains d'en faire autant. Considéré par ses amis comme un traître, Padilla resta encore dix ans à Cuba où il vivait de traductions littéraires. Enfin, en 1981, il quitta l'île, non sans que García Márquez en eût appelé, une fois encore, à son ami Fidel. Même la très soumise UNEAC adressa une lettre à Castro, pour protester contre la détention prolongée infligée aux homosexuels dans les unités de travaux forcés de l'armée ; ils furent enfin relâchés eux aussi. Tous ces événements laissèrent des cicatrices hideuses sur le corps de la société cubaine. On peut dire que dans l'ensemble, la politique culturelle honteuse de Castro a éliminé toute créativité à Cuba ; en 1986 encore, la grande île était un désert d'idées et l'autocensure y régnait en souveraine. Il faudra sans doute des générations avant qu'elle connaisse à nouveau une ère de liberté culturelle semblable à celle qu'elle avait vécue avec José Martí.

De toute façon, pendant cette année 1971, Castro fut très absorbé par les affaires étrangères et n'eut sans doute guère le temps de superviser personnellement les affaires culturelles. Ses liens avec les Soviétiques se renforçaient de jour en jour, mais Fidel ne se sentait pas encore prêt à se rendre à Moscou. Au mois de mars, il envoya le président Dorticós assister au XXIVe Congrès du Parti communiste soviétique, car c'est à La Havane qu'il préférait s'entretenir avec les principaux membres de la hiérarchie moscovite. Le responsable de la planification en URSS, Nikolai Baibakov, se rendit à Cuba au mois d'avril, suivi en octobre par Alexis Kossyguine qui resta cinq jours. C'était la deuxième fois qu'il rendait visite à Fidel.

Le 10 novembre, un appareil à réaction Iliouchyne 18, équipé tout spécialement d'une chambre et d'un bureau, emmena Castro, sans escale, à Santiago du Chili. C'était la première fois en sept ans, depuis son dernier séjour à Moscou, qu'il se rendait à l'étranger et c'était aussi la première fois en douze ans qu'il revoyait l'Amérique latine ; tout cela le comblait de joie, ainsi qu'il devait le confier à ses assistants pendant le vol. Sa visite au Chili, qui devait durer dix jours, se prolongea pendant trois semaines. Pour aller de l'aéroport au centre de la ville, Fidel se tint debout dans une voiture découverte aux côtés d'Allende, saluant de la main les foules immenses qui l'acclamaient, massées le long des rues. Après avoir passé quelques jours à Santiago, il partit pour le Nord, puis pour le Sud, de ce pays aussi étroit qu'allongé, visitant écoles et usines, prononçant quantité de discours, accordant des interviews, parlant aux Chiliens jeunes et vieux, et manifestement très heureux de l'aventure. Dans la ville d'Antofagasta, dans le Nord du pays, il se joignit à un groupe folklorique de musiciens et une photo immortalisa cet instant : on y voit Fidel poser, une guitare dans la main, tout en tapotant le crâne du musicien qui se trouve à côté de lui.

L'ambassadeur des Etats-Unis à Santiago, qui était alors Nathaniel Davis, évoque sa visite en ces termes : « Un extraordinaire étalage de tourisme de grande classe; des ingérences à peine déguisées et des commentaires très astucieux sur l'état des choses au Chili; c'était un cirque. » Fidel prolongea son séjour au-delà des prévisions de ses hôtes; il finissait presque par ne plus savoir à quoi occuper son temps mais il est évident qu'il voulait étudier de près l'expérience socialiste d'Allende. Il se rendit dans neuf provinces, du port de Valparaiso et des mines de cuivre du centre à Río Blanco, très haut dans les Andes, et même à la Terre de Feu de l'autre côté du détroit de Magellan. Partout, il adressa la parole aux travailleurs, entama des dialogues sans fin avec les étudiants dans les stades, discuta de théologie avec des « prêtres révolutionnaires » à Santiago, se coiffa de chapeaux de paille et de casques de chantier, s'enveloppa de couvertures *ruana* en laine multicolore, et participa à un superbe match de basket à Iquique, porteur du maillot numéro 12; à quarante-cinq ans, il était toujours en excellente forme.

Sur le chemin du retour, Castro fit escale à Lima pour y rencontrer les dirigeants militaires péruviens avec lesquels Cuba avait entamé des relations cordiales, puis à Guayaquil, en Equateur, pour des entretiens avec le président José María Velasco Ibarra qui, en d'autres temps, avait fait figure de dictateur. Dans ces trois pays de la côte du Pacifique, il offrit le soutien de Cuba à des revendications très controversées sur l'extension des eaux territoriales jusqu'à deux cents milles au large; cela devait permettre d'assurer la protection de leurs zones de pêche; il fut vivement applaudi. De retour à La Havane après sa longue absence, Fidel reçut l'accueil réservé aux héros, mais déjà il songeait à d'autres tournées à l'étranger pour l'année suivante.

Evoquant bien des années plus tard ce voyage en Amérique du Sud, Castro révéla qu'il avait été averti des complots ourdis par la CIA en vue de l'assassiner; il y avait eu des tentatives, au Chili d'abord, puis au Pérou et en Equateur. Les armes des tueurs, raconta-t-il au journaliste qui l'interrogeait, avaient été fournies par l'ambassade des Etats-Unis à La Paz; eux-mêmes avaient pour couverture des passeports et des cartes de journalistes vénézuéliens. Ces armes, ajouta-t-il, étaient de toutes sortes; il y avait des fusils à lunettes, des mitrailleuses, et même une caméra de télévision dans laquelle était dissimulé un pistolet : « Je l'ai eu juste en face de moi, mais ils n'ont pas tiré. »

Le 3 mai 1972, Fidel s'envola une fois de plus pour un voyage de deux mois, à bord de son IL-62; cette fois, il allait se rendre dans dix pays et deux continents; l'apogée de ce périple serait sa visite en Union soviétique, la première depuis huit ans. A Moscou, il assista aux débuts de la détente américano-soviétique, puisqu'il arrivait un mois exactement après le départ de son ennemi juré, Richard Nixon. Le séjour de Nixon au Kremlin s'était terminé par la signature des accords SALT-1, sur la limitation des armements nucléaires ; celui de Castro, lui, eut pour résultat l'entrée de Cuba dans le Conseil d'assistance économique mutuelle ou CAEM, le Marché commun communiste plus connu sous le nom de Comecon. En se joignant au CAEM, Cuba s'intégrait pleinement au système économique du communisme mondial qui regroupe l'Union soviétique, six pays communistes d'Europe, la Mongolie extérieure et le Vietnam. Les Russes font toujours preuve d'une grande habileté chaque fois qu'il s'agit pour eux de traiter simultanément avec des adversaires et des amis, même si, comme dans le cas des Etats-Unis et de Cuba, les protagonistes sont des ennemis mortels. Fidel se vit offrir un sabre de maréchal soviétique, par faveur toute spéciale et, bien sûr, il se garda de tout commentaire, en public, sur l'accolade Brejnev-Nixon du mois précédent. Il savait désormais se conduire en révolutionnaire expérimenté et pratiquer la diplomatie personnelle avec finesse.

Ce réalignement sur la politique étrangère soviétique supposait de manière implicite que Castro reconnaissait — du moins en apparence — que le temps des guérillas calquées sur celle de la Sierra Maestra était passé et que les changements sociaux en Amérique latine devaient s'accomplir par des moyens moins violents. Tel avait toujours été le raisonnement des Soviétiques. Pour eux, la victoire de Fidel en 1958 avait été une véritable anomalie ; on pouvait l'imputer à sa personnalité et aux conditions particulières que connaissait alors Cuba, mais elle ne pourrait se renouveler ailleurs. Castro n'avait probablement pas renoncé à ses propres dogmes révolutionnaires et pourtant il devait reconnaître lui aussi que les choses avaient changé dans l'hémisphère. Après la mort de Che Guevara, l'aura de la révolution romantique avait bien pâli. (Camilo Torres, le prêtre révolutionnaire colombien que Castro avait rencontré en 1948, avait été tué à la tête de ses guérilleros, et le poète rebelle péruvien Hugo Blanco avait été fait prisonnier.) Aussi Fidel avait-il dû repenser complètement sa stratégie. L'élection d'Allende au Chili et l'arrivée au pouvoir de généraux réformistes de gauche au Pérou, confirmaient l'existence de nouvelles orientations que Castro était trop intelligent pour ne pas voir. C'est ainsi qu'il modifia légèrement le cap officiel du gouvernement cubain, réduisant son aide aux mouvements rebelles, pour la réserver uniquement à des insurgés placés dans des situations déjà révolutionnaires.

C'est pourquoi, pendant les années 1970, Castro s'employa, non sans succès, à sortir du ghetto diplomatique et politique où l'avaient enfermé les Etats-Unis. Ses visites au Chili, au Pérou et en Equateur avaient étendu le réseau de ses relations amicales jusqu'à la côte occidentale de l'Amérique du Sud. L'Argentine, la Colombie et le Venezuela rétablirent leurs relations diplomatiques avec Cuba, ce qui poussa le chef de la guérilla vénézuélienne, Douglas Bravo, à accuser publiquement Fidel de trahison (exactement comme ce dernier avait, peu auparavant, dénoncé les communistes vénézuéliens pour avoir lâché Bravo). Une fois qu'il eut compris que sa révolution, forte de ses treize ans d'existence, n'avait plus besoin d'être entourée d'un cordon d'Etats révolutionnaires pour assurer sa protection, il noua de nouveaux rapports avec le Panama, la Jamaïque, les Bahamas et la Barbade, ainsi qu'avec Trinité et Tobago, tous pays situés dans l'arc de l'Amérique centrale et des Antilles — région d'importance vitale pour Cuba. De toute façon, la protection soviétique importait davantage encore. Peu à peu, Castro commença à réintégrer les organisations d'Amérique latine, entre autres la Commission économique pour l'Amérique latine (CEPAL) ; en outre, l'Organisation des Etats américains se prépara à lever les sanctions diplomatiques et commerciales qu'elle avait prises contre Cuba au début des années 1960. Enfin, les Cubains jouèrent un rôle important dans l'organisation de la SELA, une nouvelle entité économique régionale. Désormais, ils n'étaient plus des parias.

Castro s'attacha donc à élargir encore le cercle de ses amitiés en Afrique par des visites officielles en Guinée, en Sierra Leone et en Algérie. C'était son premier voyage sur ce continent. Depuis les premiers jours de la révolution, Cuba s'est beaucoup intéressée à l'Afrique ; Che Guevara y fut son principal émissaire jusqu'à sa disparition de la scène politique en 1965. Dès 1959, les Cubains avaient soutenu la cause de l'indépendance de l'Algérie ; en 1960, ils avaient fourni une aide médicale et du matériel militaire au Front de libération nationale (FLN), au moment de la guerre contre les Français ; puis un bataillon de l'Armée rebelle s'était rendu en Algérie après l'indépendance pour aider le jeune Etat dans sa guerre de frontières avec le Maroc en 1963. Pendant les années 1960, des missions militaires cubaines avaient fait leur apparition en Algérie, au Ghana, au Congo-Brazzaville, en Guinée, et un peu plus tard en Guinée équatoriale, en Somalie et en Tanzanie. La visite du chef d'Etat cubain en Sierra Leone fut suivie de l'arrivée d'une mission de l'Armée rebelle chargée de l'entraînement de la milice nationale.

Comme Che Guevara, Castro croyait fermement que l'Afrique serait le théâtre de grands bouleversements révolutionnaires à venir et que Cuba y jouerait le rôle de guide et de mentor. Comme une grande partie du continent venait d'être décolonisée, ou se préparait à accéder pacifiquement à l'indépendance (ou encore se battait pour la conquérir, à l'instar des mouvements de libération dans les colonies portugaises), Castro pouvait y voir des possibilités extraordinaires pour l'influence de la Révolution cubaine. En effet, les nationalistes africains, gens de gauche pour la plupart, accueillaient chaleureusement les Cubains : les origines culturelles des habitants de la grande île procédaient en partie du continent africain, comme le montrait bien une tradition afro-cubaine toujours vivace ; en outre, Cuba offrait une excellente solution de rechange à tout pays qui refusait de choisir entre l'« impérialisme » américain et son équivalent soviétique ; enfin, c'était un pays frère, au sein du tiers monde, auréolé du triomphe éclatant de sa propre révolution.

Lorsque Fidel Castro posa le pied sur la terre d'Afrique, pas un gouvernement, pas un mouvement de libération de gauche ne manquait d'entretenir avec Cuba des liens quelconques. Des conseillers cubains étaient à l'œuvre pour former les Africains dans toutes sortes de domaines, de la médecine à l'art militaire, sur place ou dans des écoles et des camps d'hébergement à Cuba, souvent situés dans l'île de la Jeunesse. Fidel préparait ainsi l'avenir, car il savait intuitivement que son pays aurait sans doute un rôle décisif à jouer dans certaines parties du continent. Cela, en contrepartie, conférait à Cuba une importance internationale qui dépassait les frontières de l'Amérique latine. S'ajoutant au rêve bolivariste que caressait Castro, se dessinait dorénavant pour lui une nouvelle aspiration : prendre la direction des peuples du tiers monde.

A Conakry, capitale de la Guinée, il rencontra un autre maître ès révolution en la personne du président Ahmed Sekou Touré, qui proclama devant la foule venue acclamer Castro dans un stade : « Cuba est la lumière de l'Amérique latine. » Au cours de leurs entretiens, ils mirent au point une coordination de leurs efforts pour faciliter l'appui que Cuba allait apporter aux mouvements de guérilla contre la domination coloniale des Portugais et de l'Afrique du Sud : la Guinée était un lieu de transit tout trouvé entre Cuba et le continent africain. Apporter un soutien actif aux groupes de guérilleros africains convenait parfaitement à Castro (et aux Russes), dans la mesure où il pouvait ainsi influencer des mouvements anticolonialistes de « libération nationale »; Khrouchtchev avait été l'un des principaux tenants de ces mouvements. Fidel commença sa tournée en Guinée, revêtu de son habituel treillis vert olive mais, dès le deuxième jour, il adopta le costume national, pantalons blancs et saharienne blanche boutonnée au ras du cou, sous sa barbe. Il garda ses brodequins militaires, sa casquette verte et son ceinturon de grosse toile ; le tout produisait un effet assez surprenant. Il avait conservé pour le déguisement un goût qu'il satisfaisait en revêtant les costumes locaux des pays visités, ce qui, en retour, ravissait les foules des pays hôtes. Sekou Touré décerna à Fidel l'Ordre de la Fidélité au Peuple. On peut déceler ce qui l'intéressait dans les régions visitées si l'on examine l'identité de ses *compañeros ;* Juan Almeida, le vice-président noir, ancien chef d'état-major de l'Armée rebelle ; Manuel Piñeiro Losada, son conseiller le plus proche en matière de renseignement, chargé des contacts avec les mouvements révolutionnaires ; Arnaldo T. Ochoa Sánchez, officier de la nouvelle génération qui devait bientôt prendre le commandement du corps expéditionnaire cubain en Angola ; enfin, Raúl E. Menéndez Tomassevich, ancien suppléant de Raúl Castro à l'époque de la guérilla, et désormais expert en matière d'insurrections, également spécialiste des questions de la milice à Cuba.

Castro passa une journée en Sierra Leone en compagnie du président Siaka Probyn Stevens, dirigeant relativement modéré, puis il revint à Conakry où il eut de nouveaux entretiens avec Sekou Touré. En Algérie, il retrouva un climat révolutionnaire chaleureux et passa dix jours à visiter le pays que Cuba avait aidé lors de sa guerre d'indépendance. Son vieil ami Ahmed Ben Bella avait été renversé par Houari Boumedienne, mais Fidel établit d'excellents rapports avec le nouveau Président. Etat socialiste et révolutionnaire, l'Algérie était le plus ancien et le meilleur allié de Cuba, en même temps qu'un relais essentiel sur la route de l'Afrique et du monde arabe. Les Algériens avaient aussi de bonnes relations militaires avec l'Union soviétique qui avait équipé leurs forces armées. Castro et Boumedienne pouvaient donc échanger leurs points de vue de tiers-mondistes sur les Russes — propos qui n'étaient pas toujours flatteurs pour ces derniers. Alger était la plaque tournante des révolutions et des complots pour l'Afrique entière, aussi Castro consacra-t-il beaucoup de temps à ce sujet dans tous ses nombreux discours, affinant aussi ses idées sur les « luttes anticolonialistes ». Enfin, Boumedienne comptait beaucoup pour Fidel Castro parce qu'il était l'un des principaux dirigeants au sein du Mouvement des Non-Alignés dont le Cubain espérait bien prendre un jour la tête.

Le jet soviétique décolla d'Alger, survolant d'un coup d'aile la Méditerranée, l'Italie, l'Adriatique et la Yougoslavie pour déposer Castro à Sofia, la capitale de la Bulgarie. Pour la première fois, il se rendait dans les Etats communistes européens, baptisés « satellites » par leurs adversaires, et l'on peut croire que ce fut une expérience tout à fait passionnante pour lui qui représentait la variété cubaine du communisme soutenu par les Soviétiques. Il adopta immédiatement la pratique « fraternelle » obligatoire des accolades chaleureuses avec les dirigeants des divers Etats, mais en Bulgarie comme dans les autres pays d'Europe de l'Est, sa présence provoqua un véritable intérêt et beaucoup d'émotion parmi les foules qui se pressaient dans les rues et sur les places des vieilles villes. Il était différent des autres, c'était une légende vivante et c'était de plus un homme sans façon — en somme, il semblait être tout ce que les dirigeants communistes habituels n'étaient pas. Pour sa part, Fidel était passionné par sa découverte de traditions culturelles anciennes, revêtues des voiles modernes du marxisme le plus caractérisé.

Il fut accueilli à Sofia par Todor Jivkov, chef de l'Etat bulgare, qui était le plus ancien dirigeant communiste au pouvoir en Europe (à l'exception d'Enver Hodja, volontairement isolé dans son Albanie) et qui n'avait jamais mis en question la sagesse soviétique. Castro revêtit son uniforme de gala pour assister aux réceptions officielles et pour se rendre à un concert, mais il se montra visiblement encore plus heureux quand, en survêtement gris, il joua au basket-ball avec une équipe de l'armée au cours d'un match amical contre une équipe civile. Il remplit ses devoirs en allant observer des manœuvres militaires ; on lui remit un pistolet-mitrailleur AK-47 de fabrication bulgare et un pistolet ancien du modèle utilisé autrefois par les partisans locaux. Sa collection personnelle d'armes diverses s'enrichissait au fur et à mesure de ses voyages dans le monde.

De Sofia, le dirigeant cubain se rendit à Bucarest pour y rencontrer le président Nicolas Ceaucescu, lui aussi passé maître dans l'art communiste de la survie, mais véritable franc-tireur de la politique étrangère. La manière dont le Roumain, installé aux portes de l'Union soviétique, avait réussi pendant si longtemps à défier ses puissants voisins sur tous les terrains possibles devait intriguer Fidel. Par exemple, après la guerre de 1967 au Moyen-Orient, il avait refusé de rompre ses relations diplomatiques avec Israël (contrairement à tous les autres pays du bloc soviétique) ; de même, il avait gardé ostensiblement d'excellentes relations avec les hérétiques chinois et yougoslaves. Enfin, il avait condamné sans appel l'invasion soviétique en Tchécoslovaquie qui s'était produite cinq jours seulement après la visite qu'il avait rendue à Prague (de plus, il avait refusé toute participation de l'armée roumaine à cette initiative « fraternelle »). Défier Moscou n'avait guère réussi à Fidel, mais il avait en commun avec Ceaucescu la volonté d'enrégimenter totalement son peuple et l'incapacité d'obtenir une productivité normale chez les travailleurs. Peut-être Fidel ne perça-t-il pas les secrets de la politique étrangère du Roumain, mais il apprit très vite que le pays produisait d'excellent vin (ce à quoi il s'intéressait), après avoir tâté d'une gourde en peau de chèvre.

En Hongrie, une autre expérience communiste des plus subtiles l'attendait. Il arrivait à Budapest un quart de siècle après l'intervention des chars soviétiques qui avaient écrasé les « combattants de la liberté » (c'est dans la capitale hongroise qu'était née l'expression en 1956) en lutte contre les communistes ; il découvrit que le pays avait conquis sur les Russes une bonne marge d'autonomie dans la conduite de ses affaires intérieures ; cela lui avait permis de s'assurer une prospérité remarquable, grâce à des réformes inspirées par l'économie de marché. C'étaient ces mêmes réformes que les Tchèques avaient voulu imiter, voire développer, avant l'invasion de 1968 et que Castro avait si violemment dénoncées dans son discours d'alors. Quelque impression que lui eurent laissée les réussites de la Hongrie, Castro demeura toujours aussi obstinément opposé à toute forme d'économie non centralisée puisque, encore en 1986, il interdit les marchés paysans. Sous l'autorité de Janos Kadar, qui gouvernait la Hongrie depuis le soulèvement de 1956, le pays vivait dans un climat de tranquillité politique et culturelle tout à fait remarquable, à l'intérieur du système communiste. Evidemment, Castro ne souhaitait pas non plus le suivre dans cette voie. De Budapest, il rapporta un vieux sabre utilisé pendant la révolution de 1848 et un fusil automatique AK-47.

L'étape suivante fut la Pologne — où il découvrit encore un autre aspect du communisme européen. La nation avait toujours été, par tradition, viscéralement hostile aux Russes (puis aux Soviétiques) ; le nationalisme s'y montrait vivace, l'Eglise catholique détenait un pouvoir considérable, la culture était proche de celle de l'Europe occidentale, et le souvenir des terribles destructions opérées par l'Allemagne nazie pendant la guerre restait partout présent ; là-dessus se greffait un Parti communiste particulièrement obtus qui donnait à tout-va dans la corruption la plus scandaleuse. Le Parti avait tellement exaspéré les travailleurs que ceux-ci avaient fini par se soulever, malgré les améliorations réelles apportées par le système socialiste à l'enseignement, à la santé publique et au mode de vie des couches les plus pauvres de la population. Les dernières émeutes s'étaient produites deux ans auparavant dans le port de Gdansk et avaient fait de nombreuses victimes, morts et blessés ; l'armée et la police avaient ouvert le feu sur les révoltés.

Au moment de l'arrivée de Castro à Varsovie, la nation connaissait un calme relatif entre deux orages. La Pologne était le seul pays communiste où se faisait sentir la présence d'une opposition qui s'exprimait avec cohérence — et qui était tolérée ; grâce à ce phénomène, la vie culturelle était restée riche et active. Naturellement, l'opposition ne put avoir de contact avec Fidel Castro, et d'ailleurs il aurait certainement désapprouvé ces écrivains et ces artistes pour qui l'édification du socialisme n'était pas la seule ambition créatrice possible. Malgré la richesse de son esprit, Fidel ne pouvait franchir les barrières culturelles et politiques beaucoup trop hautes qui séparaient les deux Etats — pourtant censés être tous deux communistes. Aussi sa visite fut-elle de pure forme, même si, comme c'était son habitude, Fidel ne manqua pas de l'égayer un peu par son comportement et les manifestations de sa personnalité. Un soir qu'il se promenait à pied dans Varsovie, sur la grand-place de la vieille ville, il s'arrêta pour échanger quelques mots avec une marchande de fleurs, puis descendit dans une cave où se trouvait une boîte de nuit, le Krokodyl ; il promit aux clients de leur envoyer un alligator empaillé, chassé dans les marais de Zapata. Les jeunes gens étaient ravis. Ce soir-là, une dépêche envoyée de Varsovie par une agence de presse américaine annonça au monde que Castro avait eu une crise cardiaque. Fidel bégayait de rage, en déclarant qu'il s'agissait encore une fois d'une provocation de la CIA, destinée à déstabiliser Cuba — ce qui était probablement la vérité.

Dans la région minière de Silésie, Castro revêtit la tenue de cérémonie traditionnelle des mineurs, le costume noir, et reçut la médaille des mines. « Si ma tournée se poursuit à ce rythme, j'aurai bientôt récolté autant de décorations qu'un héros du travail », dit-il aux mineurs, ce qui provoqua des rires et des applaudissements. L'enthousiasme fut beaucoup moins vif lorsqu'il s'écria : « Vive la Silésie rouge ! » Toujours en tenue de mineur, Fidel se rendit au cours de la même journée à Auschwitz et à Treblinka, sur les lieux des camps de concentration nazis. A Auschwitz, il écrivit dans le livre des visiteurs : « L'idéologie capitaliste et impérialiste a donc pu aller jusqu'à de tels extrêmes... Ce que j'ai vu aujourd'hui m'a rappelé ce que les Yankees sont en train de faire au Vietnam. » A Cracovie, il joua au basket avec l'équipe universitaire et, à Gdansk, il visita les chantiers navals Lénine (l'endroit même où naîtrait « Solidarité », huit ans plus tard), puis il se joignit au général Jaruzelski, ministre de la Défense (qui liquiderait « Solidarité »), afin d'assister à des manœuvres militaires dans la zone côtière.

Le 13 juin, Fidel arriva à Berlin-Est. Il y a peu de chances pour qu'il l'ait su, mais cette journée marquait le dix-neuvième anniversaire des sanglantes émeutes qui avaient dressé les travailleurs et les étudiants d'Allemagne de l'Est contre le pouvoir communiste. Les chars soviétiques avaient mis fin à cette première révolte de l'Europe orientale depuis la guerre. C'était le 13 juin 1953, date bien oubliée depuis. Accueilli par le chef de l'Allemagne de l'Est, Erich Honecker, Castro visita donc un pays communiste très prospère, contigu au monde occidental dans la ville de Berlin divisée. On l'emmena jusqu'à la porte de Brandebourg, à cheval sur la ligne de démarcation entre les deux Berlin ; il ne put éviter de voir le mur, édifié par les Allemands de l'Est en 1961 pour empêcher leurs concitoyens de fuir vers l'Ouest. Il ne fit pas allusion au Mur de Berlin dans le discours qu'il adressa aux gardes-frontières de la République démocratique allemande, mais il compara le secteur occidental de la ville à la base navale américaine de Guantánamo, les assimilant toutes deux à des enclaves étrangères. A Merserburg, il se promena dans la rue en serrant les mains des enfants des écoles ; au château de Moritzburg, il fut l'invité du commandant de la division soviétique en garnison près de Berlin-Est. A cette occasion, il évoqua dans son discours la façon dont une cargaison d'armes venue d'URSS et à peine déchargée avait joué un rôle déterminant dans la bataille de la Baie des Cochons. En 1984, Castro devait me confier que l'Allemagne de l'Est était le pays qu'il avait le plus admiré en Europe ; comme Cuba, elle devait vivre tout près de l'ennemi.

En Tchécoslovaquie, dont l'invasion quatre ans auparavant par les armées du Pacte de Varsovie avait été encensée et justifiée par Fidel, il fut accueilli avec chaleur par le secrétaire général du Parti communiste, Gustav Husak, l'homme à qui le Kremlin avait confié la « normalisation » de son pays. Husak décora Castro de l'Ordre du Lion Blanc et la vénérable université Charles où s'était épanoui, au milieu des philosophes, l'esprit libérateur du Printemps de Prague, lui conféra le grade de Docteur *honoris causa* en sciences juridiques. Dans cette splendeur médiévale, revêtu d'une toge noire et coiffé d'une toque, il se fit le philosophe de la révolution et saisit l'occasion pour donner un cours à son auditoire sur l'histoire idéologique de son Mouvement. Il embrouilla les questions une fois de plus, pour expliquer que, en 1953, le programme de Moncada « n'était pas encore un projet socialiste », bien qu'il eût été décrit comme tel à Cuba depuis 1961, lorsque Fidel avait proclamé que sa révolution avait bien un caractère socialiste. Cependant, dit l'orateur, « le processus révolutionnaire de Cuba confirme la force extraordinaire des idées de Marx, d'Engels et de Lénine ». Et pendant une heure, cet homme, si doué, si éloquent, offrit à l'une des plus grandes universités du monde un morne rabâchage de banalités marxistes-léninistes, un éloge de l'Union soviétique et une condamnation de l' « impérialisme ».

Castro atterrit à Moscou le 26 juin. C'était sa troisième visite en Union soviétique où il allait passer quinze jours avec un programme allégé. Son arrivée marquait officiellement la fin d'une décennie de malentendus entre Cuba et l'URSS. Le fait était mis en relief par la présence de Brejnev, de Kossyguine et de Podgorny, venus l'accueillir à l'aéroport de Vnukovo-2 ; en outre, le lendemain, Fidel était décoré de l'Ordre de Lénine. Il eut plusieurs entretiens avec les dirigeants du Kremlin, ainsi qu'avec le ministre de la Défense, Gretchko, et le grand état-major soviétique, signe que les liens militaires entre les deux pays demeuraient solides. Castro se rendit dans quatre villes soviétiques, il visita le centre spatial, une usine aéronautique et des stations expérimentales agricoles ; il semblait désormais parfaitement à son aise en Union soviétique. Il repartit le 5 juillet. Six jours après, était annoncée l'entrée de Cuba dans le CAEM, le marché commun communiste.

Pendant le restant de l'année 1972 et une bonne partie de 1973, Castro s'occupa activement de politique étrangère, tandis que la fragile économie cubaine ne semblait guère retenir son attention comme avant.

En décembre 1972, Salvador Allende vint lui rendre visite à Cuba et tous deux passèrent d'agréables journées, à bavarder au soleil et à se promener en bateau à moteur. Ce devait être la dernière fois qu'ils se voyaient.

Le 18 décembre, Castro se rendit de nouveau à Moscou où il passa une semaine afin de célébrer le cinquantième anniversaire de la fondation de l'Union soviétique. Au cours de son séjour, il put mettre la dernière main à cinq accords d'assistance économique et technique de grande importance qu'il devait signer avec les Russes. C'est ainsi que le règlement de la dette cubaine qui se montait à quatre milliards de dollars fut repoussé jusqu'en 1986 — ce qui équivalait à un moratoire de quinze ans et laissait aux Cubains vingt-cinq ans pour la rembourser. Les déficits commerciaux prévus pour les années 1973 et 1974 (la production de sucre restait insuffisante) devaient être couverts par des ouvertures de crédits séparés. Le volume des échanges bilatéraux entre 1973 et 1975 avait beaucoup augmenté, même si aucun chiffre n'était publié. Cela signifiait tout simplement qu'une aide soviétique plus importante encore était injectée dans l'économie cubaine toujours boiteuse. Des crédits supplémentaires pour 390 millions de dollars devaient aller au développement économique. Et Moscou donna son accord pour « payer » plus cher encore le sucre et le nickel cubains, afin que la dette réelle augmente un peu moins vite. De retour à La Havane, Castro se vanta de ces accords, le 3 janvier 1973, dans un discours à la gloire des relations soviéto-cubaines qui étaient, selon lui, « un modèle de relations vraiment fraternelles, vraiment internationalistes et vraiment révolutionnaires ».

Ce n'était pas une hyperbole. En 1975, Cuba recevait environ la moitié du total de l'aide économique que l'Union soviétique accordait au tiers monde (le Vietnam y compris) et sans doute aussi une bonne moitié de son aide militaire à ces mêmes pays. Comme les politiques étrangères soviétique et cubaine convergeaient de plus en plus, dans un monde en pleine mutation (et ce n'était même plus parce que Moscou obligeait Castro à suivre la même ligne de conduite, comme cela avait été le cas en 1968), Fidel avait toute latitude de mener ses relations avec le tiers monde comme il l'entendait. Il avait les mains libres s'il voulait reconquérir la position internationale qu'il avait nettement perdue après la crise des missiles de 1962 et la disparition de Che Guevara. Tout allait donc, littéralement, le mieux du monde pour lui.

En ce sens, on s'étonne de la surprise que manifestent, semble-t-il, les Américains lorsqu'ils constatent que Castro n'a pas du tout l'intention d'échanger sa relation privilégiée avec les Soviétiques contre une reprise des rapports avec les Etats-Unis. Il sait parfaitement qu'aucun gouvernement américain (pas plus que le Congrès) ne lui accorderait une aide économique et militaire aussi massive que celle qu'il reçoit de Moscou — et ce presque sans conditions. De plus, il en est parfaitement conscient, les Etats-Unis exigeraient de lui qu'il se défasse de son système communiste et qu'il renonce à sa politique dans le tiers monde, s'il voulait bénéficier de la plus minime des assistances. A maintes reprises, dans des déclarations publiques ou des entretiens privés, Castro a fait remarquer avec insistance que, mises à part les considérations politiques et « morales », cela ne lui servirait à rien, d'un point de vue pratique, de renoncer à ses liens d'amitié avec les Russes — même si cette amitié connaît des moments difficiles. Cela lui conviendrait certainement de pouvoir commercer avec les Etats-Unis et de signer des accords bénéfiques pour la santé économique de l'île, mais pas au prix du sacrifice de son alliance avec les Soviétiques ; or ce sacrifice est depuis longtemps une condition posée par les Américains pour la levée des sanctions contre Cuba. En privé, Fidel ne laisse pas de donner libre cours à sa stupéfaction lorsqu'il songe que des hommes politiques américains sérieux peuvent être assez naïfs pour croire que Washington lui ferait une faveur en rétablissant des relations diplomatiques avec La Havane, sous de telles conditions. Cette réalité échappe aux Américains pour la plupart, et c'est la raison pour laquelle les tentatives qu'ils ont lancées pour reprendre les négociations n'ont jamais abouti — sinon à quelques accords d'intérêt réciproque sans aucune connotation politique.

Puisqu'il avait de nouveau les mains libres dans le tiers monde, Castro commença, au début des années 1970, à y concentrer son activité (sans négliger ses intérêts en Amérique latine) avec beaucoup de sérieux, jusqu'à en faire le pivot même de la politique étrangère cubaine dans les années qui devaient suivre. Après sa première visite sur le continent africain au printemps de 1972, au mois de décembre de la même année, il fit escale au Maroc, sur le chemin de Moscou, pour y rencontrer le roi Hassan II ; étant donné les buts qu'il poursuivait, son amitié avec l'Algérie socialiste ne l'empêchait pas de nouer des liens avec le monarque chérifien. En septembre 1973, à Alger, il assista à la Quatrième Conférence des Nations non alignées ; à cette occasion, il fit la connaissance de presque tous les dirigeants du tiers monde, se créa de nouveaux amis et fit très bonne impression — même si on le critiqua pour avoir défendu l'Union soviétique contre les attaques de ceux qui l'accusaient de se montrer aussi « impérialiste » que les Etats-Unis.

Puis il s'envola pour Hanoi, ravagée par les bombardements ; c'était sa première visite au Vietnam. Il se sentait très proche de cette nation, elle aussi victime des Etats-Unis. (Les traités de paix au Vietnam avaient été signés au mois de janvier, l'Amérique n'était plus partie à la guerre.) C'était aussi la première fois que Fidel se rendait en Asie, mais il n'avait guère envie d'aller en Chine, cette ennemie de ses amis soviétiques et vietnamiens. Le jour où le gouvernement de Salvador Allende fut renversé par un putsch militaire et où le président chilien fut tué dans son palais, il se trouvait à Hanoï. Avec la mort d'Allende, il perdait un ami personnel et un allié précieux.

Fidel Castro reçut de l'Union soviétique l'accolade suprême — et la reconnaissance de sa position internationale — le jour où Leonid Brejnev arriva à La Havane, le 28 janvier 1974. Jamais auparavant, le chef suprême de l'Union soviétique ne s'était rendu en Amérique latine — de plus, Cuba était le seul but du voyage, il ne s'agissait pas d'une tournée dans plusieurs pays.

Le président du Praesidium du Soviet suprême resta l'hôte de Castro pendant une semaine ; il lui rendit un hommage appuyé en allant à Santiago voir l'ancienne caserne Moncada (transformée en école) que Fidel et son groupe de rebelles avaient attaquée le 26 juillet 1953, donnant ainsi son impulsion initiale à la révolution cubaine. Puis les deux hommes allèrent en voiture visiter la ferme d'El Siboney, lieu de rendez-vous des rebelles, la veille de l'assaut. Enfin, Fidel était à jamais justifié : les Russes ne feraient jamais plus allusion à un « putsch » ou à une « aventure » lorsqu'ils évoqueraient cet épisode, puisque la conformité au marxisme de toute l'entreprise fidéliste était reconnue. A La Havane, Brejnev et Castro adressèrent la parole à un rassemblement d'un million de personnes massées sur la place de la Révolution, au pied de la statue de José Martí ; ils signèrent ensuite une grandiloquente « déclaration de principes » soviéto-cubaine. Puis Castro confirma l'hypothèse selon laquelle il était bel et bien le porte-parole du Kremlin au sein du Mouvement des Non-Alignés : « Ainsi que nous l'avons dit lors de la Conférence des Non-Alignés en Algérie, de par sa seule existence, l'Union soviétique constitue un frein aux aventures militaristes des forces d'agression de l'impérialisme ; sans sa présence, elles auraient déjà tenté d'agir pour se partager une nouvelle fois la planète et n'auraient pas hésité à envahir les pays propriétaires de pétrole ou de n'importe quelle autre matière première. »

Au Portugal, le renversement de la dictature par de jeunes officiers du centre-gauche, en avril 1974, marqua un tournant capital dans l'histoire du tiers monde, de l'Afrique et des mouvements révolutionnaires. L'un des premiers gestes des officiers putschistes fut d'annoncer la fin des guerres coloniales, ruineuses et inutiles, que poursuivait le gouvernement de Lisbonne, et de promettre l'indépendance dans un avenir proche à l'Angola, au Mozambique, à la Guinée-Bissau, et aux îles du Cap-Vert. C'est en Angola que se déroulait la plus meurtrière de ces guerres ; au mois de janvier 1975, le gouverneur militaire et les trois factions rebelles signèrent les accords d'Alvor (du nom de la ville portugaise où se rencontrèrent les parties concernées). L'indépendance de l'Angola devait être proclamée le 11 novembre.

Grâce à son intuition, Fidel avait offert son appui au MPLA marxiste (Mouvement Populaire pour la Libération de l'Angola) dès sa rencontre avec Agostinho Neto dans les années 1960. C'est pourquoi Cuba se trouva dans une position extraordinairement avantageuse : elle pouvait exercer une influence décisive sur les événements en Angola. Par la suite, les Cubains devinrent la force étrangère la plus importante à l'œuvre sur l'échiquier politico-militaire de l'Afrique — d'abord en Angola, puis en Ethiopie. Cet état de choses se perpétua dans les années 1980. Fidel se trouva donc élevé au rang des dirigeants mondiaux les moins contestés ; il pouvait orienter désormais les événements politiques en Afrique et en Amérique centrale, se charger de définir la politique économique du tiers monde envers les pays industrialisés et, ce faisant, il restait, comme toujours, une hantise et une malédiction pour les Etats-Unis. Dans le même temps, il se préparait à transformer tout à fait officiellement sa révolution en institution communiste permanente par des voies constitutionnelles. Il avait tout juste cinquante ans.

3

Contrairement à ce que l'on croit généralement, c'est Fidel Castro — et certainement pas les Russes — qui eut l'idée d'envoyer des soldats cubains combattre en Angola et prendre part à la guerre civile angolaise, sans fixer aucune limite à son intervention. En 1986, il y avait plus de dix ans que la présence en force des militaires cubains s'y faisait sentir. Plus de deux cent mille hommes se sont succédé en Angola au cours des dix premières années de l'opération et Castro s'est engagé à en envoyer encore autant si cela se révélait nécessaire. Mais, contrairement à ses affirmations, ce n'est *pas* une intervention de l'armée sud-africaine dans la guerre civile angolaise qui l'a incité à y dépêcher ses troupes. La vérité est que Fidel a pris tout le monde de vitesse et qu'il est le premier à s'être engagé dans le conflit, en faisant la preuve éblouissante de son flair, de son imagination et de son audace.

Peu après la signature des accords d'Alvor qui établissaient le calendrier de l'indépendance, la guerre civile avait éclaté entre le MPLA et les deux mouvements rivaux : le FNLA (Front national pour la libération de l'Angola) dirigé par Holden Roberto et soutenu par les Etats-Unis, le Zaïre, la Chine et l'Afrique du Sud, et l'UNITA (Union nationale pour l'indépendance totale de l'Angola), présidée par Jonas Savimbi, qui avait l'appui des Etats-Unis et de l'Afrique du Sud. Le FNLA et l'UNITA étaient nettement anticommunistes. Il est curieux que les Soviétiques aient retiré l'appui qu'ils apportaient au MPLA, mais ils ne lui accordaient aucune confiance, ni sur le plan politique ni sur le plan militaire. Castro fut le seul à se conduire en véritable ami du mouvement. C'est lui qui avait entraîné les cadres de ses guérilleros à Cuba et, lorsque commença la lutte entre les diverses factions, il envoya discrètement sur place, en mai 1975, deux cent cinquante conseillers militaires cubains dont la mission était d'organiser les forces du MPLA. Simultanément, une importante personnalité du régime, Flavio Bravo, l'un des plus anciens amis communistes des frères Castro, rencontrait à Brazzaville le président du MPLA, Agostinho Neto.

En juillet, ce dernier sollicitait une aide supplémentaire car le FNLA tout comme l'UNITA commençaient à se renforcer grâce au matériel et aux conseils qu'ils recevaient des Etats-Unis. (Jusqu'à ce que le Congrès mette le holà à cette aide officieuse, la CIA aurait dépensé 31 millions de dollars, en 1974 et 1975, pour aider les factions anticommunistes.) Au mois d'août, des unités mercenaires du Portugal et de l'Afrique du Sud, venues de Namibie, traversèrent la frontière angolaise au Sud, pour protéger contre les attaques du MPLA une station hydro-électrique frontalière. On aurait dit que tout le monde intervenait en Angola contre le MPLA, dont les Cubains étaient les seuls défenseurs ; mais ces derniers se montraient de plus en plus efficaces. Entre fin septembre et début octobre, trois cargos cubains débarquèrent des détachements militaires et des armes, et, avec un certain retard, les Soviétiques commencèrent eux aussi à expédier des armes via Brazzaville. Au début d'octobre, il y avait environ 1 500 militaires cubains en Angola. Le 23 octobre, les Sud-Africains lancèrent l'Opération Zoulou pour envahir l'Angola en force ; Cuba riposta par l'Opération Carlota, en envoyant des troupes aéroportées. Un corps expéditionnaire cubain, bien armé, fut transporté à bord des appareils de Cubana Aviación, en passant par Conakry (le président guinéen Sekou Touré, ami de Fidel, coordonnait l'opération). Tout d'abord, les avions cubains avaient tenté de se ravitailler en carburant aux Barbades et à Trinidad, mais ils n'en avaient pas reçu l'autorisation ; enfin, la Guyana consentit à les recevoir après avoir appris le refus des autres pays.

Il ne fait aucun doute que les Cubains ont sauvé le MPLA menacé de disparition. Ils l'ont aidé à défaire ses ennemis, au cours d'une bataille décisive pour la possession du terminus de chemin de fer, à Benguela, et lui ont assuré la prise de Luanda — menacée par le FNLA de Holden Roberto — juste à temps pour la proclamation de l'indépendance, fixée au 11 novembre. En février 1976, Castro avait 15 000 hommes en Angola et l'Organisation de l'Unité africaine (OUA) avait reconnu le gouvernement du MPLA. Castro déclara que les forces cubaines resteraient en Angola aussi longtemps que le MPLA en aurait besoin — elles étaient toujours présentes dix ans plus tard, car le régime angolais se révélait incapable de soutenir à lui seul les assauts de l'UNITA de Jonas Savimbi, soutenu massivement et ouvertement par l'Afrique du Sud. Un de ces paradoxes dont les exemples fourmillent en Angola a voulu que ce soient les unités cubaines, choisies pour leur sens de la discipline, qui assurent la garde des installations pétrolières de la Gulf Oil, société appartenant à des capitaux américains, dans l'enclave de Cabinda au Nord du pays. (Les Soviétiques achetaient discrètement le pétrole de la Gulf une fois rendu au large, par l'intermédiaire d'un courtier de Curaçao... puis les pétroliers cinglaient vers Cuba. Moscou trouvait moins coûteux d'envoyer au moins une partie de ses livraisons de pétrole à La Havane, à partir de Cabinda, plutôt que de les expédier de la mer Noire. L'ironie suprême est que Castro se livra à une explosion de rage en public quand des commandos venus d'Afrique du Sud essayèrent de faire sauter les installations de la Gulf, en 1985.)

L'expédition angolaise a montré que Cuba et l'Union soviétique étaient capables de coordonner leurs efforts pour mener à bien des entreprises militaires lointaines, sans friction aucune, en Afrique — et probablement ailleurs dans le tiers monde. Les déploiements rapides de troupes cubaines équipées d'armes légères se trouvent parfaitement synchronisées avec les livraisons simultanées (ou antérieures) de matériel lourd soviétique. Il serait pourtant absurde de faire croire que les Cubains sont les « Ghurkas de l'Empire soviétique » (comme le gouvernement américain le leur a reproché) ; ce n'est pas sur un ordre des Soviétiques qu'ils sont partis pour l'Angola et, plus tard, pour l'Ethiopie. Si, en Angola comme en Ethiopie, les intérêts cubains et soviétiques étaient manifestement identiques, il n'est pas vraisemblable que Moscou ait même tenté de donner aux Cubains « l'ordre » d'envoyer leurs soldats se battre dans ces pays. Dans la pratique, cela ne donnerait aucun résultat ; de plus, et surtout, il existe de nombreuses preuves que l'idée venait de Fidel.

Il n'y a aucune raison de douter des paroles de Castro lorsque, interrogé par Barbara Walters au cours d'une interview télévisée en 1977, il déclarait : « Ne croyez pas que les Soviétiques ont pu demander à Cuba d'envoyer un seul homme en Angola... Ce genre de chose est totalement étranger aux relations des Soviétiques avec Cuba, comme à leur comportement. Une décision de cette nature ne pouvait être prise que par notre parti et notre gouvernement, et de notre propre chef, à la demande du gouvernement angolais... Les Soviétiques ne nous ont jamais rien demandé de tel. Ils n'ont jamais prononcé une seule parole en ce sens. C'est une décision exclusivement cubaine. » Et il ajouta : « Nous avons décidé d'envoyer une première unité militaire en Angola pour combattre les troupes sud-africaines. C'est la raison qui nous a fait adopter cette décision. Si nous n'avions pas accompli cet effort, il est tout à fait vraisemblable que l'Afrique du Sud se serait emparé de l'Angola. »

Arkady Chevtchenko, diplomate soviétique de haut rang, passé aux Etats-Unis en 1978, confirme les dénégations de Castro. Il l'écrit dans ses Mémoires : ayant demandé, à un moment quelconque, en 1976, au vice-ministre des Affaires étrangères, Vassili Kouznetsov, « Comment avons-nous persuadé les Cubains de nous fournir un corps expéditionnaire ? », ce dernier « éclata de rire ». Chevtchenko ajoute : « Après avoir reconnu que Castro jouait sans doute son propre jeu en envoyant près de 20 000 hommes en Angola, Kouznetsov me confia que l'idée d'une opération militaire sur une aussi grande échelle émanait de La Havane et non pas de Moscou. Je n'en croyais pas mes oreilles. Comme je le découvris plus tard, pratiquement personne n'était au courant dans la capitale soviétique » (*Rupture avec Moscou*, p. 336).

En janvier 1984, j'ai soulevé la question de l'Angola au cours d'un entretien avec Castro ; il me répondit que « les Angolais nous avaient demandé notre aide, nous leur avons donc envoyé de l'aide, au prix d'un grand effort et de grands sacrifices... l'Angola était envahie par l'Afrique du Sud, pays réprouvé par le monde entier... Nous ne pouvions donc rien faire de plus juste que d'aider l'Angola à repousser une invasion extérieure venue d'Afrique du Sud... Chaque fois que nous avons fourni une aide, ailleurs qu'en Amérique latine, elle était destinée à des pays qui étaient victimes d'une agression. Ce n'est pas le cas des actions dirigées contre les gouvernements en Amérique latine, quels qu'ils soient. Nous avons aidé les peuples des colonies portugaises comme tout le monde les aidait, en même temps que les Nations unies leur fournissaient une assistance. Nous combattons l'Afrique du Sud quand les Nations unies la condamnent pour son agression en Angola ; nous avons aidé l'Ethiopie quand elle était victime d'une invasion venue de l'extérieur qui visait à sa désintégration ». Castro fait aussi remarquer que, comme au Nicaragua, les Cubains fournissent une assistance technique, médicale et pédagogique importante à l'Angola, en même temps qu'une aide militaire. C'est une formule originale que les Angolais, les Ethiopiens, les Nicaraguayens et d'autres peuples du tiers monde acceptent volontiers parce qu'elle vient d'un autre pays du tiers monde.

Au moment où Cuba s'engageait en Angola, le gouvernement Ford décidait que le temps était venu d'améliorer ses relations avec Castro. L'idée venait d'Henry Kissinger, le secrétaire d'Etat. Ce dernier croyait que, quelque quinze ans après la rupture des relations, quinze années d'hostilité réciproque opiniâtre, la rivalité naissante qui les opposait en Angola n'empêcherait pas les Etats-Unis et Cuba de trouver un terrain d'entente. Kissinger, qui avait réussi à négocier l'ouverture des relations avec la Chine (ainsi que le voyage de Nixon à Pékin) en pleine guerre du Vietnam, croyait tout à fait possible d'entamer le dialogue avec Castro. L'euphorie de la détente entre l'Union soviétique et les Etats-Unis connaissait alors son apogée ; elle constituait certainement un facteur qui jouerait en faveur d'un rapprochement avec Cuba. De plus, Kissinger avait de bonnes raisons de penser que Castro ne se montrerait pas indifférent. Mais il ne pouvait prévoir à quel point Cuba s'engagerait en Angola.

Avant d'entreprendre aucune action, le département d'Etat tenta de procéder à des conversations confidentielles avec des diplomates cubains dans le cadre des Nations unies ; il voulait ainsi tester les réactions de La Havane à l'ouverture éventuelle de pourparlers. Les réactions furent favorables. On n'ignorait pas que Castro savait faire preuve d'une certaine souplesse quant à certains aspects de ses relations avec les Etats-Unis quand cela lui convenait — il avait autorisé la reprise de l'émigration vers le continent américain, ce qui permit à 250 000 Cubains de quitter l'île entre 1965 et 1973 ; puis, en 1973, il avait mis au point avec Washington une « entente » visant à prévenir les détournements d'avions. Mais Kissinger voulait savoir jusqu'où le dirigeant cubain souhaitait aller. Dans un discours prononcé au mois de mars 1975, il déclara, non sans intention, qu'il ne voyait « aucun avantage à ce perpétuel antagonisme » avec Cuba. Au mois de mai, il approuva une politique de « ballons d'essai secrets » grâce à laquelle Castro apprit que les Etats-Unis pensaient lever de manière sélective les sanctions prises contre Cuba et suspendraient les survols de l'île par leurs avions espions RB-71, pendant la durée des contacts préliminaires.

Le 29 juillet, à San José, au Costa Rica, les Etats-Unis se joignirent à une majorité de membres de l'OEA pour voter la levée de l'interdiction collective des relations économiques et politiques avec Cuba. Cette initiative faisait suite à des conversations secrètes assez approfondies avec des émissaires cubains qui avaient reçu personnellement de Castro des instructions détaillées. Le négociateur américain était l'adjoint au secrétaire d'Etat pour les Affaires interaméricaines, William D. Rogers, juriste international hautement respecté. Ses entrevues clandestines avec les Cubains se passaient aussi bien à Manhattan dans l'hôtel Pierre que dans les cafés de l'aéroport La Guardia à New York ou de l'aéroport National à Washington. L'aspect le plus prometteur de ces tentatives résidait dans le fait que les deux parties étaient d'accord en principe pour qu'il n'y ait pas de conditions préalables aux pourparlers proprement dits, tout étant considéré comme négociable. Ramón Sánchez-Parodi, l'émissaire cubain, apprit à Rogers que Castro n'insistait pas pour que les Etats-Unis renoncent à l'embargo économique avant le début des négociations, ce qui représentait un changement capital dans sa position. De son côté, Rogers fit savoir aux Cubains que le sort de la base navale de Guantánamo était lui aussi négociable.

Le 9 août, Castro remboursa à la compagnie Southern Airways les deux millions de dollars de rançon que le gouvernement cubain avait demandés trois ans auparavant pour un avion détourné ; le gouvernement américain vit dans ce geste un signe positif. Dix jours après, pour la première fois en douze ans, le département d'Etat annonça que les sociétés américaines installées dans des pays étrangers seraient autorisées à traiter avec Cuba. La mesure était soumise à examen depuis un certain temps et elle prenait l'aspect d'un geste diplomatique sans équivoque à l'égard de Castro. Vers la fin septembre, Rogers annonça que les Etats-Unis étaient prêts à « améliorer nos relations avec Cuba » et « à ouvrir le dialogue ». A ce moment précis, tout s'écroula. En Angola, la présence militaire cubaine prit de vastes proportions, ce qui valut à Castro des critiques publiques exprimées par Kissinger. A La Havane, Fidel choisit ce moment pour patronner une « Conférence de solidarité avec Porto Rico » qui demanda l'indépendance du territoire, comme une « question de principe », sachant parfaitement qu'il s'agissait là d'une attitude vouée à provoquer automatiquement la colère des Etats-Unis. L'ambassadeur cubain auprès des Nations unies, Ricardo Alarcón de Quesada, mélangea toutes ces questions dans un discours du mois d'octobre dans lequel il déclarait que « la solidarité de Cuba avec Porto Rico n'est pas négociable » et que « Cuba a le devoir de soutenir efficacement le MPLA en Angola ».

Vers la fin du mois de novembre, Rogers et Sánchez-Parodi se rencontrèrent pour leur dernière réunion secrète. L'aventure diplomatique était terminée, l'hostilité traditionnelle reprenait ses droits. Les Américains prétendent que les Cubains ont décidé de rompre les négociations préliminaires sans la moindre explication compréhensible ; on pense que Castro avait jugé impossible d'entamer des négociations en règle avec Washington, tant que la guerre ferait rage en Angola. Les Cubains affirment que les Américains, rendus furieux par l'épisode de la Conférence de solidarité avec Porto Rico à La Havane, ont rompu les contacts, mais ils n'expliquent pas pourquoi Castro avait soulevé une fois encore, de manière aussi insultante, cette question extrêmement délicate s'il tenait d'autre part à reprendre les négociations avec les Etats-Unis. Bien souvent, Fidel préfère ne pas expliquer le pourquoi de ses actions, même à ses proches ;

mais à la fin de 1985, il révéla à un visiteur américain que les efforts diplomatiques de Kissinger, dix ans auparavant, avaient été plus près d'aboutir que toute autre tentative similaire, dans l'histoire des relations entre les Etats-Unis et Cuba depuis la révolution — mais il ne donna aucune explication de leur échec.

La victoire de 1959 et la création du nouveau Parti communiste en 1965, érigé en corps politique de gouvernement, marquent la première grande étape de la révolution castriste. La phase suivante fut l' « institutionnalisation de la Révolution », comme devait la baptiser Castro, par la promulgation d'une nouvelle Constitution, le 24 février 1976. Pendant les dix-sept années précédentes, la « loi fondamentale » rédigée par le premier gouvernement révolutionnaire, assortie de divers textes de lois et de règlements, littéralement par milliers, formaient le cadre juridique de l'Etat cubain, même s'il ne subsistait aucun doute quant à la dévolution du pouvoir.

Néanmoins, il fallait reprendre, réviser et codifier les lois et, mieux encore, légitimer pleinement la démarche socialiste du pays et ses objectifs communistes. C'est pourquoi, au mois d'octobre 1974, Blás Roca, secrétaire général du « vieux » Parti communiste et membre du Politburo du nouveau Parti, fut nommé président d'une commission chargée d'élaborer le texte de la nouvelle Constitution. Publié six mois après, le projet fut soumis à l'examen de millions de Cubains, membres du parti et des organisations militaires, des syndicats, des mouvements de jeunesse et des groupements féminins. Il est certain que ces discussions n'engendrèrent aucun changement notable, mais Castro considérait qu'ainsi devait fonctionner la « démocratie directe » ; cependant, ce qui devait beaucoup surprendre le régime, le peuple voulait que la démocratie fût encore plus directe.

Le texte du projet constitutionnel contenait une innovation : il créait, à l'échelon local, une *Asamblea Municipal del Poder Popular*, sorte d'organisme autogestionnaire baptisé « pouvoir populaire » (aucune structure similaire n'existe dans aucun des autres pays communistes), coiffé par une Assemblée nationale (*Asamblea Nacional del Poder Popular*), dotée de fonctions législatives et présentée comme « l'organe suprême du pouvoir de l'Etat ». Un profond désaccord se fit jour, cependant, sur le mode de désignation des députés à l'Assemblée nationale. Certains prônaient des élections directes ; d'autres préféraient un mode de désignation par les Assemblées municipales du « pouvoir populaire ». Dans le premier cas, les électeurs auraient eu, au moins en théorie, leur mot à dire sur la formulation des principales mesures politiques à l'échelon national ; par la même occasion, le processus de décision aurait été rendu à peu près visible aux yeux de l'opinion. Dans le second cas, le choix des membres de l'Assemblée nationale aurait pu prêter à des manipulations politiques au niveau local, si les candidats étaient choisis au sein des assemblées municipales, ou désignés par le parti, voire par le gouvernement. Dans la mesure où le projet prévoyait que les députés à l'Assemblée nationale devraient « expliquer la politique de l'Etat et rendre périodiquement compte de leur gestion [aux électeurs] », les élections directes auraient pu tourner au désastre pour le gouvernement. Le conflit interne sur ce point fut si violent que la Constitution, soumise à référendum le 15 février 1976, laissa de côté le mode de scrutin. C'est seulement *après* que 97,7 % des électeurs eurent approuvé la charte que la Commission préparatoire, dirigée par Fidel Castro, y introduisit une clause qui précisait : « l'Assemblée nationale... est composée de députés élus par les assemblées municipales ». Ainsi se termina la première et la dernière véritable tentative faite en vue de démocratiser le marxisme cubain.

Au mois de décembre 1975, le référendum fut précédé du Premier Congrès du Parti communiste cubain, sous la présidence de Fidel Castro, avec la participation de Mikhail Souslov, le principal idéologue communiste soviétique, l'un des membres les plus puissants du Politburo. Le rapport de Castro au Congrès était contenu dans un document de 248 pages, présenté sous forme de livre ; il retraçait l'histoire de Cuba, l'origine du mouvement révolutionnaire fidéliste et sa conversion au socialisme, les dix premières années du Parti communiste, les conquêtes de la révolution, la lutte de Cuba contre l' « impérialisme » et son combat aux côtés des « mouvements de libération ». Les troupes de Castro se battaient en Angola au moment même où il prononçait son discours, mais son rapport n'en portait pas mention ; simplement, il fit une allusion à « la création récente d'une république indépendante en Angola, sous la direction du MPLA, au cours d'une lutte héroïque et acharnée contre l'impérialisme ». La guerre de l'Angola n'était pas encore connue du public, ou plutôt de l'opinion cubaine.

La Constitution définissait Cuba comme un « Etat socialiste d'ouvriers et de paysans, et de toutes les autres catégories de travailleurs manuels et intellectuels » ; le Parti communiste y était « la force dirigeante la plus puissante de la société et de l'Etat, destinée à organiser et guider l'effort commun vers... la construction du socialisme et les progrès vers une société communiste ». Etaient salués, d'abord José Martí, qui « nous a conduits vers la victoire de la révolution populaire », puis Fidel Castro, sous la direction duquel « la révolution triomphante » devait continuer son chemin.

Ainsi installé sur l'autel de la Constitution, Castro fut en fait nommé dirigeant à vie, de par la loi, avec pour corollaire qu'il serait désormais anticonstitutionnel (et pas seulement « contre-révolutionnaire ») de contester son autorité. Conformément aux dispositions contenues dans la Constitution, l'Assemblée nationale procéda ensuite à l'élection d'un Conseil d'Etat de trente et un membres dont Fidel Castro était président et Raúl Castro, premier vice-président. Président du Conseil, Fidel devint « chef de l'Etat et chef du gouvernement ». La totalité du pouvoir était donc également entre ses mains puisqu'il était Président de Cuba, Président du Conseil des ministres, premier secrétaire du Parti communiste et commandant en chef des armées.

Aucune procédure particulière n'était prévue en matière de succession, mais Raúl était premier vice-président du Conseil d'Etat comme du Conseil des ministres, deuxième secrétaire du Parti communiste (ce poste n'existe dans aucun autre Parti communiste au monde) et ministre de la Défense ;

de plus, le grade de général de l'Armée fut créé spécialement pour lui. Tout problème de succession était donc automatiquement résolu et, ainsi que le fit remarquer Fidel en certaine occasion, avec le plus grand sérieux, « la création de ces institutions assure la continuité de la Révolution » après sa mort. Il ajouta, sans rire le moins du monde, que l'on n'avait pratiquement plus besoin de lui ; il avait expliqué avec persévérance, au fil des années, que si Raúl était (automatiquement) son successeur c'était parce qu'il possédait les qualités nécessaires à un dirigeant et non parce qu'il était son frère. Le fidèle Dorticós dut abandonner la présidence et fut relégué à quelque poste ministériel (il devait se suicider un peu plus tard).

La Constitution de 1976 et le Premier Congrès du Parti communiste ont assuré la pérennité de l'Etat révolutionnaire cubain, en excluant toute possibilité de changement important, d'ordre structurel ou idéologique, à l'avenir — à moins d'un cataclysme. Avec le passage du temps, des exigences sociales nouvelles pourront faire sentir leurs effets, mais la structure et la doctrine de l'Etat ne devraient pas en être affectées. En ce sens, on peut dire que l'avenir de Cuba a été fondé sur du granit. En 1986, après deux nouveaux congrès quinquennaux du Parti communiste, tout restait dans l'ordre ; Fidel Castro demeurait l'autorité unique et ultime, et l'arbitre suprême de chacune des décisions prises sur le territoire cubain. Comme le stipulait la Constitution, l'Assemblée nationale se réunissait pour ses deux sessions annuelles, mais ces dernières ne duraient pas plus de deux ou trois jours.

La décennie 1976-1986, qui s'est terminée par le soixantième anniversaire de Fidel Castro et le vingt-septième anniversaire de sa révolution, a connu une intense activité dans le domaine de la politique étrangère et bien des efforts, constamment frustrés, pour insuffler quelque vigueur à l'économie cubaine, y mettre un peu d'ordre et améliorer la qualité de la vie pour les dix millions de citoyens de l'île, une fois satisfaits sur une base équitable leurs besoins essentiels dans les domaines de la santé et de l'enseignement. Dans sa politique internationale, Castro a enregistré plus de succès que d'échecs et il se montre toujours aussi disposé à relever tous les défis. Son image s'est améliorée dans le monde, ainsi que sa respectabilité. En fait, les seuls insuccès qu'il ait connus depuis les années 1970 et après le renversement d'Allende au Chili, ont été l'échec électoral de son ami, le Premier ministre Michael Manley, à la Jamaïque, et l'intervention des Etats-Unis à la Grenade, cette île dont il espérait faire un tremplin pour l'influence cubaine dans la partie orientale des Antilles.

L'échec de la Grenade fut un coup sévère pour Castro, car ses unités combattantes et ses travailleurs armés n'opposèrent qu'une résistance de principe aux troupes d'invasion américaines et furent rapidement vaincus. Il limogea le commandant de ses troupes comme son ambassadeur à Saint-George. Quand parvinrent à l'aéroport de La Havane les corps des Cubains tués à la Grenade, on vit Fidel rester seul debout, les épaules voûtées, pendant un long moment de méditation.

Ses relations avec les Etats-Unis ont connu des hauts et des bas. Les négociations avec le gouvernement Carter ont débouché en 1977 sur l'installation d'une « section d'intérêts » diplomatiques cubaine à Washington et de son équivalent américain à La Havane. Ces « sections », euphémisme qui désigne des « ambassades », en l'absence de relations diplomatiques formelles, ont servi instantanément de voies de communication entre les deux gouvernements. Si les gouvernements Carter et Reagan ont gardé leurs distances avec le chef de la section des intérêts cubains, Castro s'est fait un devoir de traiter le diplomate américain à La Havane comme s'il s'agissait d'un véritable ambassadeur ; il ne manque jamais de l'inviter aux réceptions du palais. En 1985, ayant appris qu'un nouveau chef de la section des intérêts américains venait d'être nommé, il se montra très curieux à son sujet et demanda à tous ses visiteurs américains des renseignements sur la personne du nouvel *Americano*. En 1978, à la suite de pourparlers avec les Etats-Unis, un accord fut signé, autorisant les émigrés cubains sur le continent américain à rendre visite à leurs familles restées dans l'île. Des dizaines de milliers de personnes profitèrent de ces dispositions (elles furent suspendues en 1985, parce que Castro était furieux contre le gouvernement Reagan qui avait autorisé la Voix de l'Amérique (VOA) à installer une station de radio hostile à son régime, sous le nom de Radio Martí). Quant aux négociations entamées avec le gouvernement Carter et personnellement orchestrées par Castro, elles firent long feu ; en 1980, les contacts diplomatiques furent rompus par suite d'un épisode typique : l'exode de 120 000 Cubains embarqués à bord de petits bateaux dans le port de Mariel à destination de la Floride. Le départ de tous ces Cubains avait été encouragé par Castro, sur un coup de colère provoqué par une remarque irréfléchie du président Carter : les Etats-Unis attendaient les réfugiés politiques cubains « à bras ouverts », avait-il dit.

Mais le soleil international se leva enfin sur Castro qui connut une heure de gloire lors de son élection à la présidence du Mouvement des Non-Alignés pour la période 1979-1982 : cette fois, il avait entre les mains la direction du tiers monde à laquelle il avait tant aspiré. Il accueillit la conférence au sommet du Mouvement des Non-Alignés à La Havane, au mois de septembre 1979. Quatre-vingt-douze chefs d'Etat ou leurs représentants étaient présents — de l'octogénaire Tito, pour la Yougoslavie communiste, au président islamique du Pakistan, Mohammad Zia ul-Haq, si profondément pieux, et au Premier Ministre de l'Inde, Indira Gandhi. Mais Castro s'arrangea pour que les projecteurs restent fixés sur sa personne. Partout, les événements le favorisaient. En mars 1979, son ami Maurice Bishop, juriste de gauche et homme politique doté d'un magnétisme certain, mettait en place un régime pro-cubain dans la petite île de la Grenade, située dans la partie orientale des Antilles. En juillet, au Nicaragua, les rebelles du Front de Libération sandiniste mettaient fin à la dictature de Somoza ; Castro avait bien connu Carlos Fonseca, le fondateur du mouvement, tué en 1966 ; aussi fournit-il aux rebelles une assistance considérable après les avoir forcés à s'unir en un front commun. Cuba avait désormais des alliés révolutionnaires en Amérique centrale et sur les franges des Antilles, à un saut de puce du Venezuela qui avait une si grande importance stratégique.

Au mois d'octobre, Fidel Castro retourna à New York pour la première fois en dix-neuf ans, afin de prendre la parole devant l'Assemblée générale des Nations unies en qualité de président du Mouvement des Non-Alignés. Ce fut un moment de revanche qu'il savoura pleinement car il justifiait toute son action : alors qu'en 1960, il avait cherché refuge dans un hôtel de Harlem, il logeait maintenant à New York pour trois jours dans un immeuble de douze étages, propriété de la délégation cubaine auprès des Nations unies en plein centre de Manhattan (on y trouvait plusieurs appartements et même une école). Cuba venait de s'en rendre acquéreur pour un peu plus de deux millions de dollars. Après celle des Etats-Unis et de l'Union soviétique, c'est la délégation cubaine qui comptait le plus grand nombre de fonctionnaires. En évoquant ce dernier séjour à New York et la réception qu'il avait donnée au siège de la mission cubaine, Fidel, rayonnant de satisfaction, me dit : « La première fois, en 1960, nous nous nourrissions de poulet... cette fois, j'ai apporté mes propres langoustes, et mon rhum... » Le 12 octobre, il prononça un discours de deux heures devant l'Assemblée générale des Nations unies ; au nom du tiers monde démuni, il pressa les Etats-Unis et autres « riches impérialistes » d'accorder 300 milliards de dollars en dix ans aux nations en voie de développement. « S'il n'y a pas de crédits pour le développement, il n'y aura pas de paix, dit-il, et l'avenir sera une apocalypse. » Le destin du tiers monde et la dette monstrueuse de celui-ci envers les pays industrialisés devinrent le pivot de la politique étrangère de Castro pour les années 1980. Il se fit l'avocat fervent de cette politique lors de la réunion au sommet du Mouvement des Non-Alignés en 1982 et au cours d'une extraordinaire offensive contre la dette, qu'il monta à La Havane en 1985.

Les problèmes économiques trouvaient également leur place dans l'« internationalisme » croissant de Castro, ainsi que la question des interventions militaires dans les conflits révolutionnaires à travers le globe. Après son premier engagement en Angola en 1975, il intervint en Ethiopie où il envoya en 1978 près de 20 000 combattants pour aider le nouveau régime marxiste du lieutenant-colonel Mengistu Haïlé Mariam à repousser une attaque de la Somalie qui contestait sa souveraineté sur le territoire de l'Ogaden. Comme elle l'avait fait pour l'Angola, l'Union soviétique lui procura des armes et des conseillers ; c'était la seconde entreprise militaire conjointe soviéto-cubaine. Quant à leur politique envers le tiers monde, La Havane et Moscou étaient exactement sur la même longueur d'onde. C'est ainsi que Castro soutint vigoureusement l'Union soviétique quand celle-ci envahit l'Afghanistan en décembre 1979 pour sauver le « socialisme », renouvelant à l'usage de l'Asie la formulation de la doctrine Brejnev appliquée naguère à la Tchécoslovaquie. Bien que la violente résistance des Afghans embarrassât Fidel en sa qualité de président du Mouvement des Non-Alignés, en particulier à l'égard des pays musulmans, il trouva bon nombre d'arguments pour défendre l'intervention soviétique. Mais il était tout aussi capable de justifier son changement d'attitude vis-à-vis du mouvement sécessionniste de l'Erythée qu'il avait soutenu jusqu'au moment où le président Mengistu était devenu son allié. Une fois de plus, ses agissements menacèrent même de provoquer une crise entre Américains et Soviétiques, car la présence de forces cubaines appuyées par l'URSS dans la Corne de l'Afrique faillit pousser le gouvernement Carter à rompre les négociations sur la limitation des armements nucléaires stratégiques (SALT). Fidel se trouvait toujours en plein sous les feux de la rampe.

Castro n'a jamais fait mystère de sa sympathie à l'égard du mouvement sandiniste, que ce soit avant son triomphe ou après. Il a fourni au Nicaragua, son jeune associé dans les affaires révolutionnaires, un appui maximum, ainsi que des conseillers militaires et des techniciens civils. Les Cubains ont formé les sandinistes dans leurs camps militaires de Pinar del Río et de l'île de la Jeunesse ; en outre, c'est Fidel lui-même qui s'est chargé d'unifier les factions rivales au sein de la rébellion nicaraguayenne. A défaut de s'unir, leur dit-il au cours d'une réunion secrète tenue à La Havane, ils ne recevraient pas d'armes de Cuba pour leur « offensive finale ». Depuis la victoire sandiniste de 1979, Castro continue, de La Havane, d'orchestrer la révolution nicaraguayenne ; le président Daniel Ortega Saavedra se rend fréquemment à Cuba, tantôt publiquement, tantôt secrètement.

Castro apporte également son appui total aux guérilleros de gauche, au Salvador, et il soutient également le mouvement M-19 en Colombie, mais il sait qu'il est impossible pour Cuba de protéger ces deux pays d'Amérique centrale contre une attaque directe des Etats-Unis (et il se rend parfaitement compte que l'Union soviétique ne s'engagera pas à défendre militairement le Nicaragua comme elle l'a fait pour Cuba). Il pense qu'un règlement politique est possible au Nicaragua comme au Salvador, parce que la seule autre solution est une installation permanente dans l'impasse. Mais il est conscient du fait que, en cas de crise irrémédiable, les Etats-Unis pourraient tenter de l'anéantir. Son inquiétude s'est trouvée encore accrue par les déclarations du gouvernement Reagan qui, à ses débuts, menaçait « d'aller à la source » des troubles enregistrés en Amérique centrale, source dont il est persuadé qu'elle porte le nom de Cuba — l'intervention des Etats-Unis à la Grenade, en 1983, n'était pas faite pour le rassurer.

Au début de 1984, au cours d'un entretien sur l'éventualité d'une action militaire américaine en Amérique centrale et au-delà, Castro me déclara : « Nous ne sommes pas en mesure d'intervenir militairement, de façon décisive, dans les événements qui s'y déroulent. Tous nos moyens sont défensifs. Nous n'avons ni marine, ni aviation capables de pallier ou de briser un blocus organisé par les Etats-Unis. Ce n'est pas une question de choix, c'est une question de pratique... En outre, d'un point de vue politique, il ne serait pas bon pour nous de tenter une intervention militaire dans de telles conditions, car aux yeux de l'opinion publique américaine cela justifierait une agression des Etats-Unis contre nous. » Répondant à la question que je lui avais posée sur sa crainte d'une invasion américaine, il répliqua : « Nous faisons de grands efforts pour renforcer nos défenses. Après l'affaire de la Grenade, ces efforts se sont encore accentués. Nous améliorons nos défenses et notre capacité de résistance, et nous n'oublions pas de préparer notre peuple à une guerre prolongée, de durée indéterminée. Si, comme l'a dit le gouvernement Reagan, la force de dissuasion des Etats-Unis réside dans leur arsenal nucléaire, la nôtre consiste à rendre notre pays impossible à occuper — à empêcher toute armée d'occupation de se maintenir dans notre pays. D'abord, il faudrait de durs combats pour y prendre pied. Ensuite, l'occupation ne serait pas la fin mais le commencement d'une guerre beaucoup plus difficile ; nous finirions par être victorieux, tôt ou tard, mais ce serait une victoire chèrement acquise. »

Castro est toujours convaincu que la guerre civile au Salvador peut aboutir à un règlement politique, par voie de négociation ; il ne cherche pas à cacher le soutien qu'il apporte aux guérilleros de gauche dans ce pays. De même qu'il connaissait la plupart des dirigeants actuels du Nicaragua avant leur victoire de 1979, il connaît aussi tous les chefs de la guérilla salvadorienne, car il s'est employé à imposer l'unité à leurs diverses factions. Pendant un entretien que j'ai eu avec lui en 1984, il m'a fait comprendre que ces dirigeants étaient venus le voir à La Havane, quand il m'a dit : « Il y a plusieurs mois que je n'ai pas parlé aux chefs du mouvement révolutionnaire du Salvador, car ils sont tous dans leur pays à présent et il n'est pas possible d'entrer directement en contact avec eux. »

Selon les vues politiques de Castro, quant au tiers monde, les médecins et les enseignants ont autant d'importance que les militaires. Il éprouve un immense orgueil à expliquer que Cuba est le seul pays en développement qui soit capable d'aider les autres et prêt à le faire. Il affirme que la nouvelle génération de Cubains est nourrie d'un internationalisme que l'on ne trouve pas ailleurs. Evoquant en ma présence cet internationalisme, il me confia : « Voyez-vous, lorsque, après le triomphe de la révolution au Nicaragua, on nous a demandé des professeurs, il y a eu vingt-neuf mille volontaires... Au début, nous n'avions pas assez de médecins à envoyer dans l'intérieur du pays. Aujourd'hui, nous en avons dans vingt-cinq pays du tiers monde — on compte plus de 1 500 médecins cubains à l'œuvre dans le tiers monde. Et il y en aura encore davantage parce que nous en formons deux mille chaque année. C'est une nouvelle culture, une nouvelle morale... C'est fantastique : vous allez dans une de nos universités et, pour n'importe quel travail, il y a cent pour cent de volontaires. Quand nous avons eu besoin de volontaires pour l'Angola, nous avons eu trois cent mille réponses. Quand nous avons eu besoin de volontaires pour l'Ethiopie, ils ont été plus de trois cent mille à se proposer. C'étaient des civils, des réservistes. On compte par centaines de milliers les Cubains qui se sont acquittés de missions internationalistes. Les gens demandent pourquoi il y a deux mille enseignants cubains au Nicaragua, mais qui donc ferait le travail à leur place là-bas ? Combien d'individus en Amérique latine sont-ils prêts à se rendre là où vont nos professeurs qui vivent avec les familles les plus pauvres, mangent comme elles et instruisent leurs enfants ? Vous n'en trouverez pas... Nous avons plus de volontaires qui sont tout prêts à partir n'importe où dans le monde, comme médecins, comme infirmières, comme instituteurs, comme techniciens, comme ouvriers, que n'en comptent les Volontaires de la Paix américains et toutes les églises ensemble — et nous sommes un pays de dix millions d'habitants. »

Depuis 1985, Castro consacre une partie étonnamment importante de son temps au problème de la dette contractée par le tiers monde envers les banques et les gouvernements des pays industrialisés. Il prétend que les débiteurs appauvris ne peuvent payer ce qu'ils doivent si ce n'est au prix de la ruine de leurs économies et prédit que les conséquences seront graves si des tentatives sont faites pour récupérer les sommes dues. En 1986, à elle seule, l'Amérique latine devait plus de 350 milliards de dollars (à des banques des Etats-Unis pour l'essentiel), et l'ensemble de la dette du tiers monde s'élevait à près de 750 milliards de dollars. Par ses discours et ses interviews, ainsi que lors de conférences qu'il avait parrainées à La Havane, Castro fit du problème de la dette un puissant instrument politique dans sa lutte contre l' « impérialisme » ; du moins ses efforts ont-ils eu pour effet d'attirer l'attention de l'opinion publique internationale sur la gravité de la crise. Toujours parfaitement au courant des derniers événements d'Amérique latine, il ne faisait que renouveler, en 1985 comme plus tard, les attaques qu'il avait déjà lancées en 1959 ; il avertissait les nations industrialisées du nord qu'une explosion était imminente si elles ne décidaient pas d'aborder de front les problèmes de l'hémisphère occidental pour en extirper les racines. En 1961, le président Kennedy avait relevé le défi de Castro en instaurant l'Alliance pour le Progrès ; en cette fin de notre décennie, les gouvernements « riches » feraient bien de prêter à nouveau une oreille attentive à notre Cassandre cubaine.

Sur le front intérieur, Castro se montre beaucoup moins hardi et ne fait guère preuve d'imagination. Il refuse avec obstination d'assouplir les normes trop rigides d'une planification centralisée à l'extrême (alors même que, dans le monde communiste, la plupart des pays ont découvert les avantages d'une décentralisation relative). En raison de son orthodoxie et de son intransigeance idéologique, Fidel considère comme une hérésie toute expérience de retour à l'économie de marché. Pourtant l'Union soviétique elle-même a commencé de se lancer dans des entreprises industrielles mixtes avec des capitaux occidentaux ; en 1979, la Chine s'est tournée vers une politique d'économie de marché — jusqu'à autoriser l'existence de quelques entreprises privées dans le secteur du commerce de détail. Mais Castro, lui, refuse de changer d'un iota. Pour alarmants qu'ils soient, les rendements chroniquement déficitaires de l'économie cubaine semblent renforcer la résolution qu'il a prise de demeurer fidèle à l'orthodoxie. En juin 1986 — retrouvant les accents qui avaient été les siens au cours de son « offensive révolutionnaire » de 1968 — il a condamné avec vigueur « certaines idées [proposées] par des personnes tout à fait marxistes en apparence et très informées de la doctrine marxiste, mais qui ont en réalité une âme de capitaliste ou de petit-bourgeois ». Au bout de vingt-sept ans de révolution, les contraintes idéologiques et politiques qui corsettent la société sans doute la plus endoctrinée du monde auraient plutôt tendance à se resserrer qu'à s'assouplir.

Certains, parmi les proches de Castro, ne parviennent plus à comprendre les raisons de cette attitude qui s'est encore durcie à partir de 1985 environ. Après l'exode de Mariel qui, en 1980, a vu s'embarquer pour l'exil 120 000 Cubains, Castro semblait avoir compris que la nation avait besoin d'une détente intérieure et que cet épisode avait entraîné un traumatisme pour le régime, pris à contre-pied par une telle manifestation de ressentiment à l'intérieur même du pays ; en conclusion, il fallait laisser un peu la bride sur le cou aux consommateurs. Aussi le rationnement fut-il supprimé sur de nombreux produits alimentaires que l'on commença à trouver à des prix très élevés dans des « magasins libres » ; en même temps, les paysans recouvraient le droit d'écouler librement leurs primeurs sur des marchés publics dans les villes. Ce n'était pas une grande faveur faite aux acheteurs car les produits alimentaires ne suffisaient quand même pas à la demande, faute d'une production adéquate, mais cela ressemblait à un premier pas, bien timide, vers une libéralisation de l'économie au sein du marxisme.

Tandis que, au cours de l'année 1985, commençaient les préparatifs du Troisième Congrès du Parti communiste, bien des économistes chargés de la planification espéraient un élargissement de la libéralisation et l'avènement d'une nouvelle politique de décentralisation. On entendait dire que des propriétaires privés, regroupés en coopératives, seraient autorisés à se substituer au gouvernement pour l'exploitation des taxis (nationalisés) ; on murmurait qu'allait disparaître aussi le contingentement des vêtements et des chaussures, dont un monopole d'Etat assurait la fabrication (de mauvaise qualité) au prix d'un déficit exorbitant pour le Trésor public. (De plus en plus, les Cubaines s'adressaient à de petites couturières privées pour se faire faire leurs robes.) On prétendait aussi que les brigades de travail de la jeunesse, créées pour répondre à un besoin d'endoctrinement idéologique, allaient être abandonnées, car leurs activités du week-end coûtaient plus cher en couvertures, brodequins, moustiquaires, alimentation et transport, que leurs efforts ne rapportaient à la production agricole. Mais, naturellement, Castro refusa tout net, et redevint l'apôtre farouche de la révolution pure et dure, tandis que l'économie continuait de se dégrader.

Le Congrès fut ajourné au mois de février 1986, sans doute parce que Fidel fut incapable de mettre au point, en temps utile, son plan économique quinquennal — en partie parce que le plus clair de son temps se passait à présider des conférences internationales sur la dette du tiers monde. Mais en février, il n'était toujours pas prêt à aborder les points les plus importants ; aussi les tâches essentielles du Congrès furent-elles repoussées jusqu'à la fin 1986. A en croire Fidel, le Congrès parvint à résoudre de manière satisfaisante, au cours de sa première session, une question primordiale : le rajeunissement des cadres. Mais cela était tout aussi illusoire que le reste. Le Politburo présentait toujours les mêmes visages, malgré quelques changements de façade bien superficiels. Le nouveau Comité central était un rassemblement d'hommes et de femmes d'âge mûr, recrutés dans l'administration, les organisations du Parti, les forces armées et les services de sécurité. Dans un pays dont la moitié de la population était née après la révolution, seuls 9 % des membres du Comité central avaient moins de trente-cinq ans ; plus de 50 % d'entre eux avaient dépassé l'âge de quarante-six ans. Les femmes ne représentaient que 18,2 % de l'ensemble, dont 78,1 % avaient fait des études supérieures. Tout cela donne à penser que le parti est en train de créer une nouvelle classe dominante, abondamment présente dans l'administration et les corps de l'Etat (27,5 %) ainsi que parmi les cadres du Parti (27,1 %). Enfin, 20 % des sièges allèrent aux membres des forces armées ainsi qu'aux services de sécurité du ministère de l'Intérieur.

En 1986, sous couleur de ranimer l'ardeur des flammes révolutionnaires,

Fidel Castro n'avait pratiqué qu'une ossification du régime et de la société. Presque immédiatement après la fin de la première session du Congrès du Parti, il ordonna la fermeture des marchés paysans, sous prétexte qu'ils étaient source d'enrichissements illicites et de corruption. Cela rappelait fâcheusement un précédent : sa découverte, en 1968, de foyers contre-révolutionnaires chez les marchands de hot-dogs. En même temps, Castro franchit un pas de plus dans la militarisation de la société, avec l'extension des Milices territoriales, organisation de réservistes soumise à un entraîne-ment intensif, qui comptait plus d'un million de membres — soit 10 % de la population. Le Manuel élémentaire des miliciens est un ouvrage de 340 pages dont la lecture est obligatoire à Cuba (bien qu'il coûte un peso dans les librairies) ; manœuvres et exercices se déroulent sans répit dans les diverses « zones de défense » qui se partagent toute l'île. La menace toujours présente d'une invasion menée par les Etats-Unis continue de justifier l'excellente préparation militaire des Cubains, en particulier depuis l'incident de la Grenade. Mais, en ces années 1980, la militarisation est tout autant une manœuvre politique qui vise à renforcer la cohésion d'une société révolutionnaire placée sous la direction extrêmement stricte de Castro.

La Révolution entra encore en conflit avec les Soviétiques vers le milieu des années 1980, surtout à cause du gaspillage inhérent à l'économie cubaine et de son incapacité à remplir ses engagements quant aux livraisons de sucre. Castro avait reçu nombre d'avertissements transmis par des émissaires soviétiques ; ces derniers lui avaient fait comprendre très clairement que cet état de choses ne pouvait se perpétuer indéfiniment. En 1985, après la signature de l'accord commercial qui n'intervint que vers le mois de juin ou juillet, la presse cubaine publia un communiqué où il était dit que l'accord s'était fait après « des négociations longues et difficiles », expression tout à fait inusitée. En fait, en 1985 et 1986, Castro dut avoir recours à une manœuvre sans précédent : il avait acheté comptant du sucre à la république Dominicaine afin de ne pas interrompre ses livraisons à l'Union soviétique. Mais il l'avait payé au cours mondial — alors très bas — pour le revendre aux Soviétiques au prix très élevé fixé par le traité.

Au point de vue politique, Castro fait preuve d'une déférence sans faille à l'égard des Russes. Il a rempli ses devoirs en assistant au Congrès du Parti communiste soviétique de 1986 ; à cette occasion, il a revu Gorbatchev, pour la première fois depuis que celui-ci est devenu le chef suprême du Kremlin. Puis, il a jugé bon d'aller en Corée du Nord rendre visite à Kim Il-Sung, le plus ancien dictateur communiste du monde, qui veille aux destinées d'une des sociétés les plus répressives qui soient. Les discours qu'il prononça à Moscou et à Pyongyang étaient des copies conformes de tous les autres discours communistes rabâchés cette année-là dans la sphère d'influence soviétique. Fidel, semblait-il, rejoignait les rangs des confor-mistes les plus notoires.

A soixante ans maintenant, qui donc est Fidel Castro ? Au sens le plus immédiat, il est toujours le chef incontesté, immensément populaire (et même très aimé) d'une nation extrêmement versatile à laquelle il ménage depuis plus d'un quart de siècle une place au soleil dans les affaires du monde, et qu'il conduit vers ce qu'il a appelé « une vie de dignité ». Devenu lui-même grand-père, il veille à ce que tous les enfants de Cuba soient en bonne santé, jouissent d'une bonne hygiène et reçoivent un enseignement amélioré. L'objectif national pour 1985 est l'accession de tous les Cubains au premier cycle de l'enseignement secondaire. Rien de tout cela n'était possible il y a seulement une génération. Un progrès de cette proportion constituerait une remarquable réussite pour n'importe quelle société, qu'elle soit en voie de développement ou déjà industrialisée. Grâce à la révolution castriste, Cuba est le seul pays du tiers monde qui puisse se vanter d'un tel succès quant à la poursuite de son objectif : vivre dans la dignité. Aucun autre pays du tiers monde ne possède une telle proportion de médecins par rapport au chiffre de sa population, et nul autre ne peut se vanter d'offrir à ses nouveau-nés une espérance de vie équivalente.

Mais il existe d'autres faits plus troublants, surtout lorsque l'on fait entrer en ligne de compte l'intelligence et l'expérience de Fidel. Depuis 1980 environ, son comportement laisse supposer qu'il ne propose plus guère de nouvelles idées avec lesquelles nourrir sa révolution vieillissante. Très bizarrement, cet homme d'une audace, d'une imagination et d'un romantisme étonnants est en train de permettre — ou d'ordonner ? — que cette aventure humaine et sociale à laquelle il s'est voué avec amour, soit enfermée dans une orthodoxie idéologique dépassée, servie par une bureaucratie étouffante. Ses boutades contre les tendances « bourgeoises » ont des allures curieusement surannées, sinon caricaturales, dans un monde qui a bien changé depuis le temps où les expressions qu'il utilise étaient à la mode. Quand on mesure à quel point toute énergie créatrice a été émoussée (encore faut-il espérer qu'elle n'a pas été complètement détruite) dans son pays, au nom du conformisme, on peut penser que Castro risque d'assister à la décrépitude de sa révolution.

Matériellement, une bonne partie des constructions révolutionnaires est en effet en train de se dégrader ; dans le superbe complexe scolaire Camilo Cienfuegos, situé au pied de la Sierra Maestra, la peinture s'écaille et les vitres sont brisées. Partout des quantités impressionnantes de matériel d'importation coûteux sont endommagées sous l'action du climat des Antilles, parce que le régime souffre toujours de sa même incapacité à résoudre la question du déchargement des cargos et du chargement des camions. Ce sont là des exemples évidents, mais il y en a bien d'autres. La mauvaise gestion décourage le travail et freine la production, les pénuries qui en résultent aggravent le problème posé par la faiblesse de la productivité et l'élévation des taux d'absentéisme. C'est un cercle vicieux. La corruption dans l'administration et le marché noir au coin de la rue reparaissent comme des tumeurs sur le corps d'une révolution conçue dans une telle pureté. Fidel Castro fulmine en vain dans sa rage contre le « vil argent ». Les jeunes s'enivrent parce qu'ils n'ont guère autre chose à faire dans leurs moments de liberté. La magie mystique de la révolution ne les touche plus, alors qu'elle avait enflammé leurs pères et mères à l'époque où Fidel Castro était un jeune rebelle, hanté par ses idées.

Bien des choses le jettent dans des accès de fureur : le taux d'absentéisme chez les travailleurs, la baisse de la productivité, la mauvaise qualité des produits industriels (en 1985, dans la province de La Havane, la moitié de la production de bouteilles de bière et de soda pour les six premiers mois était inutilisable et a dû être détruite), ainsi que le gâchis insensé qui est fait de l'équipement et des ressources dans les usines, les exploitations agricoles et les bureaux de l'administration. Lors du Troisième Congrès du Parti communiste de 1986, Fidel a prononcé un discours de cinq heures et quarante minutes pour dénoncer la conduite de ses concitoyens et les adjurer de se corriger. Pourtant, il repousse toutes allusions au fait que son système de gouvernement et de gestion, trop centralisé, puisse être responsable de cet état de choses ; il refuse tout changement structurel de quelque importance et considère la critique comme une manifestation « contre-révolutionnaire ». Un tel absolutisme chez un homme qui comprend si bien les mécanismes de la société cubaine ne laisse pas de surprendre, et l'on se demande s'il n'a pas perdu complètement le contact avec son peuple enfermé dans sa petite île.

A-t-il des doutes, des craintes, peut-il les partager avec un autre être ? Celia Sánchez est morte d'un cancer au mois de janvier 1980. Sa mort n'a pas seulement été une tragédie personnelle pour Fidel, elle l'a privé d'un havre — avec elle et nulle autre il pouvait parfois être lui-même : Fidel, et non pas le Commandant en chef. Quand on le voyait rester presque immobile, pendant des heures, en train d'écouter les centaines de discours déversés sur les assistants pendant les conférences qu'il avait organisées à La Havane au cours de l'année 1985, pour traiter de la dette extérieure, on pouvait penser qu'il cherchait là un refuge contre d'autres assauts ; mais peut-être était-ce une illusion. Pourtant, quels que soient les lieux ou les circonstances, Fidel Castro semble bien être un homme solitaire — frustré un jour, triomphant le lendemain, mais seul et toujours en quête de quelque chose qui lui échappe sans cesse. Peut-être médite-t-il sur le passé et l'avenir — et sur le verdict que rendront les générations futures. Il a d'ailleurs exprimé ce sentiment par deux phrases, prononcées en deux circonstances cruciales de son existence.

En 1953, l'année où naquit sa révolution, s'adressant au tribunal qui le jugeait pour l'attaque de la caserne Moncada, Fidel Castro s'écria : « Condamnez-moi, cela n'a aucune importance. L'Histoire m'acquittera ! »

En 1961, l'année du triomphe de la Baie des Cochons, l'année où il se proclama marxiste-léniniste, il évoqua l'esprit créateur devant les artistes et les écrivains cubains, et les exhorta en ces termes : « Ne craignez pas les juges imaginaires qui nous entourent... Craignez plutôt ces autres juges bien plus redoutables, craignez les juges de la postérité, craignez les générations à venir, car ce sont elles, au bout du compte, qui auront le dernier mot ! »

SIXIÈME PARTIE :

FIDEL AUJOURD'HUI

1

Fidel Castro est au pouvoir depuis plus longtemps que tout autre chef d'Etat important, hormis Kim Il Sung, en Corée du Nord, le Roi Hussein de Jordanie, et le Bulgare Todor Jivkov qui tient les rênes de son pays depuis 1954. Il continue de jouer un rôle actif et influent dans les affaires internationales de la planète. Il semble en excellente santé, et tout paraît indiquer qu'à moins d'un assassinat, il sera, pour longtemps encore, l'un des doyens des dirigeants politiques de ce monde (il a cinq ans de plus que Mikhaïl Gorbachev), dont chaque acte doit être considéré avec le plus grand sérieux dans un monde où les circonstances politiques sont en constante évolution. Même s'il lui arrive, dans un avenir plus ou moins proche, de déléguer à ses collaborateurs les plus proches une partie de ses responsabilités matérielles dans la gestion des affaires intérieures cubaines au jour le jour, il ne renoncera certainement jamais à sa volonté de conserver une influence importante sur les luttes et les controverses qui affectent le sort de l'humanité.

D'aucuns ont affirmé que Castro se donnait plus d'importance qu'il n'en a réellement ; ce n'est peut-être pas complètement faux. Mais il estime que c'est la seule façon pour un petit pays de mériter l'intérêt et le respect des superpuissances et des autres Etats de moindre envergure. De toute évidence, Cuba attire suffisamment l'attention de l'Union soviétique pour recevoir chaque année une aide économique de 4 milliards de dollars environ — ce qui est considérable pour une population de dix millions d'habitants, en regard des programmes d'assistance étrangère traditionnels des superpuissances. D'autant qu'il faut y ajouter un demi-milliard de dollars de matériel militaire perfectionné — qu'il s'agisse de systèmes de contrôle et commande informatisés ou de MIG 23. Pour les Etats-Unis qui, au bout de vingt-cinq ans, s'obstinent à croire que Castro doit disparaître, Cuba est un cauchemar permanent car les Américains s'inquiètent énormément de son influence en Afrique, en Amérique centrale, dans les Caraïbes — sans oublier « leur » Puerto Rico.

Castro sait s'y prendre avec ses adversaires comme avec ses alliés. Depuis plus d'un quart de siècle, il négocie une sorte d'entente avec les Etats-Unis, par intermittence, et se querelle ouvertement et secrètement avec les Soviétiques depuis autant de temps. Paradoxalement, l'Amérique ne peut pas se permettre de faire la paix avec Castro, pour ne pas avoir l'air d'accepter sans réserve sa personnalité ; de la même façon, il ne saurait être question, pour les Soviétiques, de rompre les ponts avec lui, ce qui équivaudrait à une terrible défaite dans le contexte actuel des luttes d'influence que se livrent les deux grandes puissances à travers le tiers monde.

Or la plupart des pays du tiers monde tiennent Castro pour un héros ; ils l'ont élu Président du Mouvement des Non-Alignés pour la période 1979-1983 — et pas seulement parce que les troupes cubaines sont présentes en Angola et en Ethiopie pour protéger ces pays contre l' « impérialisme », ni parce que Cuba envoie des conseillers au Nicaragua, apparemment pour les mêmes raisons. Le tiers monde voit en Castro son défenseur, et quelquefois aussi sa conscience. Car selon Fidel les déshérités de la terre, en tant que nations ou à titre individuel, méritent la dignité que la révolution a apportée aux Cubains. C'est la raison pour laquelle Castro affectionne tout particulièrement ses entrevues, souvent interminables, avec des visiteurs étrangers.

Il soutient par ailleurs que l' « internationalisme » cubain transcende la présence des quelque quarante mille soldats et conseillers engagés dans divers conflits — de l'Angola à l'Ethiopie en passant par le Nicaragua voisin, car, selon la logique castriste, les dizaines de milliers de médecins, infirmières, enseignants et techniciens dépêchés par Cuba sur trois continents différents ont une influence beaucoup plus grande et plus durable que celle des militaires. Selon lui, quelque 1 500 médecins cubains exercent leurs fonctions dans des pays du tiers monde. De plus en plus obsédé par ce qu'il considère comme des convergences de vues entre chrétiens et marxistes, il déclare avec ferveur que « si l'Eglise a ses missionnaires, nous avons les internationalistes ». A cet égard, Castro tient à souligner que cette analogie ne date pas d'hier ; en effet, à l'occasion de rencontres avec les autorités chrétiennes chiliennes en 1971 et le clergé jamaïcain en 1977, il avait déjà préconisé une « alliance stratégique » entre les deux forces « afin de susciter les mutations sociales que réclament nos nations ». On le prend en tout cas suffisamment au sérieux pour qu'une délégation de l'épiscopat américain ait jugé bon de lui rendre visite à La Havane en 1985 — Castro s'est d'ailleurs amusé à épater ses interlocuteurs en étalant devant eux ses connaissances théologiques et liturgiques ; les évêques cubains en ont fait autant et il s'est entretenu avec eux à la fin de la même année — pour la première fois depuis vingt-six ans que sa Révolution a triomphé.

En bref, Fidel Castro est un phénomène fascinant dans le monde politique du XXe siècle : au regard du bloc occidental, toujours plus gris et plus morne, c'est un homme de panache, un personnage romantique et intraitable, doté d'une imagination étourdissante, un rebelle toujours imprévisible, un acteur remarquable, un guide, voire un apôtre qui sait prêcher de façon spectaculaire les multiples credos qu'il dit être les siens. Mais Castro produit aussi d'autres impressions. Même s'il jouit à Cuba d'une popularité immense, une partie de la population de l'île le considère ni plus ni moins comme un dictateur impitoyable et fourbe, qui a trahi sans scrupules la démocratie libérale, au nom de laquelle il avait d'abord rallié des millions de Cubains à sa cause et sous sa bannière ; ses ennemis le tiennent pour un satellite servile de l'Union soviétique, l'objet idolâtré d'un culte de la personnalité dont il a besoin autant que de l'air qu'il respire ; on lui reproche en outre d'avoir commis et perpétué, par négligence, des erreurs fondamentales en matière de politique économique intérieure.

La complexité et les dimensions de la personnalité de Fidel Castro — comme individu et homme d'Etat — sont telles qu'il pourrait fort bien être *tout* cela à la fois — l'idole d'une humanité indigente, et le dictateur communiste tyrannique que voient en lui de nombreux Cubains. Il ne craint d'ailleurs pas lui-même de passer pour retors, ou même pire, dès lors qu'il y trouve une justification historique. L'exemple le plus spectaculaire en est l'aveu public et satisfait de Castro selon lequel, pendant toute la période de la guérilla, il a dissimulé délibérément son inclination marxiste-léniniste pour éviter de rebuter ses adeptes « bourgeois » et autres partisans éventuels. On ne saura peut-être jamais la vérité pleine et entière sur le marxisme de Fidel — de même que l'on ne peut prévoir ce qu'il en dira à l'avenir. Quoi qu'il en soit, depuis longtemps, son idéologie paraît plutôt vague, incertaine et malformée, à cet égard. Il sait sans doute que les peuples ont la mémoire courte et que toute une génération de jeunes Cubains se trouve sur le point d'occuper des postes de responsabilité, après avoir été entièrement éduquée sous la Révolution et par la Révolution ; pour les membres de cette génération, d'un point de vue historique et intellectuel, le passé n'existe pas — hormis comme le temps de la honte et du mépris. Car c'est ainsi que Castro a sataniquement défini le passé de Cuba — le contexte politique dans lequel il a grandi.

Si l'on se propose de dresser un portrait précis de Castro, opération hasardeuse même dans les meilleures conditions possibles, il est un élément à ne pas omettre : Fidel goûte fort le paradoxe et les contradictions. C'est pour lui un exercice intellectuel des plus divertissants que de réconcilier avec la plus parfaite logique, quand les événements ou les questions d'un interlocuteur le réclament, deux opinions contradictoires qu'il risque fort bien d'avoir exprimées publiquement en l'espace de près de trente ans, sur le marxisme, la démocratie, le christianisme, l'Union Soviétique, les Etats-Unis, l'avenir du sucre dans l'économie cubaine (faut-il en accroître ou en diminuer la production), les avantages concrets de sa Révolution (un mot qui commence toujours par une majuscule, à Cuba, dans les textes écrits comme dans le langage parlé), ou tout autre sujet que lui suggèrent son imagination fertile ou sa mémoire d'ordinateur. Il s'est ainsi livré à de véritables numéros de virtuose, une lueur espiègle dans ses yeux brun, face aux correspondants de la télévision américaine dont le travail d'archives sur Castro laisse apparemment beaucoup à désirer. Dans la plupart des cas, il domine la situation sur le plan rhétorique et intellectuel, et il en profite allègrement.

Attendu que Castro conduit généralement les affaires intérieures et la politique internationale cubaines à grand renfort de fréquentes allocutions publiques ou d'interviews interminables (négociations et décisions secrètes sont réservées aux situations les plus délicates), il s'avère absolument impossible de garder trace de tout ce qu'il a déclaré et de la date de ses déclarations. Le service des archives du Conseil d'Etat lui-même n'est pas en mesure de préciser exactement combien de discours ont été prononcés par Castro en public depuis le 1er janvier 1959 — date effective de sa prise de pouvoir. Selon des avis autorisés, on peut cependant en estimer le nombre à plus de 2 500 (certains se sont prolongés pendant cinq heures ou plus; le record est d'environ neuf heures et date de 1959). Mais ils n'ont pas tous été transcrits par les équipes de sténographes du Conseil d'Etat, et certains n'ont jamais été publiés ni diffusés à la télévision ou à la radio; il est donc impossible de retrouver le texte de toutes ces allocutions. A titre d'exemple, entre le 1er janvier 1966 et le mois d'octobre 1984, Fidel Castro a prononcé non moins de 130 grands discours centrés exclusivement sur son thème favori, la santé publique et la médecine.

De fait, la révolution de Castro n'aurait peut-être pas eu prise sur le peuple cubain sans le truchement de la télévision — peut-être aurait-elle même échoué. Depuis le premier jour, en effet, Castro gouverne par l'intermédiaire du petit écran; c'est le premier cas d'utilisation de cette technologie sur une grande échelle dans le domaine de la pratique gouvernementale (à distinguer des campagnes électorales). Certes, il suscite effectivement un rapport naturel avec son auditoire, et il s'est amplement servi de cette relation émotionnelle symbiotique au cours des premières années de sa présidence, en s'adressant à des foules comptant jusqu'à un million d'individus; mais il a fallu la télévision pour transmettre sa voix, son visage, son message aux Cubains, au-delà de la place de la Révolution à La Havane. Le petit écran était appelé à devenir par la suite une voie de communication ininterrompue entre Castro et la population cubaine.

Par rapport à la norme latino-américaine et même en regard de la situation existant aux Etats-Unis, la télévision cubaine était relativement avancée techniquement au début de 1959, à l'époque où Castro évinçait Batista. Le pays comptait un nombre relativement élevé de téléviseurs, surtout dans les villes. Plus important encore, Fidel Castro, dont les conceptions révolutionnaires reposaient depuis toujours sur la communication avec les masses, comprit instantanément que la télévision et lui étaient faits l'un pour l'autre. A Cuba, on faisait traditionnellement usage de la radio en politique, et les rares fois où Fidel avait eu l'occasion d'approcher un micro, le résultat s'était avéré tout à fait probant. Au cours de la deuxième et dernière année de la guérilla, il avait fait installer un émetteur — celui de *Radio Rebelde* — dans son quartier général, au sommet de la Sierra Maestra, et convertit rapidement cette station en un superbe instrument de propagande qu'il utilisait également pour la transmission de messages codés à des fins opérationnelles. Par l'intermédiaire de *Radio Rebelde*, il s'adressait souvent à tous les Cubains.

Le passage à la télévision allait donc de soi. Castro avait une excellente présence sur l'écran; ses grands dons d'acteur firent le reste. L'appareil de propagande cubain fonctionne si bien, que la nation peut avoir droit à une allocution en direct (systématiquement transmise dans son intégralité) et à plusieurs rediffusions d'anciens discours sur les deux chaînes nationales, en l'espace de quelques jours seulement. De surcroît, toutes les apparitions publiques de Fidel Castro donnent lieu à des flashs spéciaux en direct ou à des commentaires aux heures normales des journaux télévisés (la radio retransmet bien évidemment, elle aussi, tous les discours de Fidel).

Il peut paraître difficile à croire que Castro, qui semble adorer parler en public, redoute, en réalité, terriblement de prendre la parole. Au magazine cubain *Bohemia*, il a déclaré : « J'avoue que j'ai le trac quand je prononce un discours sur la Place de la Révolution... Ce n'est pas du tout facile pour moi. » Dans sa jeunesse, il se forçait à débiter des discours devant sa glace, jusqu'à ce qu'il les trouvât suffisamment satisfaisants pour s'estimer en mesure de se lancer dans une carrière juridique et politique. En règle générale, Fidel entame ses allocutions d'une voix basse, presque indécise, en parlant assez lentement — jusqu'au moment où, brusquement, il a le sentiment d'avoir établi le contact avec son auditoire. A partir de cet instant-là, il est Fidel Castro, le grand orateur. Il en est d'autres, tout aussi célèbres, qui ne sont jamais parvenus à vaincre cette angoisse initiale, Gladstone et Winston Churchill notamment.

L'art oratoire fascine complètement le Président cubain. A ce propos, il raconte que lorsqu'il était lycéen, en Oriente, il s'était lié d'amitié, pendant les grandes vacances, avec un jeune Espagnol fort instruit, qui lui avait expliqué que pour surmonter ses problèmes d'élocution, Démosthène s'exerçait à parler avec un caillou sous la langue. Ce souvenir lui rappelle qu'à peu près à la même époque, il avait commencé à recueillir les discours des grands orateurs classiques, pour s'apercevoir en définitive qu'il n'appréciait guère leur éloquence « trop rhétorique, trop grandiloquente, trop dépendante des mots ». Il ajoute qu'aujourd'hui, Démosthène et Cicéron « auraient beaucoup de mal à faire face aux réalités concrètes et à expliquer leur société » ; il entend faire comprendre qu'il a cessé d'admirer la démocratie athénienne le jour où il a compris qu'il s'agissait ni plus ni moins d'un « petit groupe d'aristocrates réunis en place publique pour prendre des décisions ». L'orateur préféré de Fidel s'avère être Emilio Castelar, brillant penseur et homme d'Etat espagnol qui dirigea le premier gouvernement républicain de l'Espagne en 1873 — fort peu de temps, par la force des choses. Mais aussi « merveilleux » que fussent les discours parlementaires de Castelar, « de nos jours », toujours selon Castro, « il ferait un fiasco devant n'importe quelle assemblée ». En définitive, il a résolu de pratiquer exactement l'inverse de ce que firent les grands orateurs de l'histoire ; c'est ainsi qu'il a créé son propre style, à la fois fougueux et diffus. Il ne doit y avoir aujourd'hui dans le monde aucun dirigeant communiste qui se complaise ainsi à disséquer la rhétorique classique, ou qui en soit capable.

A ces allocutions publiques, il faut encore ajouter les discours « secrets » prononcés par Castro, en nombre indéterminé, devant des dirigeants du parti communiste ou les chefs des forces armées réunis en commissions ou comités ; sans oublier ses *charlas* (« causeries ») qu'il multiplie devant la Fédération des Femmes cubaines, par exemple, ou les comités pour la Défense de la Révolution. De surcroît, tous les hauts dirigeants révolutionnaires castristes ou communistes — de l'ancienne école ou de la nouvelle, indifféremment — se livrent eux-mêmes constamment à une foule de harangues destinées à maintenir l'unité de la nation derrière Fidel, réclamer de nouveaux efforts, ou confesser les erreurs commises. On se croirait dans une chambre sonore : inévitablement, les mots perdent de leur sens et de leur cohérence.

Mais on aurait tort de penser que les Cubains sont las des discours de leur Président. Pour commencer, sa personnalité et son éloquence n'ont pas cessé de les fasciner. En outre, dans une société aussi étroitement et rigidement organisée sur le plan idéologique que Cuba — plus encore que les pays de l'Est —, personne ne peut se permettre d'ignorer ce que dit le Président de la République. L'endoctrinement idéologique (mélange de *Fidelismo,* d'histoire cubaine et de marxisme-léninisme, habilement concocté par Castro) compte tellement que soldats, ouvriers et étudiants sont tenus d'étudier ses discours dans les plus brefs délais après leur diffusion, et doivent être capables d'expliquer les grandes lignes de ses nouvelles vues en matière de politique intérieure et étrangère — en reprenant de préférence textuellement ses termes et ses slogans.

On imagine mal que Fidel Castro puisse n'inspirer que de l'indifférence — à Cuba ou ailleurs. Certains l'idolâtrent, d'autres le détestent, mais il ne saurait être question de neutralité à son égard, seulement d'émotions fortes. C'est la raison pour laquelle Castro semble attirer comme un aimant les qualificatifs à la fois les plus élogieux et les plus péjoratifs.

Naturellement, Fidel, qui ne manque pas de vanité, raffole de cette attention dont il fait l'objet. Une seule fois, au début de 1985, je l'ai vu profondément troublé et irrité par une critique émise contre lui. Il venait de lire un article rédigé par un grand journaliste espagnol qui l'avait longuement interviewé et s'était permis de le taxer de « cruauté ». « Comment sait-il que je suis cruel ? » rageait-il en arpentant furieusement son bureau. « M'a-t-il jamais vu commettre un acte de cruauté ? M'a-t-il jamais entendu ordonner une exécution ? » Il semblait atteint dans ses convictions morales les plus intimes et s'appesantit un bon moment sur la question. De fait, il a bel et bien ordonné des exécutions, au nom de la « justice révolutionnaire », mais rejette les allégations selon lesquelles elles eurent lieu sans motif.

Les attaques politiques ou les rivalités sont malvenues à Cuba. Quand Alan García, Président-élu péruvien (un homme politique du centre-gauche, âgé d'une trentaine d'années, plein de charme, en qui Castro avait cru trouver un partenaire possible en Amérique latine), se hasarda à remettre en cause la vision du monde du Président cubain, ce dernier explosa de colère. C'était en juillet 1985. García s'était opposé en effet à l'idée de Fidel selon laquelle les pays latino-américains débiteurs devaient refuser purement et simplement de rembourser aux banques américaines leurs dettes colossales ; il avait fait remarquer en outre que si les institutions financières occidentales étaient « impérialistes », il en allait de même du Pacte de Varsovie et du Comecon, le marché commun communiste, auquel Cuba appartient depuis 1972. Le jour de l'entrée en fonction officielle de García, Fidel riposta en adressant à son homologue le plus effarant des messages de félicitations, où il récapitulait tous les maux du Pérou, de l'analphabétisme aux « misères de toutes sortes » ; il ajoutait magnanimement : « Si vous vous décidez un jour à lutter sérieusement, avec fermeté et détermination contre la réalité dantesque de ces calamités sociales et à libérer votre nation, comme vous l'avez promis publiquement, de la domination impérialiste et de sa dépendance vis-à-vis de l'impérialisme, cause unique de cette tragédie, vous pouvez compter sur l'appui de Cuba. » C'était une communication probablement sans pareille dans les annales des insultes diplomatiques contemporaines ; peut-être n'est-il pas tout à fait inutile de rappeler à ce sujet que García a l'âge de Fidelito, le fils de Castro. Aucun dirigeant mûrissant n'apprécie la précocité des jeunes gens en politique. A la suite de quoi, les deux gouvernements établirent entre eux une sorte de modus vivendi à peu près cordial, mais Castro évite de faire allusion à García en public.

Le Président cubain possède des facultés illimitées d'indignation, de colère et de fureur, réelles ou simulées, qu'il n'hésite pas à déployer en privé comme en public. Dans la Sierra Maestra, il se mettait dans tous ses états dès qu'un guérillero négligent gaspillait la moindre balle (menaçant de surcroît le pauvre diable des pires châtiments). Même depuis qu'il est à la tête du pays, il pique les pires colères, assorties des propos les plus orduriers qui soient, s'il a vent de quelque balourdise bureaucratique, ce qui se produit encore fréquemment plus d'un quart de siècle après la Révolution. Ses collaborateurs, même les plus anciens, redoutent les « colères de Fidel ».

Par ailleurs, il ne fait pour ainsi dire aucun doute que Castro a ordonné personnellement l'exode de plus de cent mille Cubains, de Mariel vers les Etats-Unis, au printemps 1980, en un geste de rancœur suprême contre le président Jimmy Carter pour l'attitude favorable que ce dernier avait adoptée à l'égard de la vague d'opposants au régime réfugiés dans les ambassades étrangères de La Havane. L'émotion joue toujours un rôle déterminant dans les décisions prises par Castro. Il a suspendu la signature d'un accord sur l'émigration vers les Etats-Unis en 1985, parce que le gouvernement Reagan avait autorisé les émissions d'une radio d'opposition baptisée « Radio Martí ». Il a expliqué à ses amis que sa réaction était due au fait que l'on avait utilisé contre la révolution cubaine le nom sacré du héros de la guerre d'Indépendance ; la radio, en elle-même, importait peu.

Les coups de sang de Castro (et ses bouderies ou ses humeurs noires qui remplacent quelquefois ses éclats) s'accordent avec son intransigeance, son sens inébranlable de l'intégrité, son opiniâtreté, son courage, son intrépidité instinctive et son orgueil. Il exige que l'on réponde instantanément à ses moindres lubies, et son entourage y est habitué. Ces caprices, fréquents, vont du plus sublime (requérir sur-le-champ une œuvre littéraire pour ainsi dire introuvable) au plus terre-à-terre (exiger qu'un haut fonctionnaire de service indique sur-le-champ la pointure des chaussures présidentielles à un ami qui s'est proposé pour lui rapporter du Texas une paire de bottes militaires spéciales).

Bien que fort peu de gens le sachent, Fidel Castro a frôlé la mort un nombre incalculable de fois. A l'âge de dix ans, il a failli mourir d'une péritonite (cette affection survenait souvent à la suite d'une appendicite, avant la découverte des antibiotiques et de la pénicilline). Au cours de ses études universitaires à La Havane pendant les années quarante, en pleine période de gangstérisme politique, Castro portait toujours une arme sur lui et essuya souvent des coups de feu. Il a participé à une tentative d'invasion de la république Dominicaine (regagnant la côte cubaine à la nage après avoir sauté du bateau qui ramenait l'expédition, parce qu'il craignait d'être assassiné); moins d'un an plus tard, il se retrouvait au beau milieu d'un soulèvement sanglant à Bogotá, capitale de la Colombie, où il était allé pour contribuer à l'organisation d'un congrès « anti-impérialiste » destiné aux étudiants.

Le 26 juillet 1953, désormais considéré comme un homme politique, il donnait l'assaut à la caserne Moncada, à Santiago, avec une poignée de partisans, échappant miraculeusement à la mort en deux occasions au moins : au cours de cet affrontement avec l'armée régulière et lorsqu'il fut capturé plusieurs jours plus tard dans la montagne. Au tribunal comme en prison, il a bravé quotidiennement le gouvernement de Batista, à telle enseigne qu'il risquait d'être supprimé discrètement, disait-on. Amnistié deux ans plus tard, il faillit forcer la police de Batista à lui faire un sort, avant de s'enfuir au Mexique, en proclamant son intention de revenir sous peu pour renverser le dictateur. En exil, il se fit arrêter par la police fédérale mexicaine et manqua être assassiné par des agents secrets cubains (un espion s'était infiltré dans son organisation clandestine basée à Mexico). La *Granma,* le yacht qui ramenait à Cuba Fidel et son corps expéditionnaire, était si déraisonnablement surchargé qu'au cours de la traversée, il fut sur le point d'aller par le fond au cours d'une tempête (il finit par aborder la côte d'Oriente, mais se trompa d'endroit, de sorte que, selon les termes de Che Guevara, ce fut moins un débarquement qu'un « naufrage »).

La campagne de la Sierra Maestra débuta par le désastre d'Alegría de Pío, mais jusqu'à la victoire finale, Fidel Castro insista pour conduire personnellement toutes les marches, diriger chaque attaque. Après la révolution, plus d'une trentaine de complots ont été tramés contre lui — la plupart inspirés par la CIA — et pendant l'invasion de la Baie des Cochons orchestrée par la même organisation, Castro est demeuré sur le champ de bataille à la tête de ses troupes jusqu'à la reddition des assaillants. Dix-huit mois après cette incursion, il dut faire face à un nouveau conflit de première importance avec les Etats-Unis au moment de la crise des missiles. En 1963, il faillit perdre la vie, une fois de plus, lorsque l'appareil soviétique qui le transportait, lors de sa première visite en URSS, faillit s'écraser au moment de l'atterrissage sur l'aéroport de Mourmansk, dans une épaisse nappe de brouillard (incident que l'on évita soigneusement d'ébruiter à l'époque).

En vérité, il semble que Castro aime à flirter avec la mort. En 1981, par exemple, il décida de gagner le port mexicain de Cozumel dans un hors-bord, au lieu de prendre l'avion pour se rendre à une réunion secrète avec le président mexicain, dans le but de tester personnellement le degré de vigilance de la Marine américaine dans le détroit du Yucatán. Les Américains patrouillaient en effet dans le Golfe du Mexique afin de déterminer si les Cubains expédiaient des armes au Nicaragua, et Fidel s'était mis en tête de jouer avec eux au chat et à la souris. Après quoi, il s'en était retourné par avion, très content de lui — même si cet épisode ne fut jamais mentionné dans la presse cubaine. On se demande bien ce qu'aurait fait le commandant d'un destroyer américain s'il avait découvert Fidel Castro à bord d'une embarcation lourdement armée, escortée par deux patrouilleurs équipés de missiles, dans les eaux internationales comprises entre le Cap San Antonio, à l'ouest de Cuba, et Cozumel. Notre guérillero en rit encore.

Par ailleurs, Castro a un « violon d'Ingres » qui le passionne : la chasse sous-marine. Un kilo de plomb à la ceinture, il est capable de rester sous l'eau pendant plus de deux minutes (ce qui n'est pas rien, sans bouteilles d'oxygène) au large de l'archipel caraïbe, à pêcher la langouste et le *pargo*. Il vole souvent à bord de son hélicoptère privé, de fabrication soviétique, y compris la nuit ; et une fois au moins, au volant d'une vedette bimoteur, pris dans une terrible tempête au large de la côte d'Oriente, il faillit laisser sa vie.

Ernesto Guevara Lynch, le père octogénaire de Che Guevara, un jour que je lui rendais visite chez lui, à La Havane, me fit remarquer que Fidel devait « avoir fait un pacte avec Dieu ou le démon » ; comment expliquer autrement cette existence qui tient de la sorcellerie ? Don Ernesto n'est sans doute pas loin de la vérité.

2

Le succès de Fidel Castro, en temps de guerre comme en temps de paix, mises à part ses qualités de dirigeant et sa volonté de fer, s'explique en grande partie par l'extrême loyalisme qu'il a toujours su inspirer à ses frères d'armes, à ses parents, à ses amis, et au peuple cubain, depuis sa victoire. Trente ans plus tard, ses compagnons des premiers jours lui sont tout aussi dévoués qu'à l'époque de leur jeunesse ardente, aux premiers jours de la Révolution. En ce sens, la vieille garde *Fidelista* s'apparente à un ordre religieux et militaire médiéval, tel les Templiers du temps des Croisades. Inévitablement, nombre d'entre eux se sont éloignés les uns des autres avec le temps, et des divergences idéologiques — quelquefois très profondes, à propos du communisme — les séparent. Ils partagent néanmoins des liens apparemment indéfectibles avec Castro, leur chef historique. Dans leur esprit, Fidel ne saurait mal faire. Mais comment cela est-il possible ?

Dans la pièce de Bertolt Brecht intitulée *Galilée*, un des personnages s'exclame à un moment donné : « Pauvre nation qui n'a pas de héros ! », ce à quoi Galilée réplique : « Pauvre nation qui a besoin de héros. » L'une et l'autre réflexions s'appliquent dans le cas de Cuba : jamais le pays ne connut de héros victorieux (José Martí fut tué avant l'avènement de l'Indépendance), et sa pitoyable histoire rendit les Cubains encore plus anxieux d'en avoir un. De sorte que Castro surgit à point nommé.

Comme Maximilien Robespierre, l'« Incorruptible », il parle le langage de la Révolution, il exprime les principes révolutionnaires les plus profondément ancrés dans son siècle. Sa volonté, maintes fois prouvée, de vivre selon son idéal, lui assure un grand nombre de partisans. Au sein d'une nation corrompue sous la dictature de Batista, il symbolisait les valeurs morales : l'honnêteté, le respect des lois et la justice sociale. Sa remarquable éloquence et sa façon d'attaquer le système à ses risques et périls, suscitaient la confiance.

En dehors de la politique pure, Castro inspire un sentiment de loyauté largement répandu pour des motifs qui tiennent à sa personnalité. Extraordinairement charmeur, doté d'une énergie contagieuse, il jouit d'un pouvoir de persuasion sans pareil. Il s'est montré capable de convaincre des dizaines d'hommes et de femmes aux origines et aux tempéraments les plus divers, de prendre part à des opérations militaires dont ils ne savaient pour ainsi dire rien jusqu'à la dernière minute (l'attaque de Moncada et l'épopée de la *Granma* l'ont amplement prouvé). Par son courage, après l'assaut de Moncada, il a persuadé le lieutenant responsable de sa capture dans les montagnes, de lui sauver la vie ; quelques années plus tard, l'homme se joignait d'ailleurs aux troupes victorieuses de Castro. Un nombre incalculable de Cubains et d'étrangers ont découvert un jour ou l'autre qu'il était impossible de dire non à Castro.

Autre trait de caractère hautement séduisant chez Fidel : sa force d'âme. Il fait preuve d'une telle bravoure que c'en est quelquefois insensé. A un moment donné au cours de la guérilla dans la Sierra Maestra, l'ensemble de ses officiers lui adressèrent une pétition l'exhortant à cesser de s'exposer au feu de l'ennemi en s'obstinant à monter en ligne à chaque escarmouche, au moindre affrontement.

Castro s'est toujours préoccupé du bien-être de ses troupes. Il s'est refusé à entraîner dans la bataille de Moncada des hommes mariés et pères de famille (bien qu'il eût lui-même une femme et un enfant) ; de même, il s'est informé constamment des problèmes personnels des combattants de la Sierra, et de leur famille ; il supervisait même scrupuleusement la répartition des rations alimentaires afin de s'assurer que chacun avait sa part (en certaine occasion, il lui arriva de tancer Universo Sánchez parce que ce dernier s'était avéré incapable de rendre compte dans le détail de chaque sucrerie dont il avait la charge). Il avait d'ailleurs établi une règle inflexible selon laquelle les guérilleros devaient payer aux paysans, en espèces, le moindre kilo de riz, le moindre poulet qu'ils leur prenaient.

Le dévouement de ces paysans a contribué dans une large mesure à sauver Castro de la mort tout au long de cette révolution — une récompense de 100 000 dollars était offerte à quiconque informerait l'armée de l'endroit où il se trouvait. Ce dévouement ne fit que croître lorsque les rebelles commencèrent à prêter main-forte aux fermiers pendant les récoltes et à ouvrir les premières écoles et dispensaires — aussi rudimentaires fussent-ils — destinés aux enfants de la Sierra. Le père Guillermo Sardiñas, qui de lui-même avait proposé ses services d'aumônier aux guérilleros, passa en définitive une bonne partie de son temps à baptiser les enfants des familles paysannes de la Sierra, geste très apprécié, étant donné que, selon Castro, il n'y avait dans les montagnes ni prêtres ni églises. Fidel rappelle que de nombreuses familles « voulaient que je sois le parrain de leurs enfants, et le Père Sardiñas baptisa aussi une multitude de petits paysans là-bas... ce qui, à Cuba, revenait à me faire jouer le rôle de père subsidiaire pour eux ». Il ajoute qu' « il a des masses de filleuls dans la Sierra Maestra, dont la plupart sont peut-être déjà officiers dans l'armée ou diplômés de l'université ».

Castro estime que la présence du père Sardiñas dans la Sierra et le baptême de tous ces enfants contribuèrent à « rapprocher les familles paysannes de la Révolution, des guérilleros, et à resserrer encore davantage les liens entre ces populations et le commandement révolutionnaire ». Il pense que, tout en soutenant la révolution, l'aumônier s'abstenait de toute prédication politique, son œuvre parmi les paysans se limitant à « une fonction surtout religieuse ». Il reconnait cependant qu'« indirectement », l'action du père Sardiñas servit la cause de la révolution. Au dominicain brésilien dont il a déjà été question, Fidel a raconté que pendant toute une partie de la guerre, il avait porté sur la poitrine une croix qu'une petite fille lui avait envoyée de Santiago, accompagnée d'un « tendre message ». « Si vous me demandez si c'était une question de foi », a-t-il ajouté, « je vous répondrai que non. Ce serait malhonnête de vous dire le contraire. C'était plutôt un geste envers cette petite fille. »

De toute évidence, Fidel savait combien l'appui des paysans était essentiel pour lui sur le plan politique. Mais les pauvres gens de la Sierra eux-mêmes, quand ils racontent leurs histoires de guerre, vingt-cinq ans plus tard, présentent toujours les guérilleros comme des amis, des héros, et non pas simplement comme des hommes en quête de pouvoir politique. Ce loyalisme envers Fidel Castro survit à l'épreuve du temps, ou plutôt, elle s'est accrue avec le temps. Après l'invasion américaine de la Grenade en 1983, par exemple, Castro a insisté pour se rendre quotidiennement à l'hôpital de la Havane, au chevet des soldats cubains et des ouvriers de chantier blessés au cours des combats qui s'étaient déroulés sur la minuscule île caraïbe. Il leur apportait des livres (notamment, *Guerre et paix* de Tolstoï, dans une belle édition espagnole), des vidéo-cassettes, et s'entretenait longuement avec eux. Ces visites n'ont pas fait l'objet de publicité mais chacun sait que le Commandant en chef se soucie de ses hommes.

Armando Hart Dávalos, l'un des premiers organisateurs du Mouvement du 26 juillet après l'attaque de Moncada, affirme que parmi toutes les personnes que Castro avait réunies clandestinement à la Havane quatre semaines avant d'aller au Mexique, en 1955, pour préparer le débarquement, « il n'en est pas une seule qui ne soit aujourd'hui encore engagée dans l'action, ou morte pour la Révolution ». Cette rencontre avait eu lieu dans la demeure de deux vieilles dames, située dans le quartier du port, avec pour objectif la constitution du Directoire national du Mouvement, chargé de mener la lutte clandestine dans les villes cubaines, pour appuyer l'action de la future guérilla dans la Sierra ; mais Hart lui-même ne tarda pas à se faire prendre par la police de Batista et resta en prison jusqu'au triomphe de la Révolution. Dès sa sortie, Castro le nomma ministre de l'Education (Hart n'avait que vingt-neuf ans à l'époque, soit quatre ans de moins que Fidel). Depuis lors, il est l'un des conseillers les plus sûrs du *Líder Máximo*.

Armando Hart était issu du milieu politique modéré où se recrutait l'organisation citadine du 26 juillet (il avait appartenu auparavant à un groupe nationaliste du centre droite), mais il n'en suivit pas moins Castro sur la voie du communisme sans la moindre réticence. Il cumule aujourd'hui les fonctions de membre du Bureau politique du Parti et celles de Ministre de la Culture. Il changerait vraisemblablement d'idéologie sans hésiter si Fidel le lui ordonnait.

Faustino Pérez, qui avait séjourné dans le fameux champ de canne à sucre en compagnie de Fidel, après la bataille d'Alegría de Pío, symbolise un autre aspect du loyalisme qu'inspire Castro. Il rejoignit le Mouvement après l'affaire de Moncada (à peu près à la même époque que Hart) et venait de la même faction modérée anti-Batista que lui ; il assistait lui aussi à la réunion clandestine organisée à La Havane à la veille du départ de Castro. Après quoi il le suivit au Mexique, s'embarqua avec lui sur la *Granma*, en qualité de commandant militaire adjoint, et supporta aux côtés de Fidel les épreuves qui marquèrent le premier mois dans la Sierra, avant d'être envoyé à La Havane pour maintenir le contact entre les guérilleros et le Mouvement du 26 juillet en ville.

En qualité de haut dirigeant du mouvement clandestin, Faustino Pérez participa à l'organisation de la grève générale d'avril 1958, qui fut un véritable désastre — bien qu'elle marquât un tournant décisif dans l'histoire de la Révolution en consommant la rupture fondamentale entre pro-communistes et anti-communistes (et diverses autres factions intermédiaires), scission dont la Révolution ne se remit jamais complètement, nonobstant les protestations d'unité.

L'aile orthodoxe du parti communiste, qui continuait à se tenir à une distance respectable de Castro, s'était opposée à la grève que préconisait surtout la gauche classique au sein du Mouvement du 26 juillet, persuadée que la chute de Batista s'en trouverait précipitée. Dans un premier temps, Fidel lui-même avait apporté son soutien (mais sans enthousiasme) à l'idée d'une grève générale, avant de se rallier à l'avis de Che Guevara, qui était à ses côtés dans la Sierra, et à celui des communistes, en ville, qui condamnaient cette initiative. Che Guevara était idéologiquement le plus extrémiste des commandants de l'Armée rebelle et s'était révélé dès le départ l'ennemi juré de la gauche modérée au sein du Mouvement ; il jetait feu et flamme dans les querelles intestines des révolutionnaires. Les communistes, traditionnellement favorables à la grève comme instrument de leur stratégie politique, désapprouvaient l'action d'avril pour la bonne raison qu'ils en étaient presque totalement exclus ; ils en redoutaient certainement les effets adverses sur leur influence future à Cuba, mais il est impossible de prouver qu'ils sabotèrent effectivement le mouvement de grève, comme certains l'affirmèrent.

Dans le climat d'intrigues florentines qui régnait parmi les organisations révolutionnaires, Castro choisit de se retourner contre les organisateurs de la grève... mais seulement après coup. Il avait fini par se persuader que la faction citadine du Mouvement du 26 juillet — connue sous le nom de *llano* (la plaine) — détenait des armes et des fonds destinés aux guérilleros de la Sierra Maestra mais s'en était servie pour son propre compte, dans l'espoir de prendre la direction de tout le mouvement révolutionnaire, à la faveur de la grève générale. Fidel, qui s'échauffe encore lorsqu'il aborde ces événements, même après tant d'années, se figurait aussi, probablement à juste titre, que les membres des organisations citadines, d'origine bourgeoise, envisageaient de faire obstacle aux changements sociaux profonds qu'il projetait de susciter après la victoire ; ils se contenteraient de renverser Bastista, sans admettre pour autant la remise en cause du système cubain dans sa totalité.

Si Castro avait prévu, dès le départ, de démanteler l'ancien ordre social, établi par les Espagnols et maintenu sous la surveillance des Américains, après la proclamation de l'indépendance de Cuba en 1902, la plupart des Cubains (et des nations étrangères) n'en avaient pas vraiment conscience à l'époque où le révolutionnaire se battait dans la Sierra et mettait au point son organisation. A posteriori, certains historiens et commentateurs prétendent que les intentions véritables de Castro — l'assurance d'un « salut séculier » pour les opprimés — s'étaient exprimées à l'occasion de la plaidoirie qu'il avait prononcée lors de son procès après l'attaque de Moncada, mais furent délibérément occultées jusqu'à son arrivée au pouvoir. Par la suite, Fidel d'ailleurs l'a reconnu publiquement, sans aucun scrupule, en alléguant que le peuple n'était pas encore prêt pour une « vraie » révolution, tout simplement. L'historien américain, James H. Billington, qui a beaucoup écrit sur les phénomènes révolutionnaires, utilise l'entreprise de Castro comme le dernier exemple en date d'une révolution moderne incomprise en son temps. Il affirme que « bien des bouleversements politiques antérieurs — même quand on les a désignés sous le nom de " révolutions " — visaient à la mise en place d'un nouveau chef et non pas d'un nouvel ordre ». Il ajoute que « la révolte est la norme, plutôt que la révolution » et que Castro s'est inspiré de la Révolution Française, dans le sens où « jamais auparavant, le mot *révolution* n'avait encore désigné l'instauration d'un ordre totalement nouveau et créé de toutes pièces par des hommes ».

Pour parvenir à ses fins, Fidel Castro devait pouvoir compter sur des alliés avisés et dignes de foi. Or les communistes avaient participé à ses projets pendant les derniers mois de l'insurrection, en raison de certaines convergences de vues quant à la situation politique.

Pour autant que l'on puisse reconstituer avec quelque précision les luttes internes au sein du mouvement révolutionnaire, il apparaît que les suspicions de Castro à l'égard des éléments citadins du Mouvement du 26 juillet ne faisaient que croître ; elles étaient, en outre, alimentées par Che Guevara, comme en témoignent ses lettres adressées à Fidel dans la Sierra ; elles incitèrent celui-ci à former une alliance avec la vieille garde communiste pour donner en quelque sorte une nouvelle identité au Parti. (Ce fut Castro lui-même qui utilisa pour la première fois l'expression « nouveaux communistes » dans une déclaration publique...) De la même façon, on sait que Castro en arriva également à la conclusion que seuls une poignée de ses compagnons de la Sierra, parmi les plus fidèles, jouissaient d'une expérience ou d'un passé politique ou administratif suffisamment solide pour faire partie de son futur gouvernement ou prendre en main la politique de la Révolution. Attendu qu'il était bien décidé à ne faire appel à aucun gestionnaire de la gauche « bourgeoise » pour la conduite des affaires civiles, hormis pendant la période initiale de transition, il lui fallait édifier une armée révolutionnaire toute neuve, composée des *barbudos* (les barbus) des contingents rebelles ; ceux-ci étaient en grande majorité illettrés. Aux termes d'un principe révolutionnaire désormais admis, il convenait de supprimer entièrement les forces armées de Batista (en conservant néanmoins une poignée d'officiers de carrière disposés à rallier la cause de la Révolution), ce en quoi Castro n'avait pas tort puisque le 1er janvier 1959, quelques heures à peine après que le dictateur eut réussi à quitter le pays, une tentative fut faite à La Havane pour constituer une junte militaire qui, en cas de succès, aurait effectivement interdit à Fidel l'accès du pouvoir. Celui-ci professait donc que l'élimination de l'ancienne armée était la condition sine qua non de l'instauration d'un nouvel ordre national.

Il avait besoin, en outre, d'un nouveau personnel politique et administratif. Or, depuis près de quarante ans, les communistes de l'ancienne école administraient les syndicats, siégeaient au Parlement, noyautaient l'université et publiaient des journaux ; ils offraient ainsi à Castro des équipes expérimentées et sur lesquelles on pouvait compter. Leur sens de la discipline et leurs capacités d'organisation en particulier lui convenaient à merveille. Bien qu'il n'eût jamais appartenu lui-même au parti communiste, dans son « ancienne » version, certains de ses camarades d'université les plus chers y étaient affiliés, et c'est sans doute ce qui influença sa réflexion lors de son séjour dans la Sierra. Il estimait en outre que la vieille garde communiste devait d'emblée prendre la direction des nouvelles forces armées révolutionnaires, appelées à devenir le centre nerveux du « nouveau communisme » au sein de la Révolution. Par la suite, Castro affirma, vraisemblablement au bénéfice de l'opinion publique nationale et internationale, qu'en réalité, il n'avait pas pu faire autrement que de rallier les communistes à son Mouvement triomphant, bien qu'il omît d'expliquer qu'il s'était servi d'eux pour garder en main l'Armée rebelle.

Lorsque l'on se souvient qu'après l'affaire de Moncada, les communistes l'avaient taxé d'« aventurier », et combien ils s'opposaient encore à son action alors même qu'il entamait ses opérations dans les montagnes, on s'étonne que, tout à coup, il ait vu en eux des partenaires, voire des éducateurs dignes de confiance. Etant donné sa personnalité, il partait sans doute du principe qu'il saurait les mater. Le complot communiste monté contre lui en 1962 pour des raisons de « sectarisme », quatre ans après cet arrangement, fut un choc pour lui. De surcroît, la compétence professionnelle des communistes mobilisés par la Révolution pour diriger le pays s'avéra déplorable dans l'ensemble. En admettant que cela aussi fut pour lui une surprise, on est en droit de se poser des questions sur le discernement de Castro en matière d'administration.

La conclusion à tirer de tous ces événements est en définitive la suivante : ce fut à la fin du printemps 1958 — probablement au lendemain d'une série de rencontres politiques capitales qui se déroulèrent dans la Sierra en mai et juin — que Castro prit, à lui seul, la décision ultime et historique, que la Révolution conduisait à l'établissement du socialisme, puis du communisme à Cuba.

De nombreux étrangers spécialisés dans les affaires cubaines ont prétendu qu'en réalité, Fidel Castro avait adhéré clandestinement au communisme au moment de Moncada, voire avant ; à l'inverse, d'autres estiment qu'un an ou deux après sa prise de pouvoir, l'hostilité américaine l'a « poussé » vers le communisme. L'une et l'autre théories paraissent erronées à la lumière d'une analyse approfondie des documents de l'époque, ou si l'on prend le temps d'en parler à loisir avec des personnalités cubaines clefs qui ont pris une part directe à toute l'histoire révolutionnaire du pays.

Fidel a toujours su où il allait, ajustant sa stratégie et ses tactiques à mesure qu'évoluait la situation politique ; il rêvait certes de changements radicaux, mais non pas d'une révolution communiste telle que la définissait *le* parti communiste cubain.

La rancœur de Castro à l'égard des Etats-Unis remonte à l'époque où, pendant ses études, il avait pris part aux activités d'une série d'organisations « anti-impérialistes » à La Havane ; ce sentiment s'est trouvé exacerbé par les livraisons américaines de bombes et de munitions à l'aviation de Batista sur la base navale américaine de Guantánamo, au pied de la Sierra ; il a sûrement joué un rôle capital dans sa décision de choisir la voie du communisme pour mettre en pratique son vaste programme révolutionnaire. Fidel avait compris sans doute aussi, dès le départ, que cette prise de position susciterait le pire antagonisme à Washington, et que, tôt ou tard, il serait forcé de demander aux Soviétiques leur aide et leur appui pour pouvoir poursuivre son œuvre révolutionnaire. Il avait calculé, à juste titre, que les Russes, mis en fâcheuse posture par leur rupture avec la Chine, lui prêteraient main-forte. De telle sorte qu'il fut en mesure de prévoir, dès son séjour dans la Sierra, les rapports qui s'établiraient entre Cuba, les Etats-Unis et l'Union Soviétique, avant même que l'une et l'autre superpuissances se doutent de ce que le rebelle caraïbe avait en tête.

D'aucuns estiment que, depuis toujours, Castro éprouvait des sentiments très mélangés à l'égard de l'Amérique et espérait secrètement l'approbation des Américains, ce qui, d'un point de vue hautement subjectif, n'est peut-être pas faux. Son désir d'entrer personnellement en relation avec des Américains de tous les horizons — parlementaires et journalistes, biologistes, ecclésiastiques et musiciens, tel le fameux trompettiste Dizzy Gillespie — corrobore cette théorie. Cela ne modifie en rien l'attitude politique qui est foncièrement celle de Castro, et qu'il a exprimée avec clarté dans un message privé adressé à Celia Sánchez, sa compagne de la Sierra, le 5 juin 1958, alors que l'aviation de Batista venait de déverser sur les rebelles des bombes de fabrication américaine :

« Je jure que les Américains payeront un jour très cher ce qu'ils sont en train de faire. Quand nous en aurons fini avec cette guérilla, une autre guerre, plus vaste, de plus grande portée, commencera pour moi, celle que j'engagerai contre eux. Je sens que telle sera ma destinée véritable. » Les pressentiments de Castro se révélèrent, bien évidemment, tout à fait justifiés, même si le révolutionnaire lui-même n'aurait jamais pu soupçonner que dès le 10 mars 1959, soit deux mois seulement après son entrée à La Havane, le Conseil National de Sécurité (NSC) sous le gouvernement d'Eisenhower aurait déjà étudié les modalités d'instauration « d'un autre régime au pouvoir à Cuba ». Cette étude, dont on retrouve d'ailleurs la trace dans les archives confidentielles du NSC, est une composante généralement ignorée — mais fondamentale — de la vaste tragédie américano-cubaine.

En attendant, le fiasco de la grève générale d'avril eut pour conséquence immédiate d'autoriser Castro à établir un empire incontesté sur toutes les factions révolutionnaires cubaines, et — d'une manière plus spécifique —

de soumettre à son autorité le Directoire national du Mouvement du 26 juillet, dans les domaines politique et opérationnel. En ce sens, l'ultime phase de l'opération de la Sierra fut pour Castro ce que la Longue Marche avait été pour Mao Tsé-toung en 1935 : la proclamation de sa supériorité de fait sur les autres leaders révolutionnaires cubains. Fatalement, ses relations avec ses camarades de combat commencèrent à changer.

C'est ainsi que Faustino Pérez fut relevé de ses fonctions à La Havane par Castro, et rappelé dans les montagnes. Des années plus tard, il confiait à des amis : « A tort ou à raison, on me considérait alors comme faisant partie de l'aile droite du Mouvement du 26 juillet. » Certes, il n'était pas question pour Fidel de mettre Faustino au rancart. Ignorant les violentes critiques émises par Che Guevara à l'égard de Pérez (les deux hommes finirent par s'affronter férocement lors d'une réunion organisée par Castro dans la Sierra), Fidel le nomma responsable de l'administration civile dans les territoires libérés. La cabane qui lui tenait lieu de bureau se situait dans l'enceinte du quartier général rebelle à la Plata, à quelques centaines de mètres du poste de commandement délabré, dissimulé par une rangée d'arbres, où logeait Castro, en compagnie de Celia Sánchez, et les deux hommes étaient en contact permanent.

Castro a toujours fait preuve d'une loyauté inébranlable envers ses anciens compagnons, dès lors qu'ils s'abstenaient prudemment de toute action susceptible d'être jugée traîtresse, même quand ils n'étaient pas d'accord avec lui. Il a cependant ses propres critères en matière de probité, de trahison et de justice : s'il s'estime trahi par ceux en qui il a mis sa confiance, il devient impitoyable. Parallèlement, il est capable de tout pour sauvegarder une amitié, une relation, et se convaincre qu'il n'est nullement victime d'une perfidie quelconque.

Dans le cas de Faustino Pérez, un étrange ballet eut lieu entre Castro et lui. Au lendemain du triomphe de la Révolution, Pérez, comme Hart et de nombreuses autres personnalités jugées modérées, fut invité à participer au premier gouvernement révolutionnaire, en qualité de ministre du recouvrement de la propriété usurpée. En revanche, on le maintint soigneusement à l'écart de la cellule dirigeante au sein de laquelle Fidel se préparait secrètement à s'emparer totalement du pouvoir, non sans exécuter un sérieux virage à gauche. Ce fut une brève période, en 1959, au cours de laquelle Cuba vécut simultanément sous la Présidence officielle de Manuel Urrutia Lleó (désigné par Fidel, toujours dans les montagnes) et sous le gouvernement *de facto* quoique discret de Fidel, qui négociait alors dans les coulisses avec la vieille garde communiste la façon d'assumer conjointement les pouvoirs de la République au nom de la « vraie » révolution.

Après que la première crise ouverte sur la question du communisme eut ébranlé le régime révolutionnaire en 1959 et que Castro eut ordonné, pour cause de trahison, l'arrestation du Major Huber Matos, l'un des chefs les plus populaires de la guérilla, encore que franchement anticommuniste, deux ministres modérés annoncèrent leur démission au cours d'une réunion de cabinet houleuse, en présence de Castro, le 26 novembre. L'un d'eux était le ministre des Travaux publics, Manuel Ray, ancien ingénieur et leader du mouvement clandestin de La Havane (sans avoir été pour autant l'un des « compagnons » de Castro) ; un peu plus tard, il entreprit de comploter contre Castro avant de choisir la voie de l'exil. (Paradoxalement, la CIA jugea Ray trop « à gauche » pour autoriser son mouvement anti-castriste à prendre part à l'invasion de la Baie des Cochons en 1961.) L'autre était Faustino Pérez, qui se retira discrètement, non sans démentir publiquement que sa démission pût être liée à l'affaire Matos. Ce à quoi Castro répondit en se portant personnellement garant de sa sécurité, pour preuve de sa loyauté envers un ancien compagnon d'armes. Dans les années qui suivirent, Pérez se battit aux côtés de Fidel dans la Baie des Cochons, occupa diverses fonctions gouvernementales obscures (en 1969, il a dirigé la construction d'une centrale hydro-électrique, conformément à la tradition stalinienne qui consistait à reléguer les hommes politiques indésirables au second plan) ; en dépit de son aversion pour le communisme, Pérez finit par adhérer au parti quand Castro décida d'en faire « la force motrice de la société et de l'Etat cubains ».

En 1980, Faustino Pérez était membre du Comité central du parti, Président d'une commission à l'Assemblée nationale, et coordinateur d'une vaste association créée dans le cadre du système cubain d'autonomie régionale. Détendu, philosophe, il sait raconter les crises idéologiques de la Révolution, sans s'encombrer de repentirs ni de récriminations. Il apparaît, de façon tout à fait évidente, qu'il voue toujours à Fidel Castro une admiration et un attachement profondément sincères. Bien que la propagande officielle ne salue pas en lui un « héros de la révolution », Pérez est, à Cuba, une personnalité hautement respectée.

En juillet 1960, ce fut au tour du ministre de la Communication de donner sa démission ; Enrique Oltuski, ancien ingénieur, coordinateur du Mouvement du 26 juillet en province, était le plus jeune membre du Cabinet. Il sera le dernier des modérés à s'en aller, pour protester contre la mainmise communiste sur la Révolution (la grande majorité du premier cabinet ministériel se composait d'hommes et de femmes hautement motivés, expérimentés et capables, dont la préoccupation commune avait été de renverser Batista. Mais, aux yeux de Castro, leur modération politique devait leur être fatale. Oltuski fut arrêté sous de vagues prétextes. L'ancien ministre passa ainsi plusieurs années en prison. Il a fait sa rentrée au gouvernement au début des années 1980, après une période de « rééducation » idéologique, en qualité de vice-ministre des Pêches ; cette nomination est manifestement l'œuvre de Fidel, qui n'aime pas laisser gaspiller un talent, dans la mesure du possible.

Universo Sanchez pour sa part, le troisième homme du trio d'Alegría de Pío, ne s'est pas embarrassé de considérations idéologiques quand la Révolution a pris le visage du communisme. A la fin de la guerre, Sánchez occupait les fonctions de *comandante*, le rang le plus élevé qui soit au sein de l'Armée rebelle ; au fil des années, il s'est acquitté loyalement de tâches militaires et civiles très diverses. Même s'il n'a jamais mérité de s'intégrer personnellement au noyau politique pur et dur de Castro, il a terminé sa carrière révolutionnaire, la soixantaine bien sonnée, à la tête des programmes de protection de l'environnement cubain. Il a réintégré le parti communiste au moment de sa réorganisation par Castro, sans doute parce que tous les partisans de Fidel qui souhaitaient poursuivre l'œuvre commune de la Révolution étaient tenus d'y adhérer. Toutefois, à la différence de beaucoup d'autres, Universo Sánchez se fait invariablement un devoir de dire aux étrangers que le « vieux » parti communiste ne s'était jamais donné la peine de lutter contre Batista comme il aurait dû.

Certes, le loyalisme est un concept politique aussi incertain que la trahison, et Fidel Castro se réserve le droit de les définir l'un et l'autre, tout à fait subjectivement, bien entendu, selon la personne concernée. Au cours du procès du Commandant Huber Matos, les traits et la voix métamorphosés par la fureur, Castro prononça devant le tribunal révolutionnaire un incroyable réquisitoire de sept heures, accusant Matos de trahison parce qu'il avait « comploté » avec certains de ses officiers de la province de Camagüey, de démissionner pour protester contre le noyautage de la Révolution par les communistes. Matos, l'un des meilleurs commandants de la Sierra, fut condamné à vingt ans de prison. Le fait qu'il ait commencé par adresser directement à Castro une lettre personnelle, le suppliant en toute sincérité de s'opposer au communisme afin de protéger la démocratie à Cuba, ne lui valut aucune circonstance atténuante. Aux yeux de Fidel, les agissements de Matos constituaient une véritable forfaiture, dans la mesure où ils menaçaient de diviser les dignitaires du régime et les forces armées révolutionnaires, faisant ainsi le jeu des Etats-Unis et de tous les ennemis de la Révolution. En ce sens, Castro définissait les termes de loyauté et de trahison à partir de notions purement pragmatiques et politiques, en partant du principe que la défense de sa révolution éclipsait toute autre considération. On ne peut pas vraiment affirmer avec certitude que Matos aurait eu droit à un peu plus de clémence s'il s'était joint aux compagnons de Castro dès l'époque de l'attaque contre Moncada — il avait rallié le groupe des rebelles dans la Sierra, apportant avec lui de Costa Rica un plein avion d'armes dont les guérilleros avaient désespérément besoin. Mais, à l'inverse, Castro aurait très bien pu requérir contre lui la peine de mort. Ainsi, tout en condamnant publiquement ces démissions politiques comme autant de coups perfides portés à la Révolution, il préféra ne pas appliquer cette règle à Faustino Pérez et à bien d'autres perturbateurs de moindre rang qui surent rester discrets.

Comme nous l'avons déjà précisé, Fidel est impitoyable envers ceux qu'il considère comme des traîtres, et dans son esprit, tout « contre-révolutionnaire » est un traître — définition effroyablement sommaire. Vers le milieu des années 60, il y avait ainsi plus de quinze mille « contre-révolutionnaires » dans les prisons cubaines, de l'aveu même de Castro ; leur nombre s'était réduit à trois mille en 1977, et à quelque cinq cents en 1985 (certains avaient fait l'objet d'une deuxième condamnation pour des motifs obscurs). Lors de ses conversations avec des visiteurs étrangers, Castro définit le contre-révolutionnaire comme celui qui, d'une manière ou d'une autre, s'est dressé contre la révolution, mais le régime inclut dans cette catégorie les dissidents potentiels, dans les domaines culturel et politique. Il affirme que nul n'est condamné à Cuba pour délit d'opinion, mais les organisations internationales qui s'efforcent de veiller sur place au respect des droits de l'homme rapportent, avec des noms à l'appui, qu'un certain nombre de personnes sont incarcérées aux termes d'un article du code pénal cubain qui punit « toute incitation à la critique contre l'ordre social, la solidarité internationale ou l'Etat socialiste par voie de propagande, orale ou écrite, ou par tout autre moyen ; fabrique, distribue ou détient en sa possession des instruments de propagande tels que définis par le [présent] article ».

L'incitation à la critique « par voie de propagande orale » est une notion si incroyablement arbitraire que l'application rigoureuse (ou fantaisiste) de cet article garantit pour ainsi dire à elle seule l'absence de toute dissidence organisée à Cuba, dans le sens où on l'entend dans les pays de l'Est, voire en Union Soviétique. De fait, aucun mouvement contestataire ne sévit aujourd'hui sur l'île, pour autant que l'on sache. De temps en temps, Castro libère quelques prisonniers politiques en un geste de bonne volonté à l'égard de gouvernements étrangers, d'organisations ou de particuliers (tel le groupe relâché en 1984 et confié aux soins du Révérend Jesse Jackson), mais il n'a jamais précisé les critères selon lesquels il sélectionne les personnes dignes à ses yeux de recouvrer la liberté. A Cuba, la décision finale en matière de crime et de châtiment relève exclusivement de la compétence de Fidel Castro.

Curieusement, par exemple, en deux occasions au moins, Castro a voulu accorder une dernière chance à des hommes qui avaient comploté sa mort — peut-être par un sentiment de loyauté envers d'anciens camarades de guérilla qui avaient joué des rôles importants pendant le conflit, ou en vertu d'une conception de la justice qui lui est propre. Il se donne très rarement la peine d'expliquer ses raisons ou de les rendre publiques, à moins que ce ne soit absolument nécessaire. Ces deux histoires étaient inédites jusqu'à ce jour.

La première concerne le *Comandante* Humberto Sori-Marín, juriste qui fut le juge-conseil de Castro pendant la campagne de la Sierra, tout en se chargeant de préparer la future planification économique. Sori contribua à l'élaboration de la première loi de réforme agraire de la Révolution, signée par Castro, dans les montagnes, le 10 octobre 1958, alors que les combats se poursuivaient encore ; il fut nommé par la suite ministre de l'Agriculture. Tout comme Universo Sánchez, Sori faisait partie du tribunal révolutionnaire qui condamna à mort Jesús Sosa Blanco, un officier de l'Armée de Batista accusé d'une multitude de crimes, lors des premiers grands procès de « criminels de guerre » qui se déroulèrent dans le stade de La Havane. En revanche, Sori ne prit aucune part à la rédaction de la loi agraire beaucoup plus radicale, promulguée par Castro le 17 mai 1959, et entra immédiatement en conflit avec Che Guevara, qui accusait le ministre de l'Agriculture d'une modération excessive. On assistait déjà aux premières luttes pour le pouvoir et aux premiers conflits idéologiques parmi les révolutionnaires, et plutôt que d'affronter l'inflexible Che, Sori offrit sa démission. Castro fit tout ce qu'il put pour l'en dissuader (sans pour autant lui promettre de le protéger contre le harcèlement du Che), mais l'homme de loi n'en renonça pas moins à ses fonctions le 14 juin 1959.

Au cours de l'été, Sori commença à comploter contre le régime et s'enfuit aux Etats-Unis. En 1960, il regagna Cuba clandestinement, sans doute avec l'aide de la CIA, pour se joindre aux forces armées anti-castristes dans les montagnes de l'Escambray au cœur du pays et tenter d'assassiner Fidel. Blessé lors d'une fusillade avec les forces de sécurité de l'Etat, Sori fut capturé, mais ses deux frères, Raúl et Mariano (Raúl, partisan de la Révolution, était resté à Cuba, et Mariano, qui s'en était allé à Miami, revint de son exil), réussirent à obtenir de Castro un entretien afin de plaider en faveur d'Humberto. Castro proposa à Mariano de l'accompagner à la prison où Humberto était incarcéré (ce dernier aurait trouvé suspect que Raúl se joignît à eux), mais Mariano, redoutant une confrontaion brutale, préféra s'abstenir. Ses craintes se révélèrent justifiées.

Comme il l'apprit par la suite de la bouche d'un témoin, Castro rendit effectivement visite à Humberto dans sa cellule et lui déclara : « Humberto, tu nous as trahis et tout autre que toi paierait cette forfaiture de sa vie. » Fidel voulait inciter ainsi son interlocuteur à lui demander une mesure de clémence qu'il était prêt à lui accorder dès lors que le coupable l'en prierait. Sori réagit toutefois avec violence, insultant son visiteur à qui il répondit : « C'est *toi* le traître de la Révolution ! » Sur ces mots, Fidel prit congé et peu après, Sori fut condamné à mort. Il fut exécuté le 20 avril 1961, alors que Castro menait ses milices contre l'envahisseur dans la Baie des Cochons.

L'autre complot fut l'œuvre de Rolando Cubela Secades, médecin qui, au cours de la guerre contre Batista, avait dirigé les forces armées du Directoire révolutionnaire étudiant dans les montagnes au centre du pays. En 1963, cependant, la CIA recruta Cubela dans le cadre du projet secret AM/LASH (dont le Président Kennedy lui-même ignorait tout) destiné à supprimer Castro et à renverser le régime cubain. Toutefois, Cubela avait la confiance de Castro (en dépit d'un affrontement entre le Président cubain et le Directoire qui avait failli déboucher sur un conflit armé dès la première semaine après la victoire), et au début des années soixante, il fut nommé représentant de Cuba auprès de l'UNESCO, à Paris.

C'est alors que la CIA le contacta à Paris et à Madrid. On lui fit savoir que des armes spéciales seraient introduites et mises à sa disposition à La Havane pour lui permettre de réaliser l'attentat dont il avait promis de se charger. Mais les services secrets cubains, qui sont parmi les meilleurs du monde, eurent vent de l'affaire. Lorsque Cubela regagna La Havane, à l'occasion d'un voyage de routine, il fut convoqué au Palais par Castro. A en croire les témoins, celui-ci commença par lui demander s'il n'avait rien de particulier à lui dire, ce à quoi le médecin répondit par la négative. Il fut arrêté au moment où il quittait le palais et confirma, lors de son procès, qu'il avait projeté d' « abattre le Président Castro avec un fusil à lunette à longue portée, puis de s'attribuer un poste clé au sein du futur régime contre-révolutionnaire ». Cubela eût-il avoué le complot à Castro, il n'y aurait peut-être pas eu de procès. Quoi qu'il en soit, Cubela fut condamné à quinze ans de prison — verdict relativement clément en regard des normes de la justice révolutionnaire cubaine, dont l'application entraîne souvent des exécutions capitales. Cette peine fut même, en définitive, réduite. Cubela vit aujourd'hui en Espagne. Comment expliquer pareille indulgence ?

En dehors des questions de trahison et de contre-révolution, Castro prouve discrètement qu'il n'oublie pas ses anciens compagnons, en leur assurant une existence confortable. Dans un grand nombre de cas, on a créé des postes aux titres ronflants pour des personnages vieillissants ou insuffisamment qualifiés, Fidel ayant estimé qu'il fallait satisfaire leur amour-propre et leur montrer que la Révolution leur serait à jamais reconnaissante de leurs hauts faits. Cela se passe sans heurts : la plupart des Cubains le comprennent fort bien. Par ailleurs, il est souvent arrivé que Castro manque à cet égard de discernement en nommant par exemple à des postes d'ambassadeurs d'anciens compagnons qui finissent par mettre Cuba dans les pires embarras, au point de devoir être rappelés.

En certaine occasion, Fidel démit de ses fonctions un communiste de la vieille garde, titulaire d'un poste industriel important, pour lui avoir révélé sans fards que le directeur général de l'établissement « dormait dans son bureau, saoul comme d'habitude ». Or ce directeur se trouvait être un ami de Castro, du temps de l'attaque contre Moncada. Fidel savait très bien que c'était un alcoolique et qu'il convenait de le rétrograder en douceur de quelques échelons ; s'il lui avait rendu cette petite visite-surprise au bureau, c'était justement pour voir comment il s'en sortait. D'où sa fureur envers le communiste qui n'avait lui-même jamais pris les armes contre Batista et se permettait une remarque désobligeante envers un ancien révolutionnaire.

Même au sein de la confrérie castriste, il existe des distinctions importantes entre les dignitaires, selon leurs états de service, leur ancienneté, mais aussi, très humainement, selon leur individualité et la nature de leurs relations personnelles avec Fidel. De tels facteurs déterminent en effet le choix des hommes actuellement au pouvoir à Cuba, comme ce serait le cas n'importe où ailleurs, si ce n'est qu'entre Cubains, l'élément subjectif revêt une importance particulière.

Comme l'a souligné Armando Hart, pas un seul des *Fidelistas* qui s'étaient rassemblés autour de Castro à la veille de son départ au Mexique en 1955 n'a abandonné la cause depuis lors. Ceux qui avaient survécu à la guerre se tenaient toujours à ses côtés quand la société socialiste révolutionnaire vit le jour. Hart lui-même était membre du premier cabinet post-Batista — le gouvernement « visible » de la première année, qui rédigea pour le pays, en février 1959 une Constitution « démocratique » fort éphémère. Il est le seul à avoir conservé un poste ministériel sous le régime suivant et à demeurer proche de Castro ; la plupart de ses anciens collègues ont fui le pays ; certains sont morts.

En dehors de Fidel Castro, les hommes les plus connus parmi ceux qui prirent part à la Révolution cubaine sont évidemment Che Guevara et Raúl Castro. Le Che fut tué en 1967, en Bolivie, à la tête de sa propre troupe de guérilleros ; avant même de s'embarquer dans cette entreprise désespérée, il avait rompu — de son propre chef, semble-t-il — tous ses liens avec Castro et Cuba. Eternel insatisfait et militant maximaliste, Che Guevara n'avait vraiment pas sa place dans les projets de Castro soucieux d'institutionnaliser la révolution cubaine en collaboration étroite avec l'Union Soviétique — or Che considérait de plus en plus l'URSS comme aussi féroce que les « capitalistes » eux-mêmes envers les pays du tiers monde. De fait, l'ultime discours public prononcé par Che Guevara à Alger, en février 1965, accusait vertement les Soviétiques d'imposer des relations commerciales à des conditions totalement abusives aux nations sous-développées.

On constate aujourd'hui tristement, cyniquement aussi, que ce personnage romantique, curieusement séduisant que fut le Che, semble présenter plus d'utilité, sur le plan politique, pour Cuba et pour les diverses causes révolutionnaires à travers le monde, en tant que martyr, que s'il était devenu un rebelle vieillissant sans rien d'autre que son passé de « guérillero » pour continuer à vivre. Comme l'explique son père à ses amis, Fidel et le Che étaient des êtres totalement différents, même s'ils se complétaient intellectuellement et politiquement. Che Guevara était l'une des rares personnes à Cuba capables de stimuler l'intellect de Castro et l'on regrette amèrement de n'avoir pu conserver la trace de leurs conversations du temps de guerre (hormis les lettres et messages de la Sierra). Fidel n'en parle jamais. Il n'empêche que le visage du Che domine la Place de la Révolution à La Havane, du haut d'un immense panneau, face à la statue de José Martí et au massif Palais de la Révolution.

L'organigramme actuel du pouvoir, sous Castro, et l'importance relative des diverses figures qui le composent, sont en général mal connus et mal compris, même à Cuba. Viennent d'abord les anciens compagnons d'armes. Parmi eux, Raúl Castro est le premier puisqu'il se trouvait déjà aux côtés de son frère aîné avant l'affaire de Moncada. Il est responsable des forces armées, général et ministre de la Défense, outre les divers titres afférents à sa qualité de fondé de pouvoir de Fidel pour tout — il est par ailleurs son successeur désigné et le deuxième secrétaire du parti communiste. Il gère l'essentiel des affaires gouvernementales cubaines au jour le jour, étant donné que son frère consacre le plus clair de son temps à des considérations idéologiques et planétaires. Avec sa moustache bien taillée et son visage rond, Raúl fait penser à un épicier espagnol content de lui, mais sa force de caractère et sa compétence inspirent le plus grand respect. Les rares étrangers, hors des sphères communistes, qui ont rencontré Raúl, le trouvent en général tout à fait charmant et passionnant.

Raúl Castro partage ses hautes fonctions gouvernementales (il est premier vice-président du Conseil des Ministres) avec Osmany Cienfuegos Gorriarán, membre du Politburo depuis des années, vice-président du Conseil et secrétaire de son Comité exécutif ; tout en restant relativement dans l'ombre, il est devenu progressivement l'un des hommes les plus puissants de Cuba. Architecte de formation, Osmany Cienfuegos — qui porte moustache et lunettes — ne fait pas partie de l'ordre des compagnons castristes ; plutôt que de participer aux combats révolutionnaires dans l'île, il avait préféré rester au Mexique, avec un groupe communiste, pour attendre patiemment la fin de la guerre de la Sierra. Il était cependant le frère aîné du *Comandante* Camilo Cienfuegos, extrêmement populaire luimême et vieux compagnon de Castro ; nommé Chef d'état major de l'Armée rebelle au début de 1959, Camilo Cienfuegos disparut lors d'un mystérieux accident d'avion en octobre de la même année, quelques jours après s'être rendu à Camagüey, sur l'ordre de Fidel, pour y procéder à l'arrestation d'Huber Matos. Un mois plus tard, son cadet était nommé ministre des

Travaux publics en remplacement de Manuel Ray qui venait de démissionner à cause de l'affaire Matos, tandis que Camilo entrait au panthéon des héros et martyrs de la Révolution.

A l'université, Osmany (de même que Raúl Castro) avait appartenu aux Jeunesses du Parti populaire socialiste, aujourd'hui baptisées simplement « Jeunesses communistes » ; c'est un communiste de stricte observance. Il n'est pas très aimé à Cuba, et n'apparaît que très rarement en public. Terne et discret, c'est le type classique de « l'homme du sérail » ; il apporte la preuve vivante du fait que nul n'a plus besoin désormais d'être un *Fidelista* de toujours pour détenir une part du pouvoir. Mais il n'a aucune intimité avec Castro, ni même de simples rapports de camaraderie.

Jusqu'en 1986, le *Comandante* Ramiro Valdés Menéndez occupait le rang suivant dans la hiérarchie du pouvoir — tant qu'il exerça simultanément les fonctions de ministre de l'Intérieur, membre du Bureau politique du Parti et vice-président du Conseil d'Etat et du Conseil des Ministres. Son départ du Politburo et du ministère (où son mandat avait déjà été renouvelé une première fois) était pour le moins inattendu. A l'occasion du Troisième Congrès du parti communiste en février 1986, Castro n'a fourni aucune explication de ce départ, si ce n'est que le Politburo devait être « rajeuni ». Mais il semble bien que Valdés, qui avait été tenu à l'écart du Comité central du Parti et s'est vu confier depuis un vague poste technique, ait été victime d'une lutte d'influence avec Raúl Castro ; celui-ci ne tolère pas la présence d'un rival dans le cadre des services secrets de la police. Or Valdés était le seul haut dirigeant, en dehors de Fidel, à porter régulièrement l'uniforme vert olive, et il ne s'est jamais défait de cette barbe pointue qu'il arbore depuis les temps de la Sierra et qui lui donne une apparence légèrement méphistophélique. Raúl Castro quant à lui apparaît souvent vêtu très simplement d'une veste en cuir noir sur une chemise avec cravate. L'ancien ministre de l'Intérieur est l'un des trois vétérans révolutionnaires qui portent le titre de *Comandante de la Revolución*, haute distinction dont Raúl Castro lui-même ne peut se vanter ; les deux autres sont Guillermo García Frías, le premier paysan de la Sierra à se joindre aux rebelles, et un Noir, Juan Almeida Bosque, Chef d'état-major de l'armée ; ils n'ont aucune influence politique ni l'un ni l'autre. (García a perdu lui aussi son siège au Politburo et son poste de ministre des Transports, pour incompétence pure et simple.)

Le successeur de Valdés au ministère de l'Intérieur, le général José Abrahantes Fernández, dirige les Services de sécurité de l'Etat (la police secrète politique), les Forces spéciales de la sécurité de l'Etat (une troupe de choc militarisée, formée de quelque cinq mille hommes d'élite avec leurs blindés et leur aviation), la Police Nationale, les services de renseignements à l'étranger, rattachés aux Services de sécurité de l'Etat, ainsi que l'extraordinaire réseau d'observateurs et de délateurs dont sont formés, à l'échelon local, les Comités de Défense de la Révolution (CDR). Les Services de sécurité ont toujours su tenir en respect les ennemis du régime, où que ce soit, et se sont aisément infiltrés au sein des groupes d'émigrés cubains, aux Etats-Unis, au Canada ou en Europe occidentale. Abrahantes, qui fut pendant un certain temps l'adjoint de Valdés, ne dispose cependant d'aucun poids politique — il s'est longtemps chargé de la sécurité personnelle de Castro. Il semble plutôt que ce soit Raúl Castro qui dirige aujourd'hui l'appareil policier en plus des forces armées.

Avant le renversement du régime de Batista, Valdés avait participé à toutes les actions révolutionnaires — depuis l'attaque de Moncada, en 1953, jusqu'à l'occupation des plaines par les colonnes de rebelles descendues de la Sierra, à l'automne 1958 (il était l'adjoint de Che Guevara à la tête de la huitième colonne, qui conquit les provinces du centre); son influence sur Castro a été considérable. Il a été également l'une des personnalités dirigeantes les plus favorables aux Soviétiques et il avait noué des liens extrêmement étroits avec les services de renseignements des pays d'Europe de l'Est et de l'URSS, en particulier après 1968, date à laquelle Moscou imposa la primauté du KGB à Cuba.

Le reste de l'équipe au pouvoir se compose de vieux *Fidelistas* authentiques et d'hommes qui se sont ralliés à la Révolution un peu plus tard. Parmi les premiers figure notamment Pedro Miret Prieto, qui, du temps où il était étudiant en ingénierie, enseignait aux conjurés de Moncada comment se servir de leurs armes; il était demeuré aux côtés de Castro pendant toute la durée de l'attaque; par la suite, il s'est conduit en commandant valeureux, tant dans la Sierra que dans la Baie des Cochons. Miret occupe aujourd'hui les fonctions de vice-président du Conseil des Ministres, responsable du développement industriel; il est aussi membre du Bureau politique du parti. C'est un petit moustachu affable et qui se donne un air trompeusement inoffensif. Jadis, il était parmi les révolutionnaires les plus farouches; il fait aujourd'hui partie du cercle intime de Castro qui trouve en lui l'un de ses hommes de confiance.

Armando Hart et le *Comandante* Almeida appartiennent tous deux à ce cercle privilégié, bien que ni l'un ni l'autre ne contribuent directement aux prises de décision. Jesús Montané Oropesa, comptable de formation, qui s'est également battu à Moncada et dans la Sierra, a dû quitter le Bureau politique à l'occasion du Congrès du Parti en 1986; mais il reste membre du Comité central et c'est l'un des proches de Castro.

Sergio del Valle Jiménez est médecin; il a fait preuve d'un courage exemplaire lors de la guérilla dans la Sierra, avant de devenir l'un des principaux commandants de l'Armée rebelle; il s'est intégré lui aussi au cercle des intimes. Il a été ministre de la Santé, poste extrêmement important compte tenu de la priorité donnée par Castro à la santé publique, jusqu'en décembre 1985, date à laquelle Fidel l'affecta à des fonctions politiques absorbantes mais discrètes en dehors du Politburo. José Ramón Machado Ventura, autre guérillero-médecin (l'Armée rebelle comptait un nombre surprenant de médecins militaires, à commencer par Che Guevara et Faustino Pérez, qui avaient participé à la traversée de la *Granma*), est devenu le principal idéologue du nouveau Parti communiste et exerce une forte influence sur Castro. Il appartient au Politburo.

Un autre communiste du temps jadis, dont le pouvoir s'est beaucoup accru récemment, est Jorge Risquet Valdés-Saldaña; il est membre du Politburo depuis le Congrès du parti en 1986, et titulaire d'un poste clé qu'il occupe depuis dix ans, celui de secrétaire du Comité central. Relativement inconnu du public, Risquet gère les opérations militaires et politiques de Castro en Afrique, tout en se chargeant de la politique du travail à Cuba.

Vilma Espín de Castro a combattu dans la Sierra aux côtés de Raúl Castro ; ils se sont mariés à Santiago peu après la victoire, mais Fidel était trop occupé pour assister à la cérémonie. Elle est actuellement membre du Conseil d'Etat et (depuis février 1986) membre titulaire du Bureau politique (c'est la seule femme au sein de cette instance dirigeante). Comme présidente de la Fédération des femmes cubaines, Vilma Espín (ancienne élève en architecture à l'Institut de Technologie du Massachusetts — MIT) détient un pouvoir politique considérable. Cette femme pleine d'attraits fait quelquefois office d'hôtesse improvisée lors des réceptions officielles organisées au Palais de la Révolution où elle accueille les visiteurs juste après Fidel lui-même.

A côté de la vieille garde de *Fidelistas*, deux hommes venus d'autres horizons occupent une place prépondérante dans la hiérarchie du pouvoir castriste, principalement en vertu de l'immense respect qu'ils lui inspirent l'un et l'autre. Il s'agit de Carlos Rafael Rodríguez, génie intellectuel et politique de l'ancien Parti communiste, et de José Ramón Fernández Alvarez, ancien officier de l'armée de Batista, écroué pendant la guérilla pour avoir conspiré contre le régime, à qui Castro a confié les fonctions de vice-président du Conseil des Ministres et ministre de l'Education, mis à part le rôle de négociateur discret qui lui revient dans le contexte diplomatique international.

Rodríguez est, de loin, l'homme politique le plus averti du pays : sa carrière remonte aux années trente, alors que Castro n'était encore qu'un enfant en Oriente. C'est un personnage affable, sa barbichette blanche et ses manières européennes lui donnent un air vaguement *boulevardier;* il possède un savoir considérable. Très cultivé, c'est également un écrivain prolixe ; dans les domaines intellectuel et politique, il s'est révélé comme le collaborateur le plus qualifié du Président depuis la victoire de 1959. Les deux hommes sont toujours extrêmement proches et se voient chaque jour pour bavarder. Rodríguez, qui a treize ans de plus que Castro, est l'un des rares Cubains à tutoyer le Président, selon le vieil usage espagnol.

En sa qualité de vice-président du Conseil d'Etat et du Conseil des Ministres, membre du Bureau politique du Parti, Rodríguez est le troisième côté du triangle : il compose avec Raúl Castro et Osmany Cienfuegos le sommet de la pyramide du pouvoir, directement sous les ordres de Fidel. L'économie et la politique étrangère sont placés sous son entière responsabilité (Isidoro Malmierca Peoli, le ministre des Affaires étrangères, communiste de la vieille école, se contente d'appliquer sa politique, il ne l'élabore pas), et Castro prend très peu de décisions, dans quelque domaine que ce soit, sans consulter au préalable le septuagénaire Rodríguez.

Ce fut d'ailleurs principalement grâce à la perspicacité de ce dernier qu'a eu lieu naguère la fusion entre les *Fidelistas* et les communistes, et qu'un nouveau Parti communiste dirigé par Castro s'est constitué, au mépris de toutes les intrigues ourdies dans la Sierra et après la victoire. Pendant la Seconde Guerre mondiale, Rodríguez avait exercé des fonctions ministérielles au sein du cabinet de Batista ; c'était l'époque où les communistes avaient adopté une politique de « Front populaire » et les biographies officielles de Rodríguez font soigneusement abstraction de cet épisode de sa carrière. Sous l'insurrection, il avait aussi été le premier, parmi les dirigeants du parti communiste (interdit) — les autres étant passablement dénués d'imagination, semble-t-il —, à comprendre que Castro renverserait Batista et que mieux valait courir au secours de la victoire.

Au moment de l'échec de la grève générale d'avril 1958, la plupart des dirigeants communistes s'imaginaient encore qu'un Castro victorieux se transformerait, au mieux, en une sorte de version cubaine du président égyptien Gamal Abdel Nasser, nationaliste de gauche, et que toute évolution vers le socialisme se ferait exclusivement à leur initiative.

L'idée de prendre le pouvoir à la faveur d'un soulèvement contre Batista n'était jamais venue à l'esprit des communistes, peu entreprenants dans l'ensemble (les Soviétiques n'y avaient d'ailleurs pas pensé non plus) et il avait fallu l'imagination fertile de Carlos Rafael Rodríguez pour entrevoir ces perspectives nouvelles.

Après la grève générale, le Parti autorisa ses membres à se joindre aux guérilleros s'ils le souhaitaient, et bon nombre d'entre eux gagnèrent la montagne. Quelques-uns, par choix ou par nécessité, se firent enrôler sous le nouveau commandement autonome de Raúl Castro, au nord-est de la Sierra Maestra, peut-être parce qu'à la différence de son frère, Raúl avait appartenu aux Jeunesses communistes quand il faisait ses études à l'Université de La Havane. En juin 1958, Rodríguez lui-même entreprit le pèlerinage rituel au quartier général de la Sierra Maestra où Fidel Castro (qui pour en imposer à ses visiteurs tend toujours à les faire attendre indéfiniment) contraignit l'émissaire communiste à faire le pied de grue des jours entiers.

Il ne reste malheureusement aucune trace de leurs entretiens. Quoi qu'il en soit, Rodríguez demeura dans la Sierra jusqu'au mois d'août où fut déclenchée l'ultime offensive rebelle contre Batista. On peut donc en conclure que les fondations du futur Etat communiste cubain avaient été établies au cours de cette période. Castro avait déjà choisi cette orientation, dans son principe, et les discussions avec Rodríguez se ramenèrent probablement aux modalités de la mise en place d'un appareil communiste sous le contrôle de Fidel. Au cours des mois qui suivirent, les communistes de l'ancienne école participèrent à une petite opération de guérilla au centre du pays, ce qui leur permit de joindre leurs forces, en temps utile, à la colonne venue de la Sierra sous le commandement de Che Guevara et de Ramiro Valdés.

Si Rodríguez joua effectivement un rôle capital dans la formation d'une première alliance entre les communistes et Fidel Castro — y compris dans les négociations secrètes qui se déroulèrent quelques semaines après la victoire, dans le repaire de Fidel aux environs de La Havane —, il contribua tout autant à éviter de nouvelles brouilles. En 1962, alors que le nouveau parti communiste était encore en voie d'organisation, Rodríguez fit cause commune avec Castro pour mettre en échec une initiative dangereuse de la vieille garde communiste, sans doute poussée par Moscou, toujours gourmande en la matière. Les deux hommes finirent par imposer leur loi, mais ce fut une crise si grave que Castro disparut de la scène pendant des semaines entières pour préparer sa contre-attaque. La situation se reproduisit d'ailleurs en 1968, quand les dissensions au sein du parti communiste cubain se trouvèrent considérablement aggravées par les querelles survenues entre Castro et l'Union Soviétique autour des questions de défense militaire, de sécurité et de coopération économique. Là encore, Rodríguez, en s'interposant comme médiateur, sauva la partie. Une fois de plus, Castro déjoua les intrigues de l'aile orthodoxe du Parti communiste cubain et procéda à l'arrestation de non moins de trente-sept anciens dirigeants du parti (dont certains étaient toujours incarcérés en 1985), pour démontrer qu'il ne tolérerait pas les agissements de « contre-révolutionnaires » communistes, bien qu'il fût acculé à des concessions de grande portée internationale au bénéfice du Kremlin. A partir de cette date, Carlos Rafael Rodríguez devait assumer la responsabilité exclusive de toutes les relations avec les Soviétiques, dans quelque domaine que ce soit.

Contrairement à la plupart des dirigeants communistes cubains, Rodríguez a un goût très vif pour la conversation, l'art et la littérature. Il est lui-même l'auteur d'essais et de mémoires remarquablement intéressants. Ancien professeur à l'Université de La Havane et rédacteur en chef d'un journal, il fréquente assidûment les vernissages, assiste souvent aux soirées mondaines et diplomatiques quand elles sont intéressantes et prend part aux petits dîners organisés par la gent intellectuelle — où il brille toujours par son esprit et sa courtoisie. Mais pour regrettable que cela puisse paraître, il semble bien que Carlos Rodríguez soit un des derniers spécimens de sa race : Cuba ne produit plus d'hommes politiques dotés d'une intelligence et d'un charme pareils, ni dans les milieux communistes, ni ailleurs.

Le vice-président José Ramón Fernández Alvarez, maître conciliateur, est un politicien d'une tout autre espèce, même s'il joue un rôle capital, et de plus en plus important, auprès de Fidel Castro. Ce personnage aux cheveux blancs, élancé, droit comme un piquet, est lui aussi l'un de ces révolutionnaires qui captivent les étrangers de passage à Cuba. Légèrement plus âgé que Fidel, Fernández a fréquenté le même lycée que lui, à Santiago, et partage en outre avec lui un passé familial et des origines géographiques similaires. Pourtant ils se sont rencontrés pour la première fois après l'insurrection, quand l'ancien officier de l'Armée put quitter la prison de l'Ile des Pins, où Castro lui-même avait été enfermé cinq ans plus tôt. D'origine espagnole, comme Fidel, on l'a surnommé le « Gallego », bien que ses parents viennent non pas de Galice, mais des Asturies.

A l'époque, Fernández n'avait aucune inclination idéologique particulière. Engagé dans l'Armée (et ancien élève de l'école d'artillerie de Fort Still, dans l'Oklahoma), il était impatient de retrouver la vie civile une fois que le dictateur exécré eut été renversé. Le jour de la chute de Batista, il avait pris le commandement militaire de la prison, puis s'en était allé très vite à La Havane à la recherche d'un emploi. Peu après son retour dans la capitale, Castro, qui avait entendu dire beaucoup de bien de cet officier « aux mains propres », l'avait convoqué un soir tard pour un entretien.

L'Armée rebelle, faite de bric et de broc, avait terriblement besoin d'officiers de carrière pour s'étendre et se moderniser. Aussi Castro pria-t-il Fernández d'endosser à nouveau l'uniforme, ignorant que son interlocuteur venait d'obtenir un poste bien rémunéré à la tête d'une sucrerie. Pendant une heure entière, Fernández lui opposa un refus catégorique. Pour finir, Fidel s'exclama avec une exaspération feinte : « OK, Gallego... C'est parfait... Allez faire tourner votre usine, et moi je vais me retirer pour écrire des livres. Que la Révolution aille se faire foutre... C'est ça que vous voulez ? » Fernández fut bien obligé de céder et passa ainsi les deux années suivantes à reconstruire l'Armée rebelle et à se procurer des armes à l'étranger. Il contribua notamment à l'acquisition du premier lot d'armes automatiques FAL, de fabrication belge, les meilleures dont disposa Cuba jusqu'à ce que les Soviétiques deviennent leur fournisseur. Le mérite de la victoire éclair des Cubains lors de l'invasion de la Baie des Cochons revient pour une large part à Fernández qui dirigeait les combats sur le terrain, même si Castro coordonna la stratégie d'ensemble.

Par la suite, Castro fit appel à cet homme fort aimé du peuple chaque fois qu'il rencontrait des difficultés majeures, comme ce fut le cas avec les forces armées, ou dans le cadre des vastes opérations entreprises par le ministère de l'Education, voire plus récemment, pour le rétablissement des relations diplomatiques et politiques avec les gouvernements d'Amérique latine. Son autorité et son efficacité font de lui un « oiseau rare » dans la Cuba socialiste. Fernández est l'un des meilleurs atouts de la Révolution. Il a même été jusqu'à suivre les cours de l'école des hautes études du parti communiste, à La Havane, pendant ses moments de liberté, pour devenir aussi un marxiste-léniniste de bon aloi. Au cours du Congrès du Parti communiste de 1986, il a été nommé membre suppléant du Politburo.

Si les échelons supérieurs du pouvoir cubain se trouvent assez bien coordonnés quand il s'agit de résoudre les grands problèmes de gestion, la question fondamentale demeure le fait que Castro est psychologiquement incapable de lâcher un tant soit peu les rênes du pouvoir. Bien que ce ne soit pas la conséquence d'un refus conscient de sa part, l'autorité et toutes les responsabilités demeurent concentrées entre ses mains, situation qui paralyse toute initiative aux échelons inférieurs. L'obsession du détail, chez Castro, et sa conviction que, sur n'importe quoi, il en sait toujours plus que les autres, concourent à faire de lui un obstacle à tout développement efficace de l'économie et de la société de son pays. La plupart des chefs d'entreprise cubains, dans le cadre d'une économie totalement étatisée, n'ont tout bonnement pas le courage de prendre les décisions à leur portée, de peur de déplaire à l'autorité suprême, et, plus vraisemblablement, d'avoir à payer le prix de leur audace. Aussi les bureaucrates forment-ils une association de protection mutuelle et une plaisanterie amère circule à La Havane : le régime cubain autoriserait, dit-on, l'existence de deux partis : le parti communiste et celui de la bureaucratie. On demeure effaré devant un tel gaspillage de ressources et de talents.

Castro, bien entendu, se rebiffe quand on insinue qu'il se conduit en dictateur et que toutes les décisions sont prises par lui. En 1977, il a déclaré à un journaliste américain : « Je suis le chef, mais je suis aussi très loin de détenir un pouvoir absolu ou autocratrique. » Il ajoute : « Mon pouvoir personnel était considérable » pendant la guerre, mais presque aussitôt après, la révolution a entrepris « d'instituer une direction collégiale... celle d'un groupe composé des dirigeants les plus capables ».

En 1985, Castro insistait toujours sur le caractère collégial du gouvernement cubain et sur le fait que le processus d'institutionnalisation de la Révolution était parvenu à son terme, depuis le référendum de 1975 par lequel la nation avait approuvé la nouvelle Constitution (elle est entrée en vigueur l'année suivante). Depuis lors, de nouveaux mécanismes sont en place, tel le système de gouvernement local dit « Pouvoir populaire », sous l'autorité de l'Assemblée nationale qui se prononce sur les propositions de loi et veille en théorie à leur mise en application. Pourtant, on imagine mal l'Assemblée (qui se réunit deux fois par an pour une session de deux jours) rejetant un texte soumis par Castro ou révoquant un haut fonctionnaire, par exemple, pour cause d'incompétence. Les assemblées municipales ou provinciales sont habilitées à destituer des fonctionnaires, mais ne remettent pas en cause les décisions politiques du gouvernement. Castro m'a affirmé qu'au sein du Bureau politique du parti, il ne dispose que d'une seule voix sur quatorze et qu'à l'occasion, les décisions se prennent contre son avis — bien qu'il ne m'ait cité aucun exemple.

La question est de savoir si Castro comprend qu'à la lumière des réalités cubaines, ces allégations ne sont pas tout à fait crédibles. Par ailleurs, il faut reconnaître qu'il est pris au piège de son image politique, dans le sens où il peut difficilement admettre publiquement qu'il détient vraiment un « pouvoir personnel ». Un tel aveu porterait en effet atteinte à l'intégrité des institutions qu'il a lui-même mises en place, en les privant du semblant d'indépendance ou d'autonomie qui leur est impartie. Reste évidemment à savoir si ces institutions pourront subsister après la mort ou le retrait de Castro, et comment sera résolu le problème de sa succession, c'est-à-dire l'avenir de Cuba. Il ne fait aucun doute que Castro a désigné lui-même son frère Raúl pour lui succéder, imposant ainsi d'autorité son remplaçant.

La presse officielle présente le Conseil d'Etat et le Conseil des Ministres (présidés l'un et l'autre par Castro) comme les organes de décision de la République cubaine. Pourtant, en novembre 1984, par exemple, un Castro fou de rage est allé dénoncer devant l'Assemblée nationale les carences du plan de développement économique préparé pour l'année suivante par le Bureau central de la planification ; le plan quinquennal ne fut pas épargné non plus. Du jour au lendemain, Fidel constitua au sein du Conseil des Ministres un « Groupe central » dirigé par Osmany Cienfuegos et chargé de mettre au point séance tenante un nouveau plan pour 1985 ; ce n'est guère la manière la meilleure de gérer une économie. Un peu plus tard, le président du Bureau de la planification, Humberto Pérez González, considéré jusque-là comme le technocrate le plus prometteur de la nouvelle génération, fut « libéré de ses fonctions » euphémisme généralement employé en cas de révocation.

En principe, c'est le Comité exécutif du Conseil des Ministres, sous la direction d'Osmany Cienfuegos, qui gère les affaires cubaines au jour le jour. Castro n'assiste pas toujours aux réunions qui se déroulent dans le bâtiment attenant au Palais de la Révolution. Carlos Rafael Rodríguez estimait en 1985 que le Comité exécutif avait « déchargé » Castro de toute préoccupation concernant les affaires courantes, étant entendu qu'il lui fallait désormais le temps de se consacrer aux grands problèmes mondiaux. Seules les décisions touchant aux relations de Cuba avec les Etats-Unis et l'Amérique latine devront être approuvées personnellement par Fidel avant toute initiative, a-t-il précisé.

Dans la réalité des faits, Castro tient pourtant à être mis au courant de tout ce qui se passe, ou à peu près. En conséquence, certaines décisions, aussi mineures soient-elles, peuvent être retardées ou suspendues indéfiniment, jusqu'à ce que le Commandant en chef ait le temps de se mettre au courant, malgré tous ses autres engagements et préoccupations. Ses discours fréquents confirment qu'il suit de près tous les problèmes dont Cuba est criblée et qu'il les connaît de fond en comble : il touche d'ailleurs à toutes ces difficultés quand il prône les vertus du travail assidu et la nécessité absolue de ménager les ressources. Il arrive que la mise sous presse du quotidien, *Granma,* organe officiel du parti communiste et porte-parole du régime, soit retardée jusqu'aux premières heures du jour tandis que Castro révise le texte d'un interminable discours improvisé qu'il a prononcé la veille sur quelque nouvel aspect de sa politique, ou rédige un éditorial important (il est l'auteur d'une bonne partie des éditoriaux non signés qui paraissent « à la une » du journal — son style étant au demeurant aisément reconnaissable par sa couleur et la subtilité de ses invectives).

La façon dont gouverne Fidel Castro repose sur ce qu'il appelle le dialogue, ou le contact, avec la population. En pratique, cela consiste à faire ingurgiter au peuple de nouvelles décisions politiques ou à lui seriner la nécessité de mettre les anciennes en application — le tout à grand renfort de rhétorique, et généralement par la voie de discours télévisés, prononcés devant un public vaste et enthousiaste, qui répond systématiquement par l'affirmative quand l'orateur lui demande d'approuver ce qu'il propose. (C'est ainsi que, depuis 1959, les Cubains ont « approuvé » l'exécution des tortionnaires du régime de Batista, ou la présence militaire cubaine en Angola, et « consenti » à une masse de sacrifices sur le plan économique et social, y compris le transfert du port de Moa — naguère situé dans la province d'Holguín et réinstallé dans celle de Guantánamo, dans l'Est du pays.)

Jamais une foule n'a dit non à Castro. Dès sa prise de pouvoir, il a su mettre parfaitement au point cette méthode de « consultation » populaire qu'il qualifie de « démocratie directe » et estime préférable au système des élections à l'ancienne mode. Le recours aux masses est aujourd'hui encore son arme politique la plus puissante en cas de crise. La foule scande « Fidel, Fidel ! » pour ponctuer ces grands rassemblements tandis que le chef entraîne son auditoire frénétique dans un tourbillon d'enthousiasme.

Autre instrument de ce pouvoir-par-le-verbe : les journaux et magazines à grand tirage, ainsi que les recueils d'interviews accordées par Castro à la presse, aux radios, et aux chaînes de télévision étrangères, qui font l'objet de publications spéciales. Après la parution, dans *Playboy,* d'une longue et laborieuse interview du Président cubain, en août 1985, *Granma* en a publié une version espagnole plus complète dans un supplément spécial mais a pris bien soin de ne pas mentionner la revue dans laquelle le texte avait paru initialement. En fait, le journal s'est contenté de citer les noms des deux journalistes américains auteurs de l'interview. Fidel Castro fait encore preuve de pruderie, tout au moins en ce qui concerne son image dans son propre pays — en définitive, c'est cette image qui importe le plus.

3

La vie privée de Fidel Castro et ses activités personnelles sont habituellement tenues secrètes pour des raisons de discrétion mais aussi de sécurité. La presse, la radio et la télévision rendent seulement compte de ses apparitions publiques, au demeurant très fréquentes, et la plupart des Cubains ignorent pour ainsi dire tout de sa manière de travailler et des hommes qui composent son entourage immédiat.

Aussi affairé qu'il soit au Palais de la Révolution ou ailleurs, parfois même vingt-quatre heures sur vingt-quatre, et s'il est presque toujours entouré d'une foule de gens, Castro n'en donne pas moins une forte impression de solitude. Depuis son divorce, il y a de cela trente ans, il ne s'est jamais remarié ; la plupart de ses amis intimes et compagnons sont morts, ou se sont simplement éloignés de lui. Il semble qu'il n'ait aujourd'hui plus personne vers qui se tourner en toute confiance, ou avec qui partager ses victoires et ses défaites, grandes ou petites — pas même son frère Raúl avec lequel il n'est pas suffisamment intime. Mirta, son ex-épouse, a bien essayé d'être son amie, sa compagne, mais jamais Fidel ne lui a livré ses projets, ses ambitions. On dit qu'ils ont été très amoureux l'un de l'autre. Elle lui rendait visite en prison, juste après Moncada, puis ils ont correspondu pendant quelque temps. En 1954, toutefois, il a décidé de se séparer d'elle pour des raisons politiques : ses parents et son frère étaient trop proches de Batista et Mirta émargeait au budget de l'Etat.

Castro est secret de nature et tend à garder ses réflexions pour lui. Il n'empêche qu'une poignée de gens ont été extrêmement proches de lui, dans le passé, notamment (comme chacun le sait à Cuba) Celia Sánchez, fille d'un médecin d'entreprise, employé dans une sucrerie en Oriente. Jusqu'à sa mort et pendant vingt-trois ans, Celia fut son assistante, sa conseillère, entièrement dévouée à lui, en temps de guerre comme en temps de paix, sa conscience et son *alter ego*. Celia, qui détenait en fait un pouvoir considérable, est morte d'un cancer en 1980.

La jeune femme habitait un appartement étriqué et délabré, au numéro 1007 de la Onzième rue ; c'est un petit immeuble situé dans un secteur fréquenté par la classe moyenne, au cœur du quartier résidentiel du

Vedado, à La Havane. Ce logis, perpétuellement en désordre, fut le centre des activités de Fidel et de sa compagne pendant de longues années ; il y dormait souvent et Celia y travaillait à leur œuvre commune. Elle y préparait aussi pour lui, dans la minuscule cuisine, des repas chauds qu'elle lui faisait porter quand il lui arrivait de se trouver dans la capitale à l'heure des repas. Même depuis la mort de Celia, Fidel continue de considérer ce pied-à-terre décoré de chromos comme son « chez-lui ». Devant la maison, le passage est toujours interdit par des chaînes et la rue se trouve placée sous la surveillance armée des forces de Sécurité de l'Etat, en uniforme vert olive.

De cinq ans plus âgée que son compagnon, Celia n'a jamais été mariée. Elle a joué aux côtés de Fidel le rôle de « première dame » de Cuba — aimée et respectée de tous. Depuis qu'elle a disparu, la Révolution en a fait pour ainsi dire une « sainte » ; des écoles et des hôpitaux portent son nom. Symbole très humain, très chaleureux, très cubain de cette Révolution, la *compañera* fut aussi la gardienne intraitable de Fidel qu'elle protégeait aussi bien des pressions extérieures que de lui-même. Ce fut probablement la seule personne à Cuba à jamais lui dire en face qu'il commettait une erreur, même si, partout ailleurs, elle persistait à affirmer sans cesse que « Fidel a toujours raison ». Elle faisait de son mieux pour éviter que les journées et les nuits de Fidel ne sombrent dans le chaos le plus total, et trouvait même le temps d'aider nombre de Cubains à régler certains problèmes qui ne pouvaient trouver de solution qu'au plus haut niveau ; c'est elle qui a conçu un parc de loisirs spectaculaire, assorti d'un restaurant, dans la banlieue de La Havane (le parc Lénine) ; elle s'est occupée de la conservation des musées et des antiquités cubaines ; elle a même mis sur pied la constitution d'archives orales sous forme de témoignages enregistrés, relatifs à l'histoire de la Révolution jusqu'à la victoire de 1959.

A sa mort, Celia était secrétaire du Conseil d'Etat, avec rang de ministre, et membre du Comité central du parti. Il est frappant de constater qu'un grand nombre de femmes remarquables issues des milieux les plus divers, et notamment des hautes sphères de la société havanaise pré-révolution-naire, ont joué dès le départ un rôle inappréciable dans la Révolution en prêtant leur appui à Fidel ou en l'aidant matériellement. Beaucoup ont risqué leur vie pour sa cause et demeurent aujourd'hui encore férocement attachées à défendre sa personne et sa réputation, même si certaines d'entre elles ne l'ont pas vu depuis des années.

Dans le proche entourage de Castro, il y eut aussi le docteur René Vallejo, éminent chirurgien, qui avait servi dans l'Armée américaine en Europe pendant la Seconde Guerre mondiale ; il rejoignit Castro dans la Sierra, après quoi il demeura auprès de lui, à titre de médecin personnel, d'aide de camp, d'ami et de compagnon de tous les instants. Vallejo, qui fut l'une des figures les plus *simpáticas* des débuts de la Révolution, mourut brusquement en 1969, à l'âge de quarante-neuf ans, laissant derrière lui un Fidel Castro tout désemparé. Comme Celia, le docteur Vallejo ne trouva jamais vraiment de remplaçant dans la vie du Président cubain.

Il faut noter aussi l'amitié sans égale qui liait Castro et Che Guevara, de deux ans son cadet. Certes, le Che, que Fidel avait rencontré pour la première fois au Mexique, à l'époque des conspirations, s'était joint initialement à l'expédition de la *Granma* en qualité de médecin (il figurait sur la feuille de service en tant que « Lieutenant Ernesto Guevara, Chef des services de santé ») ; mais il ne tarda pas à devenir l'un des principaux commandants de la guérilla. Faute de liaisons radio ou téléphoniques pendant presque toute la durée des combats dans la montagne, Castro et ses officiers communiquaient par l'intermédiaire de dépêches écrites à la main et portées par des messagers (souvent des femmes). D'après ces textes dont la plupart nous ont été conservés, il apparaît que, mise à part la correspondance de Fidel avec Celia, le plus gros recueil de ces messages contient les lettres échangées entre Fidel et le Che.

Nul dans la Sierra ne pouvait se vanter d'un niveau intellectuel équivalent au leur ; outre les ordres opérationnels et les rapports, ils ont échangé de longues missives de caractère politique qui illustrent l'évolution idéologique de la guérilla, le Che mettant en relief ses inclinations extrémistes, Fidel pour sa part se montrant plus pragmatique, plus empirique, sur la politique à suivre pendant la guerre. Leur correspondance touchait aussi à des considérations plus personnelles. Au moment où démarrait l'offensive contre Batista en mai 1958, Fidel écrivait au Che : « Il y a trop longtemps que nous n'avons pas bavardé tous les deux ; c'est là une nécessité absolue entre nous. » A une autre occasion, dans une lettre où il se plaignait de ne pas avoir reçu de la ville les munitions promises, il commençait par ces mots : « C'est la merde complète. » Quant au Che, reconnaissant le bien-fondé d'une mise en garde de Castro à propos d'une attaque ennemie, il rédigea le message suivant : « Comme tant d'autres fois auparavant, Votre Excellence (le rang de lieutenant-colonel subalterne n'existe-t-il pas ?) avait raison et l'armée est venue nous chatouiller la barbe. »

Pendant les premières années de la Révolution, Castro et Guevara furent inséparables, non seulement parce qu'ils dirigeaient conjointement le noyau clandestin destiné à engager Cuba sur la voie du socialisme, mais aussi par amitié et en raison d'une certaine dépendance mutuelle. Conchita Fernández, qui fut la secrétaire particulière de Fidel, et l'assistante de Celia Sánchez dans les premiers temps, se souvient que les deux hommes déjeunaient ensemble en tête à tête pour ainsi dire tous les jours et partageaient souvent le repas chaud envoyé par la compagne de Fidel.

On ne saura probablement jamais avec exactitude ce qui causa le départ mystérieux de Che Guevara en 1965 ; y eut-il une rupture profonde entre les deux hommes, comme certains de leurs amis communs semblent le croire ? Quoi qu'il en soit, personne n'a pris la place du mystique Argentin dans l'univers intellectuel de Castro. Carlos Rafael Rodríguez est sans doute le plus proche de lui à cet égard, au sein du régime actuel, mais ils n'ont pas en commun ce passé de conspirateurs, de guerriers et de risque-tout que partageaient Fidel et le Che.

A un visiteur, Castro déclara un jour : « Je déteste la solitude, l'isolement total, peut-être parce que tout homme a besoin de compagnie. » Ce à quoi il ajoutait : « Aristote a dit que l'homme était un animal social, et il semble bien que j'appartiens à cette espèce », et à propos des mois passés au secret dans la prison de Batista : « Le fait que j'ai horreur de la solitude ne veut pas dire que je ne sois pas capable de la supporter. » Dans le sens absolu où l'on entend la solitude physique, Castro n'en a certainement aucune notion : il est bien rarement seul et ses collaborateurs se trouvent toujours à proximité immédiate. Mais, bien évidemment, la composition de son entourage en dit long sur la nature de sa vie quotidienne, et de sa vie privée en particulier.

En premier lieu, il y a les courtisans, au palais ; c'est la cour à laquelle Fidel Castro préside, de façon parfois presque monarchique ; il est vrai que son allure évoque celle de quelque royal personnage espagnol. Mis à part son marxisme-léninisme et son uniforme vert olive, Castro est certainement un personnage beaucoup plus imposant et exaltant que les dirigeants communistes du reste du monde — à commencer par Mikhaïl Gorbatchev.

Le Palais de la Révolution est une vaste construction précédée d'un grand escalier ; il a été édifié par Batista pour y abriter la Cour suprême ; c'est là que gouverne Castro, entouré d'un personnel assez terne mais d'une loyauté aveugle à l'égard du Commandant en chef. Il s'agit essentiellement de fonctionnaires attachés au Conseil d'Etat, principal organe directeur de la nation. Castro est Président de Cuba parce qu'il préside le Conseil d'Etat, et tous ses bureaux ainsi que ceux de ses collaborateurs sont regroupés au Palais de la Révolution, au cœur d'un complexe gouvernemental étroitement gardé et soigneusement aménagé autour de la Place de la Révolution. Le palais jouxte l'immeuble du Comité central du parti communiste. Le ministère des Forces armées révolutionnaires (FAR) sous la houlette de Raúl Castro, le ministère de l'Intérieur (MININT) et le journal du parti, *Granma,* sont situés à proximité.

Le Docteur José M. Miyar Barrueco, connu sous le surnom de « Chomy », qui a succédé à Celia Sánchez au poste de Secrétaire du Conseil, est probablement l'homme le plus surmené de Cuba. Ce médecin, dont Castro a fait la connaissance dans la Sierra, occupait les fonctions de recteur de l'Université de La Havane lorsqu'il fut appelé au Palais en remplacement de Celia ; par la suite, il est devenu membre du Comité central du parti.

Chomy a son propre bureau au rez-de-chaussée du Palais, mais il est à la disposition de Castro nuit et jour, prend part à la plupart des réunions officielles et des entrevues avec des visiteurs étrangers, lesquelles se prolongent souvent jusqu'à l'aube. Chaque fois que Fidel a une idée, une question à poser ou une requête à adresser — c'est-à-dire à tout instant —, le Secrétaire du Conseil se charge d'en prendre note, puis de transmettre les instructions appropriées aux fonctionnaires responsables. Quand Castro va finalement se coucher, Chomy — qui n'a que six employés pour lui prêter main-forte — peut alors s'occuper de sa propre paperasserie. Il est chargé d'établir et de bouleverser si besoin est l'emploi du temps du *Jefe ;* il dirige en outre le département des archives historiques du Conseil. Il s'oppose d'ailleurs farouchement à la publication de toute étude historique sérieuse concernant Castro et la Révolution et se conduit en véritable cerbère des archives cubaines. Cet homme surchargé, d'une affabilité toute superficielle, obsédé par l'idée de prendre sans cesse Fidel en photo avec tout le monde, n'a guère que des capacités intellectuelles et politiques limitées, mais il n'en détient pas moins un pouvoir important en tant que « gardien » du Palais.

A la tête du « Groupe de soutien et de coordination », installé au Palais, on trouve le ministre d'Etat, José A. Naranjo, surnommé « Pépin », qui a combattu jadis parmi les guérilleros du Directoire révolutionnaire étudiant, avant de devenir gouverneur de la province de La Havane. Naranjo est une sorte d'homme à tout faire de la bureaucratie ; il décharge Castro de corvées politiques et coordonne la préparation des dossiers et des documents fournis au Président, dans tous les domaines possibles et imaginables. Ce groupe de soutien est composé de dix hommes et de dix femmes, tous triés sur le volet, libres de transgresser toutes les frontières bureaucratiques au sein du parti ou du gouvernement et équipés des ordinateurs les plus perfectionnés. On l'appelle officieusement « le personnel de Fidel », et ses membres, relativement jeunes, sont appelés à occuper dans l'avenir des postes administratifs élevés. Le nouveau responsable des réseaux de radio et de télévision de l'Etat a été recruté dans ce cercle restreint après que Castro eut critiqué violemment (et à juste titre) la télévision cubaine à l'occasion d'une de ses conversations « privées » avec les dirigeantes de la Fédération des Femmes, au début de 1985.

Les personnages les plus intéressants qui figurent dans l'entourage du Président sont cependant les moins en vue ; ils proviennent tous des Services de sécurité de l'Etat. Le Général José Abrahantes Fernández, qui a remplacé Ramiro Valdés en décembre 1985 au poste de ministre de l'Intérieur, demeure directement responsable de la sécurité de Castro ; ses Forces spéciales de sécurité de l'Etat composent la Garde Prétorienne, passée au crible, dont la mission est de défendre Fidel et le régime en cas de péril. Les détachements des Forces spéciales sont organisées selon le même principe que celles du KGB. Si Abrahantes, malgré son titre de ministre, tient une place relativement limitée sur la scène politique cubaine, deux autres responsables de la Sécurité ont joué en revanche et pendant longtemps un rôle extrêmement important dans le domaine de la politique étrangère.

Le premier, José Luis Padrón González, officiellement Président de l'Institut national du tourisme (dont dépend toute l'hôtellerie cubaine), occupait en réalité les fonctions discrètes d'émissaire et de négociateur international pour le compte de Castro, à la barbe du ministre des Affaires étrangères. Ancien Colonel au sein des Services de sécurité de l'Etat (les officiers liés à ce secteur sont si nombreux dans ce pays que l'on s'y perd), Padrón fait partie de la nouvelle génération de révolutionnaires, vraisemblablement formés pour assumer de hautes responsabilités. Padrón fut remarqué par Castro pour la première fois en 1975 quand il contribua à la mise sur pied de l'intervention militaire cubaine en Angola ; les Services de sécurité de l'Etat l'avaient expédié à Luanda pour empêcher la débâcle du Mouvement populaire (marxiste) pour la Libération de l'Angola (MPLA), lors de la guerre civile qui avait suivi la proclamation de l'indépendance dans cette ancienne colonie portugaise ; il est, depuis lors, une des pièces maîtresses sur cet échiquier.

Au fil des années, Padrón (assisté de Tony de la Guardia, autre Colonel des Services de sécurité) s'est entretenu dans le plus grand secret avec de hauts responsables du Département d'Etat américain, à Miami, New York, Washington, Atlanta et Cuernavaca (au Mexique), afin d'examiner les possibilités d'entente entre les deux pays. On lui doit notamment l'accord de 1979 qui permit à l'Amérique d'accueillir des milliers de prisonniers politiques cubains, et octroya aux émigrés le droit de se rendre en visite dans leur pays d'origine. Seul le président Castro était tenu au courant des longues négociations secrètes de Padrón à cette occasion. Pourtant, au début de 1986, le colonel disparut mystérieusement de la circulation et perdit simultanément son emploi avec son droit d'accès au Palais. Il est devenu d'un seul coup une sorte de « zombie ». Cela arrive dans la Cuba de Castro.

Autre figure notable dans les Services de sécurité, le Commandant Manuel Piñeiro Losada est connu depuis longtemps à Cuba sous le nom de « Barba Roja » (à cause de sa barbe rousse, aujourd'hui toute blanche). Membre du Comité central du parti communiste, Piñeiro en dirige le « Département américain », et à ce titre, coordonne toutes les opérations cubaines dans l'hémisphère occidental, du Nicaragua aux Etats-Unis en passant par le Salvador, le Pérou et l'Argentine.

Etant donné les ambitions de Castro en Amérique latine, on imagine combien le poste de Piñeiro est important. Son article paru dans le numéro d'automne 1982 de *Cuba Socialista*, la revue théorique du parti communiste, sur « La crise actuelle de l'impérialisme et les processus révolutionnaires en Amérique latine et dans les Caraïbes », contient d'intéressants préceptes pour le déclenchement de « révolutions démocratiques, populaires et anti-impérialistes » ; il met l'accent sur l'unité entre les communistes, les autres partis politiques et les organisations de gauche. Telle est, bien entendu, la leçon de la révolution cubaine menée par Castro et ses proches collaborateurs, parmi lesquels Piñeiro fut sans doute l'un des plus actifs.

L'anti-américanisme de Piñeiro et son premier mariage (avec une Américaine) remontent à l'époque où il faisait ses études à l'Université Columbia de New York, au début des années cinquante ; candidat à la présidence d'une association d'étudiants, il avait été humilié d'apprendre qu'il s'était fait battre par « un riche gamin sud-américain » : cela fit de lui un « gauchiste ». De retour à La Havane, il s'intégra au mouvement clandestin contre Batista et transforma son appartement en un véritable arsenal lors de l'attaque du palais présidentiel par de jeunes révolutionnaires en 1957 — qui se solda par un échec terriblement sanglant. Plus tard, il devait rallier l'unité de Raúl Castro dans la Sierra, et devenir gouverneur militaire à Santiago.

Quand Ramiro Valdés, adjoint de Che Guevara, prit la tête de la Section G-2 de l'Armée rebelle (services de sécurité et de renseignements), Piñeiro devint son lieutenant. Il présida le tribunal révolutionnaire qui, en 1959, condamna les pilotes de Batista à des peines d'emprisonnement sévères, après qu'un autre juge les eut acquittés, Castro ayant donné l'ordre de les poursuivre à nouveau. Par la suite, il reprit en main la direction du G-2. Il demeura le chef de la police politique cubaine sous Valdés jusqu'en 1968, date à laquelle la réorganisation des Services de sécurité imposée par les Soviétiques lui fit perdre sa place — Castro lui confia alors les affaires latino-américaines.

Lorsqu'en 1972, Fidel Castro fit un voyage officiel de deux mois, en Afrique, en Europe de l'Est et en Union Soviétique, Piñeiro figurait en bonne place parmi sa suite ; son nom apparaissait presque au sommet de la liste des personnalités cubaines sur tous les communiqués communs diffusés en accord avec les gouvernements étrangers. Il est presque toujours présent aux réceptions officielles du Palais de la Révolution (généralement aux côtés de Castro avec un petit groupe de hauts dirigeants) ; on le trouve assez souvent au milieu de la nuit en train de boire un milkshake avec quelques amis dans le bureau de Chomy au rez-de-chaussée. Les portes du bureau de Castro au troisième étage lui sont bien évidemment ouvertes en permanence.

Elles le sont d'ailleurs également pour Antonio Nuñez Jiménez, géographe, explorateur, historien, communiste fervent, et vice-ministre de la Culture, qui rédige, lentement mais sûrement, la biographie du Président cubain en plusieurs volumes. Nuñez Jiménez (dont la fille a épousé José Luis Padrón, l'ancien colonel de la Sécurité, devenu « zombie ») est considéré avant tout comme un ami personnel de Fidel — qu'il accompagne généralement lors de ses déplacements à l'intérieur du pays et avec lequel il passe ses vacances, bien qu'il ne s'intègre pas (ou préfère ne pas s'intégrer) à l'entourage du palais.

Reste encore Jorge Enrique Mendoza, le rédacteur en chef de *Granma,* proche conseiller du Président en matière d'idéologie et de propagande. C'est un communiste désagréable, irascible, dur et dogmatique. Il a partagé, lui aussi, le sort des compagnons de Castro dans la Sierra où il fut le speaker de *Radio Rebelde* au cours de la dernière phase des combats.

Castro jouit par ailleurs de l'amitié d'une foule de gens qui sont personnellement, voire idéologiquement, en harmonie avec lui mais n'exercent aucun pouvoir politique. Parmi eux, et non des moindres, se trouve Gabriel García Márquez, lauréat du Prix Nobel de littérature. Ce Colombien moustachu, qui occupe aujourd'hui le premier rang des romanciers latino-américain, a amplement démontré sa dévotion pour Castro, notamment dans un bref portrait qu'il a brossé de lui, il y a de cela quelques années, intitulé « Mon frère Fidel » et fondé sur des conversations avec la sœur de Castro, Emma. Les deux hommes sont tellement liés que lorsque le Colombien débarque à Cuba, il leur arrive de deviser pendant huit à dix heures sans interruption, et de recommencer plusieurs jours et nuits de suite. L'ancien Président colombien, Alfonso López Michelsen, que García Márquez a emmené avec lui à La Havane en 1984, et qui y passa le plus clair de son temps en leur compagnie, raconte qu'entre autres choses, le romancier « recommande » des livres à Fidel. Ce dernier est, toujours d'après lui, « un lecteur d'une extraordinaire avidité... — Gabito (diminutif de Gabriel) lui apporte cinq livres, il reste dix jours, et au moment de son départ, Fidel commente tous ces ouvrages, un par un. Ce ne sont pas nécessairement des ouvrages sérieux, mais souvent des livres agréables à lire, grâce auxquels un homme d'Etat peut se distraire un peu ».

Le Commandant en chef se plaît beaucoup en la compagnie d'esprits raffinés et créateurs, qui en général le lui rendent bien ; il fascine l'intelligentsia. Parmi les visiteurs de cette catégorie — et ils ont été des centaines, des plus grands penseurs à la vedette d'un feuilleton télévisé brésilien —, citons notamment Jean-Paul Sartre et Simone de Beauvoir, l'historien américain Arthur M. Schesinger Jr., le romancier britannique Graham Greene, Alec Guinness, l'acteur britannique, qui s'était rendu à Cuba, en compagnie de Noel Coward, quelques semaines après la victoire de 1959, pour tourner *Our man in Havana*, ou encore l'acteur américain Jack Lemmon.

Le poète soviétique Yevgeni Evtouchenko a rencontré Castro à La Havane au tout début de la Révolution (il avait d'ailleurs tenu à apprendre l'espagnol avant leur entrevue) et conserve de ce Cuba révolutionnaire des impressions politiques des plus vives. Dans son Autobographie, il relate l'histoire de deux conspirateurs cubains, un peintre réaliste et un artiste abstrait, qui se chamaillaient furieusement en attendant l'ordre d'attaquer le palais de Batista, puis « s'en furent se battre pour l'avenir de leur pays et y laissèrent la vie l'un et l'autre ». Ce à quoi il ajoute : « Je souhaite vivement que ce récit parvienne aux oreilles de ces dogmatiques qui tiennent tous les artistes modernes pour des laquais de l'idéologie bourgeoise. Il faut être plus indulgent et plus avisé. » Ce texte date évidemment de la phase de libéralisation relative qui accompagna la période de la déstalinisation, et Evtouchenko avait trouvé utile de citer la Révolution cubaine entre autres exemples de libertés nouvelles.

Ailleurs dans cette Autobiographie, il précise qu'un soir, à Moscou, il avait parlé de Cuba à son public et lu pour la première fois à haute voix son fameux poème intitulé « Babi Yar » — à propos d'un endroit où les Nazis avaient massacré des milliers de Juifs pendant la guerre. Puis il rapporte sa surprenante conversation avec un vieux monsieur aux cheveux blancs, appuyé sur une canne, qui s'était approché de lui après sa lecture pour lui souffler à l'oreille : « Ce que vous venez de dire à propos de Cuba et ce que vous avez écrit sur Babi Yar, c'est la même chose. Dans un cas comme dans l'autre, il s'agit de la Révolution. La Révolution que nous avons faite autrefois et qui fut trahie par la suite, mais qui pourtant survit et survivra toujours. J'ai passé quinze ans dans les camps de Staline, mais je suis heureux que notre cause, la cause des Bolcheviks, soit encore vivante. » Evtouchenko n'est jamais retourné à Cuba depuis cette date et n'a plus jamais écrit une seule ligne sur la question.

Ces contacts avec des artistes et des intellectuels font partie des plus grandes joies de Fidel Castro et le stimulent plus que tout autre chose. Il a même exprimé le désir de rencontrer Henry Kissinger (qui lui aussi est curieux de faire sa connaissance), ainsi que David Rockefeller. En 1982, il eut le grand plaisir de s'entretenir en privé avec le Général Vernon A. Walters, ancien directeur adjoint de la CIA et ambassadeur itinérant du président Reagan qui l'avait envoyé à La Havane.

Peut-être le plus grave danger qui menace Fidel Castro, après toutes ces années de pouvoir, réside précisément dans l'isolement intellectuel et politique dans lequel il vit. En ce sens, la mort de Che Guevara et celle de Celia Sánchez ont été pour lui des coups terribles (en tout cas parce qu'il n'a plus personne pour le contredire !). Cette cruelle réalité devient évidente quand on examine le calibre des hommes qui composent l'entourage immédiat du Président cubain, plutôt serviles et flagorneurs dans l'ensemble, et la valeur contestable de la plupart des conseillers de son gouvernement (dont trois ou quatre seulement sont de premier ordre).

Le culte de la personnalité qui entoure Castro, loin de décliner, se développe sans cesse. C'est un sujet extrêmement délicat à aborder en sa présence, car Fidel nie obstinément l'existence de ce culte ; il souligne que la première décision prise par le gouvernement révolutionnaire a été de proscrire l'attribution du nom de personnalités vivantes à des localités ou à des rues, ou d'ériger des monuments en leur honneur.

C'est effectivement le cas, puisque seuls les noms de héros aujourd'hui disparus — Che Guevara, Camilo Cienfuegos, Celia Sánchez, etc. — apparaissent sur les façades d'écoles, d'hôpitaux, d'usines, etc. Dans la réalité des faits, toutefois, Fidel Castro baigne dans une atmosphère d'adulation totale, entretenue par les divers organes de propagande du régime. Les immenses affiches ou panneaux représentant son effigie qui ornent les rues et les autoroutes de Cuba sont certes peu nombreux, mais un portrait de lui trône dans tous les bureaux officiels (comme c'est d'ailleurs le cas pour tous les chefs d'Etat des pays démocratiques), ainsi que dans un grand nombre de maisons particulières — quelquefois posé bien en évidence comme sur un autel.

La vénération qu'on lui témoigne s'exprime aussi par le rappel de tous ses titres — Commandant en chef, Président du Conseil d'Etat et du Conseil des Ministres, et premier secrétaire du parti communiste — chaque fois qu'il est fait mention de lui dans la presse écrite ou parlée, voire tous les deux ou trois paragraphes. Editoriaux et discours reviennent invariablement sur la sagesse et le génie du « guide de Cuba » ; la Constitution cubaine de 1976 proclame la décision de « poursuivre l'œuvre de la Révolution triomphante... sous la conduite de Fidel Castro ». Des citations du Président cubain sont imprimées partout, y compris dans l'annuaire téléphonique de La Havane au bas de chaque page.

Toute apparition publique de Castro, aussi routinière soit-elle, figure en première page des journaux et c'est le premier sujet abordé par le journal télévisé du soir. Une image de Fidel saluant chaleureusement la foule du haut d'un balcon a été intégrée au générique des nouvelles. Presque tous les discours qu'il prononce sont publiés intégralement et donnent parfois lieu à des suppléments spéciaux. Tous les livres et articles sur l'histoire de la révolution l'encensent chaque fois que son nom est mentionné. Le premier volume de l'histoire de la Révolution d'Antonio Jiménez est un véritable hymne à Fidel Castro. On le désigne généralement sous le nom de *Comandante-en-Jefe* dans les conversations quotidiennes et toute personne sensée évite de le critiquer, même en privé. On a peine à croire qu'un homme d'une pareille intelligence ne se rende pas compte du culte incroyable dont sa personnalité est entourée. (Cette vénération dont Castro fait l'objet contraste curieusement avec les nouvelles attitudes prises en Union Soviétique, où Mikhaïl Gorbatchev a condamné vigoureusement jusqu'à la forme d'admiration vouée à Leonid Brejnev, l'un de ses plus récents prédécesseurs ; il a en outre ordonné aux journaux de mentionner son nom aussi peu que possible et proscrit tout éloge public de sa personne.)

D'aucuns ont fait remarquer que Napoléon avait réussi à gouverner la France parce qu'il avait su garder intact son groupe de maréchaux dont la franchise brutale n'avait d'égale que la loyauté. La mort, naturellement, a emporté nombre d'anciens compagnons de Fidel. Pour des motifs politiques, il s'est lui-même débarrassé d'autres grands révolutionnaires, au demeurant honnêtes et capables, qui sont devenus autant de « zombies » ou presque, dans le Cuba d'aujourd'hui.

On en est arrivé ainsi à un gouvernement composé de courtisans, d'apparatchiks, de bureaucrates, de béni-oui-oui qui disent à Castro ce qu'il a envie d'entendre — et qui ne correspond pas toujours à la réalité. Quelqu'un qui le connaît bien affirme que Fidel est un polémiste qui a besoin d'être contredit, même s'il ne peut le tolérer. En conséquence de quoi, toute discussion constructive est bannie dans la plupart des domaines ; Castro a beau protester que les décisions au plus haut niveau sont le fruit d'une action collégiale, il en prend constamment lui-même, d'autorité, sans se préoccuper de consulter qui que ce soit.

La militarisation progressive de la société cubaine connaît un nouvel essor depuis le début des années quatre-vingts. Elle met encore davantage l'accent sur le rôle de Castro en tant que Commandant en chef. Les slogans peints sur les murs, réitérés chaque jour au fil d'innombrables déclarations publiques, repris par la radio et la télévision, proclament : « Commandant en chef ! A tes ordres ! », « Commandant en chef ! L'arrière tient bon ! » Par ailleurs, on recommence à entendre « Personne ne se rend ici ! », qui fut le cri de défi lancé par Juan Almeida Bosque lors du désastre d'Alegría de Pío.

Les Cubains se considèrent comme une société assiégée, sous la menace constante d'une attaque armée américaine, ce qui au demeurant n'a rien d'étonnant. L'affaire de la Baie des Cochons, l'intervention militaire américaine en république Dominicaine en 1965, l'invasion de la Grenade en 1983, les opérations « contras » orchestrées par la CIA au Nicaragua, les constantes mises en garde du gouvernement Reagan qui entend s'en prendre à la « source » de toutes les turbulences enregistrées en Amérique Centrale (autrement dit, à Cuba), ont donné à Castro des raisons suffisantes pour placer la Défense au premier rang des impératifs de la nation. Cependant, ce phénomène conduit à placer inévitablement la nation en état d'urgence permanent qui confère au chef *militaire* de dix millions de Cubains un pouvoir suprême. Or, étant suprême, il ne peut tolérer aucun contradicteur.

Si cela se produit toutefois, Castro explose, ou se contente parfois de bouder. Les plus petites choses lui font perdre son sang froid. Aussi foncièrement généreux (autre trait marqué de sa personnalité) qu'il est rancunier, il fit un jour parvenir à un couple d'amis américains séjournant à La Havane, des côtelettes d'agneau et des gigots provenant de sa maison de campagne, où il dispose aussi d'un jardin potager. Comme il rendait visite à ces amis un après-midi, Fidel leur expliqua comment paner de fines tranches de gigot pour les faire frire ensuite et manqua de sortir de ses gonds quand son hôtesse lui assura gentiment que la viande d'agneau serait aussi très bonne si elle était rôtie ou grillée. « Faites-en donc ce que vous voulez ! » s'exclama-t-il en quittant brusquement la cuisine.

Castro a accès à une masse de données et d'informations considérable, mais à défaut d'interlocuteurs à la hauteur, il n'a guère l'occasion d'en discuter ou de les analyser en profondeur avec qui que ce soit. Son extraordinaire instinct politique lui permet souvent d'en tirer malgré tout les conclusions qu'il faut. Il a constamment la même expression à la bouche : « Analysons ça », et il se livre fréquemment à haute voix à l'analyse approfondie d'un sujet donné, quelquefois des heures durant, en présence d'un visiteur ou d'un de ses collaborateurs. Quand il exprime son opinion, ses visiteurs étrangers eux-mêmes s'abstiennent de le contrarier, par courtoisie envers le Président cubain, mais aussi parce que son éloquence leur en impose.

Sa soif d'information est gargantuesque. Il lit chaque jour tous les journaux et magazines cubains avec le plus grand soin, et reçoit vingt-quatre heures sur vingt-quatre, par téléscripteur, les nouvelles des agences de presse américaines et européennes, ainsi que celles de *Prensa latina*, l'agence cubaine ; il en prend rapidement connaissance et met de côté ce qui l'intéresse. Les antennes paraboliques du Palais de la Révolution captent les émissions de la radio et de la télévision américaines jour et nuit. En 1985, pour un demi-million de dollars par an, le gouvernement cubain s'est abonné au vaste service financier informatisé de l'agence de presse britannique Reuter (les restrictions américaines imposées à tout échange commercial avec Cuba l'ayant contraint à se tourner pour ce faire vers les Européens).

Castro parcourt aussi quotidiennement les dépêches en provenance des ambassades cubaines ainsi que les rapports de ce qu'il appelle « nos services spéciaux » — avec un clin d'œil. Il reçoit également de l'étranger un flot constant de coupures de presse, de publications spécialisées, de rapports et ouvrages divers. Certains documents lui sont traduits ou résumés ; il en lit d'autres intégralement (son anglais est assez bon, même s'il hésite à le parler). Au cours de l'été 1985, il a lu et appris presque par cœur une étude sur les pratiques commerciales protectionnistes américaines, préparée par la Chambre de commerce japonaise. Il s'intéresse à des domaines si divers et sa curiosité est telle que pour ainsi dire n'importe quel sujet peut le fasciner au point qu'il ait envie de l'étudier à fond, surtout s'il s'agit de développement économique, d'agriculture, de santé publique ou d'éducation. Castro s'amuse à tirer les conclusions les plus stupéfiantes des données dont il dispose, dans le but essentiel de susciter des débats animés. A propos de l'énorme dette extérieure de l'Amérique latine, il a déclaré un jour qu'il en avait calculé « avec un crayon et un papier », non seulement le montant par habitant, mais aussi le chiffre correspondant par hectare de terre arable. Avec des statistiques aussi insolites, il impressionne en général beaucoup son auditoire. De la même façon, il a déterminé par exemple combien un pays des Caraïbes devait exporter de kilos de sucre pour pouvoir importer un tracteur des pays « capitalistes », en précisant que le coût de l'engin par rapport aux prix du sucre augmentait constamment de manière astronomique. Les Latino-Américains comprennent mieux ce langage que les données relatives à la balance des paiements, qui demeure une simple abstraction pour les millions de déshérités répartis sur tout le continent. C'est aussi une manière très efficace de mener une politique étrangère.

Quand Castro s'absente de La Havane, ce qui lui arrive souvent, des hélicoptères lui livrent deux fois par jour un lot de publications, de dépêches d'agence, de rapports diplomatiques et tout ce dont il a besoin pour se tenir informé à tout moment. Même lorsqu'il va passer quelques jours dans sa maison de pêcheur, sur la côte des Caraïbes, il observe religieusement cette habitude.

Lors d'une conversation avec un ami de Washington, Castro s'est montré curieux de connaître les pratiques de la Maison-Blanche en matière d'information, et soucieux de savoir notamment quel volume de documentation recevait le président Reagan et à quelle cadence. Il ne fit aucun commentaire en apprenant que le chef de l'Etat américain n'assiste en général qu'à une seule réunion d'information par jour, sur la politique étrangère et les services secrets — mais il parut s'en étonner.

Les visiteurs étrangers (principalement américains) que Castro reçoit en nombre surprenant, et avec lesquels il s'entretient toujours très longuement, se trouvent souvent soumis à un interrogatoire en règle. Quand un député texan, ami du Président cubain, amena avec lui pour dîner dans la minuscule retraite de pêcheur de Fidel, située sur un îlot juste au sud de la Baie des Cochons, un producteur de pétrole millionnaire qui avait d'ailleurs fait fortune tout seul, Castro questionna celui-ci en détail sur son histoire d'enfant pauvre devenu richissime et sur les forages off-shore. Un riche courtier en riz venu de l'Arkansas en compagnie d'un député de son Etat dut se livrer à un exposé complet sur les méthodes de culture — Cuba étant toujours dans l'obligation d'importer du riz et souhaitant vivement augmenter sa production domestique. Castro cuisina notamment un autre Américain sur la politique fiscale de Reagan et lui assura par ailleurs que son gouvernement serait plus avisé de donner la priorité aux contributions indirectes plutôt qu'aux contributions directes. Une journaliste qui venait de séjourner au Mexique fut interrogée sur la suppression des champs de pavot mexicains (toutes les drogues sont interdites à Cuba, mais Castro reconnaît que pendant la guerre il a toléré la production de marijuana par quelques paysans de la Sierra dont c'était l'unique ressource matérielle). A un pilote texan, Castro demanda de lui expliquer quel était le meilleur avion à réaction à l'usage des particuliers.

Le manque de cérémonie de Castro peut surprendre ses visiteurs. Le producteur de pétrole texan (barbu comme Fidel) qu'un hélicoptère de l'aviation cubaine venait de poser en pleine nuit sur l'île-refuge de Castro, faillit bousculer un grand barbu, habillé en bleu de la tête aux pieds :

survêtement, ciré, casquette de marin et espadrilles. « *Bienvenido* à Cayo Piedra », lui lança l'homme bleu. Quand, un peu plus tard, son ami politicien voulut le présenter au Président cubain, ce dernier l'interrompit en disant : « Nous nous sommes déjà rencontrés. Nous avons eu une collision amortie par nos barbes respectives. »

Fidel Castro est tellement curieux de rencontrer des gens, en particulier des Américains, qu'à titre indicatif, il a reçu récemment, en l'espace de six mois, une délégation de l'épiscopat américain, une vingtaine de membres du Congrès, les filles de Robert F. Kennedy et de Nelson Rockefeller (à des occasions différentes), une demi-douzaine d'éditeurs, les correspondants de deux chaînes de télévision (avec leurs équipes de techniciens respectives), des journalistes envoyés par un grand quotidien américain et un magazine pour hommes à grande diffusion (cette dernière interview donna lieu à quelque trente heures d'enregistrement), un représentant du département d'Etat, de moyenne importance et manifestement hostile au régime cubain (qui ne s'attendait pas du tout à être reçu au Palais entre deux rendez-vous d'affaires), un musicien de jazz en renom, plusieurs hommes d'affaires et une poignée de biologistes spécialistes des fonds marins.

Pendant cette même période, il a reçu de surcroît les Présidents algérien et équatorien, le secrétaire-général des Nations Unies, plusieurs ministres venus du monde entier, des représentants de la presse et d'organisations politiques ou syndicales délégués à La Havane par divers pays latino-américains pour assister à une série de conférences sur l'économie du continent (Castro y assista du matin jusqu'au soir), ainsi que des hommes d'affaires japonais et mexicains désireux d'établir des relations commerciales avec Cuba. A un moment donné, Carlos Rafael Rodríguez souffla à l'un de ces visiteurs : « Vous savez, Fidel est ressuscité ; c'est de nouveau le Croisé des années soixante. »

Grâce à sa prodigieuse mémoire, Castro a assimilé et se rappelle, semble-t-il, tout ce qu'il a lu, entendu ou vu au cours du dernier demi-siècle. On ne peut se contenter d'y voir les effets de quelque technique de mémorisation connue des anciens orateurs et qualifiée de *memoria technica* par les Romains, car il se livre devant ses auditoires à une infinité de variations sur des thèmes innombrables, sans oublier jamais ni les faits ni les chiffres. A la faculté de droit, il avait étudié en un an le contenu des deux dernières années de cours, en travaillant jour et nuit. Quand il lui fallait mémoriser un texte, il le jetait au panier dès qu'il l'avait appris par cœur, pour ne dépendre que de sa mémoire.

Lecteur vorace — qui passa notamment les quelque deux années de son incarcération à lire —, Fidel a accumulé une masse de connaissances ahurissante. Dans la conversation de tous les jours comme dans ses discours improvisés, il fait indifféremment référence à d'obscures lois romaines sur les moratoires, à l'ouvrage de Victor Hugo sur Louis Bonaparte — *Napoléon le Petit* —, aux récits de la conquête espagnole, à quelque citation d'Abraham Lincoln et de José Martí, à un texte oublié de Lénine ou à une phrase de Curzio Malaparte.

Pour le moment, Castro continue à se dépenser avec une égale frénésie, même s'il parle de se relâcher un peu. Interrogé par des journalistes américains sur le point de savoir pourquoi il n'avait pas assisté aux funérailles du dirigeant soviétique Konstantin Chernenko à Moscou, au début de 1985, Castro a répondu que le jour de la mort de Chernenko, il avait travaillé « quarante-deux heures de suite... sans dormir ni se reposer », et qu'il était en réalité trop fatigué pour faire un aussi long trajet en avion. A La Havane, toutefois, le bruit a couru que l'impatient Président cubain s'était refusé à passer des journées entières à Moscou pour attendre à son tour d'être reçu par un troisième chef du Kremlin en un an (il s'était déplacé pour l'enterrement de Leonid Brejnev comme pour celui de Youri Andropov et connaissait déjà Mikhaïl Gorbatchev). Cela ne l'empêcha pas de briller au Congrès du Parti communiste soviétique en février 1986 (le premier de l'ère de Gorbachev), à un moment où Cuba avait de nouveau désespérément besoin de l'aide économique de l'Union Soviétique. A la suite de quoi, sans reprendre haleine, il se rendit aussitôt en Corée du Nord — chez le dictateur communiste qui est sans doute le plus implacable du monde.

A Cuba, comme en voyage, Castro a toujours un emploi du temps complètement décousu. Cela ne dépend que de lui, mais il est tellement impulsif que les horaires imprévisibles lui conviennent à merveille. Sa seule concession à la régularité, en matière d'horaires, est la ponctualité dont il fait preuve depuis peu, à la surprise générale, avec une rigueur caractéristique de tout ce qu'il entreprend. Autrefois, il arrivait systématiquement en retard de plusieurs heures, à une réception, une réunion ou un rendez-vous — même s'il devait prononcer un discours à une heure donnée. Désormais, il arrive toujours à l'heure, avec une exactitude gênante. A l'occasion du Congrès du Parti communiste cubain, en février 1986, Castro houspilla un groupe de délégués, pour un retard de quelques minutes, lors d'une séance prévue à neuf heures du matin ; il leur signifia même que si des communistes étaient incapables d'arriver à l'heure pour une conférence, ils étaient probablement tout aussi incapables de gérer le pays convenablement. Les coupables baissèrent la tête, honteux comme des enfants tancés par leur maître d'école.

Castro semble avoir besoin de très peu de sommeil. Dans le meilleur des cas, il ne se couche jamais avant trois ou quatre heures du matin, même si un peu plus tard, dès neuf heures, il semble frais et dispos devant une assemblée internationale ou lors de quelque autre apparition publique. Quand il est à La Havane, il peut aussi bien aller dormir dans l'appartement de la Onzième rue (aux premières heures de l'aube ou en pleine journée pour une sieste), ou dans la petite chambre attenante à son bureau au troisième étage du Palais de la Révolution, ou encore dans sa nouvelle villa, très isolée, dans la banlieue ouest de la capitale (il y fait actuellement des expériences dans son potager avec d'énormes tomates hydroponiques), voire n'importe où ailleurs, chez un ami par exemple.

Au cours de la première année de la Révolution, Castro occupait tout à la fois le vingt-troisième étage de l'Hôtel Habana Libre (l'ancien Hilton), qui lui servait de refuge comme de bureau, et son appartement de la Onzième rue, sous la bonne garde de Celia Sánchez, outre une maison spacieuse située au sommet d'une colline, avec vue sur la mer, dans le village de pêcheurs de Cojímar, à quelques kilomètres à l'est de la ville (elle lui était prêtée par un riche politicien de la période pré-révolutionnaire), et même une autre demeure proche de l'ancien cinéma Charlie Chaplin (rebaptisé Carlos Marx) dans le quartier résidentiel de Miramar. Cela explique pourquoi il était alors si difficile de le joindre parfois, même pour Celia. Par la suite, il installa ses bureaux dans le bâtiment de l'INRA — Institut national de la réforme agraire. Conchita Fernández, son ancienne secrétaire, se rappelle qu'en ce temps-là, il courait sans arrêt d'un bout à l'autre de la ville, ou au-delà, au milieu d'un cortège d'Oldsmobile (le temps des Mercedes-Benz noires n'était pas encore venu), sous la protection d'une garde de *barbudos* armés jusqu'aux dents, et transportant avec lui dans sa voiture une pleine mallette de documents, de rapports et de fiches. Il travaillait en général pendant tout le trajet, parcourant des textes ou dictant des instructions ou des idées à Conchita, toujours présente. « Il ne se reposait jamais, ni dans la voiture, ni ailleurs », remarque-t-elle encore.

Conchita se souvient aussi des jours où Castro arrivait dans ses bureaux de l'INRA à huit heures du matin « pour n'en ressortir parfois que trois ou quatre jours plus tard... sans s'arrêter de travailler un seul instant, ni le matin, ni l'après-midi, ni la nuit, ni à l'aube... Au mieux, il lui arrivait de dire : "Je vais me reposer sur le divan pendant trois ou quatre heures. Réveillez-moi à telle ou telle heure ", et dix minutes plus tard, il était de retour dans mon bureau pour lire le courrier. »

Vingt-cinq ans plus tard, la vie de Castro est un peu plus ordonnée, plus fastueuse aussi, mais il n'a guère modifié ses habitudes ni son comportement. Il a désormais à sa disposition de luxueux hélicoptères soviétiques, tout lambrissés de bois, ainsi qu'un parc de limousines Mercedes-Benz (il se déplace en général dans une automobile encadrée de deux véhicules bourrés de gardes de sécurité), bien qu'il continue à avoir une préférence marquée pour les voitures du style Jeep. Lors d'occasionnelles randonnées dans la campagne, il prend lui-même le volant d'un de ces véhicules « tous-terrains » soviétiques baptisés *Gazik,* avec tout autant de plaisir qu'il s'y installe pour se laisser conduire en banlieue. Ces excursions lui rappellent les années passées dans la Sierra, qu'il évoque souvent comme l'époque « la plus heureuse » de sa vie. De temps à autre, il passe d'une Gazik à une limousine, ou vice versa (tous ces véhicules se déplacent en convoi fortement protégé). Quand il circule ainsi, il ne semble pas se soucier excessivement de sa propre sécurité ; il lui arrive même de s'arrêter au feu rouge !

En sa qualité de Président, Castro jouit d'un certain luxe et de quelques privilèges, au demeurant relativement modestes si on les compare à ceux des autres chefs d'Etat, même dans le monde communiste. Les fastes les plus spectaculaires qu'il déploie ont pour prétexte les réceptions organisées en l'honneur de certains de ses visiteurs, au rez-de-chaussée du Palais ; il peut y convier jusqu'à mille invités autour du buffet, dans un vaste décor magnifiquement rehaussé de plantes vertes et de fougères d'une espèce rare, venues de la Sierra Maestra. En règle générale, Castro déambule au milieu de la foule avec son invité d'honneur qu'il présente ici et là à ses amis. On y sert les mets les plus délicieux — viandes, poissons et langoustes, arrosés d'un vieux Rhum cubain (baptisé Isla de Tesoro); s'il arrive que du scotch soit offert aux invités, il s'agit d'un Chivas Regal. Tout cela paraît évidemment somptueux dans un pays toujours en proie à de graves disettes alimentaires, où la qualité de la nourriture laisse à désirer. Mais il n'est question ni de caviar ni de champagne; ces fêtes s'achèvent en général assez tôt, sans manifestations d'ébriété, et les Cubains ne semblent pas en vouloir au Commandant en chef de ces divertissements officiels (étant entendu que la presse rend compte des réceptions).

Lors de ces soirées, ainsi qu'à l'occasion des conférences importantes et des sessions de l'Assemblée nationale, Castro revêt traditionnellement son uniforme officiel kaki de Commandant en chef et arbore l'insigne de son rang : une étoile sur losange noir et rouge, et des feuilles de laurier. Il porte la chemise blanche et la cravate noire. Le reste du temps, il préfère son uniforme de campagne en whipcord vert olive, parfaitement coupé. Même si le col reste ouvert, c'est un vêtement assez chaud, et Castro porte un maillot de corps sous sa tunique à fermeture éclair. Pour pouvoir malgré tout être à l'aise dans cette tenue, il règle la climatisation sur la température la plus basse, au point que ses collaborateurs en *guayaberas* — chemisettes typiquement cubaines — ont tous l'air de grelotter.

Quelquefois, Castro préfère porter un treillis vert olive et garde obstinément sa casquette vert olive sur ses cheveux impeccablement coupés, qu'il soit à son bureau ou chez des amis. Il porte en permanence des bottes de combat noires, et des plantons de service se précipitent pour remettre le bas de ses pantalons dans ses bottes si jamais il s'en échappe, autre exemple de l'attitude monarchique qu'observe Castro vis-à-vis de son personnel. Ces ordonnances ont également coutume d'essuyer la boue ou la poussière qui couvrent parfois ses bottes quand il regagne son bureau.

A cause de la légende de la Sierra Maestra et de son attachement aux uniformes vert olive, Fidel donne de lui-même, aujourd'hui encore, l'image d'un guérillero, peu soucieux de sa tenue. Or il se trouve qu'il a toujours été extrêmement préoccupé de son apparence : au temps où il dirigeait — avec d'autres — le mouvement étudiant, puis quand, tout jeune politicien, il briguait son premier mandat électoral, Castro préférait les costumes et les cravates sombres aux *guayaberas* que portent la plupart des Cubains; et ce fut vêtu d'un bon complet qu'en sortant de prison il regagna La Havane, puis s'exila au Mexique et prépara l'expédition de la *Granma*. Des photographies de l'époque nous montrent un Fidel Castro élancé, élégant, arborant une pochette et une moustache fine comme un trait de pinceau. Il avait toujours l'air de sortir tout droit d'une famille de millionnaires cubains (même après son incarcération, quand il ne possédait qu'un seul costume en tout et pour tout), et savait pertinemment qu'il ferait plus d'effet sur les foules dans cette tenue que s'il apparaissait comme tous ses congénères en bras de chemise. Un cliché de lui en compagnie de son fils, Fidelito, quelques heures avant l'attaque de la caserne Moncada en 1953, nous le présente une fois de plus coquet et à la mode. Les uniformes de campagne faits sur mesure qu'il porte aujourd'hui sont conformes à son code vestimentaire d'avant la Révolution.

Fidel est relativement myope, et sa vanité ne l'empêche pas de porter des lunettes à monture en corne quand il tient à bien voir. Il les avait sur le nez dans la Sierra et à la Baie des Cochons, et l'une des rares affiches de Fidel le représente durant la bataille avec son béret brun et ses lunettes. Remarquable tireur, Castro met aussi ses lunettes pour viser ; il a d'ailleurs inventé un système qui lui permet de viser avec les deux yeux ouverts au lieu d'un seul comme font la plupart des tireurs, parce qu'il trouve mieux sa cible avec ses lunettes.

Fidel Castro allie curieusement une courtoisie d'*hidalgo* et les plus belles manières, en particulier à l'égard des femmes, à une franche grossièreté et une attitude péremptoire envers ses subordonnés. Il lui arrive de cracher par terre et d'user du langage le plus ordurier quand il se trouve en compagnie exclusivement masculine. Il jure facilement quand il joue aux échecs ou aux dominos, où il excelle. Il a beaucoup de distinction, mais lorsqu'en mangeant il omet de faire disparaître les parcelles de nourriture qui restent accrochées dans sa barbe, on peut dire que son image en souffre. En matière de style, son perfectionnisme frise la pédanterie. Il passe des heures à réviser et à corriger ses discours et autres écrits, afin de les polir jusqu'à la perfection, dans cette langue espagnole qu'il manie si bien et avec une telle élégance. Ses manuscrits sont un labyrinthe d'insertions, de flèches, d'interlignes, et de gribouillages rajoutés dans son écriture de pattes de mouche. Il lui arrive de revoir ses textes dans une voiture lancée à vive allure, ce qui fait le désespoir de ses secrétaires, aussi habituées soient-elles à sa façon d'écrire. Le vice-président Gallego Fernández se souvient d'un jour où Fidel ayant commencé, dans sa limousine, la rédaction d'une lettre adressée à un chef d'Etat étranger, pria le chauffeur de tourner en rond pendant quatre heures jusqu'à ce qu'il eût fini sa précieuse missive, de peur de perdre sa concentration en s'interrompant pour se rendre dans son bureau.

Fidel improvise toujours la plupart de ses discours, mais il reconnaît qu'il prend la peine de rédiger désormais d'avance ceux qu'il considère comme les plus importants — par exemple, celui qu'il a prononcé devant les Nations unies à New York en 1979, ou pendant la conférence des pays non-alignés à New Delhi, en 1983. Ses allocutions improvisées sont incontestablement bien meilleures, mais son sens de la perfection prévaut incontestablement dans tout ce qu'il fait. Un jour qu'il prenait un verre chez un ami, à La Havane, Castro ne cessa de s'agiter sur son siège jusqu'au moment où il finit par se pencher vers la bouteille de whisky pour en revisser le bouchon convenablement : son hôte l'avait laissé un peu de guingois.

Les rares fois où il semble vraiment se détendre, c'est lorsqu'on le surprend en compagnie de quelques amis ou visiteurs à Cayo Piedra, un petit îlot volcanique des Caraïbes, à une quinzaine de kilomètres au sud de la côte cubaine, où il se rend de temps en temps en hélicoptère pour se livrer à son sport favori, la pêche sous-marine. Cette petite île était autrefois l'emplacement d'un phare ; il reste la maison du gardien, composée de quatre pièces, avec une véranda et une pergola — c'est la vraie demeure de Fidel. Ses visiteurs descendent dans une hôtellerie moderne située de l'autre côté de l'île (on y trouve la collection complète des œuvres de José

Martí, mais pas un seul texte de Marx ou de Lénine), et tous les repas sont servis à bord d'une embarcation amarrée le long de la jetée. Cayo Piedra possède une piscine où Castro s'entraîne tous les matins, contre la montre. Une aire d'atterrissage pour hélicoptères offre au visiteur un moyen d'accès commode et indispensable.

Castro y passe les trois quarts de sa journée à bord d'un des deux gros bateaux à moteur (systématiquement escortés par deux vedettes de la Marine équipées de missiles) en combinaison de plongée. Il pêche au fusil à harpon dans des eaux très profondes. Lui-même grand amateur de plongée sous-marine, il invita le célèbre explorateur Jacques-Yves Cousteau à le rejoindre au large de Cayo Piedra au cours d'un séjour du Français venu à Cuba pour étudier la vie aquatique. Après chaque plongée, son médecin lui administre des gouttes dans le nez et dans les yeux. Le dîner se compose en général d'une soupe de tortues fraîches (confectionnée avec des tortues élevées au large de l'île), suivie de langoustes et de perches rouges braisées, pêchées par Castro en personne.

Les repas partagés avec Castro se déroulent habituellement suivant les mêmes rites — que ce soit à Cayo Piedra, ou dans sa maison en bord de mer sur l'Ile de la Jeunesse où il va pêcher quelquefois ; ou encore dans une réserve placée sous protection militaire et située dans l'ouest de Cuba où, vêtu d'une tunique camouflée (qu'il appelle son uniforme de « mercenaire »), il chasse le canard sauvage, sur une vaste lagune partiellement couverte de forêts et de mangroves. Tout débute en général par des cocktails sirotés longuement ; on échange des propos relativement anodins, bien souvent suggérés par les activités de la journée ou quelquefois plus sérieux ; après quoi un groupe très restreint se retrouve pour le dîner qui se prolonge souvent bien après minuit. C'est l'un des cadres favoris de Fidel où il aime se lancer dans une de ses extraordinaires démonstrations au cours desquelles il expose avec brio à ses convives étrangers la Cuba révolutionnaire — éblouissant jusqu'aux Républicains américains les plus réactionnaires. Ses interviews se déroulent le plus souvent dans son bureau, une pièce relativement dépouillée, en forme de L, avec des rayonnages de livres derrière sa table de travail. Pendant la durée de l'entretien, il prend place sur un canapé surmonté d'une peinture murale moderne, œuvre d'un artiste cubain. Un portrait de Camilo Cienfuegos orne une autre paroi. Sur le bureau de Fidel, raisonnablement ordonné, s'accumulent un gros transistor (les téléphones se trouvent sur une petite table adjacente), des cassettes, des piles de documents, un bocal contenant ses sucreries favorites. Les cigares longs et courts qui s'y trouvaient ont maintenant disparu. Castro s'était mis à apprécier de plus en plus les cigares courts jusqu'au moment où il a décidé brusquement d'arrêter de fumer en octobre 1985. Il a même annoncé l'événement juste avant Noël, au cours d'une interview à la télévision brésilienne, et la fascination qu'il a toujours exercée demeure telle que tous les journaux télévisés, de l'Amérique au Japon, ont repris la nouvelle qui parut en bonne place dans les quotidiens et magazines du monde entier. Il avait fait connaître sa décision en ces termes : « Je suis arrivé depuis longtemps à la conclusion que l'ultime sacrifice que je dois faire au bénéfice de la santé publique est d'arrêter de fumer ; cela ne m'a pas tellement manqué. » Etant donné la force de caractère qu'on lui connaît — et l'importance qu'il accorde à sa forme physique —, il y a fort à parier que Castro, pourtant adonné au tabac dès l'âge de quinze ans, à l'époque du lycée, ne reviendra pas sur sa décision. « Si quelqu'un m'avait obligé à cesser de fumer, j'en aurais souffert, explique-t-il, mais comme je me suis forcé moi-même, sans faire de promesse solennelle, ça a marché. »

Des années plus tôt, Castro avait lancé une vaste campagne anti-tabac pour persuader les Cubains qu'après avoir tant contribué à rendre leur île célèbre, ce produit mettait leur santé en danger. Télévision, radio, panneaux d'affichage, magazines et journaux furent mobilisés (des flashs télévisés présentaient par exemple des femmes enceintes, indiquant l'effet du tabac sur le fœtus), et le prix des cigarettes augmenta au point d'atteindre près de deux dollars le paquet. Quiconque retourne à Cuba après une longue absence est immédiatement frappé par le fait que le pays a cessé d'être une nation de fumeurs invétérés. « L'ultime sacrifice » de Castro fut l'arme suprême de cette campagne, puisque le chef met désormais en pratique lui-même ce qu'il prêchait depuis longtemps.

Si Fidel s'est défait de cet attribut longtemps indissociable de sa personne que fut le cigare, il a fait clairement savoir qu'il n'était pas près de se débarrasser de son autre emblème, sa barbe. Il a expliqué, comme il l'avait déjà fait auparavant, que ses compagnons et lui avaient laissé pousser leurs barbes dans la Sierra pour la bonne raison qu'il eût été trop compliqué de se raser. Par la suite, le culte du *barbudo* avait vu le jour, et Castro reconnaît que « cette caractéristique avait fini par devenir un symbole de la guérilla ». Il fait aussi remarquer que les barbes « ont un autre avantage » : car « si l'on consacre une moyenne de quinze minutes par jour à se raser, cela ne fait pas moins de cinq mille minutes par an sacrifiées à cette seule et unique activité ». Voilà des minutes que l'on ferait beaucoup mieux de passer à lire ou à apprendre quelque chose. S'il est naturellement absurde, pour des raisons politiques, d'imaginer un Fidel imberbe au bout de trente ans, il n'en est pas moins vrai que les Cubains, même dans les plus hautes sphères, réfléchissent à deux fois avant de se laisser pousser une barbe de guérillero. Car c'est vraiment une marque de distinction qui n'appartient qu'à lui.

De temps à autre, Castro aborde la question de ses voyages à l'étranger et des gens qu'il a rencontrés sur tous les continents. Il connaît les Etats-Unis mieux que tout autre pays. Jeune homme, il s'y est rendu à trois reprises : en 1948, pour sa lune de miel, puis un an plus tard, pour échapper aux menaces de mort que lui adressaient des gangsters politiques, à La Havane ; enfin en 1955, pour collecter des fonds destinés à alimenter la Révolution cubaine qu'il préparait pendant son séjour au Mexique. Il devait ensuite y retourner en avril 1959, en sa qualité de chef de la rébellion victorieuse (et à cette occasion, rencontrer le vice-président Richard Nixon), et charmer ses convives rassemblés à l'Ambassade cubaine à Washington, en leur demandant de « m'aider à aider mon pays », puis deux fois encore pour prononcer des discours hargneux devant les Nations Unies.

En qualité de dirigeant étudiant, il avait fait une tournée à Panama, en Colombie et au Venezuela ; tout de suite après la Révolution, il avait parcouru la plupart des autres pays latino-américains. En 1971, il a rendu visite à son ami, Salvador Allende Gossens, Président marxiste du Chili, pour lui conseiller de ne pas irriter les Etats-Unis. Depuis 1980, il a fait plusieurs aller et retour entre Cuba et le Nicaragua, pour y imposer ses vues aux *Sandinistas* qu'il a aidés à s'établir et auxquels, aujourd'hui encore, il offre son appui.

Castro s'est rendu en Union Soviétique près d'une douzaine de fois (même si tous ces déplacements n'ont pas nécessairement été annoncés dans la presse), en Europe de l'Est à deux reprises, et une fois au Vietnam. Il a évité la Chine, essentiellement parce que dans le contexte du différend sino-soviétique, Cuba s'est rangée inévitablement du côté de Moscou, d'autant plus que Castro méprisait profondément Mao Tsé-toung, sans l'avoir jamais rencontré (il lui reprochait de s'être laissé « diviniser », même si à propos de l'Union Soviétique, il reconnaît simplement que « du temps de Staline, on assista à l'instauration d'un véritable culte de la personnalité et à des abus de pouvoir »).

De tous les chefs d'Etat communistes du monde entier, Fidel est celui qui a le plus voyagé. Il est allé en Afrique à plusieurs reprises, surtout en Algérie (les Cubains s'étaient faits les champions de l'indépendance algérienne après leur révolution), ainsi qu'en Angola et en Ethiopie, où Castro a envoyé des unités combattantes, vers le milieu des années soixante-dix (elles y sont toujours au bout de dix ans). Il connaît également l'Inde, mais n'a touché qu'une seule fois le sol européen,... pour une escale d'une heure à l'aéroport de Madrid.

Malgré toutes ses responsabilités et ses obligations, Castro s'efforce autant que possible de conserver sa liberté d'esprit, d'agir sous l'inspiration du moment, et de surprendre tout le monde. En janvier 1985, il prit ainsi, au tout dernier instant, la décision d'assister à la cérémonie d'intronisation du Président nicaraguayen Daniel Ortega Saavedra, son protégé, lorsqu'il apprit qu'aucun autre Chef d'Etat serait présent (il emmenait avec lui Gabo García Márquez, auquel il annonça à bord de l'avion qu'ils volaient vers Santiago, en Oriente). A Managua, Fidel souffla évidemment la vedette au pauvre Ortega, petit de taille et dépourvu de tout magnétisme, mais son initiative partait d'un bon sentiment. La même année, une délégation de jeunes Cubains devait s'embarquer pour l'Union Soviétique ; Castro résolut de convier toute l'Assemblée Nationale au grand complet — 399 membres — à venir souhaiter bon voyage aux enfants sur le quai de La Havane (c'était l'une des deux semaines où l'Assemblée siège à Cuba).

En règle générale, le Commandant en chef n'assiste plus aux réceptions diplomatiques (hormis celles de l'Ambassade soviétique qu'abrite désormais un immense immeuble moderne au bord de la mer dans les beaux quartiers de la capitale), mais il lui arrive de débarquer à l'improviste ou sur invitation à la résidence d'un ambassadeur, pour dîner. En 1959, lorsque Castro a mis pour la première fois de sa vie les pieds dans une Ambassade — c'était, en l'occurrence, l'Ambassade brésilienne —, il portait encore son fusil (qu'il dut laisser au vestiaire) partout où il allait.

Ayant fait un soir une apparition inopinée à l'Ambassade de France, il y resta jusqu'à quatre heures du matin à s'entretenir avec des parlementaires français en visite à Cuba. Le lendemain, il fit envoyer à l'ambassadeur une caisse de « scotch » cubain, qui n'est pas exactement de la meilleure qualité. Par ailleurs, Castro se propose de faire fabriquer sur l'île un fromage qui s'apparente au camembert, ainsi que du *foie gras* — ce chef enthousiaste est déjà, en théorie, un expert dans l'art du gavage. Dans toutes sortes de domaines inattendus, il fait preuve d'extraordinaires talents d'amateur.

Notre guérillero révolutionnaire est loin d'être un ascète, comme en témoignent ses goûts prononcés pour le Chivas Regal et le pâté. Il a toujours eu un faible pour la bonne chère et les vins fins ; en mai 1958, alors qu'il s'apprêtait à lancer la grande offensive contre Batista, il fit parvenir à Celia Sánchez, de son QG en pleine Sierra, un mot désespéré, pour lui dire : « Je n'ai plus de tabac, je n'ai plus de vin, je n'ai plus rien. Il restait une bouteille de rosé espagnol, doux, dans la maison de Bismarck, au frigidaire. Où est-elle passée ? » Pendant son exil au Mexique, l'un de ses amis et lui-même résolurent de s'acheter du caviar le jour où leur organisation — pour ainsi dire sur la paille — reçut de l'étranger une donation inattendue.

La cuisine, sous bien des formes, a préoccupé Fidel depuis sa jeunesse. Curieusement, les spaghetti ont toujours figuré parmi ses plats favoris. Manuel Moreno Frajinals, grand historien cubain, qui avait pris Castro en amitié depuis la fin des années quarante, alors que ce dernier achevait ses études universitaires, se rappelle que le jeune homme faisait de fréquentes apparitions chez lui pour parler politique et se faire inviter à déjeuner ou à dîner. Un jour, le jeune Fidel pénétra dans la maison au moment où la bonne faisait frire des bananes. Ayant humé l'odeur qui s'échappait de la cuisine, il s'y précipita pour s'assurer que la fille les faisait bien cuire comme il fallait. « Tu crois donc tout savoir ! » s'était alors exclamé l'épouse de Moreno Frajinal, qui est architecte. « Presque tout », lui avait répondu Fidel, sans vergogne.

En prison sur l'Ile des Pins, Fidel dans sa cellule disposait d'un petit réchaud électrique où il s'évertuait à faire cuire des spaghetti ; lorsqu'il fait visiter l'établissement en question à des visiteurs de passage — ce qui lui arrive à l'occasion —, il ne manque jamais de préciser combien d'heures il lui fallait attendre avant qu'ils fussent prêts. Sa sœur Emma raconte que dans la Sierra il continua de préparer des spaghetti pour ses compagnons. Conchita Fernández nous apprend que Castro dînait souvent dans les cuisines de l'Hôtel Habana Libre (où il accordait aussi quelquefois des interviews qui duraient toute la nuit), et qu'il tenta à plusieurs reprises de convaincre les cuisiniers de l'établissement de la meilleure manière d'accommoder la perche rouge. Comme nous l'avons déjà précisé, il a aussi des idées très précises sur la cuisson des côtelettes d'agneau. Par ailleurs, il affirme que le confit de canard doit cuire au bain-marie et il a une prédilection pour le poisson grillé et la viande maigre. A l'occasion d'un simple dîner à la campagne, entre amis, il se fera servir un poisson et du poulet accompagné d'une salade, avec un vin blanc bulgare ou un rouge algérien.

Le Président cubain a aussi des idées très arrêtées sur les connotations intellectuelles de divers sports : ayant lui-même joué au basket-ball et au base-ball à un niveau quasiment professionnel, il exposa un jour à l'un de ses invités, à coup d'arguments savants, la raison pour laquelle le basket-ball était effectivement un jeu intellectuel (lorsque l'on entame une conversation avec Fidel, on ne sait jamais où cela peut vous mener !). Selon sa théorie, si le basket-ball exige, outre la rapidité et l'agilité, des dons de stratège et de tacticien (ce qui prépare le joueur aux combats de la guérilla), le base-ball en revanche ne nécessite rien de tel. (Le sujet fut abordé quand Castro démentit vigoureusement une rumeur qui circulait alors à l'étranger, selon laquelle il aurait exprimé autrefois l'espoir de jouer dans une équipe de base-ball professionnelle américaine.)

Les comparaisons entre les grandes figures de notre ère, et notamment entre les divers guérilleros du XXᵉ siècle, sont probablement inévitables et l'on ne peut se retenir de faire le parallèle qui semble s'imposer par exemple entre Castro et le Maréchal Tito, le Président yougoslave aujourd'hui décédé. L'un et l'autre ont mené des combats de guérilla, tous deux ont lutté contre une forme de fascisme ou une autre, tous deux sont devenus marxistes, apparemment au nom de la justice sociale, et avaient l'ambition de jouer un rôle planétaire. Tito était un communiste avoué, sous la coupe du Komintern, bien avant l'invasion allemande et la formation de son armée de partisans — tandis que Fidel (quels que fussent ses sentiments profonds lorsqu'il donna le signal de son propre soulèvement) fut certainement loin de s'abriter dès le départ sous la bannière du parti communiste, d'obédience moscovite. S'ils n'ont, ni l'un ni l'autre, apporté de véritable contribution à la pensée marxiste, Castro a certainement beaucoup plus de profondeur intellectuelle qu'en eut jamais Tito — comme en témoignent les écrits et les discours de Fidel avant et après la Révolution. Il serait vain de comparer le courage déployé par Tito face aux Nazis d'abord, puis face à Staline, et l'attitude de Castro envers Batista, puis envers les Etats-Unis ; les circonstances sont extrêmement différentes. Les deux dirigeants avaient affaire à des problèmes distincts, sans rien de commun, dans le processus de modernisation de leur nation respective. Tito succombant à la tentation de la vanité, s'arrogea le titre de maréchal, se pavana dans un uniforme blanc à galons dorés, vogua à bord de son yacht privé, alla chercher refuge dans le luxe de l'île de Brioni. S'il se laisse lui aussi aller à quelque complaisance envers lui-même, Castro n'en demeure pas moins, à l'âge de soixante ans, un meneur de guérilleros, fidèle à sa légende.

Il ne fait aucun doute que les deux hommes se méprisaient et se détestaient mutuellement, précisément à cause de ces similitudes superficielles et de ces différences profondes ; leur rivalité datait de longtemps. Au cours des années qui précédèrent la mort de Tito, ils se disputèrent âprement la direction du Mouvement des pays non alignés (à la tête duquel Castro succéda à Tito en 1979), et lors de la conférence au sommet de La Havane, le vieux maréchal battit en brèche les efforts déployés par les Cubains pour amener le mouvement trop près de l'Union soviétique.

A cette occasion, Tito essaya peut-être de donner à Castro un avertissement utile : le Yougoslave, allié dévoué du Kremlin pendant la guerre, ne s'était-il pas vu dans l'obligation de rompre par la suite avec les Russes, et de prendre les rênes d'un Etat communiste « neutre » quand il avait compris clairement que le Kremlin prétendait lui dicter l'avenir de son pays ? En dépit d'expériences douloureuses et répétées avec Moscou, Castro n'en a pas moins continué d'épouser fidèlement toutes les orientations de la politique étrangère soviétique, en apparence, tout au moins. Tito cherchait-il à mettre en garde son cadet contre le risque d'hypothéquer à jamais son indépendance ?

La personnalité de Fidel Castro est d'une telle complexité que l'on ne peut jamais écarter l'éventualité d'un brusque changement de cap de sa part s'il lui semble que ce revirement peut tourner à l'avantage de Cuba, de la Révolution ou à son propre avantage. Naturellement, ces trois tableaux sur lesquels il joue se confondent ou se complètent tant que Castro domine la scène à Cuba. Et l'on est tenté de penser que le sort le destinait à occuper très précisément cette place.

ÉPILOGUE
(1987)

Il est impératif — pour juger en connaissance de cause — de jeter un long regard sur l'île où la Révolution de Fidel Castro est entrée récemment dans sa vingt-neuvième année. Où en est-elle et quelle sorte de modèle propose-t-elle ?

La réponse est contenue avant tout dans les aveux étonnamment sincères que Castro vient de faire en public : sa révolution affronte aujourd'hui la crise la plus grave et la plus profonde de son histoire. En effet, la survie quotidienne de Cuba dans le domaine économique est soumise plus que jamais au maintien d'une assistance permanente — mais désormais mal adaptée aux besoins, semble-t-il — que l'île reçoit de l'Union Soviétique (cette aide est évaluée à plus de 4 milliards de dollars par an).

Dans le passé, Castro n'avait jamais aussi totalement et amèrement admis l'ampleur des échecs que connaît sa société révolutionnaire — alors que s'est à peine écoulé le temps d'une seule génération depuis la victoire des rebelles. Devant le Troisième Congrès du Parti communiste cubain dont il est le premier secrétaire, et qui gouverne officiellement Cuba depuis vingt et un ans, Castro a parlé carrément « d'anarchie et de chaos ». Il a dénoncé l'absentéisme des travailleurs et constaté que nombre de Cubains touchent leur plein salaire en ne travaillant pas plus de quatre heures par jour ; il a déploré le naufrage de toutes les formes de production, fustigé une population plus préoccupée par l'argent que par les principes révolutionnaires et dévoilé l'affreux visage de la corruption grimaçant jusque dans les rangs du parti.

Castro avait le devoir inéluctable d'intervenir, étant donné ce triste état des faits ; aussi, le 26 décembre 1986, inaugurait-il une nouvelle ère d'austérité pour son pays déjà si austère et si démuni. Les vingt mesures qu'il a annoncées à l'Assemblée Nationale s'appliquent aussi bien à une réduction de la consommation de riz, de lait, de viande et d'essence (hélas déjà très limitée) qu'à une amputation des programmes de télévision, destinée à permettre des économies d'électricité.

La consommation de riz, denrée de base pour l'alimentation des Cubains, devrait être diminuée de 18 %, a proclamé Castro, parce que les Russes n'augmenteraient pas leurs livraisons (il n'expliqua pas pour quelles raisons) ; les Cubains, par conséquent, n'auraient qu'à manger des pommes de terre avec leurs haricots noirs. Castro a également omis d'expliquer les raisons pour lesquelles Cuba, traditionnellement productrice de riz, est incapable d'en récolter suffisamment pour satisfaire ses besoins intérieurs — presque trois décennies après une révolution dont l'un des objectifs était la rationalisation de l'agriculture sur une terre aussi fertile.

Dans ces mêmes déclarations, Castro a révélé sans détour que la révolution cubaine était en proie à une crise du système — et non pas simplement à des difficultés temporaires, imputables au mauvais temps, à une conjoncture mondiale défavorable, ou à des pressions économiques exercées par les Etats-Unis (bien que tous ces facteurs se soient conjugués au cours des dernières années, même si les sanctions américaines remontent à plus d'un quart de siècle).

Il apparaît que le problème fondamental auquel se heurte Castro, c'est que sa révolution se trouve dans une impasse car, selon ses propres termes, « les travailleurs ne travaillent pas » et « les étudiants n'étudient pas ».

Ce qui le met dans la plus noire fureur, c'est que le grand « esprit révolutionnaire » de la Sierra Maestra s'est évanoui, malgré l'endoctrinement idéologique permanent de la jeunesse. Il voit le pays retomber dans les appétits capitalistes d'avant la révolution, attiré par le profit matériel, livré à la fraude et au vol, enclin aux « attitudes bourgeoises ». Les dirigeants du Parti communiste, eux-mêmes, se sont fait tancer pour avoir pactisé avec la corruption. Dans son discours à l'Assemblée Nationale, Castro semblait manifester une surprise sincère en constatant que « les années de vaches maigres [n'avaient pas] appris aux Cubains à devenir plus efficaces, plus économes, à surmonter leur négligence et toutes les autres mauvaises habitudes de la période pré-révolutionnaire ».

Toutefois, il est possible que Castro se soit montré injuste envers ses compatriotes cubains en rejetant sur eux la responsabilité des échecs de la révolution. Peut-être la faute en incombe-t-elle bien davantage à sa propre façon de gouverner, à sa gestion excentrique et centralisée à l'excès — il se réserve en effet, personnellement, chaque décison ou presque, et maintes résolutions et innovations sont purement capricieuses ; c'est ainsi qu'il a soudain décidé, sans crier gare, à la fin de 1984, de récrire entièrement le plan économique annuel pour 1985. Aussi les ministres et les administrateurs, ne sachant jamais à quoi s'attendre, osent à peine prendre les décisions les plus anodines ; et pour finir, tout l'appareil du gouvernement se trouve ainsi paralysé.

Ces tares ont toujours existé, mais pendant un quart de siècle, au moins, le pays était emporté par l'élan de la révolution. Le point critique semble avoir été atteint au début de 1985 ; depuis lors, Cuba n'a cessé de descendre la pente de plus en plus vite. En apparence, la révolution castriste continue d'attirer sur elle l'attention des nations étrangères ; le régime de Castro fait l'objet d'une reconnaissance internationale de plus en plus vaste, au fur et à mesure que les dirigeants de l'Amérique Latine font le voyage de La Havane et que s'effrite l'isolement diplomatique prêché par les Etats-Unis. Pourtant, à l'intérieur, les lézardes de l'édifice révolutionnaire se sont approfondies.

Au cours de l'année 1986, Castro a fait subir une purge sévère aux sphères les plus hautes de son régime ; il a démis sans explication quelques-uns de ses plus anciens et plus proches collaborateurs, et proclamé une « offensive révolutionnaire stratégique » qui vise à ressusciter la ferveur évanouie. La vigilance, dans le domaine politique, et la répression contre toutes les formes de contestation ont été renforcées ; une fois de plus, Cuba a été mise sur le pied de guerre ; des unités de la milice populaire s'entraînent et restent en état d'alerte permanente pour faire face à l'invasion américaine que Castro déclare imminente.

Mais la situation économique continue de se détériorer gravement. Les Cubains sont contraints d'acheter à la république Dominicaine, au prix de leurs précieux dollars, le sucre qu'ils sont incapables de produire et d'exporter en quantités suffisantes pour assurer les livraisons auxquelles ils se sont engagés envers l'Union Soviétique. Le chômage (théoriquement impossible dans un pays communiste) atteint un niveau tel que l'Etat est obligé de verser à des dizaines de milliers d'ouvriers mis à pied soixante-dix pour cent de leur salaire ; Castro lui-même a qualifié cette situation d'alarmante, lorsqu'il a abordé la question de l'économie devant le Congrès du Parti.

Le fait que quelque 30 000 soldats cubains ont été expédiés à l'étranger, principalement en Afrique, ne semble pas contribuer à résoudre le problème du chômage ; et au cours de l'automne 1986, La Havane et Moscou ont signé un accord sans précédent qui permet aux Cubains d'exploiter un énorme secteur forestier dans les neiges glaciales de la Sibérie, sous prétexte de fournir à Cuba le bois de charpente dont l'île a besoin. Le communiqué qui annonçait l'événement omettait de préciser combien de Cubains travailleraient en réalité dans ces forêts proches des frontières chinoise et nord-coréenne, mais il s'agit de « quatre entreprises forestières ». Or en 1980, on s'en souvient, Castro avait autorisé quelque 100 000 Cubains à partir du port de Mariel pour la Floride, ce qui avait alors réduit les pressions du chômage. Curieusement, Cuba, avec ses dix millions d'habitants, semble exporter sa population plutôt que sa révolution.

Pourtant, Castro continue de penser que la crise cubaine est d'origine morale — au sens révolutionnaire du terme — et que ni les structures, ni la direction ne sont en cause. Son offensive politique de 1986 visait par conséquent à modifier les attitudes des individus en durcissant le système, à l'inverse de ce qui se passe dans les autres sociétés communistes — y compris en Union Soviétique — où la tendance nouvelle est à la libéralisation et à l'assouplissement des régimes. Pour la première fois depuis soixante ans, le Kremlin a autorisé en 1986 un minuscule secteur privé, tandis que Castro, au nom de la pureté révolutionnaire, s'est employé à éliminer le dernier vestige de la liberté économique à Cuba, en supprimant les marchés libres des paysans.

Pendant la séance de clôture du Congrès du Parti, en décembre, il s'est encore levé pour dénoncer « les tendances négatives » qui, selon lui, « envahissent toutes les activités de la Révolution ». Il a exhorté ses camarades communistes à se détourner des motivations intéressées pour retrouver les voies de l'idéalisme. « Nous devons montrer aux capitalistes, cria-t-il, ce que nous autres, socialistes, nous autres, communistes, sommes capables de faire grâce à notre fierté, notre sens de l'honneur, nos principes et notre conscience. Nous devons montrer que nous sommes plus capables qu'eux de résoudre les problèmes du développement dans un pays... [et] qu'un esprit communiste, une volonté et une vocation révolutionnaires, seront toujours mille fois plus puissants que l'argent ! ». Mais en s'exprimant ainsi, Castro faisait étrangement penser aux prophètes marxistes-léninistes d'un autre temps.

NOTES

Pour écrire cet ouvrage, je me suis servi principalement des quatre sortes de matériaux décrits ci-après en détail et qui comportent : des entretiens et conversations à Cuba ; des entretiens et conversations aux Etats-Unis ; des journaux et magazines cubains parus avant et après la révolution ; des livres et autres textes publiés à Cuba ou ailleurs.

Au lieu de truffer le volume d'innombrables notes en bas de pages, il m'a paru préférable de fournir au lecteur ou au chercheur une explication au sujet des sources de renseignements et des documents que j'ai utilisés. En outre, comme certains passages ou parties du livre entremêlent deux ou plusieurs entretiens ou conversations, et même parfois des informations déjà publiées, il n'eût été ni pratique ni d'un grand secours de signaler l'origine de toutes les références ou citations. C'est ainsi qu'en dehors des renseignements spécifiques insérés dans le texte à proprement parler, aucune indication n'est donnée quant aux discours de Castro auxquels il est fait référence ou allusion ; étant donné le nombre considérable de discours qu'il a prononcés dans sa vie (d'autant que quelques-uns de ses textes ne sont pas disponibles du tout, ou n'existent que sous une forme fragmentaire), il en eût coûté un effort énorme et sans grand intérêt d'en dresser la liste.

En fin de compte, ce chapitre de notes veut être un guide général pour le lecteur, dans le sens où il apporte des renseignements sur les différentes sortes et catégories de sources et de matériaux qui ont permis sa rédaction.

I. Entretiens et conversations à Cuba

L'essentiel des matériaux originaux utilisés dans cet ouvrage provient d'enregistrements sur bandes magnétiques et également d'entretiens ou de conversations à bâtons rompus que j'ai eus à Cuba, entre 1984 et 1985 — c'est le cas également pour mes longues conversations avec le président Castro au cours de la même période. En ce qui concerne celles-ci, je me suis également reporté aux notes que j'avais prises lors de conversations et d'entrevues que nous avions eues en 1959, puis en juin 1961, pendant une tournée, faite en sa compagnie, sur les champs de bataille de la Baie des Cochons.

Au cours de l'année 1985, dix-sept collaborateurs ou camarades de Fidel Castro se sont prêtés à des entretiens en bonne et due forme, enregistrés sur magnétophone ; sept d'entre eux ont été interrogés à deux ou plusieurs occasions. Tous ces entretiens ont eu lieu en espagnol, et les extraits ou citations reproduits dans le livre ont été traduits par moi-même en anglais d'après les transcriptions des bandes magnétiques. On trouvera ci-dessous la liste de ces interviews ainsi que des renseignements sur mes interlocuteurs :

José R. Fernández, vice-président du Conseil des ministres ; ministre de l'Education ; membre suppléant du Bureau politique du Parti communiste cubain.

Carlos Rafael Rodríguez, vice-président du Conseil d'Etat et du Conseil des ministres ; membre du Bureau politique.

Vilma Espín Guilloys, présidente de la Fédération des Femmes cubaines ; membre du Conseil d'Etat et du Bureau politique (épouse de Raúl Castro).

Pedro Miret Prieto, vice-président du Conseil des ministres ; membre du Conseil d'Etat et du Bureau politique.

Armando Hart Dávalos, membre du Conseil d'Etat ; ministre de la Culture ; membre du Bureau politique.

José R. Machado Ventura, membre du Conseil d'Etat ; membre du Bureau politique et du secrétariat du Parti.

Jorge Enrique Mendoza Reboredo, rédacteur en chef de l'organe du Parti communiste, *Granma* ; membre du Comité central du Parti.

Ramiro Valdés Menéndez, Commandant de la Révolution (c'est l'un des trois officiers de l'Armée rebelle à porter ce titre honorifique) ; membre du Comité central ; jusqu'en 1986, vice-président du Conseil d'Etat et du Conseil des ministres, ministre de l'Intérieur, et membre du Bureau politique ; démis de ces fonctions sans explication par le Troisième Congrès du Parti.

Guillermo García Frías, Commandant de la Révolution ; membre du Comité central ; jusqu'en 1986, vice-président du Conseil d'Etat et du Conseil des ministres, ministre des Transports, et membre du Bureau politique ; démis de ces fonctions par le Troisième Congrès du Parti.

Fabio Grobart, cofondateur du Parti communiste cubain en 1925 ; membre du Comité central ; directeur de l'Institut d'Etudes du Mouvement marxiste-léniniste à Cuba ; Héros de la Révolution cubaine.

Blás Roca Calderío, membre du Comité central ; jusqu'en 1986, vice-président du Conseil d'Etat et membre du Bureau politique ; ancien secrétaire général du Parti socialiste populaire (communiste) jusqu'à la création en 1965 du nouveau Parti communiste cubain sous les ordres de Castro. Mis à la retraite en raison de son âge par le Troisième Congrès du Parti, il est décédé le 25 avril 1987.

Melba E. Hernández, membre du Comité central ; Héroïne de la Révolution cubaine (c'est l'une des deux femmes qui ont participé à l'attaque de la caserne Moncada).

Faustino Pérez Hernández, membre du Comité central ; ancien ministre du premier gouvernement révolutionnaire (c'est l'un des deux compagnons qui se retrouvèrent aux côtés de Fidel Castro — avec Universo Sánchez — après la défaite d'Alegría de Pío).

Universo Sánchez, directeur du Bureau de la protection de l'environnement (c'est l'un des deux compagnons qui se retrouvèrent aux côtés de Fidel Castro — avec Faustino Pérez — après la défaite d'Alegría de Pío).

Antonio Nuñez Jiménez, vice-ministre de la Culture ; ancien directeur général de l'INRA (Institut national de la Réforme agraire) ; chroniqueur des années d'après-guerre de Fidel Castro.

Alfredo Guevara, ambassadeur de Cuba à l'UNESCO ; camarade d'université de Castro et lié d'amitié avec celui-ci depuis lors ; compagnon de voyage de Fidel pendant le soulèvement de Bogotá en 1948.

Conchita Fernández, secrétaire particulière de Fidel Castro après la guerre.

D'autres entretiens ont été enregistrés sur magnétophone, notamment avec Norberto Fuentes, journaliste cubain et chroniqueur de la révolution ; ainsi qu'avec sept villageois de la Sierra Maestra qui jouèrent un rôle de premier plan en permettant à Castro et à ses compagnons de subsister pendant la première année de la guérilla (leurs récits représentent, au total, 210 pages de transcription).

Toutes les bandes magnétiques et toutes les transcriptions citées ci-dessus ont fait l'objet d'un don à l'Université de Miami, à Coral Gables (Floride).

Les entretiens enregistrés avec le président Castro ont eu lieu à La Havane ou dans les environs, en janvier 1984 ; leur transcription représente 315 pages. Les interviews et les conversations privées qui se sont déroulées en février et en mai 1985 n'ont pas été enregistrées. J'avais rédigé des notes détaillées après chacune de ces rencontres. Les transcriptions des entretiens de 1984 avec Castro se trouvent également à l'Université de Miami.

Au total, les transcriptions des enregistrements effectués à Cuba atteignent 1 964 pages. En dehors des conversations de 1985 avec le président Castro, la transcription littérale de mes dizaines d'autres conversations avec des personnalités cubaines aurait représenté quelques milliers de pages supplémentaires ; leur contenu subsiste dans mes notes — dont certaines doivent demeurer confidentielles.

Certaines de ces conversations privées méritent une mention particulière, et notamment mes nombreuses entrevues avec Eugenio Rodríguez Balari, président de l'Institut de la Consommation ; Pedro Alvarez Tábio et Mario Mencía, chroniqueurs l'un et l'autre de la période pré-révolutionnaire (avant 1959) ; Ernesto Guevara Lynch, le père de Che Guevara ; Manuel Moreno Fraginals, un historien cubain de premier plan qui a connu Fidel Castro quand il était étudiant ; Pastor Vega, éminent réalisateur cinématographique cubain ; Luis Baez et Gabriel Molina, rédacteurs en chef de *Granma* ; et Lionel Martin, écrivain et journaliste américain qui vit à Cuba depuis 1961. Afin de préserver leur anonymat, je ne nommerai pas ici de nombreux autres interlocuteurs à qui je dois une profonde gratitude pour le temps qu'ils m'ont consacré et la patience qu'ils m'ont témoignée. Un de mes amis et collègues américains, Henry Raymont, particulièrement versé dans les affaires cubaines, m'a été d'un très précieux conseil.

Les entretiens et les conversations que j'ai eus à Cuba revêtent une importance capitale pour toute étude historique ou biographique sur la révolution et ses acteurs ; c'est pourquoi je m'en suis tellement inspiré. Il n'existe en effet à Cuba aucun ensemble vaste et cohérent d'études ou de documents relatifs à la révolution. Comme on le verra plus loin, dans la bibliographie qui fait suite aux présentes notes, les ouvrages disponibles ne fournissent qu'une information fragmentaire et l'objectivité historique n'est pas leur principale qualité. Une forte opposition se manifeste, au plus haut niveau de la bureaucratie cubaine, à l'égard de toute tentative faite pour établir la vérité historique au sujet de la révolution, en particulier lorsqu'il s'agit de travaux entrepris par des étrangers. On pourrait ironiser sur le fait que c'est le Département historique du Conseil d'Etat, par l'intermédiaire de son secrétaire, le Dr José M. Miyar Barrueco, qui présente le meilleur exemple de cette résistance. Dans de telles conditions, les entretiens dont j'ai eu la primeur revêtent une importance absolument capitale, et il me faut souligner que, pour les obtenir, j'ai bénéficié de la recommandation personnelle du président Castro.

II. Entretiens et conversations aux États-Unis

Au même titre que les entretiens de Cuba, ceux que j'ai eus aux Etats-Unis, avec des émigrés cubains, se sont révélés essentiels à la reconstitution de la plus grande partie de la vie de Fidel Castro. La plupart d'entre eux ont pris place à Miami, notamment en ce qui concerne la jeunesse de Castro.

José Ignacio Rasco et Juan Rovira m'ont apporté de précieux renseignements sur le jeune Fidel, élève du Collège de Belén à La Havane. Quant à son passage à l'université, les informations m'ont été fournies par Rasco, Enrique Ovares et Max Lesnick. Ovares s'est révélé être une mine de renseignements d'une valeur inestimable pour ce qui touche à la part prise par Castro dans l'expédition de Cayo Confites et le soulèvement de Bogotá (il s'y trouvait, aux côtés de Fidel et d'Alfredo Guevara). Les souvenirs et les réflexions de Max Lesnick ont permis de faire le lien entre les activités de Castro à l'université de La Havane et le début de sa carrière révolutionnaire. Raúl Chibás, le frère de feu Eddy Chibás, fondateur du parti *Ortodoxo* en 1947, m'a fait profiter de ses souvenirs sur Fidel Castro, pendant les quelques jours que nous avons passés ensemble à Miami. Il a connu

Castro à diverses époques : lorsque celui-ci se lançait dans la politique à l'université, puis quand il militait au sein du parti *Ortodoxo,* enfin quand il commençait à faire figure de chef de la révolution. A deux reprises, Chibás s'est trouvé auprès de Castro dans la Sierra Maestra ; il a été trésorier du Mouvement du 26 juillet et, plus tard, directeur des chemins de fer cubains.

La transcription de ces entretiens occupe 329 pages ; elle se trouve, comme les enregistrements eux-mêmes, à l'Université de Miami.

D'autres entretiens importants, tant à Miami qu'à Washington D.C., ont eu un caractère officieux ; ils ont été consignés dans mes carnets de notes, mais la plupart de ces conversations sont confidentielles.

III. *Journaux et périodiques cubains*

La lecture de la presse cubaine, antérieure à la révolution, présente un extrême intérêt, non seulement parce qu'elle reflète le climat politique du pays à cette époque, mais aussi parce qu'elle permet de retracer la carrière politique de Fidel Castro. Un journal de La Havane mentionne son nom pour la première fois en 1944 ; au fil des années, les nouvelles et les articles qui le concernent, ou les textes signés par lui, deviennent de plus en plus fréquents, jusqu'à la veille de sa victoire.

On trouvera dans le présent ouvrage les références utiles à ce sujet, de sorte qu'il n'a pas paru nécessaire de les inclure dans les notes. Les hebdomadaires *Bohemia* et *Carteles,* ainsi que les quotidiens *Diáro de la Marina, El Mundo, El País, La Calle* et *Alerta,* ont été les meilleures sources d'informations journalistiques cubaines. Des collections presque complètes de ces publications se trouvent à la Bibliothèque du Congrès à Washington, à l'Université de Miami, et dans d'autres universités des Etats-Unis. Les revues universitaires publiées avant la révolution comme *Saeta* et *Mella* sont très difficiles à trouver. Pour la période pré-révolutionnaire, on peut consulter les collections de journaux conservées à la Bibliothèque Nationale José Marti, de La Havane, mais elles sont très incomplètes, et les autorités limitent leur consultation. De plus, on ne trouve à Cuba aucun appareil de reproduction ou de photocopie à la disposition du public. La tâche du chercheur est incomparablement plus facile aux Etats-Unis, où d'ailleurs les Cubains eux-mêmes ont plus de chance de se procurer des exemplaires ou des photocopies de leurs propres publications universitaires parues avant la révolution, celles-ci ayant apparemment été perdues dans leur pays.

En ce qui concerne la première phase de la Révolution, les principaux journaux cubains auxquels on doit se référer sont *Revolución,* l'organe du Mouvement du 26 juillet, et *Hoy,* celui du Parti communiste ; ils ont fusionné en 1965 pour donner naissance à *Granma.* Tous les autres quotidiens cubains ont disparu en 1961. *Revolución, Hoy* et *Granma* contiennent les discours de Castro et des autres personnalités importantes dans les milieux gouvernementaux de la Révolution ; on y trouve également des nouvelles, des reportages et des éditoriaux tout aussi utiles — mais officiels bien entendu. De tous les magazines, *Bohemia* est celui qui présente le plus grand intérêt en raison des épisodes de l'histoire révolutionnaire qu'il a publiés. *Verde Olivo,* qui émane du Ministère des Forces armées révolutionnaires, et *Moncada,* son homologue du Ministère de l'Intérieur, fournissent la plupart des indications qu'il importe de connaître sur la ligne idéologique du gouvernement. Le présent Portait fait référence aux articles parus dans ces publications, chaque fois que cela a semblé utile. La Bibliothèque du Congrès et l'Université de Miami, entre autres, possèdent des collections assez complètes de la presse post-révolutionnaire, alors qu'il est plutôt malaisé d'y avoir accès à La Havane. A Cuba, ce sont des personnes privées qui détiennent les rares collections existantes de *Lunes de Revolución,* l'excellent supplément littéraire lancé en 1959 et dont la publication fut interrompue en 1961. Il en existe également aux Etats-Unis.

IV. Livres

A la fin du présent volume, une bibliographie donne la liste des livres cubains, américains et européens les plus utiles et les plus intéressants, parus sur Castro et Cuba. La plupart d'entre eux sont disponibles à la Bibliothèque du Congrès et dans les bibliothèques des universités américaines.

Toutefois, comme on l'a déjà vu ci-dessus, il existe étonnamment peu de livres sérieux, utiles et mis à jour, sur la révolution cubaine — tout particulièrement sur Fidel Castro. (Il y a de nombreux recueils ou anthologies de ses discours tant à Cuba qu'aux Etats-Unis, mais ils sont incomplets et présentent peu d'intérêt pour le biographe.)

Sur Castro, la documentation la plus abondante est celle qui concerne la période antérieure à sa victoire ; Robert Merle a publié en 1965 le livre le plus utile sur cette période : *Moncada : Premier combat de Fidel Castro* (malheureusement épuisé). Merle a interviewé les frères Castro et presque tous les survivants de l'attaque de Moncada à un moment où les événements étaient encore tout frais dans leurs mémoires. Le journaliste américain, Lionel Martin, qui connaît Castro aussi bien que peut le connaître un étranger, a écrit un récit plein de renseignements sur sa jeunesse et les années de guerre dans *The Young Fidel*, mais certains historiens déplorent les interprétations idéologiques données par Martin, tout particulièrement en ce qui concerne les relations de Castro avec les communistes ; cela dit, il n'existe aucune autre chronique de ce genre. On trouvera aussi un bon portrait de Fidel et de son époque dans la longue introduction qui précède ses morceaux choisis : *Selected Works, 1947-1958*.

Fidel Castro lui-même a donné d'intéressants récits de son enfance et de sa jeunesse dans *Diary of the Cuban Revolution*, de Carlos Franqui, le premier rédacteur en chef de *Revolución*, qui a enregistré une série d'entretiens avec lui en 1959. Le livre de Franqui est fondamental pour qui veut étudier la guerre de la Sierra ; il contient également une importante correspondance de Fidel, Che Guevara, Raúl Castro et Celia Sánchez, entre autres. En 1985, Fidel Castro a accordé une longue suite d'interviews à un moine dominicain de nationalité brésilienne, le Frère Betto, avec qui il aborde la question religieuse. Ces interviews publiées en volume à La Havane et à Rio de Janeiro fournissent de passionnantes indications sur la jeunesse de Castro vue par lui-même ; nous faisons plusieurs références à ce texte dans le présent ouvrage.

Mario Mencía, le chroniqueur de la révolution cubaine, est l'auteur de deux livres agréables à lire : le premier raconte les préparatifs de l'attaque de Moncada, et l'autre la détention de Fidel Castro (il en existe une édition anglaise sous le titre *Times Was on Our Side*). Certes, ils reflètent un parti pris idéologique évident, mais on ne dispose d'aucune source meilleure que celle-là. Le troisième livre de Mencía, qui couvre la période écoulée entre l'incarcération de Fidel et son débarquement à Cuba, n'avait pas encore été publié en 1986, bien que le manuscrit eut été achevé. Les trois livres écrits par Marta Rojas, journaliste cubaine chargée de suivre le procès de Castro en 1953, rapportent des faits et des impressions très utiles. Dans *En Marcha con Fidel*, Antonio Nuñez Jiménez décrit d'une manière partiale la première année de Castro au pouvoir, mais la flagornerie dont il fait preuve rend le livre presque illisible. En ce qui concerne la personnalité de Castro, les entretiens que Lee Lockwood a eus avec lui et qu'il a publiés en 1967 dans *Castro's Cuba, Cuba's Fidel*, constituent sans doute le meilleur matériau de ce genre.

D'importants aperçus critiques sur Castro se trouvent contenus dans le livre du journaliste français, K. S. Karol, *Los Guerrilleros en el Poder*, et celui de René Dumont, l'agronome français, *Cuba est-il socialiste ?* Ces opinions ont été émises par des hommes de gauche, mais toute mention de leurs ouvrages est interdite à La Havane. Les réflexions de l'Ambassadeur américain Philip W. Bonsal dans *Cuba, Castro and the United States* conservent toute leur valeur.

Néanmoins, en ce qui concerne les études biographiques consacrées à Fidel Castro, le terrain est tellement en friche que le chercheur doit se contenter de procéder à des entretiens originaux, avec les avantages et les inconvénients que cela comporte.

RÉFÉRENCES DES CHAPITRES

TROISIÈME PARTIE : LA GUERRE

CHAPITRE 1

CHAPITRE 2

minutes du procès de Castro et dans les récits de Marta Rojas. Pedro Miret et Melba Hernández ont communiqué à l'auteur leurs souvenirs de témoins oculaires, au cours de divers entretiens.

CHAPITRE 3

188-196 La meilleure documentation sur ce qui s'est passé dans les jours et les heures précédant l'attaque de Moncada se trouve dans les livres de Merle et de Mencía. Au cours de ses entretiens avec l'auteur, Melba Hernández lui a fourni des souvenirs supplémentaires, par exemple au sujet de la volonté de Castro d'organiser des mariages.

196-197 Castro s'est expliqué sur l'idéologie du Mouvement dans ses entretiens avec le Frère Betto en 1985. Sur le plan idéologique, il marque nettement la différence entre son attitude personnelle et celle de ces camarades à cette époque.

198 Les souvenirs de Haydée Santamaría sont contenus dans un documentaire filmé par l'Institut du Cinéma cubain. La bande sonore de ce film se trouve à l'Université de Miami, de même que tous les autres enregistrements effectués pour la rédaction de mon livre.

CHAPITRE 4

208-221 Le meilleur récit des attaques de Moncada et de Bayamo, avec leurs conséquences, figure dans le livre de Robert Merle. D'utiles informations sont également contenues dans le livre de Marta Rojas, *La Generacíon del Centenário en el Juicio del Moncada,* dans le témoignage de Castro au cours de son procès, ainsi que dans les interviews qu'il a données et qui ont été diffusées par la presse écrite et parlée après son arrestation. Des témoins oculaires, Melba Hernández, Pedro Miret et Ramiro Valdés, m'en ont fait de précieux comptes rendus au cours de nos entretiens, en 1985.

CHAPITRE 5

222-239 Les meilleures informations ayant trait à l'arrestation de Castro, à son procès et à sa détention ont été recueillies dans les livres suivants : Robert Merle, *Moncada ;* Marta Rojas, *La Generación del Centenário* et *La Cueva del Muerto ;* Mencía, *Time Was on Our side ;* Conte Agüerro, *Cartas del Presidio.* On en trouve aussi dans *L'Histoire m'acquittera* de Fidel Castro lui-même. J'ai également bénéficié de nouveaux détails grâce aux descriptions que m'ont faites Pedro Miret et Melba Hernández, lors de nos entretiens, ainsi que Raúl Castro, au cours d'une conversation, à La Havane en 1985. Fidel m'a confié des anecdotes sur sa vie de détenu quand je l'ai accompagné à l'Ile de la Jeunesse (Ile des Pins) en mai 1985.

235-237 Le texte de *L'Histoire m'acquittera,* dans sa version la plus couramment répandue désormais, a été reconstitué de mémoire par Castro au cours de sa détention. Marta Rojas, qui assistait au procès et en publiait des comptes rendus dans *Bohemia,* avait pris quelques notes mais celles-ci sont trop fragmentaires. Dans la mesure où Castro se cite lui-même dans la version écrite, il est tout à fait vain de chercher à savoir s'il reproduit mot à mot les propos qu'il a tenus devant ses juges. Certes, Castro possède des dons d'élocution extraordinaires et une étonnante mémoire, mais c'est un styliste et un perfectionniste ; on peut donc supposer qu'il a peaufiné la version écrite désormais officielle. On n'a jamais signalé qu'il y ait introduit des modifications importantes.

CHAPITRE 6

244-253   C'est Mencía qui a le mieux évoqué la période de l'incarcération dont témoignent également les lettres écrites par Fidel en prison, telles que publiées dans le livre de Conte Agüerro et dans celui de Robert Merle sur Moncada (en appendice). Là aussi, Pedro Miret et Melba Hernández ont apporté de nouveaux éléments à l'auteur dans leurs entretiens de 1985. Quelques détails supplémentaires proviennent de Ramiro Valdés.

254-256   Ce sont principalement des amis de Castro qui ont raconté à l'auteur l'affaire du divorce et le conflit au sujet de la garde de Fidelito.

261-263   La réorganisation du Mouvement par Fidel a fait l'objet d'une série d'articles de Mario Mencía dans *Bohemia*, à La Havane, en 1985 ; des articles d'actualité et des études originales avaient été publiés sur cette question dans *Bohemia* et *La Calle* entre mai et juillet 1955. D'autres informations ont été fournies à l'auteur par Pedro Miret, Melba Hernández, Ramiro Valdés et Armando Hart, au cours de leurs entretiens à La Havane, en 1985, et par Max Lesnick à Miami.

CHAPITRE 7

264-279   Le séjour de Fidel Castro au Mexique a été raconté dans les chroniques de Mario Mencía publiées par *Bohemia* en 1985 ; dans *De Tuxpán a La Plata*, récit édité en 1979 par le Département historique du Directoire central politique des Forces armées révolutionnaires ; dans les mémoires du général Bayo ; et au cours des entretiens que l'auteur a eus à La Havane en 1985 avec Pedro Miret, Melba Hernández, Ramiro Valdés, Faustino Pérez et Universo Sánchez. Nous avons également interrogé Max Lesnick, à ce sujet, à Miami, de même que Ben S. Stephansky à Washington, D.C.

272-277   Presque tout ce qui concerne le début des relations entre Fidel et Che Guevara se trouve dans les textes suivants : *Che Guevara : Años Decisivos*, de Hilda Gadea, la première épouse de Che ; *Escritos y Discursos*, volume 1 des mémoires de Che Guevara, paru à La Havane en 1977 ; les articles de Mencía publiés par *Bohemia* ; le document intitulé *De Tuxpán à La Plata*, déjà cité ; et les interviews de Pedro Miret, Melba Hernández et Universo Sánchez réalisées par l'auteur.

279-282   La tournée de Castro aux Etats-Unis est décrite dans les articles publiés par *Bohemia* en 1985 sous la signature de Mencía, ainsi que dans la presse de La Havane en 1955. La question de Fidelito a fait l'objet de conversations entre l'auteur et les amis de Fidel Castro à La Havane, en 1985.

CHAPITRE 8

286-310   Nos renseignements sur les préliminaires de l'invasion ont été puisés dans : les articles de Mencía ; le livre intitulé *Tuxpán...* ; les mémoires du général Bayo ; *Cuba and Castro*, de Teresa Casuso (notamment en ce qui concerne les sentiments romantiques de Castro) ; ainsi que dans les entretiens de l'auteur avec Pedro Miret, Melba Hernández, Universo Sánchez, Faustino Pérez, et Ben S. Stephansky.

307-309   Les pourparlers de Castro, au Mexique, avec des émissaires communistes, sont rapportés par Lionel Martin à propos de la visite d'Osvaldo Sánchez Cabrera ; la rencontre avec Flavio Bravo, bien plus importante, a fait l'objet d'une interview encore inédite réalisée par Mario Mencía.

Chapitre 9

311-315   Le voyage de la *Granma* est décrit dans *Tuxpán...* et le tome 1 des *Escritos y Discursos* de Che Guevara. Universo Sánchez et Ramiro Valdés ont apporté de nouvelles précisions à l'auteur au cours de leurs interviews. Afin de m'imprégner visuellement du paysage dans lequel s'est déroulé le débarquement, je me suis rendu sur les lieux du naufrage et j'ai traversé moi-même la mangrove, entre la mer et le rivage (il y a désormais une étroite jetée qui permet de la franchir fort aisément) au cours d'une excursion en Oriente que ma femme et moi avons faite ensemble en 1985. Nous étions accompagnés par Pedro Alvarez Tábio, l'historien du Conseil d'Etat spécialisé dans la guerre de la Sierra, qui nous a décrit sur place le débarquement et la traversée du marécage au cours d'un entretien enregistré.

316-334   Le texte relatif aux six premières semaines passées par les rebelles à Cuba est surtout inspiré par les entretiens de l'auteur avec Faustino Pérez et Universo Sánchez qui se trouvaient aux côtés de Fidel après la débâcle d'Alegría de Pío, et par ses conversations avec l'historien Pedro Alvarez Tábio. L'interview de Guillermo García, réalisée à La Havane, m'a fourni des renseignements précieux. Dans la Sierra Maestra, j'ai interrogé Angel Pérez Rosabal, Mario Sariol, Argelio Rosabal et Argeo González, qui furent les tout premiers paysans à accueillir et aider la bande de Fidel. Ma femme et moi avons visité le champ de bataille d'Alegría de Pío et parcouru en voiture, en jeep et à pied une partie de la route suivie par Castro vers la Sierra Maestra; il est impossible de comprendre la guerre menée par Castro dans ces montagnes sans une connaissance, au moins superficielle, du terrain. La bataille d'Alegría de Pío est décrite, de façon assez détaillée, dans les carnets que tenaient Che Guevara et Raúl Castro pendant la guerre.

Chapitre 10

335-366   Il existe bon nombre de documents relatifs aux opérations militaires menées pendant la première année de la guerre dans la Sierra; l'histoire politique et idéologique de cette période est loin d'être aussi bien servie. C'est probablement le journal *Granma*, dans ses numéros spéciaux des 3 janvier, 17 janvier, 23 février et 27 février 1979, qui a publié les comptes rendus chronologiques les plus complets et les plus objectifs de la période cruciale comprise entre le débarquement du 2 décembre 1956 et le 20 février 1957, date à laquelle les guérilleros de Castro se trouvèrent regroupés et formèrent un embryon d'armée; les textes publiés par *Granma* ont été écrits par Pedro Alvarez Tábio et Otto Hernández qui ont utilisé des extraits des carnets de guerre de Raúl Castro et de Che Guevara ainsi que d'autres sources de renseignements. D'autres éléments d'information sur cette période ont paru dans un numéro anniversaire de *Bohemia*, le 13 décembre 1976. Alvarez Tábio et Hernández ont décrit la bataille d'Uvero dans un livre, *El Combate de Uvero*, publié à La Havane en 1980. Des renseignements très importants sont contenus dans les entretiens de l'auteur avec Faustino Pérez, Universo Sánchez, Guillermo García, José R. Machado Ventura, et Ramiro Valdés. Le livre de Carlos Franqui, *Diary of the Cuban Revolution*, reproduit des extraits significatifs de la correspondance échangée dans la Sierra (y compris des ordres et des rapports relatifs aux opérations militaires) entre Fidel et Raúl Castro, Che Guevara, Celia Sánchez, Frank País et d'autres. Toute cette correspondance est intégralement conservée dans les archives du Conseil d'Etat.

Les aspects politiques et idéologiques de la lutte révolutionnaire pendant l'année 1957 sont mal restitués par les différentes publications existantes — comme le livre de Lionel Martin, *The Young Fidel,* ou l'introduction à l'anthologie de Bonachea-Valdés, *Selected Works of Fidel Castro, 1947-1958.* La chronique de Franqui contient une importante correspondance qui jette quelque lumière sur bien des problèmes politiques aigus rencontrés par le Mouvement. Cette question fait l'objet d'une analyse utile dans *The Unsuspected Revolution,* de Mario Llerena. Herbert L. Matthews l'aborde incidemment dans *The Cuban Story,* à l'occasion de sa rencontre avec Castro, dans la Sierra, en février 1957 ; son livre contient le texte de ses dépêches au *New York Times,* c'est-à-dire le premier reportage sur les guérilleros *Fidelistas.* Che Guevara apporte ses commentaires sur de nombreux aspects politiques de la guerre dans les divers tomes de ses *Escritos y Discursos.*

Les matériaux originaux que nous avons utilisés, quant aux questions politiques qui ont surgi pendant la guerre, ont été réunis grâce à nos entretiens avec Faustino Pérez à La Havane en 1985, et Raúl Chibás à Miami en 1984. L'attitude du Parti communiste envers la guerre de la Sierra a fait l'objet des entretiens de l'auteur avec Blás Roca et Fabio Grobart à La Havane en 1985.

367-370   L'histoire de la participation secrète de la CIA à la guerre de la Sierra a été reconstituée d'après ma propre expérience, en tant que correspondant du *New York Times* à Cuba en 1959 ; à l'époque, on doutait de l'importance que j'attachais à cette information. Par la suite, elle me fut confirmée à Washington par des fonctionnaires de la CIA et du Département d'Etat, à titre confidentiel.

CHAPITRE 11

372-400   L'histoire militaire de l'année de la victoire — 1958 — fait l'objet d'une ample documentation dont les sources se trouvent aussi bien dans la chronique de Franqui (et ses annexes) que dans les carnets de guerre de Raúl Castro, Che Guevara et Camilo Cienfuegos. L'auteur a obtenu des informations complémentaires et très détaillées lors de ses entretiens avec Faustino Pérez, Guillermo García, Vilma Espín, Universo Sánchez et José R. Machado Ventura. Pour avoir une image précise de la guerre, ma femme et moi-même sommes montés jusqu'au poste de commandement de Castro à La Plata, en compagnie de l'historien Pedro Alvarez Tábio, et du colonel Arturo Aguilera, aide de camp de Fidel pendant la guerre ; nos deux compagnons de voyage nous ont fait sur le vif le récit des événements pendant notre ascension et notre descente de la Sierra Maestra.

377-385   De même que pour les événements des années précédentes, il existe très peu d'informations disponibles ou rendues publiques, quant aux questions politiques qui se sont posées au cours de la guerre — notamment en ce qui concerne les dissensions survenues au sein du Mouvement du 26 juillet, la controverse toujours douloureuse suscitée par l'échec de la grève générale en avril 1958, et les relations que Castro entretenait avec les communistes. Tous ces sujets restent délicats à Cuba ; Ramiro Valdés, l'ancien ministre de l'Intérieur, faisait remarquer dans un discours de 1977 qu'il serait préjudiciable à la Révolution de déballer au grand jour l'histoire véridique et complète de la grève, tant que de nombreux *compañeros* impliqués dans l'affaire seraient encore vivants. Che Guevara a rédigé une amère condamnation de la grève, publiée dans *Escritos y Discursos.* Ces questions sont évoquées par Mario Llerena et par feu Manuel Urrutia Lleó, le premier Président de la Révolution cubaine, dans *Fidel Castro and Company, Inc.*

Quand, en 1985, j'ai abordé dans la conversation la question de la grève de 1958 et de son échec, le sujet rendait encore Fidel Castro furieux. Les aperçus que j'ai pu réunir à propos des problèmes politiques existants au cours de la dernière année de guerre proviennent de mes entretiens avec Faustino Pérez, Armando Hart, Jorge Enrique Mendoza et Ramiro Valdés, à La Havane, et avec Raúl Chibás à Miami ; j'ai pu examiner avec eux l'attitude du Parti communiste envers Castro en 1958 ; il en est allé de même dans mes conversations avec Blás Roca et Fabio Grobart à La Havane en 1985.

385-400   En dehors des renseignements déjà publiés, j'ai pu réunir de nouvelles informations sur l'offensive finale de Batista et la contre-offensive de Castro, au cours de mes conversations avec le colonel Arturo Aguilera et Pedro Alvarez Tábio dans la Sierra Maestra. Raúl Chibás m'a raconté ce qui s'était passé en sa présence au cours de la rencontre entre Castro et le général Eulogio Cantillo, commandant des forces de Batista en Oriente, le 28 décembre.

QUATRIÈME PARTIE : LA RÉVOLUTION

CHAPITRE 1

403   La citation de Carlos Rafael Rodríguez provient de *Letra con Filo*, publié en 1983.

La décision d'assassiner Castro est mentionnée dans une note de service de la CIA, document intérieur destiné à son directeur, Allen W. Dulles, en août 1960.

404   Nuñez Jiménez a fait ces réflexions sur Castro et Lénine au cours d'une conversation avec l'auteur en 1985.

407   Enrique Oltuski a relaté ses conversations avec Che Guevara dans un article publié par *Lunes de Revolución*, en juin 1959.

411-415   Les négociations secrètes menées avec les « vieux » communistes par Castro et ses principaux collaborateurs ont été décrites à l'auteur au cours d'entretiens enregistrés à La Havane en 1985, avec Blás Roca, Fabio Grobart et Alfredo Guevara.

416-418   La création, l'existence et les activités du « gouvernement caché » en 1959 ont fait l'objet de conversations enregistrées, entre l'auteur et Alfredo Guevara, Antonio Nuñez Jiménez, Jorge Enrique Mendoza et Conchita Fernández.

CHAPITRE 2

419-422   Les informations utilisées ici à propos de la phase initiale des relations entre Castro et les Etats-Unis sont tirées du livre de l'Ambassadeur Bonsal, *Cuba, Castro and The United States*, ainsi que de mes propres reportages d'alors, à La Havane et Washington, pour le compte du *New York Times*. J'ai conservé les notes que j'avais prises au cours de mes nombreuses conversations « d'information » avec Bonsal, en 1959 et 1960.

430   C'est le ministre des Finances, López-Fresquet, qui le premier a mentionné devant moi l'épisode du rendez-vous manqué entre Castro et l'agent de la CIA ; mes propres sources d'information, à l'intérieur de la CIA, à Washington, m'ont fourni les autres détails.

604   L'article qui avait provoqué la colère de Castro était de Juan Luis Cebrián, rédacteur en chef du journal madrilène *El País*; il avait paru en janvier 1985.

605-606   Les crises de fureur de Castro sont rapportées notamment par Ramiro Valdés ; quant à ses propos orduriers, ils se trouvent mentionnés dans le témoignage de Carlos Rafael Rodríguez.

606   Wayne Smith, ancien chef de la Section des Intérêts américains à La Havane (U.S. Interests Section), en a fait état dans une interview à propos des raisons invoquées pour justifier l'exode de Mariel.

607   Conversations personnelles de l'auteur au cours d'un voyage au Mexique.

CHAPITRE 2

609   Les attentions dont Castro entourait ses hommes sont mentionnées dans des entretiens avec Melba Hernández et Pedro Miret. Voir aussi le livre de Robert Merle sur l'attaque de la caserne Moncada.

609-610   Castro a évoqué la question de l'aumônier avec Frère Betto.

610   L'auteur a accompagné Castro à l'hôpital.

610   Armando Hart a fait le récit de cette rencontre dans un entretien avec l'auteur, en mai 1985.

611-612   L'auteur a discuté de l'échec de cette grève au cours d'une conversation privée avec Castro, et pendant un entretien enregistré avec Faustino Pérez, en 1985.

612   Billington analyse la personnalité de Castro dans *Fire in the Minds of Men — Origins of the Revolutionary Faith* (New York, Basic Books, Inc., 1980, p. 8-9).

612-613   A propos des opinions de Castro sur les armées révolutionnaires, voir : *Révolution dans la Révolution* de Régis Debray et *Cuba and the Revolutionary Myth* de Fred C. Judson, ainsi que les discours de Castro prononcés lors de la Conférence sur la dette, réunie à La Havane, août 1985.

614   Pour la réunion du Conseil national de sécurité, en mars 1959, voir l'ouvrage de Pamela S. Falk, *Cuban Foreign Policy,* publié en 1986.

615   Entretien de l'auteur avec Faustino Pérez en 1985.

617   Les estimations les plus sérieuses quant au nombre des prisonniers politiques cubains sont fournies par Amnesty International et l'Americas Watch Committee. Les commentaires de Castro proviennent d'une conversation avec l'auteur en 1985.

618-619   L'histoire de Sori-Marín a été reconstituée à partir des entretiens de l'auteur avec plusieurs interlocuteurs à Miami et à La Havane.

619   L'histoire de Cubela a été reconstituée à partir des entretiens de l'auteur avec divers interlocuteurs, à La Havane et à Washington.

620-621   L'auteur a parlé de Che Guevara avec le père de celui-ci, Ernesto Guevara Lynch, à La Havane, en 1985.

626   Le vice-président Fernández a relaté ses premières rencontres avec Castro au cours de ses entretiens avec l'auteur, à La Havane, en 1985.

627   Castro a discuté des « institutions » dans ses entretiens avec l'auteur en 1984.

629   Rodríguez a fait ces observations sur Castro au cours d'un entretien avec l'auteur, en 1985.

633   Des extraits de la correspondance échangée entre Fidel et Che figurent dans : *Diary of the Cuban Revolution* de Carlos Franqui ; l'ensemble de ces lettres est intégralement conservé par la Division historique du Conseil d'Etat, dans les archives du temps de guerre constituées par Celia Sánchez.

633-634   Castro a parlé de la solitude en 1977, au cours d'un entretien télévisé avec Barbara Walters ; il a répété quelques-uns de ses propos à l'auteur en 1984.

636   Piñeiro a parlé de l'épisode new-yorkais, au cours d'une conversation qui s'est déroulée au palais présidentiel en 1985.

639   Castro a abordé la question du culte de la personnalité dans des conversations avec l'auteur en 1984 et 1985.

640-641   Ces cadeaux alimentaires de Castro et les conseils culinaires de celui-ci étaient destinés à l'auteur et à son épouse, dans leur maison de La Havane, en mai 1985.

641-642   Castro a expliqué le fonctionnement des systèmes de renseignements qu'il avait mis sur pied, au cours d'une conversation avec l'auteur en 1985.

644   Castro a justifié son absence lors de ces funérailles, à Moscou, dans l'interview qu'il a accordée au magazine *Playboy* en 1985.

640-645   La description des activités de Castro provient des entretiens que l'auteur a eus avec Conchita Fernández en 1985.

BIBLIOGRAPHIE

I. Livres

Aguirre, Sergio. *Raíces y Significación de la Protesta de Baragua*. La Habana : Editorial Política, 1978.

Alape, Arturo. *El Bogotázo : Memorias del Olvidio*. La Habana : Casa de las Américas, 1983.

Alba, Victor. *Los Sudamericanos*. Mexico City : Costa-Amic, 1964.

Alvarez Tábio, Pedro et Otto Hernández. *El Combate de Uvero*. La Habana : Editorial Gente Nueva, 1980.

Argenter, José Miró. *Crónicas de la Guerra*. La Habana : Instituto del Libro, 1970.

Artime, Manuel F. *Traición!* Mexico City : Editorial Jus, 1960.

Baez, Luis. *Camino de la Victoria*. La Habana : Casa de las Américas, 1975.

Baez, Luis. *A Dos Manos*. La Habana : Unión de Escritores y Artistos de Cuba, 1982.

Baez, Luis. *Guerra Secreta*. La Habana : Editorial Letras Cubanas, 1978.

Baliño, Carlos. *Documentos y Artículos*. La Habana : Instituto de Historia del Movimiento Comunista y de la Revolución Socialista de Cuba, 1976.

Barnet, Miguel. *Gallego*. La Habana : Editorial Letras Cubanas, 1983.

Batista, Alberto Reyes, ed. *Cuentos Sobre Bandidos y Combatientes*. La Habana : Editorial Letras Cubanas, 1983.

Batista, Alberto Reyes. *Los Nuevos Conquistadores*. La Habana : Instituto Cubano del Libro, 1976.

Bayo, Alberto. *Mi Aporte a la Revolución Cubana*. La Habana : Ejército Rebelde, 1960.

Benjamin, Jules Robert. *The United States and Cuba*. Pittsburgh : University of Pittsburgh Press, 1974.

Bethel, Paul D. *Cuba y los Estados Unidos*. Barcelona : Editorial Juventud, SA, 1962.

Betto, Frei. *Fidel y la Religión*. La Habana : Publicaciones de Consejo de Estado, 1985.

Bonsal, Philip W. *Cuba, Castro and the United States*. Pittsburgh : University of Pittsburgh Press, 1971.

Brennan, Ray. *Castro, Cuba and Justice*. Garden City, NY : Doubleday and Company, 1959.

Brzezinski, Zbigniew. *Power and Principle*. New York : Farrar, Straus and Giroux, 1983.

Buckley, Tom. *Violent Neighbors*. New York : Times Books, 1984.

Cantor, Jay. *The Death of Che Guevara*. New York : Alfred A. Knopf, 1983.

Carrillo, Justo. *Cuba 1933*. Miami, Fla. : Institute of Interamerican Studies, University of Miami, 1985.

Castro Ruz, Fidel. *El Pensamiento de Fidel Castro*, Vol. I, Books 1 and 2. La Habana : Editorial Política, 1983.

Castro Ruz, Fidel. *History Will Absolve Me*. New York : Lyle Stuart, 1961.

Castro Ruz, Fidel. *Informe de Comité Central del Partido Comunista Cubano al Primer Congreso*. La Habana : Comité Central del Partido Comunista de Cuba, 1975.

Castro Ruz, Fidel. *La Revolución de Octubre y la Revolución Cubana*. La Habana : Departamento de Orientación Revolucionária de Comité Central del Partido Comunista de Cuba, 1977.

Castro Ruz, Fidel. *Political, Economic and Social Thought of Fidel Casto*. La Habana : Editorial Lex, 1959.

Castro Ruz, Fidel. *Revolutionary Struggle 1947-1958 : Selected Works of Fidel Castro*, eds. Roland E. Bonachea et Nelson P. Valdés. Cambridge, Mass. : The MIT Press, 1972.

Castro Ruz, Fidel. *The World Economic and Social Crisis*. Havana : Publishing Office of the Council of State, 1983.

Casuso, Teresa. *Cuba and Castro*. New York : Random House, 1961.

Chevtchenko, Arkady. *Breaking with Moscow*. New York : Alfred A. Knopf, 1985. Trad. franç. *Rupture avec Moscou*. Paris : Payot, 1985. Montréal : Roseau, 1985.

Christian, Shirley. *Nicaragua*. New York : Random House, 1985.

Collins, John M. *American and Soviet Military Trends*. Washington, DC : Georgetown University, 1978.

Conte Aguërro, Luis. *Cartas del Presidio*. La Habana : Editorial Lex, 1959.

Conte Aguërro, Luis. *Eduardo Chibás*. Mexico City : Editorial Jus, 1955.

Crankshaw, Edward, et Jerrold Schecter. *Khrushchev Remembers*. Boston : Little, Brown and Company, 1974.

Crassweller, Robert D. *Trujillo : The Life and Times of a Caribbean Dictator*. New York : The Macmillan Company, 1966.

Cross, James Eliot. *Conflict in the Shadows*. Garden City, NY : Doubleday and Company, 1963.

Cuba. *Constitution of the Republic of Cuba*. Havana : Editorial Política, 1981.

Cuba. Fuerzas Armadas Revolucionarias. *Manual Básico del Miliciano de Tropas Territoriales*. La Habana : Editorial Orbe, 1981.

Cuba. Fuerzas Armadas Revolucionarias. *Moncada 26 de Julio*. La Habana : Ediciones Yara, Julio, 1971.

Cuba. Fuerzas Armadas Revolucionarias. Sección de História de la Dirección Política Central. *De Tuxpán a La Plata*. La Habana : Editorial Orbe, 1979.

Daniel, James et John G. Hubbell. *Strike in the West*. New York : Holt, Rinehart and Winston, 1963.

Davis, Nathaniel. *The Last Two Years of Salvador Allende*. Ithaca, NY : Cornell University Press, 1985.

Debray, Régis. *Révolution dans la révolution*, Maspero.

Djilas, Milovan. *Conversations with Stalin*. New York : Harcourt, Brace and World, Inc., 1962.

Donovan, John. *Red Machete*. Indianapolis : Bobbs-Merrill, 1962.

Draper, Theodore. *Castroism : Theory and Practice*. Frederick A. Praeger, 1965.

Draper, Theodore. *Castro's Revolution : Myths and Realities*. New York : Frederick A. Praeger, 1962.

Dreier, John C. *The Organization of American States and the Hemisphere Crisis*. New York : Harper and Row, 1962.

Dubois, Jules. *Danger over Panama*. Indianapolis : Bobbs-Merrill, 1964.

Dubois, Jules. *Fidel Castro : Rebel Liberator or Dictator?* Indianapolis : Bobbs-Merrill, 1959.

Dumont, René. *Cuba est-il Socialiste?* Paris : Editions du Seuil, 1970.

Duncan, Raymond W. *The Soviet Union and Cuba*. New York : Praeger, 1985.

Einaudi, Luigi R., ed. *Latin America in the 1970s*. Santa Monica, Calif. : Rand, 1972.

Ely, Roland T. *Cuando Reinaba Su Majestad el Azúcar*. Buenos Aires : Editorial Sudamericana, 1963.

Erisman, H. Michael. *Cuba's International Relations*. Boulder, Colo. : Westview Press, 1985.

Falk, Pamela S. *Cuban Foreign Policy*. Lexington, Mass. : Lexington Books, 1986.

Fernández, Manuel. *Religión y Revolución en Cuba*. Miami, Fla. : Saeta Ediciones, 1984.

Fraginals, Manuel Moreno. *El Ingenio* (3 Vols.). La Habana : Editorial de Ciencias Sociales, 1978.

Franco, Victor. *The Morning After*. New York : Frederick A. Praeger, 1963.

Franqui, Carlos. *Diary of the Cuban Revolution*. New York : Viking Press, 1980.

Franqui, Carlos. *Family Portrait with Fidel*. New York : Random House, 1984.

Franqui, Carlos. *The Twelve*. New York : Lyle Stuart, Inc., 1968.

Fuentes, Norberto. *Hemingway in Cuba*. Secaucus, NJ : Lyle Stuart, Inc., 1984.

Gadea, Hilda. *Che Guevara : Años Decisivos*. Mexico City : Aguilar, 1972.

García, Manuel Rodríguez. *Sierra Maestra en la Clandestinidad*. Santiago de Cuba : Editorial Oriente, 1981.

Gerassi, John. *Fidel Castro*. Garden City, NY : Doubleday and Company, 1973.

Gerassi, John. *The Great Fear*. New York : The Macmillan Company, 1963.

Gómez, Máximo Baez. *Invasión y Campaña de las Villas*. La Habana : Editorial Militar, 1984.

Gonzalez, Edward, et David Ronfeldt. *Post Revolutionary Cuba in a Changing World*. Santa Monica, Calif. : Rand, 1975.

Goodsell, James Nelson. *Fidel Castro's Personal Revolution in Cuba : 1959-1973*. New York : Alfred A. Knopf, 1975.

—. *Grenada : The World Against the Crime*. La Habana : Editorial de Ciencias Sociales, 1983.

Gray, Richard Butler. *José Martí, Cuban Patriot*. Gainesville : University of Florida Press, 1962.

Guevara, Ernesto « Che ». *Che : Selected Works of Ernesto Guevara*, eds. Roland E. Bonachea and Nelson P. Valdés. Cambridge, Mass. : The MIT Press, 1969.

—. *El Diario del Che en Bolivia*. La Habana : Instituto del Libro, 1968. Trad. franç. *Journal de Bolivie*, Parti Pris, 1959.

—. *Escritos y Discursos*, Vols. 1-9. La Habana : Editorial de Ciencias Sociales, 1977.

Hageman, Alice L., et Philip E. Wheaton, eds. *Religion in Cuba Today*. New York : Association Press, 1971.

Haig, Alexander M., Jr. *Caveat*. New York : The Macmillan Company, 1984.

Harris, Richard. *Death of a Revolutionary*. New York : W. W. Norton and Company, Inc., 1970.

Hart, Armando Dávalos. *Cambiar las Reglas del Juego*. La Habana : Editorial Letras Cubanas, 1983.

Haverstock, Nathan A., et Richard C. Schroeder. *Dateline Latin America*. Washington, DC : The Latin American Service, 1971.

Hemingway, Ernest. *Selected Letters 1917-1961*. New York : Charles Scribner's Sons, 1981.

Huberman, Leo, et Paul M. Sweezy. *Cuba : Anatomy of a Revolution*. New York : Monthly Review Press, 1960.

Instituto de História del Movimiento Comunista y de la Revolución Socialista de Cuba, Anexo al Comité Central del PCC. *Cuba y la Defensa de la Republica Española (1936-1939)*. La Habana : Editorial Política, 1981.

James, Daniel. *The First Soviet Satellite in the Americas*. New York : Avon, 1961.

Johnson, U. Alexis. *The Right Hand of Power*. Englewood Cliffs, NJ : Prentice-Hall, Inc., 1984.

Judson, Fred C. *Cuba and the Revolutionary Myth*. Boulder, Colo. : Westview Press, 1984.

Karol, K. S. *Los Guerrilleros en el Poder*. Barcelona : Seix Barral, SA, 1972.

Kemp, Geoffrey. *Some Relationships Between U.S. Military Training in Latin America and Weapons Acquisition Patterns*. Cambridge, Mass. : The MIT Press, 1970.

Kenner, Martin, et James Petras. *Fidel Castro Speaks*. New York : Grove Press, 1969.

Kern, Montague, et al. *The Kennedy Crises*. Chapel Hill : University of North Carolina Press, 1983.

Lewis, Oscar, Ruth Lewis, et Susan M. Rigdon. *Four Men*. Urbana : University of Illinois Press, 1977.

Lewis, Oscar, Ruth Lewis, et Susan M. Rigdon. *Four Women*. Urbana : University of Illinois Press, 1977.

Light, Robert E., et Carl Marzani. *Cuba vs. the CIA*. New York : Marzani and Munsell, Inc., 1961.

Llerena, Mario. *The Unsuspected Revolution*. Ithaca, NY : Cornell University Press, 1978.

Lockwood, Lee. *Castro's Cuba, Cuba's Fidel*. New York : The Macmillan Company, 1967.

López-Fresquet, Rufo. *My Fourteen Months with Castro*. Cleveland : The World Publishing Company, 1966.

Mallin, Jay, ed. « *Che* » *Guevara on Revolution*. New York : Dell, 1970.

Martí, José. *Obras Completas*. La Habana : Editorial de Ciencias Sociales, 1975.

Martin, Lionel. *El Joven Fidel*. Barcelona : Ediciones Grijalbo, SA, 1982.

Massó, José Luis. *Cuba : 17 de Abril*. Mexico City : Editorial Diana, SA, 1962.

Matthews, Herbert L. *The Cuban Story.* New York : George Braziller, 1961.

Mazlish, Bruce. *The Meaning of Karl Marx.* New York : Oxford University Press, 1984.

Medvedev, Roy. *Khrushchev.* Garden City, NY : Anchor Press/Doubleday and Company, 1983.

Mella, J. A. *Documentos y Artículos.* La Habana : Instituto Cubano del Libro, 1975.

Mencía, Mario. *El Grito de Moncada.* La Habana : Editorial Política, 1983.

Mencía, Mario. *Time Was on Our Side.* La Habana : Editorial Política, 1982.

Méndez, M. Isidro. *Martí.* La Habana : Fernández y Cia., 1941.

Merle, Robert. *Moncada : Premier Combat de Fidel Castro.* Paris : Robert Laffont, 1965.

Mesa-Lago, Carmelo. *Cuba in the 1970s.* Albuquerque : University of New Mexico Press, 1974.

Mesa-Lago, Carmelo. *The Economy of Socialist Cuba.* Albuquerque : University of New Mexico Press, 1981.

Mesa-Lago, Carmelo, ed. *Revolutionary Change in Cuba.* Pittsburgh : University of Pittsburgh Press, 1971.

Miller, Warren. *90 Miles from Home.* Boston : Little, Brown and Company, 1961.

Mills, C. Wright. *Listen, Yankee.* New York : McGraw-Hill Book Company, Inc., 1960.

Ministerio de Fuerzas Armadas (Cuba), Dirección Política. *Moncada 26 de Julio.* La Habana : 1971.

Molina, Gabriel. *Diaria de Girón.* La Habana : Editorial Política, 1984.

Monahan, James, et Kenneth O. Gilmore. *The Great Deception.* New York : Farrar, Straus and Company, 1963.

Montaner, Carlos Alberto. *Fidel Castro y la Revolución Cubana.* Barcelona : Plaza and Janes, SA, 1984.

Moreno, José A. *Che Guevara on Guerrilla Warfare : Doctrine, Practice and Evaluation.* Pittsburgh : University of Pittsburgh Press, 1970.

Morray, J. P. *The Second Revolution in Cuba.* New York : Monthly Review Press, 1962.

Nolan, David. *The Ideology of the Sandinistas and The Nicaraguan Revolution.* Coral Gables, Fla : University of Miami Press, 1984.

Nuñez Jiménez, Antonio. *Cuba, Cultura, Estado y Revolución.* Mexico : Presencia Latinoamericana, 1984.

Nuñez Jiménez, Antonio. *En Marcha con Fidel.* La Habana : Editorial Letras Cubanas, 1982.

Nünez Jiménez, Antonio. *Geografía de Cuba.* La Habana : Editorial Lex, 1959.

Oswald, J. Gregory, et Anthony J. Strover, eds. *The Soviet Union and Latin America.* New York : Frederick A. Praeger, 1970.

Padilla, Heberto. *Fuera de Juego.* Rio Piedras, PR : 1971.

Partido Comunista de Cuba. *El Movimiento Obrero Cubano : Documentos y Articulos.* Vol. I : 1865-1925. La Habana : Editorial de Ciencias Sociales, 1975.

Peñabaz, Manuel. *Girón 1961.* Miami, Fla. : Daytona Printing, 1962.

Pérez, Louis A., Jr. *Cuba Between Empires.* Pittsburgh : University of Pittsburgh Press, 1983.

Petras, James F., et Robert La Porte, Jr. *Cultivating Revolution*. New York : Random House, 1971.

Pflaum, Irving P. *Arena of Decision*. Englewood Cliffs, NJ : Prentice-Hall, Inc., 1964.

Phillips, R. Hart. *Cuba : Island of Paradox*. New York : McDowell, Obolensky, 1960.

Phillips, R. Hart. *The Cuban Dilemma*. New York : Ivan Obolensky, Inc., 1962.

Plank, John, ed. *Cuba and the United States*. Washington, DC : The Brookings Institution, 1967.

Pritchett, V. S. *The Myth Makers*. New York : Random House, 1979.

Ranelagh, John. *The Rise and Fall of the CIA*. New York : Simon & Schuster, 1986.

Reckord, Barry. *Does Fidel Eat More Than Your Father?* New York : Frederick A. Praeger, 1971.

Riding, Alan. *Distant Neighbors*. New York : Alfred A. Knopf, 1985.

Ripoll, Carlos. *Harnessing the Intellectuals : Censoring Writers and Artists in Today's Cuba*. New York : Freedom House, 1985.

Rivero, Nicolas. *Castro's Cuba*. Washington, DC : Luce, 1962.

Roa, Raúl. *Aventuras, Venturas y Desventuras de un Mambi*. La Habana : Instituto del Libro, 1970.

Rodríguez, Carlos Rafael. *Letra con Filo*. La Habana : Editorial de Ciencias Sociales, 1983.

Rodríguez, Carlos Rafael. *Palabras en los Setenta*. La Habana : Editorial de Ciencias Sociales, 1984.

Rodríguez, Gerardo Morejón. *Fidel Castro*. La Habana : P. Fernandez y Cia, 1959.

Rojas, Marta. *La Cueva del Muerto*. La Habana : Unión de Escritores y Artistas de Cuba, 1983.

Rojas, Marta. *El Que Debe Vivir*. La Habana : Casa de las Américas, 1978.

Rojas, Marta. *La Generación del Centenário en el Juicio del Moncada*. La Habana : Editorial de Ciencias Sociales, 1979.

Rojas, Ursinio. *Las Luchas Obreras en el Central Tacajó*. La Habana : Editorial Política, 1979.

Ruíz, Hugo. *Angola*. La Habana : Editorial de Ciencias Sociales, 1982.

Sánchez Arango, Aureliano. *Reforma Agraria*. La Habana : Frente Nacional Democrático, 1960.

Sandford, Gregory, et Richard Vigilante. *Grenada : The Untold Story*. Lanham, Md. : Madison Books, 1984.

Sarabia, Nydia. *Voisin : Viajero de la Ciencia*. La Habana : Editorial Científico-Técnica, 1983.

Sauvage, Léo. *Autopsies du Castrisme*. Paris : Flammarion, 1962.

Sauvage, Léo. *Le cas Guevara*. Paris : Table Ronde, 1971.

Schlesinger, Arthur M., Jr. *Robert Kennedy and His Times*. Boston : Houghton-Mifflin Company, 1978.

Scott, Peter Dale, Paul L. Hoch, and Russell Stetler, eds. *The Assassinations*. New York : Random House, 1976.

Sowell, Thomas. *Marxism : Philosophy and Economics*. New York : William Morrow and Company, 1985.

Suárez, Andrés. *Cuba : Castroism and Communism, 1959-1966.* Cambridge, Mass. : The MIT. Press, 1967.

Suchlicki, Jaime. *The Cuban Revolution.* Coral Gables, Fla. : University of Miami, 1968.

Suchlicki, Jaime. *University Students and Revolution in Cuba.* Coral Gables, Fla. : University of Miami, 1969.

Suchlicki, Jaime. *Cuba from Columbus to Castro.* New York : Charles Scribner's Sons, 1974.

Taber, Robert. *M-26, Biography of a Revolution.* New York, Lyle Stuart, 1961.

Thayer, Charles W. *Guerrilla.* New York : Harper and Row, 1963.

Thomas, Hugh. *História Contemporánea de Cuba.* Barcelona : Ediciones Grijalbo, SA, 1982.

Thomas, Hugh S., Georges A. Fauriol, et Juan Carlos Weiss. *The Cuban Revolution 25 Years Later.* Boulder, Colo. : Westview Press, 1984.

Tomasek, Robert D., ed. *Latin American Politics.* Garden City, NY : Doubleday and Company, 1966.

Torras, Jacinto. *Obras Escogidas.* Vol I. La Habana : Editorial Política, 1984.

Ungar, Sanford J. *Estrangement : America and the World.* New York : Oxford University Press, 1985.

US Commission on CIA Activities Within the United States. *Report to the President.* Washington, DC : US Government Printing Office, 1975.

Urrutia Lleó, Manuel. *Fidel Castro and Company, Inc.* New York : Frederick A. Praeger, 1964.

Valdés, Nelson P., et Edwin Lieuwen. *The Cuban Revolution.* Albuquerque : University of New Mexico Press, 1971.

Valenta, Jiri, et Herbert J. Ellison, eds. *Grenada and Soviet/Cuban Policy.* Boulder, Cplo. : Westview Press, 1986.

Volman, Sacha. *¿Quién Impondrá la Democracia ?* Mexico City : Centro de Estudios y Documentación Sociales, 1965.

Wald, Karen. *Children of Che.* Palo Alto, Calif. : Remparts Press, 1978.

Weyl, Nathaniel. *Red Star over Cuba.* New York : Devin-Adair Company, 1960.

Wilkerson, Loree. *Fidel Castro's Political Programs from Reformism to « Marxism-Leninism. »* Gainesville : University of Florida Press, 1965.

Wyden, Peter. *Bay of Pigs.* New York : Simon & Schuster, 1979.

Yevtushenko, Yevgeny. *A Precocious Autobiography.* New York : E. P. Dutton and Company, 1963.

Yglesias, José. *Down There.* New York : The World Publishing Company, 1970.

Zeitlin, Maurice et Robert Scheer. *Cuba : Tragedy in Our Hemisphere.* New York : Grove Press, Inc., 1963.

II. Conférences, rapports, articles

Centro de Estudios Sobre America. *Cuadernos de Nuestra America : Enero-Julio de 1984*. La Habana : Ediciones Cubanas, 1984.

Communist Party of Cuba. *Cuba-Chile*. La Habana : Ediciones Políticas, 1972.

Communist Party of Cuba. *The Invasion of Granada : Statements of the Party and the Revolutionary Government of Cuba Concerning the Events*. Havana : 1983.

Douglas, Maria Eulalia. *Guía Temática* del Cine Cubano. (Producción ICAIC) 1959-1980. La Habana : Ministerio de Cultura, 1983.

Greer, Germaine. *Women and Power in Cuba*. Granta, 1985.

Grobart, Fabio. *El Cincuentenario de la Fundación del Primer Partido Communista de Cuba*. La Habana : Comité Central del Partido Comunista de Cuba, Julio, 1975.

Institute of Interamerican Studies. *The Cuban Studies Project : Problems of Succession in Cuba*. Coral Gables, Fla. : University of Miami, 1985.

Johns Hopkins University School of Advanced International Studies. *Report on Cuba : Findings of the Study Group on United States-Cuban Relations*. Boulder, Colo. : Westview Press, 1984.

National Bipartisan Commission on Central America. *Report to the President*. Washington, DC : 2201 C St. NW, 1984.

Publicaciones de Consejo de Estado. *Celia, Heroína de la Revolución Cubana*. La Habana : Editorial Política, 1985.

Organization of American States. *The Situation on Human Rights in Cuba. Seventh Report*. Washington, DC : Secretariat General of the Organization of American States, 1983.

Smith, Wayne S. *Castro's Cuba : Soviet Partner or Nonaligned?* Washington, DC : The Wilson Center, 1984.

Smith, Wayne S. *Selected Essays on Cuba*. Washington, DC : Johns Hopkins School of Advanced International Studies, 1986.

Unión de Escritores y Artistas de Cuba. *Ponencias : Forum de la Narrativa-Novella y Cuento*. La Habana : Unión de Escritores y Artistas de Cuba, 1984.

US Central Intelligence Agency. *Cuban Chronology*. Springfield, Va. : National Technical Information Service, April 1979.

US Central Intelligence Agency. *Directory of Cuban Officials*. Springfield, Va. : National Technical Information Service, January 1979.

University of Miami. *The Miami Report : Recommendations on United States Policy Toward Latin America and the Caribbean*. Coral Gables, Fla. : University of Miami, 1984.

III. Documents et discours

Communist Party of Cuba. *2nd Congress of the Communist Party of Cuba*. Havana : Political Publishers, 1981.

Foreign Broadcast Information Service. *3rd Congress of the Communist Party of Cuba*. Washington, DC : US Department of Commerce, February 7 and 10, 1986.

Partido Comunista de Cuba. *Informe del Comité Central del PPC al Primer Congreso*. La Habana : 1975.

IV. Actes du Congrès des Etats-Unis

US House of Representatives. Committee on Internal Security. *The Theory and Practice of Communism. Part 5 : Marxism Imposed on Chile-Allende Regime.* Washington, DC : US Government Printing Office, 1974.

US Senate. Foreign Relations Committee. *Executive Sessions, Vol XIII, Parts 1 and 2.* Washington, DC : US Government Printing Office, 1961.

US Senate Select Committee on Intelligence Activites. *Alleged Assassination Plots Involving Foreign Leaders.* Washington, DC : US Government Printing Office, 1975.

US Senate. Select Committee on Intelligence Activities. *Covert Action.* Washington, DC : US Government Printing Office, 1976.

US Senate. Select Committee on Intelligence Activities. *The Investigation of the Assassination of John F. Kennedy : Performance of the Intelligence Agencies. Book V : Final Report.* Washington, DC : US Government Printing Office 1976.

US Senate. Select Committee on Intelligence Activities, *Supplementary Detailed Staff Reports on Foreign Aid and Military Intelligence.* Washington, DC : US Government Printing Office, 1976.

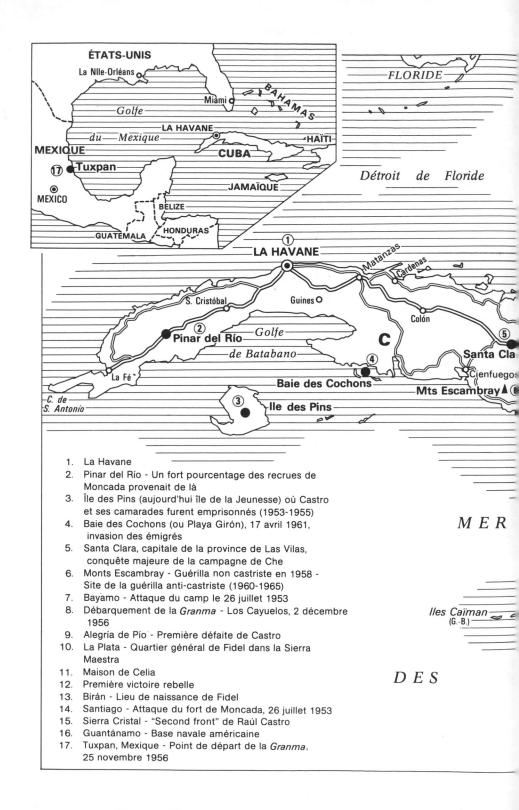

ÉTATS-UNIS
La Nlle-Orléans
Miami
BAHAMAS
FLORIDE
Golfe
du Mexique
LA HAVANE
HAÏTI
MEXIQUE
CUBA
Détroit de Floride
Tuxpan ⑰
JAMAÏQUE
MEXICO
BELIZE
GUATEMALA — HONDURAS

① LA HAVANE
Matanzas
Cárdenas

S. Cristóbal
Guines ○
Colón

② Pinar del Río — Golfe
de Batabano
C
⑤ Santa Cla

④

Cienfuegos

La Fé
Baie des Cochons
Mts Escambray ▲

C. de
S. Antonío
③ Ile des Pins

MER

1. La Havane
2. Pinar del Río - Un fort pourcentage des recrues de Moncada provenait de là
3. Île des Pins (aujourd'hui île de la Jeunesse) où Castro et ses camarades furent emprisonnés (1953-1955)
4. Baie des Cochons (ou Playa Girón), 17 avril 1961, invasion des émigrés
5. Santa Clara, capitale de la province de Las Vilas, conquête majeure de la campagne de Che
6. Monts Escambray - Guérilla non castriste en 1958 - Site de la guérilla anti-castriste (1960-1965)
7. Bayamo - Attaque du camp le 26 juillet 1953
8. Débarquement de la *Granma* - Los Cayuelos, 2 décembre 1956
9. Alegría de Pío - Première défaite de Castro
10. La Plata - Quartier général de Fidel dans la Sierra Maestra
11. Maison de Celia
12. Première victoire rebelle
13. Birán - Lieu de naissance de Fidel
14. Santiago - Attaque du fort de Moncada, 26 juillet 1953
15. Sierra Cristal - "Second front" de Raúl Castro
16. Guantánamo - Base navale américaine
17. Tuxpan, Mexique - Point de départ de la *Granma*, 25 novembre 1956

Iles Caïman
(G.-B.)

D E S

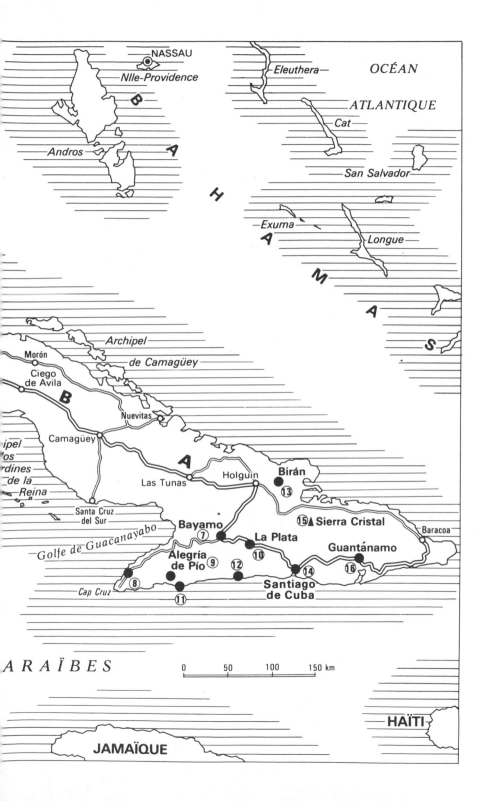

INDEX

691

693

TABLE DES MATIÈRES

TABLE DES ILLUSTRATIONS

1*a*. — Interrogatoire de Fidel Castro lors de son arrestation après l'échec de l'attaque de la caserne Moncada.

1*b*. — Fidel Castro et un groupe de jeunes révolutionnaires arrêtés après l'échec de l'attaque de la caserne Moncada.

2. — Juin 1957. Fidel Castro et les responsables de l'armée révolutionnaire, photographiés dans une base secrète de la côte. *De droite à gauche :* Juan Almeida, Georges Sotus, Crescencio Perez, Fidel Castro, Raúl Castro (agenouillé au premier plan), Universo Sanchez, Che Guevara, Guillermo Garcia (portant un casque).

3. — 1er janvier 1959. Fidel Castro saluant la foule à son arrivée à La Havane.

4*a*. — Fidel Castro et Che Guevara.

4*b*. — Fidel Castro et le président Dorticos.

5. — 23 septembre 1960. Nikita Khrouchtchev accueillant Fidel Castro à la légation soviétique de New York.

6. — Fidel et Raúl Castro de retour à La Havane, le 6 décembre 1971.

7. — Fidel Castro visitant un sovkhose dans la banlieue de Moscou en mars 1981.

8. — Célébration du 13e anniversaire de la Révolution cubaine.

(Photographies A.F.P.)

François Harel